ရမ်းပြဲကျွန်းသားလေး

အောင်ဇေမင်း နှင့် ဂျေးလ်ဘရောခ်မင်း
ရေးသားသည်

ပုံနှိပ်မှတ်တမ်း

မူပိုင်	-	Aung Z. Mong and Jill Brock Mong
ထုတ်ဝေသူ	-	Aung Z. Mong and Jill Brock Mong
ဘာသာပြန်	-	ဇွဲသစ်(ရမ္မာမြေ)
အတွင်းပန်းချီ	-	အောင်ဇေမင်း
မျက်နှာဖုံးပန်းချီ	-	အောင်ဇေမင်း နှင့် ကျေးလ်ဘရော့ခ်မင်း
Layout	-	ခန့်အောင်(Creator)
ပုံနှိပ်သူ	-	အမေဇုန် (Amazon)
မြန်မာပြန် ထုတ်ဝေသည့်ကာလ	-	၂၀၂၃ ၊ နိုဝင်ဘာလ

မြန်မာဘာသာပြန် စာအုပ်ကို မြန်မာပြည် ဆိုင်တိုင်းမှာလည်း
မေးဝယ်နိုင်ပါတယ်။A Little Boy on Ramree Island အင်္ဂလိပ်ဘားရှင်းကို
အမေဇုန်(Amazon.com)ပေါ်မှာရိုးရိုးစာအုပ်(Paperback)၊ အဖုံးထူစာအုပ်
(Hardcover)နဲ့ အီးဘွတ်ခ်(eBook) သုံးမျိုးစလုံးရရှိနိုင်ပါတယ်။
www.mongauthors.com မှာလည်း ဝင်ရောက်ကြည့်ရှုနိုင်ပါတယ်။

ဘာဘာ၊ မေမေ နဲ့ ညီညီတို့အတွက်

-အောင်ဇေမင်း

သားလေး ဇေ အတွက်

-ကျေးလ်ဘရှော်ခ်မင်း

မာတိကာ

အမှာစာ

၂၀၁၀ ခုနှစ်မှာ ကျွန်တော် အမေရိကကို ရောက်လာခဲ့တယ်။ အမေရိက ရောက်တော့ ကျွန်တော့်ဇနီး ဂျေးလ်က မြန်မာနိုင်ငံက ကျွန်တော့်ကလေးဘဝအကြောင်း စာအုပ်တစ်အုပ်ရေးဖို့ ပြောတယ်။ ကျွန်တော်က စာအုပ်မရေးချင်။ ဒါပေမယ့် သူက သူ့အမေရဲ့ စာအုပ်တစ်အုပ် ကျွန်တော့်ကိုပေးဖတ်တယ်။ စာအုပ်အမည်က **တောအုပ် ကြီးထဲက အိမ်ကလေး** (Little House in the Big Woods) တဲ့။ စာရေးသူက လော်ရာအင်ဂေါလ်ဝီလ်ဒါ (Laura Ingalls Wilder)ပါ။ ဒီစာအုပ်က စီးရီးလိုက် တစ်အုပ်ပြီးတစ်အုပ် ထွက်တာ။ အဲ့ဒီစာအုပ်တွေကို ဂျေးလ်နဲ့ သူ့အမေတို့ အကြိမ်ပေါင်း မရေတွက်နိုင်လောက်အောင် ဖတ်ခဲ့ကြကြောင်းလည်း ပြောသေးရဲ့။ ကျွန်တော့်ငယ်ဘဝ အကြောင်းကိုလည်း အလားတူ စာအုပ်တစ်အုပ်ရေးဖို့ သူက အပူကပ်ခဲ့တယ်။ လော်ရာ ရဲ့ စာအုပ်လေးငါးအုပ်လောက် ဖတ်ကြည့်တော့မှ ဂျေးလ်ပြောတာမှန်တယ်လို့ ကျွန်တော် သဘောပေါက်သွားတယ်။ လော်ရာ ကြီးပြင်း ခဲ့တဲ့ ကမ္ဘာလေးက အခုမှာမရှိတော့။ ကျွန်တော့်ဇာတိရွာရဲ့ လူနေမှုဘဝပုံစံလည်း ပြောင်းလဲလာနေပြီလေ။ ရွာမှာ ကြီးပြင်း ခဲ့ရတဲ့ အဖြစ်သနစ်စုံကို ကျမ်းတစ်စောင်ပေတစ်ဖွဲ့ ရေးသားပြောပြနိုင်ကောင်းပါရဲ့။ ခက်တာက စာအုပ်တစ်အုပ်ဖြစ်အောင် ဘယ်လိုရေးရမှန်း ကျွန်တော်မသိခဲ့။ ဂျေးလ်က ငယ်ဘဝအမှတ်တရတွေကို မြန်မာလို ခပ်သွက်သွက်လေး ချရေးကြည့်ဖို့ အကြံပြုလာ တယ်။ မြန်မာလိုချရေးတော့ ဝေါဟာရ တွေကို အင်္ဂလိပ်လိုဘာသာပြန်ဖို့ ရုပ်နားစဉ်းစား စရာ မလိုတော့ဘူးပေါ့လေ။ သူက ကျွန်တော့်ကို အင်မတန်အားပေးတတ်ပါတယ်။ ဒါပေမယ့် စာရေးဆရာ ဖြစ်မှ ဖြစ်နိုင်ပါ့မလား ကျွန်တော်ဝေခွဲမရဖြစ်နေဆဲ။

နောက်တော့ အဲလီဇဘက်ဂေးလ်ဘတ်ရဲ့ ရေးဖွဲ့သီရာအတွေးစာ(Thoughts on Writings)ဆိုတဲ့ ဆောင်းပါးကိုတွေ့သွားတယ်။ ဒီစာကို ကျွန်တော် ကြိုက်လွန်းလို့ ပရင့်ထုတ်ထားလိုက်တယ်။ စိတ်အားငယ်၊ စိတ်မဓာတ်ကျသလို ခံစားရတဲ့ အခါတိုင်း မစ္စဂေးလ်ဘတ်ရဲ့ ရေးဖွဲ့သီရာအတွေးစာဆောင်းပါးကိုဖတ်ဖြစ်ခဲ့ရဲ့။ ခွန်အားဖြည့် စကားတွေအတွက် ကျေးဇူးတင်ပါတယ်၊ မစ္စဂေးလ်ဘတ်ရေ။ စာအုပ်ရေးနေတုန်း စိတ်မပျို့အောင်ဆိုပြီး ဒေသစာကြည့်တိုက်မှာ သွားရေးဖြစ်ခဲ့တယ်။ ဒါပေမယ့် ၂၀၁၉ ခုနှစ်မှာ ရခိုင်သို့ တစ်ခေါက် ပြန်ဖြစ်ခဲ့ရဲ့။ အဖေ အလုပ်လုပ်တဲ့ သဖက်ပြိန် လယ်ထဲက စစ်ပင်တွေအနီး ဝါးရုံပင်အောက်ထိုင်ရင်း ကောက်ရိတ်သိမ်းချိန်အခန်းကို ရေးဖြစ် ခဲ့တာတော့ ကျွန်တော့်အတွက်ထူးခြားပါတယ်။

အင်္ဂလိပ်စကားပြော စာဖတ်သူတွေ ဖတ်ရလွယ်ကူစေဖို့ လူနာမည်တွေ့ရှေ့မှာ ဦး၊ ဒေါ် တို့ကိုချန်ရေးထားပါတယ်။ အင်္ဂလိပ်လိုဆိုရင် ဦးက မစ္စတာ(Mr.)နဲ့ တူပြီး ဒေါ် ဆိုတာက မစ္စစ်(Mrs.)သို့မဟုတ် မစ္စ(Ms.)နဲ့တူပါတယ်။ နောက်ပြီး တော့ အင်္ဂလိပ်စကားပြောသူတွေကိုယ်တိုင် သူတေသနပြုကြည့်နိုင်တဲ့ နေရာတွေ အတွက် မြန်မာစကားသံအတိုင်း စာလုံးပေါင်းထားပါတယ်။ ဥပမာအားဖြင့် သင်္ကြန်ကို Thingyan လို့ စာလုံးပေါင်းထားပါတယ်။ ရခိုင်စကားအတိုင်း အင်္ဂလိပ်လို စာလုံး ပေါင်းရင်တော့ Thongran ပေါ့။ နောက်တစ်ခုက ၁၉၈၀ အလွန်နှစ်တွေက သုံးခဲ့တဲ့ နေရာအမည်တွေကိုသုံးထားတာပါ။ ရခိုင်ကို အင်္ဂလိပ်လို Rakhine စာ လုံးမပေါင်းဘဲ Arakan ပေါင်းထားသလို ရန်ကုန်ကိုလည်း Yangon စာလုံး မပေါင်းဘဲ Rangoon လို့ပဲ ပေါင်းထားပါတယ်။ (မြန်မာလို) ချရေးပြီးသွားတဲ့အခါ ကျွန်တော်က စကားလုံး တွေကိုဘာသာပြန်ပေး၊ ဂျေးလ်က ကွန်ပျူတာမှာ စာရိုက်ပေးရတယ်။ ကျွန်တော့်မှာ (အင်္ဂလိပ်-မြန်မာ) စကားပြန်အဖြစ် နှစ်ပေါင်းများစွာ လုပ်ဆောင်ဖူးတဲ့ အတွေ့အကြုံ တွေရှိပါတယ်။ ဒါပေမဲ့ ကျွန်တော် ချရေးထားတဲ့အကြောင်းအရာကို ဂျေးလ် နားပေါက်အောင် အင်္ဂလိပ်လိုပြောပြပြီး စာဖတ်သူတွေ စိတ်ဝင်စားစရာကောင်းအောင် ကွန်ပျူတာစာစီရတာက စိန်ခေါ်မှုတစ်ရပ်ဖြစ်ခဲ့ပါ သေးတယ်။ ဂျေးလ်နဲ့ကျွန်တော်တို့ ခုနေပြန်တွေးကြည့်ရင် ရယ်မိကြပေမယ့် စာရေး နေတုန်းအချိန်ကတော့ တစ်ယောက်နဲ့ တစ်ယောက် နောင်ကျိုန်ခဲ့ကြတာ အကြိမ်ကြိမ်အခါခါပေါ့။ ကျွန်တော်က သူ့ကို တစ်ခုခု ရှင်းပြ၊ သူက ကွန်ပျူတာစာစီ၊ နောက် စာပြန်ဖတ်ကြည့်တော့ ကိုယ်ပြောတာနဲ့ သူ စာစီထားတာ တက်တက်စင်လွဲနေတယ် ပြောလို့ပြောပေါ့လေ။ မကြာခဏဆိုသလို ဂျေးလ်က ရှင်းလင်းသေချာအောင် မေးခွန်းတွေမေးလာလို့ ဟိုအကြောင်းသည်အကြောင်း အသေးစိတ်အချက်တွေကို အဖွဲ့အမေထ ဖုန်ဆက်မေးရတာလည်း အလီလီအဖန်ဖန် ပါပဲ။ ကျွန်တော့်မိဖနှစ်ပါးက တအားအကူအညီဖြစ်စေပါတယ်။ ညနက်သန်းခေါင် (ရန်ကုန်အချိန်)မှာ ဖုန်းဆက်ရင်လည်း သူတို့က စိတ်ဆိုး၊ စိတ်ကွက်တာမျိုး မရှိခဲ့ကြ ပါဘူး။

ဂျေးလ်က ပြောသေးတယ်။ လော်ရာအင်ဂေါ်ဝီလ်ဒါရဲ့ စာအုပ်တွေလိုမျိုး အခန်းအသီးသီးမှာ ပုံတွေ့တွဲ့ထည့်နိုင်အောင် ပုံလေးတွေ့ပါဆွဲ့သင့်တယ့်တဲ့။ ကျွန်တော်က (မြန်မာလို)ရေး၊ ဂျေးလ်က အင်္ဂလိပ်လို ကွန်ပျူတာစာစီစာရိုက်၊ ပြီးတော့ သုံးကြိမ်သုံးခါ တိတိ စာတွေ့ပရုဖတ်၊ တညှီဖြတ်မွမ်းမံနိုင်ဖို့ လေးနှစ်နီးပါး ကြာမြင့်ခဲ့ပြီးမှ ဒီစာအုပ် ထွက်လာခဲ့တာပါ။ ကျွန်တော်တို့နှစ်ယောက်ပေါင်းပြီး ရမ်းပြ ကျွန်းက ဘဝအခြေအနေ အကြောင်း နောက်ထပ်စာအုပ်တွေ ဆက်ရေးသွားဖို့လည်းရှိနေပါသေးတယ်။

အောင်ဇေမင်း(Aung Z. Mong)

သူ ပြောတာ အမှန်ပါပဲရှင့်။ ကျေးလက်တောရွာက သူ့ငယ်ဘဝအကြောင်း စာအုပ်တစ်အုပ်ရေးဖို့ အောင်(Aung)ကို နားပူနားဆာလုပ်လာခဲ့တာ နှစ်တွေကြာ လှပေါ့။ ၂၀၀၀ ခုနှစ်ကနေ ၂၀၁၇ ခုနှစ်အထိ ကျွန်မကိုယ်တိုင် မြန်မာနိုင်ငံမှာ သွား ရောက်နေထိုင်ခဲ့တော့ အရာအားလုံး လျင်မြန်စွာပြောင်းလဲသွားပုံကို မျက်ဝါးထင်ထင် တွေ့မြင်ခဲ့ရပါတယ်။ တခြားကမ္ဘာ့နိုင်ငံတွေဆီမှာ စီးပွားရေးပိတ်ဆို့ခံရတဲ့ အခြေအနေ ကနေ နိုင်ငံခြားရင်းနှီးမြှုပ်နှံမှုနဲ့ အနောက်နိုင်ငံတွေ့ရဲ့ လွှမ်းမိုးမှုကို လမ်းဖွင့်ပေးလာတဲ့ အခြေအနေထိ မြန်မာနိုင်ငံကြီးပြောင်းလဲလာပုံကိုလည်း နဖူးတွေ့ဒူးတွေ့ သိမြင်ခဲ့ရပါရဲ့။ ရမ်းပြဲကျွန်းက ကျေးရွာလေးတွေ့ ရောက်သွားတော့ လူနေမှုဘဝအခြေအနေတွေလည်း ပြောင်းလဲနေတာ သတိပြုမိပြန်တယ်။ အောင့်ကို သူ့ငယ်ဘဝအကြောင်း ကျမ်းတစ်စောင် ပေတစ်ဖွဲ့ဖြစ်အောင် ရေးစေချင်တဲ့ အကြောင်းရင်းက ဒီအကြောင်းဟာ မြန်မာမဟုတ်တဲ့ တခြားနိုင်ငံသားတွေ စိတ်ဝင်တစား ဖတ်ရှုချင်ကြမယ်ဆိုတာခံစားမိလို့ဖြစ်ပါတယ်။ ဒီစာအုပ်ကို မြန်မာလူမျိုးတွေလည်း ဖတ်ရတာ စိတ်ဝင်စားကြမယ်လို့ ကျွန်မထင်ပါတယ်။ ၁၉၈၀ အလွန်နှစ်တွေက ကျေးလက်တောရွာ လူနေမှုလေ့ရှိက်တွေ့ဟာ မကြာတော့တဲ့ အနာဂတ်ကာလမှာ အမှတ်ရလွှမ်းဆွတ်စရာတစ်ခုအဖြစ်ပဲ ကျန်နေရစ်တော့မှာမို့လို့ပါ။

ဒီစာအုပ်ကို ကူညီရေးသားခွင့်ရလို့ ကျွန်မ ပျော်ရွှင်ခဲ့ရသလို စာရှုသူအပေါင်း လည်း စာဖတ်ရင်းပျော်ရွှင်နိုင်ကြပါစေလို့ မျှော်လင့်ဆုတောင်းမိပါရဲ့။

ကျေးလ်ဘရောခ်မင်း (Jill Brock Mong)

ဝါးအိမ်ကလေး

မြန်မာပြည်မြေပုံကို ကြည့်လိုက်ရင် အိန္ဒိယသမုဒ္ဒရာရဲ့ အထက်ပိုင်းမှာ ဘင်္ဂလားပင်လယ်အော်လို့ခေါ်တဲ့ ကျယ်ပြောတဲ့ ပင်လယ်ပြာကြီးရှိတာတွေ့ရပါမယ်။ ဘင်္ဂလားပင်လယ်အော်မှာ ရမ်းပြကျွန်းဆိုတဲ့ ကျွန်းတစ်ကျွန်းရှိလေရဲ့။ လွန်ခဲ့တဲ့ နှစ်ပေါင်းများစွာကပေါ့။ ဒီကျွန်းပေါ် က ကျောက်တွေဆိုတဲ့ ရွာမှာ ဝါးအိမ်လေးတစ်လုံး ရှိခဲ့တယ်။ ဒီအိမ်လေးမှာ အောင်ဇေမင်းလို့ခေါ်တဲ့ ကောင်လေးတစ်ယောက် နေထိုင် ခဲ့တယ်။ လူတိုင်းကတော့ သူ့ကို ကိုကိုလို့ခေါ်ကြတာပေါ့။

"ကိုကို၊ ညီညီ၊ လာ - မေမေနဲ့ ကျောက်တွင်း[1] ဘက် သွားရအောင်"

"ဟုတ်ကဲ့ပါ မေမေ"

ညီညီဆိုတာက ကိုကိုရဲ့ ညီလေး။ မေမေကတော့ သူတို့အမေပေါ့။ မေမေ က မနက်အစောကြီးကတည်းက ရေတွေခပ်ထားနှင့်ပြီ။ ဒါပေမယ့် နေ့လည်စာ ချက် ပြုတ်လိုက်လို့ ရေတွေအများကြီးကုန်သွားပြီ။ မကြာခင် ကိုကို့အဖေ နွားတွေနဲ့အတူ အိမ်ပြန်ရောက်တော့မယ်။ နွားတွေသောက်ဖို့ ရေလိုနေပြီ။

ကိုကိုနဲ့ညီညီတို့ မေမေ့နောက်ကလိုက်သွားကြတယ်။ ကိုကိုက စိတ်လှုပ်ရှား နေပြီ။ ကျောက်တွင်းထဲ ဖားလေးနှစ်ကောင် နေတာ သူ သိထားတာကိုး။ ဖားလေးတွေ ရေပေါ် ခေါင်းလေး ပြူတစ်ပြူတစ်လာလုပ်တာ ကြည့်နေရတာကိုက ပျော်စရာ။

ကျောက်တွင်းနားရောက်တော့ မေမေက ပြောတယ်။

"ကျောက်တွင်းနား သိပ်မကပ်ကြနဲ့။ ကျောက်တွင်းဘောင်က နိမ့်နိမ့်လေး နော်"

ကိုကိုက လေးနှစ်ခွဲအရွယ်။ ဒါလေးများ သူ့ကို သတိပေးနေစရာမလိုပါဘူး လို့ တွေးလိုက်သေး။ တစ်ခါတစ်ခါ မေမေ အနားမှာမရှိတုန်း ကျောက်တွင်းနားကပ်ပြီး

---

1. ကျောက်တွင်းဆိုတာက ရခိုင်လို ကျောက်ရေတွင်းကို ခေါ်တာပါ။

တော့တောင် ကိုရွှေဖားနှစ်ကောင်ကို သွားကြည့်လိုက်သေး။

"ကိုကို၊ ညီညီ၊ ဒီမှာ ကြည့်စမ်း။ ဒီကျောက်က မခိုင်ဘူးနော်"

ဒီလိုဆိုရင်း ကျောက်ရေတွင်းဘောင်မှာ စီထားတဲ့ ကျောက်တုံးနှစ်တုံးကို မေမေက ရှေ့တိုးနောက်ငင် လှုပ်ပြလိုက်ပါသေးတယ်။

ကျောက်ရေတွင်းဘောင်ဟာ အဝိုင်းသဏ္ဌာန်ရှိတယ်။ ဘောင်က အရမ်းလည်း မနိမ့်၊ အရမ်းလည်းလျှော့ရဲရဲဖြစ်မနေ။ ကိုကို၊ ညီညီတို့ ကျောက်ရေတွင်းထဲ ချောင်း ကြည့်ကြတယ်။ မေမေက အနားမှာရပ်လို့။ သူတို့ချောင်းကြည့်တာ သတိပြုမိသွားလို့ ထင်ပါရဲ့။ ကိုရွှေဖားနှစ်ကောင် ချောက်ကနဲ ရေထဲငုပ်သွားကြတယ်။ ဒါကို ကြည့်ပြီး ကောင်လေးနှစ်ယောက် တဟီးဟီးနဲ့ပွဲကျသွားလေရဲ့။ အဲဒီနောက်မှာ ကိုကိုနဲ့ ညီညီတို့ နောက်ဆုတ်ပေးလိုက်ကြတယ်။ မေမေက ကျောက်ရေတွင်းနားက မြေကြီးပေါ် အိုးခက်[2] နှစ်လုံးကိုချလိုက်တယ်။ ပြီးတာနဲ့ ကြိုးချည်ထားတဲ့ ရေပုံးကို ကျောက်ရေတွင်းထဲ လျှောချလိုက်တယ်။ ကြိုးကို မေမေက ထိန်းကိုင်ထားတယ်။ ရေမျက်နှာပြင်နား ရေပုံး ရောက်တော့ လက်ကောက်ဝတ် တစ်ချက်လှည့်လိုက်တာနဲ့ ရေပုံးထဲ ရေတွေ အပြည့်။ ရေပုံးကြီးကို မေမေက ဆွဲတင်ပြီး အိုးခက်တစ်လုံးထဲ သေချာလေး လောင်းထည့်တယ်။ ရေအိုးတစ်လုံးစီ ပြည့်ဖို့ ရေပုံး နှစ်ပုံးခွဲ ဖြည့်ရတယ်။

မေမေက ခေါင်းပေါ်မှာ ခေါင်းခုတင်လိုက်တယ်။ အဲဒီနောက် ရေပြည့်အိုး တစ်လုံးကိုမ၊ ပြီး ခေါင်းခုပေါ် တင်လိုက်တယ်။ ပထမအိုးကို ခေါင်းပေါ် အကျအနတင် လိုက်ပြီးမှ ကိုယ်ကိုညွတ်ပြီး ဒုတိယရေအိုးကိုကောက်ကိုင်ကာ ခါးစောင်းတင်ရွက် လိုက်တယ်။ ရေအိုးနှစ်လုံးကို သူများအကူအညီမပါဘဲ ဒီလိုမျိုး တစ်ယောက်တည်း ရွက်သယ်နိုင်တဲ့ မေမေအတွက် ကိုကို ဂုဏ်ယူမိတယ်။ တစ်ချို့အမျိုးသမီးတွေဆို ဒုတိယအိုး ခါးစောင်းပေါ် ရောက်အောင် တစ်ယောက်ယောက် ကူပေးမှုရတာမျိုး။ မေမေက ရေအိုးတွေသယ်ပြီး ဝါးအိမ်လေးဆီပြန် သွားနေပြီ။ ခါးစောင်းထက်က ရေအိုးကို ညာလက်နဲ့ထိန်းထားရင် ဘယ်လက်ကိုတော့ လွတ်ထားတယ်။ ခေါင်း ပေါ် ကရေအိုးကို လိုရမယ်ရထိန်းထားနိုင်အောင်ပေါ့။ ကိုကိုနဲ့ညီညီတို့ မေမေ့နောက်က လိုက်လာကြတယ်။ နေကလည်းမြင့်လာပြီ။ နေ့လည်စာစားချိန်က မနက် ၁၀ နာရီ။ ကိုကိုတို့မိသားစုအပါအဝင် တစ်ရွာလုံး အာရုံမတက်ခင်တည်းက အလုပ်စလုပ်ကြ တာဆိုတော့ စောစောပိုက်ဆာတာ ဘာဆန်းလို့တုန်း။ ကိုကိုနဲ့ညီညီတို့က ဝါးအိမ်လေး အနီး သဲမြေတလင်းပေါ် ကစားနေကျ။ ရွာကအိမ်အများစုက ဝါးအိမ်တွေလေ။ သစ် သားအိမ်ရယ်လို့ ခပ်ရှားရှား။ ကိုကိုတို့အိမ်ရဲ့ ကြမ်းခင်းကို ဝါးနဲ့ပဲလုပ်ထားတာ။

---

2. အိုးခက်ဆိုတာက မြေစေးနဲ့လုပ်ထားပြီး ရေခပ်ရာမှာသုံးတဲ့ အိုးကို ရခိုင်လိုခေါ်တာပါ။

နံရံနဲ့အမိုးကို အုန်း[3] (ဓနိ)နဲ့ရက်လို့။ အိမ်လေးမှာ ဧည့်ခန်းလေးတစ်ခန်း၊ အိပ်ခန်း တစ်ခန်း၊ မီးဖိုချောင်လေးတစ်ခု၊ အိမ်ရှေ့ခန်းတစ်ခန်းရှိပါတယ်။ အိမ်ရဲ့ ဘယ်ဘက် ခြမ်းကို အယပ်ထုတ်ပြီး မိုးရာသီမှာနွားတွေအိပ်ဖို့ မောင်းကာ(နွားတင်းကုတ်)တစ်ခု လုပ်ပေးထားတယ်။

ဘာဘာ အိမ်ပြန်ရောက်တော့ နွားတွေ ရေတိုက်ဖို့ မေမေက ကူပေးတယ်။ အုန်းပင်ရိပ်မှာ နွားတွေ နားဖို့ သွားချည်ပြီးတဲ့နောက် နေ့လည်စာမစားခင် ရေချိုးဖို့ ကိုကိုနဲ့ ညီညီကို ဘာဘာက ရေတွင်းဆီ ခေါ်သွားတယ်။ ကိုကို၊ ညီညီတို့ တစ်နေ့တာ အတွက် ပထမဆုံးအကြိမ်ရေချိုးချိန်ပါပဲ။ ပူပြင်းတဲ့နွေရာသီမှာ လူတိုင်း နှစ်ခါလောက် ရေချိုးကြတာပဲ။ ကိုကိုနဲ့ညီညီတို့ ဘာဘာနောက်ကနေ ရေတွင်းဆီလိုက်သွားကြတယ်။ ကိုကိုက ကိုရွှေဖားနှစ်ကောင်ကို ကြည့်ဖြစ်အောင် ကြည့်လိုက်သေး။ ဖားလေးတွေ ကမန်းကတန်း ရေထဲငုတ်သွားတာကိုကြည့်ပြီး ရယ်လိုက်သေးရဲ့။ ဘာဘာက

3.ရခိုင်မှာ ဓနိကို ရီအုန်းလို့ ခေါ်ပြီး အတိုကောက်အနေနဲ့ အုန်းလို့ပဲ ခေါ်ကြတယ်။

အဝတ်အစားတွေကို ကွမ်းသီးပင်လေးတစ်ပင်ပေါ် ချိတ်ထားလိုက်တယ်။ ဘာဘာက လူကြီးဆိုတော့ ရေချိုးရင် လုံချည်ဝတ်တယ်။ ကိုကိုနဲ့ညီညီက ကလေးတွေဆိုတော့ လုံခြည်မပါဘူးပေ့ါ။ ဘာဘာက ထိရောက်မြန်ဆန်စွာ လုပ်ဆောင်တတ်သူပါ။ ရေတွင်း ထဲကရေကို ပုံးနဲ့ခပ်တင်ပြီး သားနှစ်ယောက်ကို သူနောက်ကျောဘက် ပူးကပ်ရပ်စေ တယ်။ ပြီးရင် ရေပုံးကို သူ့ခေါင်းပေါ် သွန်ချ။ ကိုကိုနဲ့ ညီညီတို့ပေါ်လည်း ရေတွေကျ။ ဘယ်လောက်များဟန်ကျလိုက်သလဲလို့။ ရေအေးအေးလေး ကိုယ်ပေါ် ကျတာ တယ်နိပ် သကိုးလို့ ကိုကိုတွေးမိပဲ။ ခန္ဓာကိုယ်ရေစိုသွားတော့ ဆပ်ပြာတိုက် ရမယ့် အလှည့်ပေ့ါ။ ပထမဆုံး ဘာဘာက သူ့ကိုယ်သူ ဆပ်ပြာနဲ့ပွတ်တိုက်လိုက်တယ်။ ပြီးရင် ကိုကိုနဲ့ညီညီ တို့ကို ဆပ်ပြာတိုက်ပေးတယ်။ ကိုကိုက နည်းနည်းကြီးပြီဆိုတော့ ဆပ်ပြာတိုက်ပေးရင် မျက်လုံးတင်းတင်းစေ့ထားရတယ်လို့သိနေပြီ။ နောက်ထပ် ရေတစ်ပုံး ခေါင်းပေါ် သွန်ချပြီး ဆပ်ပြာတွေစင်သွားတဲ့အထိ မျက်စိစုံမှိတ်ပြီး စောင့် နေရမယ်လို့ ကိုကိုသိထားပြီးသား။ ဒါပေမယ့် ညီညီက ၃ နှစ်သား ပိစိညှော်က်တော်က်လေးဆိုတော့ မျက်လုံးပိတ်ဖို့ မေ့ သွားလေရဲ့။

"ဘာဘာ၊ ရေ - ရေ - ရေလောင်းပါ။ မျက်စိစပ်လို့"

ညီညီက ငိုသံပါလေးနဲ့ အော်တယ်။

ဘာဘာက နောက်ရေတစ်ပုံး ခပ်ယူပြီး ညီညီရဲ့ခေါင်းပေါ် လောင်းချလိုက် တယ်။ ကိုကိုက မျက်လုံးတင်းတင်းစေ့ထားဆဲ။ နောက်ဆုံးမှာ ဘာဘာက ကိုကိုခေါင်း ပေါ် ရေလောင်းပေးတယ်။ ဒီတော့မှ သူ မျက်လုံးဖွင့်နိုင်တော့တယ်။ ညီညီက ငိုညည်း နေတုန်း။ ဘာဘာက ညီညီကို အိမ်သို့ပွေ့ချီခေါ် သွားတယ်။ ကိုကိုက သူတို့ နောက်မှာ ကိုကိုလည်း လမ်းမလျှောက်ချင်ပါဘူး။ တစ်ခါတစ်ခါ သူလည်း အပွေ့ခံချင်တာပေ့ါ။ ဒါပေမယ့် သူက လူကောင်ထွားလာပြီ။ သယ်ဖို့ခက်လာပြီလေ။

ကိုကိုတို့ အိမ်ပေါ် ပြန်တက်လာချိန်မှာ အငွေ့တထောင်းထောင်း ထနေတဲ့ ဟင်းပန်းကန်တွေ စားပွဲပေါ်မှာ အသင့်စောင့်ကြနေလေရဲ့။ ဟင်းနဲ့တွေ့မွေးလို့။ ထမင်းမစားခင် ကိုကိုနဲ့ ညီညီ ဆံပင်တွေ ခြောက်သွားအောင် မေမေက သုတ်ပေးတာ တောင် ကိုကိုတစ်ယောက် မစောင့်နိုင်အောင်ပဲ။ ပြောင်သန့်နေတဲ့ စွပ်ကျယ်အဖြူနဲ့ အောင်းဘီတိုကို ညီအစ်ကိုနှစ်ယောက် ဝတ်ပြီးတဲ့အခမှ ထမင်းစားပွဲဝိုင်းပုပုလေးမှာ ဝိုက်ပြီးထိုင်စေတယ်။ ကြမ်းပေါ် နင်းလျှောက်တဲ့အခါ သူတို့တွေ သတိနဲ့လျှောက်ကြ ရတယ်။ ဝါးလုံးကို နှစ်ခြမ်းခွဲပြီး အခုံဘက်ကို အပေါ်တင်လို့ ဝါးကြမ်းခင်း စီထား တယ်။ ဒါကြောင့် ကြမ်းခင်းက မညီမညာ။ ကိုကိုနဲ့ ညီညီတို့ ခုံဝိုင်လေးမှာ ဝိုင်းပြီး ကြမ်းပေါ် ထိုင်လိုက်ကြတယ်။ ကိုကိုက လက်ကို ပေါင်ပေါ် ခေါက်တင်ထားတယ်။ စားပွဲကို မလှုပ်မိအောင် သူ့ကိုယ်သူ ထိန်းထားတာလေ။ မညီညာတဲ့ ဝါးကြမ်းခင်းလေး ကြောင့် စားပွဲဝိုင်းလေးက ခပ်လှုပ်လှုပ်။ စားပွဲကို လှုပ်မိသွားရင် ကိုကို အဆူခံထဲမှာ

အသေအချာပဲ။

သွပ်နဲ့လုပ်ထားတဲ့ လင်ပန်းဝိုင်းတစ်လုံးကို မေမေက စားပွဲပေါ် တင်လိုက်တာ ကိုကို ကြည့်နေလိုက်တယ်။ လင်ပန်းပေါ်မှာ ရေခွက်လေးတစ်ခွက်၊ ပန်းကန်လေး တစ်ချပ်နဲ့ ငှက်ပျောသီးတစ်လုံး။ မေမေက သွပ်ပန်းကန်လေးပေါ်မှာ ထမင်းနည်းနည်း ထည့်ပြီး လင်ပန်းကို ဘုရားစင်ရှေ့ယူသွားတယ်။ လင်ပန်းကို ဘုရားစင်ပေါ် တင်လိုက်ပြီး နောက် မေမေက ကြမ်းပြင်ပေါ် ပုဆစ်ဒူးတုပ်ထိုင်ပြီး ဦးသုံးကြိမ်ချလိုက်တယ်။ အဲဒီ နောက် လက်အုပ်လေးချီလို့ ပါဠိလို ဘုရားစာတွေရွတ်ဆိုပူဇော်ပြီး ဦးချကန်တော့ပါတယ်။

ထမင်းစားချိန် ရောက်ပါပြီ။ နေ့လည်စာက ဘာဘာ မနေ့က ကွန်ပစ်ပြီး ရလာခဲ့တဲ့ ကကာန်း၊ ကကတစ်တို့နဲ့ပါ။ သူကိုယ်တိုင် ခူးလာတဲ့ ကျောက်ကြီးဟင်း (ပင်လယ်ရေမွှာပင်တစ်မျိုး)လည်းပါလိုက်သေး။ ကကာန်းချက်ရင် မေမေက ကကာန်းကို အရင်ပြွတ်တယ်။ ပြီးရင် ကကာန်းအသားကို ငရုတ်ကြိတ်ခွက်ထဲထည့်ပြီး ကျောက်သားနဲ့ ကြိတ်ရတယ်။ နောက်တော့ ကကာန်းကြိတ်သားကို ကြက်သွန်ဖြူ၊ နနွင်း၊ ငရုတ်၊ ကြက်သွန်နီ၊ ဆားနဲ့ ငရုတ်ကောင်း ရောပြီး သမအောင်နှောတယ်။ တစ်ခါ သမ္ဗသရန် ရောထားတဲ့ ဒီကကာန်းသားကို မြေပဲဆီနဲ့ကြော်ပြန်တယ်။ ကကတစ်ကို မရမ်းသီး၊ မျှင်ငါးပိ၊ နနွင်း၊ ကြက်သွန်နီ၊ ကြက်သွန်ဖြူ ဆားတို့ထည့်ပြီး ဟင်းချိုချက်တယ်။ ကျောက်ကြီးကို အသုပ်လုပ်ထားတယ်။ ကျောက်ကြီးသုပ် လုပ်ဖို့ မေမေက ငရုတ်သီးနဲ့ သရက်သီးစိမ်းကို ငရုတ်ကြိတ်ခွက်မှာ ရောကြိတ်ပြီး ငရုတ်ကြိတ်(ငရုတ်သီးထောင်း) လုပ်တယ်။ အဲဒီနောက် ကျောက်ကြီးပျော့သွားအောင် ရေနွေးဖျော်တယ်။ နောက်ဆုံးမှာမှ ငရုတ်ထောင်းနဲ့ ကျောက်ကြီးကိုရောသုတ်ပါတယ်။ နောက်ဟင်းတစ်ပွဲက ခနီဖူးဟင်းပါ။ ပဲဆီ၊ မျှင်ငါးပိ၊ ငရုတ်ကြိတ်နဲ့ ငရုတ်ကောင်းတို့ကို ခနီဖူးပြွတ်နဲ့ ရောချက်ထားတာလေ။ ဒီနေ့နေ့လည်စာက အထူးစပါယ်ရှယ် နေ့လည်စာပဲလို့ ကိုကိုသိထားတယ်။ ဟင်း အများကြီးကို မြေပဲဆီထည့်ပြီးချက်ထားလို့လေ။ မြေပဲဆီက သိပ်စျေးကြီးတာ။ မြေပဲဆီ ကို အထူးတလည် ရက်တွေမှာမှ လူအများစု အသုံးပြုနေကျ။ ဘာဘာမှာမြေပဲစိုက်လို့ မေမေမှာ မြေပဲဆီရှိပေမယ့်လည်း အထူး ထမင်းဝိုင်းတွေမှာမှ ဒါကို ထုတ်သုံးတတ်စမြဲ

ထုံးစံအတိုင်း မေမေက ဘာဘာကို ဦးချတဲ့အနေနဲ့၊ ပထမဆုံး ဘာဘ့် ပန်းကန်ထဲ ထမင်းခူးထည့်ပေးတယ်။ သူ့အနားရှိတဲ့ ထမင်းအိုးမည်းထဲကနေ ထမင်း တွေကို ဘာဘ့်ပန်းကန်ထဲ ယောက်မနဲ့ခူးထည့်လိုက်တယ်။ ထမင်းအိုးကို မီးဖိုဘေး မထားဘဲ သူ့ဘေးကြမ်းပေါ် အပူဒဏ်ခံနိုင်မယ့် သစ်သားပြားတစ်ပြားခံပြီး တင်ထား တာက ပိုလို့အဆင်ပြေပါတယ်။ အနားမှာထားလိုက်တော့ ထမင်းထပ်ခူးဖို့ စားပွဲက မခွာရတော့ဘူးပေါ့လေ။ ထမင်းက ပူပူလောင်လောင်၊ အငွေ့တထောင်း ထောင်းထလို့ ဒီလို့မှလည်း အိမ်သားအားလုံးက ကြိုက်ကြတာ။

"မေမေ၊ အိမ်ကို ဧည့်သည်တွေ လာမှာမို့လား"

အထူးစပါယ်ရှယ် ဟင်းအမယ်တွေကို ဝေ့ဝိုက်ကြည့်ပြီး ကိုကိုက မေးပါပကော။

"ဟေ့ -ကိုကို၊ ခုံကိုလှုပ်မနေနဲ့။ ဟင်းချိုတွေဖိတ်ကျကုန်ဦးမယ်။ မဟုတ်ပါ ဘူးအေ။ ရှာဦးဘုန်းကြီးကျောင်းကို ဆွမ်းပို့ဖို့ ဆွမ်းလှည့်ကျလို့လေ၊ သားရဲ့"

ကိုကိုက တအုံ့တသြဖြစ်လို့ သူနဲ့ ညီညီ အိပ်ရာထနောက်ကျလို့ မေမေ ၄ နာရီထိုးမှာ အိပ်ရာထပြီး သံဃာတော်တွေအတွက် အာရုံဆွမ်း ချက်ပြုတ်ခဲ့တာကို ညီအစ်ကို နှစ်ယောက်လုံး မသိလိုက်ကြ။ ဆွမ်းလှည့်ကျတိုင်း မေမေက မနက် ၅ နာရီခွဲဆို ဆွမ်းတောင်းကို ခေါင်းမှာရွက်ပြီး ရှာဦးကျောင်းဆီသွားပို့ရတယ်။ ပြီးရင် ပြန်လာ တစ်မိုင်ခရီးကို အသွားအပြန်လုပ်ရတယ်။ သံဃာတော်တွေ နေ့ဆွမ်းဆက်ကပ်ဖို့လည်း တစ်ခါ မေမေက ချက်ပြုတ်ပြင်ဆင်ပေးရပါတယ်။ နေ့လည်စာဆွမ်းပွဲကို ဘေးချင်းကပ် အိမ်မှာ အောင်ဘောင်(အဘွား)နဲ့ အတူတူနေတဲ့ ကိုကိုအအရီး (အဒေါ်)ဒေါ် ပုချှေမက ကူသယ်ပေးတယ်။ သံဃာတော်တွေဟာ အရှက်ဆွမ်းနဲ့ နေ့ဆွမ်းပဲဘုန်းပေးပါတယ်။ ရဟန်းတို့စောင့်ထိန်းအပ်တဲ့ သီလထဲမှာ မွန်းလွဲညစာ မသုံးဖို့ဆိုပြီးပါလို့ပါ။ ဒါကြောင့် ရှာက အိမ်ထောင်စုတွေ ရှာဦးကျောင်းက ရဟန်းသံဃာတွေအတွက် ဆွမ်းဘောဇဉ် အဟာရတွေ ကြော်လျော်ချက်ပြုတ်ဖို့ အလှည့်ကျတာဝန်ယူပြီး ဘုန်းကြီးကျောင်းကို တစ်နေ့နှစ်ကြိမ်ကျစီသွားပို့ကြတာပါ။ ဆွမ်းပွဲကို အထူးတလည် စီမံချက်ပြုတ်လေ့ ရှိကြပါတယ်။ ရဟန်းသံဃာဆိုတာ ဘုရားသားတော်လို့ မှတ်ယူကြပေတာကိုး။

ကိုကိုက နေ့လည်စာကို တပျော်တပါးစားသောက်လိုက်တယ်။ ညီညီကတော့ ဆပ်ပြာဝင်လို့ မျက်စိနီနေဆဲဖြစ်ပေမယ့် သူလည်းပျော်နေပုံရဲ့။ ထမင်းစားချိန်မှာ တိတ်တိတ်လေးစားရတယ်။ ထမင်းစားပွဲမှာစကားပြောတာ မကောင်းဘူးလေ။ မေမေက နေ့လည်စာကို ကောင်းကောင်းချက်ထားတယ်။ ဟင်းတွေက ကောင်းမှ ကောင်း။ မကောင်းဘဲဘယ်နေမလဲ။ ဟင်းမျိုးစုံကို မြေပဲဆီနဲ့စပါယ်ရှယ် ချက်ထား တာကိုး။

ကိုကိုနဲ့ညီညီက သိပ်ငယ်ပါသေးတယ်။ ဒါပေမယ့် ငရုတ်သီးစပ်စပ်နဲ့ ဟင်းတွေ ကိုလည်း ညီအစ်ကိုနှစ်ယောက် ရှူးရဲ့မြည်အောင်စားလိုက်တာပဲ။ တစ်ခါ တစ်လေဆို ဟင်းက ငရုတ်သီးတအားစပ်လို့ နှာရည်တွေပါ တောက်တောက်ယိုကျတာမျိုး။ ဟင်း အားလုံး ငရုတ်သီးလွတ်တာရယ်လို့ တစ်ခုမှမရှိ။ ဒီတော့ ငရုတ်သီးနဲ့မစားဘူးလို့ ငြင်း လိုက်ပြန်ရင်လည်း ဘာမှစားစရာရှိမှာမဟုတ်တော့။

နေ့လည်စာ စားပြီးတဲ့အခါ ညီညီက အိမ်ဘေးသဲမြေတလင်းမှာ သူနဲ့အတူ ဆော့ဖို့ ကိုကိုကို ပြောလာတယ်။

အိမ်ရှေ့ခန်းမှာလာထိုင်ရင်း ဘာဘာက ညီညီပြောတာကြားလိုက်လို့ ပြန် ပြောတယ်။

"အဲဒီနား ဆော့မနေကြနဲ့ဦး၊ သားလေးတို့။ နေက တအားပူတာ။ အွန်းပင် ရိပ်မှာပဲဆော့ကြ"

ဒီလို ပြောရင်း ဘာဘာက ဆေးပေါ့လိပ်ကို မီးညှိလိုက်တယ်။ ဘာဘာက ခင်နှင်းရီဆေးပေါ့လိပ်ကြိုက်တော့ ထမင်းစားပြီးရင် အမြဲသောက်လေ့ရှိတယ်။

ဘာဘာက ဟန့်လို့ ကိုကိုနဲ့ ညီညီ အုန်းပင်ရိပ်မှာ ဆော့ကစားကြတယ်။ ဘာဘာက ဆေးလိပ်ကို တဖွာပြီးတစ်ဖွာ ဖွာရှိုက်လို့။ မေမေက အိုးခွက်ပန်းကန်တွေ ဆေးနေတုန်း။ ပြီးရင်တော့ တရေးတမော အိပ်ချိန်ပေါ့။ နွေရာသီဆို နေ့လည်စာ စားပြီးရင် ရွာသားတိုင်း တရေးတမောအိပ်နေကျ။ နေ့လည်စာစားပြီးချိန်ဆို တခြား ဘာအလုပ်မှ လုပ်မရလောက်အောင် နေပူလွန်းတာကြောင့် "ခွေးမသန်းချိန်" လို့ တောင် ပြောစမှတ်ပြုကြတာမလား။

*****

အုန်းပျစ်ထိုးကြရာဝယ်

သီတင်းပတ် သုံးလေးပတ်လောက်ဆိုရင် မိုးရာသီရောက်ပါတော့မယ်။ မိုးရာသီဆို မိုးတွေ တရစပ်ရွာတတ်တာ။ ဒါကြောင့် ရွာသားတိုင်း မိုးရာသီအတွက် စတင်ပြင်ဆင်ရပါတော့မယ်။ ရွာထဲက အိမ်တွေကို ဝါးတွေနဲ့ထောင့်တန်းတွေ၊ ဘောင်တွေဆင်ပြီး ဝါးကြမ်းခင်းနဲ့ ဆောက်လုပ်ထားတယ်။ အိမ်အမိုးနဲ့ အိမ်ထရံကို ဓနိရွက်တွေနဲ့လုပ်ထားတယ်။ နှစ်နှစ်တစ်ကြိမ်၊ သုံးနှစ်တစ်ကြိမ်စီ အုန်းပျစ် [4] (ဓနိပျစ်) အမိုးဟောင်းကိုခွာချပြီး အမိုးသစ်မိုးပေးရတယ်။ ဒီလိုမျိုး အသစ်မိုးပေးပါမှ မိုးကြီး လေကြီးတိုက်ရင် ခံနိုင်ရည်ရှိမှာပါ။

ဒီနေ့ ကိုကိုတို့မိသားစု နေ့လည်စာစားပြီးပေမယ့် ခါတိုင်းလို တရေးတမော မအိပ်ကြ။ မိုးရာသီမတိုင်ခင် သူတို့အိမ်ကလေးကို ခေါင်းမိုးအသစ် မိုးဖို့ လိုနေပြီလေ။ ကိုကိုနဲ့ ညီညီတို့ အိမ်နီးနားချင်းဖြစ်တဲ့ ဒေါ်လူးခိုင်တို့အိမ်ကို ဘာဘာ၊မေမေတို့နဲ့အတူ လိုက်သွားတယ်။ ဒေါ်လူးခိုင်အိမ်ရောက်တော့ သရက်ပင်ရိပ်အောက်မှာ မေမေနဲ့ တခြားအမျိုးသမီးတစ်ချို့ ဝါးတံပေါ် ဓနိရွက်တွေ ရက်တဲ့အလုပ်ကို လုပ်ကြတယ်။ ဒီဓနိတွေကို အိမ်ထရံတွေ၊ အိမ်ခေါင်မိုးတွေ အသစ်ပြန်လဲဖို့သုံးကြမှာလေ။ ဘာဘာက ထိုင်ပြီး ဝါးကို ဝါးတံလေးတွေဖြစ်အောင်ခြမ်းတယ်။ ပြီးရင် ချွန်ထက်နေ တဲ့ အနားတွေကို သပ်ပေးရတယ်။ ဘာဘာ လုပ်ပေးထားတဲ့ ဝါးတံလေးတွေကို အမျိုးသမီးတွေက အုန်းပျစ်ရက်ဖို့သုံးကြတယ်။ အဲဒီမှာ အလုပ်လုပ်နေတဲ့မိသားစုတောင် လေးငါးခြောက် စုလောက်ရှိလေရဲ့။ ဒေါ်လူးခိုင်အိမ်ရှေ့ သရက်ပင်ရိပ်အောက် မြေကွက်လပ်လေးက

4.ရခိုင်လို ဓနိကို ရီအုန်း(ရေအုန်း)လို့ ခေါ်တာကြောင့် ဓနိပျစ်ကိုလည်း အုန်းပျစ်လို့ပဲ ခေါ်ကြပါတယ်။

လူတွေစုဝေးဖို့သိပ်ကောင်းတဲ့ နေရာကိုး။ ကျယ်ကျယ်ဝန်းဝန်းလည်းရှိသလို သရက်ပင်
အုပ်ကြောင့် အေးရိပ်ဆာယာလေးလို ဖြစ်နေတယ်။ ကွင်းကို ဖြတ်သန်းလာတဲ့
လေပြေလေညင်းတွေလည်း တသုန်သုန်တိုက်ခတ်နေလေ့ရဲ။ ဒီလို သဘာဝအခြေ
အနေတွေတင်မကပါဘူး။ တခြားအကြောင်းလည်းရှိသေးတယ်။ ဒေါ်လူးခိုင်အိမ်ဟာ
ရွှာမြောက်ဘက်ပိုင်းမှာ ရေဒီယိုရှိတဲ့ တစ်ခုတည်းသော အိမ် ဖြစ်နေလို့လေ။

ရေဒီယိုသံလေး ညံစီနေပြီ။ တစ်ယောက်ယောက် ဖွင့်ထားပြီပေါ့။ ရွှာမှာ
လျှပ်စစ်မီးမရလို့ ရေဒီယိုမှာ ဓာတ်ခဲထည့်ပြီးဖွင့်ရလေရဲ။ လူတိုင်းက အဆိုတော်
ဝင်းဦးရဲ့သီချင်းကို နားစိုက်ထောင်ကြတယ်။ ရင်ထဲတသိမ့်သိမ့်လှိုက်ဖို့လို့၊ သီချင်းက
ဆယ်စုနှစ် ၂ ခုလောက် သက်တမ်းရှိပြီ။ အိုဟောင်းလှပေါ့။ သို့ပေမယ့် ဒီသီချင်း
ရေဒီယိုကလာရင် ကိုကိုနားထောင်လို့ကိုမခဏိုင်။ သီချင်းလေးငါးပုဒ်လောက်အပြီးမှာ

မြန်မာ့ဆိုင်းဝိုင်းနဲ့ တီးခတ်ထားတဲ့ တီးလုံးသံတစ်ခုကြားရပါတယ်။ ဒီအသံကြားပြီဆိုရင် နေ့လည် ၁၂ နာရီ ထိုးပြီပဲ။ ဒီအချိန် နေပူထဲလမ်းထွက်လျှောက်လိုက်ရင် အရိပ်တောင် မြင်ရမှာမဟုတ်ဘူးလို့ ကိုကိုသိထားတယ်။ နေပူထဲလှမ်းမယ်လို့ ခြေလှမ်းပြင်ရုံပဲရှိသေး။

"ကိုကို၊ ညီညီ၊ နေအရမ်းပူတယ်။ အပြင်မထွက်နဲ့။ အိပ်ချင် အိမ်ထဲဝင်အိပ်နေချေ"

"သား မညောင်းပါဘူး၊ မေမေ"

ကိုကိုက မေမေ အလုပ်လုပ်တာ ထိုင်ကြည့်နေလိုက်တယ်။ မေမေက ဓနိစည်းကြိုးကို ကြိုးဖြေလိုက်တယ်။ နှာခေါင်းထဲဝင်လာတဲ့ ပုပ်အီအီ အနံ့ဆိုးကြီးကြောင့် ကိုကို နှာခေါင်းရှုံ့သွားတယ်။ အနံ့က သစ်ရွက်ပုပ်နံ့နဲ့ ဆားငန်ရည်နံ့ ရောထွေးနေတဲ့အနံ့မျိုး။ မနံဘဲဘယ်နေပ့ါမလဲ။ ဒီဓနိရွက်တွေကို ဆားငန်ရည်ထဲ ကာလအတန်ကြာစိမ်ထားရတာကိုး။ ဓနိပင်ပေါ်ကဆွတ်ခါစ ဓနိရွက်တွေကိုသာ သုံးမယ်ဆိုရင် အိမ်ခေါင်မိုးနဲ့ အိမ်ထရံတွေကိုပိုးစားလို့ကုန်မှာ။ ဒ့ါအပြင် အပင်ပေါ်က ကျခါစ ဓနိရွက်တွေဟာ ချိုးလို့ကွေးလို့သိပ်မကောင်းဘူး။ ဒါကြောင့် အုန်းပျစ်မထိုးခင် ဓနိရွက်တွေကိုကြိုတင်ပြင်ဆင်ထားဖို့ လိုတယ်လေ။

လွန်ခဲ့တဲ့ သီတင်းပတ်တွေက ဘာဘာတစ်ယောက် ဓနိလက်တွေ ခုတ်ဖြတ်ရင်း အလုပ်ရှုပ်နေခဲ့တယ်။ ဓနိလက်တစ်လက် ခုတ်ပြီးတာနဲ့ ဓနိလက်ဘောင် တစ်ဘက်တစ်ချက်စီက ဓနိရွက်တွေကို ဓားမနဲ့သိမ်းပြီး ဖြတ်ချလိုက်တယ်။ ဓနိရွက် တွေပုံလာပြီဆိုအားလုံးပေါင်းပြီး ဓနိစည်းကြီးစည်းလိုက်ရော။ ဓနိစည်းတွေ စည်းပြီးတာနဲ့ လှေပေါ်တင်၊ ချောင်းရိုးအတိုင်းစုန်ဆင်းပြီး အိမ်နားအရောက် လှော်ခတ်လာတယ်။ ချောင်းက ရေချိုချောင်းမဟုတ်။ ပင်လယ်နဲ့ဆက်နေတဲ့ ရေငန် ချောင်း။ ဒီရေကျချိန်ဆို ဘာဘာက ဓနိစည်းတွေကို တစ်စည်းနဲ့တစ်စည်း ဘေးချင်း ကပ်ပုံစံနဲ့ ရွံ့တောထဲတွန်းထိုးထည့်တယ်။ အဲဒီနောက် ဓနိစည်းတွေအပေါ် ဝါးလုံးနှစ်လုံးကို ကန့်လန့်ဖြတ်တင်လိုက်တယ်။ ရည်ရွယ်ချက်က ဒီရေတက်လာတဲ့အခါ ဓနိစည်းတွေ ချောင်းထဲမျောပါမသွားဘဲ ဆားငန်ရည်ထဲမှာပဲ ဆက်ရှိနေအောင်ပေ့ါလေ။ နှစ်ပတ်ကြာတော့ ဘာဘာက ဓနိစည်းတွေကိုဆားငန်ရည်ထဲကနေ ပြန်ဖော်တယ်။ ဘာဘာနဲ့ မေမေတို့ ဓနိစည်းတွေကို ချောင်းစပ်ကနေ ဒေါ်လူးခိုင်အိမ်အထိ ခေါက် တုံ့ခေါက်ပြန်သယ်ကြရတယ်။ မေမေက ခေါင်းပေါ်ဓနိစည်းတစ်စည်းပဲတင်ပြီး သယ်နိုင်ပေမယ့် ဘာဘာက ဝါးထမ်းပိုးနဲ့ဆိုတော့ တစ်ခါသယ်ရင် ဓနိစည်းနှစ်စည်း ပါတာပါပဲ။

မေမေက ဝါးတံအသစ်တစ်ချောင်း ယူတာကို ကိုကို ကြည့်နေလိုက်တယ်။ ဝါးတံက ၄ ပေလောက်ရှည်တယ်။ မေမေက ဓနိရွက်အစွန်းတစ်ဘက်က စယကိုင်ပြီး ဝါးတံအောက်က လျှိုယူလိုက်တယ်။ ပြီးရင် ဓနိရွက် အလယ်နားမှာ ဝါးတံကျနေအောင်

ချိန်ယူတယ်။ လက်ကို ဖျောက်ကနဲ လှုပ်ရှားလိုက်တယ်ဆိုရင်ပဲ ဓနိရွက်အစွန်နားလေးကို ဆွဲကိုင်၊ ရိုးတံကို ဖောက်ကနဲချိုးယူပြီး အခြားအစွန်းနားနဲ့ ထိကပ်မိအောင် ဆွဲယူဖြစ်ပါလေရော။ အစွန်းနှစ်ဘက်ထိမိသွားတာနဲ့ သူ့လက်ထဲကျန်ခဲ့တဲ့ ရိုးတံကို အသုံးပြုပြီး ဓနိရွက်နဲ့ဝါးတံကို လျှင်မြန်စွာတွယ်ချိတ်ရတယ်။ အဲဒီနောက် ဒုတိယဓနိရွက်ကို ပထမအရွက်ပေါ်ထပ်ပြီး ရိုးတံနဲ့ဆက်ပြီးထိုးထိုးသွားတယ်။ မေမေ အလုပ်လုပ်တာ သိပ်မြန်ပါတယ်။ ရွံ့ပေနေတဲ့ လက်တွေကို လှုပ်ရှားသွားတာ ရိုးတံကို သူ ဘယ်လို ချိုးလိုက်မှန်းတောင် ကိုကို ကောင်းကောင်းမမြင်လိုက်ရ။ မေမေတစ်ယောက် ဓနိရွက်တွေကို ဒီလောက်မြန်မြန် ဘယ်လိုများလုပ်နိုင်ပါလိမ့်၊ ရိုးတံကို ဘယ်နားထိုးရ မယ်မှန်း ဘယ်လိုလုပ် သိပါလိမ့်ဆိုတာ ကိုကို နားမလည်နိုင်အောင်ပဲ။ ဒါပေမယ့် မေမေကတော့ ဒါတွေကို အမြဲသိနေတယ်။ ကိုကို သိပ်သဘောကျသွားပြီ။ ညီညီက အုန်းပျစ်ထိုးတာကို လုံးဝ စိတ်မဝင်စား။ သရက်ပင်အောက် ဟိုဟိုသည်သည် သွားပြီး သရက်သီးကြွေတွေ လိုက်ကောက်နေတယ်။ ဟော့- သရက်သီးအလုံး ၃၀ လောက်ရှိတဲ့ တစ်ပုံရထားပြီ။ သရက်သီးရှာပုံတော် ဆက်ဖွင့်နေတုန်း။

"မေမေ၊ သား အုန်းပျစ်တစ်ခုလောက် ထိုးကြည့်ချင်တယ်"

"ဒါ ကလေးတွေအလုပ်မဟုတ်ဘူး။ လူကြီးတွေလုပ်တာ။ သားက ဓနိရွက်နဲ့ ကြိုက်တာလည်း မဟုတ်ဘဲနဲ့။ သားလက်တွေ ရွံ့ပေနေပါဦးမယ်ကွယ်"

ကိုကို စိတ်ပျက်သွားတယ်။ မေမေ့ကို ပြန်မေးမိတယ်။

"သား ဒီအနံ့မကြိုက်ဘူးလို့ မေမေ ဘယ်လိုသိလဲ"

"မေမေက သိပ်သိတာပေါ့ကွယ်"

မေမေက ပြုံးပြုံးလေး ပြန်ဖြေတယ်။

ဘာဘာက မေမေ့အနားလာပြီး ဝါးတံတွေ ချပေးတယ်။ မေမေက သူ့ယောက်မနဲ့ စကားစမြည်ပြောရင်း အလုပ်ကိုမြန်မြန်သွက်သွက် လုပ်နေတယ်။ မေမေ့မှာ အုန်းပျစ်ဆယ်ပျစ်လောက်ရှိလာပြီဆိုတာနဲ့ ယူသွားပြီး တစ်ပျစ်ပေါ် တစ်ပျစ်ထပ်လို့ နေပူမှာသွားလှမ်းတယ်။ အုန်းပျစ်တွေကို တစ်ခုပေါ်တစ်ခုထပ်ပြီး အပေါ်က အလေးနဲ့ ဖိမိနေအောင် လှမ်းထားရတယ်။ ဒီတော့မှ အုန်းပျစ်တွေ ပိပြားသွားမှာလေ။ အိမ်ခေါင်မိုး၊ အိမ်ထရံတို့မှာ ကောက်ကွေးနေတဲ့ အုန်းပျစ်ကို သုံးလို့မှမရတာ။

မေမေနဲ့ တခြားအမျိုးသမီးတွေဟာ မိုးရာသီမတိုင်ခင် အုန်းပျစ်တွေ များနိုင်သလောက်များများ ရက်ဖို့ကြိုးစားကြတယ်။ ရွာကအိမ်တွေကို လိုအပ်တာပြင်နိုင်လောက်အောင် လိုအပ်တဲ့အုန်းပျစ်တွေ ရက်လုပ်ဖို့ သီတင်းပတ်အနည်းငယ်ကြာတတ်ပါတယ်။

*****

တစ်နေ့ မေမေ အုန်းပျစ် ရက်နေတုန်း ကိုကိုနဲ့ ညီညီတို့ အိမ်ဘေးချင်းကပ် ဘောင်ဘောင်အိမ်မှာ ကစားနေကြချိန်။ ရုတ်တရက် ဘာဘာအော်သံ ကြားလိုက်ရတယ်။

"အိမ်ထဲ ဝင်၊ အိမ်ထဲ ဝင်"

ဘာဘာမှာ အဝတ်တွေလည်း မပါ။ ကိုယ်လုံးတီးကြီး။ ဘာဘာက အိမ်ထဲလှစ်ကနဲ ပြေးဝင်ပြီး ဓနိရွက်တံခါးကို စေ့လိုက်တယ်။

ဘာတွေ ဖြစ်နေတာလဲလို့ ကိုကိုက ဘောင်ဘောင်ကို မေးချိန် မရလိုက်။ ဘာဘာအသံ ကြားတာနဲ့ ကိုကို၊ ညီညီနဲ့ ဝမ်းကွဲညီမတို့ကို ဘောင်ဘောင်က တန်းလာခေါ်ပြီး အိမ်ထဲတံခါးပိတ် နေခိုင်းလိုက်တယ်။

အိမ်ထဲရောက်တော့ ကိုကိုက မေးတယ်။

"ဘာဖြစ်လို့လဲ၊ ဘောင်ဘောင်။ ဘာဖြစ်နေတာလဲ"

ဘောင်ဘောင်က မဖြေသေး။ ကလေးတွေကို အိမ်ခန်းထဲမှာပဲ ကစားနေဖို့ ပြောတယ်။ ခဏနေတော့ တံခါးနားကပ်ပြီး သေချာလေး နားထောင်တယ်။ ကျေနပ်လောက်ပြီဆိုမှ တံခါးကို ဖြည်းဖြည်းလေးဖွင့်ပြီး အိမ်ပြင်ဘက်ချောင်းကြည့်တယ်။

"ကိုကို၊ အိမ်ထဲပဲနေနော်။ ညီလေး၊ ညီမလေးတွေကိုလည်း အိမ်ထဲပဲ နေခိုင်း။ ကြားလား။ နင့်ဘာဘာကို ငါသွားကြည့်လိုက်ဦးမယ်" ဘောင်ဘောင်က ဆိုတယ်။

ကိုကို အတတ်နိုင်ဆုံး နားစိုက်ထောင်ကြည့်တယ်။ ဘာဘာနဲ့ ဘောင်ဘောင် စကားပြောသံ ကြားပေမယ့် ဘာပြောနေမှန်း သိပ်မသဲကွဲလှ။ ဘောင်ဘောင်အိမ် ပျဉ်ထရံကြားမှာ အပေါက်လေးတစ်ပေါက်ကို သွားတွေ့တယ်။ ဒီအပေါက်လေးကနေ ကိုကိုတို့ ဝါးအိမ်လေးဘက် လှမ်းကြည့်လို့ရတာ ကိုကို တွေ့သွားတယ်။ မေမေက အိမ်နား သတိနဲ့ တိုးကပ်သွားပြီးတဲ့နောက် အိမ်ထဲ ဝင်သွားတာ ကိုကို မြင်လိုက်တယ်။ မိနစ်အနည်းငယ် ကြာတော့ ဝါးအိမ်လေးထဲက ဘောင်ဘောင် ပြန်ထွက်လာတယ်။ အိမ်အနီးတဝိုက် ဟိုဟိုသည်သည် စစ်ဆေးကြည့်နေတဲ့ပုံပါပဲ။ နောက်တော့ ကိုကိုနဲ့ တခြားကလေးတွေကို အပြင်ထွက်လာလို့ ရပြီလို့ ဘောင်ဘောင်က အော်ပြောတယ်။ ကိုကိုနဲ့ ညီညီတို့ ဘောင်ဘောင်အိမ်ထဲက ထွက်ပြီး သူတို့ဝါးအိမ်လေးထဲ ဝင်သွားကြတယ်။ ဘာဘာကိုတွေ့တော့ မျက်နှာမှာရောင်ကိုင်းပြီး လက်မောင်းတွေ၊ ပုခုံးတွေနဲ့ ကျောကုန်းတို့မှာ ဘုတွေထွက်နေတာ မြင်လိုက်ရတယ်။ ဘာဘာက ဖြစ်ပုံကို ပြောပြနေတယ်။

"နွားတွေကို ကွင်းထဲလွှန်ထားခဲ့ပြီး အိမ်ပြန်လာနေတုန်း ပြုန်းဆို အနားက သစ်ပင်နား လင်းယုန်တစ်ကောင် ပျံဝဲနေတာမြင်လိုက်ရရော။ သိပ်မကြာပါဘူး။ ပျားတစ်အုပ်လာထိုးပါလေရော။ အဲဒီမှာ စပြေးရတာပဲ။ ဒါပေမယ့် ပျားတွေက အဲဒီမှာ တင်ရပ်မနေဘူး။ ပြေးရာနောက် အုံခဲပြီးလိုက်လာတယ်။ အင်္ကျီထဲပါ ဝင်ထိုးရော။

ဒါကြောင့် ပြေးရင်းလွှားရင်း အကွီချွတ်လိုက်ရတယ်။ ပျားတွေ နောက်က လိုက်နေတုန်း။ နောက်တော့ ပြေးနေရင်းသတိရလိုက်တယ်။ အဝတ်အစားတွေ ချွတ်ပြီး ပစ်ထားခဲ့ရင် ပျားသန်တွေအဝတ်အစားနဲ့ကျန်ခဲ့မှာတဲ့။ ဒါကြောင့် အဝတ်တွေချွတ်ပြီး ပစ်ထားခဲ့ လိုက်တာ”

ကိုကိုတို့ နားထောင်နေတာ မြင်တော့ မေမေက ရှင်းပြတယ်။

“လင်းယုန်ငှက်တွေက ပျားပိုးတိုးလုံးလေးတွေ စားရတာကြိုက်တယ်။ လင်းယုန် ငှက်ဆီမှာ ကိုယ့်သားသမီးတွေ အစားခံရတော့ ပျားတွေလည်း အရမ်းစိတ်ဆိုးပြီး အနားက မဲမဲမြင်ရာလိုက်တုပ်တော့တာပဲ။ လူတွေတင်မက တခြားသတ္တဝါတွေ လည်း ဒီကောင်တွေက တုပ်တာ”

ဘောင်ဘောင်က ဘာဘာ့အခြေအနေကို ပြန်လာကြည့်တယ်။ သူကလည်း ဆက်ပြောပြသေး။

“ရေထဲ ငုပ်နေရင်တောင် ပျားသန်တွေ ရေပေါ်ဝဲပျံပြီး တုပ်ဖို့စောင့်နေတတ် တာတဲ့။ နွားတွေမပါလာလို့ တော်သေးတယ်။ တစ်ခါကဆို ဦးထွန်းစိန်ရဲ့ နွားတစ်ကောင် ပျားသန်အတုပ်ခံရတာလေ။ နွားထွက်မပြေးအောင် ခုံးတိုင်မှာ ချည်ထားတာဆိုတော့ ပျားသန်တုပ်ခံရလို့လည်း ထွက်ပြေးလို့မရ။ နွားမ ဘယ်လောက်တောင် ပျားတုပ်ခံရလဲ ဆိုရင် အမွေးတွေ အကွင်းလိုက်အကွက်လိုက် ကျွတ်ထွက်သွားတဲ့အထိ။ နားမှာလည်း အပေါက်ရာပရွလွ။ တစ်ကိုယ်လုံးလည်း အမာရွတ်တွေချည်းပဲတဲ့”

“ရှင်က သိပ်ကံကောင်းတာ။ ဆယ်ချက်ပဲ ပျားတုပ်ခံလိုက်ရတယ်”

မေမေက နောက်ဆုံးလက်ကျန် ပျားသန်ကို ဖယ်ထုတ်ရင်း ဘာဘာကို ပြော တယ်။

“ဒေါ်စိန်ခိုင် ဘာဖြစ်သွားလဲ မှတ်မိတယ်မလား” ဘောင်ဘောင်က ဘာဘာ ကို မေးတယ်။ ပြီးရင် မေမေ့ဘက်လှည့်ပြီး ပြောတယ်။

“ဒေါ်စိန်ခိုင်ကို သတိလစ်ပြီး တွေ့တာတဲ့အေ”

“ဟုတ်ပါ။ ဘာဘာတောင် အိမ်ကို ကူညီယ်ပေးခဲ့ရသေးတယ်။ ပျားတုပ်လို့ တစ်ကိုယ်လုံး ပူလောင်အိုက်စပ်နေတာ အေးအေးသက်သာ ရှိပါစေတော့ဆိုပြီး ငှက်ပျောဖက်တွေခင်း၊ ပြီးရင် အဲဒီပေါ် တင်ပေးခဲ့ကြတာ။ သူက အခါ ၂၀၀ လောက် ပျားသန် အတုပ်ခံရတာလေ” ဘာဘာက စကားဆက်တယ်။

ကိုကိုတစ်ယောက် ပါးစပ်အဟောင်းသားဖြစ်နေရင်း သတိဝင်လာပြီး မေး လိုက်မိတယ်။

“သူ့ကို ပျားတုပ်တုန်းက လင်းယုန်တစ်ကောင်ကောင် ပျားပိုးတုံးလုံးလေးတွေ လိုက်ရှာစားနေလို့နေမယ်နော်”

“ဒါပေ့ါကွာ။ ပျားအုံက အကြီးကြီးပဲ။ ပျားတွေ ထောင်ချီ့ရှိလောက်မယ်။”

ဒေါ်စိန်ခိုင်မျက်နှာ ဖူးရောင်နေလို့ ရုတ်တရက် မှတ်တောင်မမှတ်မိကြဘူး။ လက်ဖျံ
နားက ပေါင်လောက်ကြီးနေတယ်။ မျက်လုံးတွေက ရောင်ကိုင်းပြီးပိတ်လို့။ တစ်ကိုယ်လုံး
ရောင်ကိုင်းနေလို့ ပျားသန်တွေ အကုန်အစင်မဖယ်ရှားပစ်နိုင်အောင်ပဲ။ ဆေးမှူးကို
ခေါ်လိုက်ရတယ်။ ဆေးမှူးရောက်လာတော့ ဆေးလေးငါးလုံး ထိုးလိုက်ရတယ်။
ကံသီလို့ မသာပေါ်မသွားတာ"

ညနေပိုင်းမှာ ဘာဘာရဲ့မျက်နှာ ပုံမှန်နီးပါးပြန်ဖြစ်နေပြီ။ လက်မောင်း၊ ပုခုံးနဲ့
ကျောကုန်းနား ရောင်ကိုင်းနေတာတွေ လျော့ကျသွားပြီ။ ညချမ်းချိန်ရောက်တော့
နွားတွေ ပြန်သွင်းလာနိုင်တဲ့ အခြေအနေဖြစ်နေပါပြီ။

*****

နွားလှန်ထွက်မယ်

ကိုကိုတို့ရွာက ရွာသားအများစုဟာ လယ်သမားတွေပါ။ ဒါကြောင့်လည်း ရွာက မိသားစုတိုင်းလိုလို နွားတွေမွေးထားတယ်။ နို့စားနွားမျိုးတော့မဟုတ်။ လယ် ကွင်းမှာ ထွန်ယက်ဖို့သုံးတဲ့ ခိုင်းနွားတွေပါ။ နွေရာသီဆို နွားတွေကို လယ်ကွင်းထဲ လွှတ်ထားတတ်ကြတယ်။ ဒီအချိန်ဆို ရိုးပြတ်တွေပဲရှိတဲ့ လယ်ကွင်းထဲ နွားတွေ စားကျက်ချဖို့ ဘုံသုံးအနေနဲ့ လူတိုင်း သုံးကြလေ့ရှိတယ်။ ဘာဘာက သူအလုပ်လုပ်တဲ့ လယ်ကွက်ဆီ နွားတွေကို မောင်းသွားလေ့ရှိတယ်။ ကိုကိုတို့ မိသားစုမှာ နွားလေး ကောင်ရှိတယ်။ တစ်ကောင်ကနွားညိုမ သူ့ကို "ပျာယာခတ်မ" အမည်ပေးထားတယ်။ ပြီးရင် ပျာယာခတ်မရဲ့ သားပေါက်လေးတစ်ကောင်။ နောက်ပြီး နွားထီးနှစ်ကောင်။ တစ်ကောင်က အနီရောင်ဖြစ်လို့ ဉနီလို့ခေါ် တယ်။ နောက်ဆုံးတစ်ကောင်က နဖူးမှာ အဖြူကွက်တစ်ကွက်ပါလို့ ကွက်ကျားလို့ အမည်ပေးထားပါတယ်။

တစ်ခုသော နံနက်ခင်းမှာ ဘာဘာက ကိုကို့ကိုနှိုးတယ်။

"သား - ကိုကို၊ မျက်နှာသစ်ကွာ။ နွားတွေသွားလှန်ဖို့ အချိန်ကျပြီ"

အပြင်မှာ မှောင်နေဆဲ။ ဒါပေမယ့် အရှေ့ဘက်ဆီက ရောင်နီသန်းလာနေပြီ။ ကိုကိုက စိတ်လှုပ်ရှားနေလေရဲ့။ လယ်ကွင်းထဲ နွားလှန်သွားရာမှာ ကူညီပေးပါရစေလို့ ကိုကိုက ဘာဘာကို ရွီကျနေတာ ကြာပြီကိုး။ ကိုကိုက မညီညာတဲ့ ဝါးကြမ်းခင်းကို ဖြတ်ပြီး အမှောင်ထဲ သတိနဲ့ လျှောက်သွားလိုက်တယ်။ မီးဖိုချောင်ထဲ ဝင်သွားပြီး အရှိန်ဦးအလင်းရောင်မှိန်ပျုပျုနဲ့ လက်ထဲ ဆားတစ်ဆိတ်စာလေး ယူထည့်လိုက်တယ်။ အဲဒီနောက် ရေအိုးနား သွားထိုင်တယ်။ ရေအိုးဖုံးက အုန်းသီးခွံကို ထက်ပိုင်းဖြတ် ထားတဲ့ အုန်းမှုတ်ခွက်။ ကိုကိုက ရေအိုးဖုံးကို မ,ပြီး အိုးထဲခွက်ကို နှစ်လို့ရေခပ် ယူလိုက်တယ်။ ပြီးရင် ဆားနဲ့ရေကိုအသုံးပြုပြီး လက်ညှိုးနဲ့ပဲသွားတိုက်တယ်။ တစ်ခါ

တစ်လေဆို သွားတိုက်ဖို့ မီးသွေးကိုသုံးတတ်ကြပါသေးတယ်။ ဒါပေမယ့် ကိုကိုတို့ မိသားစုက မီးသွေးနဲ့တိုက်ရင် ညစ်ပတ်တယ်ဆိုပြီး ဆားကိုပဲ သုံးကြတာ။ ကိုကိုက ရေအိုးထဲက နောက်ထပ်ရေတစ်ခွက်ခပ်ယူပြီး ပလုပ်ကျင်းလိုက်တယ်။ ပြီးတာနဲ့ မျက်နှာသစ်တယ်။

ရွာဦးကျောင်းက နာရီအချက်ပြ တုံးခေါင်း(အုန်းမောင်း)ခေါက်သံ ကြားရပြီ။ တုံးခေါင်းဆိုတာ အခေါင်းထွင်း သစ်လုံးကို ခေါ်တာ။ ဒီသစ်လုံးကိုမှ သစ်သားချောင်းနဲ့ ဆက်တိုက် ထုပေးရတာပါ။ 'ဒေါင် - ဒေါင်' အသံဆက်တိုက် ပေါ်လာပြီးနောက် ထုရိုက်သံ နှစ်ချက်ပေါ် လာတယ်။ ကိုကိုကလိုက်ရေတယ်။ နှစ်ချက်၊ ဟော့ နောက် ထပ်နှစ်ချက်။ နောက်ထပ်လည်းနှစ်ချက်။ စုစုပေါင်း ခြောက်ချက်တိတိ။ ဒါ မနက် ၆ နာရီထိုးတာပဲ။ ကိုကိုက ဘာဘာနောက်လိုက်မယ်လုပ်နေတုန်း မေမက ဖိနပ်စီးဖို့ သူ့ကိုသတိပေးလိုက်ရသေး။ အိမ်နားတဝိုက် သဲပြင်က နူးညံ့ညက်ညောနေလို့ ကိုကိုတို့ညီအစ်ကို သဲမြေတလင်းမှာဆော့ရင် ဖိနပ်စီးစရာမလို။ အိမ်ခြံဝင်းကနေ တခြားဝေးဝေးလံလံသွားရင်တော့ ချွန်ထက်တဲ့ သစ်ရွက်တွေ၊ ဆူးတွေ မရှုမစူးစေဖို့ ဖိနပ်စီးပြီး ခြေကိုကာကွယ်ကြတယ်။ နောက်တစ်ချက်က နေမြင့်လာရင် သဲတွေပူလွန်း လို့ ခြေဗလာနဲ့လမ်းလျှောက်လို့လည်း မဖြစ်တော့ပြန်။

ဘာဘာက အုန်းပင်မှာချည်ထားတဲ့နွားတွေကို ကြိုးဖြေနေတယ်။ ပုခုံးပေါ်မှာ ရခိုင်ရိုးရာလွယ်အိတ်တစ်လုံး လွယ်ထားတယ်။ ဓားမကို လုံချည်နောက်ဘက် ခါးကြား မှာထိုးလို့။ ရွာက အမျိုးသားတွေ လယ်ထွက်ရင်ပဲဖြစ်ဖြစ်၊ တောထဲသွားရင်ပဲဖြစ်ဖြစ် ဓားမတစ်ချောင်း သို့မဟုတ် လေးခွတစ်လက်တော့ပါစမြဲ။ ကိုကိုလည်း အဆင်သင့်ဖြစ်ပြီ။ ဒါပေမယ့် မေမက တစ်ခါ အိမ်ရှေ့ခန်းထွက်လာတယ်။

"ကိုကို ဦးထုပ် မွေ့ကျန်ခဲ့ပြီ" မေမကပြောတယ်။ ဦးထုပ်က အရေးကြီးတယ်။ နွေနေပူရှိန် ပြင်းလာပြီကိုး။ ကိုကို ဦးထုပ်သွားယူနေတာ စောင့်နေရင်း ဘာဘာက ခင်နွင်းရီဆေးပေါ့လိပ်ကို မီးညှိလိုက်တယ်။ အဲဒီနောက် သားအဖနှစ်ယောက် နွားလှုန့်ဖို့ လမ်းအတိုင်း စယဉ်ထွက်ခဲ့ကြတယ်။

"ပျာယာခတ်မရဲ့၊ ကြိုးကို သားကိုင်လိုက်မယ်၊ ဘာဘာ"

"မကိုင်နဲ့ဦး။ သားက ငယ်သေးတယ်"

ကိုကို စိတ်ပျက်သွားတာ ဘာဘာ မြင်လိုက်တယ်။ ဒါကြောင့် သံတူရွင်းနဲ့ သံဘူးလေးကို သယ်ပေးဖို့ ကိုကို့ထံ ပေးလိုက်တယ်။ ဒီလို လုပ်ပိုင်ခွင့်ပေးလိုက်တာက ကိုကို့ကို လူရာဝင်ပြီလို့ ခံစားရစေတယ်။ တကယ့်ပဲ အထောက်အပံ့ပေးနိုင်သူကြီး လိုမျိုးပေါ့။ ဘာဘာက လမ်းလျှောက်ရင်း ဆေးလိပ်ဖွာရှိုက်တယ်။ ပျာယာခတ်မရဲ့ နွားပေါက်လေးတို့က ရှေ့ဆုံးက။ ဒီကောင်တွေက သွားမယ့်နေရာကို သိပြီးသား။ ဒါကြောင့်လည်း ရှေ့ဆုံးကတင်ပေးထားတာ။ ဒီနဲ့ ကွက်ကျားတို့က အထီးတွေ

ဆိုတော့ နွားမနောက်ကလိုက်တာပါပဲ။ ဒီနှစ်ကောင်က နောက်ဆုံးက။ ဘာဘာက နွားသုံးကောင်ရဲ့ ကြိုးကို စုကိုင်ထားတယ်။ နွားပေါက်လေးက ကြိုးမလို၊ သူ့အမေ နောက် ကောက်ကောက်ပါအောင်လိုက်တတ်စမြဲ။ ဘာဘာနဲ့ကိုကိုတို့ နွားတွေနောက် က လမ်းလျှောက်လိုက်လာကြတယ်။ ဒီအချိန်ဆို ညီညီတစ်ယောက် အိမ်မှာ အိပ် ရာထဲကွေးနေဆဲပဲနေမယ်လို့ ကိုကိုအတွေးဝင်မိပါ။ အခုလို စွန့်စားခန်းခရီးကို

ဒီကောင်လေးမပါတာ နာတာပဲ။

နွားတွေက သန်မာအားကောင်းတဲ့ သတ္တဝါတွေလေ။ တစ်ခါတစ်လေ ထိန်းဖို့ တောင်ခက်ပါ့။ ဒါကြောင့် သူတို့ရဲ့ နှာခေါင်းပေါက်မှာ အပေါက်ဖောက်ထား ရတယ်။ ဒီနှာခေါင်းပေါက်ကနေ ကြိုးတစ်ချောင်းထိုးသွင်းပြီး နွားရဲ့ ခေါင်းဘယ်ညာ ပတ်လည်မှာ သိုင်းထားတယ်။ ဒါကို နဖားကြိုးလို့ခေါ်တယ်။ ဒီနဖားကြိုးကို နွားလည်ပင်ကကြိုးမှာ သွားချည်ရတယ်။ နွားပေါက်လေးက နှစ်မိုး၊ သုံးမိုး ပြည့်တဲ့အထိ နဖားကြိုးအတပ်မခံ ရသေး။ ရွာမှာက နွားရဲ့အသက်ကို မိုးရာသီကုန်ဆုံးမှုနဲ့ရေတွက်တာ ရိုးရာအစဉ်အလာ လေ။ ပျာယာခတ်မက နူးညံ့သိမ်မွေ့တဲ့ နွားမတစ်ကောင်ပါ။ သိပ်မကြာခင် ပျာယာခတ်မ ကြီးကို ကိုင်ခွင့်ရလောက်အောင် သူ ကြီးပြင်းလာတော့မယ်ဆိုတာသိနေတယ်။

ဘာဘာ၊ ကိုကိုနဲ့ နွားတွေဟာ ဘာဘာအလုပ်လုပ်ရာ လယ်ကွင်းဆီ ဦးတည် ပြီး အရှေ့စူးစူးကိုသွားကြတယ်။ မနက်စောစောအချိန်မို့ ရာသီဥတုက စိုထိုင်းထိုင်း။ သိပ်လည်းမပူလှ။ ကိုကိုက အေးအေးသက်သာ လမ်းလျှောက်ပြီး လှည့်ပတ်ကြည့်ရှုတယ်။ လယ်ကွင်းနဲ့ နီးလာချိန်မှာ နေကလည်း ပိုမြင့်လာပြီ။ အာကာတခွင် ပိုပြီးလင်းလင်း ကျင်းကျင်းဖြစ်လာနေပြီ။ ငှက်တွေ စိုးစီစိုးစီနဲ့တေးသီစပြုလာပြီ။ ချိုးငှက်လေးတွေ တေးဆိုသံလည်းကြားလာရပြီ။ ငွေဗျိုင်းဖြူတွေ တောင်တန်းဆီ အုပ်စုဖွဲ့ပျံသန်းပြီး အစာရှာထွက်ကြပြီ။ ကမ္ဘာလောကကြီး လှုပ်ရှားသက်ဝင်လာပြီပေ့ါ။

ညောင်ပင်ကြီးတစ်ပင်နား ကိုကိုတို့ ရောက်ချိန်မှာ ဘာဘာ ရပ်တန့်လိုက်တယ်။ နွားတစ်ကောင်စီကို လယ်ကွက်အသီးသီးမှာ စားကျက်ချထားလိုက်တယ်။ နွားလှန်ကြိုးကို ခုံးတိုင်(ချည်တိုင်)မှာ ချည်ထားတယ်။ ဘာဘာက ခုံးတိုင်ကို မြေကြီးပေါ် ထောင်ပြီး ဖနောင့်နဲ့နင်းချတယ်။ နွေရာသီဆို မြေကြီးက မာပြီးခြောက်သွေ့နေလို့ ခုံးတိုင်ကို မြေကြီးထဲ ထုရိုက်သွင်းဖို့ အခက်တွေ့ရတတ်တယ်။ တစ်ခါတစ်လေဆို အရင်ရာသီက သီးနှံရိတ်သိမ်းလို့ ကျန်ခဲ့တဲ့ စပါးပင်ဟောင်းရဲ့ ထိပ်တည့်တည့်မှာ ခုံးတိုင်ကိုထားပြီး ရိုက်ချရင် ပိုလွယ်ကူတတ်တယ်။ ဘာဘာက နောက်ဆုံးခုံးတိုင်ကို စပါးပင်အိုတစ်ပင် ပေါက်ရာနေရာတည့်တည့်ကို ထုရိုက်နေတယ်။ အဲဒီချိန်မှာပဲ ကိုကိုက အနားရောက်လာပြီး တူရွှင်းကို ကမ်းပေးလိုက်တယ်။ ဘာဘာက ကိုကို့ဆီက တူရွှင်းကိုယူပြီး မြေကြီးထဲ မမြုပ်ဘဲ ကျန်နေတဲ့ ခုံးတိုင်ပိုင်းကိုရိုက်သွင်းတယ်။ ကိုကိုက ဘေးဘီဝဲယာ ကြည့်လိုက် တော့ ခြောက်နေတဲ့ လက်ကျန်ရိုးပြတ်တွေပဲ တွေ့ရတယ်။ ဒီလောက် အရာရာခြောက် သွေ့နေတာ နွားတွေ ဘာစားရမှာလဲ။ သူ စဉ်းစားမရ။

"ဘာဘာ၊ ဘာမှလည်း စားစရာမရှိဘူး။ ဒီကောင်တွေ ဘယ်လိုလုပ် ဗိုက်ပြည့် မှာလဲ"

ကိုကိုကမေးလိုက်တယ်။ ကိုကိုက မေးခွန်းတွေ အမြဲမေးတတ်တဲ့ သူ့ ဝသီ အတိုင်း အခုလည်းမေးနေပြန်ပါပြီ။

"မိုးရာသီဆို မြက်တွေစိမ်းစိုလို့ပေါလိုက်တာမှ။ အခုတော့ မြက်တွေ မရှိပြန်ဘူး"

ဘာဘာက ခါးကုန်းပြီး စပါးရိုးပြတ်ခြောက်တွေအောက်နား ကွယ်နေတဲ့ မြက်ပင်စိမ်းနုနုလေးတွေကို ပြရင်း

"နွားတွေက ကောက်ရိုးခြောက်တွေ စားရတာ ကြိုက်တယ်။ မြက်နုတွေလည်း အများကြီး ထွက်လာပြီဆိုတော့ ဒီကောင်ကြီးတွေမှာ စားစရာတွေ ပေါမှပေါပဲ။ ငါနီကို ကြည့်လိုက်ပါလားကွ"

ကိုကိုက ငါနီကို လှမ်းကြည့်လိုက်တယ်။ ငါနီက ကောက်ရိုးခြောက်တွေစား လိုက်၊ မြက်နုစိမ်းလေးတွေ ရှာစားလိုက်နဲ့ သိပ်ပျော်နေပုံပဲ။ မြက်တွေကို မနားတမ်း ဆက်တိုက်စားနေတယ်။ စားစရာတွေလည်း သိပ်ပေါကိုး။ ကိုကို စိတ်ချမ်းသာသွားပြီ။

ကိုကိုက ညောင်ပင်ပေါ်မှာ ကပ်ထားတဲ့ လေးထောင့်ကျကျ ရွှေပြက်တွေကို လှမ်းမြင်လိုက်တယ်။ မြတ်ဗုဒ္ဓကို ကြည်ညိုလေးစားလို့ ဗုဒ္ဓရုပ်ပွားတော်ပေါ်မှာ ကပ် လှူပူဇော်တဲ့ ရွှေသက္ကန်းကိုတော့ ရွှေအစစ်နဲ့လုပ်ထားပြီး စက္ကူ(ရွှေပြက်)ထက် ပါးလွှာ အောင် ထုရိုက်လုပ်ထားပါတယ်။ ရွှေသက္ကန်းကို ဗုဒ္ဓရုပ်ပွားတော်ရဲ့ ကိုယ်ပေါ်မှာ သွားကပ်လေ့ရှိကြတယ်။ ရွှေပြက်ဆိုတာကတော့ ရွှေသက္ကန်းလိုမျိုး တောက်တောက် ပြောင်ပြောင် ရွှေရောင်ဖြစ်အောင် လုပ်ထားတဲ့ ရွှေရောင်စက္ကူသာဖြစ်ပြီး ရွှေအစစ်တော့ မဟုတ်ပါဘူး။ ညောင်ပင်မှာ ရွှေပြက်တွေ ဘာလို့သွားကပ်တာလဲလို့ ကိုကို မေးချင်တာ တစ်ပိုင်းကိုသေလို့။ နတ်တွေနဲ့ ပတ်သက်မယ်လို့တော့ သူ သိထားတယ်။ ဒီမေးခွန်း မေးတာကို ဘာဘာကကြိုက်မှာမဟုတ်။ အထူးသဖြင့် ဒီအပင်နားမှာပေါ့။ နတ်တွေ အကြောင်းကို အထူးသဖြင့် နတ်တွေနဲ့နီးတဲ့ နေရာနားမှာ စိတ်ထဲရှိတဲ့အတိုင်း လူတွေကို ဘွင်းဘွင်းရှင်းရှင်း မပြောတတ်ကြ။ ဒါကြောင့်လည်း ကိုကိုဘာမှမမေးဘဲ ရေငုံနှုတ်ပိတ် နေလိုက်တယ်။ သို့ပေမယ့် ဒီအကြောင်းပဲ သူတွေးနေမိတယ်။ တွေးနေရင်း သူကြောက် လာမိတယ်။ ညောင်ပင်တွေဆိုတာကလည်း ထူးတော့ထူးဆန်းသား။ မြေကြီးပေါ်မှာ ပေါက်ရောက်ကြီးထွားတာမျိုးမရှိ။ တခြားအပင်တွေကို တွယ်ကပ်ပြီးမှ ပေါက်ရောက် ရှင်သန်တတ်တာမျိုး။ ညောင်ပင်မှာ တစ္ဆေသရဲတွေရှိတယ်၊ နတ်တွေနေတယ်လို့ လူတွေကယုံကြည်ကြတယ်။ ဒါလည်း ဖြစ်နိုင်လောက်တယ်။ ကြည့်ပါလား။ ညောင်ကိုင်း တွေက တွန့်လိမ်ကွေ့ကောက်နေတာ။ အဖုအဆစ်တွေပါနေတာမျိုး။ ဒီညောင်ပင်က အခွံမာသီးပင်တစ်ပင်ကိုမှီပြီး ပေါက်ရောက်ကြီးထွားနေတာ။ နဂိုအပင်ကို သူ့အကိုင်း တွေနဲ့ တွန့်လိမ်ကွေ့ကောက် မျှိုထားလေရဲ့။ ညောင်ပင်နားတောင် ကိုကို မကပ်ချင်။

ဘာဘာက ညောင်ပင်နား လယ်ကွက်ကနေ စထွက်လာတယ်။ ကိုကိုက သူ့ နောက်က ထက်ချုပ်မခွာ။ ညောင်ပင်ရဲ့ အနောက်မြောက်အရပ်ဆီ သားအဖနှစ်ယောက် လျှောက်သွားကြတယ်။ အဲဒီဘက်မှာ တောင်ကုန်းလေးတစ်ခု ရှိလေရဲ့။ တောင်ကုန်း အလွန်မှာ ချောက်ကမ်းပါးတစ်ခု။ သူတို့ ရောက်နေတဲ့ နေရာကနေ ချောင်းကမ်းနံဘေး

သစ်ပင်တွေ ပေါက်ရာဆီ တောက်လျှောက် လှမ်းမြင်နေရတယ်။

"ဒီတောင်ကုန်းအကျော် ဝါးရုံတောညာဘက်ကို ကြည့်လိုက်ရင် ဘာဘာ့အမေပိုင်တဲ့မြေပဲ။ ဒီမြေနဲ့ ပတ်ဝန်းကျင်မြေထဲက ရေနံစိမ်းတွေထွက်တယ်"

ဘာဘာက ပြောပြတယ်။ သူက လက်ညှိုးညွှန်ပြရင်း

"ဟော့ဟိုမှာ ကြည့်လိုက်၊ သား။ ခနိမိုး၊ ခနိကာနဲ့ ဟာလေး တွေ့လား။ ဒါ လက်ယက်ရေနံတွင်းအထက်က ရေနံမြန်း [5] ပဲ"

ကိုကိုက ရေနံမြန်းတွေကို လိုက်ရေကြည့်တယ်။ စုစုပေါင်း ၉ ခု။ အဲဒီထဲက ၅ ခုက ဘောင်ဘောင်တို့မြေပေါ်မှာ။ ဘောင်ဘောင်က မြေတွေအများကြီး ပိုင်တယ်။ သူ့မြေအချို့မှာ ရေနံတွင်းတွေရှိတယ်။ ရေနံမတူးတဲ့ တခြားမြေကို စိုက်ပျိုးမြေအဖြစ် သုံးပါတယ်။

"အခု ဘာဘာတို့ ရပ်နေတဲ့မြေပေ့။ ဒီမြေဟာ ဘာဘာ့အဒေါ် ပိုင်တဲ့ မြေပဲ။ ဘာဘာတို့ နွားလှန်ထားခဲ့တဲ့ အနားက ညောင်ပင်ကိုလည်း သူပဲ ပိုင်တာ။ လူတွေက ဒီထိအဝေးကြီး နွားစားကျက်လာချတာမျိုးမရှိလို့ ဒီနားမှာမှ နွားလာလှန် တာကွ။ တခြားနွားတွေ လာမစားတော့ တို့နွားတွေ မြက်များများ စားရတာပေ့ါကွာ"

အဲဒီနောက် ဘာဘာက လက်ညှိုးညွှန်ပြရင်း ပြောပြန်တယ်။

"ဟိုးမှာ ဝါးရုံတောဘယ်ဘက်က မြေကိုမြင်လား။ အဲဒါ ဘာဘာ အလုပ်လုပ်တဲ့မြေပဲ။ မိုးရာသီဆိုစပါးစိုက်တယ်။ ဒီမြေပိုင်ရှင်က ဘာဘာ့အမေရဲ့ ဝမ်းကွဲအစ်ကိုလေ။ ဟော့ဟိုက ချောင်းရဲ့ အစွန်နားမှာလည်း ဘာဘာလုပ်နေတဲ့ လယ်တွေရှိသေးတယ်"

ကိုကိုက စိတ်ဝင်တစား နားထောင်နေလိုက်တယ်။ ပုံမှန်ဆို ဘာဘာက လူအေးကြီး။ စကားနည်းတယ်။ အထူးသဖြင့် သားတွေနဲ့သိပ်စကားအများကြီး မပြောဖြစ်။ ဒါကြောင့်လည်း ဘာဘာဆီက ဒီလိုစကားတွေကြားရတာ ကိုကို သိပ်ပျော်မိတယ်။

"သား ဟိုက ညောင်ပင်မှာ ရွှေပြားတွေတွေ့ခဲ့တယ်မလား"

ဘာဘာက စကားဆက်ပါတယ်။ ကိုကို ခေါင်းညိတ်ပြလိုက်တယ်။

"ဒီညောင်ပင်က နတ်နေတယ်၊ မြင့်မြတ်တယ်လို့ လူတွေယုံကြည်ကြတယ်။ မိုးမကျခင် ဘာဘာနဲ့ သားရဲ့ မေမေလည်း ဒီညောင်ပင်မှာ ရွှေပြားကပ်၊ နတ်တင်လာလုပ်ကြတာပဲ။ ဒီလိုမျိုး နတ်ကိုပူဇော်ပသပြီးရင် အနာရောဂါကင်းပါစေ၊ စပါးအထွက်တိုးပါစေလို့ ဆုတောင်းနေကျ။ မိုးဦးမကျခင် တခြားလူတွေလည်း ကျန်းမာ

5.ရေနံမြန်းဆိုတာ လက်ယက်ရေနံတွင်းအပေါ်က အုန်း(ခနိ)မိုးထားတဲ့ ခပ်ချွန်ချွန် အမိုးအကာလေးကို ရခိုင်လို ခေါ်တာပါ။

ချမ်းသာစေဖို့ လာရောက်ဆုတောင်းနေကျလေ။ အခုမှ ရေနံစယတူးမယ့်သူတွေလည်း မတူးခင် ဒီညောင်ပင်ကို ဦးတိုက်လိုက်ရမှ။ ရေနံတွင်း ရှိပြီးသားသူတွေကျတော့လည်း ရေနံတွေ ပေါပေါများများ ဆက်ထွက်ပါစေလို့ နတ်ထံ သွားဆုတောင်းကြတယ်။ ညောင်ပင်တွေမှာ တစ္ဆေသရဲတွေ နေတယ်လို့ လူအများကယုံကြည်ကြပေမယ့် ဒီ ညောင်ပင်ကတော့ ထူးခြားတယ်။ ဘာဘာတို့အမေ၊ သားဘောင်ဘောင် ငယ်ငယ် လေးတည်းက ဒီညောင်ပင်ကို လူတွေလာလာပြီး ညောင်စောင့်နတ်ကို ပူဇော်ပသလာ ကြတာပဲ၊ သားရေ"

အဲလို ပြောပြီးနောက် ဘာဘာက ဘယ်ဘက်က နောက်လယ်တစ်ကွက်သို့ ရောက် တဲ့အထိ တစ်ခေါ်လောက် လျှောက်သွားတယ်။ ဒီလယ်ကွက်မှာ မြေပဲတွေ စိုက် ထားတာ။ မြေပဲဖော်ပြီးပြီမို့ မြေကြီးက နူးညံ့နေလေရဲ့။ ဘာဘာက ဒူးတုပ်ထိုင်ရင်း ကိုကိုသယ်လာတဲ့ သံတူးရွင်းနဲ့ စယတူးပါလေရော။ အခုမှ ကိုကို သဘောပေါက် တော့တယ်။ တူးရွင်းနဲ့ သံဘူးလေးကိုယူလာတာ ပုရစ်ရှာတူးဖို့ကိုး။ ဘာဘာက ပုရစ်လိုက်ရှာနေတယ်။

အမယ် - ပုရစ်ရှာတာလည်း ကျွမ်းကျင်ဖို့လိုသဗျ။ ပုရစ်တူးမယ့်သူဟာ ပုရစ်တွင်းပုံစံကို သိထားရတယ်။ ပုရစ်တွင်းပုံစက မြေစာပုံလေးတစ်ပုံမှာ အလယ်က ပိုသေးတဲ့ မြေစာပုံလေးတစ်ခု ရှိနေတဲ့ ပုံမျိုး။ ဒီမြေစာပုံကို တူးရွင်းနဲ့ တူးရတယ်။ ဒီလို တူးလိုက်ရင် ပုရစ်ခေါင်းလေးကို မြင်ရရော။ ပုရစ်ခေါင်းက မြေကြီးထဲ ၁ ၂ လက်မလောက် နက်တာ။ ပုရစ်တူးတဲ့အခါ သတိနဲ့ တူးရတယ်။ ဒီတော့မှ ပုရစ်ခေါင်း ပြိုမကျမှာ။ ပုရစ်က ပုရစ်ခေါင်းအဆုံးမှာနေတာ။ ဘာဘာက ပုရစ်ကိုတွေ့တဲ့အထိ ဆက်တူး သွားတယ်။ ပုရစ်ကို တွေ့တာနဲ့ ခုန်မပြေးနိုင်ခင် လက်နဲ့ စံကနဲ ဖမ်းကိုင်ပြီး သံဘူးထဲ ထည့်၊ ပြီးရင် အဖုံးဖုံးလိုက်တယ်။ သံဘူးအဖုံးထိပ်နားလေးမှာ အပေါက်တစ်ခုပါလေရဲ့။ ဒါကြောင့် ဘူးထဲ လေဝင်ပြီး ပုရစ်တွေ အသက်ရှူရှောင်သွားတာပေါ့။ ကိုကိုက ဘာဘာ ကို ပုရစ်တွင်းကူရှာပေးတယ်။ ဘာဘာက အတူးသမား။ တအောင့် လေးကြာတော့ သံဘူးထဲပုရစ်တွေ ဟိုခုန်ဒီခုန်လုပ်နေသံကြားရရော။ နေလည်း အတော်မြင့်လာပြီ။ သစ်ပင်တွေနဲ့ ညောင်ပင်ကြီးဆီကနေ ကျေးငှက်သာရကာတွေ ထွက်ပြီး ဟိုဟိုသည်သည် ပျံ့ဝဲရင်း အစာရှာထွက်ကြတာ ကိုကိုမြင်နေရပြီ။ သိပ်မကြာ ပါဘူး။ ကိုကိုပျင်းလာရော။ ညီညီကိုလည်း သတိရပါ။ ညီညီနဲ့ပဲ ဆော့လိုက်ချင်တာ။ ပုရစ် မတူးချင်တော့။

"ဒီမယ် ကြည့်ဦး ကိုကို" ဘာဘာက ပြောတယ်။

ပုရစ်တွင်းရဲ့ အလယ်ထိပ်နားလေးမှာ မြေပုံလေး မတွေ့ရ။ ချိုင့်ဝင်နေလေရဲ့။ "ပုရစ်တွင်း ဒီလို ဖြစ်နေပြီဆို ဘယ်တော့မှ မတူးလေနဲ့။ ဒီလိုပုံစံ ဖြစ်နေပြီ ဆိုရင် ပုရစ်တွင်းထဲ ကင်းခြေများ ဒါမမဟုတ် မြွေတစ်ကောင်ကောင် ရှိနေတာနေမှာ" သံဘူးထဲ ပုရစ်အကောင် ၅၀ လောက်ရှိနေပြီ။ ဒီတော့မှ ဘာဘာက တောင်

ကုန်းထက်က စယ်ဆင်းတယ်။ ကိုကိုက သူ့နောက်က။ ဘာဘာက တုံ့ဆို့ ဘာဝေလုပ်
နေလေရဲ့။ ကိုကိုကလည်း စကားတစ်ခွန်းမှမဟ။ ဘယ်ကို ဦးတည်သွားနေ တာလဲလို့
ကိုကို့စိတ်ထဲမေးချင်နေမိပေမယ့် မမေးဖြစ်။ ကလေးတွေ မေးခွန်းတစပ် မေးလာရင်
ဘာဘာမကြိုက်တတ်မှန်း ကိုကိုသိထားတာကိုး။ ဝါးရဲ့တောကို ကျော် လွန်လာခဲ့ကြပြီ။
နောက်ထပ် လယ်ကွက်တစ်ကွက်နဲ့ သစ်ပင်တွေကို ကျော်လာတယ်။ ဘာဘာရဲ့ အမေ
ကိုကို့ဘောင်ဘောင် ပိုင်တဲ့မြေကိုရောက်ပြီ။ အဲ့ဒီမှာ ငှက်ပျော တောတစ်တောရှိလေရဲ့။
ဘာဘာက ငှက်ပျောပင်တွေဘက် လျှောက်သွားပြီး ငှက်ပျောခိုင်တွေကို မော့မော့ကြည့်
တယ်။ တခြားငှက်ပျောပင်တွေကိုလည်း ပတ်ကြည့်တယ်။ တစ်ပင်ချင်းစီကို ခေါင်းလေး
မော့ပြီး ချောင်းချောင်းကြည့်သွားတယ်။ ငှက်ပျောပင်တွေက တောလိုက်ပေါက်တတ်
တာမျိုး။ တစ်ပင်စီရဲ့ ထိပ်မှာ ငှက်ပျောသီးတွေ အခိုင်လိုက် ပွတ်ခဲသီးတတ်တယ်။

       "ဩော် - မင်းက ဒီမှာကိုး"

       နောက်ဆုံးတော့ ဘာဘာက ရေစွတ်လိုက်တယ်။ ခါးကြား ချိတ်ထားတဲ့
ဓားမကိုထုတ်ယူပြီး ငှက်ပျောပင်ကို မြေပေါ် ခုတ်လှဲလိုက်တယ်။ ငှက်ပျောပင် ဘိုင်းကနဲ့
လဲပြီ။ ဒီတော့မှ ဘာဘာ ရှာနေတဲ့အရာကို ကိုကို မြင်တွေ့လိုက်ရတယ်။ ငှက်ပျောသီး
အစိမ်းတွေအောက် ငှက်ပျောသီးမှည့်တွေ ကွယ်နေလေရဲ့။ ဘာဘာက ငှက်ပျောသီး
မှည့်တစ်လုံးဆွတ်ယူပြီး ကိုကို့ထံကမ်းပေးတယ်။ ကိုကိုက ငှက်ပျောသီးကို တရိတသေ
လှမ်းယူတယ်။ ဗိုက်ကလည်း တဂျွတ်ဂျွတ်မြည်နေပြီ။ သားအဖနှစ်ယောက် မနက်စာ
မစားခဲ့ဘဲ့ကိုး။ တစ်ခါတစ်လေ မေမေ စျေးသွားဖြစ်တယ်ဆိုရင် မုန့်ဖက်ထုပ်ဖြစ်ဖြစ်၊
ကောက်ညှင်းပေါင်းဖြစ်ဖြစ်၊ ညကကျန်တဲ့ ထမင်းချမ်းပဲဖြစ်ဖြစ် မနက်ခင်းမှာစားနေကျ။
ရွာသားတွေက များသောအားဖြင့် မနက်စာမစားကြ။ ဒါကြောင့်လည်း နေမွန်းမတည့်ခင်
နာရီတွေစောပြီး နေ့လည်စာ စားကြတာလေ။ စောစောထတဲ့ ဒီလိုနေ့မျိုးဆိုရင်တော့
ဘာမှ စားစရာမရှိပြန်။

       "ညက ပုချေမက ပြောတယ်။ ငှက်ပျောသီးတွေ မှည့်နေပြီတဲ့။ ဒီငှက်ပျောပင်
တွေက သားရဲ့ဘောင်ဘောင်ပိုင်တဲ့ အပင်တွေလေ"

       ငှက်ပျောသီး သုံးလေးလုံးလောက် စားပြီးတဲ့အခါ ဘာဘာက လည်ပင်းမှာ
သိုင်းလွယ်လာတဲ့ အိတ်ထဲကနေ ရေဘူးလေးတစ်လုံး ထုတ်လိုက်တယ်။ ရေဘူးက
ဖန်ရေဘူး။ သားအဖနှစ်ယောက် ရေတစ်ကျိုက်စီ သောက်လိုက်တယ်။ အဲ့ဒီနောက်
ဘာဘာက ငှက်ပျောခိုင်ကို ငှက်ပျောပင်စည်ပိုင်းကနေ ဓားနဲ့ပိုင်းတယ်။ ငှက်ပျော
ခိုင်က ကိုကို့တစ်ရပ်လောက်ရှည်တယ်။ ငှက်ပျောသီးမှည့်တွေက ထိပ်နားမှာ။
တခြားနေရာက ငှက်ပျောဖီးတွေက အစိမ်းပဲရှိသေး။ ငှက်ပျောစိမ်းတွေက ကိုကို့
ဘောင်ဘောင်ရဲ့ စပါးကျီထဲ အအောင်ခံရမှာ။ စပါးကျီထဲ အောင်းထားရင် ငှက်ပျောတွေ
မြန်မြန် မှည့်မှာလေ။ ငှက်ပျောအစိမ်းတွေကို စပါးကျီထဲ ထည့်ပြီး မှည့်အောင်

အောင်းထားတာ ထုံးစံလေ။ စပါးကျီတွေဆိုတာ ဝါးနှီးနဲ့ ရက်လုပ်ထားတဲ့ ဝါးဖျာကို လိပ်ပြီး ဒေါင်လိုက်ထောင်ထားတာမျိုးပါ။ အတွင်းမှာ စပါးတွေလှောင် ထားတာပေ့ါ။ ကိုကိုတို့ ဒေသမှာတော့"စပါးရိုင်"ခေါ်ကြတယ်။ စပါးရိုင်မှာ အောင်းထားရင် ငှက်ပျော သီးတွေ ဘာကြောင့်မှည့်လွယ်တာလဲဆိုတာ ကိုကိုမစဉ်းစားတတ်။ သို့ပေမယ့် တကယ်ပဲ မှည့်လွယ်တာပါ။

ဘာဘာက ငှက်ပျောပင်စည်ကို နှစ်ပိုင်း ပိုင်းလိုက်တယ်။ ဒီငှက်ပျောပင်စည်ကို တစ်ပတ်ချင်း ခွာပြီး ငှက်ပျောအူတိုင်နုနုလေးကို ထုတ်ယူတယ်။ လူများစုက ငှက် ပျောပင်တွေပေါလွန်းလို့ ငှက်ပျောအူစားရဖန်များတာကြောင့် ရိုးအီသွားပြီ။ ငှက်ပျော အူကို တခုတ်တရ ခွာယူမနေဘဲ ဒီအတိုင်း ပစ်ထားတတ်ကြတယ်။ ကိုကိုတို့မိသားစုက ငှက်ပျောအူဟင်း မစားရတာကြာပြီ။ ဒါကြောင့် ဒီနေ့ နေ့လည်စာဖြစ်ဖြစ်၊ ညစာ ဖြစ်ဖြစ် မေမေက ငှက်ပျောအူဟင်းချက်ကျွေးနိုင်အောင် ဘာဘာက ငှက်ပျောအူ နုနုလေးကို မလွှင့်ပစ်ဘဲ ခွာယူနေတာပါ။

ဘာဘာက ငှက်ပျောခိုင်ကြီးကို ပုခုံးပေါ် ထမ်းပြီး ပုရစ်တွေ ထည့်ထားတဲ့ သံဘူးကို ကိုင်တယ်။ ကိုကိုက ငှက်ပျောအူနှစ်ချောင်းကို ပုခုံးတစ်ဘက်စီမှာ ထမ်းလို့ သားအဖနှစ်ယောက် အိမ်အပြန်ခရီးကို စတင်ကြတော့တယ်။ ညောင်ပင်ကြီးနားက လယ်ကွင်းထဲ နွားတွေကျန်နေရစ်ခဲ့ပြီ။ ငှက်ပျောခိုင်ကို အိမ်ချင်းကပ်ရက်က ကိုကို့ ဘောင်ဘောင်အိမ်သို့ ပို့ပေးလိုက်တယ်။

မေမေတစ်ယောက် ငှက်ပျောအူနုနုလေးကို ငါးပိမွှေးမွှေး၊ ငရုပ်ကောင်း၊ ကြက်သွန်မွှေးမွှေးနဲ့ ချက်တော့မယ်ဆိုတာ ကိုကိုသိနေတယ်။ ပုရစ်ကိုတော့ ငရုတ်သီး နိုင်းချင်းနဲ့ သရက်သီးစိမ်းချဉ်ချဉ်လေး ထည့်ပြီး ချက်တော့မှာ။ နေ့လည်စာတောင် ကိုကို စားလိုက်ချင်ပြီ။ အိမ်ပေါ် တက်တာနဲ့ ညီညီကို ပြောပြစရာတွေ တပုံကြီးပါပဲ။

*****

စပါးကြိတ်ပြီ

မိုးဦးမကျခင် လုပ်ဆောင်ရမယ့် အလုပ်တွေထဲမှာ စပါးကြိတ်တာလည်း ပါတယ်။ စပါးရိတ်သိမ်းပြီးရင် မိသားစုတွေက စပါးရိုင်းထဲ စပါးတွေကိုလနဲ့ချီပြီး သိုလှောင်ထား လေ့ရှိတယ်။ အဲဒီလို လှောင်ထားပြီးနောက် မိုးဦးမကျခင် စပါးကို လုံးတီးဆန်ဖြစ်အောင် ကြိတ်ခွဲတဲ့ အလုပ်ကို လုပ်ဆောင်ကြရတယ်။ လုံးတီးဆန်ကို တစ်မိုးလုံး လှောင်ထားတယ်။ ဒီထဲကမှ လိုအပ်တဲ့ ဆန်ပမာဏ ရအောင် လုံးတီးဆန်ကို ဆုံထဲထည့်ပြီး ကျည်ပွေ့နဲ့ ထောင်းယူရတယ်။ လုံးတီးဆန်ကို ဆန်ဖြူဖြစ်အောင် ချက်ချင်း တန်းပြီး မထောင်းကြ။ ဆန်ဖြူကို လှောင်ထားရင် ဆန်ပိုးတွေ စားလို့ကုန်မှာ။ ဆန်ပိုးတွေက လုံးတီးဆန်ကို ဆန်ဖြူလောက်မကြိုက်ကြ။

ဘာဘာနဲ့ မေမေက မိုးမကျခင် စပါးကြိတ်ခွဲဖို့ကိစ္စ တိုင်ပင်နေကြတယ်။

"အစိုးရက စပါးကြိတ်ခွင့် ပေးထားပြီတဲ့ဟ"ဘာဘာက မေမေကို ပြောတယ်။

စပါးကြိတ်ဖို့ ဆန်စက်ကလည်း ရွာမြောက်ပိုင်းက ဦးဘထွန်းပိုင်တဲ့ လက်လုပ် စပါးကြိတ်ဆုံတစ်လုံးပဲ ရှိတယ်။ ဦးဘထွန်းက ဒီစက်ကို သူ့လက်သူ့ခြေနဲ့ လုပ်ထားတာ။ ကိုယ့်စပါးကြိတ်လှည့်ရောက်ရင် ရွာသားတွေက စပါးအားလုံးကို သူ့ကြိတ်စက်ဆီ သယ်ရတယ်။ စက်အသုံးပြုခအနေနဲ့ စပါးလာကြိတ်သူတွေက ဦးဘထွန်းကို စပါးတွေ ပေးရတယ်။ မနက်စာ စားပြီးတာနဲ့ မေမေနဲ့ ဘာဘာတို့ ဦးဘထွန်းအိမ်သို့ စပါးသယ်တဲ့ အလုပ်ကို စယလုပ်ကြပါတော့တယ်။ မေမေက စပါးကို တောင်းနဲ့ထည့်ပြီး ခေါင်းပေါ် တင်သယ်တယ်။ ဘာဘာက ပုခုံးတစ်ဘက်ပေါ် ထမ်းပိုးတင်ပြီး တစ်ခါသယ်ရင် စပါး နှစ်တောင်းစီ သယ်ပါတယ်။ ဦးဘထွန်းအိမ်ဘေး သရက်ပင်အောက် ဝါးဖျာပေါ်မှာ တောင်းထဲက စပါးတွေသွန်ပြီးရင် အိမ်ပြန်ပြီး နောက်ထပ်စပါးသယ်ပြန်တယ်။ စပါး အားလုံး ဦးဘထွန်းအိမ် မရောက်မချင်းသယ်ရမှာ။ ဘာဘာက နွားတွေကို ရေတိုက်

ဘာတိုက်လုပ်ဖို့ တစ်ခေါက်တော့ နားတယ်။ ကိစ္စပြီးတာနဲ့ မေမေနဲ့အတူ နောက်ထပ် စပါးတွေ သယ်ပေးပါသေးတယ်။ အရီး ဒေါ်ပုချေမအကူအညီ ယူလိုက်တာတောင် စပါးအားလုံးအပြီး သယ်နိုင်ဖို့ တစ်မနက်ကုန်ပါတယ်။

မေမေ နေ့လည်စာ ချက်ပြုတ်နေချိန်မှာ မနက်က ဘာဘာပြောသွားတာတစ်ခု သတိရမိသေး။ မေးခွန်းတွေ မေးစရာရှိတာနဲ့ ကိုကို စ,မေးတော့တယ်။

"မေမေ၊ လူတွေက ကိုယ့်စပါးကိုယ် ကြိတ်ချင်တဲ့အချိန် ကြိတ်လို့မရဘူးလား ဟင်"

"ဒီကိစ္စက နည်းနည်းတော့ရှုပ်တယ်၊ သားရေ"

မေမေက ပြန်ဖြေတယ်။ ခဏလေး စဉ်းစားပြီးမှ မေမေက -

"စပါးပေါ် ချိန်ဆို အစိုးရကို စပါးရောင်းပေးရတယ်။ အဲဒီကာလအတွင်း ဆန် စက်တွေ၊ စပါးကြိတ်ဆုံတွေ မသုံးဖို့ အစိုးရက တားမြစ်ထားတယ်ကွဲ့။ အစိုးရလိုချင်တဲ့ ဆန်ပမာဏ မရမချင်း ဘယ်သူမှစပါးကြိတ်လို့မရဘူး"

"ဘာဘာက စပါးကို ဆန်စက်မှာ ဘာလို့သွားမကြိတ်တာလဲ"

ကိုကိုက ဆက်မေးတယ်။

"တခြားရွာတွေမှာလည်း ဆန်စက် ၂ လုံးပဲရှိတယ်လေ။ သူတို့ကတော့ မီးစက်နဲ့ မောင်းတာပေါ့။ ဒါပေမဲ့ ဆန်တောင်းရွက်ပြီး လမ်းလျှောက်သွားဖို့က ဝေးလွန်းတယ်။ ဒါကြောင့် ဦးဘထွန်းအိမ်က လက်လုပ်ဆန်ကြိတ်စက်မှာပဲ ကြိတ်ခွဲကြရတာပေါ့ကွယ်"

ဘာဘာက ဦးဘထွန်းအိမ်ကို ထွက်သွားချိန်မှာ ကိုကိုနဲ့ ညီညီတို့လည်း ဘာဘာ နောက်လိုက်ခဲ့တယ်။ ညီအစ်ကိုနှစ်ယောက် လမ်းပေါ် ခြေဗလာနဲ့ လျှောက်ကြတယ်။ သိပ်လည်းမဝေးဘူးကိုး။ ပြီးတော့ လမ်းက သဲမြေကလည်း ညွှသက်သက်လေး။

ဦးဘထွန်းအိမ်နဲ့ အိမ်ခြံဝင်းက သက်နက်ပင်ရိပ်အောက်မှာရှိနေတယ်။ စပါး ပုံကြီးကို မြင်တော့ ကိုကို တအ့ံတသြဖြစ်မိတယ်။ စပါးပုံက သူတစ်ရပ်လောက်မြင့်လေ ရဲ့။ ဒီစပါးတွေက ဘောင်ဘောင့်မောင်ဝမ်းကွဲ့ရဲ့၊ မြေ ၄ ကေမှာ စိုက်ပျိုးပြီး ရလာတဲ့ စပါးတွေ။ ဘာဘာကိုယ်တိုင် ထွန်ယက်စိုက်ပျိုးပြီး ရလာတဲ့ စပါးတွေပေါ်။ ကိုကို နွား သွားလှုန်တုန်း ဘာဘာပြခဲ့တဲ့ လယ်မြေတွေကထွက်တာလေ။ ပုံမှန်ဆို လယ်သမားတွေက လယ်ပိုင်ရှင်ကို စပါးတစ်စက်ပေးနေကျ။ ဒါပေမဲ့ ဘောင်ဘောင် ရဲ့ မောင်ဝမ်းကွဲ့က ရသမျှဆန်စပါးတွေရဲ့ ၃ ပုံ ၁ ပုံပဲတောင်းတယ်။ ဒါကြောင့် ကိုကိုတို့ စားစရာဆန်တွေ အများကြီးရမှာ၊ စားမကုန်လို့ ရောင်းဖို့ချဖို့တောင် တစ်ချို့တစ်ဝက်ကျန်ဦးမှာ။ လယ်တစ်ကေ စပါး ၁၆ တောင်းစီ အစိုးရက ယူပြီးတာတောင် ဒီအနေအထားလောက် ဖြစ်မှာ။ စံသတ်မှတ်ထားတဲ့ စပါးတစ်တောင်းဆိုတာ နို့ဆီဘူး ၃၂ လုံးဆန့်ပါတယ်။ ရွာမှာက နို့ဆီဘူးခွံတွေကို အခြင်အတွယ်အဖြစ် သုံးနေကျလေ။

"ဟေ့ - အောင်သန်းရွှေ၊ ကျုဖော်လောင်ဘက်နှစ်ယောက်ကြီးများတောင်

ခေါ်ချလာပါလားဟ" ဦးဘထွန်းက စကားဆိုရင်း ကိုကိုတို့ကို လာနှုတ်ဆက်တယ်။ ဘာဘာက ဦးဘထွန်းကို ပြုံးပြလိုက်တယ်။ ပြီးတာနဲ့ တောင်တစ်လုံးသုံးပြီး စပါး ကြိတ်ဆုံထိပ်ကနေ စပါးတွေထည့်ပါတော့တယ်။ စပါးကြိတ်ဆုံဟာ နှစ်ပေလောက် အကျယ်ရှိပြီး ဘာဘာရဲ့ခါးနားလောက်မြင့်တယ်။ စပါးကြိတ်ဆုံမှာ အပိုင်း ၂ ပိုင်း ပါတယ်။ ထိပ်ပိုင်းနဲ့ အောက်ပိုင်းပါ။

"အဘိုးက ဒီစက်ကို ဘယ်လို လုပ်လိုက်တာလဲဗျ"

"အောက်ပိုင်းကို ဝါးနဲ့ထုလုံးချည်ပုံရက်ထားတာကွ။ ဒီထဲကိုမှ ရွှံ့တွေ၊ တုတ် ချောင်းတွေ၊ နွားချေးတွေသိပ်ထည့်ထားတာ။ အောက်ပိုင်းက အလေးကြီး။ ခုနက ပြောတဲ့ပစ္စည်းတွေ မခြောက်သွားခင် အလယ်မှာ သစ်သားချောင်းတစ်ချောင်း ထည့် ထားလိုက်တယ်ကွာ"

"ထိပ်ပိုင်းကိုလည်း ဒီအတိုင်းပဲ လုပ်တာလား၊ အဘိုး"

"ခင်ဗျားသားတော့ ကျောင်းတက်ရင်လည်း စာတော်မယ့် ကလေး" ဦးဘထွန်း က ဘာဘာကိုလှမ်းပြောတယ်။

"သူက အရာရာတိုင်းကို သိချင်တတ်ချင်စိတ် အပြည့်ပဲဟေ့"

ဘာဘာက ဦးဘထွန်းကို ပြုံးပြပြီး စပါးတွေ စ,ကြိတ်ပါတော့တယ်။ စပါးကြိတ် ဆုံထိပ်ပိုင်းမှာ ပျဉ်ပြားတစ်ခုထည့်ထားတယ်။ ပျဉ်ပြားရဲ့ တစ်ဘက်ကို ၁၀ ပေ အရှည် ရှိတဲ့ တိုင်တစ်တိုင်နဲ့ပူးချည်ထားတယ်။ တိုင်ရဲ့အခြားတစ်ဘက်စွန်းက ခြောက်ပေ လောက်ရှည်တဲ့လက်ကိုင်ရိုးပါ။ ဒီလက်ကိုင်ရိုးကို ဘာဘာက ကိုင်ထားတယ်။ များသော အားဖြင့် ဒီလက်ကိုင်ရိုးကို လူနှစ်ယောက်လှည့်ရတာ။ ဒါပေမယ့် ဘာဘာက တစ်ယောက် တည်းလုပ်နေလေရဲ့။ လက်ကိုင်ရိုးကို လက်နှစ်ဘက်နဲ့ ကိုင်ရင်း ရှေ့တိုးနောက်ငင် တွန်းထိုးလှုပ်ရှားပေးနေတယ်။ ဒီလိုနဲ့ စပါးကြိတ်ဆုံထိပ်ပိုင်း လည်လာတယ်။ ဒီလိုနည်းနဲ့ စပါးကြိတ်ရတာပါ။

"ထုလုံးချည်သဏ္ဌာန် ထိပ်ပိုင်းကိုလည်း ဝါးနဲ့ ရက်ထားတာပဲ" ဦးဘထွန်းက ကိုကိုကို ပြန်ဖြေတယ်။ "ဒါပေမယ့် အတွင်းပိုင်းကို ရွှံ့၊ တုတ်ချောင်း၊ နွားချေးတွေနဲ့ချည်း မံထားတာ မဟုတ်ဘူးကွ။ ထိပ်ပိုင်းကို ဝါးမျက်ကွင်း နှစ်လွှာနဲ့လုပ်ထားတယ်။ ဒီဝါး မျက်ကွင်းနှစ်လွှာကြားမှာပဲ ရွှံ့၊ တုတ်ချောင်း၊ နွားချေးတွေနဲ့ အဆာသွပ်ပြီး အလေး စီးအောင်လုပ်ထားတာ။ ထိပ်ပိုင်းရဲ့ အလယ်ဗဟိုပိုင်းက ဟ,နေတယ်။ ဒီ ဟ,နေတဲ့ နေရာက စပါးတွေထည့်ရမှာလေ။ မင်းအဖေ စက်ထိပ်ပိုင်းကို စပါးထည့်ပြီး ထိပ်ပိုင်းက တုတ်ချောင်းကိုလှည့်လိုက်တာနဲ့ စပါးကျလာရော။ ကျလာတဲ့ စပါးတွေက ထိပ်ပိုင်းနဲ့ အောက်ပိုင်းကြားညှပ်ပြီး အကြိတ်ခံလိုက်ရတာလေ။ ဟိုမှာ ထွက်လာတာတွေ,လား"

ကိုကိုက လှမ်းကြည့်လိုက်တယ်။ စက်ထိပ်ပိုင်းနဲ့ အောက်ပိုင်းကြားက ဆန် တွေထွက်ကျလာတာ မြင်နေရတယ်။ ဘာဘာ စပါးကြိတ်နေတုန်း ထိပ်ပိုင်းထုလုံးချည်

တဒီဒီလည်နေတာတွေ့ရတယ်။ စက်အောက်နား မြေပြင်ပေါ် ခင်းထားတဲ့ ဖျာကြမ်းပေါ် ဆန်တွေထွက်ကျတာလည်း သူတွေ့နေရတယ်။ စပါးကြိတ်ဆုံကို ကိုယ်တိုင် တည်ဆောက် ထားနိုင်တဲ့ ဦးဘထွန်းကို ကိုကိုသိပ်အထင်ကြီးမိတယ်။ ညီညီကတော့ ကိုကိုနဲ့ ဦးဘထွန်းတို့ စကားပြောနေတာကို စိတ်မဝင်စား။ သရက်ပင်အောက်မှာ ကစားနေတယ်။

ဦးဘထွန်းက အိမ်ရှေ့ခန်းဆီ ပြန်သွားတယ်။ သူ့အမျိုးသမီးက အိမ်ရှေ့ခန်းမှာ သဘော့ဇာဖျာ ထိုင်ရက်နေတယ်။ ကိုကိုက ဘာဘာ စပါးကြိတ်တာကို ကြည့်နေမိတယ်။

"ဘာဘာ၊ သား ကူပေးရမလား"

"ဒီကို လာခဲ့၊ သား" ဘာဘာက ပြောတယ်။ ကိုကို အနားရောက်သွားတော့ လက်ကိုင်ရိုးပေါ် လက်ဘယ်နား ထားရမလဲဆိုတာ ဘာဘာက ပြပေးတယ်။ လက်ကိုင် ရိုးအစွန်းတစ်ဘက်စီမှာ ကြိုးတစ်ချောင်းစီပါတယ်။ ဒီကြိုးနှစ်ချောင်းကို အထက် နားက ဝါးလုံးတန်းမှာချည်ထားတယ်။ ဒီလိုလုပ်ထားခြင်းအားဖြင့် တုတ်ရှည်နဲ့ လက်ကိုင်ရိုးတို့ကို

မြေပြင်နဲ့မထိအောင် ထိန်းပေးတယ်။ စပါးကြိတ်ဆုံနဲ့ လက်ကိုင်ရိုး ကို ဆက်ထားတဲ့ တုတ်ရှည်နဲ့လက်ကိုင်ရိုးက အရမ်းလေးလို့ပါ။

ဘာဘာက ကိုကိုနောက်က မတ်တပ်ရပ်ရင်း လက်ကိုင်ရှည်ကို နှစ်ဦးသား ကိုင်ထားကြတယ်။ ဘာဘာက လက်ကိုင်ကို ပြန်ဆွဲ ပြီးရင် တစ်ခါပြန်တွန်းလုပ်တယ်။ တယ်ပင်ပန်တဲ့ အလုပ်ပဲလို့ ကိုကို သဘောပေါက်လိုက်တယ်။ သူ့က ပိစိဉ္ဆောက်တောက် လေးပဲရှိသေးတော့ လက်ကိုင်ရိုးအက္ခာအဝေးကို လိုက်မီဖို့ ရှေ့နောက် ခြေလှမ်းသွက်သွက် လေး လှမ်းလိုက်ရသေး။ ဘာဘာက ခြေကို သဲပြင်ပေါ် မြဲမြဲထောက်ပြီး မတ်တပ်ရပ်နေ တယ်။

"ဘာဘာပဲ ပြီးအောင်လုပ်လိုက်ပါ" ကိုကိုက ပြောပြီး သရက်ပင်ရိပ်အောက် ညီညီ ကစားနေရာမှာ သွားကစားနေလိုက်တယ်။

မကြာခင်မှာပဲ ဦးဘထွန်းတစ်ယောက် ကွမ်းအစ်ကိုင်ပြီး ပြန်လာတယ်။ ကွမ်းအစ်ထဲမှာ ကွမ်းရွက်နဲ့ ကွမ်းသီးခြမ်းတွေရှိမှာပေါ့။ ကွမ်းသီးဆိုတာ ကွမ်းသီးပင် ပေါ်မှာ သီးတဲ့အသီး။ ကွမ်းရွက်နဲ့တော့ မျိုးမတူ။ ကွမ်းရွက်တွေက နွယ်ပင်တစ်မျိုးက ရတဲ့ အရွက်တွေလေ။ ဦးဘထွန်း ယူလာတဲ့ ကွမ်းအစ်ဖုံးပေါ်မှာ ထုံးဘူးတစ်ဘူးနဲ့ ဆေးရွက်ကြီးတစ်ဘူး ရှိလေရဲ့။

"အောင်သန်းရွှေ၊ ခဏတဖြုတ်နားပါဦးဟ" ဦးဘထွန်းက ပြောတယ်။

ညဲ့သည်တွေကို အိမ်ရှင်က ကွမ်းတည်တာ ရခိုင့်မလေ့ထုံးစံကိုး။ ဦးဘထွန်း က သရက်ပင်ရိပ်အောက် ထိုင်လိုက်တယ်။ ဘာဘာကလည်း သူ့အနားလာထိုင်တယ်။ ကွမ်းအစ်ထက ကွမ်းရွက်တစ်ရွက်ကို ဦးဘထွန်းက ယူလိုက်တယ်။ ရေဆေးထားလို့ ကွမ်းရွက်မှာရေစိုနေဆဲ။ ကွမ်းရွက်ကို လုံချည်အနားနဲ့ သုတ်လိုက်တယ်။ ပြီးရင် ကွမ်းရွက်ရဲ့ ချွန်ထွက်နေတဲ့ အဖျားစွန်နဲ့ ရိုးတံကို လက်သည်းထိပ်နဲ့ဖြတ်ပစ်တယ်။ အဲဒီနောက် ထုံးဘူးကို လက်နဲ့နှိုက်ပြီး ထုံးနည်းနည်းယူလိုက်တယ်။ လက်ချောင်းပေါ် တင်လာတဲ့ထုံးဖြူဖြူကို ကွမ်းရွက်ပေါ် တန်းကနဲသုတ်လိမ်းလိုက်တယ်။ ပြီးတာနဲ့ ကွမ်းရွက်ပေါ် ကွမ်းသီးဖဲ့တစ်ဖဲ့နှစ်ဖဲ့တင်လိုက်တယ်။ နောက်ဆုံးမှာ ဆေးရွက်ကြီး တစ်ဆိတ်စာလောက် ထပ်ထည့်တယ်။ ပြီးမှ ကွမ်းရွက်ကို ခေါက်လိပ်ပြီး ပါးစောင်ထဲ ထည့်လိုက်တယ်။ ဦးဘထွန်းက ကွမ်းအစ်ကို ဘာဘာထံ ကမ်းပေးလိုက်တယ်။ ဘာဘာကလည်း ကွမ်းတစ်ယာကို သူ့ဟာသူပြင်လိုက်တယ်။ ပြီးရင် နှစ်ဦးသား စကား တပြောပြောနဲ့ ကွမ်းယာဝါးလိုက် ရဲ့ဖန်ရဲ့ခါ ကွမ်းတံထွေး ပျစ်ကနဲထွေးထုတ်လိုက် လုပ်နေကြတယ်။

စပါးပြန်ကြိတ်တာ မလုပ်ခင် ဘာဘာက ခင်နှင်းရီဆေးလိပ်ကိုမီးညှိပြီး ဖွာရှိုက် လိုက်သေးရဲ့။ ဘာဘာက စပါးကြိတ်တာ ကြိုးကြိုးစားစားလုပ်ရင်း ဆေးလိပ်လည်း ဖွာရှိုက်နိုင်သေးသလို ကွမ်းယာပါ ဝါးလို့ရသေးတယ်၊ တကယ်ကွမ်းတာပဲလို့ ကိုကို

အတွေးဝင်မိပၑ။

ခဏနေတော့ မေမေရောက်လာတယ်။ နေ့လည်စာ စားဖို့ အသင့်ပြင်ထားပြီးလို့ ပြောလာတယ်။ နေ့လည်စာစားပြီး ထမင်းလုံးစီဖို့တောင်အချိန်မရတော့။ လုပ်စရာ အလုပ်တွေတယ်များသကိုး။ မေမေနဲ့ အရီးဒေါ် ပုချေမအပြင် တခြားမိတ်ဆွေ တွေ၊ အိမ်နီးချင်းတွေရော ကိုကိုတို့သားအဖတစ်သိုက်ပါ ဦးဘထွန်းအိမ်ကို ပြန်ပေါက် ချလာကြတယ်။ အရီးဒေါ် ပုချေမနဲ့ အိမ်နီးချင်းမိတ်ဆွေတွေက မေမေ့ကိုကူဖို့ လာကြတာ။ ဘာဘာက စပါးဆက်ကြိတ်နေတယ်။ မေမေနဲ့ တခြားအမျိုးသမီးတွေက စပါးကြိတ်ဆုံက ထွက်လာတဲ့ ဆန်ကိုလိုစုစရတယ်။ အမျိုးသမီးနှစ်ယောက်က ဆန်တွေကို ဆန်ကော ဝိုင်းထဲ ထည့်တယ်။ ပြီးရင် ဆန်ကောကို အပေါ်မြှောက်ကိုင်ပြီး ဆန်တွေကို ဖျာပေါ် ဖြည်းဖြည်းချင်းလောင်းချတယ်။ စပါးခွံတွေ လေထဲလွင့်ပါသွားကြတယ်။ ဖျာပေါ် ကျလာတာတွေ ကြည့်လိုက်ရင် လုံးတီးဆန်နဲ့ စပါးကြိတ်ဆုံထဲ မကြိတ်ခဲ့ဘဲ နဂိုအတိုင်း ထွက်လာတဲ့ စပါးစေ့တွေကိုတွေ့ရတယ်။ တခြားအမျိုး သမီးတွေမှာလည်း ဆန်ကောတွေ ကိုယ်စီကိုင်လို့၊ ဒါပေမယ့် သူတို့ကိုင်ထားတဲ့ ဆန်ကောဝိုင်းတွေမှာ အပေါက်လေးတွေနဲ့။ ရှေးက အမျိုးသမီးနှစ်ယောက်လို အပေါက်မပါတဲ့ အပိတ်ပုံစံမျိုးမဟုတ်။ အပေါက် လေးတွေပါတဲ့ ဆန်ကောဝိုင်းကို ဆန်ခါလို့ ခေါ်တယ်။ ဒီအမျိုးသမီးတွေက လုံးတီးဆန်နဲ့ စပါးအရောရောကို ဆန်ခါမှာထည့်ပြီး ဆန်ခါကို စက်ဝိုင်းသဏ္ဍာန် လှည့်လှည့်ပေးကြ တယ်။ လုံးတီး ဆန်တွေက ဆန်ခါပေါက်ကနေ အောက်ကို ကျသွားတာတွေ့ရတယ်။ စပါးစေ့တွေက အခွံပါသေးတာကြောင့် ဆန်ခါပေါက်ကနေ အောက်ပြုတ်မကျနိုင်လောက် အောင် ကြီးနေတယ်။ ဆန်ခါပေါ် တင်ကျန်ခဲ့တဲ့ စပါးတွေက စပါးကြိတ်ဆုံထဲ ပြန်ထည့် ရမယ့်ဟာတွေပေါ့။

အမျိုးသမီးအားလုံး အလုပ်လုပ်ရင်း စကားတွေ ဖောင်ဖွဲ့ပြောလိုက် ရယ်မော လိုက်နဲ့ ပျော်တပြုံးပြုံးပါပဲ။ အမျိုးသမီးတစ်ချို့ကကွမ်းစားကြတယ်။ တစ်ချို့က ဆေးလိပ် သောက်ကြတယ်။ အားလုံးက မေမေ့ကိုကူပေးနေကြတာ။ သူတို့မှာ စပါးကိစ္စလုပ်စရာ ကိုင်စရာရှိရင်လည်း မေမေကတစ်လှည့် ပြန်ကူပေးရမှာပေါ့။ အခုတော့ သူတို့က ကူနေတာဖြစ်လို့ မေမေက လုံးတီးထမင်းကို အုန်းသီးနဲ့ရောချက်ပြီး ညှဉ်ခံကျွေးမွေး တယ်။ လုံးတီးထမင်းကို ဆန်စက်နားမှာပဲ စားကြတာများတယ်။ စပါးကြိတ်ချိန်မှာမှ လူတွေက လုံးတီးထမင်းစားကြတာကိုး။။

ဘာဘာနဲ့ မေမေ စပါးတွေ ကြိတ်ဖို့နဲ့ လုံးတီးဆန်ကို အိမ်သယ်ယူနိုင်ဖို့ ကိစ္စကို ၃ ရက် အချိန်ယူပြီးလုပ်လိုက်ကြရပါတယ်။ အခုတော့ လာမယ့်မိုးရာသီအတွက် ကိုကို တို့ မိသားစုမှာ ဆန်အလုံအလောက်ရပါပြီ။

*****

ထူးဆန်းတဲ့ ဟင်းတစ်ခွက်

ခုဆို နေ့တိုင်း မိုးရိပ်မတက်တဲ့ နေ့ဆိုတာမရှိ။ ဒါပေမယ့် မိုးတော့မရွာသေး။ ခြောက်သွေ့လွန်းလို့ တောင်ကျမြစ်တွေနဲ့ စမ်းချောင်းတွေ ခမ်းခြောက်ကုန်ပြီ။ သစ်ပင် တွေက ရွက်ဝါခြောက်တွေ ခွေချနေပြီ။ အမြဲစိမ်းပင်တွေဖြစ်တဲ့ အုန်းပင်တွေတောင် ထိပ်ပိုင်းမှာနီညိုရောင်သန်းလို့၊ အလုပ်တွေကို အရှိပ်ထဲလုပ်ကိုင်ရတယ်။ မနက်အစော ကြီးမှဲ့ ညနေတွေမှာ ပိုပြီးအေးမြပေမယ့် စိုထိုင်းထိုင်းဖြစ်နေဆဲ။

မိုးမကျမီ လုပ်ရမယ့်အလုပ်တစ်ခုက မိုးသည်းသည်းမည်းမည်း ရွာချမယ့် တစ်ချိန်လုံး ကြာရှည်ခံသုံးနိုင်အောင် ထင်းတွေကို အလုံအလောက် စုဆောင်းထားဖို့ပါ။ ဒီနှစ်အစောပိုင်းက သူတို့ဝါးအိမ်လေးရဲ့၊ အရှေ့ဘက်က ဘောင်ဘောင်ပိုင်တဲ့ သစ်ပင် တစ်ချို့ကို ခုတ်လှဲဖြတ်တောက်ထားခဲ့တာလေ။ အခုဆို ဒီသစ်ပင်အပိုင်းတွေက လိုက် ကောက်ဖို့ အဆင်သင့်။

ပင်မအိမ်နံဘေး မောင်ကာအမိုးအောက်မှာ ဘာဘာက ထင်းလှောင်ဖို့ နေရာတစ်ခု လုပ်ထားတယ်။ မိုးရွာရင် ထင်းတွေ မြေကြီးစိုစိုကို မထိဘဲ ခြောက်သွေ့ နေအောင်လို့ ထင်းတင်စရာ ဝါးစင်မြင့်လေးတစ်ခုလုပ်ထားခြင်းပါ။

အရီးဒေါ် ပုချေမနဲ့ သူ့ယောက်ျား ဦးမောင်စိန်မြင့်တို့က ဘာဘာနဲ့ မေမေကို ကူပေးကြတယ်။ ပြီးရင် မိသားစုနှစ်စု ထင်းကိုတစ်ဝက်စီခွဲယူကြမှာလေ။ ဦးမောင် စိန်မြင့်နဲ့ ဘာဘာတို့က လူနှစ်ယောက် အစွန်းတစ်ဘက်စီကကိုင်ပြီး ဖြတ်ရတဲ့လွှကို သုံးလို့ အရီးဒေါ် ပုချေမနဲ့ မေမေတို့အိမ်သို့ သယ်ယူနိုင်လောက်တဲ့ အရွယ်အစားဖြစ် အောင် သေးသေးလေးဖြတ်ရတယ်။ ကိုကို ညီညီနဲ့ ဝမ်းကွဲညီမ မမချေ[6] တို့ အန်းက

---

6. မမချေဆိုတာ မိန်းမချေ (မိန်းကလေး) ရခိုင်လို ခေါ်လိုက်တာပါ။

ကောက်ရိုးပုံအောက်နားမှာ ကစားကြတယ်။ မိုးရာသီအတွင်း ကောက်ရိုးခြောက်
သွေ့နေအောင် ကောက်ရိုးပုံလုပ်ထားတယ်။ ဒါကြောင့် ကောက်ရိုးပုံအောက် နားလေးမှာ
ကစားဖို့နေရာကောင်း အမြဲရှိနေတာပါ။

"အစ်ကို၊ အမေ့နွားမကြီးမှာ အခုလေးတင် နွားလေးတစ်ကောင် မွေးတယ်"
အရီးဒေါ်ပုချေမက ဘာဘာကို အော်ပြောလိုက်တယ်။

ကိုကိုက နွားပေါက်လေးကို ကြည့်ဖို့ စိတ်လှုပ်ရှားနေတယ်။ ကိုကို၊ ညီညီနဲ့
မမချေတို့ တောင်ဘောင့်အိမ်ဘက် အပြေးသွားပြီး နွားပေါက်လေးကို ကြည့်ကြတယ်။
ညီမမှာ ဒီနေ့ကလေးမွေးမယ်ဆိုတာသိထားလို့ ကွမ်းသီးပင်တစ်ပင်မှာ တောင်ဘောင်
က ချည်ထားခဲ့တာ။ မွေးကင်းစနွားပေါက်လေးက မြေပြင်ပေါ် လဲ့နေတယ်။ ညီမက
နွားပေါက်လေးရဲ့မျက်နှာကို လျှာနဲ့လျက်ပေးနေလေရဲ့။ နွားပေါက်လေးက မတ်တပ်
ထ,ရပ်ဖို့တောင် ကြိုးစားနေပြီ။ သိပ်ချစ်စရာကောင်းတဲ့ နွားပေါက်လေးကို ကြည့်ပြီး
ကိုကို ရယ်မိတယ်။

အိမ်သားအားလုံး ထင်းကိစ္စ ခဏနားပြီး နွားပေါက်လေးကို လာကြည့်ကြတယ်။
အလုပ်လုပ်ထားလို့ ပူလွန်းတာကြောင့် ဘာဘာနဲ့ ဦးမောင်စိန်မြင့်တို့က အုန်းသီးရည်
သောက်လိုက်ရင် လန်းဆန်းသွားမယ်လို့ တွေးမိကြဟန်တူပါရဲ့။ အုန်းပင်ပေါ် က
အုန်းသီးတွေ ခြေချဖို့ ထိပ်မှာတံစဉ်းတပ်ထားတဲ့ တံချွိကိုသုံးကြတယ်။ အုန်းသီးတွေ
ချပြီးတဲ့အခါ ထိပ်ပိုင်းကို ဓားမနဲ့ ခုတ်ဖယ်ပစ်တယ်။ ပြီးရင် အုန်းသီးကို မော့မော့ပြီး
အုန်းစိမ်းရည်သောက်ကြတယ်။ လူကြီးတွေက တစ်ယောက်တစ်လုံးစီပေါ့။ ကိုကို၊
ညီညီနဲ့ မမချေတို့က အုန်းသီးတစ်လုံးတည်းကို သုံးယောက် ဝေမျှသောက်ကြရတယ်။
အိမ်သားအားလုံး အုန်းသီးရည်ကို မြိန်ရည်ယှက်ရည် သောက်ရင်း နွားပေါက်လေးကို
လှမ်းလှမ်းကြည့်ဖြစ်ကြလေရဲ့။

ခဏနေတော့ လူကြီးတွေ လုပ်ငန်းခွင် ပြန်ဝင်ကြတယ်။ ညီညီနဲ့ မမချေတို့က
ဆက်ကစားဖို့ ထွက်သွားကြပြီ။ ကိုကိုကတော့ နွားပေါက်လေးကို ဆက်ကြည့်နေတုန်း။
တောင်ဘောင်တစ်ယောက်ပဲ နွားမကြီးနဲ့ နွားပေါက်လေးနား ကပ်လို့ရပါတယ်။ ညီမက
သူ့သခင်ကိုယုံတယ်လေ။

"နွားပေါက်လေးက ချက်ချင်းဆိုသလို မတ်တပ်ရပ်လို့ရပေမယ့် လူတွေကျ
တော့ ဘာလို့ လမ်းလျှောက်တတ်ဖို့ အချိန်တွေ ကြာနေရတာလဲ၊ တောင်ဘောင်"

"လူတွေမှာက မွေးမွေးချင်း မတ်တပ်ရပ်တတ်ဖို့ မလိုဘူးလေ၊ မြေးလေးရဲ့။
နွားပေါက်လေးတွေက မတ်တပ်ရပ်ဖို့ လိုတာကိုး။ ဟိုဟိုသည်သည် လျှောက်မေးမနေ
နဲ့တော့။ သွားဆော့ချေ"

ညီညီနဲ့ အစ်မဝမ်းကွဲတို့ ကစားနေတဲ့ ကောက်ရိုးပုံနားကို ကိုကို တစ်ခေါက်
ပြန်ပြေးသွားတယ်။ မောင်နှမသုံးယောက် ကောက်ရိုးပုံအောက်နားလေးမှာ အိမ်

ဆောက်တမ်းကစားကြတယ်။ ပြီးရင် ခရုခွံတွေနဲ့ အိုးချေခွက်ချေ(ထမင်းဟင်းချက်
တမ်း)ကစားကြတယ်။ သဲတွေက ဆန်တွေ၊ ထမင်းတွေပေါ့လေ။ ခဏနေတော့
ဘောင်ဘောင့်အိမ်က မီးခိုးထွက်လာတာတွေ့တယ်။ ခါတိုင်းချက်ပြုတ်နေကျ အိမ်နောက်
ဖေးခန်းကမဟုတ်။ မီးခိုးက အုန်းပင်အောက်ဘက်က ထွက်လာတာ။ ကိုကိုက သိချင်လို့
ဘောင်ဘောင် ဘာလုပ်နေလဲသွားကြည့်တယ်။

အုန်းပင်အောက်မှာ မီးတစ်ဖို ဖိုထားတယ်။ ဘောင်ဘောင်က အိုးကြီးတစ်လုံး
သယ်လာတယ်။ မီးဖိုကို အုတ်ခဲသုံးလုံး ဖိုခလောက်ဆိုင်ရံပြီး ထောင်ထားတဲ့အပေါ်မှာ
အဲဒီအိုးကြီးကို တင်လိုက်တယ်။ ပြီးရင် မီးဖိုမှာ ထင်းထပ်ဖြည့်တယ်။

"ဘာချက်နေတာလဲ၊ ဘောင်ဘောင်ရေ"

"အထူးဟင်းလျာတစ်ခွက်ပေါ့ကွယ်" ဘောင်ဘောင်က ပြန်ဖြေပြီး မီးညွန့်တွေ
တက်လာအောင် မီးမှုတ်ဝါးလုံးချောင်းနဲ့ မှုတ်လိုက်တယ်။

အိုးထဲက အစားအစာက ဆူစပြုလာပြီ။ ဘောင်ဘောင်က သံပရာပင်နား
လျှောက်သွားပြီး သံပရာရွက်လတ်လတ်လေးတွေ ဆွတ်ယူလာတယ်။ ပြီးရင် ဒီသံပရာ

ရွက်တွေကို အိုးထဲထည့်လိုက်တယ်။ အိုးထဲက အရာက အသားနဲ့တော့ တူသလိုလို။ ဒါပေမယ့် ဘောင်ဘောင် အသားမစားတာ သူအသိ။ ငါးပဲစားတာ။ ဒါ ငါးမဟုတ်တာတော့ သေချာတယ်။ ဒါဘာကြီးလဲလို့ သူမေးလိုက်ချင်စမ်းပါ့။ ဒါပေမယ့် ဘောင်ဘောင်က ကလေးတွေ အမေးအမြန်းထူရင် သိပ်သည်းမခံနိုင်။

ဘောင်ဘောင်က ဟင်းအိုးကို မွှေလိုက်တယ်။ သံပရာနံ့သင်းသင်းလေး နှာသီးဝတိုးဝင်လာပေါ့။ မွှေနေရောပဲ။ အိုးထဲ ဘာချက်ထားမှန်းတော့မသိ။ အဲဒီဟင်းကို ပြုတ်ပြီးတဲ့အခါ ဘောင်ဘောင်က ရေနဲ့ဆေးလိုက်တယ်။ ပြီးရင် ဓားတစ်ချောင်းနဲ့ အတုံးလေးတွေလှီးတယ်။ ဇလုံလေးတစ်လုံးမှာ အဲဒီအတုံးလေးတွေကိုထည့်ပြီး ကျန်တာတွေကို နောက်တစ်အိုးထဲ ပြောင်းထည့်တယ်။

"ဒီဇလုံထဲက ဟာက ကိုကိုတို့မိသားစုအတွက်ပဲ။ ရော့-သွားပေးချေ"

ကိုကိုက သိချင်စိတ်ကို အတောမသတ်နိုင်။ မေမေ ထင်းလိုက်ကောက်နေတဲ့ နေရာဆီ အပြေးလေးသွားလိုက်တယ်။

"မေမေရေ -မေမေ၊ ဘောင်ဘောင်က အသားလိုလို ဘာလိုလို တစ်ခုပေးလိုက်တယ်။ ဒါ အထူးဟင်းလျာလို့တော့ ပြောတာပဲ။ ဒါပေမယ့် ဘောင်ဘောင်က အသားမှ မစားဘဲ။ ဒါ ဘာလေးလဲ၊ မေမေ"

"အဲဒါ နွားအချင်းလို့ ခေါ်တယ်၊ သား"

"နွားအချင်းဆိုတာ ဘာလဲ၊ မေမေ"

"နွားအချင်းဆိုတာ နွားပေါက်လေး အမိဝမ်းထဲမှာတုန်းက နေခဲ့တဲ့နေရာလေးပေါ့ကွယ်။ သားတောင် အဲလိုနေရာလေးမှာ နေခဲ့ရတာလေ။ သားမွေးတဲ့ တိရစ္ဆာန်တွေဟာ သားပေါက်လေး မွေးပြီးသွားရင် ကိုယ့်အချင်းကိုယ် ပြန်စားကြတာ၊ သားရေ့။ အဟာရဓာတ်အများကြီးပါလို့လေ။ ဒါကြောင့်လည်း သားဘောင်ဘောင်က နွားအချင်း တစ်ချို့တစ်ဝက်လောက်ပဲယူပြီး အားလုံးကို မယူထားလိုက်တာပေါ့"

"တခြားလူတွေကော နွားအချင်းကို စားကြသေးလား၊ မေမေ။ ဒါမှမဟုတ် ဘောင်ဘောင်နဲ့ ကျွန်တော်တို့ပဲ စားတာလား"

"သရက်ချိုဘုန်းကြီးလည်း စားတာပဲ။ နွားအချင်းဆိုတာ တိရစ္ဆာန်အသက် မသေဘဲ စားလို့ရတဲ့ တစ်ခုတည်းသောအသားပဲလို့ ဆရာတော်ကြီးက မိန့်တော်မူဖူးတယ်ကွဲ့။ ဒါကြောင့် အဲဒါ သားရဲ့ဘောင်ဘောင်စားတဲ့ တစ်ခုတည်းသောအသား ဖြစ်နေတာပေါ့။ တိရစ္ဆာန်အသက်မသေတဲ့ ပုံ့သကူသားဖြစ်လို့ အပြစ်ကင်းကင်းနဲ့ စားလို့ရတာကြောင့်ပေါ့၊ သားရေ"

ကိုကိုက မြတ်ဗုဒ္ဓဟောကြားတော်မူတဲ့ ပဥ္စသီလလို့ ခေါ်တဲ့ ငါးပါးသီလ အကြောင်း သိထားပြီ။ ငါးပါးသီလမှာပါတဲ့ သီလတစ်ပါးက "ပါဏာတိပါတာ ဝေရာမဏီ သိက္ခာပဒံ သမာဒိယာမိ" (သူတစ်ပါးအသက်ကို သတ်ခြင်းမှ ရှောင်ကြဉ်ပါ၏)ဆိုတာ

ဖြစ်တယ်။ သူတစ်ပါးအသက်လို့ ဆိုရာမှာ တိရစ္ဆာန်အပါအဝင် သတ္တဝါအားလုံးရဲ့ အသက်တွေပါဝင်တယ်။ ဒါပေမဲ့ လူတွေက အသားတွေ စားနေကြဆဲလေ။ အခြား တစ်ယောက်ယောက်က တိရစ္ဆာန်ကိုသတ်ဖြတ်ပြီး ရလာတဲ့အသားကို ဝယ်ယူချက် စားရင်တော့ ပွဲသက္ကသားဖြစ်လို့ အပြစ်ရှိတဲ့ခံစားချက်မျိုးဖြစ်တာ နည်းတာပေါ့။ ဒါပေမဲ့ သက်ကြီးပိုင်အများစုက အမဲသားမစားကြ။ ကျေးလက်တောရွာတွေမှာ နွားတွေဆိုတာ လယ်ယာလုပ်ငန်းခွင်မှာ အလုပ်တွေအများကြီးကူလုပ်ပေးကြတဲ့ ကျေးဇူးရှင်တွေလို့မှတ်ယူလို့လေ။ ဒီလိုဆိုတော့လည်း ဘောင်ဘောင်ရဲ့ အတွေးအမြင်က သဘာဝကျတယ်လို့ ကိုကို ယူဆမိတယ်။

တစ်နေ့တာ ထင်းရှာတဲ့အလုပ်ကို လုပ်ပြီးနောက် ဘာဘာလုပ်ထားတဲ့ ထင်း စင်လေးပေါ် ထင်းတွေကိုတင်လိုက်တယ်။ မေမေကတော့ ဘောင်ဘောင်ဆီက နွား အချင်းဟင်းလျာ ရလာပြီးတဲ့နောက် လက်သုပ်လုပ်ဖို့ စိုင်းပြင်ပါတော့တယ်။ ငရုတ် သီးစိမ်း၊ ငရုတ်ကောင်း၊ ကြက်သွန်ဖြူ၊ ဆားနဲ့ မျှင်ငပိတို့ကို ငရုတ်ဆုံမှာထည့်တယ်။ ပြီးရင် ငရုတ်ကြိတ်ကျောက်သားနဲ့ ကြိတ်တယ်။ နွားအချင်းသုတ်ဖို့ ပန်းကန်ထဲထည့်တဲ့ အခါ ကြိတ်ထား၊ ထောင်းထားတဲ့ အထောင်းဖတ်ကို ပန်းကန် တစ်ဘက်မှာတင်ပြီး အခြားတစ်ဘက်မှာ ပြုတ်ထားတဲ့ နွားအချင်းတုံးလေးတွေကိုထည့်တယ်။ ထမင်းစားမဲ့ အချိန် မရောက်မချင်း အသုတ်ကိုမရောပစ်ဘူး။ တစ်ခါတည်း ရောသုတ်ပစ်မယ်ဆိုရင် သံပရာရည် ညှစ်ထည့်ရတာကြောင့် စားချိန်ကျတော့ ခါးသွားမှာ။ ခုသုတ်ခုစားမှ နွား အချင်းသုတ်က ချဉ်ပြိုးပြိုးလေးနဲ့ စားကောင်းတာမျိုး။

ညစာစားချိန်ရောက်တော့ မေမေက ငရုတ်ဆုံကို စားပွဲပေါ် တင်လိုက်တယ်။ သံပရာသီးလှီးပြီး အသုတ်သုတ်ဖို့အချိန်ကျပြီလေ။ ညစာစားပွဲပေါ် သံပရာသီး ဖိလို့မှီးပြီး ဓားနဲ့ခွဲပေးဖို့က ဘာဘ့တာဝန်။ ဒီလို လှီမှ့်လိုက်မှ သံပရာရည်ပိုထွက်တာ။ ဘာဘာက သံပရာသီးနှစ်ခြမ်းလုံးကို အသုတ်ထဲညှစ်ထည့်လိုက်တယ်။ ညစာအတွက် ဒီဟင်းလျာ တစ်မျိုးတည်းပဲရှိတာမဟုတ်။ ထမင်းပူပူလေး၊ ရာသီပေါ် ဟင်းသီးဟင်းရွက်တွေနဲ့ ဟင်းရွက်စိမ်းဟင်းချိုတို့လည်းပါသေး။ ဘာဘာက ထမင်းစားရင်း ဟင်း ချိုသောက်ရတာ ကြိုက်တယ်လေ။ နွားအချင်းသုတ်က စပ်စပ်လေးနဲ့ သိပ်ကောင်းတာ။ ဒီအထူးဟင်းလျာကို ကိုကို သိပ်သိပ်ကြိုက်မိပေါ့။

*****

ဆားချက်ဖို့ ထင်းလိုက်ရှာခြင်း

မိုးမကျခင် လုပ်ရမယ့် နောက်ထပ်အလုပ်တစ်ခု ရှိသေးတယ်။ ဒါကတော့ ဆား ချက်ဖို့လေ။ ဆားချက်တာဟာ အဆင့်ဆင့်လုပ်ရတဲ့ လုပ်ငန်းစဉ်ကြီးပါ။ ပထမ အဆင့်က လမုတောတွေ၊ ခနိုင်းတွေကနေ ထင်းရှာတဲ့ အဆင့်ပါ။ ဒီအပင်တွေမှာ ဆားတွေ အများကြီးရှိတယ်။ ဒီရေတက်ပြီဆိုရင် ဆားငန်ရေက လမုတောတွေ၊ ခနိုပင်တွေကို ဖုံးလွှမ်းတတ်တယ်။ ဒီရေကျချိန်ရောက်တော့ မေမေနဲ့ တခြားရှာသူ အမျိုးသမီးတွေဟာ ပင်လယ်နဲ့တစ်ဆက်တည်းရှိတဲ့ မြစ်စီးဆင်းရာ ရွာရဲ့အနောက်ဘက်သို့ ထင်းရှာထွက် ကြတယ်။ ဒီလိုနဲ့ မေမေတို့တတွေ သီတင်းပတ်နှစ်ပတ်လောက် နေ့တိုင်းနိုးနိုး ထင်းခွေ ထွက်ကြတယ်။ ရလာတဲ့ထင်းကိုလည်း နေပူထဲ အခြောက်လှမ်းကြတယ်။ တစ်ခုသော မွန်းလွှဲပိုင်းမှာ မေမေက ကိုကိုနဲ့ ညီညီကိုခေါ်ပြီး ထင်းခွေထွက်လာတယ်။

နေပူလို့ ခေါင်းမှာ ဆောင်းစရာတွေ ဆောင်းထားရတယ်။ မေမေက မင်္ဂလာ[7] ဆောင်းထားတယ်။ ကိုကိုနဲ့ညီညီက ဦးထုပ်ဆောင်းထားတယ်။ မေမေက ဓားမတို တစ်ချောင်း၊ ရေစိဘူးတစ်ဘူး၊ ဆေးပေါ့လိပ်တစ်လိပ်နဲ့ ကွမ်းတစ်ထုတ်ပါတဲ့ တောင်း တစ်လုံးကိုသယ်လာတယ်။ တစ်ခါတလေဆို မေမေက ဆေးပေါ့လိပ်သောက်တတ် တယ်။ အလုပ်လုပ်ရင်း ကွမ်းဝါးရတာလည်းကြိုက်တယ်။

ကိုကိုနဲ့ ညီညီတို့ သဲထူထူ မြေလမ်းလေးအတိုင်း မေမေ့နောက်က လိုက်လာ ကြလေရဲ့။ မင်းလမ်းသို့မရောက်ခင် ဘယ်ဘက်ကဘုရားတစ်ဆူနဲ့ ညာဘက်က ကျွန်း ဦးပင်ကိုဖြတ်သွားရတယ်။ ကျွန်းဦးပင်ဆိုတာက သက်နက်ပင်ကြီးပါ။ ဒီအပင်ကြီးက

7.မင်္ဂလာဆိုတာ ဝါး၊ သလူတို့နဲ့ လုပ်ထားတဲ့ ရခိုင်ရိုးရာ ခေါင်းဆောင်းတစ်မျိုးပါ။

ရမ်းပြဲကျွန်းတစ်ကျွန်းလုံးမှာ အကြီးဆုံးလို့ဆိုကြသဗျ။ ဒီသစ်ပင်ကြီး ဒီမှာရှိနေတာ နှစ်ပရိစ္ဆေဒ ဘယ်လောက်ကြာပြီမသိ။ ဘယ်သူမှလည်း အတိအကျမပြောနိုင်ကြ။ ဒါပေမယ့် လူတွေမှတ်မိနိုင်သလောက် ပြန်ပြောရရင် ဒီသစ်ပင်ကြီးက သစ်ပင် ဘိုးအောကြီးပဲ။

မင်းလမ်းပေါ်မှာ ညာဘက်ခြမ်းကနေ ကိုကိုတို့ လျှောက်လာကြတယ်။ ပြီးရင် ဘယ်ဘက်ကိုကွေ့ပြီး လယ်ကွင်းကို ဖြတ်လျှောက်ကြတယ်။ လမ်းမှာ ချောင်းလက်တက် လေးတစ်ခုတောင် ဖြတ်လိုက်ရသေး။ ဒါပေမယ့် ဒီရေကျချိန်ဖြစ်လို့ မေမေက ညီညီကို ခါးထစ်မှာတင်ချီပြီး ချောင်းကိုဖြတ်ကူးတယ်။ ကိုကိုက ကိုယ်တိုင်ပဲကူးဖြတ်တယ်။ ကိုကိုက ဖိနပ်ချွတ်လိုက်တယ်။ မခ္ဆွတ်လို့လည်းမဖြစ်။ ချောင်းကမ်းပါးနဲ့ ချောင်းကြမ်းပြင်မှာ ရွှံ့ကျွံပြီး ခြေတွေကွဲ့ဝင်နေတယ်လေ။ ချောင်းကို ဖြတ်ကူးပြီးသွားတာနဲ့ ခြေထောက် ရွှံ့လူးနေတာ သန့်ရှင်းသွားအောင် မြက်ခြောက်တွေနဲ့သုတ်လိုက်တယ်။ အဲဒီနောက် ကိုကိုနဲ့ ညီညီတို့ မေမေ့နောက်က လိုက်လျှောက်ကြ ပြန်တယ်။

ကိုကိုက သူ့ရွာလေးဆီ သမင်လည်ပြန် ကြည့်လိုက်တယ်။ သူတို့ရွာမှာ အုန်းပင်၊ ကွမ်းသီးပင်တွေ ထိုးထိုးထောင်ထောင် ရှိနေတာသတိပြုမိတယ်။ အုန်းပင်၊ ကွမ်းသီးပင် တွေထက် မြင့်တာဆိုလို့ ကျွန်းဦးပင်ကြီးပဲရှိတော့တယ်။ ကိုယ့်ရွာကို ဒီလိုအနေအထားမျိုးနဲ့ အရင်တုန်းက ကိုကို မမြင်ဖူးခဲ့။ ရွာကသေးသေးလေးလိုပဲ။ လူတွေ နွားလွန်ထွက်ချိန်မို့ ဖုန်ထူထူလမ်းမထက် ဖုန်တွေတလိမ့်လိမ့်တက်လာတာ မြင်ရရဲ့။ ရွာအထက်ဝန်းကျင် ကောင်းကင်မှာ ဖြူဖွေးတဲ့ တိမ်တောင်တိမ်လိပ်တွေလည်း တွေ့ရဲ့။ နွေရာသီဖြစ်တာကြောင့် တိမ်တွေအတွေ့ ရနည်းတယ်။ ဒါပေမယ့် အခုတော့ အရှေ့ဘက်ဆီမှာ အဖြူရောင် တိမ်တောင်တိမ်လိပ်တွေ ရှိနေလေရဲ့။ မိုးရာသီရောက်တော့မယ့် အရိပ်လက္ခဏာဆိုတာ ကိုကို သိလိုက်တယ်။ ဒါကြောင့်လည်း လူတိုင်းအလုပ်များနေကြတာလေ။

ကိုကိုက ရွာကို သမင်လည်ပြန် ကြည့်ကြည့်နေမိတယ်။ စိတ်ထဲမှာလည်း ရွာက သေးသေးလေးလိုပဲလို့ တွေးနေမိရဲ့။ အဝေးက ကြည့်လိုက်ရင် ရွာနားက လယ်ကွင်းတွေ ယိမ်းနွဲ့ လှုပ်ရှားနေသလိုမျိုး။

"မေမေ၊ လယ်ကွင်းတွေက ဘာလို့ ထူးဆန်းနေတာလဲ"

"နေပူဒဏ်ကြောင့်ပေါ့၊ကိုကိုရေ့"မေမေက ပြန်ပြောတယ်။

သူက ဒီလောက်ပဲရှင်းပြတယ်။ အပိုမပြော။ ကိုကိုက သိပ်သိချင်နေပြီ။ သူက မေးခွန်းတွေ တမေးတည်းမေးနေတတ်သူ့ကြိုး။ ဒါပေမယ့် တစ်ခါတလေဆို မေမေနဲ့ ဘာဘာတို့ အလုပ်ရှုပ်နေလို့ ခရေစေ့တွင်းကျ မရှင်းပြနိုင်ကြ။

နောက်ဆုံးမှာ လူတွေ ထင်းခွေနေတဲ့ နေရာကို ကိုကိုတို့ ရောက်လာကြပြီ။ နေပူထဲ အကြာကြီး လျှောက်လာပြီးတဲ့နောက် မေမေက အရိပ်ထဲထိုင်ပြီး နားနေ လိုက်တယ်။ မေမေ့သူငယ်ချင်းနှစ်ယောက်လည်း အနားလာပြီးထိုင်ကြတယ်။ ကွမ်း

ယာဝါးလိုက်၊ စကားစမြည်ပြောလိုက်နဲ့ မိနစ်အနည်းငယ်လောက် နားနေလိုက်ကြတယ်။ အဲဒီနောက် မေမေက ကိုကိုနဲ့ ညီညီကို ရေဘူးကမ်းပေးပြီး သူ အလုပ်လုပ်နေတုန်း အရိပ်ထဲနေဖို့ ပြောတယ်။

မေမေ ရက်အတော်ကြာ ထင်းရှာစုထားတဲ့ နေရာမှာ ထင်းတွေ တောင်ပုံယာပုံဖြစ်နေပြီ။ နေရောင်အောက်မှာ အခြောက်လှမ်းထားတဲ့ ထင်းပုံတွေ အများကြီးပဲ။ အမျိုးသမီးတစ်ယောက်စီမှာ ထင်းပုံတစ်ပုံစီနဲ့။ ဘယ်သူ့ထင်းပုံက ဘယ်သူ့ဟာလဲဆိုတာ လူတိုင်း မှတ်မိကြတယ်။ မေမေက ဒီရေခမ်းနေတဲ့ နေရာနားဆီ ဆင်းသွားတာ ကိုကိုကြည့်နေလိုက်တယ်။ လမုတောထဲကနေ ထင်းပုံရှိရာဆီ ခေါက်တုံ့ခေါက်ပြန် လျှောက်ရင်း မေမေက ထင်းတွေကိုသယ်နေတယ်။ ဒီရေကျချိန်ဖြစ်လို့ ရွှံ့တွေ ခြောက်နေချိန်လေ။ ဒါကြောင့် မေမေ အလွယ်တကူ သွားလာနိုင်တာပါ။ ရာသီဥတု ပူပြင်းလှပေမယ့်လည်း ကွင်းပြင်ကြီးမှာ လေပြေလေညင်းတွေ တသုန်သုန် တိုက်ခတ် လို့။ အလုပ်လုပ်နေသူတွေအတွက် အေးအေးသက်သာ ဖြစ်စေတာပေါ့။ ကိုကိုနဲ့ ညီညီတို့ လယ်ကွင်းထဲက သစ်ပင်တစ်ပင်အောက်မှာ ကစားကြတယ်။ တစ်ခါတစ်ခါ ကိုကိုက မေမေ့ကို ထင်းကူသယ်ပေးတယ်။ မေမေ အလုပ်တွေ လုပ်ရတာများပြီလေ။ ဒါကြောင့် ကိုကိုက ကူညီပေးချင်နေတာ။ ဒါပေမယ့် နေပူဒဏ်ကြောင့် မေမေက သူ့ကို အများကြီး မကူညီစေချင်။

နေဝင်ပါတော့မယ်။ မေမေ၊ ကိုကိုနဲ့ ညီညီတို့ အိမ်ကို ခြေဦးလှည့်ခဲ့ကြတယ်။ အခြောက်ခံထားတဲ့ ထင်းပုံကို လူတစ်ချို့ မီးရှို့နေကြတာ ကိုကို မြင်ရတယ်။ ဒါပေမယ့် မေမေကတော့ ထင်းပုံကို မီးရှို့ဖို့ အဆင်သင့်မဖြစ်သေး။ အရင်ဦးဆုံး ထင်းတွေ ထပ်စုချင်နေသေးတာ။ ဒါကြောင့် နောက်တစ်နေ့မှာ ဘာဘာကိုယ်တိုင်လာပြီး မေမေ့အတွက် ထင်းတွေထပ်ခွေပေးတယ်။

"ဘာဘာ၊ မကြာခင် မိုးရွာတော့မလား မသိဘူး။ သားတော့ စိုးရိမ်နေပြီ။ အရှေ့ဘက်မှာ တိမ်ဖြူဖြူတွေ တွေ့နေရတယ်"

"မရွာသေးပါဘူး၊ သားရယ်။ အရှေ့ဘက်က လာတဲ့ တိမ်တွေဟာ မိုးရာသီ ရောက်တော့မယ်ဆိုတဲ့ သဘောပဲ။ ဒါပေမယ့် မိုးရွာမယ့် မိုးတိမ်တွေက မည်းမှောင်နေတတ်တယ်။ ပြီးတော့ အနောက်တောင်ဘက်က လာတတ်တာ၊ သားရေ့။ ဒီလိုမျိုး မိုးသားတိမ်လိပ်တွေ အနောက်တောင်အရပ်က လာတော့မှ မိုးရာသီ စတာကွဲ့"

အချိန်တွေ တတိတိနဲ့ ကုန်ဆုံးလာပြီ။ ကိုကိုက ထင်းတွေ ကူသယ်ပေးနေတယ်။ ညီညီတောင် တိုလီမိုလီတွေကူသယ်ပေးနေလေရဲ့။ အားလုံး ကြိုးကြိုးစားစား လုပ်လိုက်ကြတာ ညီညီ့မျက်နှာလေးတောင် နီရဲလာပေါ့။ နောက်ဆုံးမှာ မေမေက ထင်းတွေလုံလောက်ပြီလို့ ဆိုလာတယ်။ ထင်းပုံကြီးကို မီးရှို့ဖို့ အချိန်ကျလာပြီပေါ့။ ပထမဆုံး မီးတွေ လယ်ကွင်းထဲမကူးအောင် ထင်းပုံပတ်လည်က ကောက်ရိုးခြောက် တွေကို

ရှင်းလင်းဖယ်ရှားပစ်ရတယ်။ ပြီးတာနဲ့ ဘာဘာက မီးစာအဖြစ်သုံးဖို့ ကောက်ရိုးခြောက်နည်းနည်း ကောက်ယူလိုက်တယ်။ နောက်ဆုံးမှာ သံမီးခြစ်ကို မီးခြစ်ပြီး မီးစာကို မီးညှိလိုက်တယ်။ မကြာပါဘူး။ ထင်းပုံကြီး မီးလောင်ပါလေရော။

"ကိုကို၊ ညီညီ။ မီးပုံနား မကပ်နဲ့။ ဝေးဝေးနေကြနော်"

ဒီလောက်ကြီးတဲ့ မီးပုံကြီး ကိုကို့တစ်သက် မမြင်ဖူးဘူး။ သူ စိတ်လှုပ်ရှားနေမိတယ်။ ဒါပေမယ့် ညီအစ်ကိုနှစ်ယောက် မီးပုံကြီးနားမကပ်ကြ။ တခြားသူတွေလည်း ကိုယ့်ထင်းပုံ ကိုယ်မီးရှို့ထားလို့ ထင်းတွေမီးလောင်နေတာ ကိုကိုမြင်ရတယ်။ မကြာခင် နေဝင်ပါတော့မယ်။ ကောင်းကင်နောက်ခံမှာ မီးပုံနဲ့ မီးခိုးတွေ မြင်ရတာ တယ်လှသကိုး။ နောက်နေ့ဆို ထင်းပုံကြီးမှာ ပြာတွေကလွဲပြီး ဘာမှကျန်မှာမဟုတ် တော့။

အိမ်ပြန်ဖို့အချိန်ကျပြီ။ မီးတွေ ညလုံးပေါက် လောင်နေပလေ့စေပေါ့။ ဒါပေမယ့် ဘာဘာ့စကားကြောင့် ကိုကို အံ့သြရတယ်။

"ဒီမှာ ခဏ နေခဲ့ကြ။ လမုတောရွံ့ပြင်မှာ မရွှတ်[8] သွားရှာလိုက်ဦးမယ်"

"သားလည်း လိုက်ကူပေးမယ်လေ၊ ဘာဘာ"

"မလိုက်သွားပါနဲ့ကွယ်။ သားက ငယ်သေးတယ်။ အဲဒီမှာ ဆူးတွေ ပေါသနဲ့။ နင့်ဘာဘာနောက် မလိုက်ရပေမယ့် မြင်းခွာရွက်ခူးဖို့ မေမေ့ကို ကူပေးလို့ရတာပဲ။ ဒီနေ့ သားတို့အတွက် ညနေစာကို မြင်းခွာရွက်သုပ်စပ်စပ်လေး လုပ်ကျွေးမယ်လေ"

ဘာဘာ မရွတ်ရှာထွက်နေတုန်း မေမေ၊ ကိုကို နဲ့၊ ညီညီတို့ မြင်းခွာရွက် ခူးကြတယ်။

"ဒီမှာက မြင်းခွာရွက် ခူးစားတဲ့ လူတွေ များတယ်၊ သားရေ၊ တခြားရွာက လူတွေတောင် ဒီနားလာပြီး အလွဲကျပေါက်နေတဲ့ မြင်းခွာပင်တွေ လာခူးကြတာလေ။ မြင်းခွာရွက်ကို သုပ်စားလို့လည်း ရတယ်။ ဟင်းချိုချက်လို့လည်း ရတယ်။ အချဉ်တည်ပြီး တို့စားလို့လည်း ရတယ်ကွဲ့။ ဒါကြောင့် လူတွေက မြင်းခွာရွက် ကြိုက်ကြတာ"

အခု လေပူတွေ စောစောကလောက် မတိုက်တော့။ ညနေစောင်းပြီမို့ အလုပ်လုပ်ရတာ အဆင်ပြေလာပြီ။ မေမေက မြေကြီးပေါ်မှာ အဝတ်တစ်ထည် ပြန်ခင်းလိုက်ပြီး ခူးလို့ရလာတဲ့ မြင်းခွာရွက်တွေကို အဲဒီပေါ် ထည့်ပါတယ်။ ကိုကိုက မေမေ့အတွက် တအား အကူအညီရပေမယ့် ညီညီကတော့ အကူအညီ သိပ်မရသေး။ ငယ်သေးတာကိုး။ ညီညီက မြင်းခွာရွက် နည်းနည်းခူး၊ ပြီးရင် ဟိုဟိုသည်သည် ပြေး၊ တစ်ခါ နည်းနည်း ပြန်ခူး၊ ဦးထုပ်ကို ပစ်ပေါက်ကစား၊ ပြီးရင် မြင်းခွာရွက်နည်းနည်း ပြန်ခူး၊ အဲဒီနောက် နည်းနည်လောက် ထပ်ပြေးဆော့နဲ့ပေ့။ သူက ကောင်းကောင်း အလုပ်လုပ်နေတာ မဟုတ်တော့ ဘာဘာပြန်လာတာ သူ အရင်ဆုံး တန်းမြင်လိုက်တယ်။ ဘာဘာက လုံချည်အထက်ပိုင်းကို ချက်ပြုတ်ရာမှာ ဝတ်တဲ့ ရှေ့ဖုံးခါးစည်းလိုမျိုး ဆွဲထုတ်ချထားတယ်။ ခါးပိုက် လုပ်ထားတာပေါ့လေ။ ခါးပိုက်ထဲ မရွတ်တွေ စုပြုံထည့်လာတာ။ အနားရောက်တော့ ဘာဘာက ခါးပိုက်ထဲက မရွတ်အားလုံးကို မြေကြီးပေါ် မှောက်ချလိုက်တယ်။ အားပါးပါး။ မရွတ်အကောင် ၁၀၀ နီးပါးလောက်။ မရွတ်တွေက မည်းမည်းခုံးခုံးလေးတွေ။ ညနေစာတော့ ရှယ်ကောင်းမှာ။ မေမေက မြင်းခွာရွက်သုပ်စပ်စပ်လေး လုပ်မယ်။ ပြီးရင် မရွတ်ကို မှျင်းငါးပိ၊ ကြက်သွန်ဖြူ၊ ဆားနဲ့ ငရုတ်ကောင်း ထည့်ပြီး ဟင်းချိုချက်မယ်။ ထမင်းပူပူလေးနဲ့ ဆိုတော့ မိုက်ပြီပေါ့။ ညစာစားချိန် ကိုကို ရောက်စေချင်လှပြီ။

*****

8.မရွတ်ဆိုတာ ကတော့ခြွန်ပုံ အခွံရှိပြီး ဒီရေစပ်မှာသာ တွေ့ရတတ်တဲ့ ခရုတစ်မျိုးပါ။

အချိန်မရတော့ပြီမို့

နောက်တစ်နေ့ မနက်စောစောမှာ မိုးဖွဲဖွဲ ကျသံကြောင့် ကိုကို အိပ်ရာကနိုး လာတယ်။ ဘာဘာနဲ့ မေမေတို့က ကောင်းကင်ပေါ်မှာ တိမ်မည်းညိုတွေ ရှိနေတဲ့ အကြောင်း၊ မြန်မြန်သွက်သွက်လုပ်မှ ဖြစ်တော့မယ်ဆိုတဲ့အကြောင်း ပြောသံကြားနေ ရတယ်။ ဆားချက်မှ ဖြစ်တော့မှာလေ။ မိုးတွေ သည်းသည်းမည်းမည်း ရွာလိုက်မှဖြင့် ဆားတွေ ဘာမှ မရလိုက်ဘဲ ဖြစ်တော့မယ်။ ဒီလိုသာဆို နဖူးကချွေး ခြေမဦးကျအောင် ကြိုးကြိုးစားစား လုပ်ထားတာတွေ သဲထဲရေသွန် ဖြစ်ကုန်တော့မယ်။

ကိုကိုနဲ့ ညီညီကို ကြည့်ထားပေးဖို့ မေမေက ဘောင်ဘောင့်ကို အကူအညီ တောင်းသံ ကိုကိုကြားလိုက်ရတယ်။ အဲဒီနောက် မေမေနဲ့ ဘာဘာတို့ ဆားပြာသွား သယ်ဖို့ ခပ်သုတ်သုတ်ထွက်သွားကြတယ်။ ရုတ်တရက် မိုးခြိမ့်သံ ဂျိန်းကနဲကြားလိုက် ရတယ်။ မိုးခြိမ့်သံကြောင့် ညီညီ နိုးသွားတယ်။

"ဘာဘာ-မေမေ " ညီညီ အော်ခေါ်လိုက်တယ်။

"ဘာမှမဖြစ်ဘူး၊ ညီညီ။ မိုးရွာလာလို့ မေမေနဲ့ ဘာဘာ ကမန်းကတန်း သွားလိုက်ရတာ"

"မိုးရာသီ စပြီလား၊ ကိုကို" ညီညီက မေးတယ်။ သူ့အသံက ငိုမဲ့မဲ့ လေသံမျိုး။ မိုးခြိမ့်သံကို ကြောက်တတ်လေတော့ မိုးရာသီရောက်မှာ သူ ကြောက်နေပြီ။

"မိုးမကျသေးပါဘူး၊ ညီညီရယ်။ မစိုးရိမ်ပါနဲ့။ မိုးဖွဲလေး ကျရုံပါကွ"

ကိုယ်တိုင် စိုးရိမ်နေကြောင်း မပြမိအောင် ကိုကို ဟန်ကိုယ့်ဖို့ လုပ်ထားပေမယ့် သူစိုးရိမ်နေတာ သူ အသိ။ မေမေ့မှာ တစ်မိုးစာ ဆားတွေ အလုံအလောက်ရလိုက် စေချင်တယ်။ ဒါ့အပြင် မေမေက အပိုဝင်ငွေအတွက် ဈေးမှာဆားတွေလည်း ရောင်းချင်သေးတာကိုး။ မိဘတွေစိုးရိမ်တာ ကိုကို မမြင်ချင်။ ဒါကြောင့်လည်း သူ

စိုးရိမ်မိပေါ့။ လူကသာ ငယ်ပေမယ့် စိုးရိမ်စိတ်က မသေး။

ညီအစ်ကိုနှစ်ယောက် အိပ်ရာက ထလာကြပြီ။ ထ,ထချင်း မီးဖိုချောင်ထဲ မျက်နှာမသစ်ဘဲ အိမ်ရှေ့ခန်း ထွက်သွားကြတယ်။ တောင်တောင်က အိမ်ရှေ့ခန်းမှာ ထိုင်နေတယ်။ ကိုကို၊ ညီညီတို့ မနက်စာအဖြစ် စားဖို့ ငှက်ပျောသီးတွေက အဆင်သင့်။

"ဟေ့ - ဟေ့ - နေကြဦး"

မျက်နှာမသစ်ဘဲ မနက်စာစားချင်နေတဲ့ ကောင်လေးနှစ်ယောက်ကို တောင်တောင်က ငေါက်လိုက်တယ်။ "သွား-သွား။ အရင်ဆုံး မျက်နှာသွားသစ်ချေ"

ကိုကို၊ ညီညီတို့ မီးဖိုချောင်ထဲ ဝင်သွားတယ်။ ရေအိုးထဲက ရေတစ်ခွက်ကို ညီညီအတွက် ကိုကို ခပ်ပေးတယ်။ ပြီးရင် ညီညီ သွားတိုက်ဖို့ ဆားတစ်တို့စာလေး လက်ထဲထည့်ပေးတယ်။ သွားတိုက်၊ မျက်နှာသစ်ပြီးတဲ့အခါ အိမ်ရှေ့ခန်းဆီ နှစ်ဦး သားထွက်ခဲ့ကြတယ်။ မိုးစဲပြီး နေပြန်ထွက်လာပြီ။ မြေပြင်က နည်းနည်းရေစိုနေ တယ်။ မြေသင်းနံ့လေးက ကိုကို့အကြိုက်။ တောင်တောင်က အိမ်ရှေ့ခန်းမှာ ပန်းတူ (ဆေးတံ) သောက်ရင်းထိုင်နေတယ်။ မေမေနဲ့ဘာဘာ ပြန်လာနိုးနဲ့ သူ့တို့ ထွက်သွားရာ လမ်းကို ကိုကို မျှော်ကြည့်နေမိတယ်။ ဟေ့ - နောက်ဆုံးတော့ မေမေနဲ့ ဘာဘာ ပြန်လာကြပြီ။ မေမေက ခေါင်းပေါ် ဆားပြာတောင်းကြီးရွက်လို့ ထိပ်ဆုံးက။ မေမေ့နောက်မှာ ဘာဘာလိုက်လာတယ်။ ဘာဘာက ဆားပြာတောင်းနှစ်လုံးကို ထမ်းပိုးတစ်ချောင်းနဲ့ ချိတ်ပြီး ပုခုံးပေါ် တင်ထမ်းလာတယ်။ တောင်းထဲ ဆားပြာတွေ အပြည့်။

အိမ်ရဲ့ အရှေ့ဘက်ခြမ်းက မောင်းကာထဲ မေမေနဲ့ ဘာဘာတို့ တန်းဝင်သွားကြ တယ်။ မေမေက ဝါးဖျာလေးတစ်ချပ်ကို မြေကြီးပေါ် ဖြန့်ခင်းလိုက်တယ်။ ဝါးဖျာ ပေါ်မှာ ဆားပြာတောင်းတွေ မှောက်ထည့်လိုက်ကြတယ်။

"နင်တို့လင်မယား ဒီလောက်များတဲ့ ဆားပြာတွေ ဘယ်လိုတောင် ဆယ်လိုက် နိုင်ကြတာတုန်း။ ငါ့ဖြင့် အုံ့သြပဲ။ မိုးလည်း အတော်လေး ရွာလိုက်တာပဲဟာကို"

"အဲဒီနား မိုးသိပ်မရွာလိုက်ဘူး။ အမေ။ ကံကောင်းလို့ပေါ့"

ဘာဘာပြောသံ ကြားမှ ကိုကိုတစ်ယောက် အလုံးကြီး ကျတော့တယ်။

"မခင်ရဲ့။ ပုချေမ ဘယ်မှာကျန်ခဲ့တာလဲ။ နင်တို့နဲ့အတူ ထွက်သွားတာ ဘာလို့ အပြန် ဒီလောက်ကြာနေရတာလဲ"

"မသိတော့ပါဘူး။ နောက်က ပါလာတယ်ထင်နေတာ

ရုတ်တရက် မြင်ကွင်းထဲ အရီးဒေါ် ပုချေမ ပေါ်လာတယ်။ ခေါင်းပေါ်မှာ ဆားပြာတောင်းကြီး ရွက်လို့။ တောင်တောင်က ဆားပြာတောင်းကြီးကို ခေါင်းပေါ် ကနေ အိမ်ရှေ့ခန်းထက် ကူချပေးနေတုန်း အရီးဒေါ် ပုချေမက တအဲ့တသ ရေရွတ် လိုက်တယ်။

"လမ်းမှာ ဘာဖြစ်သွားလဲ ပြောကိုမပြောချင်တော့ဘူး၊ အမေရယ်။ မအုန်းရွှေပေါ့။ သူက သမီးတို့ရှေ့က သွားနေတာ။ သူက ရှိသမျှဆားပြာတွေကို တောင်းထဲ ပြုန်းစားကြီး ထည့်လာတာလေ။ မိုးရွာလာမှာ စိုးရိမ်နေတာကိုး"

ကိုကိုက စိတ်ဝင်တစား နားစိုက်ထောင်နေတယ်။ ဒေါ်အုန်းရွှေဆိုတာ သူတို့အိမ်နီးချင်းပေါ့။ အရီးဒေါ်ပုချေမက ဆက်ပြောတယ်။

"လယ်ကွင်းထဲက ချောင်းကလေးကို ဖြတ်ပြီးတာနဲ့ မအုန်းရွှေရွက်လာတဲ့ ဆားပြာတောင်းထဲက မီးခိုးထွက်နေတာ မြင်လိုက်ရတယ်။ ခေါင်း မီးလောင်တော့မယ်။ ဆားပြာတောင်းက မီးခိုးတွေထွက်နေတယ်"အားလုံး ဝိုင်းအော်ကြတာလေ။

မအုန်းရွှေ ကြားတော့ တောင်းကို ခေါင်းပေါ်က ကမန်းကတန်း တွန်းချလိုက်တယ်။ ပြီးတော့ မီးခိုးထွက်နေတဲ့ မီးကျီးခဲကို ဆွဲထုတ်၊ ဖိနပ်နဲ့ တက်နင်းပြီး မီးငြိမ်းသတ်လိုက်ရသေး။ မအုန်းရွှေကတော့ တဟားဟားရယ်လို့။ သူ ဘာမှမဖြစ်ဘူးဆိုတာ

သိတော့ အားလုံးရယ်နေမိကြတယ်။ တောင်ထဲက ထွက်ကျသွားတဲ့ ဆားပြာအများစုကို မအုန်းရွှေ လိုက်ဆယ်နိုင်ခဲ့လို့ တော်သေးတယ်"

ခဏတဖြုတ် နားလိုက်ကြပြီးနောက် ဘာဘာ၊ မေမေနဲ့ ဒေါ်ပုချေမတို့ ဆားပြာဆက်သယ်ဖို့ နောက်တစ်ခေါက် ပြန်ထွက်သွားကြတယ်။ ဘာဘာနဲ့ မေမေတို့ ဆားပြာတွေ သယ်ပြီး အားလုံးကို မောင်းကာအောက် ဖျာပေါ် ပုံထားလိုက်ကြတယ်။ ဆားပြာပုံကြီးကို မြင်တော့ ကိုကိုက ဒီထဲတို့စားဖို့ သရက်သီးစိမ်းတစ်ချို့ ဆွတ်လိုက် တယ်။ စိတ်လှုပ်ရှားစရာ စားဖွယ်တစ်ခုကို။ သရက်သီးစိမ်စိတ်ချဉ်ချဉ်လေးတွေကို ဆားနဲ့ တို့စားရသလိုပဲ။ ဒါပေမဲ့ ဆားပြာပုံထဲ သရက်သီးစိတ် တို့စားရတာက ပိုတောင်ကောင်းသေး။ ဒါလေးစားပြီးရင် ကိုကို၊ ညီညီတို့ တစ်ယောက်ကို တစ် ယောက် သွားဖြုပြီးရယ်ကြရော။ မရယ်ဘဲရှိပဲ့မလား။ သွားမှာ မီးခိုးရောင် ဆားပြာ စတွေ ကပ်နေတတ်တာကို။ လျှာလည်း ပြာနှမ်းနှမ်းဖြစ်လို့။

နေ့လည်စာ စားပြီးတော့ ဘာဘာနဲ့ မေမေတို့ ချောင်းထဲက ဆားငန်ရည် သွားခပ်ကြတယ်။ ဆားချက်လုပ်ငန်းကို အိမ်မှာပဲ စလုပ်ကြရပြီပေါ့။ ရွာထဲက အိမ်အများစုမှာ သစ်သားဆုံနဲ့ ကျည်ပွေ့ရှိပါတယ်။ ဆုံနဲ့ ကျည်ပွေ့ကိုသုံးပြီး စပါး ထောင်းကြတာကို။ မေမေက ကွမ်းသီးလက်ရဲ့ ပြားချပ်ချပ်အစွန်းပိုင်းကို ဆုံပေါ် တင်လိုက်တယ်။ ကွမ်းသီးလက်ပေါ်မှာ တောင်းတစ်လုံးကို တင်ပြန်တယ်။ တောင်း ထဲကရေတွေ မြေအိုးထဲစီးကျနိုင်စေဖို့ ကွမ်းသီးလက်က ကူညီပေးပါလိမ့်မယ်။

မေမေက ဆားပြာကို တောင်းထဲ ထည့်လိုက်တယ်။ အဲဒီနောက် ဘာဘာက ဆားငန်ရည်ကို တောင်းထဲ လောင်းထည့်ပြီး ဆားပြာတွေ အရည်ပျော်သွားအောင် သစ်သားချောင်းတစ်ချောင်းနဲ့ မွှေလိုက်ပါတယ်။ ဆားပြာတွေနဲ့ ရောနေတဲ့ ဆားငန် ရည်တွေ မြေအိုးထဲ စီးဆင်းလာကြတယ်။ ဒီအရည်က သိပ်ငန်တယ်။ ဒါပေမဲ့ ဆားပြာတွေကြောင့် အရောင်ကတော့ မဲပုပ်ပုပ်။ ဒီဆားငန်ရည်အရောက်ကို တောင်းထဲ ပြန်လောင်းထည့်ပေးရပါတယ်။ တစ်ခါ ဒီအရည်က မြေအိုးထဲ စီးဆင်းလာပြန်ရော။ အခုတစ်ခေါက် ဆားငန်ရည်အရောင် အရင်ကလောက် မဲပုပ်မနေတော့။ သဲတွေ အတိုင်းပဲ ပြာတွေလည်း တောင်းအောက်ခြေမှာ တင်ကျန်ရစ်ခဲ့လို့လေ။ ဒီနည်းအတိုင်း ဆားငန်ရည်ကို တောင်းထဲ အကြိမ်ပေါင်းများစွာ လောင်းထည့်ရတယ်။ နောက်ဆုံး တော့ ဆားငန်ရည် ကြည်ကြည်လေး ရလာပြီပေါ့။ မေမေက ဆားငန်ရည်အကြည်အိုးကို ဖယ်ပြီး အိုးအလွတ်တစ်လုံးကို နေသားတကျ ပြန်ထားတယ်။ ပြီးတာနဲ့ ဆားငန်ရည် အသစ်ကို တောင်းထဲ လောင်းထည့်ပြန်တယ်။ ဆားငန်ရည်အကြည် ရလာတော့ ဒီအိုးကိုလည်းဖယ်ထားပြီး တတိယအိုးကို နေသားတကျထားပြန်ပါတယ်။ ရှေ့ကအတိုင်း တောင်းထဲ ဆားငန်ရည်တွေလောင်းထည့်ပြန်ပါတယ်။ တစ်ခါ ဆားငန်ရေကြည်တွေ ရလာပြန်ရော။ ဒါပေမဲ့ ဆားငန်ရည်တွေ ဆားချက်လို့ရလောက်အောင် ငန်မှငန်

ပါ့မလား။ မေမေ့ရဲ့ ဆားရည် ငန်/မငန် တိုင်းတာနည်းက ဒီလိုပါ။ ပထမဆုံး ထမင်းလုံး
တစ်လုံးကို ဆားရည်ထဲ ပလုံကနဲ ထည့်လိုက်တယ်။ ထမင်းလုံး တဖြည်း ဖြည်းမြုပ်သွားပြီး
ရေမျက်နှာပြင်ထက် ပြန်ပေါ်လာရင် ဒါဆားငန်လို့ပဲ။ မေမက ဒီနည်းအတိုင်း ထမင်း
လုံးနဲ့ စစ်ဆေးကြည့်လို့ ထမင်းလုံးမြုပ်သွားတယ်ဆိုရင် တောင်းထဲ ဆားပြာထပ်ဖြည့်ပြီး
ဆားငန်ရည်ကြည်ရအောင် အစအဆုံး ပြန်လုပ်ရပါတယ်။ တစ်ခါတလေဆို မေမက
ဆားငန်ရည်ကြည့်ထဲ လက်ချောင်းလေး နှစ် ပါးစပ်ထဲ လက်ထည့်ပြီး ဘယ်လောက်
ဆားငန်လဲ မြည်းစမ်းကြည့်တတ်တယ်။ ကိုကိုနဲ့ ညီညီတို့ကိုလည်း ဒီအတိုင်းလုပ်စေတယ်။
    "သားတို့ ဘယ်လို ထင်လဲ"
    "ဒီနှစ် ဆားတွေ ငန်မယ်ထင်တယ်၊ မေမေ"
    "ငန်ရင် ကောင်းတာပေါ့ကွယ်" မေမက ပြုံးပြုံးလေးပြန်ဖြေတယ်။
    မေမေ့မှာ ဆားငန်ရည် သုံးအိုးအပြည့် ရလာတဲ့အခါ ဆားဒယ်ကို အဆင်သင့်
ပြင်တယ်။ ဆားဒယ်ကို သွပ်နဲ့လုပ်ထားတယ်။ ဆားဒယ်က ခပ်တိမ်တိမ်လေး။ လေးပေ
လောက်ရှည်ပြီး နှစ်ပေလောက်ကျယ်ပါတယ်။ ဆားဒယ်ပိုင်တဲ့သူက ရှားတယ်။
ဒါကြောင့် ရွာသားအများစုက ဆားဒယ်ငှားသုံးကြတယ်။ အခု သုံးနေတဲ့ ဆားဒယ်ကို
မေမက အိမ်နီးချင်းတစ်ယောက်ဆီက ငှားထားတာ။ ငှားခအဖြစ် ပိုင်ရှင်ကို
ဆားတွေပေးရမှာလေ။ ပိုင်ရှင်ကို ပေးရတဲ့ ဆားပမာဏဟာ ဆားဒယ် ဘယ်နှစ်ရက်
ငှားလဲဆိုတဲ့အပေါ် မူတည်ပါတယ်။ မေမက ဆားဒယ်ကို လေးရက် ငှားလေ့ရှိတယ်။
ဒီတော့ ဆားဒယ်ပိုင်ရှင်ကို ဆားတစ်တောင်း ငှားခပေးရမယ်ပေါ့လေ။ ဆားဒယ်ပိုင်ရှင်က
သိပ်ကံကောင်းတယ်။ လူတွေအများကြီး ဆားဒယ်ငှားကြတာကိုး။ ဆားဒယ်ပိုင်ရှင်က
ကိုယ်တိုင် သုံးစွဲပြီးလို့ ပိုလျှံတဲ့ ဆားတွေကို ဈေးမှာသွားရောင်း လေ့ရှိတယ်။
    ဘာဘာက ထင်းတွေအများကြီးရှာထားတယ်။ အချိန်တွေအကြာကြီး ဆား
ရည်ချက်ရမှာကိုး။ မေမက ထောင့်မှန်စတုဂံပုံရှိတဲ့ ဆားဒယ်ကြီးကို အုတ်နီခဲတွေပေါ်
တင်ပြီး အပေါ်က ဆားငန်ရည်ကြည်တွေ လောင်းထည့်တယ်။ အဲဒီနောက် ဆားဒယ်
အောက်မှာ မီးဖိုလိုက်တယ်။ ကိုကိုက စောင့်ကြည့်နေမိပေါ့။ နောက်ဆုံးမှာ ဆားရည်
တွေ ဆူပွက်လာတယ်။ ဒါပေမယ့် ရေအားလုံး အငွေ့ပျံသွားဖို့ နာရီအတော်လေး
ကြာပါလိမ့်မယ်။ ဒီအချိန်ဟာ ဆားဒယ်ထဲ သရက်သီးစိမ်းအလုံးလိုက် ထည့်လိုက်ဖို့
အကောင်းဆုံး အချိန်ပါပဲ။ မေမက သရက်သီးစိမ်းတွေကို သတိထားပြီး ဆားဒယ်ထဲ
ထည့်လိုက်တယ်။ ကိုကို၊ ညီညီတို့ ကြိုက်တာ သူ သိထားပြီးသားကိုး။ ဆားပြာထဲ
သရက်သီးစိတ် နှစ်စားတာထက် ပိုတောင် ကောင်းအုံ့မယ်ဆိုတာ ကိုကို သိပြီးသား။
ကိုကိုက မီးဖိုနား တိုးကပ်သွားတယ်။ ဒါကို မြင်တော့ မေမက ဆူတယ်။ ဒါပေမယ့်
မေမကိုယ်တိုင် အနားက ကြည့်နေလို့ရရင်တော့ ကိုကိုကို မီးဖိုနား ကပ်ခွင့်ပေးတတ်
ပါတယ်။

မိနစ် ၂၀ လောက်ကြာတော့ မေမေက ဝါးယောက်မတစ်လက်နဲ့ သရက်
သီးတွေ ပြန်ဆယ်တယ်။ ဆားရည်ထဲ ထည့်ချက်လိုက်တာကြောင့် သရက်သီးစိမ်းက
ညိုရောင်သမ်းသွားတယ်။ သရက်သီးတွေ အေးလာတဲ့အခါ ကိုကိုက ညီညီကို တစ်လုံး
ဝေပေးတယ်။ စောစောက သရက်သီးစိတ်တွေ ဆားပြာထဲ နှစ်စားချိန်ကဆို တခွဲခြမ်းနဲ့
ကိုက်စားလို့ရတယ်။ ချဉ်ချဉ်ငန်ငန်လေး။ အခုကျတော့ သရက်သီးတွေက အတွင်း
သားပျော့ပြီး အရည်ရွှမ်းနေတယ်။ ငန်တန်တန်လေးနဲ့ နည်းနည်းပဲချဉ်တယ်။ သရက်သီး
ဆားရည်ပြုတ် စားရချိန်ဟာ ဆားချက်လုပ်နေတုန်း ကိုကို အကြိုက်ဆုံးအချိန်ပါပဲ။

ဆားဒယ်ထဲက ရေမျက်နှာပြင် နိမ့်လာတဲ့အခါ ပွက်ပွက်ဆူနေတဲ့ ဆားရည်ထဲက
လေပူပေါင်းတွေနဲ့အပြိုင် ဆားပွင့်တွေပါ လေပေါ် မြောက်တက်လာပုံကို ကြည့်ရတာ
ကိုကို သဘောကျမိရဲ့။ ဆားတွေက တအားထူထဲနေတာ။ အခုတော့ ဆားဒယ်အောက်မှာ
ထင်းတွေမများအောင် မေမေကလုပ်ပေးနေရပြီ။ မီးတအား များနေလို့မဖြစ်တော့။
မီးများလွန်းရင် ဆားတွေမီးကျွမ်းပြီး မဲကုန်ရော။ ရေခမ်းသွားတဲ့အခါ ဆားဒယ်ထဲ
ကျန်ခဲ့တဲ့ ဖြူသန့်နေတဲ့ ဆားပွင့်လှလှလေးတွေကို ရင်ခုန်စိတ်လှုပ်ရှားစွာ သွားကြည့်
တယ်။ ဆားရည်တွေအဖြစ်ကနေ ဆားပွင့်တွေချည်း ဖြစ်လာဖို့ အချိန် ၃ နာရီလောက်
ကြာပါတယ်။

ဆားတွေ အေးလာတဲ့အခါ မေမေက ဆားအားလုံးကို ဒယ်အိုးထဲက ခြစ်ထုတ်
လိုက်တယ်။ ကိုကိုက ထင်းပုံထက် ထိုင်ပြီး မေမေအလုပ်လုပ်နေတာကြည့်နေတယ်။

"မေမေ၊ တခြားရွာက လူတွေလည်း သားတို့လို ဆားချက်ကြတာပဲလားဟင်"

"ကျောက်ဖြူဘက်မှာတော့ ပင်လယ်ဆားငန်ရေပဲ သုံးပြီး ဆားလုပ်ကြတာကွဲ့။
ဆားငန်ရေကို နေလှန်းပြီး နေလှန်းဆားလုပ်ကြတာပေါ့။ ဒါကြောင့် သူတို့ဘက်က
လာတဲ့ ဆားတွေ တို့ဘက်ကလောက် ဖြူလည်းမဖြူသလို ကောင်းလည်းမကောင်းဘူး၊
သားရေ။ တစ်ချို့ရွာတွေမှာ ဆားငန်ရေတွေ အနည်ဝနေတဲ့ မြေဆီလွှာကိုသုံးပြီး ဆား
ချက်ကြတာ။ ဒီဆားပေါက်မြေဆီလွှာကို ခြစ်ယူပြီး ဆားပြာတွေအစား သုံးကြတာပေါ့ကွယ်။
မေမေတို့နဲ့ ဆင်တူတယ်လေ။ ပဲခူးမှာတော့ ဆားတွင်းတွေရှိတယ်တဲ့ကွယ်"

"ပဲခူးက ဘယ်မှာလဲ၊ မေမေ။ ဆားတွင်းတွေ ဆိုတာကရော"

"သားတော်မောင် ဇစပ်စုလေးရေ။ ပဲခူးမြို့က ပြည်မဘက်မှာရှိတာကွဲ့။ ဆားတွင်း
ဆိုတာက မြေကြီးထဲမှာ ဆားရှာတူးလို့ရတဲ့ နေရာတွေပေါ့"

မေမေက ဆားဒယ်ကို ဆေးလိုက်ပြီး နောက်တစ်နေ့ ဆားချက်ဖို့ အဆင်သင့်
ဖြစ်အောင် ပြင်ဆင်ထားလိုက်တယ်။ ဆားတစ်ဒယ်ချက်ပြီးဖို့ အချိန်တွေ အများကြီး
ပေးရတာကြောင့် တစ်နေ့တစ်ဒယ်ပဲ ချက်နိုင်တယ်လေ။ မေမေတော့ နောက်သုံးရက်
လောက် ဆားချက်တဲ့အလုပ်နဲ့ အလုပ်များနေပါဦးမယ်။

*****

အိမ်ခေါင်မိုးကြရာဝယ်

ဘာဘာနဲ့ ဘကြီးဦးအောင်ဖိုးသန်း၊ ဘကြီးဦးအောင်ဖိုးသိန်းတို့ စကားပြောသံကြားလို့ ကိုကို အိပ်ရာက နိုးလာတယ်။ သူတို့က ဘာဘာရဲ့ အစ်ကိုတွေ။ အပြင်မှာ မဲမှောင်နေဆဲ။ ဘာဘာတို့က အိမ်ရှေ့ခန်းမှာ စကားပြောနေကြတာ။ ဘာဘာ နွားလှန်သွားစရာမလိုအောင် အရီးဒေါ်ပုချေမက နွားတွေကို လယ်ကွင်းထဲ မောင်းသွားသံကိုလည်း ကိုကို ကြားလိုက်ရတယ်။ အဲဒီနောက် မေမေက ကိုကိုနဲ့ ညီညီကိုနှိုးဖို့ အိမ်ခန်းထဲဝင်လာတယ်။ ကိုကို နိုးနေပြီဆိုတာ မေမေ မသိ။

"အမေ့သားလေးတွေ၊ အိပ်ရာထဖို့ လိုနေပြီကွဲ့။ အိမ်ခေါင်မိုးပြင်ဖို့ အချိန်ကျပြီ"

ညီညီက အိပ်ရာက မထချင်။ ဒါကြောင့် မေမေက ညီညီကို အိမ်ရှေ့ခန်းသို့ ပွေ့ချီထုတ်သွားတယ်။ ညီညီရော ကိုကိုပါ ကြာကြာလေး အိပ်နိုင်အောင် ခေါင်းအုံးတွေပါ တစ်ခါတည်းထုတ်သွားတယ်။ အရှေ့အရပ်ဆီက နေမင်းကြီး မထွက်ပြူလာသေး။ သို့ပေမယ့် အိမ်ခေါင်မိုးတဲ့ အလုပ်ကို စောစောစမှဖြစ်တော့မယ်။ နေ့လည်နေ့ခင်း တအားမပူလာခင်လေးပေါ့။ လုပ်ငန်း စတင်တဲ့အခါ အိမ်ထဲက ပစ္စည်းတွေပေါ် ဖုန်မှုန့်တွေ၊ အမှိုက်သရိုက်တွေ မကျအောင် မေမေက ဖျာတွေ၊ တာလပတ်တွေနဲ့ အုပ်ထားလိုက်တယ်။

ဘာဘာ၊ သူ့အစ်ကိုနှစ်ယောက်နဲ့ တခြားမိတ်ဆွေသုံးယောက် ကွမ်းအစ်နားဝိုင်းထိုင်ပြီး ကွမ်းယာ ဝါးကြတယ်။ တစ်ချို့က ဆေးပေါ့လိပ် မီးညှိပြီး ခေါင်မိုးထက်တက်ဖို့ စလုပ်ကြပါတော့တယ်။ အိမ်ဘေးမှာ ဝါးလှေကားတစ်ခု ထောင်ထားတယ်။ လေးယောက်က ခေါင်မိုးထက်တက်သွားပြီ။ သူတို့က အုန်းပျစ်ကို ထိန်းထားတဲ့ ဝါးလုံးထောင့်တန်းတွေကိုပဲ နင်းတက်ကြရတာ။ အုန်းပျစ်ပေါ် တိုက်ရိုက် တက်နင်း

မိရင်တော့ အောက်ကို ကျွံကျပြီသာ မှတ်ပေတော့။

တစ်ယောက်စီက ခေါင်းမိုးတစ်ပိုင်းစီ တာဝန်ယူပြီး အုန်းပျစ်တန်းတွေကို အပြင်ဘက် ကန်ထုတ်ကြပါတော့တယ်။ ဒီလို ကန်ထုတ်ရတာလွယ်ပါတယ်။ အုန်းပျစ် တွေကို တင်းတင်းစည်းထားခဲ့တဲ့ ဝါးနီးတွေက အခုဆို ဟောင်းနေပြီလေ။ အထက်နားက အုန်းပျစ်တန်း ပြုတ်ထွက်သွားတာနဲ့ နောက်တစ်တန်းကို ဆင်းပြီး ဆက်ကန်ထုတ်ကြပြန် တယ်။ ဒီလိုနဲ့ ခေါင်းမိုးထိပ်ကနေ အောက်သို့ တဖြည်းဖြည်း ဆင်းရင်း နောက်ဆုံးမှာ အုန်းပျစ်အားလုံးကို မြေကြီးပေါ် ကန်ချလိုက်ကြတယ်။ ခေါင်းမိုးတစ်ခြမ်း ပြီးတော့ နောက်တစ်ခြမ်းကိုလည်း အလားတူကန်ချကြတယ်။ အိမ်ထဲမှာ မေမေဖုံးထား၊ ပတ်ထား တဲ့ ဖျာတွေ၊ တာလပတ်တွေပေါ် ဖုန်တွေ၊ သစ်ရွက်ခြောက်တွေ ကျသွားတယ်။ အခုဆို အိမ်ရှေ့ခန်း **တန်းပျင်းခန်း**[9] နဲ့ မောင်းကာလောက်ပဲ ခေါင်းမိုးရှိပါတော့တယ်။ အဲဒီ အခန်းတွေက ခေါင်းမိုးတွေကို ဘာဘာ မနစ်တုန်းက အသစ်မိုးထားပြီးသားဖြစ်လို့ နောက်ပိုင်း ကိုယ့်ဘာသာကိုယ် နည်းနည်းပါးပါး ဖာလိုက်ရင်ဖြစ်မှာပါ။

မေမေနဲ့ ဘာဘာ့အမေ (ဘောင်ဘောင်) တို့က အိမ်ခေါင်မိုးပေါ် က ကျလာတဲ့ အုန်းပျစ်ဟောင်းတွေကို လိုက်သိမ်းပြီး အုန်းပင်အောက်မှာ ပုံထားလိုက်တယ်။ ကိုကို လည်းကူပေးတယ်။ အုန်းပျစ်ဟောင်းအများစုကို မောင်းကာအမိုးမိုးရာမှာပဲဖြစ်ဖြစ်၊ လယ်စောင့်တဲ့ အမိုးမိုးရာမှာပဲဖြစ်ဖြစ်၊ တခြား သေးသေးမွှားမွှား ခေါင်မိုးပြုပြင်ရာမှာပဲ ဖြစ်ဖြစ် ပြန်သုံးကြမှာပါ။ အဲဒီနောက် မေမေက စျေးဘက်ထွက်သွားတယ်။ ကူညီပေးလာ သူတွေကို ကျေးဇူးတင်တဲ့အနေနဲ့ နေ့လည်စာကို အထူးတလည် ပြင်ဆင်ပေးရတာ ရှာခလေ့ကိုး။

အုန်းပျစ်ဟောင်းတွေကို ကန်ချလိုက်ပြီးတဲ့အခါ ဝါးထောင့်တန်းတွေကို စစ်ဆေး ကြည့်ရပါတယ်။ အမိုးထောင့်တန်းတွေမှာ ကန့်လန့်ဖြတ်ဝါးလုံးတွေ ချည်ထားပေးရတယ်။ ထောင့်တန်းတွေမှာ တစ်နေရာရာ အစားထိုးဖို့ လိုလိုမယ်မယ်ဆိုပြီး မြေပေါ်မှာ ဝါးလုံး တစ်ပုံ ပုံထားပြီးသား။ ဝါးထောင့်တန်းတွေမှာ ချည်ဖို့ ဝါးနီးတွေကလည်း အဆင်သင့်ရှိနေ ပြီးသား။ ညနေခင်းတိုင်းလိုလို ဘာဘာ အားလပ်ချိန်ဆို ဝါးလုံးစိမ်းတွေကို ခွဲခြမ်းပြီး နီးထိုးနေကျကိုး။ ဝါးလုံးအသစ် လိုရင်ပဲဖြစ်ဖြစ်၊ ဝါးနီးလိုရင်ပဲဖြစ်ဖြစ် ပေးနိုင်အောင် မြေပေါ်မှာ လူတစ်ယောက်ရှိနေတယ်။ ထောင့်တန်းကို စစ်ဆေးပြုပြင်ပြီးနောက် အုန်း ပျစ်အသစ်တွေနဲ့ ခေါင်မိုးမိုးဖို့ အချိန်ကျပါပြီ။ အိမ်မိုးသူတွေက အိမ်ရဲ့အရှေ့ဘက်ခြမ်းကို စ၊မိုးကြတယ်။ အိမ်မိုးရင် အရှေ့ဘက်က စပြီးမိုးလေ့ရှိတယ်။

အရှေ့ဘက်အရပ်က နေမြင့်လာမှာဖြစ်လို့ နေပူမပြင်းခင် ဒီဘက်ခြမ်းကို ပထမဆုံး ပြီးထားရင် အကောင်းဆုံးပေါ့။ မြေပေါ်က တစ်ယောက်က လှေကားပေါ်က လူထံ အုန်းဖျစ်တစ်ထပ် ကမ်းပေးလိုက်တယ်။ လှေကားပေါ်ကလူကလည်း ခေါင်မိုး ပေါ်က လူတွေဆီ အုန်းဖျစ်တွေသယ်ပေးတယ်။ ခေါင်မိုးပေါ်က လူတွေက အုန်းဖျစ် တွေကို အထပ်ထပ်စီကြတယ်။ အမိုးတစ်ခြမ်းစာ အုန်းဖျစ်တွေ တင်ပြီးတဲ့အခါ လှေကား ပေါ်ကလူလည်း ခေါင်မိုးပေါ်တက်ပြီး တခြားသူတွေနဲ့သွားပေါင်းရတယ်။ အခုဆို ခေါင်မိုးပေါ်မှာ လူငါးယောက်ရှိပြီ။ အိမ်မိုးသူတစ်ဦးစီမှာ ဝါးနီးစည်းတစ်စည်းစီရှိတယ်။ ဝါးထောင့်တန်းအောက်ခြေနားကနေ စပြီးအုန်းဖျစ်တွေစီကြတယ်။ အဲဒီနောက် ဝါး

ထောင့်တန်းတွေ၊ ကန့်လန့်ဖြတ်အခြင်တွေမှာ အုန်းပျစ်တွေကို သွားချည်တယ်။ ပြီးတာနဲ့ အပေါ်တက်ပြီး အုန်းပျစ် နောက်တစ်တန်းဆက်မိုးကြယ်။ မြေပေါ်က လူက နဂို အတိုင်း မြေပြင်ပေါ် ဆက်နေတယ်။ သူက အုန်းပျစ်တွေကိုထိန်းပေးမယ်။ ဝါးချောင်း ရှည်ကို ခေါင်မိုးပေါ်က လူတွေထံကမ်းပေးဖို့ အဆင်သင့်ပြင်ထားတယ်။ အုန်းပျစ် ၁၀ တန်းလောက် မိုးပြီးတာနဲ့ ဝါးချောင်းရှည်တစ်ချောင်းစီသုံးပြီး အမိုးပိုခိုင်အောင် လုပ်ကြတယ်။ အုန်းပျစ်တန်းပေါ် ကနေ ဝါးချောင်းရှည်တွေ ဖြတ်တင်ပြီး တောင့်တင်းတဲ့ ခေါင်မိုးထောင့်တန်းတွေ၊ အခြင်တွေနဲ့ ချည်ပေးလိုက်ကြယ်။ ဒီလိုနည်းနဲ့ ခေါင်မိုးထိပ် အထိ အမိုးတွေ မိုးသွားကြတယ်။

ကိုကိုက လိုလိုလားလား ကူညီပေးတတ်သူပါ။ မြေအိုးထဲ ရေစိမ်ထားတဲ့ နှီးစည်းတွေကိုယူပေးတာ သူ့အလုပ်။ ဒီနှီးတွေ ပျော့ပျော့လေး ဖြစ်နေအောင် ဘာဘာက ညလုံးပေါက် ရေစိမ်ထားတာလေ။ ကိုကိုက နှီးစည်းတွေကို ရေခါပြီး မြေပြင်ပေါ်က ကိစ္စတွေ လုပ်ပေးနေတဲ့ ဘာဘ့်မိတ်ဆွေ့ထံ ယူသွားပေးတယ်။ ဒါပေမဲ့ ခေါင်မိုးပေါ်မှာ လူတွေ အလုပ်လုပ်နေတာကိုတော့ သူ မ့ာ့မ့ကြည့်ချင်။ ခေါင်းမိုးပေါ်က ဝါးထောင့်တန်း တွေပေါ် အလုပ်လုပ်နေသူတွေကို ကြည့်မိရင် ကိုကို စိုးတထိတ်ထိတ် ဖြစ်မိတယ်။ ဝါးထောင့်တန်း ကျိုးကျပြီး တစ်ယောက်ယောက်ပြုတ်ကျလာမှာ စိုးကြောက်မိလို့လေ။

မေမေက ခေါင်းပေါ်မှာ တောင်းတစ်လုံးရွက်ပြီး စျေးကပြန်လာတယ်။ တောင်း ထဲမှာ ချက်ပြုတ်စရာတွေ အပြည့်။ လူတိုင်းအတွက် မုန့်ပဲသွားရေစာတွေလည်း ပါလေရဲ့။ ဒီမုန့်တွေကို မရွှတ်လို့ခေါ်တယ်။ သူ့ပုံစက မရွှတ်နဲ့တူလို့ပါ။ ဒီမုန့်ကို လုပ်ဖို့ ဂွက်ပျော့ရွှတ်ကို ကတော့ခ့ွွ့သဏ္ဍာန်လုပ်ရတယ်။ ဒီထဲကို ကောက်ညှင်းဆန်နဲ့ အုန်းသီး ဖြည့်ပြီး ဝါးနှီးတစ်ပင်နဲ့ စည်းပေးရတယ်။ ပြီးရင်ရေနဲ့ပြုတ်ရပါတယ်။ မေမေက ခေါင်မိုး ထက်ကလူတွေကို မရွှတ်တွေပစ်ပေးလိုက်တယ်။ ကိုကို၊ ညီညီ တို့လည်း မရွှတ်တစ်လုံးစီ ရကြတယ်။ ကောက်ညှင်းက ပေါင်မုန့်မီးဖုတ်နဲ့လို ရတာ လေးကို ကိုကိုသဘောကျတယ်။ စိုထိုင်းထိုင်းဖြစ်နေတဲ့ ကြိုးကို ဖြေပြီး မရွှတ်ရဲ့ ပိုက်ျယ်တဲ့ ဘက်ကို သူ ခွာလိုက်တယ်။ ညီညီကိုတော့ မေမေက မရွှတ်ခွာပေးတယ်။ ကိုကိုက မရွှတ်ရဲ့ထိပ်ပိုင်းလေးကို တစ် ကိုက် ကိုက်လိုက်တယ်။ ကောက်ညှင်းထမင်း ဝါးနေရင်း အုန်းသီးဖတ်အရသာလေးပါ ရတာ ကိုကို သိပ်ကြိုက်ပွဲ့။ မရွှတ်အရသာ ကို သူ ကြိုက်လှပေမဲ့ လက်ချောင်းတွေ ကပ်စီးကပ်စီး ဖြစ်တာကိုတော့ သူ မနှစ်သက်။

အခုဆို ခေါင်မိုးနှစ်ဘက်လုံး အုန်းပျစ်သစ်တွေမိုးထားပြီ။ သို့ပေမဲ့ နောက် တစ်ဆင့်တော့ ကျန်သေးရဲ့။ ဒီအဆင့်အတွက် အမိုးမိုးနေသူတွေက အရွှက်အရှည်ဆုံး အုန်းပျစ်တွေလိုပါတယ်။ ဒီအုန်းပျစ်တွေကို ခေါင်မိုးထိပ်မှာခ့ျိုးပြီး လေဒက်မိုးဒက် ခံနိုင်အောင်လုပ်ရဦးမှာလေ။ ဒါကြောင့် အရွက်ရှည်အုန်းပျစ်နှစ်ပျစ်စီကို တစ်ခုပေါ် တစ်ခု ထပ်ပြီး ခေါင်မိုးထိပ်မှာတင်လိုက်ကြတယ်။ ပြီးတာနဲ့ အစွန်းနှစ်ဘက်လုံးကို နှီးနဲ့

ချည်တုပ်ပြီး ခေါင်မိုးတစ်ဘက်စီမှာ ဝါးချောင်းရှည်တစ်ချောင်းကို ဖိချည်ထားလိုက်တယ်။

များသောအားဖြင့် နေလုံး ခေါင်ပေါ် တည့်တည့် မရောက်ခင်၊ အပူချိန်မလွန်ကဲခင် တစ်မနက်တည်းနဲ့ ခေါင်မိုးမိုးတဲ့အလုပ် ပြီးတတ်လေ့ရှိတယ်။ ဒီတစ်ခါ ခေါင်မိုးမိုးသူတွေကတော့ မနက် ၉ နာရီလောက်မှာ ခေါင်မိုးမိုးပြီးကြတယ်။ ခေါင်မိုးမိုးပြီးလို့ မေမေ နေ့လည်စာ မတည်ခင်းမီအိန်လေးမှာ အားလုံး အိမ်ပြန်ပြီ ရေသွားချိုးကြတယ်။ ကိုကို၊ ညီညီတို့လည်း ဝမ်းကွဲမောင်နှမနှစ်ယောက်နဲ့အတူ ဆီးပင်အောက်မှာ ကစားရင်း နေ့လည်စာစားဖို့ စောင့်နေကြတယ်။ ခရုခွံတွေကို ပန်းကန်ခွက်ယောက်တွေအဖြစ် အသုံးပြုပြီး နေ့လည်စာချက်တမ်း ကစားနေကြတာပါ။

တစ်နာရီလောက်ကြာတော့ မေမေတည်ခင်းကျွေးမွေးတဲ့ နေ့လည်စာကို စားဖို့ အိမ်ခေါင်မိုးအဖွဲ့သားတွေ ပြန်လာကြတယ်။ ရိုးရာလေ့အရ အိမ်မိုးပြီးရင် ကြက်သား ချက်ကျွေးကြတယ်။ မေမေလည်း အရီးဒေါ် ပုချေမအကူအညီနဲ့ မီးဖို ထက်မှာ ကြက်သား တစ်အိုးချက်ထားလေရဲ့။ မေမေက နေ့လည်စာကို အိမ်ရှေ့ ခန်းမှာ တည်ခင်းညှို့ခံတယ်။ နေ့လည်စာက လွင့်ပျံ့လာတဲ့ ဟင်းနံ့မွှေးမွှေးလေးတွေကြောင့် ကိုကိုသွားရည်တွေကျနေမိပြီ။ နေ့လည်စာက ထမင်းပါတယ်။ ငရုတ်သီးခြောက်၊ နနွင်း၊ မျှင်းငါးပိ၊ မဆလာ ကြက်သွန်နီ၊ ကြက်သွန်ဖြူ၊ ဆားတို့နဲ့၊ ချက်ပြုတ်ထားတဲ့ ကြက်သားဟင်းပါတယ်။ ငရုတ်ကြိတ်နဲ့ တို့စားဖို့ ဟင်းရွက်စိမ်းပြုတ်တွေလည်း ပါလေရဲ့။ ပြီးရင် ကြက်ခြေထောက်၊ တောင်ပံ၊ ကြက်ခေါင်းတို့ ထည့်ချက်ထားတဲ့ ဟင်းချိုတစ်ခွက်လည်းပါသဗျ။ ငရုတ်သီးစိမ်း မျှင်းငါးပိတို့နဲ့ ချက်ထားတဲ့ လတ်လတ်ဆတ်ဆတ် ပိန္နဲသီးဟင်းလည်း တစ်ခွက်တောင်ပါ သေး။

အိမ်ခေါင်မိုးချိန်ဆို ကိုကို စိတ်လှုပ်ရှားရစမြဲ။ ဒီလိုဟင်းကောင်းကောင်းတွေ စားရတာ ကြိုက်တာကိုး။ ဆိုးတာတစ်ခုပဲရှိတယ်။ အိမ်မိုးအဖွဲ့သားတွေအားလုံး စားပြီး အောင်စောင့်ရတာပဲ။ သူတို့တွေခမျာလည်း တစ်မနက်လုံး အလုပ်လုပ်ထားရ တော့ တအား ပိုက်ဆာနေကြမှာ။ အိမ်မိုးအဖွဲ့သားတွေ စားသောက်ပြီးကြတဲ့အခါ စားပွဲဝိုင်း ကနေ ထပြီး ဆေးလိပ်သောက်သူသောက်၊ ကွမ်းဝါးသူဝါးနဲ့ပေါ့။ အခုမှ ကိုကို၊ ညီညီတို့ စားပွဲဝိုင်းမှာ ဝင်ထိုင်ရတော့တယ်။ မေမေက အငွေ့တထောင်းထောင်း ထနေတဲ့ ထမင်းကို ပန်းကန်ထဲထည့်၊ စားသောက်ဖွယ်ရာ ဟင်းမျိုးစုံကို ခွက်ထဲ ခပ်ထည့်နေတယ်။ ကိုကိုက ဆာလှပြီ။ စောင့်တောင်စောင့်မနေနိုင်တော့လောက် အောင်ပါပဲ။

*****

အဘိုးအဘွားတို့အိမ်သို့ အလည်တစ်ခေါက်

မေမေက သရက်ချိုရွာဇာတိပါ။ သရက်ချိုရွာကို ရောက်ဖို့ လယ်ကွင်းတွေ၊ တံတားတွေကို ဖြတ်ကျော်ပြီး နှစ်မိုင်လောက်ခရီးကို ခြေကျင်လျှောက်ရပါတယ်။ အဲဒီခေတ် အဲဒီအခါက ဘယ်သူ့မှာမှ ကားမရှိ။ ကားရှိရင်တောင် တံတားပေါ်က ကားဖြတ်မောင်းလို့ မရ။ တံတားတွေက လူသွားဖို့လောက်ပဲ လုပ်ထားတာလေ။

မွန်းလွဲနှောင်းပိုင်းမှာ လေတွေ အေးလာတယ်။ မေမေက ကိုကိုနဲ့ ညီညီကို ဦးထုပ်ဆောင်းပေးပြီး ဖိနပ် စီးစေတယ်။ အဲဒီနောက် ဟင်းရွက်လတ်လတ်ဆတ်ဆတ်လေးတွေ ထည့်ထားတဲ့ တောင်းကို ယူလိုက်တယ်။ သားအမိသုံးယောက် မြေလမ်းအတိုင်း ထွက်လာကြတယ်။ ကျွန်းဦးပင်နားအရောက် ညာဘက်ကွေ့ပြီး မင်းလမ်းအတိုင်း စုန်ဆင်းလာကြတယ်။ တံတားကို ရောက်တဲ့အခါ တံတားရဲ့ ပထမပိုင်းကို ဝါးလုံးတွေနဲ့ လုပ်ထားပြီး ကျန်တစ်ပိုင်းကို သစ်သားနဲ့ လုပ်ထားတာ တွေ့ရတယ်။ တံတားက ဝါးကြမ်းခင်း မညီမညာနဲ့ ကျဉ်းကျဉ်းလေး ဖြစ်လေတော့ မေမေက ကိုကိုနဲ့ ညီညီကို ဝါးကြမ်းခင်းပိုင်းအလွန်ထိ ချီပေးရတယ်။ ဝါးကြမ်းခင်းက ကလေးတွေအတွက် အန္တရာယ်ရှိတယ်လေ။ ဝါးလုံးကို ပူးချည်ထားတဲ့ အပေါ်ကနေ လူတွေ မစိုးမကြောက် ဘယ်လိုများ ဖြတ်လျှောက်သွားနိုင်ကြပါလိမ့်။ ကိုကို နားမလည်နိုင်အောင်ပဲ။ အိမ်က မညီညာတဲ့ ဝါးကြမ်းခင်းကို ဖြတ်လျှောက်ဖို့တောင် အတော် ခက်တာကိုး။ ဒါပေမယ့် ဒီဝါးကြမ်းခင်းက ပိုတောင်ဆိုးသေး။ လျှောက်လမ်းက ကျဉ်းလွန်းတယ်။ သားအမိသုံးယောက်လုံး သစ်သားကြမ်းခင်းပိုင်းပေါ် တက်မိတာနဲ့ ကိုကိုက အောက်ငုံ့ကြည့်မိတယ်။ ဆားငန်ရည်စီးနေတဲ့ ချောင်းထဲ ဒီရေကျနေချိန်ဖြစ်လို့ တံတားက ပိုမြင့်သလိုတောင် ဖြစ်နေရော။ ရေထဲမှာ ငါးဒေါင်းပြောက်တွေ၊ ဖက်ဆလိပ်သောက်မငါးတွေ ကိုကို မြင်ရတယ်။ ခပ်လှမ်းလှမ်းမှာ ချောင်းကမ်းပါးတလျှောက် ဓနိပင်တွေ၊ လမုပင်တွေ

ပေါက်ရောက်နေတာ မြင်ရတယ်။ ချောင်းကမ်းပါးနှစ်ဘက်မှာ စိမ်းရောင်စိုသစ်ပင်တွေ ပေါက်ရောက်နေလေရဲ့။ ဒါပေမယ့် နွေရာသီဖြစ်တာကြောင့် လယ်ကွင်းတွေက သွေ့ခြောက်ပြီး ညှိုရောင်သန်းနေတာပေါ့။ တံတားပေါ် ကနေ အချိန်ကြာကြာ သူ လှည့်ပတ်မကြည့်မိ။ တံတားအမြင့်ကြီးပေါ် တက်နေရတာကိုက သူ့ကို စိတ်လှုပ်ရှား စေပါတယ်။ တစ်ခါတလေဆို အဲဒီတံတားပေါ် ရောက်နေတယ်ဆိုပြီး အိပ်မက်ဆိုးတွေ မက်တတ် သေးရဲ့။

ကိုကိုတို့ သားအမိသုံးယောက် မင်းလမ်းအတိုင်း ဆက်လျှောက်လာကြတယ်။ နေပူထဲ လမ်းလျှောက်ရချိန်မှာ မေမက ညီညီကို ခါးထစ်တင် ရွက်ပေးရတယ်။ သစ်ပင်အရိပ် ရတဲ့နေရာတွေမှာဆို ညီညီကို ခါးထစ်ကနေချပြီး ကိုယ်တိုင် ဆင်းလျှောက် ခိုင်းတယ်။ လမ်းကကျဉ်းကျဉ်းလေးရယ်။ လူတွေပဲ သွားဖို့လုပ်ထားတဲ့လမ်းကိုး။ လမ်းပေါ်မှာ ကားတွေ၊ မော်တော်ဆိုင်ကယ်တွေ မတွေ့ရ။ နွားလှည်းတွေတောင် မတွေ့။ ဒါပေမယ့် လူတွေက ဒီလမ်းကျဉ်းလေးကို မင်းလမ်းလို့ ခေါ်ကြသဗျ။ ဒီလမ်းကပဲ ရွာအများစုကို ဆက်သွယ်ပေးနေတာကိုး။

မင်းလမ်းအတိုင်း စပါးတံရွာထဲ လျှောက်ဝင်လာကြတယ်။ ညာဘက်မှာ စေတီပုထိုးအပျက်အစီးတွေ မြင်ရလေရဲ့။ စုစုပေါင်း စေတီပုထိုးဟောင်း ငါးဆူ ရှိတယ်။ စေတီပုထိုးတွေက ပြို့ကျပျက်စီးနေပြီ။ နှစ်ဆူက ကျွေးကောက်နေလေရဲ့။ ဘုရားစေတီ တွေမှာ အုတ်ခဲတွေ မရှိတော့။ အုတ်ခဲတွေက မြေကြီးပေါ် မှာ။ စေတီတွေအနားမှာ ဗုဒ္ဓရုပ်ပွားတော်ငယ်တချို့ ရှိတယ်။ ရုပ်ပွားတော်တွေလည်း ဘေးကို စောင်းနေကြပြီ။ မြင်ကွင်းက ထူးတော့ ထူးဆန်းသား။ ပုံမှန်ဆို ကျေးရွာသားတွေက ရုပ်ပွားတော်တွေကို ပြုပြင်ထိန်းသိမ်းလေ့ရှိကြလို့လေ။

"ဒီဘုရားတွေ ဘာလို့ ပြို့ကျပျက်စီးနေရတာလဲ၊ မေမေ"

"ဟောင်းလာလို့ပေါ့ကွယ်။ အဘိုး၊အဘောင်အရွယ်တွေတောင် ဒီဘုရားတွေ ဘယ်အချိန်က တည်ခဲ့မှန်း မမှတ်မိကြတော့ဘူး။ မေမေကြားဖူးတာက ဟောဟိုနားမှာ ဘုန်းကြီးကျောင်းတစ်ကျောင်း ရှိခဲ့တယ်တဲ့။ အဲဒီတော့ ဘုန်းကြီးကျောင်းနား အဲဒီ နေရာမှာ ဘုရားစေတီတွေ တည်ခဲ့ကြတာနေမှာပေါ့၊ သားရေ"

မင်းလမ်းက ဘယ်ဘက်ကို ကွေ့သွားတယ်။ လမ်းကွေ့အတိုင်း လျှောက်လာရင် ကိုကိုတို့သားအမိသုံးယောက် စပါးတံရွာကိုကျော်လွန်လာခဲ့ပြီ။ လမ်းတလျှောက် ကျေး ငှက်သာရကာတွေ စိုးစီစိုးစိန့် တေးသီသံ ကြားနေရရဲ့။ နောက်ထပ် တံတားတစ်စင်း ဖြတ်ရဦးမယ်။ ဒီတံတားက သစ်သားတံတား။ ပြီးတော့ သေးသေးလေး။ ဒီတော့ ကိုကို ညီညီတို့ကို ပွဲချီသွားစရာမလို။ ဒါပေမယ့် မေမေ့လက်ကို ညီအစ်ကို နှစ်ယောက် တင်းတင်းလေး ဆုပ်ကိုင်ရင်းဖြတ်ကူးကြလေရဲ့။

"ဒီတံတားလေး ကျော်ပြီးရင် မေမေတို့ နီးလာပြီကွဲ့"

တော်သေးတာပေါ့။ ကိုကိုလည်း မောလှပြီ။ ညီညီ့လိုမျိုး သူ့ကိုလည်း မေမေ သယ်ပေးသွားရင် ဘယ်လောက် ကောင်းမလဲလို့ တွေးမိပ့ါ။ ဒီခရီးမှာ ဘာဘာလည်း ပါလာခဲ့ရင် မေမေက ညီညီကိုချီထားချိန် ဘာဘာက ကိုကို့ကိုချီထားမှာပဲ။ ဒါပေမယ့် ဘာဘာမှာ အလုပ်တွေလုပ်စရာရှိတော့ ဒီတစ်ခေါက်ခရီးမှာ မပါနိုင်လိုက်။ မေမေ့မိဘ တွေကို ကိုကိုတွေ့ချင်လှပြီ။ နှလုံးခုန်သံတွေ မြန်လှပေ့ါ။ ဘာဘာရဲ့ အမေက ကိုကိုတို့ အိမ်ရှေ့တည့်တည့် အိမ်မှာ နေတာကြောင့် နေ့တိုင်းတွေ့နေကျ။ ဒါပေမယ့် သရက်ချိုရွာက ဘိုးဘိုးနဲ့ ဘောင်ဘောင်ကိုတော့ သုံးလေးလလောက်နေမှ တစ်ခါစီ တွေ့ရတတ် တယ်။ ဒီတစ်ခေါက် သရက်ချိုရွာကို သွားလည်တာ ထူးခြားတယ်။ ကိုကို၊ မေမေနဲ့ ညီညီတို့ ဒီရွာမှာ တစ်ညအိပ်ကြမှာကြောင့်လေ။

နောက်ထပ်ဝါးရုံပင်တွေကို ကျော်လွန်လာကြပြီ။ အဲဒီနောက် လျှောက်လမ်း ကလေး ခွဲထွက်သွားတယ်။ မေမေက ဘယ်ဘက်လမ်းသွယ်လေးကို ကွေ့ဝင်လိုက်တယ်။ ကိုကို၊ ညီညီတို့က နောက်က လိုက်ကြတယ်။

"ဟိုဘက်လမ်းက ဘယ်ကို သွားတဲ့လမ်းလဲ၊ မေမေ" ညီညီက ညာဘက်က လမ်းကို လက်ညှိုးညွှန်ပြီး မေးလိုက်တယ်။

"အဲဒါ ဈေးကိုသွားတဲ့ လမ်းပေါ့ကွယ်"

အခုတော့ မြေလျှောက်လမ်းကနေ နွားလှည်းလမ်းအဖြစ် ပြောင်းသွားပြီ။ လှည်း ဘီးရာတွေကို ဘယ်ညာနှစ်ဘက်လုံးမှာ ကိုကို တွေ့နေရတယ်။ လမ်းက ပို ကျယ်လာပြီ။ လှည်းဘီးနှစ်ဘီးလုံးကို သစ်သားနဲ့ လုပ်ထားပြီး ဘီးအနားပတ်လည်မှာ သံနဲ့ကွပ်ထား တယ်။ နွားလှည်းဆွဲမယ့် နွားထီးတွေဟာ နွားလှည်းအလေးကြီး ဆွဲနိုင်လောက်အောင် ကြီးကြီးမြင့်မြင့် သန်သန်မာမာဖြစ်ဖို့လိုပါတယ်။

"နွားလှည်းတွေက ဒီမင်းလမ်းပေါ်ကနေ ဘာလို့ သွားကြတာလဲ"

"ဒီလမ်းက မော်တော်ဘုတ်ဆိုက်ထိ ပေါက်တာကွဲ့။ ဒါကြောင့် နွားလှည်းတွေက သရက်ချိုရွာကို ပတ်ပြီး မော်တော်ဘုတ်ဆိုက်ကနေ ကုန်ပစ္စည်းတွေ အပို့အယူလုပ်ကြ တာ။ သရက်ချိုမော်တော်ဘုတ်ဆိုက်ကနေ မာန်အောင်ကျွန်းဘက် ကုန်ပစ္စည်းတွေ ပို့ကြတယ်။ ပင်လယ်ဆိပ်ကမ်းမြို့ဖြစ်တဲ့ တောင်ကုတ်မြို့ကိုလည်း ဒီဘုတ်ဆိုက် ကနေ ကုန်ပစ္စည်းတွေ ပို့ပေးတာကွဲ့"

"သားတို့ဘက်က ကုန်ပစ္စည်းတွေကရောဟင်။ နွားလှည်းတွေက တံတားကို ကျော်လို့မှ မရတာလေ"

"တံတားတွေ ကျော်ဖြတ်ရတာမျိုးဆိုရင်တော့ ပစ္စည်းတွေကို ခေါင်းပေါ် တင်တန်တင်၊ ပုခုံးပေါ် ထမ်းတန်ထမ်း လုပ်ကြရတာပေ့ါကွယ်။ ပစ္စည်းတွေကို ဈေး ထိသယ်ပြီး မော်တော်ဘုတ်ဆိုက်အရောက် နွားလှည်းတစ်စီးတိုက်ပို့ခ ရှင်းပေးရင်ပေး၊ ဒီလိုမှမဟုတ်ရင် မော်တော်ဘုတ်ဆိုက်အရောက် ကိုယ့်ခွန်ကိုယ့်အားသုံးပြီး တောက်

လျှောက် ထမ်းပို့ပေးရတယ်။ ဒါပေမယ့် သိပ်မကြာခင် မိုးရာသီရောက်တော့မှာဆိုတော့ မော်တော်ဘုတ်တွေ ကုန်ပစ္စည်းသယ်ပို့တာမျိုး မလုပ်ဘဲ ရပ်နားကြတော့မှာပေါ့ကွယ်"

လမ်းက နည်းနည်း ကွေ့ကောက်သွားတယ်။ ရှေ့နားမှာ အိမ်တွေ လှမ်းမြင်နေ ရပြီ။ ကိုကိုတို့ သရက်ချို့ရွာ ရောက်ပါပြီ။ မေမေက လက်ညှိုးညွှန်ပြင်း ပြောလိုက် တယ်။

"ဟော့ဟိုနားက အိမ်ဟာ သားတို့ဦးလေးအိမ်ပေါ့။ သူက မေမေ့အစ်ကိုအကြီး ဆုံးလေ"

ကိုကိုက ဦးလေးအိမ်ကို တစ်ချက် ကြည့်လိုက်တယ်။ အုန်းမိုးသစ်သားအိမ်လေး။ အိမ်ခြံဝင်းကို ဝါးနဲ့ ခြံစည်းရိုးခတ်ထားတယ်။ ဦးလေးတို့ ခြံစည်းရိုးနားမှာ သရက် ပင်အုပ် ရှိလေရဲ့။ သရက်ပင်အုပ်ရဲ့ အခြားတစ်ဘက်မှာ သွပ်မိုး အုတ်အဆောက်အဦ ဟောင်းတစ်လုံး ရှိတယ်။ ဒီလောက်ကြီးတဲ့ အုတ်အဆောက်အဦကို အရင်က ကိုကို မမြင်ဖူးခဲ့။ အုတ်တွေက ပြန်အစားထိုးဖို့ လိုနေပြီ။ တံခါးလည်း မရှိ။

အဆောက်အဦနားကို သူတို့ တိုးကပ်သွားကြတယ်။ သရက်ပင်အောက်မှာ သစ်သားစင်တစ်ခုကို တွေ့ရတယ်။ စင်ထက်မှာ ရေအိုးနှစ်လုံး ရှိလေရဲ့။ ရေအိုးတွေ ကို အကာအကွယ်ပေးဖို့ သစ်သားအမိုးလေးတစ်ခုရှိတယ်။ အိုးဖုံးတွေက အုန်းမှုတ် ခွက်တွေ။ အုန်းမှုတ်ခွက်ဖုံးတစ်ခုမှာ ရေမှုတ်တစ်ခု တင်ထားတယ်။ ရေမှုတ်ကို ပိုသေးတဲ့ အုန်းမှုတ်ခွက်နဲ့ လုပ်ထားပြီး လက်ကိုင်ရိုးကို ဝါးနဲ့ လုပ်ထားပါတယ်။ လမ်းသွားလမ်းလာ တွေ ရေသောက်နိုင်ဖို့ လုပ်ထားတဲ့ ရေအိုးစင်လေးပေါ့။ ညဲ့သည်တွေ ရေသောက်ဖို့ အိမ်တိုင်းမှာ ဒီလိုမျိုး ရေအိုးစင်တွေ လုပ်ထားလေ့ရှိတယ်။ ဒါပေမယ့် ဒီသောက်ရေအိုး စင်က အများပြည်သူ သောက်ဖို့ လုပ်ထားတာပါ။

"ရေသောက်ချင်တယ်၊ မေမေ"

"မသောက်နဲ့ဦး၊ သားရေ။ သားဘိုးဘိုးတို့အိမ် ရောက်ခါနီးပြီ"

ပုံမှန်အားဖြင့် နေထိုင်မကောင်းသူတွေနေတဲ့ အိမ်တွေ၊ အများပြည်သူသုံး ရေအိုးစင်တွေက ရေသောက်တာမျိုး ကိုကို၊ ညီညီတို့ကို မလုပ်ခိုင်းပါဘူး။ ဒီရေအိုး ထဲက ရေတွေ ဘယ်လောက်ကြာနေပြီလဲမှ မသိတာလို့လည်း တစ်ခါတလေ မေမေ က ပြောတတ်သေးရဲ့။

အုတ်အဆောက်အဦကြီးနား ကိုကိုတို့ နီးလာပြီ။ အဆောက်အဦနံရံမှာ အုတ်ချပ် တစ်ချို့ လွတ်နေတယ်။ ပြိုကျပျက်စီးနေတဲ့ အဆောက်အဦနား မြေပြင်မှာ အုတ်ချပ်တွေ ပြန့်ကြနေလေရဲ့။

"အတွင်းဘက် သွားချောင်းကြည့်ချေ"

ကိုကို၊ ညီညီတို့ တံခါးနား ပြေးသွားပြီး အတွင်းဘက် ချောင်းကြည့်ကြတယ်။ ကိုကိုက သူမျက်လုံးတောင် သူ မယုံနိုင်အောင်ပဲ။ ဗုဒ္ဓရုပ်ပွားတော်ရဲ့ နားတော်တစ်ခု

တည်းက ညီညီအရပ်လောက် မြင့်တာတွေ့ရတယ်။ ရုပ်ပွားတော်က အဆောက်အဦရဲ့ ဟိုဘက်အစွန်းကနေ ဒီဘက်အစွန်းထိ တပြန်တပြောကြီးရှိနေတယ်။ ဗုဒ္ဓရုပ်ပွားတော်ကို ရွှေဝါရောင်သုတ်ထားပြီး အသားအရေတော်ကို အဖြူရောင်သုတ်ထားတယ်။ တစ်ချို့ အစိတ်အပိုင်းတွေမှာ အရောင်အသွေးစုံတဲ့ မှန်ကူကွက်တွေပုံစံ လုပ်ထားတယ်။

"ဒီဘုရားကြီးက မေမေတို့ ငယ်ငယ်လေးကတည်းက ဒီမှာ ရှိနေခဲ့တာ။ သရက်ချို ဘုန်းကြီးကျောင်းက ဘုရားကြီးလေ၊ သားရေ"

ဘုရားကြီး သီတင်းသုံးရာ ဂန္ထကုဋီတိုက်ကနေ ကိုကိုတို့ ထွက်လာခဲ့ကြတယ်။ ပြီးရင် လှည်းလမ်းအတိုင်း ဆက်လျှောက်လာကြတယ်။ လမ်းတလျှောက် ကွမ်းသီးပင်၊ အုန်းပင်တွေ တသီတစ်တန်းကြီးတွေ့ရတယ်။ ခဏနေတော့ နွားခလောက်သံ တချွင်ချွင် ကြားလိုက်ရတယ်။

"ကြားလိုက်ကြလား။ နွားလှည်းတစ်စီးလာနေတယ်။ သိပ်မကြာခင်မြင်ရတော့မှာ"

နွားထီးနှစ်ကောင်ဆွဲတဲ့ နွားလှည်းတစ်စီး မောင်းလာတာ ကိုကို မြင်ရတယ်။ အနားရောက်လာတော့ မေမေက ကိုကိုနဲ့ညီညီကို ဝါးခြံစည်းရိုး ကျောမှီပြီး နေခိုင်း လိုက်တယ်။ ခြံစည်းရိုးက ရွာသားတစ်ယောက်ယောက်ရဲ့ အိမ်ခြံစည်းရိုးပေါ်။ ရှေ့က နွားလှည်း တလိမ့်လိမ့် ဖြတ်မောင်းချိန်မှာ ကိုကိုညီညီတို့ ဘေးကင်းစေဖို့ မေမေက သူတို့ရှေ့ကနေ လက်မောင်းနဲ့ တားထားပေးတယ်။ လှည်းပေါ်မှာ ပီန်အိတ်အလေးကြီး တွေချည်းပဲ။ ပီန်အိတ်ထဲ ထည့်ထားတဲ့ အမျိုးအမည်မသိတဲ့ ပစ္စည်းတွေက စေးဘက် သို့ ဦးတည်သွားနေတယ်။

နွားလှည်း ဖြတ်သွားပြီးတဲ့အခါ ကိုကိုတို့သားအမိ ဆက်လျှောက်ကြပြန်တယ်။ နောက်ဆုံးမှာ မေမေက ပြောလာတယ်။

"ဟော့ဟိုမှာ ညာဘက်နားက ကွမ်းသီးပင်တွေနဲ့ ခြံစည်းရိုးတစ်ခု မြင်လား။ အဲဒါ သားတို့ဘိုးဘိုးအိမ်ခြံဝင်းပေါ့"

ကိုကို ပျော်သွားတယ်။ စိတ်လည်းသက်သာသွားသလို။ အခုမှပဲ ရေတစ်ခွက် တစ်ဖလားသောက်ပြီး ညောင်းနေတဲ့ ခြေထောက်တွေကို အနားပေးရတော့မှာကိုး။ အိမ်အဝင် လမ်းလေးအတိုင်း တက်သွားဖို့ လမ်းထဲလှည့်ဝင်လိုက်တယ်ဆိုရင်ပဲ တစ်ယောက်က အော်ပြောသံ ကြားလိုက်ရတယ်။

"အောင်ဇေမင်း၊ အောင်နေမင်း" အိမ်နီးချင်းက အော်ပြောလိုက်တယ်။ ဒါ ကိုကိုနဲ့ ညီညီတို့ရဲ့ နာမည်ရင်းတွေလေ။ အေးခင်ဦး နင့်မြေးတွေ ရောက်လာပြီဟေ့၊ နင့်သမီးလည်း ပါသေးတယ်"

အဲဒီနောက် ကိုကိုက သူ့ဘိုးဘိုးတွေ အော်ပြောသံ ကြားရတယ်။ သူ စိတ်လှုပ် ရှားနေမိပြီ။

"အောင်ဇေမင်း၊ အောင်နေမင်း။ မြေးလေးတွေပါလား။ မခင်ရဲ့ သမီး"

ကိုကိုနဲ့ ညီညီတို့ကိုမြင်ရလို့ ဘိုးဘိုး၊ ဘောင်ဘောင်တို့ သိပ်ပျော်နေတယ်။ ဘိုးဘိုး၊ ဘောင်ဘောင်တို့ပျော်နေတာတွေ့ရလို့ ကိုကိုလည်းပျော်ရပါတယ်။

ကိုကိုနဲ့ ညီညီကို ဘိုးဘိုး၊ ဘောင်ဘောင်တို့ ထွေးပွေ့ပြီး လက်ကလေးတွေ ဆုပ်ကိုင်ရင်း အိမ်ကို ခေါ်သွားတယ်။ မေမေက ကိုကို၊ ညီညီတို့ သောက်ဖို့ ရေတစ်ခွက်ကို ရေအိုးထဲကခပ်ပေးတယ်။ အားလုံး အိမ်ရှေ့ခန်းမှာ ထိုင်လိုက်ကြတယ်။ ကိုကိုနဲ့ ညီညီတို့ တစ်ယောက်တစ်လှည့် ရေသောက်နေချိန်မှာပဲ မေမေက ဒီမနက်ကိုယ်တိုင် ခူးလာတဲ့ လတ်ဆတ်တဲ့ ဟင်းရွက်တွေကို သူ့မိဘတွေထံ တောင်းထဲကနေ ထုတ်ပေးလိုက်တယ်။ ဘိုးဘိုးနဲ့ ဘောင်ဘောင်တို့ ပျော်နေကြတယ်။ ဒီဟင်းပင်တွေက အိမ်နားမှာ မပေါက်တတ်တာကြောင့် မကြာမကြာ စားရတတ်တဲ့ ဟင်းမျိုးမဟုတ်လို့လေ။

ကိုကိုက ထိုင်ရင်း ဘေးဘီဝဲယာကြည့်လိုက်တယ်။ ဘိုးဘိုးတို့အိမ်က သူတို့အိမ်ထက်ပိုကြီးတယ်။ သူတို့အိမ်လိုပဲ နံရံတွေနဲ့ ခေါင်မိုးတွေကို ဝါး၊ ဓနိတွေနဲ့လုပ်ထားတယ်။ ဒါပေမယ့် ကြမ်းခင်းက သူတို့အိမ်မှာလို မညီမညာဝါးကြမ်းခင်းမဟုတ်။ ချောမွေ့တဲ့ ပျဉ်ပြားတွေနဲ့ လုပ်ထားတာ။ ဒီကြမ်းပေါ် ခပ်သွက်သွက်လေး ပြေးချင်စိတ်ပေါက်မိတယ်။ အိမ်မှာဆို ဝါးကြမ်းပြင်ပေါ်မှာ သတိနဲ့ နင်းလျှောက်ကြရတာကိုး။

ဘိုးဘိုးတို့ အိမ်ခြံဝင်းအလှကို ကိုကို နှစ်သက်မိတယ်။ ခြံဝင်းတဝိုက် သီးပင်စားပင်တွေစိုက်ပျိုးထားတာမရှိ။ သို့ပေမယ့် တခြားစိုက်ပျိုးထားတဲ့ အပင်တွေအများကြီးပဲ။ စက္ကူပန်း၊ ဇီဇဝါပန်း၊ နှင်းဆီဖြူ နှင်းဆီနီ၊ အရောင်စုံပြိန်းပင်တွေ၊ အခြားအစိမ်းရောင်အပင်တွေရှိကြတယ်။ ခြံစည်းရိုးနားမှာ တရုတ်စံကားပင်တစ်ပင် ရှိလေရဲ့။ တရုတ်စံကားပန်းတွေက မိုးဖွဲလေးတွေလို ပင်ယံထက်ဆီက တဖြည်းဖြည်း ကြွေသက်နေကျ။ နေ့ခင်းဘက်အချိန် မြေပြင်ပေါ်မှာ အဖြူရောင်တရုတ်စံကားပွင့်တွေနဲ့ အပြည့်ပါပဲ။ ဘောင်ဘောင်က မနက်တိုင်း အစောကြီးအိပ်ရာထပြီး မြေကြီး သန့်ရှင်းသပ်ရပ်နေအောင် တရုတ်စံကားပန်းတွေလှည်းကျင်းနေကျ။ ဘောင်ဘောင်နဲ့ ချေချေဒေါ်မှုံမှုံရီက ပန်းတွေကို နေ့တိုင်းရေလောင်းပေးထားတာကြောင့် နွေခေါင် ခေါင်နေပူကြီးထဲ ပန်းပင်တွေမှာ ပန်းတွေနဲ့ဝေနေဆဲ။ ဘိုးဘိုးတို့အိမ်နားတဝိုက်မှာ သရက်ပင်တွေ အများကြီးရှိတယ်။ သရက်ပင်တွေ ပေါလွန်းလို့ တောကြီးမျက်မည်းထဲ ရောက်နေသလို ကိုကိုခံစားရတယ်။ ကိုကိုတို့အိမ်မှာဆို သရက်ပင်က တစ်ပင်တည်းရယ်။

ကိုကို့ချေချေ ဒေါ်မှုံမှုံရီက မေမေ့ညီမအငယ်ဆုံး။ သူက ဘိုးဘိုးတို့နဲ့အတူ နေတုန်းပဲ။ ချေချေဒေါ်မှုံမှုံရီက အိမ်ခြံတံခါးကဝင်လာတယ်။ ကိုကိုနဲ့ ညီညီကို မြင်တော့ သူ သိပ်ပျော်သွားတယ်။ အိမ်ရှေ့ခန်းထဲ အပြေးလေးလာပြီး ကိုကိုနဲ့ ညီညီကို တလှည့်စီ ကောက်ချီလိုက်တယ်။ သူက အသက်ငယ်ပါသေးတယ်။ အိမ် ထောင်မကျသေးတဲ့ အပျိုတစ်ယောက်လေ။ အပျိုလေးမို့ သားသမီးလည်း ဘယ်ရှိလိမ့် ဦးမလဲ။ ဒါပေမယ့် တူတော်မောင်နှစ်ယောက်ကို သားအရင်းသဖွယ်ချစ်ပါတယ်။ ချေချေဒေါ်မှုံမှုံရီက

ပြောတယ်။

"ကိုကို၊ ညီညီ၊ သားတို့ တစ်ခုခု စားကြမလား။ သရက်သီးစိမ်း သွားခူးပြီး ငါးပိ
ငရုပ်ဖျော်စားရင်ကော"

သရက်သီးစိမ်းနဲ့ ငါးပိဆားရည်ဆိုတာ ကိုကို့အကြိုက်ဆုံးသွားရည်စာပဲ။
သရက်သီးတွေ မှည့်သွားရင် သိပ်တောင်မကြိုက်ချင်တော့။ သရက်သီးဆို အစိမ်းမှ
ပို့ကြိုက်တာ။ ကိုကိုနဲ့ ညီညီတို့ သရက်သီးဆွတ်ဖို့ သရက်ပင်ဆီ အပြေးလေးသွား
လိုက်ကြတယ်။ ချေချေဒေါ် မှုံမှုံရီက ဝါးတံချွစ်ခုကိုသုံးပြီး သရက်သီးခူးတယ်။
သရက်သီးတွေ မြေပေါ် တဖြုတ်ဖြုတ်ကြွေကျတာကို ကိုကိုနဲ့ ညီညီက လိုက်ကောက်ရ
တယ်။ သရက်သီးတွေက အစိမ်းဆိုပေမယ့် အနံ့က မွှေးပျံ့နေတာပဲလို့ ကိုကို တွေးမိ
တယ်။ ပန်းရနံ့နီးနီးကို မွှေးပျံ့နေတာ။

မကြာလိုက်ပါဘူး။ သရက်သီးနဲ့ ဓားတစ်ချောင်းကို ဇလုံတစ်ခုထဲ ထည့်ပြီး
ချေချေဒေါ် မှုံမှုံရီ အိမ်ရှေ့ခန်းကိုပြန်ထွက်လာတယ်။ ငါးပိဆားရည်တစ်ခွက်လည်းပါသေး။
ငါးပိဆားရည်ကို မှျင်ငါးပိ၊ ကြက်သွန်နီ၊ ငရုတ်သီးစိမ်းဓားလှီး၊ ဆားတို့ထည့်ပြီး
လုပ်ထားတယ်။ မှျင်ငါးပိက ငါးပိတကာ ငါးပိထဲ အကောင်းဆုံး။ ဘိုးဘိုး၊ ဘောင်ဘောင်
တို့က မှျင်ငါးပိကို ကိုယ်တိုင် ထောင်ထားကြတာ။ ပင်လယ်ကမ်းနားမှာ ငါးတွေဝယ်ယူ၊
ရောင်းချတာမျိုး၊ ပြန်ရောင်းဖို့ ပြင်ဆင်တာမျိုး လုပ်တဲ့ ကိုယ်ပိုင်လုပ်ငန်းလေးကို သူတို့
လုပ်ကိုင်ကြတာလေ။

ဒီမှျင်ငါးပိဆိုတာ အကောင်းဆုံး ပုစွန်ဆိတ်တွေဖြစ်တဲ့ မှျင်တွေကို နေပူထဲ
အခြောက်လှမ်းပြီး လုပ်ရတာပါ။ မှျင်ငါးပိနဲ့ ကြက်သွန်နီကို တို့စရာထဲ ရောထည့်
လိုက်ရင် သိပ်မွှေးတာပဲ။ ချေချေဒေါ် မှုံမှုံရီ သရက်သီးစိတ်တွေ ခွဲဖို့တောင် ကိုကို့
မစောင့်နိုင်အောင်ပါပဲ။ နောက်ဆုံးမှာတော့ ချေချေဒေါ် မှုံမှုံရီက ကိုကို့ထဲ သရက်သီး
စိတ်ဇလုံကို ကမ်းပေးလာပါပြီ။ ငါးပိဆားရည်ထဲ သရက်သီးတစ်စိတ်ပြီးတစ်စိတ် နှစ်ပြီး
စိတ်လိုလက်ရ တို့စားလိုက်မိတယ်။ ငါးပိဆားရည်ထဲ သရက်သီးစိတ် နှစ်ထည့်တဲ့အခါတိုင်း
သရက်သီးစိတ်ပေါ် ငရုတ်သီးစတွေနဲ့ ကြက်သွန်ဖတ်တွေပါအောင် ကြိုးစားထည့်ဖြစ်တယ်။
ငရုတ်သီးတွေက တအားစပ်ပါတယ်။ သို့ပေမယ့် သရက်သီးစိတ်အရသာနဲ့ ပေါင်းစပ်လိုက်
တဲ့အခါ သိပ်အရသာရှိသွားတာပဲ။ ငါးပိ ဆားရည်အရသာနဲ့ သရက်သီးကြွတ်ကြွတ်လေး
အရသာကို ကိုကို သိပ်ကြိုက်တာလေ။

သရက်သီးငါးပိဆားရည် စားပြီးနောက်မှာ ချေချေဒေါ် မှုံမှုံရီက ရေခပ်ရပါတယ်။
ကိုကိုက ချေချေနောက်ကနေ ကျောက်ရေတွင်းဘက် လိုက်သွားတယ်။ မေမေခပ်တဲ့
ကျောက်ရေတွင်းလိုမျိုး၊ ဘောင်နိမ့်မှုံနိမ့်မ့လေးမှာ ကျောက်တုံးအလွတ်တွေများ ရှိလေမလား
လိုက်စပ်စုချင်တာလည်း ပါတာပေ့။ ဒီကျောက်ရေတွင်းကို ဘိုးဘိုးတို့ ပိုင်တာဆိုတော့
ချေချေ ဝေးဝေးလံလံမသွားလိုက်ရ။ သူတို့နောက်မှာ ညီညီပါလာသေး။ ကိုကို့သွားလေ

ရာနောက် ညီညီက တကောက်ကောက် ပါတတ်တာကိုး။ ချေချေက ရေအိုးလွတ်နှစ်လုံး ရွက်လာတယ်။ ကျောက်ရေတွင်းတောင်က မေမေရေ ခပ်နေကျ ကျောက်ရေတွင်းတောင် ထက်ပိုမြင့်တယ်။ ပြီးတော့ တောင်က ချောမွေ့နေပါသေးတယ်။ ဒီကျောက်ရေတွင်းထဲ မှာလည်း ဖားတွေရှိနေမလား ကြည့်ချင်သေးတယ်။ ချေချေတော့ ရေပုံးကို ရေတွင်းထဲ လျှောချလိုက်ပြီ။

"ချေချေ၊ ဒီကျောက်တွင်းကို ဘယ်လို လုပ်ထားတာလဲဟင်။ ကျောက်တုံးတွေ လည်း မမြင်ပါလား"

"သားဘိုးဘိုးက ကျောက်တုံးတွေကို အင်္ဂတေနဲ့ ဖုံးပြီး အချောသတ်ထားတာလေ"

"ကိုကိုရေ၊ ရေတွင်းထဲ ဖားရှိလားဟင်"

"မတွေ့မိဘူး၊ ညီညီရေ။ ဒါပေမဲ့ ရှိချင်လည်း ရှိမှာပေါ့ကွာ"

"ကျောက်တွင်းထဲ ဖားတော့မရှိဘူး။ ဒါပေမဲ့ အရင်တုန်းကတော့ ရှိဖူးတယ် လေ။ သေချာလေးကြည့်လိုက်။ တခြားအကောင်တစ်မျိုး တွေ့ရမှာ"

ကိုကို၊ ညီညီတို့နောက်က ချေချေ ရပ်နေပြီး ပုခုံးတွေ ကိုင်ပေးရင်း ရေတွင်းထဲ ငုံ့ကြည့်စေတယ်။

"ငါးတွေဟ" ညီညီက ရုတ်တရက် အော်လိုက်တယ်။

"ငါးတွေ အများကြီးပဲ" ကိုကိုက ဆိုတယ်။

ရေကလည်း ကြည်နေတာ။ ရေက အနက်ကြီးဆိုပေမယ့် ဟိုး –အောက်ဆုံးအထိ မြင်ရလှမတတ်ပဲ။ ငါးတွေကို တအုံ့တည ကြည့်နေရင်း ကိုကိုက မေးလိုက်တယ်။

"ငါးတွေက ကျောက်တွင်းထဲ ဘာလို့ ရှိနေတာလဲ၊ ချေချေ"

"သားတို့ဘိုးဘိုးက ကျောက်တွင်းထဲ ခြင်ဥတွေ၊ တခြားပိုးကောင်လေးတွေကို ငါးတွေ စားပစ်အောင်ဆိုပြီး မွေးထားတာကွဲ။ ဒီငါးတွေကြောင့် ရေသန့်ရှင်းနေတာပေ့"

"ငါးတွေက ငါးရဲ့တွေလား၊ ချေချေ"

"ဟုတ်တယ်၊ ကိုကို။ သားက တယ်တော်ပါ့လား" ချေချေက ပြန်ဖြေရင်း ကိုကို့ကို ချီးကျူးလိုက်တယ်။

ချေချေက ရေအိုးကို ခါးစောင်းတင်ပြီး လက်တစ်ချောင်းနဲ့ ဝိုက်ထိန်းထားရင်း အိမ်သို့ ပြန်သယ်လာတယ်။ ကိုကိုနဲ့ ညီညီတို့က ချေချေနောက်ကပေါ့။ အဲဒီနောက် ဒုတိယရေအိုးကိုသယ်ဖို့ ကျောက်ရေတွင်းဆီ တစ်ခေါက် ပြန်သွားသေးတယ်။ ကိုကို တို့လည်း နောက်ကလိုက်ကြပြန်တယ်။ ကျောက်ရေတွင်းက အိမ်နဲ့ နီးလို့ မေမေ့လိုမျိုး ဒုတိယရေအိုးကို ခေါင်းပေါ် တင်သယ်စရာလည်း မလိုဘူးလေ။

အခုတစ်ခါ ချေချေ ညနေစာချက်ရတော့မယ်။ ဒါကြောင့် မီးဖိုခန်းထဲဝင် သွားပါပြီ။ မေမေနဲ့ ဘောင်ဘောင်တို့က သရက်သီးစိမ်း ထပ်ဆွတ်ဖို့ တောင်းတွေ အဆင်သင့် ပြင်နေကြလေရဲ့။ ဘိုးဘိုး ဘယ်မှာပါလိမ့်။ ဟော့ - အိမ်နားက ဝါးစင်ပေါ်မှာ ဘိုးဘိုး မတ်တပ်ရပ်နေပါလား။

"ဘိုးဘိုးက အဲဒီစင်ပေါ် ဘာတက်လုပ်နေတာလဲ၊ မေမေ"

တိုင်တွေ စိုက်ပြီး အောက်က ပင့်ထားတဲ့ အမိုးပြားပါ ဒီဝါးစင်လေးက အရိပ်ရ အောင်သက်သက်ပဲလို့ သူ ထင်နေခဲ့တာ။

"သားဘိုးဘိုးက နေလှန်းထားတာတွေ ကြည့်နေတာ၊ သားရေ့။ အဲဒီမှာ ငါးမျိုးစုံ၊ ငါးပိထောင်းဖို့ ငါးတွေ၊ မျှင်ငါးပိလုပ်ဖို့ ပုစွန်ဆိတ်လေးတွေ နေလှန်းထား တာကွဲ့။

မေမေတို့ မနက်ဖြန် အိမ်ပြန်ရင် ဒီထဲက တစ်ချို့တစ်ဝက် ယူသွားကြမှာလေ”

မေမေ၊ ဘိုးဘိုးနဲ့ ဘောင်ဘောင်တို့ သရက်ပင်အုပ်ဆီ သွားကြတယ်။ ကိုကိုနဲ့ ညီညီလည်း နောက်ကလိုက်လာတယ်။ ဘိုးဘိုးက ဝါးတံချူကိုသုံးပြီး သရက်သီး စ,ခူး နေပြီ။

“ဟေ့ -ကိုကို၊ ညီညီကို ခေါ်ပြီး ဟိုနားမှာ သွားဆော့နေချေ။ သားတို့ ခေါင်းပေါ် သရက်သီးကျမှာစိုးလို့”

ဒါကြောင့် ကိုကိုနဲ့ ညီညီတို့ ဘိုးဘိုးနား သိပ်မကပ်ဘဲ အနီးအနားမှာ ကစား နေကြတယ်။ ဘိုးဘိုး သရက်သီးတွေ လုံလောက်အောင် ခူးပြီးသွားပြီဆိုတာနဲ့ ကိုကို၊ ညီညီတို့ သရက်သီး သွားကောက်ပေးကြတယ်။ တောင်းကြီးနှစ်လုံး အပြည့် ရသွားအောင် သူတို့ ကူကောက်ပေးကြတယ်။

အနောက်ဘက်အရပ်မှာ နေမင်းကြီး နိမ့်ဆင်းလာနေပါပြီ။ မေမေ့မောင် နှစ်ယောက်ဖြစ်တဲ့ ဦးဌေးလွင်နဲ့ဦးဝင်းနိုင်တို့ မွန်းလွဲပိုင်း ငါးဖမ်းရာကနေ အိမ်ပြန် ရောက်လာကြပြီ။ သူတို့အစ်မနဲ့ တူတော်မောင်နှစ်ယောက် အိမ်လာလည်တာတွေ့တော့ တအံ့တသြဖြစ်လို့။

“ဟာ - အောင်ဇေမင်း။ အောင်နေမင်း။ တူလေးတွေ အိမ်လာလည်လို့ပါလားကွ”

ကိုကိုက ဦးဝင်းနိုင်ကို ချစ်တယ်။ ကိုကိုက သိချင်စိတ်အားကြီးလေတော့ ဟိုဟိုသည်သည် လိုက်ပြပေးတတ်သူကို ကြိုက်တာပေါ့။ ဦးဌေးလွင်နဲ့ ဦးဝင်းနိုင်တို့က အဲဒီနေ့ညနေစာအတွက် ငါးတွေ၊ ပုစွန်တုပ်တွေ ဖမ်းမိလာတယ်လေ။

ညစာ လွေးရတာ ကောင်းမှကောင်းပဲ။ ချေချေဒေါ်မှုံမှုံရီက လတ်ဆတ်တဲ့ ငါးတွေကို သရက်သီးစိမ်း၊ ကြက်သွန်ဖြူ၊ နနွင်း၊ ငရုတ်သီးနဲ့ ဟင်းခတ်အမွှေးအကြိုင်တွေ ထည့်ပြီး ချက်ထားတာ။ ပုစွန်တုပ်ကိုတော့ သရက်သီးစိမ်းနဲ့ ရောပြီး ဟင်းချိုချက် ထားတယ်။ မေမေယူလာတဲ့ ဟင်းရွက်စိမ်းတွေကို ငရုတ်သီးစပ်စပ်နဲ့ လက်သုပ်သုပ် ထားလေရဲ့။ ဟင်းတွေကို ထမင်းနဲ့ တွဲစားကြတာ။ ညီညီက ပိစိညှောက်တောက်လေးပဲ ဆိုတော့ သူစားမယ့်ငါးကို မေမေက အရိုးဖျင်ပေးရတုန်း။ သူ့ထမင်းပန်းကန်ထဲ ငါးအသားတွေပဲ ဖျင်ထည့်ပေးတာလေ။ ကိုကိုက ကြီးနေပြီဆိုတော့ ငါးအရိုးကို ကိုယ်တိုင် ဖျင်စားရတာပေါ့။ ဒါပေမယ့် ချေချေက ငါးအရိုး ကူဖျင်ပြီး ကိုကို့ပန်းကန်ထဲ ငါးအသားပဲ ထည့်ပေးတယ်။ ချေချေက သူ့ကို သားတစ်ယောက်လို ချစ်တာ သူ သိပြီးသား။

ညမှောင်လာတော့ ဘောင်ဘောင်က ရေနံဆီမီးခွက်တွေကို မီးထွန်းလိုက်တယ်။ ပထမဆုံးထွန်းတဲ့ ရေနံဆီမီးခွက်ကို ဘုရားစင်ပေါ် တင်ပြီး ဘုရားကို ရှိခိုးဦးချတယ်။ ဒုတိယမီးခွက်ကို ဧည့်ခန်းမှာ ထားလိုက်တယ်။ တစ်ယောက်ယောက် အခြားအခန်းတွေ သွားရတဲ့အခါဖြစ်ဖြစ်၊ အပြင်သွားရတဲ့အခါဖြစ်ဖြစ် ယူသုံးနိုင်အောင်လို့လေ။ ချေချေက

မီးဖိုပေါ်က ရေနွေးအိုးကို ယူပြီး ဘိုးဘိုးရဲ့ ဓာတ်ဘူးထဲ ရေနွေးလောင်း ထည့်လိုက်တယ်။ ရေနွေးကြမ်းသောက်ချိန် ရောက်ပြီလေ။ ဘိုးဘိုးက အိမ်ရှေ့ခန်းမှာထိုင်ရင်း လက်ဖက်ခြောက်တစ်ဆုပ်စာကို အဖုံးပါတဲ့ မတ်ခွက်ကြီးထဲထည့်လိုက်တယ်။ အထူးစပါယ်ရှယ် ဒီမတ်ခွက်ကြီးကို သတ္တုနဲ့လုပ်ထားပြီး အပြင်ကကြွေရည်သုတ်ထားလေရဲ့။ ဒါကြောင့်လည်း ရေနွေးကြမ်းက ပူနွေးနေတာ။ ဒီခွက်ကြီးထဲကမှ အားလုံးသောက်ဖို့ ရေနွေးကြမ်းခွက်လေးတွေထဲ လောင်းထည့်ရတာပေါ့။ ကြွေမတ်ခွက်ကြီးမှာ ရေနွေးကြမ်းနည်းလာပြီဆိုရင် ဘိုးဘိုးရဲ့ဓာတ်ဘူးထဲက ရေနွေးတွေကို တစ်ယောက်ယောက်ထပ်ဖြည့်ပြီး နောက်ထပ် ရေနွေးကြမ်းလုပ်ပေးရတယ်။ ညနေစာ စားပြီးချိန်ဆို သက်ကြီးဝါကြီး အိမ်နီးချင်းတွေ ဘိုးဘိုးတို့အိမ်ရှေ့ခန်းကို လာလည်တာ ကြိုက်ကြတယ်။ ဧည့်သည်တွေအတွက် ရေနွေးကြမ်း အမြဲ တည်ခင်းဧည့်ခံပေးတယ်။

ဘိုးဘိုး၊ ဘောင်ဘောင်နဲ့ မေမေတို့ အိမ်ရှေ့ခန်းမှာ ထိုင်ပြီး စကားပြောလိုက်၊ ရေနွေးကြမ်းသောက်လိုက် လုပ်နေကြတယ်။ ခဏနေတော့ အိမ်နီးချင်းတစ်ချို့ ရောက်လာကြတယ်။ ရေနွေးကြမ်းသောက်ရင်း အချိုတည်းဖို့ အုန်းသီးရောထားတဲ့ သကာခဲလေးတွေ တည်ခင်းပေးထားတယ်။ ကိုကိုက သကာတစ်ခဲ ကိုက်ဝါးရင်း လူကြီးတွေစကားပြောတာ လိုက်ကြည့်ပြီး နားထောင်နေတယ်။ အိမ်ခြံဝင်းထဲမှာ မှောင်မည်းလို့။ အဲဒီနောက် ခြံတံခါးအပြင်ဘက်နားမှာ လက်ဆွဲရေနံဆီမီးအိမ်တစ်လုံးရဲ့ မီးရောင်ကို လှမ်းမြင်လိုက်ရတယ်။

"မြေးမလေးနဲ့ မြစ်လေးတွေ လာလည်တယ် ကြားလို့"

ဒါ ကိုကို့ဖီးဖီလေ။ ကိုကို့ဘောင်ဘောင်ရဲ့ အမေပေါ့။

ဖီးဖီက အိမ်ရှေ့ခန်းနား ရောက်လာပြီ။ သူက ပုပုပိန်ပိန်လေး။ ဒါပေမယ့် သူ့အသက်အရွယ်နဲ့ ကြည့်ရင် ပေါ့ပါးသွက်လက်တယ်လို့ ပြောလို့ရတုန်း။ သူ့ဆံပင်ဖြူအရှည်ကြီးကို ထိပ်မှာ သိမ်းစုပြီး ဆံထုံးထုံးထားလေရဲ့။ ရွှေနားတောင်းကြီးကလည်း မီးအိမ်အလင်းရောင်အောက်မှာ တလက်လက်တောက်လို့။ အမျိုးသမီးအများစု နားကပ်တွေ ပန်တတ်ပါတယ်။ ဒါပေမယ့် ဖီးဖီရဲ့ နားတောင်းက သာမန်အရွယ်အစားထက် ပိုကြီးပြီး အလယ်မှာ စိန်ပွင့်တွေစီထားလေရဲ့။

"ကြည့်စမ်း။ ငါ့မြစ်လေးနှစ်ယောက်တောင် အတော်ထွားလာပြီ"

သူ့ရဲ့ လက်ဆွဲမီးအိမ်ကို အိမ်ရှေ့ခန်းမှာ တင်လိုက်ပြီး ကိုကိုနဲ့ ညီညီကို လက်နဲ့ထွေးပွေ့လိုက်တယ်။ ဘောင်ဘောင်က ရေနံဆီမီးအိမ်ကို အထူးပြုလုပ်ထားတဲ့ ဆောင်းထဲကနေ ထုတ်လိုက်တယ်။ ဆောင်းမှာ လက်ကိုင်ပါတာကြောင့် အလွယ်တကူ သယ်သွားလို့ရတာပေါ့။ အခုတော့ ဘောင်ဘောင်က ဆောင်းထဲကနေ မီးအိမ်ကို ထုတ်ပြီး အိမ်ရှေ့ခန်းမှာ တင်နေပြီ။ အလင်းရောင် ပိုရအောင်လို့ပေါ့။ ဖီးဖီ အိမ်ပြန်တော့မယ်ဆိုရင် မီးအိမ်ကို ဆောင်းထဲ နဂိုအတိုင်း ပြန်ထည့်လိုက်ရုံပါပဲ။

ဖီဖီက အိမ်ရှေ့ခန်းမှာ ထိုင်တယ်။ ဘောင်ဘောင်က ဖီးဖီသောက်ဖို့ ရေနွေးကြမ်း တစ်ခွက် ကမ်းပေးလိုက်တယ်။ အုန်းသကာခဲပန်းကန်လည်း အနား တိုးကပ်ပေးလိုက်တယ်။ ဒါပေမယ့် ဖီးဖီ ရေနွေးကြမ်းသိပ်မကြိုက်။ ကွမ်းဝါးတာ၊ ဆေးသားလိပ်၍ သောက် တာပဲကြိုက်တာလေ။ ဒါကြောင့် ရေနွေးကြမ်း မသောက်ဘဲ ဆေးသားလိပ်ကို နောက် ဆုံးတစ်ဖွာ ဖွာရှိုက်လိုက်တယ်။ အဲဒီနောက် ဆေးသားလိပ်ကို မီးငြိမ်းပြီး တခြားသူတွေနဲ့ စကားပြောဖို့ ပြင်တယ်။

ညီညီက မေမေ့ပေါင်ထက်မှာ လှဲရင်း အိပ်ပျော်နေပြီ။ ကိုကိုကတော့ ထိုင်ပြီး လူကြီးတွေ ပြောတာ နားထောင်နေမိတယ်။ ရေနွေးကြမ်းက ကလေးတွေသောက်ဖို့ မဟုတ်။ ဒါကြောင့် ရေနွေးကြမ်းလည်း သူ မသောက်ဖြစ်။ အုန်းသကာပဲ ထိုင်စားနေ လိုက်တယ်။

အဲဒီနောက် ဘိုးဘိုးက ဇာတ်လမ်းတစ်ပုဒ် စပြောပါတော့တယ်။ ဇာတ်လမ်းက ဒုတိယကမ္ဘာစစ်အတွင်း ရန်းပြဲကျွန်းကို ဂျပန်တွေ သိမ်းပိုက်ခဲ့တုန်းကအကြောင်းပါ။

*****

ဘိုးဘိုးပြောပြတဲ့ ဇာတ်လမ်း

ဘိုးဘိုးက ဇာတ်လမ်းကို စပြောတယ်။

"အဲဒီတုန်းကပေ့ါကွာ။ ဂျပန်တွေ တို့ရမ်းပြကျွန်းပေါ် ရောက်လာကြတယ်။ အဲဒီအချိန်က မြန်မာပြည် ဗြိတိသျှလက်အောက် ရောက်နေချိန်ပေါ့။ ဗြိတိသျှတို့ လက်ကနေ မြန်မာပြည်ကို ဂျပန်တွေက တိုက်ယူချင်နေကြတာပေါ့။ ဒီချောင်းနားက တောင်ပေါ် မှာ ဂျပန်စစ်စခန်းတစ်ခု ချထားတယ်။ တို့မိသားစုက နဂါးရွှာမှာနေတဲ့အချိန်။ နဂါးရွှာနဲ့ သိပ်တော့ မဝေးဘူး။ ငါလည်း ဂျပန်စကား နည်းနည်းပါးပါး ပြောတတ်တယ်။ ဂျပန်တွေလည်း မြန်မာစကား ထမင်းစားရေးသောက် ပြောတတ် တာပေါ့ကွာ။ ဒါကြောင့် တို့တွေအပြန်အလှန် ဆက်သွယ်လို့ရခဲ့ကြတယ်"

"ငါက ဂျပန်တွေအတွက် အလုပ်သမားတွေ ရှာပေးတယ်။ ဂျပန်တွေက လမ်း တွေခင်း၊ အိမ်လေးတွေဆောက် စတဲ့အလုပ်တွေလုပ်ဖို့ အလုပ်သမားလိုတာ ကိုး။ အလုပ်သမားတွေကို လုပ်ခလည်းပေးတာပေါ့ကွာ။ သိပ်တော့မရဘူးပေါ့။ ဒါပေမယ့် အစိုးရက စပါးရောင်းခပေးငွေထက်တော့ အပိုကြီးသာတယ်ကွာ။ ဒါကြောင့် တို့လည်း ဂျပန်တွေအတွက် အလုပ်လုပ်ပေးချင်ကြတယ်လေ"

"ဂျပန်တွေက တို့စားတဲ့ အစားအစာတွေ မကြိုက်ကြဘူး။ ငရုတ်သီး သိပ်စပ် တယ်လို့ဆိုတယ်။ သူတို့က အမဲသား၊ ဝက်သားတို့နဲ့မှစားချင်တာမျိုး။ ဒါပေမယ့် တို့တွေ ကြိုက်တဲ့ ငရုတ်သီးတော့ ဝေဝေရှောင်ကြတယ်။ အသားတွေ ချက်ပြီဆိုရင် သကာတွေ၊ ခရမ်းချဉ်သီးတွေ ထည့်ချက်တတ်တာကွ။ ဒါပေမယ့် များသောအားဖြင့် စည်သွပ်ဘူးနဲ့ ထည့်ထားတဲ့ အစားအစာတွေပဲ စားကြတာ"

ဒါ ကြားဖူးသမျှထဲ အထူးဆန်းဆုံးတစ်ခုလို့ ကိုကို တွေးမိလိုက်ရဲ့။ အစားအစာကို စည်သွပ်ဘူးထဲ ထည့်တာ အရင်က သူ မမြင်ဖူးခဲ့။ စည်းသွပ်ဘူးဆိုလို့ ဆန်ခြင်ဖွဲ့သုံးတဲ့ နို့ဆီဘူးခွဲတစ်လုံးပဲ မြင်ဖူးတယ်။ ပြီးတော့ အသားအချို့ချက်ကို ဘယ်လိုများ စားနိုင်ကြပါ လိမ့်လို့ တွေးလို့ကိုမရဘူး။

"ဂျပန်တွေက သိပ်စည်းကမ်းကြီးတာ။ စစ်သားတစ်ယောက် အမှားလုပ်မိရင် ရှေ့တစ်လှမ်းတိုးထွက်ပြီး ပါးရိုက်ခံရတာကွ။ ပါးရိုက်တာလည်း တစ်ခါတည်းမဟုတ်ဘူး ဟေ့။ ပုံမှန်ပါးရိုက်သလို အရင်ရိုက်တာ။ ပြီးရင် ဂျပန်မာစတာကြီးက နောက်ပါးတစ်ဘက် ကို လက်ဖမိုးနဲ့တစ်ခါ ပြန်ဖြတ်ရိုက်တာ။ ဘယ်ပြန်ညာပြန်ပါးရိုက်မှ တစ်ချက်လို့ တွက် တာတဲ့။ ဂျပန်တွေက သူတို့ဗိုလ်ကြီးကို မာစတာကြီးလို့ ခေါ်ကြတယ်ကွ"

"ဂျပန်စစ်သားတွေက သိပ်မာနကြီးကြတာ။ လက်မြှောက်အရှုံးပေးတာမျိုး ဘယ်တော့မှမလုပ်ဘူး။ တိုက်ပွဲတစ်ခုမှာဆိုရင် ဒူးထောက်အညွှံ့ခံလိုက်တာမှ ပိုကောင်း မယ့် အခြေအနေမျိုးကြုံခဲ့ရတာ။ ဒါပေမယ့် ဒီကောင်တွေက ဒူးမထောက် လက်မမြှောက် ဘူး။ တို့ကျွန်းပေါ်က လူမတောကိုဖြတ်ပြီး ဆုတ်ခွာပြေးဖို့ကြိုးစားခဲ့ကြတာလေ။ အဲ့ဒီမှာ သမိုင်းတလျှောက် အဆိုးရွားဆုံး ရေငန်မိကျောင်းတိုက်ခိုက်မှုဖြစ်ရပ်ဆိုပြီး ဖြစ်ပါလေ ရော။ လမုတောထဲက အသက်ရှင်လျက် လွတ်မြှောက်ခဲ့တာဆိုလို့ ဂျပန်စစ်သား တစ်ဝက်တော် မရှိဘူးတဲ့"

"နောက်တစ်ခု ပြောဦးမယ်ကွ။ ဂျပန်တွေဟာ အစတုန်းက ဒီမှာ ရေဘယ်လို ချိုးရကောင်းမှန်းမသိကြဘူး။ ကျောက်ရေတွင်းနားသွားပြီး ဝတ်ထားတဲ့အဝတ်တွေ

အကုန်ခွုတ်ချလိုက်ရော့ပဲ။ အဝတ်တွေ ခွုတ်ပြီးတာနဲ့ ခေါင်းကနေ ရေလောင်းချိုးကြရော။ ခဏနေတော့ ရွာသားတစ်ယောက်က ခါးမှာ လုံချည်ဝတ်ပြီး ရေချိုးနည်းကိုပြပေးတယ်။ ဒီတော့မှ ရေချိုးတဲ့အခါ ငါတို့ချိုးသလိုမျိုး လုံချည်ဝတ်ပြီးချိုးကြတယ်။ ဒါပေမယ့်ရေချိုးပြီး အဝတ်လဲတဲ့အခါ ငါတို့လဲသလိုမျိုး လုံချည်နဲ့ပတ်ပြီး လဲတာမဟုတ်ဘဲ လုံချည်ကို ဒီအတိုင်းခွုတ်ချလိုက်တော့ မတ်တပ်ရပ်ပြီး ကိုယ်လုံးတီးဖြစ်ပြန်ရော"

"ဒါကြောင့် အဝတ်ဗလာနဲ့ ရေချိုးရင် 'ဂျပန်ရေချိုးနည်း' ခေါ်ကြတာလားဟင်၊ ဘိုးဘိုး" ကိုကိုက ဝင်မေးလိုက်တယ်။

"သိပ်ဟုတ်တာပေါ့၊ မြေးလေးရေ"ဘိုးဘိုးက ပြန်ဖြေရင်း ဆေးသားလိပ်ကို တစ်ဖွာ ဖွာရှိုက်လိုက်တယ်။

"တစ်နေ့ ဂျပန်စစ်သားနှစ်ယောက်ကို အိမ်လာလည်ဖို့ ဖိတ်လိုက်တယ်။ အလာ လမ်းမှာ ရေနံချောင်းကျဉ်းလေးတစ်ခု ဖြတ်ရတာလေ။ ဒီရေခမ်းနေချိန်ဖြစ်တော့ ချောင်းထဲရေမရှိဘူး။ ဖြတ်ကူးလို့လွယ်တာပေါ့။ နဂါးရွာကို တို့တွေ လမ်းလျှောက်သွားပြီး နေ့လည်စာစားဖို့ သူတို့ကိုဖိတ်လိုက်တယ်။ အဲဒီနေ့က ငါ့အမေ ငါးချက်ထားတာလေ။ ငါးကို ခါတိုင်းချက်နေကျအတိုင်း ချက်ထားတော့ ငရုတ်သီးစပ်တာ တအားပဲ။ ဂျပန်တွေ ထမင်းစားတော့ ချွေးသီးချွေးပေါက်တွေကျလာကြရော။ မျက်စိထဲ မျက်ရည်တွေလည်း လွမ်းလို့၊ မကြာမကြာ နှုတ်ညှစ်ရသေးရဲ့"

ရယ်စရာတော့ အကောင်းသားလို့ ကိုကို တွေးမိတယ်။ ညီညီတောင် ငရုတ် သီးစပ်စပ်နဲ့ ငါးဟင်းကို စားနိုင်သေးတာလေ။

"စစ်ခန်းသို့ လမ်းလျှောက်မပြန်ခင် သူ့ယ်ချင်းတစ်ယောက်ကို လမ်းလျှောက် ထွက်ဖို့ လိုက်ချင်လားလို့ မေးလိုက်တယ်။ သူက လူသန်ကြီး။ ကိုယ့်ထက် အရပ်မြင့်တာ။ ဗလတောင့်တောင့်နဲ့။ လေးယောက်သား ချောင်းကျဉ်းလေးနား ရောက်လာကြပြီ။ ဖြား(ဒီရေ)ပြည့်နေချိန်ဆိုတော့ ရေက နက်နေပြီ။ ဂျပန်စစ်သားနှစ်ယောက်က ချောင်း ကျဉ်းကို ဖြတ်မကူးချင်ကြ။ ဖိနပ်ရေစိုခံချင်ကြလို့လေ။ ဒီတော့ ငါ့သူငယ်ချင်းကို 'ကောင်းလေး၊ ဒီလာခဲ့' ခေါ်လိုက်တယ်။ ခန္ဓာကိုယ် ရေစိုခံချင်ကြတဲ့ ဂျပန်စစ်သားတွေ အဆင်ပြေစေဖို့ ငါ့သူငယ်ချင်းက သူတို့ကို ကျောတင်ပြီး ဟိုဘက်ကမ်းကို သယ်ပို့ပေးရ တယ်။ တစ်ယောက်ပြီးတစ်ယောက်ပေါ့။ ရေတွေ သူ့ခြေတံလောက်ထိရောက်တယ်။ ဒါပေမယ့် ဂျပန်စစ်သားတွေနဲ့ သူတို့ဖိနပ်တွေ ရေမစိုလိုက်ဘူး"

"ဂျပန်စစ်သားတွေက ဖိနပ်ခွုတ်ပြီး ချောင်းကိုဖြတ်ကူးသွားရင် ရတာပဲဟာကို" ကိုကိုက ပြောတယ်။

"သူတို့က ဘိုးဘိုးတို့လို ခြေညှပ်ဖိနပ်တွေမစီးကြဘူး၊ မြေးလေးရေ။ ဘိုးဘိုးတို့ စီးတဲ့ဖိနပ်ဆိုရင် မြန်မြန်လေး လျှောကနဲ့ထိုးသွင်းလိုက်၊ တွန်းထုတ်လိုက်လို့ ရတယ်လေ။ ဂျပန်စစ်သားတွေစီးတဲ့ဖိနပ်က ရှူးဖိနပ်ဆိုတော့ စီးဖို့၊ ခွုတ်ဖို့ အချိန်ယူပြီးလုပ်ရတာ၊

မြေးလေးရဲ့”

“ဘာလို့လဲဟင်၊ ဘိုးဘိုး”

“ဘာလို့လဲဆိုရင် နိုင်ငံခြားသားတွေက ခြေကျင်းဝတ်အောက်ပိုင်းထိ ဖုံးတဲ့ ရှူးဖိနပ်တွေ စီးလေ့ရှိလို့ပေါ့ကွယ်။ ရှူးဖိနပ်ရှေ့ပိုင်းကို ယှက်သိုင်းပေးဖို့ ဖိနပ်သိုင်းကြိုးတွေရှိတယ်။ ဒီကြိုးတွေကို ဟိုဘက်ဒီဘက် ယှက်တင်ပြီး ချည်ရတာ။ သူငယ်ချင်းဆိုကိုယ့်ကိုစိတ်ဆိုးသလား မမေးနဲ့။ ဂျပန်စစ်သားတွေကို သူပဲထမ်းပိုးပြီး ချောင်းတစ်ဘက်ကမ်းကို ပို့ပေးရတာကိုး”

“သူက မသယ်ပေးဘူးလို့ ဘာကြောင့် မငြင်းလိုက်တာလဲဟင်၊ ဘိုးဘိုး”

“အင်း” စဉ်းစဉ်းစားစား အသံပြုရင်း ဘိုးဘိုးက ရေနွေးကြမ်းတစ်ကျိုက် သောက်လိုက်တယ်။

“လူတိုင်းက ဂျပန်စစ်သားတွေကို ကြောက်နေရတာကိုး၊ မြေးလေးရဲ့။ သူတို့မှာ ရိုင်ဖယ်သေနတ်တွေ လွယ်ထားသလို လှံစွပ်လည်း ပါလာလို့လေ”

“ဗြိတိသျှဘုရင့်ရေတပ်က ဘင်္ဂလားပင်လယ်အော်မှာ ဂျပန်တွေကိုလာရောက်မောင်းထုတ်တဲ့အခါ ပင်လယ်ထဲ ဘယ်သူမှငါးမဖမ်းရဘူး။ မိသားစုအများစုက ထမင်းနဲ့ ဟင်းသီးဟင်းရွက်တွေပဲ စားနိုင်ကြတာ။ တိုက်ပွဲမစခင်တုန်းကပေါ့။ မြစ်ဝနား ပင်လယ်ပြင်မှာ ငါ့အဖေက ငါးဖမ်းဖို့ ခွင့်ပြုချက်ရထားတယ်။ ဒါပေမယ့် ညဘက်ပဲ ငါးဖမ်းထွက်လို့ရတာ။ မီးအလင်းရောင် လုံးဝ မလုပ်ရဘူး။ ဒါကြောင့် တို့မိသားစုတော့ ငါးစားရတာပေါ့။ တခြားမိတ်ဆွေတွေ၊ မိသားစုတွေကိုလည်း ငါးတွေ မျှဝေပေးခဲ့ကြသေးတယ်လေ”

“ဒါပေမယ့် တိုက်ပွဲ စတင်တဲ့အခါ ရွာတွေမှာ အခက်တွေ့တော့တာပဲ။ ဗြိတိသျှစစ်လေယာဉ်တွေ မိုးပေါ်ကပျံပြီး ဂျပန်တွေကို ဗုံးကြဲချမယ့်အချိန်မှာ ဝင် ပုန်းနိုင်အောင် မိသားစုတိုင်း ဗုံးကျင်းတွေတူးကြရတယ်။ ဗြိတိသျှရေတပ်က ကမ်းရိုးတမ်းဘက်အမြောက်တွေနဲ့ ပစ်လာတဲ့အခါ ရွာသားတွေက တောတွေတောင်တွေထဲ ထွက်ပြေးကြရတယ်။ ရွာတွေမှာ လူသူကင်းမဲ့နေတာမျိုး။ ဂျပန်တွေလည်း တောတောင်တွေထဲဝင်ပြေးကြတယ်။ ဗြိတိသျှတွေ သူတို့ကိုမမြင်အောင် ဖြတ်လျှောက်သွားဖို့ ကတုတ်ကျင်းတွေ တူးထားကြတယ်။ ဂျပန်တွေတူးခဲ့တဲ့ ကတုတ်ကျင်းတွေ ခုထိရှိတုန်းပဲ”

ဘိုးဘိုးစကားအဆုံး မေမေက ပြောလာတယ်။

“ကျွန်မယောက်ျားတောင် သူ့ဝမ်းကွဲအစ်မတစ်ယောက် တောထဲမှာမွေးတဲ့အကြောင်း ပြောဖူးသေးတယ်။ ဗုံးကြဲတဲ့ ဒဏ်ကနေလွတ်အောင် ပုန်းခိုနေတဲ့ အချိန်မှာပေါ့။ တောထဲမှာမွေးလို့ ‘တောသူမ’ ဆိုတဲ့နာမည် ပေးထားကြတာလေ “ဟုတ်ပဲ့” ဘိုးဘိုးက ပြောတယ်။

“အဲဒီတုန်းက တောထဲတောင်ထဲ မွေးတဲ့ကောင်လေးတွေ၊ ကောင်မလေးတွေ အများကြီးပဲ”

ကိုကို အိပ်ချင်နေပြီ။ မအိပ်ချင်အောင် မနည်း ကြိုးစားထားရတာ။ ဘိုးဘိုးမှာ ပြောပြစရာ အကောင်းဆုံး ဇာတ်လမ်းတွေ အမြဲရှိနေတတ်တာကိုး။ ညီညီက မေမေ့လက် ပေါ် အိပ်ပျော်နေပြီ။

အိမ်နီးချင်းတွေလည်း ပြန်သွားကြပြီ။ နောက်ဆုံး ဖီးဖီက ရေနံဆီမီးအိမ်ကိုင်ပြီး အိမ်က ထထွက်ပါတော့တယ်။ ဘောင်ဘောင်က ခြံဝင်းတံခါးပိတ်ဖို့ ဖီးဖီနောက်က လိုက်သွားတယ်။ ကိုကိုလည်း နောက်ကလိုက်လာတယ်။ အကာလညအခိုန် ကောင်းကင် ကြီးကို မော့ကြည့်လိုက်မိတယ်။ မှောင်မည်းမည်း သရက်ပင်ရိပ်ကြားကနေ ကောင်းကင် ပေါ် မှာ ကြယ်လေးတွေ တလက်လက် တောက်နေတာ လှမ်းမြင်ရလေရဲ့။ တိမ်တွေက တရွေ့ရွေ့ ပြေးနေရင်း လမင်းစန္ဒာကို လှစ်ဟပြပေးလိုက်ကြရဲ့။ လရောင်အောက်မှာ တရုတ်စံကားပန်းအဖြူတွေက ထိန်ထိန်လင်းနေသယောင် ယောင်။ ဖားတွေ အုံးအင် အုံးအင်နဲ့ တေးဆိုသံ၊ ပုရစ်တွေ တကျီကျီနဲ့ အော်မြည်သံတွေ ကိုကို ကြားနေရတယ်။ အရာရာဟာ သိပ်ကို ငြိမ်ချမ်းသာယာနေတဲ့ပုံပါပဲ။

ဘောင်ဘောင်နဲ့အတူ အိမ်ပေါ်ပြန်တက်လာချိန်မှာ ချေချေဒေါ် မှုံမှုံရီက ကိုကို၊ ညီညီနဲ့ မေမေတို့အတွက် အိပ်ရာခင်းပေးထားတာတွေ့ရတယ်။ အိပ်ရာကို ဘုရားစင် အောက်နား ကြမ်းပေါ်မှာ ပြင်ထားပေးတယ်။ ကိုကိုက ညီညီဘေးမှာ လဲလျောင်းနေလိုက် တယ်။ မေမေက ညီညီရဲ့ အခြားတစ်ဘက်မှာ လဲလျောင်းလိုက်တယ်။ ရေနံဆီမီးအိမ်ရဲ့ မှိန်ပျပျအလင်းရောင်ကို ကိုကို မြင်လိုက်တယ်။ ဒီအလင်းရောင်နဲ့ အပေါ် မော့ကြည့် လိုက်တော့ ဘုရားစင်ကိုတွေ့ရတယ်။ ဖန်သားနဲ့လုပ်ထားတဲ့ ညောင်ရေသိုးအကြည်ထံ ညောင်ရေပင်စိမ်းစိမ်းလေးတွေ မြင်ရလေရဲ့။ ညောင်ရေအိုးက ဗုဒ္ဓရုပ်ပွားတော်ရဲ့ ဘေးတစ်ဘက်တစ်ချက်စီမှာ။ ညောင်ရေအိုးထဲက ညောင်ရေပန်းခက်တွေရဲ့ အောက် ခြေမှာ အမြစ်ဖြူတွေ ပေါက်နေတာမြင်ရတယ်။ ဘိုးဘိုးက မြတ်ဗုဒ္ဓကိုကန်တော့ပြီး ဘုရားရှိခိုးတယ်။ ဘိုးဘိုး ဘုရားဝတ်ပြုသံကို နားထောင်ရင်း ကိုကိုလည်း အိပ်ပျော်သွား ပါတော့တယ်။

*****

မေမေ့အဘွားပြောပြတဲ့ ဇာတ်လမ်း

ညက ကိုကိုနဲ့ ညီညီတို့ အိပ်ရာဝင်နောက်ကျခဲ့တယ်။ ဒီနေ့မနက်စောစောက ချေချေဒေါ် မှုံမှုံရီ ဈေးသွားပြီးပြီ။ ကောက်ညှင်းဆန်မှုန့်၊ သကာတို့နဲ့ လုပ်ထားတဲ့ မုန့်ဖက်ထုတ်၊ ထိပ်မှာ အုန်းသီးဆံလျှော်ဖြူးထားတဲ့ ဘိန်းမုန့်ဝိုင်းဝိုင်းလေးတို့ကို ဈေးကဝယ်လာပါတယ်။

အိမ်သားတွေအားလုံး မုန့်စားပြီးတဲ့အခါ ချေချေက နေ့လည်စာ ချက်ပြုတ်ဖို့ကိစ္စကို စလုပ်ပါတော့တယ်။ ဘိုးဘိုး၊ ဘောင်ဘောင်နဲ့ မေမေတို့ အိမ်ရှေ့ခန်းမှာ သရက်သီးစိမ်း စန္ဒာနေကြပြီ။ သရက်သီးတွေကို အခြောက်လှမ်းဖို့ အခွံခွာပြီးအစေ့ထုတ်၊ ပြီးမှ သရက်သီးစိတ်တွေ စိတ်ရပါတယ်။ နေလှမ်းစရာသရက်သီးတွေ အများကြီးပဲ။ ဒီသရက်သီးစိတ်တွေကို မိုးရာသီမှာသုံးဖို့ မေမေက သိုလှောင်ထားချင်တာလေ။

ဘိုးဘိုးနဲ့ ဘောင်ဘောင်တို့အိမ်မှာ သရက်ပင်တွေ အများကြီးရှိလေတော့ သရက်သီးတွေ လိုသလောက်လာဆွတ်ဖို့ မေမေ့ကို အမြဲခေါ်နေကျ။ မေမေ့အိမ်နားမှာ သရက်ပင်တွေသိပ်မရှိတာ သိထားလို့လေ။ ဘိုးဘိုးတို့အိမ်ခြံထဲ သရက်ပင်တွေအများကြီး ရှိသလို သရက်ချိုတစ်ရွာလုံးမှာလည်း သရက်ပင်တွေပေါမှပေါ့ပဲ။ သရက်ပင်တွေ ပေါလွန်းလို့ ဒီရွာကို သရက်ချိုလို့ ခေါ်သလားတော့မသိ။ သရက်ချို ဆိုတာ 'သရက်သီးအချို' အဓိပ္ပာယ်ရတာကိုး။ သရက်သီးတွေဟာ မှည့်မှချိုတာလေ။ ဒါပေမယ့် ချိုမှည့်နေတဲ့ သရက်သီးတွေကို ဘယ်သူမှအခြောက်မလှန်းကြ။ သရက်သီး အချဉ်ခြောက်တွေကိုတော့ ဟင်းချက်ရာမှာ အတော့်ကိုသုံးကြတာ။ ဒါကြောင့် သရက်သီးစိမ်းတွေကို ခူးထားကြတာလေ။ မေမေ့မှာ မိုးရာသီသုံးဖို့ သရက်သီးခြောက်တွေ အများကြီးရတော့မှာ။

မေမေ့ယောက်မက ကလေးနှစ်ယောက် လက်ဆွဲပြီး အိမ်ကို ရောက်လာတယ်။ သူတို့က လျှောင်းတော်မူဘုရားရှိရာ အုတ်နဲ့လုပ်ထားတဲ့ ကဏ္ဍာကုမီတိုက်နားက အိမ်မှာ

နေတယ်။ ဘိုးဘိုးနဲ့ တောင်တောင်တို့အိမ်သို့ ကြက်သားချက်တစ်ခွက်လာပို့တာ။ အိမ်မှာ ဟင်းကောင်းကောင်းချက်ရင် သက်ကြီးဝါကြီး မိဘတွေစားဖို့ ပို့ပေးတာ ရိုးရာ ဓလေ့တစ်ခုလေ။ အခုတော့ ကိုကို၊ ညီညီတို့နဲ့ အတူဆော့ဖို့ ဝမ်းကွဲ ညီနှစ်ယောက် ရောက်လာပြီပေါ့။ လေးယောက်သား သရက်ပင်အောက် သဲပြင်ပေါ်မှာ အတူတူ ကစားကြတယ်။

သရက်သီးတွေ စိတ်ပြီးတာနဲ့ တောင်းကြီးတစ်လုံးထဲ ထည့်ရတယ်။ မေမေက သရက်သီးစိတ်တွေပေါ် ဆားဖြူးပြီး ဆားလည်အောင် လက်နှစ်ဘက်နဲ့ မွှေလိုက် တယ်။ ကိုကိုက ဆားလူးနေတဲ့ သရက်သီးစိတ်တစ်စိတ်ယူဖို့ မေမေ့ဆီအပြေးလေး သွားလိုက်တယ်။ ဆားလူးထားတဲ့ သရက်သီးချဉ်ချဉ်လေးကို ကိုကိုက သိပ်ကြိုက်တာ။

"နေ့လည်စာ အစားပျက်နေဦးမယ်၊ ကိုကို" မေမေက လှမ်းသတိပေးလိုက်တယ်။

မေမေက သရက်သီးစိတ်တွေကို နေပူထဲက ဖျာပေါ် ပြန်ခင်းပြီး နေလှန်းလိုက် တယ်။ တောင်တောင်နဲ့ မေမေက သရက်သီး စိတ်ဖို့၊ လှမ်းဖို့ကိစ္စ ဆက်လုပ်နေကြတယ်။ ဒါပေမယ့် ဘိုးဘိုးက ငါးလှန်းထားတဲ့ လှမ်းစင်ပေါ် သွားပြီး ငါးခြောက်၊ ငါးမန်း ခြောက်၊ ရေကြက်ခြောက်တွေ၊ ငါးပိထောင်းရာမှာ သုံးမယ့် ငါးမွန့်ထောင်းနဲ့ ပုစွန်ဆိတ်ထောင်း တွေကို လှမ်းစင်ပေါ်က ချယူလာတယ်။ ဒါတွေကို မေမေက တောင်းထဲထည့်ပြီး အိမ် ယူသွားမှာလေ။ ဒါတင်မက ငါးချဉ်ခြောက်လေးတွေလည်း ယူချလာတယ်။ ဒီငါးရှဉ့် ခြောက်တွေကို ချေချေက မီးဖုတ်ပြီး သွားရည်စာအဖြစ်စားကြမှာပါ။

ငါးရှဉ့်ခြောက်ဖုတ် စားတဲ့အခါ မစားခင် ငါးရှဉ့်ခေါင်းကို ဘယ်လို ဆွဲဆိတ်ပြီး အတွင်းကလီစာတွေ ဘယ်လိုဆွဲထုတ်ပစ်ရလဲဆိုတာ ဘိုးဘိုးက ကိုကိုကိုပြတယ်။ ကိုကိုလည်း လေ့ကျင့်ရင်းလေ့ကျင့်ရင်း ဘိုးဘိုးလောက်နီးနီး ကျွမ်းကျင်အောင် လုပ် တတ်သွားတယ်။ ငါးရှဉ်ခြောက်ဖုတ်ရဲ့ ခေါင်းကိုဆွဲဆိတ်၊ ကလီစာတွေဆွဲထုတ်၊ ကြက်လေးတွေစားဖို့ မြေပေါ်ချပေး၊ ပြီးရင် ကျန်တဲ့အပိုင်းကို ပါးစပ်ထဲ ဖောက်ကနဲ ပစ်ထည့်ပြီး ဝါးစားလိုက်တယ်။ ဝါးရတာ မွမ့်ရွှရွှလေး။ မီးဖုတ်ထားလို့ မီးခိုးနံ့နဲ့လေး သင်းနေလေရဲ့။

ဖိုးဖီက နောက်တစ်ခေါက် ထပ်ရောက်လာပြီး အိမ်ရှေ့ခန်းမှာ လူတွေနဲ့ ရောထိုင် လိုက်တယ်။

"ဖိုးဖီ၊ ဖိုးဖီလည်း ဘိုးဘိုးလိုမျိုး ဂျပန်တွေနဲ့ သူငယ်ချင်းတွေ ဖြစ်ခဲ့ဖူးသေးလား ဟင်"

"သူငယ်ချင်းတွေတော့ မဖြစ်ဖူးပါဘူးကွယ်။ ဒါပေမယ့် ဂျပန်ခေတ်တုန်းက အကြောင်းတွေတော့ ပြောပြလို့ရတယ်ကွဲ့။ ဂျပန်တွေ ဖိုးဖီတို့ရွာ မရောက်ခင်တုန်းက ရွာမှာ အစည်အဝေး လုပ်ကြတာပေါ့။ အန္တရာယ်ရှိမှာဖြစ်လို့ ပုံးခိုကျင်းတွေတူးထား ဖို့အကြံပြုကြတယ်။ ဖိုးဖီတို့လည်း ပုံးခိုကျင်းတွေ တူးကြတော့တာပေါ့။ ပြိတ်သူတွေ

ရမ်းပြကျွန်းပေါ် ဗုံးလာကြတော့ အားလုံး ဗုံးခိုကျင်းထဲ ဝင်ပုန်းကြရတာလေ"

"ဂျပန်တွေက ဖီးဖီတို့ရွာကို ဘာလို့ လာချင်ကြတာလဲဟင်"

"မော်တော်ဘုတ်ဆိပ်ကို သွားဖို့ ဖီးဖီတို့ရွာကို ဖြတ်ရတာကွဲ။ ဂျပန်တွေက ရွာသားတွေကို ပေါ်တာဆွဲပြီး အထုတ်သယ်ခိုင်းတယ်။ ပြိတ်သူတွေရန်က လွတ် အောင်ထွက်ပြေးဖို့ တစ်ရွာဝင်တစ်ရွာထွက် လမ်းပြခိုင်းကြသေးတယ်။ မင်းတို့ဖီးဖီ (သူ့အမျိုးသား)က ပြိတ်သူရန်က ထွက်ပြေးနေတဲ့ ဂျပန်စစ်သားတွေအတွက် အထမ်း သည်အဖြစ် အမွေစေခိုင်းမခံချင်လို့ ဗုံးခိုကျင်းထဲ ဝင်ပုန်းနေခဲ့တာလေ"

"ဗုံးခိုကျင်းက ဘယ်လိုမျိုးလဲဟင်၊ ဖီးဖီ"

"ဗုံးခိုကျင်းဆိုတာ မြေကြီးထဲတွင်းတူးပြီး အပေါ်က ဝါးဖျာနဲ့ အုပ်၊ ဖျာပေါ်မှာ သဲတွေ တင်ထားတာကို ပြောတာကွဲ။ ဗုံးခိုကျင်းထဲမှာ တအားပူတာ။ တစ်နေ့တော့ မြစ်ကလေးတို့ဘောင်ဘောင် အမွှာညီအစ်မနှစ်ယောက် ဗုံးခိုကျင်းထဲက ဘယ်လိုက နေ ဘယ်လိုထွက်သွားတယ်မသိ။ သူတို့က ဗုံးကျင်းအပြင်မှာ လျှောက်သွားနေကြတာ။ ညီအစ်မနှစ်ယောက်က တွားတတ်ခါစအရွယ်တွေလေ။ သူတို့ ပျောက်သွားတော့ ဖီးဖီလည်း ထိပ်ထိပ်ပျာပျာ ဖြစ်သွားတာပေါ့။ တော်သေးတယ်။ အဝေးကို လျှောက် မသွားကြလို့လေ"

"ဒါပေမယ့် ဘေးကင်းလုံခြုံမှုလည်း မရှိသေးဘူး။ အခြေအနေတွေလည်း ပိုဆိုး လာနေတယ်။ တစ်နေ့ ကလေးမလေးတစ်ယောက် ရွာအနောက်ဘက် လယ်ကွင်းထဲ မြင်းခွာရွက်ခူးနေချိန်ပေါ့။ ချောင်းကမ်းတလျှောက်က ဂျပန်တွေရဲ့လေ့တွေကို ပြိတ်သူ စစ်လေယာဉ်သုံးစင်း ဗုံးကြပါလေရော။ ကောင်မလေးက မကျည်းပင်တစ်ပင်အောက် ဝင်ပုန်းနေရတယ်။ ကံကောင်းလို့ပေါ့။ အဲဒီကောင်မလေးမှာ ခေါင်းတစ်ခြမ်းက ဆံပင်နဲ့ အရေပြားလောက်ပဲ မီးလောင်သွားတာကွဲ။ ဒီနောက်ပိုင်း ရွာသားအားလုံး တောတောင် တွေထဲ ထွက်ပြေးပုန်းခိုကြတော့တယ်"

"အဲဒီတုန်းက ဘောင်ဘောင်က ငယ်သေးတော့ အန္တရာယ်ရှိလို့ ထွက်ပြေးလာမှန်း မသိခဲ့ဘူး။ တောထဲ အပျော်တမ်းစွန့်စားသွားလာကြတာလို့ထင်နေတာ။ စမ်းချောင်း လေးထဲ ရေတွေချိုးကြတာလေ။ ပြီးတော့ ထမင်းစားဖို့ ဇလုံက မလောက်ပြန်ဘူး။ မလောက်တော့ တစ်ချို့တွေဆို သစ်ရွက်ကို ဇလုံလုပ်ပြီးစားကြတာကွဲ။ ဘောင်ဘောင် လည်း သစ်ရွက်ကိုပဲ ဇလုံလုပ်ပြီးစားချင်ခဲ့တာလေ"

သစ်ရွက်ကို ထမင်းစားဇလုံလုပ်ပြီး စားရတာ ပျော်ဖို့ သိပ်ကောင်းမှာပဲလို့ ကိုကို တွေးမိတယ်။

"ဂျပန်တွေ ရွာကထွက်သွားတော့ တောလယ်ရွာက ဖီးဖီတို့မြေမှာ ပုံခဲ့တွေ၊ တခြားသတ္တုတွေချန်ထားခဲ့ကြတာကွဲ။ ရွာကလူတွေဆို ဓားတွေဘာတွေလုပ်ဖို့ သုံးနိုင် အောင် သတ္တုတွေလာလာယူကြတာပေါ့ကွယ်"

"ဖီးဖီတို့မှာ ဘာလို့ တောလယ်ရွာမှာ မြေရှိတာလဲဟင်။ သရက်ချိုရွာက မဟုတ်ဘူးလား"

"မင်းတို့ ဖီးဖီ (ဘောင်ဘောင်ရဲ့အဖေ)က တောလယ်သားကွဲ့။ ဒါကြောင့် တောလယ်မှာ နေခဲ့ကြတာလေ"

"ဖီးဖီကို မမြင်ဖူးဘူး။ သူ့ပုံစံက ဘယ်လိုလဲဟင်"

"မင်းတို့ ဖီးဖီက သိပ်ချောတာ။ အလုပ်တွေလည်း ကြိုးစားသလား မမေးနဲ့။ ဒါပေမယ့် သူ့ကို ဖီးဖီ အစက သဘောမကျဘူး။ အိမ်ထောင်ကျချိန်က ဖီးဖီအသက် ၂၀ အရွယ်။ လူကြီးတွေ စီစဥ်ပေးတဲ့ အိမ်ထောင်ပေါ့ကွယ်။ မင်းတို့ဖီးဖီက တစ်ဦးတည်းသော သားပေါ့။ သူ့မိဘပိုင် မြေအားလုံးကို အမွေရလိုက်တော့ သူက လယ်ဧကများပိုင်ရှင် လယ်သူဌေးလေးပေါ့လေ။ ရေနံထွက်တဲ့ မြေတွေ ပိုင်ဆိုင်တာဆိုတော့ တောလယ်ရွာမှာ သူက အချမ်းသာဆုံး သူဌေးပေါ့ကွယ်။ ဒါပေမယ့် ဖီးဖီက တောလယ်ရွာ၊ တောလယ်သားတွေဆို အထင်မကြီးလို့ သူ့အပေါ် တစ်စက်ကလေးမှကို အထင်မကြီးခဲ့တာ။ ဒါပေမယ့် တခြားသူတွေက သူ့ကို သိပ်အထင်ကြီးကြတာ။ မင်္ဂလာပွဲအတွက် အသွင်းပေးတဲ့အနေနဲ့ နွားခြောက်ကောင် ယူလာပေးတာကိုလည်း တအားအထင်ကြီးကြတာ။ ဒါပေမယ့် ဖီးဖီကတော့ သူ့ကို ကြိုက်လို့ကိုမရခဲ့တာ။ သူနဲ့လည်း စကားမပြောဖူးခဲ့သလောက်ပဲ"

ဖိုးဖိုက စည်းစားခန်းဝင်ရင်း ခဏ နားလိုက်တယ်။ အဲဒီနောက် ရယ်ရယ် မောမောနဲ့ ဆက်ပြောတယ်။

"တစ်ခါတော့ မြေးလေးတို့ရဲ့ဖိုးဖို လယ်ထွန်နေတဲ့ လယ်ကွက်ဆီ ထမင်းသွား ပို့တယ်ကွဲ။ မီးခြစ်တစ်လုံးပါ ယူလာပေးရတယ်။ ထမင်းဘူးနဲ့ မီးခြစ်ကို သူ့လက်ထဲ ထည့်ပေးတာတောင် လက်ကို ပေးမထိချင်ဘူးလေ။ ဖိုးဖို လက်ကနေမလွတ်ချင် သူ့ကလည်း မီးခြစ်ကိုမကိုင်မိ။ ဒီတော့ မီးခြစ်လွတ်ချလိုက်တာနဲ့ သူ့ လက်ထဲမကျဘဲ လယ်ကွက်ထဲက ရေထဲ ပလုံဆိုကျသွားပါလေရော။ အဲဒီနေ့ တစ်နေ့လုံး သူ ဆေးလိပ် မသောက်ရဘူး။ ဖိုးဖိုက သူ့လက်ကို ထိတောင်အထိမခံချင်လို့ ဒါတွေအားလုံးဖြစ်ရ တာလေ။ ဒါပေမယ့် သမီးဦးဖြစ်တဲ့ မြေးလေးတို့ ဘောင်ဘောင်ကို မွေးပြီးနောက်မှာတော့ ဖိုးဖိုလည်း သူ့အပေါ် ပိုပြီးကြင်ကြင်နာနာဆက်ဆံလာတယ်။ အဲဒီတော့မှ လင်မယားနှစ် ယောက် တသည်းလာကြတော်တာကွဲ။ မြေးလေးတို့ရဲ့ ဖိုးဖိုက တကယ့် သူတော်ကောင်း ကြီးပါကွဲ။ ဒါကြောင့် သူ့အပေါ် အစောပိုင်းတုန်းက အကြင်နာမဲ့စွာ ဆက်ဆံလာခဲ့မိတဲ့ အတွက် အားနာစိတ်တော့ဝင်ခဲ့မိသား"

"မြေးလေးတို့ဘိုးဘိုးနဲ့ ဘောင်ဘောင်တို့လည်း မိဘတွေ ပေးစားတာလေ၊ မြေး လေးရဲ့။ ဒါပေမယ့် ဘောင်ဘောင်တို့လင်မယားက သိပ်တည့်ကြတာ။ ဘယ်တုန်းကမှ ရန်မဖြစ်ဖူးကြဘူး။ လက်ထပ်တုန်းက ဘောင်ဘောင့်အသက် ၁၅ နှစ်ပဲ ရှိသေးတာ"

"မိဘပေးစားတယ်ဆိုတာက ဘာလဲဟင်"

"နှစ်ဘက်မိဘတွေက သူတို့သားသမီးချင်း လက်ဆက်ပေးဖို့ သဘောတူပြီး လက်ထပ်ပေးတာကို ပြောတာ၊ မြေးလေးရဲ့။ ဒါပေမယ့် မြေးလေးတို့ရဲ့ မိဘတွေက မိဘပေးစားလို့ လက်ထပ်တာမဟုတ်ဘူး"

"ဒါဆို မေမေနဲ့ ဘာဘာက ဘာလို့ လက်ထပ်ဖြစ်ကြတာလဲဟင်"

"မြေးလေးတို့ မေမေက မြေးလေးတို့ ဘာဘာနဲ့ ခိုးရာလိုက်သွားတာလေ။ လောင်းစီးပြီး ခိုးပြေးခဲ့ကြတာကွဲ"

လောင်းလှေစီးပြီး ခိုးရာလိုက်ပြေးတာ တအားစိတ်လှုပ်ရှားစရာ ကောင်းမယ်လို့ ကိုကို တွေးမိတယ်။ ဒါပေမယ့် နောက်ထပ်မေးခွန်းတွေ ဆက်မေးနေဖို့ အချိန်အခါ မသင့်တော်။ ညနေစာစားဖို့ အချိန်ရောက်လာပြီကိုး။ သိပ်မကြာခင် သူတို့နဲ့ လမ်း လျှောက်ပြန်ဖို့ ဘာဘာ ရောက်လာတော့မယ်။

ဘိုးဘိုးတို့ကို နှုတ်ဆက်ခွဲခွာရလို့ ကိုကို့စိတ်ထဲ ဝမ်းနည်းနေမိတယ်။ ဒါပေမယ့် အိမ်ပြန်ဖို့ အဆင်သင့်တော့ ဖြစ်နေပြီ။ ကိုကိုတို့ ခြေလျင်အိမ်ပြန်ခရီးကို စတင်လာ ကြပါပြီ။ ကိုကိုကရှေ့ဆုံးက။ သူ့နောက်က ဘာဘာ။ ဘာဘာက ညီညီ့ကိုပုခုံးပေါ် ချီပိုး လို့။ နောက်ဆုံးမှာ မေမေ လိုက်လာလေရဲ့။ မီးရာသီစာ ပစ္စည်းတွေအပြည့် ထည့်ထားတဲ့ တောင်းတစ်လုံးက မေမေ့ခေါင်းပေါ် မှာ။

*****

ဘာဘာအတွက် လယ်စောင့်တဲ

အရှေ့ဆီက မိုးခြိမ်းသံတွေ မကြာခဏကြားနေရပြီ။ မကြာခင် မိုးတွေသည်းသည်း မည်းမည်းရွာတော့မယ်။ မိုးတွေမသည်းခင် လယ်စောင့်တဲတစ်ဆောင် ဘာဘာ ဆောက် ရတော့မယ်။ မိုးတွေ သည်းသည်းမည်းမည်းရွာရင် ဘာဘာနားခိုဖို့ လယ်စောင့်တဲကို အသုံးပြုနိုင်အောင်ပေ့။ လယ်စောင့်တဲထဲ နေ့လည်စာစားလို့မယ်။ နားနေလို့ရမယ်။ မိုးလုံလေလုံ နေလို့ရမယ်လေ။ ညဘက်ဆို နွားတင်းကုတ် အဖြစ်လည်း သုံးလို့ ရမှာပေ့။ မိုးရာသီဆို နွားတွေက လမ်းတစ်ခုကနေ သတ်သတ်မှတ်မှတ်လျှောက်ရတာ။ နွားတွေကို စပါးခင်းထဲကနေ ဘယ်သူမှ မလျှောက်စေချင်ဘူးလေ။ နွားတွေသွားချင်သလို သွားခိုင်း လိုက်ရင် စပါးခင်းတွေပျက်စီးသွားမှာပေ့။ ဒါကြောင့် နွားတွေလည်း သတ်သတ်မှတ်မှတ် လမ်းတစ်ခုကနေပဲ လျှောက်ကြရတာ။ မိုးရွာတဲ့ နေ့တွေဆို ရွှံ့တွေကျွံသလား မမေးနဲ့။ ဒီလိုနေ့တွေဆို ရွှံ့တောထဲ နွားတွေခြေချော်လဲကျတတ်လေရဲ့။ ပြီးတော့ ရွှံ့တွေသိပ်မထူရင် တောင် မိုးရေကြောင့် ချောင်းရေလျှံပြီး နွားတွေမဖြတ်ကူးနိုင်တော့လောက်တဲ့ အခြေ အနေမျိုး ရှိတတ်တယ်တယ်။ ဒါကြောင့် လယ်စောင့်တဲ ဆောက်ရတာလေ။ လယ်စောင့် တဲက ဘာဘာအတွက်ဆိုလည်း ဟုတ်သလို နွားတွေအတွက်ဆိုလည်း မှန်ပါတယ်။

တစ်နေ့ ဘာဘာ လယ်ကွင်းထဲနွားလွှန်သွားတယ်။ အိမ်ပြန်ရောက်တော့ ခေါင် မိုးဟောင်းကထွက်လာတဲ့ အုန်းပျစ်ဟောင်းတစ်ချို့ကို ယူတယ်။ အုန်းပျစ်တစ်ချို့ကို ဝါးလုံးရဲ့ အစွန်းတစ်ဘက်မှာချည်ပြီး ဝါးလုံးကို ထမ်းပိုးတစ်ချောင်းလို ပုခုံးပေါ် တင်လိုက် တယ်။ အုန်းပျစ်တွေကို လယ်ကွင်းထဲ သယ်ထုတ်သွားပြီး နောက် တစ်ခေါက် ပြန်သယ်ဖို့ ပြန်ပေါက်ချလာတယ်။

"ဒီနေ့ တို့တွေ လယ်စောင့်တဲတစ်လုံး ဆောက်ကြမယ်"

ဘာဘာက နေ့လည်စာစားရင်း ပြောတယ်။ ကိုကိုနဲ့ ညီညီတို့ တအံ့တသြ

မေ့ဒ့ကြည့်ကြလေရဲ့။ ထမင်းစားနေတုန်း ဘာဘာက စကားပြောလေ့မရှိဘဲ့ကို။ ဘာဘာ စကားဆက်ပြောရုံးရုံးနဲ့ သူတို့ စောင့်နေပေမယ့် စကားဆက်မလာ။ ဘာလို့ "တို့တွေ" ဆိုတဲ့ စကားလုံး သုံးခဲ့ပါလိမ့်လို့ ကိုကို တွေးနေတယ်။

"ဘာဘာကို သားတို့လည်း လိုက်ကူပေးရမလား"

ဘာဘာက ပြန်မဖြေ။ ဟင်းချိုတစ်ဇွန်း ခပ်ယူပြီး သောက်လိုက်တယ်။ ဟင်းချိုဇွန်းကို ခွက်ထဲပြန်ထည့်ပြီး နောက်တစ်ဇွန်း ခပ်ယူသောက်လိုက်ပြန်တယ်။ တတိယမြောက် တစ်ဇွန်း ခပ်သောက်ပြီးတဲ့အခါ သူက ပြောလာတယ်။

"အင်း - ဟုတ်တယ်၊ သား။ ဒီနေ့ အိမ်သားအားလုံးရဲ့ အကူအညီကို ဘာဘာ လိုအပ်လိမ့်မယ်"

ကိုကို စိတ်လှုပ်ရှားနေမိတယ်။ ဘာဘာနဲ့ မေမေတို့ အထူးသဖြင့် အိမ်နဲ့အဝေး ကို သွားနေတုန်း ကူညီပေးရတာ သိပ်ပျော်ဖွယ်ကောင်းတယ်။

အဲဒီနေ့မွန်းလွဲပိုင်းက ကောင်းကင်မှာ မိုးသားတိမ်လိပ်တွေ ပိုများလာတယ်။ တိမ်ထူတော့နေကသိပ်မပူ၊ အရှေ့ဘက်ဆီက မိုးခြိမ့်သံတွေ ရံဖန်ရံခါဆိုသလို ကြားနေ ရရဲ့။ လယ်ကွင်းထဲ သယ်ထုတ်သွားစရာ နောက်ထပ် ဝန်တစ်ထုတ် ဘာဘာမှာ အဆင် သင့်ဖြစ်နေပြီ။ ဒီတစ်ခါတော့ အိမ်ခေါင်မိုးအသစ်မိုးရာက ကျန်ခဲ့တဲ့ အုန်းပျစ်အသစ် တွေလေ။ အုန်းပျစ်ဟောင်းတွေက ခေါင်ဦးချုံးဖို့ (ခေါင်ဦးမှာ မိုးဖို့) အဆင်မပြေဘူး။ ကြွတ်ဆတ်လွန်းလို့လေ။ ဒါကြောင့် လယ်စောင့်တဲ့ထိပ်မှာ ခေါင်မိုး ချုံးဖို့ အုန်းပျစ်အသစ် တွေကိုသုံးရတာပါ။ ကိုကိုနဲ့ညီညီတို့ ဖိနပ်တွေ၊ ဦးထုပ်တွေ ဆောင်းဖြစ်အောင် ဆောင်းလာကြတယ်။ ဘာဘာ အလုပ်လုပ်တဲ့လယ်ကွင်းဆီရောက်ဖို့ အဝေးကြီး လျှောက်ရမှာကိုး။

ဘာဘာက ရှေ့ဆုံးက သွားတယ်။ နောက်က ကိုကိုနဲ့ ညီညီတို့ လိုက်လာကြ တယ်။ မေမေက တောင်းလေးတစ်လုံးရွက်လို့ နောက်ဆုံးက။ တောင်းထဲမှာ ရေစိဘူး တစ်လုံးထည့်လာတယ်။ ဒီခရီးက ဘာဘာ အလုပ်လုပ်တဲ့ လယ်ကွင်းကို ညီညီ ပထမ ဆုံးအကြိမ်သွားတဲ့ခရီးလေ။ ညီညီ သိပ်ပျော်နေတာပေ့ါ။

ဘာဘာက မြန်မြန်လျှောက်သွားတယ်။ ကိုကိုတို့ လိုက်မီဖို့က မလွယ်။ ညီအစ်ကို နှစ်ယောက် သစ်ပင်ကြီးတွေကြားက လမ်းကလေးအတိုင်း လျှောက်ကြတယ်။ အဲဒီနောက် လယ်ကွင်းတစ်ချို့ တွေ့ရတယ်။ ရေခမ်းချောင်းလေးတစ်ခုနား ရောက်လာကြပြီ။ ဒီချောင်းက မိုးရာသီမတိုင်ခင်ထဲ ရေခမ်းနေမှာ။ ရေရွန်ချောင်း မဟုတ်ဘဲ မိုးရေတွေ ကြောင့်ဖြစ်တဲ့ ရေချိုချောင်းဖြစ်လို့လေ။ ရေခမ်းနေတဲ့ ချောင်းပြင်ကို ဖြတ်ပြီး နောက်ထပ် လယ်ကွင်းတွေကို ကိုကိုတို့ ဖြတ်လျှောက်ကြတယ်။ အဲဒီနောက် ရေမရှိတဲ့ မြက်ခင်းပြင် တွေဘက်ရောက်လာပြီ။ အရင်တစ်ခေါက် ဘာဘာနဲ့အတူ လယ်ကွင်းထဲ နွားလှန်သွား တုန်းက သွားခဲ့ဖူးတဲ့ဒီလမ်းကို ကိုကိုသိပ်မှတ်မိတာပေ့ါ။ မြင်သမျှအရာတိုင်း ညီမွဲ့ခြောက်

ကပ်လို့။ နောက်ဆုံးမှာ ညောင်ပင်ကြီးကို လှမ်းမြင်ရပြီ။ ကိုကိုလန်ခဲ့ဖူးတဲ့ ထူးထူး ဆန်းဆန်းသစ်ပင်ကြီးပေါ်။ ညောင်ပင်ကြီးကို လှမ်းမြင်ရတော့ နီးလာပြီပေါ့လေ။ အရင်တစ်ခေါက် ဘာဘာနဲ့တုန်းကလို တောင် ကုန်းထိပ်က မျှော်ကြည့်မနေတော့ဘဲ ဘယ်ဘက်ကိုကွေ့ပြီး ရေငန်ချောင်းနားက ကပ်လျှောက်ခဲ့ကြတယ်။

ဘာဘာက ဝါးတွေနဲ့ အခြင်တွေ ဆင်ထားတာ ကိုကို မြင်တွေ့လိုက်ရတယ်။ ဘာနဲ့ တူလဲဆိုရင် အိမ်ထဲရံတွေ၊ အမိုး၊ အခင်းတွေမရှိတဲ့ အိမ်တစ်လုံးလိုပါပဲ။ ဒါပေမယ့် ကိုကိုတို့နေတဲ့ အိမ်လောက်မမြင့်။ ဒါကြောင့် ခေါင်မိုးပေါ် လျေကားသုံးပြီး တက်စရာ မလို။ ဘာဘာနဲ့ မေမေတို့က ဒီအခြင်ပေါ် အမိုးတစ်ခုပဲမိုးမှာလေ။ လယ်စောင့်တဲ့ဖြစ်လို့ အိမ်လိုမျိုး အိမ်ထဲရံတွေမလို။ နွားတွေအိပ်ဖို့ ထရံရှိဖို့မှမလိုဘဲ။ အုန်းပျစ်တွေက အမိုးမိုးဖို့ အဆင်သင့်အနေအထားနဲ့ မြေပေါ်မှာ အပုံလိုက်လေးရှိလေရဲ့။

ချောင်းပြင်ပေါ် လေးနေအေးလေး ဖြတ်တိုက်လာတယ်။ လူက လန်းဆန်းသွား တာပဲ။ ဘာဘာက သူ့အိတ်ထဲက ရေဘူးကိုထုတ်ယူလိုက်တယ်။ မေမေကလည်း ရေ ဘူးကိုထုတ်လိုက်တယ်။ အဝေးကြီး လမ်းလျှောက်လာပြီနောက် ကိုကိုတို့အားလုံး ရေ သောက်လိုက်ကြတယ်။

"ဒီချောင်းက စပါးတုံ့ရွာမရောက်ခင် မေမေတို့ ဖြတ်ခဲ့ရတဲ့ ချောင်းပဲကွဲ့။" မေမေက ကိုကိုနဲ့ညီညီကို ပြောပြတယ်။

ဒီချောင်း ဒီလောက်ရှည်ပါ့မလား။ ကိုကို သိပ်မယုံချင်။ စပါးတုံ့ရွာဟာ ဒီကဆို အတော်လေး လှမ်းနေပြီ။

"အဲလိုဆို ဒီချောင်းက ပင်လယ်နဲ့ ဆက်နေတာပေါ့နော်၊ မေမေ"

ဘင်္ဂလားပင်လယ်အော်အကြောင်း ကိုကို ကြားပဲ ကြားဖူးတာ။ ကိုယ်တိုင် မျက်မြင်ဒိဋ္ဌ မမြင်ဖူးသေး။ ဒီချောင်းက အရှည်ကြီးဆိုတော့ ပင်လယ်ပြင်နဲ့ ဆက်နေ မယ်လို့ သူ တွေးထားတယ်။

"ဟုတ်တာပေါ့ကွယ်။ ကဲ -အလုပ်လုပ်ရတော့မယ်"

တဲခေါင်မိုးက နိမ့်နေတော့ ဘာဘာက အပေါ်တက်ဖို့ လျေကားထောင်စရာ မလို။ မေမေက ဝါးနီးတစ်စည်းကို ဘာဘာထံကမ်းပေးတယ်။ သူ့လုံချည်နောက်နားမှာ နီးစည်းကို ထိုးထားတယ်။ လက်တွေကို လွတ်လွတ်ကွတ်ကွတ် သုံးနိုင်အောင်ပေါ့။ မေမေက အုန်းပျစ်ဟောင်းတစ်ခုကို ဘာဘာထံ ကမ်းပေးလိုက်တယ်။ ဘာဘာနဲ့ သူ လူတွေ အိမ်ခေါင်မိုးခဲ့သလိုမျိုး အုန်းပျစ်ကို အမိုးအောက်နားမှာ သွားချည်တယ်။ အမိုးနိမ့်နေတော့ မေမေက မြေပြင်ပေါ် မတ်တပ်ရပ်နေရင်း အုန်းပျစ်ကို ခေါင်မိုး အခြင်မှာ ကူချည်ပေးနိုင်တယ်။

ဘာဘာနဲ့ မေမေတို့ တဲခေါင်မိုး မိုးနေတုန်း ကိုကိုတို့ညီအစ်ကိုနှစ်ယောက် ကစားနေကြတယ်။ မြေပြင်ပေါ် ပုတ်သင်တစ်ကောင်တွေ့ရတယ်။ အနားကပ်လာ

တော့ သစ်ပင်ထက် တစ်ဝက်လောက်တက်ပြေးတယ်။ ကိုကိုတို့ နောက်တစ်ခေါက် အနားတိုးကပ်ပြီး ပုတ်သင်ကိုစောင့်ကြည့်နေလိုက်တယ်။ ပုတ်သင်က ခေါင်းကို အထက်တင်လိုက်အောက်ချလိုက်နဲ့ ခေါင်းညိတ်နေလေရဲ့။ ဒါက ပုတ်သင်ညိုလေ။ လည်ပင်းနဲ့ ခေါင်းမှာ နီတောက်တောက် ဖြစ်နေတယ်။ ပုတ်သင်ညိုက အိမ်မြှောင်နဲ့ မတူပါဘူး။ အိမ်မြှောင်တွေက အရောင်မွဲတယ်။ အိမ်ထရံနဲ့ အိမ်ခေါင်မိုးတွေမှာ လျှောက်ပြေးပြီး ပိုးတွေ လိုက်ရှာစားတဲ့ အကောင်တွေလေ။ ပုတ်သင်ညိုတွေက အရောင်စုံတယ်။ ခေါင်းတညိတ်ညိတ်လုပ်နေတတ်လို့ ကြည့်ရတာ ပျော်ဖို့တောင်ကောင်းသေး။ ပုတ်သင်ညိုကို ကြည့်ပြီးနောက်မှာ လက်ပံပင်အဆွေးကို ဘာဘာ မီးတိုက်ထားတဲ့ နေရာနား ညီညီကို လက်ညှိုးညွှန်ပြတယ်။ ဒီလက်ပံပင်ကို လွန်ခဲ့တဲ့ သီတင်းပတ်တွေကတည်းက ဘာဘာ ညတွင်းချင်း မီးတိုက်ထားတာ ကိုကို သိထားတယ်လေ။ လက်ပံပင်ဆွေး လယ်စောင့်တဲပေါ် လဲကျတာမျိုး မဖြစ်စေချင်လို့ ဘာဘာက မီးတိုက်ပစ်တာပါ။ နောက်ပြီးတော့ ထင်းအဖြစ် လက်ပံသားကိုသုံးဖို့လည်း သိပ်အဆင်မပြေပြန်။ မီးရှို့ပစ်လို့ မြေပြင်ပေါ် ပြာတန်းရှည်တစ်တန်းပဲ ကျန်ခဲ့တယ်။ ပြာတွေပေါ် လမ်းလျှောက်ရတာ ပျော်စရာတော့ အကောင်းသား။ ပြာတွေ အဆုပ်လိုက်အဆုပ်လိုက် လေပေါ် ပျံဝဲတက်သွားလေရဲ့။

ပြာတွေပေါ် လမ်းလျှောက်ပြီးတဲ့အခါ ကိုကိုက မြေပေါ်မှာ ကျောက်ခဲတစ်လုံး တွေ့တယ်။ သူ အကြံတစ်ခုရပြီ။ နောက်ထပ် ကျောက်ခဲတွေလိုက်ရှာတော့တယ်။

"ကျောက်ခဲတွေ ဘာလုပ်ဖို့လဲဟင်၊ ကိုကို"

"ချောင်းထဲ ပစ်ချမလို့လေ"

ညီညီလည်း ကိုကို့လို ချောင်းထဲ ကျောက်ခဲ ပစ်ချချင်ပြန်ရော။ တစ်ခါတလေဆို ညီညီက ကိုကို လုပ်တာမှန်သမျှ လိုက်လုပ်ချင်နေလို့ စိတ်ညစ်ရတယ်။ ဒါပေမယ့် ဒါ ညီငယ်တွေရဲ့ သဘောသဘာဝပဲဆိုတာ ကိုကို သိထားတယ်လေ။

ကျောက်ခဲတွေ အလုံအလောက် ရလာတော့ ညီအစ်ကိုနှစ်ယောက် ချောင်းနား ကပ်သွားကြတယ်။ သားနှစ်ယောက် ချောင်းနားကပ်သွားတာတွေ့တော့ မေမေက လှမ်းအော်ပြောတယ်။

"ချောင်းနား သိပ်မကပ်ကြနဲ့နော်"

ကိုကိုက ချောင်းကမ်းပါးထိပ်မှာ ရပ်နေလိုက်တယ်။ ဒီနားကဆိုရင် ဒီရေတက်ချိန်ဖြစ်နေရင်တောင် ချောင်းနဲ့ခပ်လှမ်းလှမ်းဖြစ်နေမှာ။ အခုကျတော့ ဒီရေကျ ချိန်မို့ ကိုကို လုံးဝအန္တရာယ်မရှိဘူးဆိုတာ မေမေ လှမ်းမြင်နေရမှာပါ။ ညီညီ့ကို အနားတိုး ရပ်စေတယ်။ ပြီးရင် ကျောက်ခဲတစ်လုံးယူပြီး အားပြင်းပြင်းနဲ့ အသားကုန် လွှဲပစ်လိုက် တယ်။ ကျောက်ခဲက ချောင်းရေထဲ ပလုံအသံမြည်ပြီးကျသွားတယ်။ ညီညီက တခစ်ခစ် ရယ်လိုက်တယ်။ ကောက်လာသမျှကျောက်ခဲတွေကို ချောင်းထဲ တစ်လုံးချင်း ပစ်ချလိုက်

ကြတယ်။ ညီညီက ကိုကို့လောက် ဝေးဝေးလံလံမပစ်နိုင်။ ဒါပေမယ့် ညီညီက အေးဆေး ပဲ။ ကိုကိုက အစ်ကိုကြီးဖြစ်ရတာ ကြိတ်ပြီးသဘော ကျနေလေရဲ့။ အစ်ကိုကြီးဆိုတော့ လမ်းလျှောက်တာလည်း ညီညီထက်ပိုမြန်တယ်။ ပို့လည်း အားကောင်းတယ်လေ။ အစ်ကိုကြီးဖြစ်ရတာ အားနည်းချက်လည်း ရှိလေရဲ့။ ညီညီ တစ်ခုခုဖြစ်ရင် ကိုကို့ခေါင်း ပေါ်ကျမှာ။

တစ်နေ့လုံး နေမင်းကြီးဟာ တိမ်တိုက်ကြား ပေါ်လိုက်ပျောက်လိုက်နဲ့။ အခုတော့ အနောက်တောင်အရပ်မှာ မိုးတိမ်တွေ ပို့ထူပြီး မည်းမှောင်လာတာ ကိုကို လှမ်းမြင်နေ ရပြီ။ မိုးခြိမ့်သံတွေလည်း ကြားရရဲ့။ ကိုကိုက ညီညီကို လယ်စောင့်တဲ့လေးဆီ ပြန် ခေါ်သွားတယ်။

“မေမေရေ - မေမေ၊ မိုးခြိမ့်သံ ကြားတယ်။ မိုးရိပ်တွေလည်း မည်းမှောင်လာပြီ၊ မေမေ”

“မိုးရာသီအစပိုင်းဆို ဒီလိုပဲ၊ သားရွေ့။ ဒါ ဖြစ်နေကျပဲ၊ စိတ်မပူပါနဲ့”

မေမေနဲ့ ဘာဘာတို့ တဲ့ခေါင်မိုးအရှေ့ဘက်ခြမ်းကို တစ်ဝက်လောက် မိုးပြီး သွားကြပြီ။

အနားက လယ်ကွင်းထဲမှာ ကိုကိုနဲ့ ညီညီတို့ ကစားကြတယ်။ ခေါင်မိုးတစ်ဝက် တိတိ ပြီးသွားတဲ့အချိန်မှာ့ပဲ မိုးစရှာပါလေရော။ ဘာဘာနဲ့ မေမေတို့လည်း တစ်ဝက်ပဲ မိုးရသေးတဲ့ တဲ့ခေါင်မိုးအောက် ခပ်သွက်သွက်ပြေးဝင်ပြီး မိုးခိုနေလိုက်ကြတယ်။ ဘာဘာက ထင်းတွေလည်း တဲ့ထဲပြောင်းထားလိုက်တယ်။ မိုးရွာတာ ဘယ်လောက်ကြာ မယ်မှန်းမှမသိတာ။ အမိုးတစ်ဝက်အောက် အားလုံးမတ်တပ်ရပ်ပြီ မိုးရွာတာ စောင့်ကြည့် နေမိကြတယ်။ မိုးက သည်းသည်းမည်းမည်းတော့ မရှာ။ မိုးသိပ် မသည်းဘူးဆိုပေမယ့် အလုပ်လုပ်လို့ မရလောက်အောင်တော့ အနှောင့်အယှက်ပေးလေရဲ့။ မိုးရွာတာ နည်း သွားတယ်ဆိုတာနဲ့ ဘာဘာလည်း ခေါင်မိုးထက် ပြန်တက် တယ်။ မေမေက ဘာဘာ့ဆီ အုန်းဖျစ်တွေ လှမ်းလှမ်းပေးနေလေရဲ့။ မိုးဖွဲလေ ရွာနေလို့ အလုပ်လုပ်တာ ရပ်လိုက်လို့မှ မရဘဲလေ။ ကိုကိုနဲ့ ညီညီတို့ အမိုးအောက်မှာပဲ ဆက်နေလိုက်ကြတယ်။ လေက ခပ် အေးအေးလေးတိုက်နေတာ ကိုကိုသဘောကျမိတယ်။ ဒါပေမယ့် အမိုးအောက် နေရ တာ ပျင်းစရာကြီးလို့တွေးနေမိရဲ့။

ဘာဘာနဲ့ မေမေလည်း ခပ်သွက်သွက်လေး အမိုးမိုးနေကြတယ်။ အမိုးမိုးပြီး ခါနီးပြီ။ အိမ်ခေါင်မိုး ချုံးဖွဲ့ပဲကျန်တော့တယ်။ ခေါင်မိုးချုံးတာက အရေးကြီးဆုံးအပိုင်းပဲ။ ဒီအချိန်ကျတော့မှ ပြုန်းဆို မိုးတွေ သည်းသည်းမည်းမည်းရွာချပါလေရော။ မိုးသည်းလွန်း လို့ ခပ်လှမ်းလှမ်းကိုမမြင်ရ။ ဘာဘာက အမိုးကို အပြီးမိုးမှဖြစ်တော့မယ်လေ။ မေမေက မိုးမစိုလိုက်။ ဘာဘာထံ အုန်းဖျစ် ကမ်းပေးပြီး အမိုး အောက် လှ့ကနဲ့ဝင်ခိုနေလိုက်တာ ကြောင့်ပါ။ ဒါပေမယ့် ဘာဘာရဲ့ အဝတ်တွေတော့ ချွဲချဲစိုကုန်ရော။ ခေါင်မိုးထိပ်မှာ

အလုပ်လုပ်နေတဲ့ ဘာဘာအတွက် ကိုကို စိုးရိမ်နေမိတယ်။ ဘာဘာတစ်ကိုယ်လုံး မိုးတွေရွှဲစိုနေပြီ။ လေတွေလည်း ပိုအေးလာလေရဲ့။ ဘာဘာတစ်ယောက် ခိုက်ခိုက် တုန်နေရော့မယ်။

"ဘာဘာ ဖျားတော့မှာလားဟင်၊ မေမေ"

"ရှူး - တိုးတိုး"

မေမေက အလုပ်တွေများနေလို့ မေးခွန်း ပြန်မဖြေအား။

မေမေက ဘာဘာကို နောက်ဆုံးအုန်းပျစ် ကမ်းပေးပြီးတဲ့အခါ အမိုးအောက် ဝင်လာတယ်။ တဲထဲရောက်တော့ မီးဖိုဖို့ ထင်းတွေ၊ လောင်စာခြောက်တွေကို မြေပြင်ပေါ် စုလိုက်တယ်။ နောက်ဆုံးတော့ ဘာဘာလည်း ခေါင်မိုးချုံးပြီးပြီလေ။ တစ်ကိုယ်လုံးလည်း ရေတွေ ရွှဲနစ်နေလေရဲ့။ ဒါပေမယ့် မီးဖိုက သူ့ခန္ဓာကိုယ်သွေ့ခြောက်သွားအောင် ကူညီပေးမှာပါ။ ဘာဘာက ရှပ်အကျီ္ချွတ်ပြီး အရည်ညှစ်လိုက်တယ်။ ပြီးရင် လုံချည် ကိုလည်း အရည်ညှစ်လိုက်ပြန်တယ်။ ကိုကိုစိတ်ထဲ ပျော်နေသလို ခန္ဓာကိုယ်လည်း နွေးနွေးလေး။ ဘာဘ့ခန္ဓာကိုယ် အနွေးဓာတ်ရလာလို့ မဖျားတော့ဘူးလို့ သူ သိ လိုက်ပါပြီ။ မိုးရွှာတာလျှော့သွားရင် သူတို့တွေ အိမ်ပြန်ကြတော့မှာလေ။ အခုတော့ မီးဖိုမှာ မီးတွေတဖွစ်ဖွစ် မြည်သံသာနေလေရဲ့။ တဲခေါင်မိုး အုန်းပျစ်တွေပေါ် မိုးတွေ တဝုန်းဝုန်းရွှာကျသံက အေးအေးလူလူဖြစ်နေစေရဲ့။ မိုးခြိမ်သံကြားရပေမယ့် ခပ်လှမ်း လှမ်းက အသံမျိုး။ မီးခိုးတွေက တဲထဲကနေ အေးစက်စက် မိုးလေထဲ လွင့်ပျံထွက်သွားကြ လေရဲ့။ မကြာခင်ကာလအတွင်း မိုးရေ တွေစီးတဲ့ ရေချို့ချောင်းတွေမှာ ရေပြည့်လာပြန် တော့မယ်။ သဘာဝပေါက်ပင်တွေလည်း ရှင်သန်ပေါက်ရောက်လာတော့မယ်။ လယ်ကွင်းတွေ၊ သစ်ပင်တွေလည်း စိမ်းစိုလှပ လာပြန်ပါတော့မယ်။

*****

ဖျားပြီ

နောက်တစ်နေ့မနက် ကိုကိုနိုးလာတော့ ဖျားနေပြီ။ သူ့ခမျာ အိပ်ရာကတောင် မထနိုင်။ မနေ့က အိမ်အပြန်လမ်းမှာ မိုးမိသွားလို့ ဖျားတာလို့ မေမေက ပြောတယ်။

"ရာသီဥတု ပူနေသေးချိန် ပထမဆုံးအကြိမ် မိုးရွာရင် မိုးရေမစိအောင် နေတာ အကောင်းဆုံးပဲ၊ ဒါပေမယ့် မနေ့က အခြေအနေက ရှောင်လွှဲလို့မရဘဲကိုး။ ဒီလိုအချိန် မျိုးဆို လူတွေဖျားနာကြတယ်ကွဲ။" မေမေက ပြောတယ်။

ကိုကိုက တအားရေဆာနေပြီ။ ရေအေးအေးလေး သောက်ပစ်လိုက်ချင်ရဲ့။ သို့ပေမယ့် သူ နေမကောင်းဖြစ်တိုင်း မေမေက ရေကို ကျိုချက်ပြီးမှ သောက်စေတယ်။ တစ်ယောက်ယောက် နေမကောင်းဖြစ်ရင် ရေနွေးကျိုပေးရမယ်၊ ကျောက်တွင်းရေက အဖျားကို ပိုဆိုးစေတယ်လို့ ရွာသားတိုင်း ယုံကြည်ထားကြတယ်။ ကိုကိုက ရေနွေး အရသာကိုမကြိုက်လှ။ လတ်ဆတ်တဲ့ ရေအေးလေးသောက်လိုက်ရရင် ဘယ်လောက် ကောင်းမလဲလို့တွေးနေတယ်။ ရေနွေးကလည်း အေးတေးတေးလေး သောက်လို့ရအောင် အကြာကြီး စောင့်ရသေးတယ်။

မေမေက ကိုကို့အတွက် ဆန်ပြုတ်ပြုတ်ပေးတယ်။ ဒါပေမယ့် နည်းနည်းပဲ သူ စားနိုင်တယ်။ စောင်ကြီးတစ်ထည်ခြုံပြီး တစ်နေ့လုံး အိပ်ရာထဲကွေးနေရတယ်။ တစ်ခါ တလေ မိုးရွာသံတွေကြားရဲ့။ ဒါပေမယ့် မိုးရွာသံလည်း ပေါ် လိုက်ပျောက် လိုက်ပါပဲ။ တစ်နေ့လုံး စောင်ခြုံကွေးလှုပ်ပြီး မိုးသံလေး နားထောင်နေရုံကလွဲလို့ သူ ဘာမှမတတ် နိုင်။ ညီညီကစားနေသံကို အိပ်ရာထဲကနေ သူကြားရတယ်။ သူလည်း ညီညီလို ကစား နိုင်ရင်အကောင်းသား။

ဒါပေမယ့် အဲဒီနေ့ညမှာ ညီညီ အဖျားတက်ပါလေရော။ နောက်တစ်နေ့ မနက်ကျတော့ ညီအစ်ကိုနှစ်ယောက်လုံး အိပ်ရာထဲ စောင်ခြုံကွေးဖြစ်ကုန်ကြပြီ။

ကိုကိုက ရေတအားဆာနေပြီ။ ရေငတ်စိတ်ကို မျိုသိပ်မရနိုင်အောင်ပဲ။ တခြားအရာတွေထက် ရေအေးလေးတစ်ခွက်လောက်ပဲ သောက်လိုက်ချင်တယ်။ ဒါပေမယ့် မေမေက ရေကို အရင်ကျိုချက်ရတယ်။ ကိုကိုစောင့်တယ်။ ဆက်စောင့်တယ်။ ပါးစပ်က ခြောက်သွေ့ပူလောင်နေပြီ။ သူ့အတွေးထဲ ရေအေးလေးတစ်ခွက်ပဲ စိုးမိုး နေလေရဲ့။ သူ့စိတ်ထဲမှာ အိမ်ချင်းကပ်ရက်က ဘောင်ဘောင်တို့အိမ်ကို လမ်းလျှောက်သွားနေတယ်။ ဘောင်ဘောင်တို့ အိမ်ရှေ့ခန်းမှာ ဧည့်သည်တွေအတွက် ရေအိုးနှစ်လုံး တင်ထားတယ်။ အိမ်ရှေ့ခန်းကို ကိုကို တက်သွားမယ်။ ရေခပ်ပြီးခါစဖြစ်လို့ ရေအိုး တွေအပြင်ဘက်မှာ ရေစိုနေတယ်ပေ့ါလေ။ ရေအိုးထိပ်က အုန်းမှုတ်ခွက်ဖုံးကို မယလိုက်တယ်။ ပြီးရင် ဝါးလက်ကိုင်ရိုးတပ် အုန်းမှုတ်ခွက်နဲ့ ရေအေးလေးတစ်ခွက် ခပ်သောက်လိုက်တယ်။ ဗိုက်ထဲရေတွေပြည့်တဲ့အထိ ရေတစ်ခွက်ပြီးတစ်ခွက်သောက်တယ်။ ဒီလောက် ရေသောက်ထားတာတောင် ရေဆာနေတယ်လို့ထင်နေတုန်း။ ဒီတော့ ဘေးအိမ်ကို ဆက်လျှောက်သွားပြန်တယ်။ ဒီအိမ်က မေမေ အုန်းပျစ်ထိုးတဲ့အိမ်ပေ့ါ။ အိမ်နီးချင်းတွေမှာလည်း ဧည့်သည်တွေသောက်ဖို့ အိမ်ရှေ့ခန်းမှာ ရေအိုးစင်လုပ်ပေးထားတယ်။ ဒါပေမယ့် ဒီရေအိုးစင်က မြင့်လွန်းတယ်။ ကိုကို့အရပ်နဲ့ မမီဘူး။ အိမ်နောက်ဖေး တန်းပျင်းခန်းဆီ ပတ်သွားတယ်။ မီးဖိုခန်းဘေးနားပေ့ါ။ တခြားရွာသားတွေရဲ့ အိမ်မှာလိုပဲ မီးဖိုခန်းက နောက်ဖေးတန်းပျင်းခန်းနားမှာ ရှိတယ်လေ။ တန်းပျင်းခန်းက အကာအကွယ်မထား။ ဟင်းလင်းကြီး။ ကိုကို့စိတ်ထဲ တန်းပျင်းခန်းက ရေအိုးစင်နားရောက်သွားပြန်တယ်။ ရေအိုးဖုံးကို မယဖွင့်ပြီး ရေအေးအေးလေး တစ်ခွက်ပြီးတစ်ခွက် ဆင့်သောက်လိုက်တယ်။ ဒါတောင် သူ ရေငတ်မပြေသေး။ ဒီတော့ ရေတွင်းဘက်ဆီ ခြေဦးလှည့်လိုက်ပြန်ပြီ။ ရေဆာလွန်းလို့ ရေတွင်းထဲက ဖားလေးတွေတောင် ချောင်းကြည့်ဖို့မေ့သွားရဲ့။ မေမေက မီးဖိုချောင်ထဲ ရေနွေးတည်နေလို့ ရေတွင်းထဲက ရေအေးအေးကြည်ကြည်လေးတစ်ပုံး ခပ်ပေးနေတာ ဘာဘာပဲဖြစ်ရမယ်။ ရေပုံးထဲကရေကို ဗိုက်ပြည့်အောင် တန်းသောက်ပစ်လိုက်တယ်လို့ စိတ်ထဲတွေးကြည့်နေမိပြန်ရော။

နောက်ဆုံးမှာ မေမေက ကြွေရည်သုတ်မတ်ခွက်ကိုင်ပြီး ကိုကို့အနား ရောက်လာတယ်။ ရေနွေးရောက်လာပြီပေ့ါ။ ဒါပေမယ့် ရေနွေးကပူနေတုန်း။ မေမေ့က ရေနွေးပူအေးလာအောင် မှုတ်ပေးနေတုန်း ကိုကို စောင့်နေရတယ်။ စိတ်က သိပ်မရှည်ချင်တော့။ ရေနွေးသောက်မှ သောက်ရတော့မလားမသိ။ အဲဒီနောက် မေမေက နည်းနည်းချင်းစီ ဖြည်းဖြည်းချင်း သောက်ခိုင်းတယ်။ ရေက နည်းနည်း ပူနေသေး တာကိုး။ ရေတစ်ခွက်လုံး ကုန်အောင် သူ သောက်လိုက်ချင်လှပြီ။ ရေတွေ အေးနေရင် ဘယ်လောက်ကောင်းလိုက်မလဲ။ ညီညီလည်း ရေနွေးသောက်ပါတယ်။ မနက်ပိုင်း ကုန်ခါနီးလောက်မှာ ညီအစ်ကို နှစ်ယောက်လုံး ချောင်းဆိုးကြတော့တယ်။ ဘာဘာနဲ့ မေမေ တိုင်ပင်နေသံကို ကိုကို ကြားလိုက်ရတယ်။ စပါးတုံ့ရွာမှာ ဆရာဝန်သွားပင့် သင့်၊မသင့် ကိစ္စကိုပေ့ါ။

မွန်းလွှဲပိုင်းရောက်တော့ မေမေက နောက်ထပ်ရေနွေးတစ်အိုး ကျိုပြန်ရော။ ဆရာဝန် လာတော့မယ်ဆိုတာ ကိုကို သိလိုက်ပြီ။ ဆရာဝန်လာရင် ဆေးထိုးခံရမှာမို့ သူ မုန်းတယ်။ ဆရာဝန်လာတဲ့အခါတိုင်း ဘာပဲဖြစ်ဖြစ် ဆေးတစ်လုံးတော့ အထိုးခံရတာ ပါပဲ။ ဆေးထိုးဖို့ အဆင်သင့်ဖြစ်အောင် မေမေက ရေနွေးကျိုနေတာလေ။ ဆရာဝန်က ဖန်သားဆေးထိုးပြွန်နဲ့ ဆေးထိုးအပ်တွေကို ရေနွေးထဲထည့်ပြီး ပထမဆုံး ပိုးသတ်ရမှာမို့ပါ။

ဒီနယ်မှာ ဆေးရုံရယ်လို့ သရက်ချို့ရွာမှာပဲ တစ်ခုရှိတယ်။ ဒါပေမဲ့ ဆေးရုံမှာ ဆရာဝန် မရှိ။ သူနာပြုတွေပဲရှိတာ။ အရင်က ဆရာဝန်တစ်ယောက်ကျဖူးတယ်။ သူကပဲ ကိုကို့ကို မွေးဖွားပေးခဲ့တာလေ။ အခုတော့ စပါးတုံ့ရွာမှာပဲ ဆရာဝန်တစ်ယောက် ရှိတော့တယ်။ အမှန်က သူလည်းဆရာဝန်မဟုတ်။ ဆေးပညာဘွဲ့မှ မရထားတာ။ ဆေးဆရာလို့ပဲ ဆိုရမယ်။ ဒါပေမဲ့ အားလုံးက သူ့ကို ဆရာဝန်လို့ခေါ်ကြတယ်။ ဒါကြောင့် တစ်ယောက်ယောက် နေထိုင်မကောင်းဖြစ်ရင် ဆေးရုံကိုလမ်းလျှောက်ပြီး သူနာပြုတွေထံပြရင်ပြ၊ မပြရင် စပါးတုံ့ရွာက ဆေးဆရာကို အပင့်လွှတ်ရတယ်။ ဆေးဆရာက အိမ်တိုင်ရာရောက် ကြလာလို့လေ။

သိပ်မကြာပါဘူး။ ဘာဘာ ဆေးဆရာ ပင့်ပြီး ပြန်လာတယ်။ ဆေးဆရာက ဆရာဝန်ဘွဲ့ မရပေမဲ့ ဆရာဝန်လို ဝတ်စားဆင်ယင်ထားပါတယ်။ လက်ရှည်အက်ီဖြူ လျှလျှလေးတစ်ထည်နဲ့ လူ့ကြီးဆင် လုံချည်တစ်ထည် သူ ဝတ်နေကျ။ ဆေးဆရာက ကိုကို့ ညီ့ညီ့တို့အနား ကြမ်းပြင်ပေါ် ထိုင်လိုက်တယ်။ ပြီးရင် ဆေးဘူးကိုဖွင့်ပြီး အပူချိန် တိုင်းကိရိယာ (ပြဒါးတိုင်)ကို ထုတ်လိုက်တယ်။ ကိုကို့ကို ကိုယ်ပူရှိန်တိုင်း ပြီးနောက် ညီ့ညီ့ကို တိုင်းရမယ့်အလှည့်ပေါ့။ ညီ့ညီ့က လူကောင်ညှက်ညှက်လေး။ ဆေးဆရာ ကိုယ်ပူရှိန်တိုင်းဖို့ သူ့ပါးစပ်ကို ဖွင့်မပေးဝုံ။ လျှာအောက်မှာ ပြဒါးတိုင်ကို ဘယ်လိုထား ရမယ်မှန်း သူမသိ။ မေမေက ညီ့ညီ့ကိုချော့မော့ပြောတော့မှ ဆေးဆရာက ညီ့ညီ့ကို ကိုယ်ပူရှိန်တိုင်းလို့ရတော့တယ်။ ဆေးဆရာက ကောင်လေးနှစ်ယောက်လုံးမှာ အဖျားရှိ နေကြောင်းပြောတယ်။ အဲဒီနောက် နားကြပ်နဲ့ ကိုကို၊ ညီ့ညီ့တို့ရဲ့ ရင်ဘတ်ကိုစမ်းပြီး နားထောင်ကြည့်တယ်။ နှလုံးခုန်သံစမ်းကြည့်တယ်။ ဗိုက်ကို လက်နဲ့ဖိကြည့်တယ်။ မျက်လုံး၊ နားနဲ့ ပါးစပ်တွေထဲ ကြည့်ကြည့်တယ်။

"ဆေးထိုးခံရမှာလား၊ ဆရာ"ကိုကိုက မေးတယ်။

"ဆေးထိုးလိုက်ရင် နေကောင်းသွားမှာပေါ့ကွယ်" မေမေက ပြန်ဖြေတယ်။

မေမေက ရေနွေးဇလုံ ယူလာတယ်။ ကိုကိုက ဆေးဆရာကိုမကြည့်ဘဲ တစ်ဘက် လှည့်နေလိုက်တယ်။ နောက်တစ်ခေါက် ဆေးအိတ်ဖွင့်နေတာ မမြင်ရအောင်ပေါ့။ ဆေးဆရာက သူ့ဆေးအိတ်ထဲက ဘူးလေးတစ်လုံး ထုတ်လာမယ်ဆိုတာ ကိုကိုသိပြီးသား။ ချောက်ကနဲ့ဖွင့်သံကြားရပြီ။ ဘူးလေးထဲ ဆေးထိုးပြွန်မှာ တပ်သုံးဖို့ဆေးထိုးအပ်တွေ ရှိလေရဲ့။ ဆေးဆရာက ဆေးထိုးအပ်နှစ်ချောင်းယူပြီး မေမေ ယူလာပေးတဲ့ ရေနွေးပူပူထဲ ထည့်လိုက်တယ်။ ကိုကိုကို ထိုးဖို့ ဆေးထိုးအပ်တစ်ချောင်းရယ်၊ ညီညီကိုထိုးဖို့ တစ် ချောင်းရယ်ပေါ့။ ဆေးထိုးအပ်တွေ ပြီးတော့ ဆေးရည်စုပ်ယူဖို့ ဖန်ပြွန်နဲ့ ဆေးထိုးသွင်းဖို့ ပြွတ်တံတို့ကို ရေနွေးထဲ ထည့်လိုက်ပြန်တယ်။ ဒီကိစ္စပြီးတော့ ဆေးဆရာက ဆေးရည် တွေအပြည့်ထည့်ထားတဲ့ ဖန်ပုလင်းငယ်လေးတွေ အတန်းလိုက်ထည့်ထားတဲ့ ဘူးဖြူ လေးတစ်ဘူးကိုဖွင့်လိုက်တယ်။ ဘူးထဲက ဖန်ပုလင်းတစ်လုံးကို ရွေးထုတ်ယူလိုက်တယ်။

ပြီးရင် နောက်ဘူးဖြူတစ်မျိုးကို ဖွင့်ပြီး နောက်ဆေးတစ်မျိုးကို ရွှေးပြန်တယ်။ တတိယ ဘူးဖြူတစ်ဘူးကိုဖွင့်ပြီး တတိယ ဖန်ပုလင်းလေးတစ်လုံးကို ရွှေးထုတ်လိုက်ပြန်တယ်။ ဒီဆေးပုလင်းတွေက ဘာတွေလဲလို့ ဘယ်သူမှ မမေးကြ။ ဆေးဆရာကို မေးခွန်းတွေ မေးလေ့မရှိကြ။ ဆေးဆရာက ဖန်ပြွန် ပြွတ်တံတို့ကို ညှပ်တစ်ခုနဲ့ ရေထဲက ဆယ်ယူလိုက် ပြီးတပ်ဆင်လိုက်တယ်။ ပြီးတာနဲ့ ဖန်ပြွန်ထဲက ရေတွေအပြင်ထွက်သွားအောင် ပြွတ်တံနဲ့ စုတ်ထုတ်ပါတယ်။ အဲဒီနောက် ရေထဲက ဆေးထိုးအပ်ကိုပြန်ဆယ်ပြီး ဖန်ပြွန်မှာသွား တပ်တယ်။ ဒီလိုလုပ်နေတာ ကိုကို မကြည့်ချင်။ ဆေးထိုးအပ်တွေက အကြီးကြီးပဲ။ အခုတစ်ခါ ဆေးဆရာက ဆေးရည်ဘူးကို ဖွင့်ရတော့မယ်။ ဆေးရည်ဘူးက ဖန်ထည်နဲ့ လုပ်ထားတာ။ ဒါကြောင့် လက်သည်းနဲ့ ဖောက်ကန် ဖွင့်လိုက်ရင် လွတ်လွတ်ကျွတ်ကျွတ် ဖြစ်စေဖို့ သတ္တုတံစဉ်းလေးတစ်ခုနဲ့ ဖန်ပုလင်းထိပ်လေးကို ပတ်ပြီး တိုက်ပေးရပါတယ်။ ဆေးဆရာက ဆေးထိုးပြွန်ထဲ ဆေးရည်သုံးမျိုးလုံးကို ဖြည့်လိုက်တယ်။ ကိုကို သိပ်မကြည့် ရဲပေမယ့် အချိန်ကြာနေတော့ ချောင်းကြည့်မိပါလေရော။ ဆေးဆရာက ဆေးထိုးပြွန်ကို မိုးပေါ် ထောင့်ပြီး အထဲက လေတွေထွက်သွားအောင် ပြွတ်တံကိုတွန်းတွန်းပေးနေတာ မြင်ရတယ်။ ဆေးထိုးအပ်ကြီးထဲကနေ ဆေးရည်တချို့ ပန်းထွက်သွားတာ ကိုကို မြင် လိုက်ရဲ့။ ဒါကိုကြည့်ပြီး နဂိုကထက်ဖွားချင်သလိုလို ဖြစ်သွားမိတယ်။ ကိုကို မျက်လုံးတွေ တင်းတင်းစေ့ထားလိုက်တယ်။

"အေးဆေးပဲ နေနော်"

ဆေးဆရာက ဒီလို ပြောနေကျ။ ဒါပေမယ့် ဒီစကားက ကိုကို့ကို ပိုလို့တောင် ကြောက်သွားစေတယ်။ မေမက ကိုကို့ဘောင်းဘီတိုကို အောက်နား နည်းနည်းဆွဲချ ပေးလိုက်တယ်။ ဆေးဆရာက ဆေးထိုးမယ့်နေရာတဝိုက်ကို ဝမ်းဖတ်လေးပေါ် ဆွတ် ထားတဲ့အရက်ပျံနဲ့ သန့်ရှင်းရေးလုပ်ပေးပြီးတာနဲ့ ဆေးထိုးပါတော့တယ်။ ကိုကို အော်မငို ပါဘူး။ ကလေးမှမဟုတ်တော့ဘဲကိုး။ ဒါပေမယ့် ဆေးထိုးခံရတာ သူ မုန်းတယ်။ ဆေးရည်က သူ့ခန္ဓာကိုယ်ထဲပြန်သွားပြီး ပါးစပ်ထဲဆေးအရသာ ခံစားမိရင် သူ မကြိုက်။ တစ်ခါဆေးဆရာက ဆေးထိုးတဲ့ နေရာတဝိုက် လက်ဖမိုးနဲ့ နှိပ်နယ်ပေးတယ်။ အဲဒီနားက နာနေလေရဲ့။ ဆေးဆရာလက်နဲ့ နှိပ်နယ်ပေးတာက နောက်ပိုင်းနာကျင်တာလျော့စေ ဖို့ပါ။

နောက်ထပ် ဆေးထိုးခံရမယ့်သူက ညီညီပေါ့။ ဆေးဆရာက ညီညီ့အတွက် ဆေးရည်ပြွန် အဆင့်သင့်ဖြစ်ချိန်မှာ ကိုကိုက နည်းနည်းတော့ အေးဆေးဖြစ်နေပြီ။ အဆိုးဆုံးအခြေအနေ ကျော်လွန်ခဲ့ပြီပေါ့လေ။ အခုကျမှ ဘေးအိမ်က ဘောင်ဘောင် ရော ဝမ်းကွဲညီမပါ အိမ်ရှေ့ခန်းမှာရောက်ပြီး ကြည့်နေကြတာ ကိုကို မြင်တွေ့လိုက်ရတယ်။ စပါးတုံရွာက ဆေးဆရာအိမ်လာပြီး ဆေးလာကုတိုင်း သူ လုပ်ကိုင်ပုံကို ဘေးအိမ်တွေက လာကြည့်ချင်ကြတာလေ။ ဆေးဆရာအလုပ်လုပ်နေပုံကို ကြည့်နေရတာလည်း စိတ်ဝင်

စားစရာကိုး။ ညီညီက ငယ်သေးတော့ ဆေးထိုးခံရတာနဲ့ ငိုရှာပဲ။

ဆရာဝန်မပြန်ခင် ကိုကို၊ ညီညီတို့ကို တစ်နေ့သုံးကြိမ် ဆေးသောက်ခိုင်းနိုင်
အောင် မေမေထံ ဆေးလုံးတွေပေးလိုက်တယ်။ ညီညီကိုတိုက်မယ့် ဆေးလုံးတွေဆို
အမှုန့်ကြိတ်ပြီး ရေနဲ့ရောဖျော်ပေးရတယ်။ ဒီလိုရောဖျော်ထားတာကိုမှ ညီညီက တစ်ဇွန်း
စာ သောက်ရမှာလေ။ ကိုကိုကတော့ လူကြီးတစ်ယောက်လိုမျိုး ဆေးလုံးကိုမျိုချပြီး
သောက်နိုင်နေပြီ။ ဆေးအရသာကသိပ်ခါးတာ။ ဒါကြောင့် ဆေးသောက်ပြီးရင် ပါးစပ်ထဲ
ချိုတဲ့ အရသာတွေ့အောင် ညီအစ်ကိုနှစ်ယောက်လုံးကို ထန်းလျက်တစ်ဖွဲ့စီ စားစေပါ
တယ်။

နောက်တော့ မေမေက အခန်းထဲဝင်လာပြီး ကိုကို့လက်ကောက်ဝတ်မှာ အပ်ချည်
ကြိုးတစ်ပင်၊ ညီညီ့လက်ကောက်ဝတ်မှာ အပ်ချည်ကြိုးတစ်ပင် ချည်ပေးလိုက်တယ်။
ဒါ နယ်နယ်ရရေကြိုးမဟုတ်။ ဘုရားစင်ပေါ် တင်ထားခဲ့တဲ့ ပရိတ်ချည်လေ။ မနှစ်က
ပရိတ်ပွဲမှာ ဘုန်းတော်ကြီးတစ်ပါး ပရိတ်ရွတ်ဖတ်သရဇ္ဈာယ်ထားတဲ့ ပရိတ်ချည်ပါ။
ပရိတ်ချည်က နေထိုင်မကောင်းသူတွေကို နေပြန်ကောင်းလာစေတယ်လို့ ယုံကြည်ကြ
တယ်လေ။

ကိုကိုက အစားမစားဘဲ တစ်နေကုန်အိပ်ပစ်တယ်။ နောက်တစ်နေ့မနက် ရေ
နွေးသောက်တော့ ဆေးအရသာကြောင့် ရေနွေးကခါးစ်မျိုးကြီး။ သူ ချောင်းတဟွတ်ဟွတ်
ဆိုးနေသလို ညီညီလည်းချောင်းဆိုးနေတယ်။ ကိုကို နေမကောင်းဖြစ်တဲ့ အချိန်တိုင်း
ဘာဘာနဲ့ မေမေတို့ သူ့အနားရှိမှ ကြိုက်တာလေ။ ဒါပေမယ့် ဘာဘာမှာ နွားလှန်သွားရ
တခြားကိစ္စတွေ စီစဉ်လုပ်ဆောင်ရန်နဲ့ အလုပ်တွေများနေတော့ တစ်ချိန်လုံး အနားမှာ
မနေပေးနိုင်။ ညနေပိုင်းလောက်မှ ဘာဘာ ထင်းခွဲသံကြားရတယ်။ မေမေ ချက်ပြုတ်
နေသံလည်းကြားရရဲ့။ ဘာဘာနဲ့ မေမေ အနားမှာရှိနေတော့ ကိုကို ကျေနပ်မိတယ်။
ဒါပေမယ့် မေမေက ဆန်ပြုတ်တိုက်ဖို့လုပ်ရင်တော့ ကိုကို မျိုမကျ။

"ဒါ တောထဲ ဖြတ်လာလို့ ဖြစ်တာပဲ။ တစ္ဆေပစ်လိုက်သင့်တယ်နော်"

အဲဒီနေ့မွန်းလွဲပိုင်းမှာ ဘောင်ဘောင်က ပြောလာတယ်။

မေမေက ပြန်မဖြေ။ မေမေက တစ္ဆေသရဲတွေကို သိပ်လည်း အယုံအကြည်မရှိ
သို့ပေမယ့် လူ့လောကထဲ ရောက်ခါစ လူမမယ်ကလေးတစ်ယောက် မွေးရာ အခန်းထဲပဲ
ဖြစ်ဖြစ်၊ လူနာရှိရာ အခန်းထဲပဲဖြစ်ဖြစ် မဝင်ခင်လေးဆို "ထို့ -ထို့" အော်နေကျ။
အနောက်နိုင်ငံက လူတွေဆို တစ်ယောက်ယောက်နှာချေရင် "God bless you"
(ဘုရားသခင် ကောင်းချီးပေးပါစေ)ပြောနေကျ။ အခုလည်း အလားတူပါပဲ။ "ထို့-ထို့"
ဆိုတာ တစ္ဆေတွေကို နှစ်သိမ့်ပေးဖို့ ထူးထူးခြားခြားအသုံးပြုတဲ့ ရိုးရာဓလေ့သံပါ။
ဒါပေမယ့် ကလေးတွေ တောထဲဖြတ်သွားရင်ပဲဖြစ်ဖြစ်၊ အသည်းငယ်တတ်သူတွေ
တောထဲဖြတ်သွားရင်ပဲဖြစ်ဖြစ် တစ္ဆေကိုင်တတ်တယ်လို့လည်း လူတွေက ယုံကြည်ကြပြန်

တယ်။

မေမေက တစ္ဆေသူ့ရဲ့တွေကို သိပ်မယုံကြည်ပေမယ့် ပုစွန်သဲ့သွားခဲ့တဲ့ အိမ်နီးချင်း တစ်ယောက်ဆီက ပုစွန်ဆိတ်လေးတွေဝယ်လာတယ်။ တစ္ဆေတွေကို ပုစွန်ကျွေးတာ ရိုးရာလေ။ ပုစွန်ကိုချက်ပြုတ်ပြီးတဲ့အခါ ပုစွန်ချက်နဲ့ ထမင်းနည်းနည်းကို ငှက်ပျောဖက် ပေါ် တင်လိုက်တယ်။ အဲဒီနောက် မှောင်ရီဖြိုးဖျအချိန်ရောက်တော့ ဘာဘာက ငှက်ပျော ရွက်နဲ့ထုပ်ထားတဲ့ ထမင်းထုပ်ရယ်၊ ဓားတစ်လက်ရယ် ယူပြီး အိမ်ရဲ့အရှေ့ဘက်တောထဲ ခြေကျင်လျှောက်ဝင်သွားတယ်။

သွားနေရင်း ဘာဘာက ပြောတယ်။

"ပိုက်ဆာနေတဲ့သူတွေ၊ တောထဲကို ငါ့နောက်ကနေ လိုက်ခဲ့ကြ"

ဒီလိုမျိုး တစ္ဆေပစ်တဲ့အခြေအနေမှာ ပြောနေကျ ရိုးရာစကားတွေလေ။ အိမ်နဲ့ အတော်လေး လှမ်းလာတဲ့အခါ အိမ်ဘက်သို့ မျက်နှာမမူတဲ့ အနေအထားမျိုးဖြစ် အောင် ကိုယ်ကို လှည့်လိုက်တယ်။ ထမင်းထုပ်ကို မြေပြင်ပေါ် ချတဲ့အခါ ဘယ်လက်နဲ့ နောက်ကျောဘက်ကို ဂရုတစိုက်ချပေးရပါတယ်။ အဲဒီနောက် ညာဘက်မှာကိုင်ထားတဲ့ ဓားနဲ့ မြေပြင်ပေါ် မျဉ်းတစ်ကြောင်းခြင်ပြီး ခပ်ကျယ်ကျယ်ပြောလိုက်တယ်။

"ဒီစည်းက နင်တို့နဲ့ငါတို့ကြား ခြားပေးတဲ့စည်းပဲ။ နင်တို့စည်းဘက် နင်တို့ နေ ခဲ့ပြီး စားစရာတွေစားကြတော့"

အိမ်အပြန်လမ်းမှာ ဘာဘာက တောပန်းနှစ်ပွင့် ခူးလာတယ်။ ဒီပန်းနှစ်ပွင့်က သူနဲ့ တစ္ဆေတွေအကြား အလဲအလှယ် လုပ်လိုက်တဲ့ သဘောဆောင်ပါတယ်။ အိမ်ပြန် ရောက်တော့ ကိုကို့ညီညီတို့ကို သွားကြည့်ဖို့ အိမ်ထဲမဝင်ခင် ရိုးရာလေ့အရ ပြောနေကျ အတိုင်း "ထို့ -ထို့" ဆိုဖြစ်အောင် ဆိုလိုက်သေးရဲ့။ သူ့အသံက ခပ်တိုးတို၊ ခပ်ပြတ်ပြတ်။ ဘာဘာက တောပန်းတစ်ပွင့်ကို ကိုကို့နားနောက်ဘက်မှာ ထိုးလိုက်တယ်။ နောက်တစ်ပွင့် ကိုတော့ ညီညီနားနောက်ဘက်မှာ ထိုးလိုက်တယ်။

"ဒီပန်းလေးလို လန်းဆန်းပါစေ။ ဒီပန်းလေးလို ကျန်းမာပါစေ"

နောက်တစ်နေ့မနက် ကိုကို့နဲ့ ညီညီတို့ အိပ်ရာကနိုးလာချိန်မှာ အဖျားပျောက် နေပြီ။ ထူထူထောင်ထောင်ဖြစ်လို့ ညီအစ်ကိုနှစ်ယောက်လုံး ထထိုင်ပြီး မုန့်ကြွတ်လေးတွေ စားနေနိုင်ကြပြီ။ နောက်တစ်နေ့ကျတော့ မေမေချက်ပေးတဲ့ ကြက်သားဟင်းကို စားနိုင် နေပြီ။ ရေနွေးနဲ့ရေတောင် ချိုးနိုင်နေကြပေါ့။

*****

ရွာစောင့်နတ်

ရွာတိုင်းမှာ ရွာစောင့်နတ် ရှိတတ်စမြဲ။ ရွာစောင့်နတ်ကိုပူဇော်ဖို့ နတ်စင်တစ်စင် လည်း ဆောက်ပေးထားတတ်လေရဲ့။ နတ်ကိုပူဇော်ပသတာ ဗုဒ္ဓဘာသာနဲ့တော့မဆိုင်။ ရိုးရာဓလေ့အရ လုပ်ဆောင်ခြင်းပါ။ ဒါက ရှေးပဝေသဏီကတည်းက ယုံကြည်လာတဲ့ အယူအစွဲတွေကို။ များသောအားဖြင့် အသက်ကြီးပိုင်းတွေက နတ်တွေကို အယုံအကြည် ရှိကြတယ်။ တခြားသူတွေအဖို့တော့ ရိုးရာဓလေ့တစ်ခုလို့ပဲမှတ်ယူကြတယ်။

မိုးရာသီအစပိုင်းမှာ ရွာသားတွေက နတ်တွေကို ပူဇော်နေကျ။ ရွာတစ်ရွာစီမှာ နတ်ကန္တားပွဲတစ်ပွဲစီလုပ်ကြတယ်။ အမျိုးသမီးတွေက နတ်ကန္တားပွဲကို ဦးဆောင်စီစဉ် ကြလေ့ရှိတယ်။ နတ်ပူဇော်နည်းကိုသိတဲ့ ခေါင်းဆောင်နတ်ကတော်က ပြက္ခဒိန်ကိုကြည့်ပြီး ဒီနှစ်အတွက် မင်္ဂလာရှိမယ့်ရက်တစ်ရက်ကိုရွေးချယ်ရတယ်။ ပြီးရင် ရွာလူကြီးထံ အကြောင်းကြားရတယ်။ ရွာလူကြီးကနေတစ်ဆင့် ရာအိမ်ခေါင်း၊ ဆယ်အိမ်ခေါင်းတွေဆီ အသိပေးရတယ်။ အဲဒီကမှတစ်ဆင့် အိမ်ထောင်စုတွေဆီ အသိပေးရပါတယ်။ ခေါင်း ဆောင်နတ်ကတော်က နတ်ဖိုးတီးဖို့ နတ်ဖိုးဆရာတွေလည်း ငှားရသေး။ တီးခတ်လေ့ရှိတဲ့ တူရိယာတွေက ပတ်မတစ်လုံးနဲ့ နဲ့တစ်လက်ပါ။ နတ်ကပြီးနောက် အိမ်ထောင်စုအားလုံး ဆီက ငွေကြေးကောက်ခံပြီးတဲ့အခါမှ နတ်ဖိုးအဖွဲ့ကို နတ်ဖိုးတီးခ ပေးလေ့ရှိပါတယ်။

ကျောက်တွေရွာက ရွာသားတွေကို နောက်တစ်နေ့မှာ ရွာရှင်မပူဇော်ပွဲ (ရွာစောင့် နတ်ပူဇော်ပွဲ)လုပ်မယ်လို့ အသိပေးထားတယ်။ ရွာခံအမျိုးသမီးတွေက မုန့်ပဲသွားရည်စာ တွေ လုပ်သူကလုပ်၊ ရွှေပြက်တွေ အဆင်သင့်ပြင်သူပြင်နဲ့ ပွဲအတွက်ပြင်ဆင်နေကြပြီ။ မနက်ပိုင်းမှာ နတ်ပူဇော်ဖို့ ရိုးရာမုန့်လုပ်ကြတယ်။ မုန့်က ဆန်မှုန့်ကို အုန်းသီး၊ သကာ တို့နဲ့ရောပြီး ၄ုက်ပျောဖက်ထဲထည့်၊ နီးနဲ့စည်းပြီး ရေနဲ့ပြုတ်ထားတဲ့မုန့်။

ရွာရှင်မကို ပူဇော်တဲ့နေ့မှာ အိမ်ထောင်စုတိုင်းက ကိုယ့်အိမ်စောင့်နတ်ကို ဦးဆုံး ပူဇော်ရတယ်။ များသောအားဖြင့် မုန့်ပဲသွားရည်စာတွေနဲ့ ပူဇော်ကြတာ။ တစ်ခါတလေ တော့လည်း အမျိုးသမီးတွေက ထမင်းနဲ့ တခြားဟင်းအမယ်မျိုးစုံကို ဘယ်သူမှမစားခင် ဦးဦးဖျားဖျား သွားကပ်တတ်ကြတယ်လေ။ ဒီနှစ်တော့ မေမက မုန့်ပဲသွားရည်စာတွေ လုပ်ထားတယ်။ လုပ်ထားတဲ့ထဲက မုန့်ငါးချက်ကို ယူလိုက်တယ်။ ငှက်ပျောသီးသုံးလေးလုံး၊ ရေတစ်ခွက်နဲ့ သံဇစ်ချောင်းတို့ကိုယူပြီး အိမ်ရဲ့ တောင့်တင်းတဲ့အလယ်တိုင်(စုန်းပလီ တိုင်လို့ဒေသခံတွေခေါ်ကြရဲ့)အနား ချထားလိုက်တယ်။ အိမ်စောင့်နတ်ကို ပူဇော်ပသ ခြင်းပါ။ ဒီလို ပူဇော်ပသရာမှာ ရိုးရာဓလေ့အရ အုန်းသီးနဲ့ ငှက်ပျောသီးတို့ထည့်နေကျ။ မေမ့်မှာတော့ မုန့်ထဲ အုန်းသီးစာထည့် ပြီးသားဖြစ်လို့ အုန်းသီးထည့်ဖို့မလိုတော့။ သံကသန်မာအားကောင်းမှုသဘော ဆောင်တယ်။ ဒီလိုပူဇော်ပသတာဟာ အိမ်စောင့် နတ်က အိမ်ကိုစောင့်ရှောက်ပြီး မိသားတစ်စုလုံး ကျန်းမာချမ်းသာစေဖို့ ကူညီမ,စနိုင် အောင်ပါ။

မေမက ဘာဘာကို ဝါးချောင်းခုနစ်ချောင်း အထူးစပါယ်ရှယ် ပြုလုပ်စေတယ်။ နတ်ပွဲသွားကြမယ့် ရွာသူရွာသားတိုင်းက ဒီလိုဝါးချောင်းမျိုးလုပ်ထားကြတာလေ။ ဝါးချောင်းက နှစ်ပေလောက်ရှည်ရတယ်။ ခုနစ်ချောင်း၊ ဆယ်ချောင်း၊ သို့မဟုတ် ဆယ့် ငါးချောင်းလောက်လုပ်ကြတာ။ ဝါးချောင်းဆိုပေမယ့် ထိပ်နားလေးမှာ ဖွာနေအောင် လုပ်ထားရတယ်။ နတ်ပန်းလို့ခေါ်တဲ့ အထူးသစ်ရွက်စိမ်းတွေကိုလည်း ရှာခူးထားရတယ်။ နတ်ပန်းဆိုမှတော့ နတ်တွေအတွက် ရည်စူးထားတဲ့'ပန်း'ပေ့။

ညီညီက ယဉ်သေးတော့ နတ်ပွဲကိုခေါ်သွားလို့မရသေး။ ကိုကိုပဲမေမနဲ့ လိုက် လာတယ်။ ဘေးအိမ်က ဘောင်ဘောင်လည်း ကိုကိုတို့ရဲ့အတူ လမ်းလျှောက် သွားနေလေ ရဲ့။ မေမက ဝါးချောင်းတွေ၊ မုန့်တွေနဲ့ နတ်ပန်းတွေကိုင်လို့၊ ဘောင်ဘောင်က ဘာ မုန့်မှမယူလာတဲ့ ရွှေပြက်တွေပဲယူလာတယ်။ ကိုကိုလည်း ရွှေပြက်တွေကိုင်လာတယ်။ သူ စိတ်လှုပ်ရှားနေလေရဲ့။ ရွှေပြက်တွေ မကွဲမပြဲအောင် ဂရုတစိုက် ကိုင်လာရတာကိုး။ ဘောင်ဘောင်က ဝါးချောင်းနဲ့ နတ်ပန်းတွေ ယူလာတယ်။ ကိုကိုက နတ်ပွဲသွားရမှာ နည်းနည်းတော့ စိတ်ထဲကယောက်ကယက် ဖြစ်မိတယ်။ နတ်တွေ၊ တစ္ဆေတွေအကြောင်း လူတွေပြောကြရင် ကြောက်တာက တစ်ကြောင်း။ နတ်စင်က သဂ္ဂိုးနားမှာ ရှိနေတာက တစ်ကြောင်းကြောင့်ပါ။ ဒါပေမယ့် အနားမှာ မေမရှိနေမယ်ဆိုတာသိတော့ နေသာထိုင် သာပို့ရှိသွားတယ်။

ကိုကိုတို့ လျှောက်လမ်းအတိုင်း လျှောက်လာကြတယ်။ ပြီးရင် ကျွန်းဦးပင်နားက ချိုးတွေ့လိုက်ပြီး ရွာလယ်ကို သွားတဲ့လမ်းအတိုင်း တောက်လျှောက်စုန်ပြီး မင်းလမ်း အတိုင်းလာကြတယ်။ အဲဒီနောက် ဘယ်ဘက်ချိုးတွေ့ပြီး ဘုန်းကြီးကျောင်းဘက်ဆီ လျှောက်ကြပြန်တယ်။ တခြားလူတွေ ဘုန်းကြီးကျောင်းဘက် ခြေကျင်လျှောက်သွား

နေကြတာ တွေ့ရတယ်။ လက်ထဲမှာ ဝါးချောင်းတွေနဲ့ မုန့်တွေကိုယ်စီကိုင်လို့။ မေမေ၊ ကိုကိုနဲ့ ဘောင်ဘောင်အပါအဝင် ရွာသားအားလုံးက မိုးရွာရင် ဆောင်းဖို့ လိုလိုမယ်မယ် ဝါးခမောက်တစ်ထည်စီ ယူလာကြတယ်။ လမ်းက ညာဘက်ကွေ့သွားတယ်။ ဘုန်းကြီးကျောင်းနားက ဖြတ်လျှောက်ကြရတာ။ အဲဒီနောက် ကိုကိုက ညာဘက်မှာအဆောက်အဦတစ်ခု မြင်လိုက်တယ်။

"ဒါ သား မကြာခင် တက်ရတော့မယ့် ကျောင်းပေါ့ကွယ်" မေမေက ကိုကို့ကို ပြောတယ်။

ကိုကိုက ရှည်မျောမျောသဏ္ဍာန် အဆောက်အဦကို ကြည့်လိုက်တယ်။ အဆောက်အဦက သိပ်ကြီးတာပဲလို့ တွေးမိရဲ့။ မိုးရာသီဆိုရင် အဝေးကြီးလမ်းလျှောက်ရမယ့်ပုံပဲ။ မိုးရေထဲ ဒီလောက်အဝေးကြီး ခြေကျင်လျှောက်ဖို့အကြောင်း တွေးကြည့်ရုံနဲ့ကို ရင်ဖိုနေမိရော။

ကျောင်းကို လွန်လာပြီ။ လမ်းဘယ်ဘက်က သင်္ချိုင်းနဲ့ ညာဘက်က မသာဇရပ်တစ်ခုကိုလှမ်းမြင်ရတယ်။ သင်္ချိုင်းအကျော်နားလေးမှာ ရွာဘောလုံးပွဲတွေ ကျင်းပရာဘောလုံးကွင်းတစ်ကွင်းရှိလေရဲ့။ သင်္ချိုင်းနားက ဖြတ်လျှောက်နေရင်း ကိုကို့ အကြည့်က သင်္ချိုင်းထဲရောက်သွားတယ်။ မြေပြင်ပေါ် လုပ်ထားတဲ့ အုတ်ဂူတစ်ချို့ မြင်ရရဲ့။ မြေပြင်အထက် အုတ်ဂူတွေက လူချမ်းသာမိသားစုတွေ အလောင်းမြှုပ်နှံရာနေရာတွေပေါ့။ မြေကြီးထဲ မြှုပ်နှံသင်္ဂြိုဟ်ပြီး ဘာအမှတ်အသားမှ မစိုက်ထူထားတဲ့ မြေနေရာတွေလည်းရှိလေရဲ့။ ဒီနှစ်မျိုးထဲက ဘယ်တစ်မျိုးက သူ့ကို ပိုကြောက်စေလဲဆိုတာ သူ ဝေခွဲမရ။

နတ်စင်ဟာ သင်္ချိုင်း၊ ဘောလုံးကွင်းတို့နဲ့ကပ်ရက်ပါ။ နတ်စင်နား ရောက်သွားကြတဲ့အခါ ရွာကအမျိုးသမီးတွေယူလာတဲ့ ဝါးချောင်းတွေကို မြေကြီးပေါ် စိုက်ထူနေကြပြီ။ နတ်စင်ကိုပတ်ပြီး စက်ဝိုင်းကြီးသဏ္ဍာန်စိုက်ထူနေကြရဲ့။ နတ်ကပြီး ပူဇော်ပသသူတွေနဲ့ တခြားရွာသားတွေကို ဒီဝါးချောင်းစည်းဝိုင်းနဲ့ စည်းခြားပေးထားတာလေ။ နတ်စင်ဆိုတာ တိုင်တစ်တိုင်ရဲ့ ထိပ်မှာ တစ်ဘက်ဖွင့် သစ်သားအိမ်ကလေးပုံစံလုပ်ထားတာပါ။

နတ်စင်ကို ပတ်ဝိုင်းပြီး ဝါးချောင်းအားလုံးကို စက်ဝိုင်းကြီးသဏ္ဍာန်စိုက်ပြီး

သွားတဲ့အခါ ဒီဝါးချောင်းစည်းဝိုင်းကိုပတ်ပြီး အုပ်ချည်ကြိုးတစ်ပင်ရစ်လိုက်တယ်။ ဒီ အုပ်ချည်ကြိုးကို စက်ဝိုင်းသဏ္ဍာန် ဝါးချောင်းတွေမှာ အကြိမ်ပေါင်းများစွာ ပတ်ချည်ပြန် တယ်။ ပင့်ကူအိမ်နဲ့တောင် တူသလိုလို ရှိရဲ့။ နတ်ကန္တားပွဲမလုပ်ခင် ယူလာတဲ့ရွှေပြက် တွေကို နတ်စင်မှာ ကိုယ်တိုင်သွားကပ်လို့ရသလို နတ်မကခင် ရွှေပြက်သွားကပ်ပေးဖို့ ခေါင်းဆောင်နတ်ကတော်ထံ ပေးလိုက်လို့လည်းရပါတယ်။

မုန့်တွေကိုတော့ တစ်ခုပေါ် တစ်ခု အုပ်လိုက်ထပ်တင်ထားတယ်။ စုစုပေါင်းသုံးပုံ ရှိလေရဲ့။ တစ်ပုံက ရွှာရှင်မနတ်အတွက်။ တစ်ပုံက အနီးအနားမှာရှိတဲ့ တစ္ဆေသူရဲ့တွေ အတွက်။ နောက်ဆုံးတစ်ပုံ နတ်ကပြီး ပူဇော်နေကြတဲ့လူတွေအတွက်လေ။ နတ်ကပြီး သွားရင်တော့ ပွဲကြည့်ပရိသတ်တွေက တစ္ဆေသရဲ့တွေအတွက် ဝေစုနဲ့ ရွှာရှင်မအတွက် ဝေစုကို ယူစားနိုင်ပါတယ်။ ဘုရားမှာ ဆွမ်းတော်တင်ပြီး ပြန်အစွန့်မှာ ဆွမ်းတော်ကို စားကြတာနဲ့ တူတာပေါ့။ ဗုဒ္ဓရုပ်ပွားတော်က အစားအသောက်တွေကို အမှန်တကယ် စားနိုင်သောက်နိုင်တာမှ မဟုတ်ဘဲ။ ဘုရားကို ရည်မှန်းပြီး ကပ်လှူပူဇော်ကြတာကိုး။ ဒါကြောင့်လည်း စွန့်ပြီးတဲ့ ဘုရားဆွမ်းတော်ကို စားလို့ရတာပါ။

နတ်ပန်းတွေကို နတ်စင်ပေါ်နဲ့ နတ်စင်အောက်ခြေတဝိုက်ချထားတယ်။ နတ် ကန္တားပွဲ စပြီဆိုတာနဲ့ နတ်ကတော်တွေက ရှိခိုးဆုတောင်းဟန်နဲ့ လက်နှစ်ဘက်ကြား နတ်ပန်းတချို့ကိုင်ပြီး ကကြပါလေရော။

ရွာသားတစ်ယောက်ယောက်မှာ အသစ်မွေးလာတဲ့ ကလေးတစ်ယောက်၊ ဒါမှ မဟုတ် ‌‌ တောင်‌‌ဇေ‌‌‌ မွာ့မှာလိုမျိုး အသစ်မွေးလာတဲ့ နွားပေါက်စလေးတစ်ကောင်ရှိတယ် ဆိုရင် ရွာရှင်မကို ထူးထူးခြားခြား အရာတစ်ခုခုနဲ့ ပူဇော်ရတယ်။ ပြီးရင် ရွာစောင့်နတ်က ဒီကလေး သို့မဟုတ် ဒီနွားပေါက်လေးကို ကူညီစောင်မပေးအောင် အထူးတလည် ဆုမွန်ကောင်းတောင်းပေးဖို့ ခေါင်းဆောင်နတ်ကတော်ကိုပြောရတယ်။

ခေါင်းဆောင်နတ်ကတော်က ဖယောင်းတိုင်တွေကို နတ်စင်ပေါ် တင်လိုက်တယ်။ ဒီဖယောင်းတိုင်တွေက ထူးခြားပါတယ်။ သတ္တူချောင်းနဲ့ လုပ်ပြီး အုပ်ချည်ကြိုးရစ်ပတ် ရေနံဆီနှစ်စိမ်ထားရတယ်။ ကြာရှည် မီးထွန်းလို့ရအောင်ပေါ့။ ခေါင်းဆောင် နတ်ကတော်နဲ့ အခြားနတ်ကတော်တွေက နတ်စင်ရဲ့‌‌ဘေးနဲ့ရှေ့မှာ ရွှေပြက်တွေကပ်ပြီး ရွှေရောင်လက် လက် တောက်နေအောင် ပြင်ဆင်ထားကြတယ်။

နတ်ကန္တားပွဲ စတင်ပါပြီ။ နတ်ဒိုးအဖွဲ့လည်း စတင်တီးခပ်နေပြီ။ အခုတော့ နတ်ကတော်အမျိုးသမီးတွေနဲ့ နတ်ဒိုးတီးသူတွေလောက်ပဲ ဝိုင်းအတွင်း ဝင်ရောက်ခွင့် ပေးတော့တယ်။ နတ်ကတော်တွေက ဘယ်သီချင်းကို သီဆိုမယ်၊ ကရင်ခုန်ရင်ဘယ်လို ကာရန်လေးတွေ လိုက်ပြောမယ်ဆိုတာသိပြီးသား။ ဟော့ – မိုးရွာလာပါ ပကော။ မင်္ဂလာ မဆောင်းထားရသေးသူတွေလည်း အခုကျမှဆောင်းလိုက်ကြတယ်။ မင်္ဂလာက သူတို့မျက်နှာ ရေမစိုအောင် ကာကွယ်ပေးတယ်။ နတ်ဒိုးအဖွဲ့က ဆက်တိုက်တီးနေဆဲ။

ရွာသားအားလုံးက နတ်ကတော်တွေ ကတာဆက်ကြည့်နေကြဆဲ။ ကခုန်လိုက် ကဗျာ လိုလို စာတိုတိုရွတ်လိုက်နဲ့ ဇာတ်လမ်းတစ်ပုဒ်ကို ပြောပြသွားတယ်။ ပတ်မတုတ်သံ ကြားတိုင်း အရင်တစ်ခေါက်နဲ့ မတူတဲ့ ကကွက်တစ်ကွက် ချက်ချင်းပြောင်းပြီးသားပဲ။ နတ်ကတော်တစ်ချို့က နတ်ဝင်တာ ပြန်ိုင်ဖို့ ခန္ဓာကိုယ်ကို မပြတ်တမ်းလှုပ်နေကြတယ်။

နတ်ကတော်တွေ ကိုယ်လက်ကတုန်ကယင်ဖြစ်နေတာ မြင်ရရင် ပထမတော် ကိုကို ထိပ်ထိပ်ပျာပျာဖြစ်မိတယ်။ နောက်တော့ မြင်ရတာအသားကျသွားပြီး နောက်ထပ် ကခုန်တာမြင်ချင်လာပြန်ရော။ နတ်ကတော်တွေ ရွတ်ဆိုတဲ့ စကားတွေအများကြီးပဲ။ ဒါပေမဲ့ များသောအားဖြင့် အဓိပ္ပာယ်ကို သူ နားမလည်။ ဝါးချောင်းစည်းဝိုင်းပြင်ပမှာ နတ်ကတာ ရပ်ကြည့်နေတဲ့ ရွာသားတွေအများကြီးပဲ။ စည်းဝိုင်းအပြင်က ရွာခံအမျိုး သမီးတစ်ယောက် စိတ်တွေလှုပ်ရှားလာရင်ပဲဖြစ်ဖြစ်၊ ရွာရှင်မနတ်က ခေါ်နေသလိုမျိုး ခံစားနေရရင်ပဲဖြစ်ဖြစ် ကိုယ်တွေလက်တွေ ကတုန်ကယင်ဖြစ်လာတတ်တယ်။ ဒီလို ကတုန်ကယင်ဖြစ်လာရင် စည်းဝိုင်းထဲဝင်ရောက်ကခုန်ကြရမှာပါ။ ဒါမျိုးဆို ကိုကိုကြောက် တယ်။ ဒါပေမဲ့ တခြား ဘယ်သူမှ ကြောက်နေတဲ့ပုံ မပေါ်၊ ဒီတော့ အဆင်ပြေလို့ပဲပေါ့ လေ။ ဒါတင်မက မေမေနဲ့ ဘောင်ဘောင်နား မတ်တပ်ရပ်နေရတာ ကိုကိုစိတ်ထဲ ဘေးကင်းလုံခြုံသလို ခံစားရတာကိုး။

နတ်ကတာ အချိန်တအားကြာတယ်။ နတ်ကနေတဲ့ နတ်ကတော်တွေ နတ်စင်ကို ပူးကပ်ဝိုင်းပတ်ပြီး "အောင်ပြီ"ဆိုတဲ့ အမှတ်အသားအဖြစ် လှည့်ကကြတဲ့ အချိန်ဟာ ပွဲသိမ်းချိန်ပါပဲ။ ပွဲသိမ်းတဲ့အခါမှ ရောက်လာသူတွေ မုန့်ပဲသွားရေစာ စားိုင်ကြတယ်။ ကိုကိုက ငှက်ပျောဖက်ကိုဖွင့်ပြီး အတွင်းကမုန့်ကို စားမယ်လုပ်လိုက်တယ်။ သူ မတ်တပ် ရပ်နေတဲ့နေရာကကြည့်ရင် သစ်ပင်ချုံနွယ်တွေနဲ့ သဲချိုင်းကိုလှမ်းမြင်နေရတယ်။ ဒီထဲ တစ္ဆေတွေအများကြီးပဲရှိမှာ။ တစ္ဆေတွေအကြောင်း တွေးကြည့်ဖို့တောင် သူ ကြောက်မိ တယ်။ တစ္ဆေတွေကို ကျွေးထားတဲ့ မုန့်ပဲသွားရည်စာတွေလည်း အပုံလိုက်ကြီးအနားမှာ ရှိနေတာကိုး။ ကိုကိုက မေမေ့အနား တိုးကပ်ရပ် လိုက်ရင်း မုန့်ကိုခပ်သုတ်သုတ်လေး လက်စသတ်လိုက်တယ်။

မွောင်စပြုလာနေပြီ။ မုန့်ပဲသွားရည်စာတွေ စားပြီးနောက် ရွာသားအားလုံး ကိုယ့်အိမ်ကိုယ်ပြန်ပြီး နားစွင့်နေလိုက်ကြတယ်။ နောက်သုံးရက်တာအတွင်း နေမမွောင် ခင်အချိန်လေးမှာ ဒီအတိုင်း နားစွင့်ထောင်နေကြမယ်။ ပထမဦးဆုံး ခေါင်းဆောင် နတ်ကတော်က ဆန်ကောယူလာပြီး စည်တစ်လုံးလို တုတ်နဲ့ထုရိုက်လိုက်တယ်။ အိမ်ထဲ ဟိုအခန်းဝင် ဒီအခန်းထွက်နဲ့ လျှောက်သွားပြီး ဆန်ကောကို တီးရင်း အော်ပြောလိုက်တယ်။

"မွဲစေတဲ့ နတ်ဆိုးတွေ၊ ရောဂါဘယဖြစ်စေတဲ့ နတ်ဆိုးတွေ၊ ထွက်ကြ –ထွက်ကြ။ ဒီက ထွက်ကြ"

သူ့နဲ့ အနီးဆုံး အိမ်နီးချင်းတွေ ကြားတော့ ဆန်ကောတွေထုရိုက်ပြီး တစ်ခန်းဝင်

တစ်ခန်းထွက် လျှောက်သွားရင်း ရှေ့နည်းအတိုင်း အော်ပြောကြပြန်တယ်။ အနီးအနား အိမ်တွေကလည်း အသံကြားပြီး ဆန့်ကောတွေထုရိုက်၊ ရှေ့နည်းအတိုင်းအော် လုပ်ကြ ပြန်ပါလေရော။ ဒီလိုနဲ့ တစ်ရွာလုံး ဆန့်ကောတီးလိုက်၊ မကောင်းဆိုးဝါးတွေ အိမ်ထဲက ထွက်သွားအောင် ဟစ်အော်မောင်းထုတ်လိုက်နဲ့ မြိုင်ဆိုင်သွားတော့တယ်။

အိမ်နီးချင်းတွေ တီးခတ်အော်ဟစ်သံကို ကြားတော့ သူတို့အိမ်က တီးဖို့ အချိန်ကျပြီလို့ ကိုကိုသိလိုက်တယ်။ မေမေက အိမ်ထဲလျှောက်သွားရင်း ဆန့်ကောတီးပြီး မကောင်းဆိုးဝါးတွေကို အော်ဟစ်နှင်ထုတ်ပါတော့တယ်။ ပြီးတဲ့အခါ ကိုကိုနဲ့ ညီညီကို တစ်ယောက်တစ်လှည့်စီ ဆန့်ကောတီးစေပါတယ်။ တစ်ရွာလုံး မကောင်းဆိုးဝါးတွေကို အော်ဟစ်နှင်ထုတ်သံ ကြားရတာ ကြောက်ဖို့တော့အကောင်းသား။ ဒါပေမယ့်လည်း ဆန့်ကောတီးရတာ ပျော်ဖို့ကောင်းပါတယ်။

*****

ရွာကို ကာကွယ်စောင့်ရှောက်ခြင်း

ရွာမှာ အိမ်ထောင်စုတွေကို အရေးကြီးကိစ္စ အသိပေးကြေညာဖို့ တစ်ခုတည်းသော နည်းလမ်းက ရွာဆော်တွေကနေတစ်ဆင့်ကြေညာခိုင်းခြင်းပါ။ ရွာဆော်က မြောက်ပိုင်းမှာ တစ်ယောက်၊ တောင်ပိုင်းမှာ တစ်ယောက် စုစုပေါင်းနှစ်ယောက်ရှိတယ်။ ရွာဆော်တဲ့ အလုပ်က သူတို့အလုပ်လေ။ တစ်ရွာလုံး အခွန်မဆောင်ရတဲ့အလုပ်ဆိုလို့ သူတို့အလုပ်ပဲ ရှိတာ။

တစ်ခုသော မနက်စောစောမှာ ရွာဆော်ရဲ့ ကြေညာသံကြောင့် ကိုကို အိပ်ရာက နိုးလာတယ်။

"နားထောင်။ နားထောင်။ ဒီနေ့ ညနေ ၃ နာရီမှာ ပရိတ်တရားတော် ရွတ်ဖတ် ပူဇော်ပွဲရှိပါမယ်။ ရွာစွန်က အိမ်တွေမှာ မျောက်ကြိမ်နဲ့တန်းပေးရမယ်။ မျောက်ကြိမ်ရှာပြီး ကိုယ့်ခြံစည်းရိုးကို ပတ်ပေးရမယ်။ ခြံစည်းရိုးကို မျောက်ကြိမ်မတန်းသူ ဒဏ်ငွေဆောင်ရ မယ်။ ပရိတ်ရွတ်ပွဲ စတာနဲ့ ရွာထဲအဝင်အထွက်မလုပ်ရ။ အဝင်အထွက်လုပ်တဲ့သူ ဒဏ်ငွေဆောင်ရမယ်"

ရွာဆော်က ဒီစကားကို ထပ်ခါတလဲလဲ ကြေညာရင်း နောက်အိမ်တွေဆီ လမ်း အတိုင်း လျှောက်သွားတာကြောင့် အသံက တဖြည်းဖြည်းတိုးတိုးသွားလေရဲ့။

ဘာဘာက နွားတွေကို လယ်ကွင်းမှာ သွားလွှန်ပြီးတာနဲ့ မျောက်ကြိမ် ရှာဖြတ် လာတယ်။ မျောက်ကြိမ်ဆိုတာ ကြိမ်နွယ်တစ်မျိုးပါ။ မျောက်ကြိမ်ရွက်အများစုကို ဘာဘာက ဓားနဲ့ရှင်းပြီးနောက် အခွေလုပ်လိုက်တယ်။ ဒီမျောက်ကြိမ်ခွေကို ဘာဘာက လက်မောင်းတစ်ဘက်မှာ လျှို့သွင်းပြီး ပုခုံးပေါ် တင်လို့ အိမ်သယ်လာတယ်။ အိမ်ပြန် ရောက်တော့ မျောက်ကြိမ်ကို ဓားနဲ့အလျားလိုက်ခွဲပြီး အစွန်းပိုင်းနှစ်ခုစီ ပူးချည်ပါတော့ တယ်။ ဒီနည်းနဲ့ မျောက်ကြိမ်ကြီးအရှည်ကြီးတစ်ပင် ရလာတယ်။ ဘာဘာက ဒီကြိုးကို

ဘောင်ဘောင်တို့အိမ်ခြံမှာ ပတ်တန်းလိုက်တယ်။ ရွာစွန်အိမ် တွေမှာနေတဲ့ အိမ်နီးချင်းတွေလည်း ကိုယ့်ခြံစည်းရိုးမှာ မျောက်ကြိမ်နဲ့ တန်းကြတယ်။ အဲဒီနောက် ဟိုဘက်အိမ်ဒီဘက်အိမ်က မျောက်ကြိမ်ကြိုးတွေကို တစ်စနဲ့တစ်စ လိုက်ဆက်တယ်။ နောက်ဆုံး တစ်ရွာလုံးကို မျောက်ကြိမ်ကြိုးရှည်ကြီးတစ်ပင် ပတ်တန်းထားပြီးသား ဖြစ်သွားအောင်ပေါ့လေ။

နေ့လည်စာစားပြီးနောက် မေမေက မြေအိုးလေးတစ်လုံးကိုယူလာတယ်။ ဒီမြေအိုးက အထူးစပါယ်ရှယ် မြေအိုး။ ဘုရားရေသပ္ပာယ်ပွဲ၊ ရှင်ပြုပွဲလိုမျိုး ထူးမြတ်တဲ့အခါသမယတွေမှာ အသုံးပြုလေ့ရှိတဲ့မြေအိုးမျိုး။ အဲဒီနောက် သပြေပင်ပေါ်က သပြေခက်တွေ ခူးလိုက်တယ်။ လူတွေက ဒီသပြေရွက်ကို "အောင်သပြေရွက်"ခေါ်ကြတယ်။ ထူးခြားမြင့်မြတ်တဲ့ သစ်ရွက်တွေလို့လည်း ယုံကြည်ကြပါတယ်။ အောင်သပြေခက်ရိုးတံတွေကို ရေပြည့်အိုးထဲထည့်ပြီး သပြေရွက်တွေ အိုးထိပ်မှာထိုးထွက်နေအောင် ထားလိုက်တယ်။ ပြီးရင် အပ်ချည်ကြိုးကို လက်မှာပတ်ရစ်ပြီး ကြိုးတစ်ခင်လုပ်တယ်။ ကြိုးခင်လုပ်ပြီးတဲ့အခါ အောင်သပြေရွက်တွေကိုရစ်ပတ်ပြီး ချထားလိုက်တယ်။

"ပရိတ်ပွဲ ဘယ်နား လုပ်မှာလဲဟင်၊ မေမေ"

"လေးနေရာ ခွဲလုပ်မှာ၊ ကိုကိုရေ့။ မင်းလမ်းမပေါ် တစ်ပွဲ၊ မြောက်ကျောင်းမှာတစ်ပွဲ၊ တောင်ကျောင်းမှာ တစ်ပွဲ၊ ရွာတောင်ပိုင်းစွန်းမှာ တစ်ပွဲပေါ့ကွယ်"

"သားတို့ရွာမှာ ဘာလို့ ဘုန်းကြီးကျောင်းနှစ်ကျောင်းရှိတာလဲဟင်"

"အဲဒီကိစ္စတော့ မသိကြဘူးကွဲ့။ မေမေတို့ရွာကကြီးလွန်းလို့ ကျောင်းနှစ်ကျောင်းရှိတာလို့ တစ်ချို့ကပြောကြတယ်။ ဒါပေမယ့် စာသင်ကျောင်းက တစ်ကျောင်းတည်းပဲရှိတယ်။ သင်္ချိုင်းကျတော့လည်းတစ်ခုတည်း။ မသာဇရပ်လည်း တစ်ခုတည်းပဲရှိတာလေ။ ရွာတစ်ရွာမှာ ဘုန်းကြီးကျောင်း နှစ်ကျောင်းရှိတာ ရှားတယ်ကွဲ့"

"ပရိတ်ပွဲကို လေးနေရာခွဲလုပ်မှာဆိုတော့ ဘယ်ကဘုန်းကြီးတွေက ဘယ်နားကွကြမှာလဲဟင်၊ မေမေ"

"တောင်ကျောင်းနဲ့ မြောက်ကျောင်းက ဘုန်းကြီးနှစ်ပါးတော့ပါတယ်။ တခြားဘုန်းကြီးနှစ်ပါးက တခြားရွာတွေက ဖိတ်ထားတာ၊ သားရေ့"

"ပရိတ်တရားကို အားလုံး တစ်ချိန်တည်း ဘယ်လိုလုပ် ရွတ်ဖတ်နိုင်မှာလဲဟင်"

"တစ်ယောက်ယောက်က တုံးခေါက်ကို သစ်သားချောင်းနဲ့ ခပ်သွက်သွက်လေး ရိုက်ပြီး အသိပေးလိုက်မှာပေါ့ကွယ်"

ရွာမှာ ဘယ်သူ့ဆီမှာမှ တိုင်ကပ်နာရီမရှိတော့ ဘုန်းကြီးကျောင်းတွေမှာ သံကြိုးနဲ့ တွဲလွဲချိတ်ထားတဲ့ တုံးခေါက်ကိုအမှီပြုပြီး အချိန်ကိုသိကြရတာ။ ဦးဇင်းတွေက မနက် ၄ နာရီဆို တုံးခေါက်ခေါက်ကြတာလေ။ ပထမတော့ ခပ်သွက်သွက်။ ပြီးတာနဲ့ လေးချက်ထုရိုက်ကြတာ။ (လေးနာရီ ထိုးပြီဆိုတဲ့သဘော)။ နောက် တစ်နာရီထိုးတိုင်းလည်း

အလားတူ တုံးခေါင်းခတ်ကြတယ်။ အစပိုင်း ခပ်မြန်မြန်လေး။ ပြီးတာနဲ့ တစ်နာရီကို တုံးခေါင်းတစ်ချက် ကိုယ်စားပြုပြီး ထုရိုက်သွားတာ။ တုံးခေါင်းခတ်တဲ့ နောက်ဆုံးနာရီက ညနေ ၆ နာရီပါ။ မွန်းတည့် ၁၂ နာရီ တုံးခေါင်းခတ်ချိန်ဆို သိပ်ရယ်ရတယ်လို့ ကိုကို တွေးမိပဲ။ တစ်နာရီကို တစ်ချက်စီနဲ့ ၁၂ ချက် ထုရိုက်မယ့်အစား ခပ်သွက်သွက်လေးထုရိုက်၊ ပြီးရင် ဒီလိုမျိုးနှစ်ကြိမ်အတွဲလိုက်လေး ထုရိုက်ကြတာလေ။ တုံးခေါင်းကို ၁၂ ချက် ဆက်တိုက် ထုရိုက်လိုက်ရရင် ဘုန်းဘုန်းရဲ့ လက်မောင်းတွေ ညောင်းသွားမှာစိုးလို့ ဒီလိုလေးထုရိုက်တာလို့ ကိုကို တိတ်တဆိတ်လေးယုံကြည်နေမိတယ်။

မေမေ၊ ကိုကိုနဲ့ ညီညီတို့ လမ်းလေးအတိုင်းထွက်လာကြတယ်။ မေမေက ပရိတ် အိုးရွက်လို့၊ ကိုကိုက သူ့နောက်က။ ကိုကို့နောက်မှာ ညီညီ။ လမ်းဆုံးတော့ ကိုကိုက ကျွန်းဦးပင်ကို ဖျတ်ကနဲကြည့်မိတယ်။ နေရောင်အောက်မှာ ရွှေပြက်တွေ လက်လက် တောက်နေတာတွေ့ရဲ့။ တစ်ခါတလေဆို ရွာသားတွေက ခရီးမသွားခင် ကံကောင်းစေဖို့ ဒီကျွန်းဦးပင်မှာ ရွှေပြက်ပဲဖြစ်ဖြစ်၊ ငွေစက္ကူပဲဖြစ်ဖြစ် လာကပ်ပြီးပူဇော်ကြတာလေ။ ကိုကို့အကြည့်က လမ်းဘယ်ဘက်ခြမ်း စေတီတော်ဆီ ရောက်သွားတယ်။ စေတီရဲ့ မွန်ကူကွက်တွေမှာ နေရောင်ဟပ်လို့ မှိတ်တုပ်မှိတ်တုပ် လက်နေတာလည်းတွေ့နေရ လေရဲ့။

ကိုကိုတို့သားအမိသုံးယောက် မင်းလမ်းကိုဖြတ်ကူးပြီး လမ်းတစ်ဘက်က အိမ် တစ်အိမ်ကိုဝင်လိုက်တယ်။ မေမေက အိမ်ရှေ့ခန်းမှာ တခြားပရိတ်အိုးတွေနဲ့အတူ သူ့ ပရိတ်အိုးကိုတင်ထားလိုက်တယ်။ ရောက်လာတဲ့ ညှို့ပရိတ်သတ်တွေထိုင်ဖို့ မြေပြင်ပေါ် ဖျာခင်းထားလေရဲ့။ ကိုကိုတို့ ကြည့်နေရင်း နောက်လူတွေရောက်လာပြီး ပရိတ်အိုးတွေကို အိမ်ရှေ့ခန်းမှာ တင်ထားလိုက်ကြပြန်တယ်။ ရောက်လာသူအများစု အမျိုးသမီးတွေပါ။ အမျိုးသားတွေက အလုပ်တွေ များနေကြလို့လေ။ ကိုကိုနဲ့ညီညီတို့ မေမေနားကပ်ပြီး

ဖျာပေါ် ထိုင်လိုက်ကြတယ်။ နောက်တော့ ဘုန်းကြီးတစ်ပါး ကြွလာတာမြင်လိုက်တယ်။ ကိုရင်လေးနှစ်ပါးလည်းပါလေရဲ့။

ဘုန်းကြီးက အိမ်ရှေ့ခန်းမှာခင်းထားတဲ့ သင်ဖြူးဖျာပေါ် ထိုင်လိုက်တယ်။ ကိုရင်လေး နှစ်ပါးကလည်း ဘုန်းတော်ကြီးနားထိုင်လိုက်ကြယ်။ ညနေ ၃ နာရီ ထိုးပြီလေ။ ရွာရဲ့ နေရာလေးခုမှာ သံယာတော်တွေပရိတ်စွတ်ကြတယ်။ ပရိတ်ရွတ်နေချိန် ရွာကို ပတ်ဝိုင်းထားတဲ့ မျှောက်ကြိမ်တန်းကို ဘယ်သူမှဖြတ်ခွင့်မပေးပါဘူး။ နွားတွေကို အိမ်ပြန်သွင်းလာသူတွေရှိရင်လည်း မျှောက်ကြိမ်တန်းကို မဖြတ်ဘဲရွာပြင်မှာစောင့်နေ ရမှာပါ။

ဘုန်းတော်ကြီးက ဗုဒ္ဓဘာသာဝင်တွေ လိုက်နာကျင့်ကြရမယ့် ငါးပါးသီလကို ပေးပြီး ပရိတ်ရွတ်ပွဲကိုစဖွင့်လိုက်တယ်။ ပထမဆုံး ငါးပါးသီလကို ပါဠိဘာသာနဲ့ ချပေး တယ်။ ပြီးရင် ရခိုင်လိုလိုက်ဆိုစေပါတယ်။ တရားနာယူနေသူအားလုံးက ငါးပါးသီလ စောင့်ထိန်းပါမယ်ဆိုတဲ့အကြောင်း အာမခံစေ့ခံကြတယ်။ ငါးပါးသီလဆိုတာ သူတစ်ပါး အသက်မသတ်ခြင်း၊ သူတစ်ပါးပစ္စည်းဥစ္စာမခိုးယူခြင်း၊ သူများသားမယားကို မကျူး လွန်ခြင်း၊ လိမ်ညာ၍မပြောဆိုခြင်း၊ အရက်သေစာ မသောက်စားခြင်းတို့ကို ဆိုလိုပါတယ်။ ကိုကိုက မေမေ့ကိုကြည့်လိုက်တယ်။ မေမေက လက်စုံမိုးပြီး ရှိခိုးနေတဲ့ဟန်မျိုးလုပ်ထား တယ်။ ကိုကိုလည်း မေမေ့အတိုင်း ရှိခိုးနေတဲ့ဟန်မျိုးလုပ်ထားတယ်။ ညီညီက ကိုကို လုပ်တာလိုက်လုပ်တဲ့သူဆိုတော့ ကိုကို့အတိုင်း လိုက်လုပ်ပြန်တာပေါ့။

နောက်တော့ ဆရာတော်က ပါဠိလိုပရိတ်ရွတ်တယ်။ ပရိတ်ကြီး ၁၁ သုတ် ရှိ ပေမယ့် ဆရာတော်က အားလုံးကိုတော်မရွတ်။ ကိုကိုပျင်းနေပြီ။ ဆရာတော်ဘုရား ပရိတ်ရွတ်တာပဲ ထိုင်ကြည့်နေရတာကိုး။ ဆရာတော်က သက်န်းကို ပုံမှန်အတိုင်း ဝတ်ရုံထားတာမဟုတ်။ ခါတိုင်းဆို သက်န်းကိုပုခုံးတစ်ဘက်ပေါ် ပတ်စည်းပြီးနောက် ပုခုံးတစ်ဘက်နဲ့ လက်မောင်းနှစ်ဘက်ကို သက်န်းမရှိဘဲထားတယ်။ အခုတော့ လက် မောင်းတွေနဲ့ လည်ပင်းကိုလည်းသက်န်းရှိထားတယ်။ ဘာသာရေးအခမ်း အနားတွေဆို ဘုန်းတော်ကြီးတွေက ဒီလိုမျိုးသက်န်းရှိနေကျ။ ကိုကို့စိတ်ထဲမှာတော့ ကိုရင်လေးတွေ လည်း သူလိုပဲပျင်းနေပြီလားလို့တွေးနေမိရဲ့။ ကိုရင်လေးတွေက ကိုကို့ထက် အသက်ကြီး လှပါမှသုံးလေးနှစ်လောက်ပေါ့။ ဘာဘာနဲ့မေမေတို့က ကိုကိုနဲ့ညီညီကိုလည်း ကိုရင် ဝတ်ပေးကြမှာ။ ဘယ်တော့ ကိုရင်ဝတ်ပေးမလဲတော့မသိ။ ဗုဒ္ဓဘာသာ မိသားစုတိုင်းဟာ ကိုယ့်သားတွေကို တစ်သက်မှာ အနည်းဆုံး တစ်ခါလောက်တော့ ရှင်ပြုပေးကြလေ့ရှိတယ်။ ကိုကိုက မတ်တပ်ထရပ်ပြီး ဟိုဟိုသည်သည် သွားလာလို့ရရင်အကောင်းသားလို့ တွေး နေမိရဲ့။ ဟိုဟိုသည်သည် လျှောက်မဆော့ဖို့ ကိုကိုတစ်ယောက် အတော်လေး ဘရိတ် အုပ်ထားရတယ်။ ညီညီအဆူခံထသလိုမျိုး မေမေ့ဆီမှာ သူ အဆူခံမထိချင်။ ကိုကိုက ဘေးဘီဝဲယာကို ကြည့်လိုက်တော့ မျှောက်ကြိမ်စည်းကြီးအပြင်ဘက် (ရွာပြင်ဘက်)

နားမှာ လူတစ်ချို့ မတ်တပ်ရပ်နေတာ တွေ့ရတယ်။ ကျွန်းဦးပင်နားမှာပေ့။ ပရိတ်ရွတ်
ပြီးတဲ့အထိ ဒီလူတွေ စည်းဝိုင်းအပြင်ဘက် စောင့်နေကြရမှာလေ။ အရင်တုန်းကတော့
မျောက်ကြိမ်စည်းကြီးကို လူတွေကျော်ဖြတ်သွားဖူးကြလားဆိုတာ ကိုကို တွေးနေမိတယ်။
ဒီလိုမျိုး စည်းကျော်ဖြတ်တာက ကြီးလေးတဲ့အပြစ်ပါ။ ကိုကို သန်းဝေလာပြီ။ ဟို
တစ်ခေါက်က ရှာရှင်မနတ်ကနတ္တာပွဲလိုမျိုး ဒီတစ်ခါ ဆိုင်တွေပုံတွေနဲ့ဖျော်ဖြေရေး သိပ်
မပါ။ အဲဒီနေ့ညနေက နတ်ကတော်တွေ ကတာကြည့်လို့ ကောင်းမှကောင်းပဲ။ ဒါပေ
မဲ့လည်း အနည်းဆုံးတော့ အခုချိန်မှာ တစ္ဆေသရဲတွေအကြောင်း တွေးကြောက်နေစရာ
မလိုဘူးလေ။

နောက်ဆုံးတော့ ဆရာတော် ပရိတ်ရွတ်ဖတ်သရဇ္ဇာယ်ပြီးသွားပါတယ်။
တရားနာသူအားလုံး သာဓုသုံးကြိမ်ခေါ် ဆိုကြတယ်။ သာဓုဆိုတဲ့ပါဠိစကားဟာ
ကောင်းမွန်ခြင်းဆိုတဲ့ အဓိပ္ပာယ်ရပါတယ်။ ဒီနေရာမှာတော့ ကောင်းလေစွ၊ကောင်း
လေစွ၊ ကောင်းလေစွ ဆိုလိုက်သလိုပါပဲ။ အခုဆို ရွာကို နောက်တစ်နှစ်တာအတွက်
ကာကွယ်စောင့်ရှောက်လိုက်ပြီပေ့။ မိုးတွေလည်းကောင်း၊ ရွာသားတွေလည်း ကျန်းမာ၊
စပါးအထွက်နှုန်းလည်း တိုးပွားပေါများလာတော့မှာလေ။ နောက်ဆုံး ကိုကို မတ်တပ်
ရပ်ပြီး ဟိုဟိုသည်သည်သွားနိုင်လို့ ဝမ်းသာမိရဲ့။

နေရာလေးခုမှာ ပရိတ်ရွတ်နေတဲ့ ဘုန်းတော်ကြီးလေးပါးလည်း တစ်ချိန်တည်း
ပရိတ်ရွတ်ပြီးသွားတယ်။ ဘုန်းကြီးကျောင်းက တုံးခေါင်းကို ခပ်သွက်သွက်လေးထုရိုက်
လိုက်တယ်။ မျောက်ကြိမ်ကြီးကိုဖြုတ်ချပြီး ရွာသားတွေ ရွာထဲအထွက်အဝင် လုပ်လို့
ရပြီဆိုတာ အချက်ပြလိုက်တာပါပဲ။

အိမ်ရှေ့ခန်းက ပရိတ်အိုးကို ရွာသားတွေ အသီးသီးယူလိုက်ကြတယ်။ ကိုကိုနဲ့
ညီညီလည်း မေမေ့နောက်ကနေ အိမ်ပြန်လျှောက်လာခဲ့တယ်။ ပရိတ်အိုးကို အိမ်ရှေ့ခန်း
မှာတင်လိုက်တယ်။ အခုတော့ ပရိတ်အိုးထဲကရေဟာ ပရိတ်ရေဖြစ်သွားပါပြီ။ မြင့်မြတ်တဲ့
ရေပေ့လေ။ ဘုန်းတော်ကြီးရဲ့ ပရိတ်တရားတော် ရွတ်ဖတ်သရဇ္ဇာယ် မှုကြောင့် ဒီရေက
အာနိသင်ပြောင်းသွားတာပါပဲ။ မေမေက ပရိတ်ရေတစ်ချို့ကို ခွက်ထဲ လောင်းထည့်ပြီး
ကိုကိုနဲ့၊ ညီညီတို့သောက်ဖို့ ကမ်းပေးတယ်။ အရသာပြောင်းသွားလား ကိုကို သိပ်
မသေချာလှပေမယ့် သောက်ရတာတော့ စိတ်လှုပ်ရှားဖို့ကောင်းရဲ့။ မေမေလည်း ပရိတ်
ရေနည်းနည်းသောက်တယ်။ အဲဒီနောက် အောင် သပြေရွက်တွေကို ရစ်ပတ်ထားတဲ့
ပရိတ်ခြည်ကို ယူပြီး ဖြုတ်တောက်လိုက်တယ်။ ပရိတ်ခြည်တစ်ချို့ကို ကိုကို့လက်ကောက်
ဝတ်မှာ ချည်ပြီး တစ်ချို့ကို ညီညီ့လက်ကောက်ဝတ်မှာချည်ပြန်တယ်။ သားနှစ်ယောက်
ကျန်းမာပြီးဘေးရန်ကင်းစေဖို့ လက်ဖွဲ့သဘောမျိုး ရစ်ချည်ထားခြင်းပါ။

မေမေက နောက်ထပ်ပရိတ်ရေတစ်ချို့ကို ဇလုံထဲ လောင်းထည့်လိုက်ပြန်တယ်။
အဲဒီနောက် ပရိတ်အိုးထဲက အောင်သပြေခက်တွေကို ထုတ်ယူတယ်။ သပြေခက်တွေကို

ပရိတ်ရည်ဇလုံထဲ နှစ်လိုက်၊ အိမ်ထဲ ဟိုဟိုသည်သည် ခါယမ်းလိုက်နဲ့ လျှောက်သွားတယ်။ နောက်ပိုင်း ဘာဘာ နွားပြန်သွင်းလာချိန်မှာ မေမေက နွားတွေရဲ့ခေါင်းကို ဒီနည်းအတိုင်း ပရိတ်ရေပက်ဖြန်းပြီး နွားတွေကျန်းမာသန်စွမ်းစေဖို့ ဆုတောင်းပေးတယ်။

လက်ကျန်ပရိတ်ရေကို ရေစိဘူးတစ်ဘူးထဲ လောင်းထည့်ပြီး ဘူးကိုဘုရားစင် ပေါ်တင်လိုက်တယ်။ ပရိတ်ရေဘူးက ဘုရားစင်ပေါ် နှစ်ပေါက်အောင်ရှိနေမှာလေ။ ပြီးတဲ့အခါ ပရိတ်ကြိုးအပိုကို ရေစိဘူးပေါ် တင်ထားလိုက်တယ်။ ရွာသားအားလုံးက ပရိတ်ကြိုးတွေကို ဒီနည်းအတိုင်း အပိုဆောင်ထားနေကျ။ အိမ်ထောင်စုထဲက တစ်ယောက်ယောက် နာမကျန်းဖြစ်ပြီဆိုတာနဲ့ ကိုကို၊ ညီညီတို့ အဖွားတက်တုန်းကလို လက်ကောက်ဝတ်မှာ ပရိတ်ကြိုး ဝတ်ပေးခံရမှာပါ။ ဒါမှမဟုတ် အိမ် သားတစ်ယောက် ယောက်ကို အပမီလာပြန်ရင်လည်း တစ္ဆေပြန်ထွက်သွားအောင် သူ့လက်ကောက်ဝတ် သို့မဟုတ် လည်ပင်းမှာ ပရိတ်ကြိုးကိုပတ်ချည်ရတယ်။ တစ်ခါတလေ အိမ်နီးချင်း တစ်ယောက်ယောက်မှာ ပရိတ်ခြည်ကုန်သွားပြီဆိုရင် တစ်ယောက်နဲ့တစ်ယောက် တောင်းယူကြတယ်။ ဒီလိုအကြောင်းကိစ္စမျိုးအတွက် ပရိတ်အိုးထဲက ပရိတ်ရေတွေ ပက်ဖျန်းတာ၊ သောက်သုံးတာတို့ လုပ်ဆောင်နိုင်ပါ သေးသတဲ့။

*****

မိုးဦးရာသီ

အခုတလော မိုးဖွဲလေးတွေရွာလာပြီ။ မိုးတွေ အဆက်မပြတ် သည်းကြီးမည်းကြီးမရွာခင် ရှေ့တော်ပြေး အခါသမယလေးပေါ့လေ။ နေ့တိုင်း မိုးတွေပိုပိုများလာတယ်။ မိုးမရွာခင်စပ်ကြား ကာလတွေမှာ လေတွေက ပူအိုက်အိုက်နဲ့ဖြစ်နေတုန်း။ ဒါပေမယ့် နေ့တိုင်း မိုးရွာလာတဲ့ အခုလိုအချိန်မျိုးဆို လယ်ကွင်းတွေမှာ မြက်ပင်တွေပေါက်ပြီး စိမ်းစိုလာကြပြီ။ မှိုတွေလည်းပွင့်ကြပေါ့။ သဘာဝတောဟင်းတွေလည်း ပေါ်လာကြရော။ ဖားတွေလည်း အုံးအင်-အုံးအင် အသံပေးလာကြတာကြားရဲ့။ လယ်သမားတွေလည်း လယ်ယာလုပ်ငန်းခွင်အတွက် ပြင်ဆင်ဖို့ လိုနေပြီ။

တစ်မနက်ခင်းမှာတော့ ဘာဘာက နွားလှန်သွားဖို့ အဆင်သင့်ပြင်နေတယ်။

"မေမေ၊ သား ဘာဘာနဲ့အတူ လယ်ကွင်းထဲ လိုက်သွားချင်တယ်"

ဘာဘာကို သူကိုယ်တိုင် မမေးရဲလို့လေ။ မေမေက ဘာဘာကို မေးပေးတယ်။ ဘာဘာက ခေါ်သွားမယ်လို့ ပြောလေရဲ့။

အရင်ရက်တွေတုန်းကဆို ဘာဘာက မနက်စောစောထ၊ နွားတွေ လယ်ကွင်းထဲ မောင်းသွားပြီး လှန်ထားခဲ့ရော။ အခုတော့ လတ်ဆတ်တဲ့ မြက်နုတွေ ပေါက်လာနေပြီလေ။ ဒါကြောင့် နွားတွေကို ခုံးတိုင်မှာချည်ပြီး လယ်ကွင်းထဲလှန်ထားစရာမလိုတော့။ ဒီရာသီဆို ရွာသားတိုင်းက နွားတွေကိုလွှတ်ထားတတ်ကြတာ။ မြေပဲ၊ စပါးပင်၊ ဟင်းသီးဟင်းရွက်စတာတွေလည်း ဘယ်သူ့မှာမှ မစိုက်ထားချိန်ဖြစ်တဲ့အပြင် မြက်နုစိမ်းတွေက နေရာတကာ ပေါက်နေကြလို့လည်းပါတာပေါ့လေ။

နွားတွေက သိပ်ဉာဏ်ကောင်းတဲ့ သတ္တဝါတွေ။ လွှတ်ပေးလိုက်ရင် သူတို့ဟာသူတို့ လျှောက်သွားရင်း အဝစား၊ ပြီးရင် ဗိုက်ကားကားနဲ့ အိမ်ပြန်လာကြရော။ ဒါပေမယ့် မိတ်လိုက်ချိန်မျိုးဆို တစ်ခါတလေ နွားတွေက ထိန်းရခက်တတ်တယ်။ များသောအားဖြင့်

နွားထီးတွေဟာ သုံးမိုးသားဆိုရင် ကိုယ့်အိမ်ကိုယ် သိထားပြီး သားလေ။ အိမ်မသိရင်တော့ သူ့အလိုလို အိမ်ပြန်မလာပါဘူး။ တစ်ခါတလေ နွားတွေမိတ်လိုက်ပြီး ဟိုဟိုသည်သည် လျှောက်သွားနေပြီဆိုရင် အိမ်နီးချင်းတွေက နွားတွေကို ဘယ်နားမှာနောက်ဆုံးတွေ့ခဲ့ တယ်ဆိုတာ အချင်းချင်းပြောပေးကြတယ်။ နွားတစ်ကောင်ကောင် ပျောက်သွားရင် အလွယ်တကူလိုက်ရှာလို့ရအောင် နွားလည်ပင်းမှာ ကြေးဝါခေါင်းလောင်းတစ်လုံး တပ်ပေးထားလေ့ရှိတယ်။ ဒါပေမယ့် ပျာယာခတ်မ၊ သူ့သားပေါက်လေး၊ ငနီနဲ့ ကွက် ကျားတို့က ဗိုက်ကားအောင်စားပြီးရင် အိမ်ကိုတန်းပြန်လာတတ်ကြလေ့ရဲ့။

ကိုကိုက ဘာဘာ မင်္ဂလာဆောင်းတာ မြင်ပြီး သူ့မင်္ဂလာလည်း လိုက်ရှာတယ်။ မိုးရွာရင် မျက်နှာမိုးလုံအောင်ပါ။ အဲဒီနောက် ကိုကိုက ဖိနပ်စီးပြီးသွားဖို့ အဆင်သင့်ပြင် နေတယ်။ နွားတွေကို ရှေ့မှာတင်ပြီး ဘာဘာနောက်က ကိုကိုလိုက်နေချိန်မှာ ညီညီက အိပ်ရာထဲကွေးနေဆဲလေ။

နွားတွေလွှတ်မယ့် လယ်ကွင်းထဲ ခဏလေး လျှောက်သွားပြီးတဲ့အခါ ကိုကိုက မြက်တောထဲ မှိုတစ်ပွင့်တွေ့လိုက်တယ်။ သူက မှိုနှုတ်ပြီး ရှေ့ကသွားနေတဲ့ ဘာဘာထံ အပြေးလေးသွားလိုက်တယ်။

"ဘာဘာ - ဘာဘာ။ ဒီမှာကြည့်။ မှိုတစ်ပွင့် ရထားပြီ"

"အဲဒါ ပေသာမှို ကွဲ့။" (ရခိုင်လို ခေါ်တဲ့ အမည်ပါ)

ကိုကိုက မှိုကို ယူလာတယ်။ မှိုထိပ်ပိုင်းက ငွေဒင်္ဂါးပြားလို ဖြူဖြူဝိုင်းဝိုင်းလေး။ ရိုးတံကလည်း အဖြူရောင်။ ကိုကို စိတ်လှုပ်ရှားနေမိရဲ့။ ဒီအချိန်က မှိုပွင့်ချိန်မို့ မှို ချက်စားရတာ သူ သိပ်ကြိုက်တာ။

ဘာဘာက နွားတွေကို လွှတ်ကျောင်းလိုက်ပြီးတဲ့အခါ လုံချည်ရှေ့ပိုင်းကို အိတ် တစ်လုံးလို လျှော့တွဲကျနေအောင် (ခါးပိုက်ထွက်နေအောင်) ပြန်ပြင်ဝတ်လိုက် တယ်။ ဘာဘာက လျှောက်လမ်းလေးကနေ ခွာပြီး မြက်တောထဲ လျှောက်သွားလိုက်တယ်။ ကိုကိုလည်း ဘာဘာ့နောက်လိုက်ခဲ့ရော။ ဘာဘာက ပေသာမှိုတစ်ခင်းတွေ့လို့ သား အဖနှစ်ယောက် မှိုခူးလိုက်ကြတယ်။ နောက်ထပ် မှိုတွေဆက်ရှာကြ ပြန်တယ်။ ဟော့- နောက်မှိုတစ်မျိုး။ ဒီမှိုမျိုးက ပိုကြီးသလို အောက်ခြေမှာ ပန်းနုရောင်လည်းပါရဲ့။ ဒါက မြက်ရင်းမှိုပါ။ ကိုကိုက ဘာဘာ့ကို မှိုကူခူးပေးတယ်။ မှိုခူးနေရင်း အိမ်မှာကျန်ခဲ့တဲ့ ညီညီအကြောင်းတွေးမိရဲ့။ သူက ပျော်စရာအားလုံးလွတ်သွားပြီ။

ဘာဘာက လယ်စောင့်တဲ့ဆီသွားတယ်။ ကိုကိုက နောက်ကနေထက်ချုပ်မကွာ လိုက်လို့။ လယ်စောင့်တဲ့က အရင်တစ်ခေါက် ကိုကိုရောက်ခဲ့တုန်းကနဲ့ မတူတော့။ တဲ့ပတ်လည်မှာ မြက်ပင်တွေ ရှည်ထွက်လာပြီ။ မြေကြီးက မြစိမ်းရောင်ပို့လို့ သမ်းနေပေါ့။ သစ်ပင်တွေ၊ ချုံပုတ်တွေလည်း ပိုမိစိမ်းမြလို့။ လယ်စောင့်တဲ့နားမှာ ငှက်တစ်ကောင် အော်မြည်သံ ကြားရရဲ့။

"ဘူ - ဘူ - ဘူ - ဘူ -"

အရင်တုန်းကတည်းက ဒီငှက်သံကို ကိုကို ကြားဖူးတယ်။ ဒါပေမယ့် အခုလောက် အနီးကပ်မကြားဖူးခဲ့။ ငှက်က အနီးအနားမှာဖြစ်မယ်။

"ဘူ - ဘူ - ဘူ - ဘူ -"

ဒီအသံက အခြားတစ်ဘက်ကလာတယ်။ ငှက်နှစ်ကောင်ရှိမယ်လို့ ကိုကို သိ လိုက်တယ်။ ဒီငှက်တွေက တစ်ကောင်နဲ့တစ်ကောင် အသံပေးနေကြတာလေ။ အသံကို နားထောင်ကြည့်တာနဲ့ ဒီငှက်တွေဟာ အကောင်ကြီးတွေ ဖြစ်မယ်လို့ ထင်ထားပြီးသား။

"ဘာဘာ၊ အခု ကြားလိုက်တာ ဘာငှက်လဲဟင်"

"အဘုတ် (ဘုတ်ငှက်) ခေါ်တယ်၊ သားရေ။ ဒီငှက်တွေက လယ်စောင့်တဲ့နားက ချုံပုတ်တွေထဲ နေကြတာကွဲ့။"

"ဒီကောင်တွေက အကြီးကြီးပဲလား၊ ဘာဘာ"

"ကြက်တစ်ကောင်လောက်ကို ကြီးတာလေ"

ဘာဘာက လယ်စောင့်တဲ့နား မှိုတွေ ဆက်ရှာနေတုန်း ကိုကိုက ငှက်သံလာရာ ဘက်ကြည့်လိုက်တယ်။ လယ်စောင့်တဲ့နားက ချုံပုတ်တွေနား သူ တိုးကပ်သွားလိုက် တယ်။ ရုတ်တရက်ဆိုသလို အဘုတ်တစ်ကောင်ကို သူ မြင်လိုက်ရတယ်။ ငှက်က ချုံပုတ်တစ်ခုကနေ နောက်တစ်ခုသို့ ပျံသွားတာတွေ့ရတယ်။ ခေါင်း၊ ရင်အုံနဲ့ အမြီး တို့က အပြာရင့်ရောင်။ တောင်ပံနဲ့ မျက်လုံးတွေက အနီ့ရောင်တောက်တောက်ရှိလေရဲ့။ ကိုကို အံ့ဩမိတာက ဒီငှက်တွေ တစ်ကောင်နဲ့တစ်ကောင် အသံပေးပြီး မေးထူးခေါ် ပြော လုပ်နိုင်ကြတာကိုပါ။

"ဘူ - ဘူ - ဘူ - ဘူ -"ဆိုတာ သူတို့ရဲ့ တေးသီသံပေါ့။ ကိုကိုက ရယ်လိုက်မိ တယ်။ ငှက်တစ်ကောင်ဆီက ဒီလောက်အသံသဲ့သဲ့ကြီး ထွက်လာတယ်ဆိုတာ ဘယ်လောက်များ ရယ်စရာကောင်းလိုက်သလဲလို့။

ကိုကိုက မင်္ဂလာချွတ်ပြီး မှောက်လျက်ကိုင်ထားတယ်။ သူ ခူးထားတဲ့ မှိုတွေ ထည့်ဖို့ နေရာကောင်းလေးတစ်ခု ရပြီပေါ့လေ။ အဘုတ်တွေ တစ်ကောင်နဲ့တစ်ကောင် တဘူဘူ အသံပေးတာနားဆင်ရင်း မင်္ဂလာထဲ မှိုတွေဆက်ရှာပြီးထည့်နေတယ်။ ရှက်ပင်(ထိကရုံးပင်)တစ်ခင်းတွေ့တော့ ရှက်ပင်တွေ မထိခိုက်ရအောင် အပေါ်က ခုန်ကျော်ကြည့်တယ်။ ရှက်ပင်တွေက အထိမခံချင်ကြမှန်း သူ သိထားတယ်လေ။ လက်နဲ့ သွားထိမိပြီဆိုရင် ရှက်ပင်အရွက်တွေ အတွင်းဘက် ခေါက်လိပ်သွားရော။ ဒါပေမယ့် ရှက်ပင်အရွက်တစ်ချို့က မြေကြီးကနေ ထိုးထွက်မြင့်တက်နေတာမို့ ခြေနဲ့ မတော်တဆ သွားထိမိတယ်။ အရွက်တွေ အတွင်းဘက် လိပ်ဝင်သွားလေရဲ့။ ကိုကိုက အနားတိုးပြီး ကြည့်နေတယ်။ ဘယ်အချိန်ဆို ဒီအရွက်တွေ ပြန်ပွင့်လာမလဲ ကြည့်ချင်လို့ ပေါ့လေ။ ခဏနေတော့ ရှက်ပင်အရွက်တွေပြန်ပွင့်လာတယ်။ ကိုကို ရယ်မိရော။ တယ်

ရယ်စရာကောင်းတဲ့အပင်ကိုး။

ကိုကိုက တခြားငှက်တွေလည်း မြင်ရရဲ့။ ရှောက်ပလိန်ငှက် (ဘွတ်ကလုံငှက်) တစ်ကောင်လည်း မြင်ရတယ်။ ရှောက်ပလိန်ငှက်က တေးဆိုသိပ်ကောင်းတာ။ အသံ သာသာလို အဆင်းလည်းလှတယ်လို့ ကိုကိုတွေးမိပြန်ရော။ ရှောက်ပလိန်ငှက်ရဲ့ထိပ်မှာ

နက်မှောင်ချွန်ထက်တဲ့ အမောက်လေးတစ်ခုရှိလေရဲ့။ ပြီးတော့ နားတဝိုက်နဲ့ အမြီး အောက်မှာ အနီရောင်တောက်တောက် အကွက်လေးတွေပါတယ်။ လည်ပင်းနဲ့ဝမ်းဗိုက် က အဖြူ့ရောင်လေ။ ရှောက်ပလိန်ငှက်တွေ သစ်ပင်တစ်ပင်ကတစ်ပင် ခုန်ပျံနေတာ တွေ့ရသလို ချိုးငှက်တွေလည်းတွေ့ရရဲ့။ လယ်စောင့်တဲ့တဝိုက် ရှောက်ပလိန်နှစ်ကောင် ပတ်ပျံနေတာတွေ့ရတယ်။ ဒီနှစ်ကောင်က လင်မယားတွေလို့ ကိုကို တွေးလိုက်တယ်။ သားသမီးတွေကို လိုက်ရှာကြတာဖြစ်မယ်။

ဘာဘာက ချောင်းကမ်းနား ကပ်သွားပြီး မှို့တွေ ဆက်ရှာတယ်။ ကိုကိုလည်း ဘာဘာ့နောက် လိုက်ခဲ့ပြန်တယ်။ လမုပင်အကိုင်းတစ်ကိုင်းပေါ်မှာ ငှက်တစ်ကောင် လည်းတွေ့ရရဲ့။ ချောင်းမှာ ဒီရေတက်ချိန်ဖြစ်လို့ အဲဒီအကိုင်းနားထိ ဒီရေရောက်နေပြီ လေ။ ငှက်ကသိပ်လှတာ။ မိုးပြာရောင်အမွေးရှိပြီး ဝမ်းဗိုက်မှာတော့လိမ္မော်ရောင်ရှိ လေရဲ့။

"ဒါ ဘာငှက်မျိုးလဲဟင်၊ ဘာဘာ"

"အဲဒါ ပိန်ညှင်းငှက်လေ၊ သားရေ"

ပိန်ညှင်းငှက်က အဲဒီအနိမ့်ကိုင်းမှာနားပြီး ရေထဲ ငါးလိုက်ရှာနေတယ်။ ရုတ်
တရက် ခပ်ရှည်ရှည်နှုတ်သီးချွန်နဲ့ ငါးတစ်ကောင် သုတ်ခြို့ပြီးပျံထွက်သွားလေရဲ့။ ဒီနေ့
ငှက်တွေအများကြီးတွေ့နေရလို့ ကိုကိုအံ့သြနေမိတယ်။ ဒီနားတဝိုက် ငှက်တွေအများ
ကြီးပဲ။ ဒီရာသီက မိုးဦးရာသီမို့ ငှက်အားလုံးအပြင်ထွက်ပြီး ငှက်ငယ်လေးတွေလည်း
အပျိုသင်တဲ့အချိန်ကိုး။ မိုးတွေသည်းသည်းမည်းမည်း ဆက်တိုက်ရွာလာတဲ့ မိုးရာသီ
ရောက်ပြီဆို ငှက်တွေအမိုးအကာအောက်မှာပဲ နေကြတော့တယ်။

ချောင်းနားမှာ ဘာဘာကို ကိုကိုက မှိုဉ(မှိုလုံး)တွေ ကူခူးပေးသေးတယ်။
ကိုကိုက ဝါးတံတားတစ်စင်းလျှမ်းမြင်လိုက်ရတယ်။ ဒီတံတားက ဘာဘာလယ်သွား
ထွန်တဲ့ ဟိုဘက်လယ်ကွင်းကို ဆက်သွယ်ပေးတဲ့ တံတားလေ။ အရင်က ဒီတံတားပေါ်
သူ မတက်ဖူးခဲ့။

"ဒီတံတားကို ဖြတ်လျှောက်လို့ ရလားဟင်၊ ဘာဘာ"

"မရသေးဘူး၊ သားရေ။ လူတွေ ဖြတ်မကူးခင် ဒီတံတားကို ပြင်ရဦးမယ်"

ချောင်းကမ်းနားမှာ မှိုတွေ အများကြီး မတွေ့။ ဒါပေမယ့် ဘာဘာနဲ့ကိုကိုတို့
နေ့လည်စာအတွက် မှိုတွေလုံလောက်အောင်ခူးထားကြပြီ။ သူတို့ရဲ့ ဆွလာဒ်တော်
မှိုလေးတွေကိုကိုင်ပြီး အိမ်ပြန်ရင်း ကိုကိုတွေးမိတယ်။ ဒီမှိုတွေ မြင်လိုက်ရင် မေမေနဲ့
ညီညီတို့ ဘယ်လောက်တောင် အံ့သြသွားလိုက်မလဲလို့လေ။ ပထမဆုံးပေသာမှိုကို
ဘယ်လိုရှာတွေ့ခဲ့တယ်၊ မြင်ခဲ့ရတဲ့ ငှက်တွေဘယ်လိုတောင်လှတယ်ဆိုတာ ညီညီကို
လည်းပြောပြချင်လှပြီ။

*****

အဲဒီညမှာပဲ ဘာဘာက မနှစ်တုန်းက စုဆောင်းထားခဲ့တဲ့ ဟင်းမျိုးစေ့တွေကို
ပြန်ထုတ်ယူတယ်။ ဒီတစ်ည ရေစိမ်ပြီးရင် အညှောက်ပေါက်တာမြန်မှာပါ။ နောက်နေ့
မနက်ခင်း နွားလွတ်ကျောင်းဖို့ ကွင်းထဲသွားတဲ့အခါ ဟင်းမျိုးစေ့တွေပါ ယူလာခဲ့တယ်။
နွားတွေ လွှတ်ကျောင်းပြီးတာနဲ့ လယ်စောင့်တဲ့နားမှာ ဟင်းမျိုးစေ့တွေ စိုက်ပျိုးလိုက်တယ်။
ဘာဘာက ဟင်းပင်စိုက်ပျိုးမယ့် မြေမှာရှိတဲ့ အပင်ဆွေးတွေကို မီးရှို့လိုက်၊ မြေကြီးပေါ်
မီးတိုက်လိုက်နဲ့ မိုးမရွာခင် သတင်းပတ်အတော်ကြာကတည်းက မြေကြီးကို ပြင်ဆင်ထား
လေရဲ့။ အခုတော့ အဲဒီမြေပေါ် မြက်နုစိမ်းတွေပဲ ထိုးထိုးထောင်ထောင် ပေါက်နေပြီ။
ဘာဘာက သခွား၊ ပဲတောင့်ရှည်၊ ငရုတ်၊ ချဉ်ပေါင်၊ ရုံးပတီစေ့၊ ဘူးစေ့နဲ့ ရွှေဖရုံစေ့တို့
စိုက်ပျိုးလိုက်တယ်။ ကန်စွန်းပင်နဲ့ နံနံပင်လည်း စိုက်ပျိုးလိုက်ရဲ့။

နေ့လည်စာစားဖို့ အိမ်ပြန်လာချိန်မှာ ဘာဘာက သူ ခုတ်ထားတဲ့ ဝါးလုံးစိမ်း

တစ်ပိုင်းကို သယ်လာတယ်။ ဝါးလုံးပိုင်းက ငါးပေနဲ့ ခြောက်လက်မလောက်ရှည်တယ်။ နောက်ပြီး သစ်မာသားနှစ်ချောင်းလည်းပါလာလေရဲ့။ နေ့လည်စာ စားပြီးနောက် ဝါးထမ်းပိုးတစ်ခုလုပ်ဖို့ သူ့စီမံချက်ကို အကောင်အထည်ဖော်ပါတော့တယ်။ ပထမဆုံး အနေနဲ့ ဝါးလုံးစိမ်းပေါ် က ဘုအားလုံးကို ဓားနဲ့အချောသတ်တယ်။ ပြီးတာနဲ့ မောင်းကာ အောက်မှာ မီးတစ်ဖို ဖိုပြီး သံချောင်းတစ်ချောင်းကိုမီးဖုတ်လိုက်တယ်။ အဲဒီနောက် ထမ်းပိုးသစ်မှာ ဘယ်နားအပေါက်ဖောက်ရမယ်ဆိုတာ မှတ်သားဖွဲ့ ထမ်းပိုးဟောင်းတစ်ခုကို အသုံးပြုလိုက်တယ်။ တူနဲ့ဆောက်ကိုသုံးပြီး ဝါးလုံးရဲ့တစ်ဘက်မှာ အပေါက်လေးပေါက် အရင်ဆုံးဖောက်လိုက်တယ်။ ပြီးမှ နောက်တစ်ဘက်မှာ အပေါက်လေးပေါက် တစ်တန်း တည်းဖောက်လိုက်တယ်။ နောက်တော့ သံချောင်းပူကို အပေါက်တွေထဲ ထိုးထိုးထည့်ပြီး ဝါးပေါက် ချောမွေ့ မကျေအောင်လုပ်ပြန်ရော။ နောက်ဆုံးမှာ သစ်မာသားတစ်ချောင်း စီကို နှစ်ပိုင်းပိုင်းပြီး သစ်သားချောင်း လေးချောင်းရအောင်လုပ်တယ်။ ဝါးပေါက်တွေထဲ ဒီသစ်သား ချောင်းတွေဝင်အောင်ထည့်ရင်း ခုပ်ထူထူဖြစ်နေတဲ့အပိုင်းကို ဓားနဲ့ ရွေပေး ရတယ်။ ဘာဘာက အလွယ်တကူ ကြိုးချော်မသွားအောင် ကြိုးထည့်မဲ့ အစွန်းဘက်မှာ အထစ်လေးတွေလုပ်ပေးထားလေရဲ့။ ကြိုးချော်ထွက်သွားရင် ထမ်းပိုးလည်း နွားတွေရဲ့ လည်ပင်းကနေလွတ်သွားမှာပါ။ အခုတော့ ထမ်းပိုးအဆင်သင့်ဖြစ်ပြီမို့ ဘာဘာက တခြားပြင်ဆင်စရာ မရှိလေအောင် ထယ်ရဲ့လက်ကိုင်၊ ချိန်ခွင်လက်နဲ့ ထယ်သွားတို့ကို စစ်ဆေးကြည့်တယ်။ အခုဆို ဘောင်ဘောင့်မောင်ဝမ်းကွဲ့ရဲ့ လယ်ကိုမကြာခင်မှာ စ ထွန်နိုင်တော့မယ်ပေါ့လေ။ မိုးတွေ သည်းသည်းမည်းမည်း ရွာတဲ့အခါ လယ်ကွင်းတွေ မြေပျော့လာပြီး ထွက်ယက်ဖို့ အဆင်သင့်ဖြစ်လာတော့မှာလေ။

*****

ညနေစောင်းလို့ မိုး မရွာရင် ညနေဆည်းဆာချိန် မရောက်ခင် ညစာစားပြီးတာနဲ့ အိမ်နီးချင်းတွေ စုဝေးကြတယ်။ မေမေနဲ့ သူငယ်ချင်းတစ်သိုက်က အိမ်နီးချင်း အိမ် ဘေးမှာစုဝေးပြီး ကစားနည်းမျိုးစုံကစားကြတယ်။ ဒီအချိန်က မိန်းမပျိုတွေနဲ့ အိမ်ထောင် သည်အမျိုးသမီးတွေအတွက် ပျော်စရာအချိန်လေ။ ပုံမှန်ဆို သူတို့တွေတစ်နေ့ခင်းလုံး ကျောက်တွင်းမှာ ရေခပ်လိုက်၊ အဝတ်တွေလျှော်လိုက်၊ ကလေးတွေကို ရေချိုးပေးလိုက်၊ မီးဖိုချောင်မှာ ချက်ပြုတ်ပြင်ဆင်လိုက်၊ လုံးတီးဆန်ကို ဆန်ဖြူအောင် ထောင်းလိုက်၊ တခြားဝေယျာဝိစ္စတွေ လုပ်လိုက်နဲ့ အလုပ်များနေတတ်ကြတာ။ ဒါကြောင့် မိုးရာသီ အစမှာ မိုးတွေသည်းလာချိန်အတွက် ကြိုတင်ပြင်ဆင်မှုတွေလုပ်ပြီးနောက် လယ်ထွန်ပျိုး စိုက်နဲ့ အလုပ်များမဲ့အချိန် မလာသေးခင် ရွာခံ အမျိုးသမီးတွေစုဝေးပြီး ကစားနည်း မျိုးစုံ ကစားနိုင်ကြတာပေါ့။ ကလေးတွေက သဗ္ဗေါဇဝ္ဖျာပေါ်ထိုင်ပြီး အမေ၊ အဒေါ် အစ်မတို့ ကစားပျော်ပါးနေတာ ကြည့်ကြရတယ်။

ကိုကိုနဲ့ ညီညီတို့ အိမ်နီးချင်းအိမ်ကို စောစောလေး သွားလိုက်ကြတယ်။ မေမေနဲ့ တခြားအမျိုးသမီးတွေ ရောက်လာအောင် စောင့်နေရင်း သစ်ပင်တွေကြား ပြေးလွှား ဆော့ကစားနေကြတယ်။ ခေါင်းအုံးစာပင် ငုတ်တိုတစ်ခုကနေ အပင်သစ်သုံးပင်ထွက် နေတဲ့ နေရာတစ်နေရာရှိလေရဲ့။ ဒီသစ်ငုတ်တိုနား ပတ်ပြေးလိုက်၊ အပေါ်တက်ဆော့ လိုက်၊ သစ်ငုတ်တိုက ပေါက်ရောက်ကြီးထွားနေတဲ့ ပင်ပျို သုံးပင်ကြား လမ်းလျှောက်လိုက်နဲ့ သိပ်ပျော်ဖို့ကောင်းတာလေ။

"ကိုကိုရေ၊ ကူပါဦး"

ရုတ်တရက် ညီညီအော်သံ ကြားရတယ်။ ခေါင်းအုံးစာပင်ပျိုနှစ်ပင်ကြား ညီညို့ ခေါင်း ဘယ်လိုကနေဘယ်လို ညှပ်သွားမှန်းမသိတော့။

ကိုကိုက ကူညီပေးဖို့ကြိုးစားပေမယ့် ညီညို့ခေါင်းကိုဆွဲထုတ်လို့မရ။ သူက မေမေကို အော်ခေါ်လိုက်တယ်။

သစ်ပင်တွေနဲ့ အနီးဆုံးအိမ်မှာ နေတဲ့ ဒေါ်ပုဝါက ဝရုန်းသုန်းကားဖြစ်သံကြားပြီး ပထမဆုံး ရောက်လာတယ်။ သူက ပင်ပျိုနှစ်ပင်ကို လက်နဲ့ ဆွဲခွာပေးလိုက်တော့မှ ညီညီ ခေါင်းထုတ်နိုင်သွားတယ်။ ညီညို့ခေါင်းလွတ်တာနဲ့ မေမေလည်း ရောက်လာရော။ ညီညီက တအားကြောက်နေတော့ မေမေ့နားအပြေးလေးသွားပြီး ထွေးဖက်ထား လိုက်တယ်။

သိပ်မကြာခင်မှာပဲ ကစားဖို့အချိန်ရောက်လာပြီ။ ကိုကိုနဲ့ညီညီတို့က သပေါ့ဇာ ဖျာပေါ် အတူတူထိုင်လိုက်ကြတယ်။ မေမေနဲ့ တခြားအမျိုးသမီးတွေ နှစ်သင်းဖွဲ့ လိုက်ကြတာတွေ့ရဲ့။ ဒီညတော့ မေမေတို့ ထုတ်ဆီးထိုးတမ်း ကစားကြမယ်လေ။ အသင်းတစ်သင်းစီမှာ ငါးယောက်၊ ခြောက်ယောက်ပါတယ်။ အမျိုးသမီး ဘယ် နှစ်ယောက် လာကစားလဲဆိုတဲ့အပေါ် မူတည်ပါတယ်။ ဒီပွဲက အကြိတ်အနယ် ယှဉ်ပြိုင် ရတဲ့ကစားပွဲပါ။ တစ်သင်းက တစ်ဘက်အသင်း ကျော်ဖြတ်ဖို့ ကြိုးစားနေတဲ့ စည်းတွေကို မဖြတ်နိုင်အောင် ကြိုးစားကာကွယ်ရတာလေ။

နေမှောင်လာတဲ့အခါ ပိုးစုန်းကြူးတွေ ထွက်လာရော။ ကိုကို၊ ညီညီနဲ့ တခြား ကလေးတွေလည်း ပိုးစုန်းကြူးတွေ လိုက်ဖမ်းကြတယ်။ ပိုးစုန်းကြူးတစ်ကောင် ဖမ်းမိပြီဆိုရင် သတိနဲ့ ညင်ညင်သာသာလေး ကိုင်တွယ်လေ့ရှိတယ်။ အင်းဆက်ပိုးမွှား တွေကို နာကျင်စေလိုတဲ့ဆန္ဒသူတို့မှာမရှိ။ ပိုးစုန်းကြူးကို ရှပ်အကျီအိတ်ထဲ ဂရုတစိုက် ထည့်ကြတာ ပျော်စရာသိပ်ကောင်းတယ်။ အိတ်ကပ်ထဲ ထည့်လိုက်ရင်လင်းလာရော။ ကစားပွဲတစ်ပွဲနဲ့တစ်ပွဲကြား နားချိန်မှာ မေမေက ကိုကိုတို့နားလာထိုင်တတ်တယ်။

"အိတ်ကပ် ပိုလင်းချင်ရင် ဝါဂွမ်း ထည့်လို့ရတယ်၊ သားရေ့"

ညီညီက ကိုကို့နောက်ကနေ အိမ်ကို လိုက်လာတယ်။ ကိုကိုက သူ့အတွက်ရော ညီညီအတွက်ပါ ဝါဂွမ်းတွေ ယူခဲ့တယ်။ ညီအစ်ကိုနှစ်ယောက် ဝါဂွမ်းကို အိတ်ထောင်

ထဲ ပိုးစုန်းကြူးတွေနဲ့ရောပြီး ဂရုတစိုက်ထည့်လိုက်တယ်။ ပိုးစုန်းကြူးရဲ့အလင်းရောင်
ကြောင့် အိတ်ထောင်ထဲက ဝါဝွမ်းပိုလင်းသွားသယောင်ရှိရဲ့။ ဒီလိုပုံစံနဲ့ လမ်းပတ်
လျှောက်ရတာ သိပ်ပျော်ဖွယ်ကောင်းတယ်။ တခြားကလေးတွေလည်း အိတ်ထောင်ထဲ
ပိုးစုန်းကြူးထည့်ထားကြတာမြင်ရရဲ့။

ခဏနေတော့ ကိုကိုနဲ့ ညီညီတို့ ပိုးစုန်းကြူးကို လွှတ်ပေးလိုက်ကြတယ်။ ပိုးစုန်း
ကြူးတွေကို အိတ်ကပ်ထဲအကြာကြီးထည့်ထားရတာ ကိုကို စိတ်တော့မကောင်း။
ညီညီက ကိုကိုလုပ်တာမှန်သမျှ လိုက်လုပ်တတ်တာဆိုတော့ ကိုကိုက ပိုးစုန်းကြူးတွေ
လွှတ်လိုက်ရင် သူလည်း လွှတ်လိုက်တာပါပဲ။

*****

နောက်တစ်နေ့မနက်မှာ ဝါးတံတားပြင်ဖွဲ့ ဘာဘာ အဆင်သင့်ဖြစ်နေပြီ။ မိုးတွေ
သည်းသည်းမည်းမည်းရွာလို့ တံတားဟောင်း ရေတိုက်စားမခံရခင် တံတား ပြင်ထားမှ
တော်ကာကျမယ်လေ။ ချောင်းတစ်ဘက်ကမ်းမှာ လယ်စောင့်တဲ့တစ်လုံးရှိတယ်။ လယ်
စောင့်တဲ့လည်း နည်းနည်းပါးပါး ပြင်ဖွဲ့လိုနေပြီ။ ချောင်းထဲ ရေပြည့်ချိန် ဖြတ်ကူးလို့
မရတော့ရင် နွားတွေခိုနားဖွဲ့လိုတယ်လေ။

နွားတွေကို လယ်ကွင်းထဲ လွှတ်ကျောင်းပြီးတဲ့အခါ ဘာဘာက ဝါးလုံးစိမ်းတွေ
ခုတ်ယူပြီး တံတားနားသယ်လာတယ်။ သူ့အစ်ကိုနှစ်ယောက်နဲ့ မြေပိုင်ရှင် ဦးသိန်းမောင်
တို့လည်း လာကူပေးကြလေရဲ့။ ပထမဦးဆုံး တံတားကို ထောက်ထားတဲ့ဒေါက်တိုင်
တွေကို စစ်ဆေးကြည့်ပြီး အစားထိုးရမယ့် တိုင်မှန်သမျှဖြုတ်ပစ်တယ်။ လူနှစ်ယောက်က
ဒေါက်တိုင်သစ်ကို ချောင်းကြမ်းပြင်ရဲ့ ရွှံ့တောနဲ့ ကျောက်ခဲလေး တွေထဲ လိမ်ကာတွန့်ကာ
တွန်းထည့်ရတယ်။ ဒီရေကျချိန်ဖြစ်လို့ ဘာဘာတို့တတွေ ရေထဲမတ်တပ်ရပ်ရင်း
အလုပ်လုပ်နိုင်ကြတာလေ။ ချို့နဲ့နေတဲ့ ဒေါက်တိုင်တွေကို အစားထိုးပြီးတဲ့အခါ အပေါ်က
ဝါးအခင်းကို အစားထိုးကြပြန်တယ်။

တံတား ပြန်ပြင်ပြီးသွားတဲ့အခါ ဒေါက်တိုင်နှစ်တိုင်စီနဲ့ စုစုပေါင်း ရှစ်ခု ရှိတယ်။
ဒေါက်တိုင်တစ်ခုစီဟာ ချောင်းကြမ်းပြင်ကနေ ၁၅ ပေလောက် မြင့်ပါတယ်။ ဒေါက်
တိုင်နှစ်တိုင်စုတစ်စုစီမှာ သုံးပေလောက်အရှည်ရှိတဲ့ ကန့်လန့်ဖြတ်ဝါးလုံးတန်း တစ်
တန်းရှိတယ်။ ကန့်လန့်ဖြတ် ဝါးလုံးတန်းတွေကို ဒေါက်တိုင်နှစ်တိုင်လုံးမှာ နွယ်ကြီးနဲ့
သွားချည်ထားတယ်။ ကန့်လန့်ဖြတ်ဝါးလုံးတန်းတွေကပ ဝါးအခင်းကို ထောက်ပံ့ပေးထား
တာလေ။ ကန့်လန့်ဖြတ်ဝါးလုံးတန်းတွေပေါ် ကနေ ဝါးလုံးရှည်တွေ ကန့်လန့် ချထားပြီး
နွယ်ကြီးတွေနဲ့ ချည်ပြန်တယ်။ ဝါးကြမ်းခင်းကို ချောင်းပြင်ရဲ့ ဟိုဘက်ဒီဘက် ပေသုံး
ဆယ်လောက် ဖြတ်ထိုးထားရတယ်။ မိုးတွေ၊ ရွှံ့တွေကြောင့် ဝါးလုံးကြမ်းခင်းတွေ
ချောနေတတ်တာမို့ တံတားကြမ်းခင်းဘေးတစ်ဘက်မှာ လက်ကိုင်တန်းတစ်တန်းလုပ်

ပေးထားရတယ်။

အခုဆို ဘာဘာက ချောင်းတစ်ဘက်ကမ်း လယ်စောင့်တဲ့ကို အနည်းအကျဉ်း ပြင်တာ ပြီးသွားပြီ။ အိမ်အမိုးဟောင်းက ကျလာတဲ့ အုန်းပျဉ်တွေနဲ့ တဲခေါင်မိုးကို ပြန်ပြင်လိုက်တာလေ။ ခေါင်းမိုးတွေကို အနည်းအကျဉ်းပဲ ပြင်ရတာကြောင့် မေမေ အကူအညီလည်း မလိုလိုက်။

အခုတော့ ဘယ်နေ့ဘယ်အချိန်မဆို မိုးတွေ သည်းသည်းမည်းမည်း ရွာတော့ မှာ။ မိုးရွာရင် လယ်တွေလည်း စထွန်ရတော့မယ်။ ဘာဘာက ပထမလယ်စောင့်တဲ့နားက လယ်ကို ထွန်ယက်ပြီး စပါးစိုက်တော့မှာပေါ့။ ဒီလယ်ကို 'ရွက်ကိုင်း'လို့ ခေါ်တယ်။ ရွက်ပင်တွေရှိတဲ့ 'ကျွန်ဆွယ်လေး'ဆိုတဲ့ အဓိပ္ပာယ်ပေါ့။ ချောင်းတစ်ဘက်ကမ်းက လယ်ကွက်ကိုလည်း ထွန်ယက်ပြီးစပါးစိုက်မှာပါ။ အဲဒီလယ်ကွက်ကိုတော့ 'သဖက်ပြန်' ခေါ်တယ်။ 'တစ်ဘက်ကမ်းက လယ်ကွက်'ဆိုတဲ့ အဓိပ္ပာယ်ပေါ့။

အဲဒီနေ့နောက်ပိုင်း မိုးတွေတအားရွာပါတယ်။ မိုးစဲသွားပြန်ရင်လည်း သိပ် မကြာလိုက်ခင် နောက်တစ်ခါက် မိုးရွာပြန်ရော။ ညနေစာစားပြီးနောက် ဖားတွေ အုံးအင်-အုံးအင် အသံပေးတာ ကိုကိုကြားရတယ်။ ဖားတွေ သန်းချီရှိမယ့်ပုံမျိုး။

"ပူး - ဘွင်၊ ပူး - ဘွင်၊ ဘွင် -" ပိုက်ကားကားနဲ့ ဖားတွေ မြည်နေကြလေရဲ့။ မိုးရွာလို့ ဖားတွေ သိပ်ပျော်နေကြပေါ့။ ဒီဖားခုံညင်းတွေကို လူတွေ မစားကြ။

"အွိတ် . . .၊ အွိတ် -၊ အွိတ် -" ဆိုတဲ့ နောက်ဖားတစ်မျိုး လည်ချောင်းသံနဲ့ တိုးတိုးလေး အော်သံပေးကြတယ်။ ဒီဖားတွေက ဒီည ဘာဘာ လိုက်ရွာဖမ်းမယ့် ဖား မျိုးပါ။

ဘာဘာက ဓာတ်မီးကို ထုတ်ကြည့်တယ်။ ဓာတ်ခဲတွေက အားနည်းနေပြီ။ ဒါကြောင့် မင်္ဂလာကို ခေါင်းလုံရဲ့ဆောင်းပြီး တိုလီမိုလီတွေရောင်းတဲ့အိမ်ကို သွား လိုက်တယ်။ ဒီအိမ်က ရွာမြောက်ပိုင်းမှာ တိုလီမိုလီပစ္စည်းတွေရောင်းတဲ့ တစ်ခုတည်း သောဆိုင်ပါ။ ဘာဘာက လမ်းအတိုင်းလျှောက်သွားတယ်။ ပြီးရင် ဘယ်ဘက်ချိုးပြီး မင်းလမ်းပေါ် တက်လိုက်တယ်။ ဘုန်းကြီးကျောင်းအသွားလမ်းရောက်တော့ ဘယ်ဘက်ကို ချိုးကွေ့လိုက်တယ်။ တိုလီမိုလီရောင်းတဲ့ အိမ်က ဘုန်းကြီးကျောင်း အသွားလမ်းရဲ့ လေးအိမ်မြောက်အိမ်ပါ။ အခြေခံဆေးဝါးတွေ၊ ဓာတ်ခဲတွေ၊ ချက် ပြုတ်ရေးသုံး ဆီတွေ၊ ကြက်သွန်နီ၊ ဟင်းခတ်အမွှေးအကြိုင်တွေ၊ စာရေးကိရိယာ၊ ဆေးပေါ့လိပ်၊ သကြားလုံးနဲ့ အလားတူပစ္စည်းတွေကို လူတွေ ဒီကဝယ်နိုင်ကြတယ်။

ဘာဘာက ဓာတ်ခဲတွေ ဝယ်ပြီး မိုးရွာထဲ အိမ်ပြန်လာတယ်။ အိမ်ထဲရောက်တော့ ဓာတ်မီးထဲ ဓာတ်ခဲကြီး ၃ ခု ထည့်လိုက်တာတွေ့တယ်။ ဓာတ်မီးဟာ ရေန်ဆီ မီးခွက် ထက် ပိုလို့အသုံးပြုရလွယ်ကူပါတယ်။ ရွာထဲက ရွာသားအများစုမှာ ဓာတ်မီးမရှိကြ။ ဓာတ်မီးကို ကိုကို ကိုင်ကြည့်ချင်လိုက်တာမှ။

ဘာဘာက မိုးရေထဲ တစ်ခေါက် ပြန်ထွက်ဖို့ အဆင်သင့်ပြင်နေလို့ ဓာတ်မီးကို
ချထားခဲ့လိုက်တယ်။ ကိုကိုက ဓာတ်မီးကို ကောက်ကိုင်ပြီး အနီးကပ်လေ့လာကြည့်လိုက်
တယ်။ ဓာတ်မီးရောင်က တအားလင်းတာ။ ဓာတ်ခဲသုံးတောင့်ထိုး ဓာတ်မီးဆို တော့
အလေးကြီး။ ဘာဘာလုပ်သလိုမျိုး ခလုပ်လေးကို သူ တွန်းကြည့်တယ်။ မီးရောင်တစ်ခု
ပေါ် လာတာတွေ့လို့ သူ သဘောတွေ့မိရဲ့။ အိမ်ခန်းထဲကနေ အပြင်ထွက်ပြီး မိုးရေထဲ
ဓာတ်မီးထွန်းကြည့်တယ်။ ဘာဘာလုပ်တာ မြင်ဖူးထားတဲ့အတိုင်း အလင်းရောင်က
မျက်စိအမြင်အာရုံနဲ့ တစ်တန်းတည်း ဖြစ်နေအောင် မျက်နှာနားကပ်ပြီး ဓာတ်မီးကိုင်
ထားကြည့်တယ်။ အမှောင်ထဲ အလေးကြီး မြင်ရတာတွေ့တော့ သူ အံ့သြမင့်သက်မိတယ်။

ဒီအချိန်မှာပဲ ဘာဘာပြန်လာသံ ကြားလိုက်တယ်။ ဒါကြောင့် ဓာတ်မီးကိုခပ်
သွက်သွက်လေးနေရာမှာ ပြန်ထားလိုက်ရတယ်။ ဘာဘာသာ မိသွားလို့ကတော့
ဒီလောက် အရေးကြီးတဲ့ ကိရိယာနဲ့ ကစားနေရကောင်းလားဆိုပြီး အဆူခံထမယ်ဆိုတာ
သိနေတယ်လေ။

မိုးရေထဲ ဘာဘာ ထွက်သွားတယ်။ ဘာဘာ အိမ်ပြန်လာချိန်ထိ သူ မအိပ်ဘဲနေဖို့
ကြိုးစားကြည့်တယ်။ အမိုးအကာမရှိတဲ့ ကွင်းပြင်မှာ မိုးရေထဲ ဘာဘာ အကြာကြီး
သွားနေတာ ကိုကို ရင်တထိတ်ထိတ် ဖြစ်နေမိတယ်။ ညီညီက ဦးဆုံး အိပ်ပျော်သွားတယ်။
ကိုကိုက မျက်လုံးမပိတ်မိအောင် ကြိုးစားနေလိုက်တယ်။ ဒါပေမယ့် အုန်းပျစ်အမိုးပေါ်
မိုးရွာကျသံတွေက ချေ့သိပ်သလို ဖြစ်နေတာကြောင့် သူ အိပ်ပျော်သွားတယ်။

နောက်တစ်နေ့မနက် ကိုကို နိုးလာတော့ ဘာဘာ မီးဖိုပေါ်ဖားကင်နေပြီ။ ဖား
တွေကို ချက်ချင်းစားပစ်ဖို့ ချက်ပြုတ်နေတာမဟုတ်။ မေမေ နေ့လည်စာနဲ့ညနေစာ
ချက်ပြုတ်ပြင်ဆင်တဲ့အခါ မီးခိုးနံ့လေး သင်းနေအောင် ဖားတွေကို ကင်ရုံပဲကင်ထား
တာပါ။

မေမေ အလုပ်လုပ်နေတုန်း ကိုကိုက စောင့်ကြည့်နေတယ်။ မေမေက အရင်ဦး
ဆုံး ဖားကင်ပေါ်က ပြာတွေကိုဆေးချလိုက်တယ်။ ပြီးတာနဲ့ ဖားတွေကိုလက်နဲ့ပိုင်း
တယ်။ ခြေထောက်တွေ၊ အူတွေ၊ ခေါင်းတွေတော့ လွှင့်ပစ်လိုက်တာပေါ့။ ကောင်းတဲ့
အပိုင်းတွေကို မြေအိုးထဲထည့်တယ်။ မေမေ နောက်လှည့်နေတုန်း ကိုကိုက ဖားကင်
တစ်ကိုက်နှစ်ကိုက်စာလောက် ဆတ်ကနဲယူထားလိုက်တယ်။ ဘာဘာ ဖားကင်ပြီးပေမယ့်
မေမေက ဟင်းခတ်အမွှေးအကြိုင်တွေနဲ့ ချက်ပြုတ်တဲ့အထိ ဒီအကင်တွေကို မစားရပါ
ဘူး။ ဒါပေမယ့် ကိုကိုကတော့ မီးခိုးနံ့လေးသင်းနေတဲ့ ဖားကင်စားရတာ တော်တော်
ကြိုက်တယ်။

မေမေက ငရုတ်သီး၊ ကြက်သွန်ဖြူနဲ့ နနွင်းကို ရောထောင်းပြီး အနှစ်လုပ်တယ်။
ပြီးရင် မြေအိုးမှာထည့်တယ်။ မြေပဲဆီကို ဒယ်အိုးထဲ အပူပေးလိုက်ပြန်တယ်။ ဆီထဲ
ဆားတစ်ဆိတ်စာလေး ထည့်လိုက်လို့ တစိစိ အသံမြည်သွားတာနဲ့ ဆီကျက်ပြီဆိုတာ

မေမေ သိလိုက်ပြီ။ နောက်တော့ မြေအိုးထဲက ဖားသားပေါ် ဆီကျက် လောင်းထည့်၊ မကျည်းနွေတွေ အပေါ်က အုပ်ပြီး ရေ မျှင်းငါးပိ တစ်တုံးနဲ့ ဆားတွေ ထည့်လိုက်ပြန်တယ်။ မြေအိုးကို မီးဖိုပေါ် တင်လိုက်တယ်။ ရေတွေဆူပြီး အရည်နည်းသွားတဲ့အထိ ချက် ပြုတ်ရမှာပါ။ ပြီးတာနဲ့ မေမေက လတ်လတ်ဆတ်ဆတ် ကြိတ်ထားတဲ့ မရိတ်စေ့တွေ (စမြိတ်စေ့တွေ) ကို ပေါင်းထည့်ပြီး နေ့လည်စားစားချိန်ထိ ခပ်နွေးနွေးလေးထားရမှာပါ။ ကိုကိုက မစောင့်နိုင်တော့။

ဒီထက်မက မိုးတွေ ရွာလာတဲ့အထိ ဘာဘာက လယ်ထွန်လို့မဖြစ်တာကြောင့် အခုတော့ သူ အားချိန်ရနေသေးရဲ့။

"ကိုကိုရေ၊ သား ဝါးသေနတ် လိုချင်လား" ဘာဘာက မေးတယ်။

ကိုကိုက ခေါင်းညိတ်ပြီး စိတ်လှုပ်ရှားမှုကို ကြိုးစားထိန်းလိုက်တယ်။ ဘာဘာ ကို ဝါးသေနတ်လုပ်ပေးဖို့ ပူဆာနေခဲ့တာကိုး။ တစ်ခါတလေဆို တခြားကလေးတွေ ဝါးသေနတ်နဲ့ 'ဖောင်း'ကနဲ မြည်အောင် ပစ်သံတွေကြားရလေရဲ့။ မိုးရာသီအစပိုင်းမှာ ဝါးသေနတ်တွေကနေ'ဖောင်း'ကနဲ မြည်သံကို အမြဲကြားနေကျ။ ဝါးသေနတ်မှာ ကျည် အဖြစ်အသုံးပြုလေ့ရှိတဲ့ သရော်သီးတွေ စိမ်းရောင်စို မာတောင့်တောင့်ပုံစံနဲ့ သီးကြ ကြီးကြတဲ့ အခါရာသီဖြစ်လို့လေ။ သရော်သီးတွေမမှည့်ခင် ဆားနဲ့စားလို့လည်းရတယ်။ အရသာက ချဉ်ပြုံးပြုံးလေး။ သရော်သီး မှည့်ပြီဆိုရင် အမည်းရောင်ပြောင်းသွားပြီ အရသာလည်း ချိုသွားပါလေရော။ သရော်သီးတွေ မမှည့်ခင် ဝါးသေနတ်ထဲ ထည့်ပစ်ရင် အကောင်းဆုံးပဲ။

ဘာဘာက တောင်တောင်တို့အိမ်မှာ ပေါက်နေတဲ့ ဝါးပင်က ဝါးကိုင်းသွယ်သွယ် လေးတစ်ခု သွားခုတ်တယ်။ ၁၅ လက်မလောက် ရှည်တဲ့ ဝါးချောင်းတစ်ချောင်းကို ဘာဘာ ခုတ်နေတာ ကိုကိုနဲ့ညီညီတို့ အိမ်ရှေ့ခန်းက ထိုင်ကြည့်နေလိုက်တယ်။ ဝါးဆို တာအတွင်းမှာ အခေါင်းပေါက်ပါနေကျကိုး။ ဒါကြောင့် ပြောင်းတစ်ခုနဲ့ တူလေရဲ့။ အဲဒီနောက် သုံးလက်မလောက်အရှည်ရှိတဲ့နားမှာ ဝါးချောင်းပိုင်းကို ဓားနဲ့ ပတ်ခြစ် လိုက်တယ်။ ဒီလိုနဲ့ သေသပ်ရှင်းလင်းစွာ ဖြတ်လိုက်တယ်။ ဟော့ -အခုဆို ၃ လက်မ အရှည်ရှိတဲ့ ဝါးချောင်းပိုင်းလေးတစ်ပိုင်းနဲ့ ၁၂ လက်မရှည်တဲ့ ဝါးချောင်း ရှည်တစ်ပိုင်း ရလာပြီပေ့ါ။ နောက်တော့ တုတ်ချောင်းတစ်ချောင်းကို ဓားနဲ့ရွှေပြီး ဝါးချောင်းပိုင်းလေးထဲ ခပ်ကျပ်ကျပ်လေး ထည့်လိုက်တယ်။ ဘာဘာက တုတ်ချောင်းကို ဓားနဲ့ဆက်ရွှေပြီး ၁၂ လက်မ ဝါးချောင်းရှည်ထဲဆုံးပြီး လျှောသွင်းလျှောထုတ် ကောင်းကောင်း လုပ်နိုင် အောင်ပြင်ထားတယ်။ တုတ်ချောင်းစွန်းက ဝါးချောင်းရှည် အစွန်းနဲ့ လက်မဝက်လောက် အလိုမှာရှိနေရပါမယ်။ ပြီးတော့ သရော်သီးနဲ့ထဲ့တဲ့အခါ အဆင်ပြေအောင် တုတ်ချောင်း ထိပ်စွန်းက တုံးနေရပါမယ်။ အခုတော့ ဝါးသေနတ်ပစ်ဖို့ အဆင်သင့်ဖြစ်ပါပြီ။ ဘာဘာ က ညီညီအတွက်လည်း အလားတူဝါးသေနတ်လုပ်ပေးရတယ်။ ဒါပေမယ့် ညီညီ

ဝါးသေနတ်ကိုတော့ ခပ်သေးသေးလုပ်ပေးတယ်။

ကိုကိုနဲ့ ညီညီတို့ ဘာဘာ့နောက်က လိုက်ခဲ့ကြတယ်။ သူတို့ ဦးတည်ရာက သူတို့ရဲ့ အွန်းမိုးဝါးအိမ်လေးနောက်က သရော်ပင်ဆီလေ။ ဘာဘာက သရော်သီး စိမ်းစိမ်းမှာမာလေးတစ်ချို့ ဆွတ်လိုက်တယ်။ ပထမဦးဆုံး ကိုကို့ဝါးသေနတ်ရဲ့ ဝါး ချောင်းရှည်ပိုင်အပေါက်ထဲ သရော်သီးတစ်လုံးထည့်ပြီး စစ်ဆေးကြည့်လိုက်တယ်။ ဝါးချောင်းရှည်အပေါက်ထဲ ဝါးလက်ကိုင်ရိုးလေးရဲ့ တုတ်ချောင်းနဲ့ သူ ထိုးထည့်လိုက် တယ်။ တုတ်ချောင်းကို ဖျောက်ကနဲတစ်ချက်လှုပ်ထိုးလိုက်တယ်။ ဘာသံမှ မထွက်လာ သေး၊ ဒီလိုပါပဲ။ ပထမဆုံးသရော်သီးက အသံမထွက်တတ်ဘူးလေ။ ပထမဆုံး ထည့် လိုက်တဲ့ သရော်သီးက ဝါးပြောင်းထဲညှုပ်နေပြီး လေအလုပ်ပိတ်ပေးလိုက်တယ်။ ဝါးပြောင်း ရှည်ထဲ နောက်ထပ်သရော်သီးမှာမာစိမ်းစိမ်းလေးတစ်လုံး ဖြည့်လိုက်တယ်။ ဒီတစ်ခါတော့ တုတ်ချောင်းကို ခပ်သွက်သွက်လေး ထိုးသွင်းလိုက်တဲ့အခါ ဒုတိယ သရော်သီး ကန်အားကြောင့် ပထမသရော်သီး'ဖောင်း'ကနဲ အသံမြည်ပြီး ထွက်သွားတယ်။ ကိုကိုနဲ့ ညီညီတို့ အော်ရယ်လိုက်ကြတယ်။

"ကဲ-သားတို့ ဂရုတော့ စိုက်ရမယ်ကွ။ ဒီဝါးသေနတ်နဲ့ လူတွေကို ချိန်မပစ်နဲ့နော်။ ကျည်အစစ်၊ သေနတ်အစစ် မဟုတ်ပေမယ့် သရော်သီးတွေက အဝေးကြီး ပစ်လို့ရတယ်။ မာလည်းမာတယ်။ လူတွေ ထိခိုက်အနာတရ ဖြစ်နိုင်တယ်၊ သားတို့ရေ"

"ကျည်အစစ်ဆိုတာ ဘာလဲဟင်၊ ဘာဘာ"

"စစ်သားတွေကိုင်တဲ့ သေနတ်ထဲမှာ ထည့်ထားတာ ကျည်အစစ်ပေ့ါကွ။ စစ်သားတွေ၊ ရဲတွေလောက်ပဲ သေနတ်အစစ် ကိုင်ခွင့်ရှိတာလေ"

ဘာဘာက ကိုကို့ထံ ဝါးသေနတ် ကမ်းပေးတယ်။ ကိုကိုက တည်ကြည်လေးနက် စွာလှမ်းယူလိုက်တယ်။ ဝါးသေနတ်နဲ့ လျှောက်ဆော့မယ်ချင်ပြီလေ။ ညီညီ ဝါးသေနတ် ကိုလည်း ဘာဘာက အလားတူ စစ်ဆေးကြည့်ပြန်တယ်။ ပြီးတာနဲ့ ညီညီထံ ဝါးသေနတ် ကမ်းပေးလိုက်တယ်။ ကိုကိုနဲ့ ညီညီတို့ တစ်နေ့လုံးနီးပါး ဝါးသေနတ်နဲ့ ဆော့လိုက်၊ သရော်ပင်က သရော်သီးဆွတ်လိုက် လုပ်ကြတယ်။ ဝါးသေနတ်နဲ့ တစ်ယောက်ကို တစ်ယောက်ဖြစ်ဖြစ်၊ တခြားသူတစ်ယောက်ယောက်ကိုပဲဖြစ်ဖြစ်၊ တိရစ္ဆာန်တစ်ကောင် ကောင်ကိုပဲဖြစ်ဖြစ်ချိန်ပြီး မပစ်မိအောင် ကိုကိုတို့ညီအစ်ကို သတိထားကြတယ်။ သူတို့ ဝါးသေနတ်က ထွက်လာတဲ့'ဖောင်း'ကနဲ အသံတွေက အခြားကလေးတွေ ကစားနေတဲ့ ဝါးသေနတ်ပစ်သံတွေနဲ့ ပေါင်းသွား တယ်။ တစ်ခါတလေဆို "ဖောင်း၊ ဖောင်း၊ ဖောင်း၊ ဖောင်း၊ ဖောင်း၊ ဖောင်း၊ ဖောင်း" ဆိုတဲ့ အသံတွေ ဆက်တိုက်ကြားရတယ်။ ဒါက ဝါး မာသားနဲ့လုပ်ထားပြီး ထိပ်နားမှာအထူးဝါးပိုင်းလေးတစ်ခု တပ်ထားတဲ့ ဝါးသေနတ်သံ ဆိုတာ ကိုကို သိလိုက်ရဲ့။ ထိပ်က အထူးဝါးပိုင်းလေးအတွင်း သရော်သီးတွေ ဒါဇင်လိုက် ထည့်ထားတာကြောင့် ဝါးသေနတ်ကို အလိုအလျောက် သရော်သီးဖြည့်ပေးတာလေ။

ဒါကြောင့်လည်း တသီးတသန့် သရော်သီးပြန်ဖြည့်စရာမလိုဘဲ အသုံးပြုသူက ဆက်တိုက် အကြိမ်ပေါင်း များစွာ ပစ်နိုင်တာပေါ့။ နည်းနည်းကြီးတဲ့ ကလေးတွေလောက်ပဲ ဒီလို ဝါးသေနတ်မျိုး ကိုင်ကြတာပါ။

*****

တစ်ခါတလေဆို မေမေက တောဟင်းတွေ အရှာထွက်တတ်လေရဲ့။ ဒီရာသီဆို တောမှာ ဟင်းမျိုးစုံ ပေါတတ်တာကိုး။ နေ့လည်စာစားပြီးနောက် ဘာဘာက ဟိုလုပ် သည်လုပ် လုပ်နေတယ်။ မေမေက သူငယ်ချင်းတွေနဲ့ တောထဲမှာ ဟင်းသွားရှာကြ တယ်။ ကိုကိုနဲ့ ညီညီတို့က အိမ်မှာနေပြီး ဘာဘာလုပ်တာ ထိုင်ကြည့်နေရင် ကြည့်၊ မကြည့်ရင် ဝမ်းကွဲမောင်နှမတွေ၊ သူငယ်ချင်းတွေနဲ့ အိမ်အနီးအနားမှာ ကစားနေ တတ်တယ်။

မေမေက တောင်းတစ်လုံးနဲ့ ဓားတိုတစ်ချောင်း ယူသွားတယ်။ မိုးရွာမှာ တွေးပူပြီ မင်္ဂလာတစ်ထည်ပါ ဆောင်သွားတယ်။ အိမ်က မထွက်ခင် လမ်းမှာ ဝါးဖို့ ကွမ်းတစ်ယာ ယာလိုက်တယ်။ သုံးလေးနာရီလောက် ကြာတော့ တောင်းထဲဟင်းရွက်အပြည့်နဲ့ မေမေ ပြန်လာတယ်။ ပုံမှန်အားဖြင့် ဝါးတုတ်(မှုစ်)၊ ကန်စွန်းရွက်၊ သများညွန့်(ကညွတ်)၊ မကျည်းရွက်၊ သဘော်ညွန့်၊ မှို၊ ဒုက်ပျောပင်ငယ်၊ ပျဉ်ထောင်မှိုးတုတ်၊ ကောက်ကောက် ကေညွန့်တို့ ခူးလာတတ်တယ်။ ကောက်ကောက်ကေညွန့်ပုံစံက ရယ်စရာပဲလို့ ကိုကို တွေးမိတယ်။ ကြည့်ပါလား။ ပုံစံက ရှည်မျောမျောနဲ့ ထိပ်ဖျားမှာအခွေလေးပါတယ်။ တစ်ခါတလေဆို မေမေက ခရုတွေလည်း ရှာလာတတ်တယ်။

မိုးဦးရာသီမှာ စားစရာတွေ ပေါမှပေါပဲ။ လူတိုင်း ကိုယ်စားချင်တာ ထွက်ရှာ နိုင်ကြတယ်လေ။ တောဟင်းကောင်းမျိုးစုံ ပေါက်ရောက်ကြီးထွားနေတတ်တာ။ တောင်းနဲ့ တစ်တောင်းအပြည့် ခူးထားလိုက်ရင် ရက်အတော်ကြာကြာ ထမင်းနဲ့တွဲစားဖို့ ဟင်း တွေလည်း အလုံအလောက်ရသွားပြီ။

*****

မိုးလေဝသသတင်း

ညနေစာစားပြီးတဲ့ ညနေချမ်းမှာ ဘာဘာက ဒေါ်လူးခိုင်အိမ်သွားပြီး ရေဒီယို သတင်း နားထောင်လေ့ရှိတယ်။ ရွာမြောက်ပိုင်းက လူအများစုက ဒီအိမ်မှာ စုဝေးပြီး ရေဒီယိုနားထောင်လေ့ရှိတယ်။ ရွာမြောက်ပိုင်းမှာရှိတဲ့ တစ်ခုတည်းသော ရေဒီယိုဖြစ်နေ လို့လေ။ လူများစုက ရေဒီယို မဝယ်နိုင်ကြ။ ရေဒီယို ဝယ်ဖို့ဆိုတာကလည်း ခရီးဝေးလှတဲ့ ရန်ကုန်မြို့ကြီးက ဝယ်မှရတာမျိုး။

တစ်ခုသော ညချမ်းမှာ ဘာဘာနဲ့အတူ ကိုကို ရေဒီယိုနားထောင်ဖို့ လိုက်သွား တယ်။ ဒေါ်လူးခိုင်အိမ်နား ရောက်လာတဲ့အခါ သားဖြစ်သူ ရေဒီယိုလိုင်းချိန်နေတာ မြင်ရတယ်။ ဒေါ်လူးခိုင်ရဲ့ သားက အသံကြည်တဲ့အထိ ရေဒီယိုအင်တင်နာတိုင်ကို ညှိလိုက်တယ်။ ရေဒီယိုကနေ မြန်မာ့ဆိုင်းဝိုင်နဲ့ တေးသွားတိုတစ်ပုဒ် တီးခတ်သံကြား ရတယ်။ အဲဒီနောက် သံစဉ်တေးသွားခြောက်ချက် ကြားရရဲ့။ ညနေခြောက်နာရီထိုးပြီ ပေါ့လေ။

ပထမဆုံး ပြည်တွင်းသတင်း လာတယ်။ ပြီးတာနဲ့ နိုင်ငံတကာသတင်း။ ရုရှား ပြည်ထောင်စု၊ အမေရိကန် ပြည်ထောင်စုနဲ့ ပြင်သစ်နိုင်ငံတို့ နျူကလီးယားလက်နက် စမ်းသပ်နေကြတယ်လို့ ကိုကို ကြားလိုက်ရရဲ့။ ဘာဆိုလိုမှန်းတော့ သူမသိ။ သတင်းတွေ အပြီးမှာ မိုးလေဝသသတင်းလာပါတယ်။ ဘင်္ဂလားပင်လယ်အော် တောင်ပိုင်းမှာ လေဖိအားနည်းရပ်ဝန်းတစ်ခု ဖြစ်နေကြောင်း ကြေညာသံကြားရတယ်။ ဒီလေဖိအားနည်း ရပ်ဝန်းကနေ လေမုန်တိုင်းဖြစ်လာပြီး သုံးရက်အတွင်း မြန်မာ့ကမ်းရိုးတန်းကို ရိုက်ခတ် မယ်လို့ဆိုပါတယ်။ ကိုကို ဘာဘာ့မျက်နှာမော့ကြည့်လိုက်တယ်။ ဘာဘာက ကြောက် နေပုံတော့မရ၊ ဒါပေမယ့် ကိုကို ကြောက်နေမိပြီ။ လူတိုင်း ငြိမ်ပြီး နားစိုက်ထောင်နေကြ

တယ်။

"တစ်နာရီ မိုင် ၁၀၀ နှုန်းနဲ့ လေတိုက်ရင် ဘာမှကို ကျန်မှာ မဟုတ်တော့ဘူး"

ဦးအောင်ဇံက ထအော်တယ်။ သူက မင်းလမ်နားနေတာလေ။ ညချမ်းချိန်ဆို ဒေါ်လူးခိုင်အိမ်ကိုလာပြီး ရေဒီယိုနားထောင်နေကျ။ သူက လူကောင်းပါ။ ဒါပေမယ့် သူက အသံကျယ်ကျယ်တော့ပြောတတ်တယ်။

ကိုကိုက ကြောက်လွန့်လို့ ဗိုက်ထဲက ပျို့အန်ချင်သလို ဖြစ်လာတယ်။ ကိုကို ကြောက်နေတာ ဘာဘာ မြင်သွားတော့ -

"အိမ်ပြန်ပြေးပြီး မေမေနဲ့ညီညီကို သွားကြည့်လိုက်၊ သား"

ကိုကိုက အိမ်ပြန်ပြေးလာတယ်။ လာတော့မယ့် ဆိုင်ကလုန်းမုန်တိုင်းအကြောင်း ခေါင်းထဲက မထွက်။ ဦးအောင်ဇံပြောသလို ဘာမှ မကျန်တော့ရင် ဘယ်လိုလုပ်မတုန်း။

ကိုကို အိမ်ပြန်ရောက်ချိန်မှာ မေမေက ညီညီကို သိပ်နေပြီ။ ကိုကိုလည်း အိပ်ဖို့ ပြင်လိုက်တယ်။ ဒါပေမယ့် ဆိုင်ကလုန်းမုန်တိုင်း လာတော့မယ်ဆိုတဲ့အသိကို ခေါင်း ထဲက ဘယ်လိုမှထုတ်လို့မရ။

ကိုကို အိပ်မပျော်နိုင်တော့။ ဖျာပေါ် လဲလျောင်းရင်း ရေနံဆီမီးအိမ်ရဲ့ မှိတ် တုပ်တုပ်အလင်းရောင်ကိုကြည့်နေမိတယ်။ နောက်တော့ ဘာဘာက မီးခွက်ကို မှုတ်ပြီး မီးငြိမ်လိုက်တယ်။ ဘာဘာနဲ့ မေမေတို့ ဖျာပေါ် လဲလျောင်းလိုက်ကြပြီ။ ကိုကို ဆက်ပြီး ရေင့်နှုတ်ပိတ် မနေနိုင်တော့။

"သားတို့အိမ်ပတ်လည်က အပင်ကြီးတွေကောဟင်"

"ဘုရားရေ။ ကိုကို၊ သား ဘာတွေပြောနေတာလဲ"

"ဆိုင်ကလုန်းမုန်တိုင်း ဝင်တော့မယ်လေ။ သားတို့အိမ်ပတ်လည်က သစ်ပင်ကြီး တွေ သားတို့အပေါ် လာကျမှာပေါ့"

"မပူပါနဲ့၊ သားရေ။ ဆိုင်ကလုန်းမုန်တိုင်းဆိုတာ ဒီလိုရာသီမျိုးမှာ အမြဲဝင်နေ ကျလေ။ အခုက ဆိုင်ကလုန်းမုန်တိုင်းရာသီ ရောက်နေပြီကိုးကွဲ့"

*****

နောက်တစ်နေ့ မနက်မှာ မေမေ စျေးသွားဖို့ စောစောနိုးလာတယ်။ သူ့အတွက် ရေနံဆီမီးခွက် ထွန်းပေးဖို့ ဘာဘာကိုလှမ်းပြောသံ ကိုကိုကြားရဲ့။ အဲဒီနောက် မီးခွက် ယူပြီး မီးဖိုချောင်ထဲဝင်လို့ မီးအလင်းရောင်နဲ့ အဆင်သင့်ပြင်တယ်။ ရွာကလူတွေက အာရုံမတက်ခင်လေးမှာ အိပ်ရာထနေကျ။ ဒါပေမယ့် မေမေ စျေးသွားတဲ့ ရက်တွေဆို မနက်ငါးနာရီမှာ အိပ်ရာထလေ့ရှိတယ်။

မနက်ပိုင်း သူ လုပ်နေကျအလုပ်တစ်ခုက သနပ်ခါးလိမ်းတာပါ။ ရွာခံအမျိုးသမီး အားလုံးလည်း မေမေ့လိုပဲ သနပ်ခါးလိမ်းကြတာလေ။ သနပ်ခါးဆိုတာ အနံ့မွှေးတဲ့

သစ်ခေါက်ရှိတဲ့ သစ်ပင်တစ်မျိုးပါ။ သနပ်ခါးပင်ပျိုကိုခုတ်ပြီး အတုံးလေးတွေတုံးကြ
တာ။ ဒီသနပ်ခါးတုံးကို ကျောက်ပျဉ်မှာ ရေနည်းနည်းထည့်ပြီးသွေးရင် လိမ်းစရာ
သနပ်ခါးရပါတယ်။ ဒီသနပ်ခါးကို အမျိုးသမီးတွေက မျက်နှာ၊ လည်ပင်းနဲ့ လက်မောင်းတို့
ပေါ် လိမ်းတတ်ကြတယ်။ အမေတွေက သားသမီးတွေ ရေချိုးပြီးရင်လည်း သနပ်ခါး
လိမ်းပေးတတ်ကြလေရဲ့။ သနပ်ခါးလိမ်းတာမှာ အကျိုးကျေးဇူးအများကြီး ရှိတယ်။
သနပ်ခါးဟာ ရနံ့မွှေးတာကြောင့် ရေမွှေးဆွတ်ရတာနဲ့ တူပါတယ်။ အမျိုးသမီးတွေက
သနပ်ခါးကို မျက်နှာပေါ် လှုတ်ပတလေး အထူးတလည် လိမ်းကျံထားပြီဆိုရင် မိတ်ကပ်
လှုတာနဲ့တူတာပေ့ါ။ သနပ်ခါးဟာ အရေပြားကိုအေးမြစေပြီး အသားအရေ နေမလောင်
အောင်ကာကွယ်ပေးပြန်တယ်။ ညနေတိုင်း ရေချိုးအပြီး ညနေစာမစားခင်လေးမှာ
မေမေက ကိုကို၊ ညီညီတို့ရဲ့၊ မျက်နှာ၊ လက်မောင်း၊ ခြေနဲ့ခန္ဓာကိုယ်ပေါ် သနပ်ခါးလှူး
ပေးနေကျပါ။ သနပ်ခါးက လန်းဆန်းတက်ကြွစေတယ်လို့ ကိုကို ခံစားမိရဲ့။

သနပ်ခါးလှူးပြီးတဲ့အခါ မေမေက ဆံပင်စည်းပြီး အဝတ်အစားတွေ လဲလိုက်တယ်။
ပြီးတာနဲ့ မီးခွက်ကို ဘုရားစင်ပေါ် တင်ပြီး သူငယ်ချင်းတွေနဲ့အတူ သရက်ချိုဆေးသို့
လမ်းလျှောက်သွားကြတယ်။

အဲဒီနေ့မနက်က နေမြင့်တဲ့အထိ ကောင်းကင်မှာ မိုးသားတိမ်လိပ်တွေအပြည့်။
မေမေက ကြက်သွန်နီ၊ ကြက်သွန်ဖြူနဲ့ ဟင်းခတ်အမွှေးအကြိုင်တွေကို တောင်းထဲ
ထည့်ပြီး ဈေးက ပြန်လာတယ်။

"မုန်တိုင်းဝင်မှာမို့ ဈေးမှာလည်း လူတွေအလုပ်များနေကြတယ်။ လူတိုင်း ပုစွန်
တွေ၊ ငါးတွေ ဝယ်ဝယ်ချင်နေကြတာလေ"

"ဒီနေ့နောက်ပိုင်း ကွန်ပစ်ထွက်မယ်လို့လုပ်ထားတယ်။ ငါးတွေ အများကြီး စားရ
မှာ ပါကွာ"

ကိုကိုက မေမေနဲ့ဘာဘာ ပြောနေတာကို နားစွန့်နားဖျားကြားလိုက်တော့ စိတ်
ပူရပြန်ပြီ။ မုန်တိုင်းမဝင်ခင် လူတွေက ဘာလို့ စားစရာတွေ အများကြီးလိုချင်နေကြ
တာပါလိမ့်။

မေမေက ကိုကိုနဲ့ ညီညီအတွက် ဈေးက ဝယ်လာတဲ့ အုန်းသီးဖြူးထားတဲ့
ကောက်ညှင်းငချိုတ်ကို ပေးလိုက်တယ်။ အဲဒီနောက် ဘာဘာ ကွန်ပစ်စောစောထွက်ရ
အောင် မေမေ မီးဖိုခန်းထဲဝင်ပြီး နေ့လည်စာ စောစောချက်ပါတော့တယ်။

မီးဖိုခန်းထဲမှာ မီးဖိုတစ်ခု ရှိလေရဲ့။ မီးဖိုက သုံးပေပတ်လည်ရှိတဲ့ သစ်သားစားပွဲ
တစ်ခုပုံစံပါ။ ခြေတံတွေက တိုတိုလေး။ ပြာတွေ မီးဖိုပေါ်မှာပဲ ရှိနေအောင် မီးဖိုတဝိုက်
ခုပ်တိုတို အကာလေး ကာထားလေရဲ့။ မီးဖိုအဖြစ် အသုံးပြုထားတဲ့ ဒီစားပွဲကို ရွှံ့တွေနဲ့
မံထားတယ်။ သစ်သားစားပွဲကို မီးမကျွမ်းသွားအောင်ပေ့ါ။ မီးဖိုထိပ်ပိုင်းမှာ အုတ်ခဲနှစ်လုံး
တင်ထားတယ်။ အုတ်ခဲတွေပေါ် က သံချောင်းနှစ်ချောင်း ဖြတ်တင်ပြီး အိုးတွေတင်ဖို့

လုပ်ထားတာပါ။

ပထမဆုံး မေမေက ထင်းချောင်းဟောင်းတစ်ချောင်းယူပြီး ဒီထင်းချောင်းနဲ့ ပြာဟောင်းတွေကို ဘေးသို့ တွန်းဖယ်လိုက်တယ်။ အဲဒီနောက် သံတန်းနှစ်တန်းအောက်မှာ ထင်းအသစ်တွေ ထည့်လိုက်တယ်။

"ကိုကို၊ မေမေ့ကို ရေနံဆီမီးခွက် ယူလာပေးစမ်းပါကွယ်"

ကိုကိုက အိပ်ခန်းထဲက ရေနံဆီမီးခွက်ကိုယူလာပြီး အဖုအထစ်တွေများတဲ့ ဝါးကြမ်းခင်းကို ဂရုတစိုက်နင်းဖြတ်ပြီး မီးဖိုထဲဝင်သွားတယ်။ ရေနံဆီမီးခွက်တွေကို သွပ်ပဲ့နဲ့ လုပ်ထားတာလေ။ ကိုင်စရာလက်ကိုင်တစ်ခုပါတယ်။ ရေသွေးအိုးလိုမျိုး ဘေးဘက် က ပြွန်တစ်ခုထွက်နေတယ်။ တခြားရေနံဆီမီးခွက်တစ်မျိုးက လက်ကိုင်ရှိမပါဘဲ ထိပ်ကနေ ပြွန်ထွက်တဲ့မီးခွက်မျိုးပါ။ ဒါပေမယ့် အခုသုံးနေတဲ့ မီးခွက်က(ဆေး)ရောင် ဘူးအခွံလေးကနေ ဘာဘာ လုပ်ထားတဲ့ မီးခွက်ပါ။ လက်ကိုင်မပါဘူး။ သတ္တုပြွန်တစ်ခု ထိပ်ကနေထွက်တဲ့ မီးခွက်မျိုးပါ။ ဘာဘာက ရောင်ဘူးကို ရှာခံပန်းပုဆရာဆီက ရလာ တာလေ။ ပန်းပုဆရာက ဆေးသုတ်တဲ့အလုပ်ပါလုပ်လို့ ရတာပေါ့။ ဘာဘာရဲ့ မီးအိမ်မှာ အပြင်ဘက် ဆေးအပြာတွေပေကျံနေဆဲ။

မေမေက ရေနံဆီမီးခွက်ကို ဖွင့်ပြီး ထင်းပေါ် ရေနံဆီနည်းနည်း သွန်ချလိုက်တယ်။ ပြီးမှ ဘာဘာရဲ့ မီးခြစ်နဲ့ ထင်းကိုမီးကူးလိုက်တယ်။ အဲဒီနောက် မီးခွက်ကို ကိုကို့ထံ ပြန်ပေးလိုက်တယ်။

"ဒါကို ဝေးဝေးမှာ ထားလိုက်၊ ကိုကို။ မီးဖိုနား ရေနံဆီမီးခွက်ထားတာ အန္တရာယ် ရှိတယ်"

ကိုကိုက မီးခွက်ကို ခပ်လှမ်းလှမ်းမှာထားလိုက်တယ်။ အဲဒီနောက် မေမေ မီးဖို ချောင်မှာ အလုပ်လုပ်တာလာကြည့်တယ်။ မေမေက လက်တွေဆေးပြီး ထမင်းအိုးကို ယူလိုက်တယ်။ ထမင်းအိုးက သွပ်အိုးအားလုံးမှာ အကြီးဆုံးပဲ။ ထမင်းအိုး မကြီးလို့လည်း မရဘူးလေ။ တစ်အိမ်သားလုံးစာ ချက်ထားရတာကိုး။ ထမင်းအိုးအတွင်းပိုင်းကို မေမေက ဆေးကြောလိုက်တယ်။ အပြင်ဘက်ကိုတော့ ဆေးကြောလို့မဖြစ်သေး။ တစ်နေ့နှစ်ကြိမ် မီးဖိုပေါ် နေတိုင်းတင်နေရတာမို့ မဲတူးချစ်နေလို့ပါ။ ထမင်းအိုးကို ဆေးကြောပြီးတဲ့အခါ လုံးတီးဆန်ကနေ လောလောလတ်လတ် ဖွတ်ထားတဲ့ ဆန်တွေကို ခြင်တွယ်ယူလိုက်တယ်။ ပုံမှန် ခြင်တွယ်တဲ့ နည်းအတိုင်း နို့ဆီဘူးခွံနဲ့ ဆန်ခြင်တာလေ။ သူက နို့ဆီဘူးလေးလုံးစာ ဆန်ကို အိုးထဲ သွန်ထည့်လိုက်တယ်။ အဲဒီနောက် မြေအိုးထဲက ရေတွေကို ထမင်းအိုးထဲ လောင်းထည့်တယ်။ ပြီးရင် ဆန်ဆေးပြီး ရေကုန့်ထုတ်လိုက် တယ်။ ဒီလိုနည်းနဲ့ မေမေက ဆန်ကို သုံးကြိမ် ဆေးတယ်။ တစ်ခါတလေဆို စပါးလုံးတွေ ရွေးထုတ်ရတယ်။ တစ်ခါတစ်ခါ ဆန်ဆေးနေရင်း စပါးခွံတွေ ရွေးထုတ်ရရော။ အခုတော့ အိုးထဲ ဆန်အဖြူတွေပဲရှိတော့တယ်။

မေမေက အိုးကို ရေနဲ့ နောက်ဆုံးတစ်ခေါက် ဖြည့်လိုက်ပြီး သွပ်အိုးဖုံး ဖုံးလိုက် တယ်။ ပြီးရင် အိုးကို မီးဖိုထက်ကသတ္တုချောင်းနှစ်ချောင်းပေါ် တင်လိုက်တယ်။ ပြီးတာ နဲ့ မီးဖိုမှာထင်းထပ်ဖြည့်တယ်။ မေမေက မီးဖိုထဲက ခဏလေးထွက်ပြီး အပြင်ဘက် မောင်းကာအောက်မှာ စီတင်ထားတဲ့ ထင်းတွေထဲကနေ နောက်ထပ်သွားယူတယ်။

ထမင်းချက်ပြုတ်နေစဉ် မိုးရာသီအတွက် သိမ်းထားခဲ့တဲ့ ငရုတ်ခြောက်နဲ့ ဟင်းရွက်စိမ်းတွေကို ပြင်ဆင် ချက်ပြုတ်ပါတော့တယ်။ ဘာဘာ ကွန်ပစ်ထွက်သွားလို့ ကိုကို ပျော်မိတယ်။ ငရုတ်ခြောက်ကို သူ မကြိုက်။ တခြားချက်ပြုတ်စရာ ဟင်းမရှိတော့ ရင် ငရုတ်ခြောက်ပဲ ဟင်းလုပ်စားကြရတာလေ။ မေမေက ထမင်းအိုးကို ရံဖန်ရံခါ ယောက်မနဲ့မွှေပေးတယ်။ ထမင်းအိုး တအောင့်လောက် ဆူပွက်ပြီးတဲ့အခါမှာ ဝါး ယောက်မနဲ့ခပ်ပြီး ထမင်းကို အနီးကပ်ကြည့်တယ်။

"ထမင်းတွေ ကျက်/မကျက် ဘယ်လိုလုပ် သိလဲဟင်၊ မေမေ"

"ပုံစံ တစ်မျိုးလေး ပြောင်းသွားရင် ကျက်ပြီလို့ သိတာပေါ့ကွယ်"

ထမင်းတူးသွားရင် ဘယ်သူမှ မကြိုက်ကြဘူး။ ထမင်းကို အကြာကြီးချက်ပြုတ် တာမျိုး၊ အချိန်တိုအတွင်းချက်တာမျိုး မလုပ်ဘဲ အနေတော်ချက်ပြုတ်ရပါတယ်။ မေမေက ဝါးယောက်မနဲ့ ဒုတိယအကြိမ် ခပ်ယူစစ်ဆေးကြည့်ပြီးတဲ့အခါ ကိုကိုကို ပြောတယ်။

"ကြည့်စမ်း၊ သား။ ထမင်းလုံးက နည်းနည်းလေးပွတက်နေတယ်မလား။ ဒီအနေ အထားမျိုးဆိုရင် ထမင်းက မာတောက်မနေတော့ဘူး။ ပါးစပ်ထဲဝါးကြည့်ရင်လည်း သိနိုင်တာပေါ့ကွယ်။ မေမေကတော့ ကြည့်ရုံနဲ့ ကျက်/မကျက်သိတယ်လေ"

မေမေက မီးနည်းသွားအောင် ထင်းတွေကို ဘေးသို့ ရဲ့ထားလိုက်တယ်။ အခု ထမင်းရည် ညစ်ရတော့မယ်။ ရွာထဲက လူတွေက ထမင်းကို အရည်ခမ်းနပ်လေ့မရှိကြ။ ထမင်းရည်ညစ်လေ့ရှိတယ်။ တစ်ယောက်ယောက် ဗိုက်ဆာရင် ထမင်းရည်ကို အဆာပြေ သောက်နိုင်တယ်။ ဒါပေမယ့် များသောအားဖြင့် ထမင်းရည်ကို နွားတွေအတွက် အထူးအစားအစာအဖြစ် ကျွေးလေ့ရှိသလို ခွေးတွေအတွက် နေ့စဉ်အစားအစာတစ်ခု အဖြစ်လည်း ကျွေးမွေးလေ့ရှိတယ်။

ပြီးတာနဲ့ မေမေက ထမင်းအိုးနဲ့ အိုးဖုံးကို လက်ခုနဲ့ ကိုင်တယ်။ ထမင်းရည်ကို အိုးလေးတစ်လုံးထဲ ငဲ့ထည့်ဖို့ ဘေးကို စောင်းငဲ့လိုက်တယ်။ ထမင်းရည်ညစ်ပြီးတဲ့အခါ ထမင်းအိုးကို မီးဖိုပေါ် ပြန်တင်တယ်။ မိနစ်အနည်းငယ် ကြာတော့ မေမေက ထမင်းအိုး ကို လက်ခုနဲ့ကိုင်မလိုက်ပြန်တယ်။ ထမင်းအိုးအောက်ခြေမှာ ထမင်းတွေကပ်ပြီး တူး မသွားအောင် ထမင်းအိုးကို အပေါ် အောက်လှုပ်ပေးရတယ်။ ခဏနေလို့ ထမင်းအိုးကို နောက်တစ်ခေါက် လှုပ်ပြီးတဲ့အခါ အိုးကို မီးဖိုရှေ့နားက ပြာပုံမှာချထားလိုက်တယ်။ အဲ့ဒီမှာ မီးဖိုကမီးအရှိန်နဲ့ ထမင်းစားချိန်ထိ နွေးနေအောင်ပေါ့လေ။ အခုတော့ မေမေက

မီးရှိန်မြင့်ဖွဲ့ ထင်းတွေ ထပ်ထည့်ပြန်ပါပြီ။ မီးဖိုပေါ် တခြားအိုးတွေ ချက်ပြုတ်လို့ရပြီပေါ့။
ဒါပေမဲ့ ထမင်းအိုးတော့ မွေ့ဖစ်လို့ မရ။ ထမင်းအိုးကျောဘက်က မီးဖိုနဲ့ နီးနီးလေးပဲမို့
မီးဖိုနဲ့ အနီးဆုံးအခြမ်းက ထမင်းတွေ မတူးသွားအောင် ထမင်းအိုးကို မကြာမကြာ
လှည့်ပေးရတယ်။

*****

မေမေ နေ့လည်စာ ပြင်ဆင်ချက်ပြုတ်နေတုန်း ဘာဘာက ငါးဖမ်းပိုက်ကွန်ကို
စစ်ဆေးနေတယ်။ ငါးဖမ်းပိုက်က စက်ဝိုင်းပုံသဏ္ဌာန် ရှိတယ်။ စက်ဝိုင်းပုံပိုက်ကွန်ရဲ့
အလယ်ပိုင်းကို ပင်မအိမ်တိုင်မှာ ချည်ထားတယ်။ ဒီလိုနဲ့ ပိုက်ကွန်ကို ဖြန့်ပြီး
အပေါက်တွေ ရှိမရှိ ဂရုတစိုက် စစ်ဆေးကြည့်နိုင်တာပေါ့။ အပေါက်တွေ တွေ့ပြီဆိုတာနဲ့
ပြင်ရပါတယ်။ အဲ့လိုမှ မပြင်ဘူးဆိုရင် ငါးတွေ၊ ပုစွန်တွေ ပိုက်ကွန်ထဲက ကူးထွက်သွား
မှာလေ။ အပေါက်တစ်ပေါက်တွေ့ရင် အထူးတလည် ပြုလုပ်ထားတဲ့ ဝါးကိရိယာလေး
တစ်ခုကိုသုံးရတယ်။ ဒီကိရိယာက ခဲတံတစ်ချောင်းလောက်ရှည်ပြီး ပြားချပ်ချပ်လေးပါ။
ဒီဝါးကိရိယာလေးရဲ့ ထိပ်မှာ အင်္ဂလိပ်အက္ခရာ U ပုံသဏ္ဌာန်လေးလုပ်ထားတယ်။
ရည်ရွယ်ချက်က ပိုက်ကွန်ထဲ ဒီကိရိယာကို အပ်တစ်ချောင်းလို ထုတ်ချည်သွင်းချည်
လုပ်ပြီး နိုင်လွန်ကြီးနဲ့ အပေါက်ဖာနိုင်အောင်ပါ။

နေ့လည်စာ စားပြီးတဲ့အခါ ဘာဘာက ကွန်ပစ်ထွက်ရာမှာ အသုံးပြုတဲ့ ပူတုတ်
(အထူးပြုလုပ်ထားတဲ့ ဝါးတောင်း)ကို ထုတ်ယူလိုက်တယ်။ ပူတုတ်ရဲ့ အောက်ခြေက
ပြားနေသလို ထိပ်နားဖက် လည်ပင်ကလည်း ပြားပြားလေးပါ။ ပူတုတ်မှာ ကြီးတစ်
ချောင်းပါပြီး ဒီကြိုးနဲ့ ဘာဘာ့ပုခုံးမှာသိုင်းလွယ်ထားတယ်။ ဒီပူတုတ်ထဲ ဘာဘာ
ဖမ်းမိတဲ့ ငါးတွေထည့်မှာလေ။ ပူတုတ်၊ ပိုက်ကွန်နဲ့ ဆေးပေါ့လိပ်တို့ ယူပြီးတဲ့အခါ
သူ့ယွယ်ချင်းတွေနဲ့အတူ ရေငန်ချောင်းဆီ ခြေဗလာနဲ့ထွက်သွားကြတော့တယ်။ ဘာဘာ
တို့က အတူတူကွန်ပစ်ထွက်ကြာမှာလေ။

ဒီရေကျချိန် ကွန်ပစ်ထွက်တာ အကောင်းဆုံးပါ။ ဒီအချိန်ဆို ငါးတွေက နေရာ
ကျဉ်းကျဉ်းလေးထဲ စုနေကြမှာလေ။ ချောင်းရဲ့နေရာအချို့မှာ ဒီရေကျချိန်တောင်
ရေတွေ ရင်လောက်အနက်ရှိနေဆဲ။ ဒီလိုနေရာတွေက ကွန်ပစ်ဖို့ အကောင်းဆုံး နေရာ
တွေပေါ့။ ငါးကြီးတွေက ရေထဲလဲကျနေတဲ့ သစ်ပင်တွေပတ်လည်မှာ ရှိနေတတ်တယ်။
ဘာဘာက ဘယ်နေ့ဘယ်အချိန်ဆို ပြား(ဒီရေ)ကျမယ်၊ ငါးရှာဖို့ ဘယ်နေရာ အကောင်း
ဆုံးဖြစ်မယ်ဆိုတာ အမြဲသိနေတယ်လေ။ ဘာဘာက ရွှဲ့ထူထူထဲ နင်းလျှောက် ရမှာမို့
ဖိနပ်မစီးထားဘူး။ ကွန်ပစ်ဖို့ ချောင်းထဲ ခါးလောက်အနက်ကနေ ကူးခတ်ရတာ။
ငါးတွေရှိမယ်ထင်တဲ့နေရာကို ဝေ့ဝိုက်ကြည့်လိုက်တယ်။ ပြီးတော့ ကွန်ပစ်မယ့်နေရာမှာ
ကွန်စုတ်ပြုသွားစေမယ့် သစ်ကိုင်းဟောင်းတွေ ရှိမရှိ စစ်ဆေးကြည့်တယ်။ အဲဒီနောက်

ကွန်ကို ခုပ်သွက်သွက်လေး ပစ်လိုက်တယ်။ ကွန်ရဲ့ အစွန်းနားတဝိုက်မှာ ခဲတုံးလေးတွေ ရှိနေလို့ ရေထဲ မြုပ်သွားဖို့ ကူညီပေးတယ်။ ပြီးတဲ့အခါ ဘာဘာက ကွန်ကို တဖြည်းဖြည်း ဆွဲယူတယ်။ ကွန်ကို ပြန်ဆွဲယူတဲ့အခါ ဂရုတော့ စိုက်ရတယ်။ တစ်ချို့ ပင်လယ်ငါးခူတွေမှာ အဆိပ်ရှိတဲ့ ကျောရိုးတွေနဲ့မို့ စူးမိရင် တအားနာတတ်တယ်။ ဆူးစူးတတ်တဲ့ ငါးလိပ် ကျောက်မျိုးကလည်း စူးတတ်ပါတယ်။ ဒါပေမယ့် ဒီကောင်တွေ ခြေဖမိုး ခြေမျက်စိတို့ကို လာထိုးချင်သပဆိုရင်တော့ ဘာဘာ ကာကွယ်လို့လည်းမရဘူးလေ။

ဖြူးတက်လာချိန်လောက်ထိ ဘာဘာ ကွန်ပစ်နေလိုက်တယ်။ ဖြူးစတက်ပြီဆိုရင် ငါးတွေ၊ ပုစွန်တွေ ရှတ်တရက် အပြုံလိုက်ကြီးပါလာရော။ ဒါပေမယ့် မြန်မြန်သွက်သွက် လှုပ်ရှားတတ်မှရတတ်တာ။ ဒီအခွင့်အရေးက ကြာကြာမရတတ်လို့ပါ။ အဲဒီနောက် ငါးတွေက ဒီရေအတက်မှာ ပြန်ကြသွားကြတော့မှာ။

ဘာဘာက တောင်းထဲ ငါးတွေအပြည့်နဲ့ အိမ်ပြန်ရောက်လာတယ်။ ကိုကိုက

ပုစွန်၊ ကဏန်း၊ ပုစွန်တုပ်၊ ပုဂျင်း (ငါးပူတင်း)၊ ငါးခူနဲ့ ရေကြက် (ပြည်ကြီးငါး) စသည်ဖြင့် မိလာသမျှ ငါးတွေကို တူရာတူရာပုံလိုက်တယ်။ ဘာဘာမှာ ကျောက်တံပက် (ပင်လယ် ရေညှိ)လည်း ပါလာတယ်။ ဒါကို မေမေက ဂျင်း၊ ဟင်းခတ်အမွှေးအကြိုင်၊ သံပရာရည်တို့ ထည့်ပြီး လက်သုပ်လုပ်ပေးမှာလေ။ အရင်က ကိုကို ဒီလိုရေညှိမျိုးမမြင်ဖူးခဲ့။ ရေညှိလွှာက အလွှာကြီး တစ်လွှာတည်း။ ပုဝါတစ်ထည်နဲ့ တူလေရဲ့။ မေမေက အကောင်းဆုံးငါးတွေ ကို ချန်ထားပြီး တခြားငါးအပိုတွေကို ခါတိုင်းလို အိမ်နီးချင်းတွေ့ထံ ရောင်းလိုက်တယ်။ ဘာဘာ ကွန်ပစ်ရာကပြန်လာခိုန်ဆို အိမ်နီးချင်းတွေ့လာပြီး မေမေ ရောင်းချင်တာမှန်သမျှ ဝယ်နေကျလေ။

ဘာဘာက ပုဂျင်းအားလုံးယူပြီး ချက်ပြုတ်ဖို့ ဘယ်လို ကောင်းကောင်းလေး ငါးသင်ရမယ်ဆိုတာ ကိုကိုကိုပြတယ်။ ပုဂျင်းတစ်ကောင်ကို ပိုက်အပေါ် လှန်ပြီး စဉ့်နွဲ တုံးမှာတင်လိုက်တယ်။ ပြီးတာနဲ့ ကျောရိုးဆူးတောင်နဲ့ အမြီးကြားကနေ ဓားနဲ့ခွဲပြီး ခေါင်းအထိဆက်ခွဲသွားတယ်။ ဘာဘာက တောက်လျှောက်နီးပါး ဓားနဲ့ခွဲသွားပြီး နေရာကွက်ကွက်လေးပဲ မခွဲဘဲချန်ခဲ့တယ်။ ရှေ့ပိုင်းတစ်ဝက်ကို လွှင့်ပစ်တဲ့အခါ အမြီး ဖျားရဲ့ အရေခွဲကို လွယ်လင့်တကူ လျှောထုတ်ပစ်နိုင်အောင်ပါ။ ရှေ့ပိုင်းတစ်ဝက်မှာ အဆိပ်ပါတဲ့အပိုင်းပါလို့ လွှင့်ပစ်ရမှာပါ။ ဒီနည်းအတိုင်း ငါးသင်ရမယ့် ပုဂျင်းအကောင် ၂၀ လောက်ရှိလေရဲ့။ ငါးကို ငါးသင်ပြီးတဲ့အခါ အဆိပ်ပါတဲ့ ပုဂျင်းခေါင်းအားလုံးကို စုပြီး သဲထဲမြှုပ်လိုက်တယ်။ ကြက်တွေ၊ ကြောင်တွေ၊ ခွေးတွေသာ စားမိလို့ကတော့ သေမှာပဲ။

ဘာဘာ ကွန်ပစ်သွားနေတုန်း မေမေက အလုပ်များနေခဲ့လေရဲ့။ ပထမဆုံး လုံးတီးဆန်ကို ဆန်ချောဖြစ်အောင် ဖွပ်ရတာလေ။ မေမေက လေးရက်စာ ချက်ပြုတ်ဖို့ ဆန်ဖွပ်နေကျ။ ဒါပေမယ့် ဒီတစ်ခေါက်တော့ ပိုပိုသာသာဆန်ဖွပ်ထားတယ်။ ဆန် ဖွပ်ဖို့ မေမေက ဆန်ဖွပ်ဆုံထဲ လုံးတီးဆန်တွေထည့်ရတယ်။ ဆန်ဖွပ်ဆုံဆိုတာ သစ် တုံးကနေ လုပ်ထားတာဖြစ်ပြီး ထိပ်ပိုင်းမှာအခေါင်းပါပါတယ်။ ဆုံထဲဆန်ထည့်ပြီးတဲ့အခါ သစ်လုံးရှည်တစ်လုံးကို ကျည်ပွေ့အဖြစ်သုံးရတယ်။ မေမေက ကျည်ပွေ့ကို မြှောက်ချည် ချချည် ထပ်ခါတလဲလဲလုပ်ပြီး လုံးတီးဆန်ကိုထောင်းရပါတယ်။ တစ်ခါတလေဆို အမျိုး သမီးနှစ်ယောက်က ဆုံတစ်ခုတည်းမှာ အတူတူ ဆန်ဖွပ်ကြတယ်။ ဒီလို ဆန်ဖွပ်တဲ့အခါ တစ်ယောက် ကျည်ပွေ့တစ်ချောင်းစီရှိရပါတယ်။

ဆန်ဖွပ်ပြီးရင် မေမေက ဆန်ကောကို သုံးပြီး ဖွပ်ထားတဲ့ ဆန်တွေကို ပြာထုတ် ရတယ်။ မြေကြီးပေါ် ထိုင်ရင်း ဆန်ကောကို အပေါ်အောက် မြှောက်မြှောက်ပေးရတယ်။ ဆန်တွေ လေထဲမြှောက်တက်သွားလိုက် ဆန်ကောထဲပြန်ကန်ထွက်လိုက်နဲ့ အကြိမ်ပေါင်း များစွာ ဖြစ်ပြီးနောက်မှာ ဆန်ဖျူဆန်သန့်တွေက ဆန်ကောအောက်ခြေကို ရောက်သွားပြီး လုံးတီးဆန်ရဲ့ အညိုရောင်အလွှာဖြစ်ခဲ့တဲ့ ဆန်မှုန့်နဲ့ ဆန်ကွဲတွေက ဆန်ကောထိပ်ပိုင်းကို

ရောက်သွားကြတယ်။ ရံဖန်ရံခါဆိုသလို ဆန်ကြိတ်စက်နဲ့ ဆန်ဖွတ်ဆုံထဲကနေ မကြိတ် မခွဲဘဲ တစ်နည်းနည်းနဲ့ လွတ်ထွက်လာတဲ့ စပါးလုံးတစ်လုံးတလေတွေ့ရတတ်ရဲ့။ ဒီစပါးစေ့တွေကိုလည်း ရွေးထုတ်ရရဲ့။ အခုတော့ ချက်ပြုတ်ဖို့ ဆန်ဖြူဆန်သန့်တွေရပြီပေါ့။

အဲဒီနောက် မေမေက ကိုကိုနဲ့ ညီညီကို သူနဲ့အတူ တောထဲခေါ်သွားတယ်။ တောင်ပို့မှိုတွေ ပွင့်တဲ့အချိန်ကျပြီလို့ မေမေက သိထားတာကိုး။

"လျှောက်လမ်းထဲမှာပဲ နေကြနော်၊ သားတို့။ သစ်ရွက်တွေထဲ မြွေတွေ၊ ကင်းတွေ ခိုနေတတ်တယ်ကွဲ့"

တစ်ချို့မြွေတွေက လူ့အသက်ကို သေစေနိုင်ပါတယ်။ ကင်းကိုက်လို့ မသေပေမယ့် အဆိပ်ရှိတာကြောင့် အကိုက်ခံရရင် တအားနာပါတယ်။

မေမေက မြေလျှောက်လမ်းပေါ်က ချော်တက်ပြီး ချုံပုတ်တွေအောက် လိုက်ရှာ ကြည့်တယ်။ တတိယမြောက်ချုံပုတ်မှာ တောင်ပို့မှိုတွေမြင်လိုက်ရော။ မှိုတွေက ခပ်ရှည်ရှည်၊ ဖြူဖြူဖွေးဖွေးလေးတွေ။

"တွေ့ပြီဟေ့"

မေမေက ကိုကိုနဲ့ ညီညီကို လေသံတိုးတိုးလေးနဲ့ ပြောလိုက်တယ်။ အနားမှာ လူတွေ ရှိရင် ကြားသွားမှာစိုးလို့ အသံတိုးတိုးလေးနဲ့ ပြောခြင်းပါ။ တစ်ယောက်ယောက် ကြားသွားရင် တစ်ဆင့်စကား တစ်ဆင့်နားနဲ့ လူတွေအများကြီး တောင်ပို့မှို လာခူးတော့ မှာလေ။ တောင်ပို့မှိုတွေက ဖြိုက်ကနဲဆို ခူးလို့ ကုန်ပြီ။ ဒါကြောင့်လည်း ဘယ်အချိန် ဘယ်နေရာမှာ ရှာရမယ်ဆိုတာ သိထားရသလို မှိုတွေ့ရင်လည်း ငြိမ်ငြိမ်လေး နေတတ်ဖို့ လိုပါတယ်။

ချုံပုတ်နား ဂရုတစိုက် ကပ်လာဖို့ မေမေက ပြောတယ်။ မြွေတွေ၊ ကင်းတွေ မရှိမယ့်နေရာကို ဘယ်လိုနင်းလျှောက်ရမယ်ဆိုတာလည်း ပြပေးတယ်။ ကိုကိုနဲ့ ညီညီတို့ မှိုကူခူးပေးကြတယ်။ သစ်ရွက်တွေအောက် မှိုတွေ အုပ်နေတာ ရှိမရှိ သိနိုင်ဖို့ သစ်ရွက် တွေကိုလည်း ဟိုဟိုသည်သည် ဖယ်ရှားပစ်ရသေးတယ်။

"မှိုပေါက်စလေးတွေ မခူးနဲ့။ သစ်ရွက်လေးတွေနဲ့ ပြန်အုပ်ထားလိုက်။ မနက်ဖြန် ဘာဘာနဲ့ မေမေ စောစော လာပြီး ခူးကြမှာ"

မေမေ ပြောတဲ့အတိုင်း ကိုကိုလည်း လိုက်လုပ်တယ်။ သူတို့ ဒီက ထွက်သွားချိန် သစ်ရွက်အောက်က မှိုတွေကို ဘယ်သူမှမတွေ့ပါစေနဲ့လို့ပဲ ကိုကို မျှော်လင့်နေမိရဲ့။

ရုတ်တရက် မျက်နှာနဲ့လည်ပင်းတွေပေါ် တစ်စုံတစ်ခု ရွစိရွစိနဲ့သွားနေတာ ကိုကို ခံစားမိလိုက်တယ်။ မျက်နှာကို လက်နဲ့ပွတ်ချလိုက်ချိန်မှာပဲ စူးရှနာကျင်မှုနှစ်ခုကို တပြိုင်တည်းခံစားလိုက်ရတယ်။ သူ အော်လိုက်တယ်။ ညီညီလည်းအော်ပြန်တယ်။ ကိုကို၊ ညီညီတို့ပေါ် ခါချဉ်ကောင်တွေတက်နေတာ မေမေ တွေ့ပါလေရော။ ခါချဉ်ကောင် သိုက်တစ်ခုကို ညီအစ်ကိုနှစ်ယောက် သွားဆွမိတာကိုး။

မေမေက ညီအစ်ကိုနှစ်ယောက်ကို မြေလျှောက်လမ်းဘက် ခပ်သွက်သွက်လေး ဆွဲခေါ်သွားပြီး သူတို့ကိုယ်ပေါ်က ဒေါသတကြီး လိုက်ကိုက်နေတဲ့ ခါချည်ကောင်တွေကို ခါချလိုက်တယ်။ ကိုကိုတို့အကျိုတွေလည်း ချွတ်ပြီး အကျိုထဲ ပုန်းခိုနေတဲ့ ခါချည်ကောင်တွေ ကို ခါထုတ်ပစ်ပြန်တယ်။ ကိုကို့မျက်နှာ၊ လည်ပင်းနဲ့ ရင်ဘတ်ပေါ် ၁၅ ချက်လောက် အကိုက်ခံလိုက်ရယ်။ ညီညီလည်း အကိုက်ခံရတာပေါ့။ ခါချည်ကောင်တွေက သိပ် ဒေါသကြီးတာ။ ကိုက်ရင်လည်း မြန်သလားမမေးနဲ့။

အိမ်ရောက်တော့ ကိုကိုနဲ့ ညီညီတို့ ခါချည်ကောင် အကိုက်ခံရတဲ့အကြောင်း လုံးလုံးမေ့ကုန်ပြီ။ မေမေ့အဝတ်အိတ်ထဲက တောင်ပို့မှိုတွေ ရေကြည်ကြတော့ စုစုပေါင်း ၅၃ ပွင့်ရှိတာတွေ့ရယ်။ ကိုကိုက တောင်တောင်တို့အိမ် အပြေးလေးသွားပြီး မှို နည်းနည်းပေးလိုက်တယ်။

"ပျော်စရာကြီးပဲဟေ့။ တောင်ပို့မှိုတွေ မြေးလေးတို့ ဘယ်နားက ရလာကြတာလဲ" တောင်တောင်က တအံ့တသြ ပြောလာတယ်။ တောင်တောင်က မှိုသိပ်ကြိုက်တာ။

"တောထဲကလေ၊ တောင်တောင်။ သားလည်း ကူးဒူးပေးတာ။ ခါချည်ကောင်တောင် အကိုက်ခံလိုက် ရသေးတယ်"

"နောက်တစ်ခေါက်ဆို ပိုလို့ သတိထားပေါ့ကွယ်"

ကိုကို အိမ်ပြန်ပြေးသွားတယ်။ မေမေကတော့ တောင်ပို့မှိုတွေကို ဆေးကြောနေပြီ။
*****

နောက်တစ်နေ့ မနက်မှာ ဘာဘာနဲ့ မေမေ မနက် ၅ နာရီမှာ အိပ်ရာထပြီး ကိုကိုနဲ့ညီညီကို သိပ်ထားခဲ့လိုက်တယ်။ သစ်ရွက်တွေ အုပ်ပြီး ဝှက်ထားခဲ့တဲ့ တောင်ပို့ မှိုတွေကို စောစောလေးသွားခူးရမှာကိုး။ ကိုကို နိုးလာတော့ ဘာဘာနဲ့မေမေတို့ ခူးယူ လာတဲ့မှိုတွေကိုကြည့်ပြီး အံ့သြနေမိတယ်။ မှိုသုပ်လုပ်စားဖို့ လုံလောက်မယ်လို့ သူတွေး မိရဲ့။ မှိုသုပ်က သိပ်အရသာရှိတာ။ ဒါပေမယ့် မှိုတွေ ဖောဖောသီသီရတော့မှ မှိုသုပ်လုပ် စားလို့ရတာလေ။

အခုတော့ ဆိုင်ကလုန်းမုန်တိုင်းမတိုက်ခင် ပြင်ဆင်ဖို့အချိန်ကျပြီပေါ့။ ဘာဘာက တောင်တောင့်အိမ်က 'ရေနံတူးကြီး'ကို ယူလာတယ်။ ရေနံတူးကြီးက ရှာလို့ရမ္မသဲ့ အမာဆုံး၊ အထူးဆုံးကြီးပါ။ ဒါကြောင့်လည်း ရေနံတူးတဲ့အခါ သုံးကြတာပေါ့။ ရေနံတူး ရာမှာ သုံးလို့ ဒီကြီးကို ရေနံတူးကြီးလို့ ခေါ်ကြလေရဲ့။ ဘာဘာက ဝါးအခြင်နဲ့ အိမ်ရဲ့ ဒေါက်တိုင်တွေကို ရေနံတူးကြီးနဲ့ ချည်လိုက်တယ်။

ကိုကိုက ဘာဘာအလုပ်လုပ်နေတာ ကြည့်ပြီး စိတ်ထဲ မရဲ့မရွှဖြစ်လာတယ်။ ခေါင်မိုး ပြုတ်ထွက်လောက်တဲ့အထိ လေတိုက်နှုန်း ပြင်းမယ်လို့ ဘာဘာ တွေးထားတာ ဖြစ်မယ်။ ဒါကြောင့်လည်း ခေါင်မိုး ပြုတ်မထွက်အောင် ကြိုတင်လုပ်ဆောင်နေတာပေါ့။

ဦးအောင်ဇံ ပြောသလို တစ်နာရီ မိုင် ၁၀၀ နှုန်းတော့ တိုက်မှာမဟုတ်လောက်ဘူးလို့
ကိုကို မျှော်လင့်နေမိတယ်။

ကိုကိုက အပြင်ထွက်ပြီး ကောင်းကင်ကို မော့ကြည့်လိုက်တယ်။ တိမ်တွေထူ
ပိန်းနေတာတွေ့ရဲ့။ မိုးတိမ်တွေက မွဲပြာပြာပုံစံ။ ပြီးတော့ ခပ်မှိန်မှိန်မှိလေး။ မလှုပ်မယှက်
ငြိမ်သက်လို့။ များသောအားဖြင့် မိုးရာသီအတွင်း မိုးတိမ်တွေ အနောက်တောင်အရပ်က
လာပြီး အကြာကြီး မိုးရွာနေကျလေ။ ကောင်းကင်ပေါ် အခုတိမ်စင်လိုက်၊ အခုတိမ်ထူ
လိုက်နဲ့။ ဒါပေမယ့် ကောင်းကင်ပြင်မှာ မိုးတိမ်တွေ ခပ်သွက်သွက်လေး ဖြတ်သွားနေကျ။
အခု ဖြစ်နေတဲ့ တိမ်တွေကျတော့တစ်မျိုး။ နေရာကို မရွေ့တာမျိုး။ ပုံစံကို ကိုကိုတော့
သဘောမကျ။

ရွာသားအားလုံး ညနေစာကို စောစော စားထားကြတယ်။ မုန်တိုင်းတိုက်တော့မယ်
ဆိုရင် ဒီအတိုင်းလုပ်နေကျလေ။ မုန်တိုင်းတိုက်လာတဲ့အခါ ထမင်းစားချိန်ရလိုက်မှာ
မဟုတ်တော့။ အမိုးတွေ ပြန်ပြင်ရရင်ပြင်ရမှာ။ လူတွေလည်း ထိခိုက်ချင်ထိခိုက်မိမှာ။
သစ်ပင်တွေ လဲချင်လည်းလဲမှာ။ ဒီလိုမျိုးကိစ္စတွေ သောင်းခြောက်ထောင် ဖြစ်လာတတ်
လို့လေ။ ညနေစာ စောစော စားပြီး စောစောအိပ်ရာဝင်ရတာ နည်းနည်းတော့ မရိုးမရွ
ဖြစ်မိတယ်။ ဒါပေမယ့် ဘာဘာနဲ့ မေမေလည်း အတူတူ ရှိလေတော့ စိတ်ထဲနေသာ
သလိုရှိရဲ့။

*****

ဆိုင်ကလုန်းမုန်တိုင်း လာပြီ

မေမေက စောစောအိပ်ရာထပြီး ဒီနေ့အဖွဲ့ နေ့လည်စာနဲ့ ညနေစာအတွက် ပေါင်းချက်ထားလိုက်တယ်။ အဲဒီနောက် ဟင်းခတ်အမွှေးအကြိုင်အားလုံးကို စုပြုံပြီး မြေအိုးကြီးတစ်လုံးထဲထည့်၊ ပြီးရင် အဖုံးကို ကောင်းကောင်းဖုံးထားလိုက်တယ်။ ခေါင်မိုး ပွင့်ထွက်သွားရင် အစားအစာတွေ မိုးစိုပြီးပျက်စီးမသွားအောင်ပေ့၊။ ခေါင်မိုးက အသစ် လေ။ တစ်ခါ ဘာဘာကလည်း ခေါင်မိုးကို ရေနံတူးကြိုးနဲ့ တင်းတင်း တောင့်ထားသေးတာ။ ဒါပေမဲ့ လေတိုက်နှုန်း တစ်နာရီ မိုင် ၁၀၀ ဆိုရင်တော့ ခေါင်မိုး ပွင့်ကို ပွင့်သွားမှာ ဘာဘာလည်း အလုပ်တွေများနေပြီ။ လုံးတီးဆန်အိုးကို အဖုံးလုံအောင်ဖုံးနေလေရဲ့။ ဒီနေ့အဖွဲ့ နွားတွေကို ကွင်းထဲလွှတ်မကျောင်းဖြစ်။ ကောက်ရိုးပုံမှာပဲ ချည်ထားလိုက်တယ်။ အခု ဘာမှလုပ်ဖို့မလိုတော့။ မုန်တိုင်းအလာကို စောင့်နေရုံပဲ။

"ဒီအသံက ဘာလဲ၊ မေမေ"

ထူးထူးဆန်းဆန်း "ဝုန်း"ကနဲ့ အသံတစ်သံ ကြားနေရရဲ့။

"ဒါ ပင်လယ်ပြင်ကလာတဲ့ အသံပဲ၊ သားရေ့"

ဒီအသံကို သူ ကြိုက်/မကြိုက် သိပ်မသေချာလှ။ ပင်လယ်ပြင်ကို သူ တစ်ခါမှ မရောက်ဖူးဘဲကိုး။ ဒါပေမဲ့ ပင်လယ်ကြီးက အကျယ်ကြီးဆိုတာ သူသိတယ်။ လူတွေ လည်း ဒီတိုင်းပြောကြတာကိုး။ ဆက်ပြီး သူ နားစွင့်ထောင်နေမိတယ်။

"ဒီအသံကို အခုမှ ဘာလို့ကြားရတာလဲဟင်။ ပင်လယ်ပြင်နဲ့ အဝေးကြီးလို့ သား ထင်နေခဲ့တာ"

"လေတိုက်နှုန်း မြန်လာလို့ လှိုင်းသံ ကြားရတာပေါ့ကွယ်"

ကိုကို ဆက်ပြီး နားစွင့်နေမိတယ်။ ဝုန်းကနဲ့ အသံတွေကျယ်လာလိုက်၊ တိုး သွားလိုက်၊ နောက်တစ်ခါ ကျယ်လာလိုက်၊ တိုးသွားလိုက်နဲ့။

"လှိုင်းလုံးတွေ သားတို့ဆီ ရောက်လာမှာလားဟင်၊ မေမေ"

"မရောက်ပါဘူး၊ သားရေ။ ဘင်္ဂလားပင်လယ်အော်နဲ့ ၃ မိုင်လောက်ဝေးတာ
လေ။ မေမေတို့ရွာမှာ တစ်ခါမှ ရေကြီးရေလျှံမဖြစ်ဖူးဘူး။ ဖွား(ဒီရေ)ပြည့်ပြီး မိုးတွေ
သည်းသည်းမည်းမည်း ရွာရင်တောင် ရွာပြင်ဘက် လယ်ကွင်းတွေရေမြုပ်တာ ခပ်ရှား
ရှားပဲ။ သားတို့ဘောင်ဘောင်တောင် ရွာထဲရေကြီးတာ တစ်သက်နဲ့တစ်ကိုယ် မတွေ့
ဖူးဘူးလေ"

ကျွန်းဦးပင်ကြီးကကော ရေကြီးတာမြင်ဖူးလား ကိုကို သိချင်မိရဲ့။

*****

နေ့လည်စာကို စောစောလေးစားကြတယ်။ နေ့လည်စာ စားနေချိန်မှာပဲ လေတွေ
စတိုက်လာရော။ ထမင်းစားနေရင်း ကိုကို လေတိုက်သံကိုနားစွင့်ထားမိတယ်။ သရက်သီး
နဲ့ ရောချက်ထားတဲ့ ပုဇွန်းဟင်း၊ မို့ကန်းစွန်း၊ ပြီးရင် ငရုတ်သီး၊ သံပရာရည်၊ ငရုတ်ကောင်း၊
ကြက်သွန်ဖြူတို့နဲ့ ရောသုတ်ထားတဲ့ မို့သုတ်တို့ကို ထမင်းနဲ့ စားနေကြတယ်။ စားနေရင်း
ဝါးအိမ်လေးပတ်လည်က ကညင်ပင်ကြီးတွေဆီ ကိုကို စိတ်ရောက်သွားပြန်တယ်။
ကညင်ပင်ကြီးတွေက ပင်စည်လုံး အကြီးကြီး။ လူသုံးယောက်ဖက်စာလောက်ကိုကြီးတာ။
လေပြင်းတိုက်လာရင် ဒီသစ်ပင်တွေ အိမ်ပေါ် လဲကျချင်လဲကျမှာလေ။ ခေါင်မိုးနဲ့ အိမ်
ထရံတွေက အုန်းပျစ်နဲ့ လုပ်ထားလို့ သစ်ပင်အလေးကြီးတွေ လဲကျရင် ဝါးအိမ်လေးခမျာ
အသာလေး ပိပြားသွားမှာပေါ့။ ကိုကို စိုးရိမ်စိတ်ကို မမျှိသိပ်နိုင်တော့။ ထမင်းစားပွဲမှာ
စကားမပြောရဘူးဆိုတာ သိထားပေမယ့်လည်း သူ အောင့်မထားနိုင်တော့။

"သစ်ပင်တွေ သားတို့အပေါ် ပိကျလာမှာလားဟင်"

ဘာဘာနဲ့ မေမေတို့ တစ်ယောက်မျက်နှာတစ်ယောက် ကြည့်လိုက်ကြတယ်။
ကိုကိုက ဟိုတွေးဒီတွေးနဲ့ စိုးရိမ်နေတတ်တာ။ သူ့ကို စိုးရိမ်မနေစေချင်တော့။

"ဒီည ဘောင်ဘောင်တို့အိမ်မှာ သွားနေကြမယ်"

မွန်းလွဲပိုင်းမှာ မိုးစရွာပါတော့တယ်။ လေတွေ ပိုပြင်းလာတော့ အိမ်နားကသစ်ပင်
ကြီးတွေရဲ့ ထိပ်ပိုင်း ဘယ်ညာယိမ်းထိုးလှုပ်ရှားလာကြတယ်။ အုန်းသီးတွေ၊ သရက်သီး
တွေ အပင်ထက်က တဘုန်းဘုန်း၊ တဖြုတ်ဖြုတ်ကြွေကျလာရော။ သစ်ကိုင်းတွေလည်း
တခြမ်းခြမ်းကျိုးလာပါလေရော။

ဘာဘာက အရင်ဆုံး ညီညီကို ချီပြီး ဘောင်ဘောင့်အိမ် ခေါ်သွားတယ်။
အဲဒီနောက် ကိုကို့ကို ချီခေါ်သွားပြန်တယ်။ အုန်းသီးတွေပြုတ်ကျတာ ထိမိရင် လူတောင်
သေသွားနိုင်ရဲ့။ ဒါကြောင့် ဂရုစိုက် သွားနေရတာ။ ဘာဘာက ဘယ်နားက လျှောက်ရင်
ဘေးကင်းလုံခြုံမယ်ဆိုတာ သိပြီးသား။ မေမေက စောစောက ချက်ထားတဲ့ အစားအစာ
တွေကိုဆွဲယူပြီး တောင်းတစ်လုံးထဲထုပ်ပိုးလိုက်တယ်။ လေတိုက်လို့ ကိုကို အေးစိမ့်စိမ့်

လေးခံစားရတယ်။ ဒါကြောင့် ကိုကို၊ ညီညီတို့ စောင်တစ်ထည်ခြုံပြီး ဘောင်ဘောင့် အိမ်တံခါးကနေ ကိုကိုတို့ရဲ့ ဝါးအိမ်လေးဆီ မျှော်ကြည့်နေလိုက်ကြတယ်။ သစ်ကိုင်းတွေ၊ အုန်းသီးတွေ အပင်ပေါ်က ပြုတ်ကြွေကျတာ ကိုကို မြင်နေရဆဲ။ ဘာဘာက နွားတွေကို မောင်းကာထဲ မောင်းသွင်းပြီး ချည်ထားလိုက်တာမြင်ရတယ်။ သစ်ပင်ကြီးတွေအကြောင်း သူ တွေးနေမိရဲ့။

ဘာဘာ ပြန်ရောက်လာတော့ ကိုကိုက မေးလိုက်တယ်။

"သစ်ပင်ကြီးတွေ နွားတွေပေါ် လဲကျလာရင် ဘယ်လိုလုပ်မလဲဟင်၊ ဘာဘာ"

"သစ်ပင်ကြီးတွေ လဲကျလာရင် မီးဖိုချောင်နဲ့ တခြားအခြမ်းပဲရောက်မှာ၊ သားရေ့။ နွားတွေပေါ် မကျဘူး"

ကိုကိုနဲ့ ညီညီတို့ ဘုရားစင်အောက်မှာ စောင်ခြုံပြီး ထိုင်နေကြတယ်။ ဝမ်းကွဲမောင်နှမတွေဖြစ်တဲ့ မမချေနဲ့ သူရိန်စိုးတို့လည်း အနားမှာထိုင်နေကြတယ်။ သူရိန်စိုးက ၂ နှစ်ပဲ ရှိသေးတာ။ ဘာဖြစ်နေမှန်း သူ မသိ။ ဒါပေမယ့် လူတွေအများကြီး ရောက်နေလို့ သူလည်း စိတ်လှုပ်ရှားနေလေရဲ့။

*****

ညနေစာကို ခါတိုင်းထက် စောပြီး စားလိုက်ကြတယ်။ လေတွေက သစ်ပင်တွေကို တဝေါဝေါ တိုက်နေတုန်း။ မိုးတွေလည်းရွာနေဆဲ။ လေတိုက်သံကို ကိုကို မကြိုက်။ လေသံတွေ ပျောက်မှ ပျောက်သွားပါ့မလားလို့ ကိုကို တွေးနေမိတယ်။ ဘောင်ဘောင်တို့ အိမ်မှာနေရတာ သူ့စိတ်ထဲအဆင်ပြေတယ်။ ဘောင်ဘောင်တို့အိမ်ထရံက သစ်သားနဲ့ လုပ်ထားတာလေ။ ကြမ်းခင်းကလည်း ချောမွတ်တဲ့သစ်သားကြမ်းခင်း။ ဒါပေမယ့် အမိုးက အုန်းမိုးထားတာ။ တစ်ခါတလေဆို လေတိုက်လို့ အုန်းပျစ်တွေ အပေါ်လန်ပြီး အိမ်ရှေ့ခန်းမှာ မိုးတွေကျလာရော။ ဘုရားစင်နားမှာ စောင်နဲ့ သူကွေးနေလိုက်တယ်။ နားတွေကို လက်နဲ့ပိတ်ထားရင်လည်း လေတိုက်သံကြားနေရရဲ့။

"ဦးထွန်းစိန်တို့ အိမ်ခေါင်ဦး ပြုတ်ထွက်သွားပြီ"

ဘာဘာက လေတိုက်သံကိုကျော်ပြီး အော်ပြောတယ်။ သူက အိမ်တံခါးဝမှာ မတ်တပ်ရပ်နေလေရဲ့။

ဦးထွန်းစိန်တို့အိမ်မှာ ခေါင်ဦးချိုးထားတဲ့ ခေါင်မိုးအလယ်က အုန်းပျစ်တွေ လေတိုက်လို့ ပြုတ်ထွက်သွားပြီပေါ့။ ခေါင်ဦး ပွင့်ထွက်သွားတော့ ဦးထွန်းစိန်တို့အိမ်ထဲ မိုးတွေ သည်းသည်းမည်းမည်း ဝင်လာတော့မှာလေ။ ဒါပေမယ့် သူတို့မိသားစု အဆင်ပြေမှာပါ။ ခေါင်းမိုးတစ်ဘက်ခြမ်းမှာ နေလို့ရသေးတာပဲ။ အန္တရာယ်အရှိဆုံးက အိမ်ပေါ် သစ်ပင်ပိမှာကိုပဲ။ ဘာဘာက အိမ်ထဲဝင်လာရင်းပြောလိုက်တယ်။

"သစ်ပင်မလဲရင် ဒီနားတဝိုက်က အိမ်တွေပျက်စီးမှာမဟုတ်ဘူး။ ဒီသစ်ပင်တွေက

သဘာဝအတိုင်း လေကာပေးထားတယ်"

ညမှောင်လာလို့ သိပ်မကြာခင် ညည်နဲ့သူရိန်စိုးတို့ အိပ်ပျော်သွားကြတယ်။ မေမေက ကြိုးစားအိပ်ဖို့ပြောပေမယ့် ကိုကို အိပ်လို့မရ။ လေတိုက်သံ တဝေါဝေါကြား နေရသလို မိုးသံတအုန်းအုန်းလည်း ကြားနေရဆဲ။ ဒီလေတိုက်သံတွေ တစ်သက်လုံး နားထောင်နေရတော့မလားလို့ ကိုကို တွေးနေမိရဲ့။ လေမတိုက်တဲ့ အချိန်အကြောင်း တွေးလို့ကိုမရတော့။ သူနားထဲ လေတိုက်သံတွေနဲ့ ပြည့်နေလေရဲ့။ သစ်ကိုင်းကျိုးကျသံကို တော့ သူ ကြောက်မိတယ်။ ဦးအောင်ဇံရဲ့ စကားသံ နားထဲပြန်ကြားယောင်မိပြန်တယ်။ တစ်နာရီ မိုင် ၁၀၀ နှုန်းနဲ့ မုန်တိုင်းတိုက်ရင် ရွာထဲ ဘာမှကို ကျန်မှာမဟုတ်တော့ဘူးတဲ့လေ။ ကိုကိုက မျက်လုံး တင်းတင်း စွင့်လိုက်တယ်။ ကြည့်ရတာ တကယ်ပဲ ဘာမှကို ကျန်ခဲ့တော့ မှာမဟုတ်ဘူး။

လေငါးနာရီလောက် ကြာလာတော့ လေတိုက်တာနေ့းသွားတယ်။ နောက်ဆုံး တော့ ကိုကို အိပ်ပျော်သွားနိုင်ပြီပေါ့။

*****

နောက်တစ်နေ့မနက်မှာ ကိုကို မျက်လုံးဖွင့်ကြည့်တယ်။ ပထမဆုံး သူ သတိပြုမိ တာက ညဘက်အိပ်ပျော်နေတုန်း အခန်းရဲ့တစ်ဘက်စွန်းကို ရွေ့ခံထားရတယ်ဆိုတာပါပဲ။ မေမေက သူနဲ့ ညည်ကို ရွေ့လိုက်တာဖြစ်မယ်။ ရွေ့နေတုန်း သူ နိုးတောင်မနိုးခဲ့။ ဒုတိယတစ်ခု သူ သတိပြုမိတာက သူ ညည်နဲ့ ဝမ်းကွဲမောင်နှမတို့ အိပ်ပျော်နေတာကို မိုးမပက်အောင် ပိတ်စကြီးတစ်ထည် ခြည်တုပ်ပြီး မိုးကာပေးထားတာကိုပါ။ ပိတ်စက လေပြေနုနုလေးထဲ ငင်ငင်သာသာလေး လွန့်လူးလှုပ်ရှားနေလေရဲ့။ အိပ်ရာ ထလာ တော့ ကိုကို မျက်နှာကြက်ဆီမော့ကြည့်မိတယ်။ ကောင်းကင်ပြင်ကြီးကို သူ မြင်နေရရော။ မနေ့ညက အိမ်ခေါင်ဦး လေထဲပါသွားပြီ။

"မေမေ၊ မနေ့ညတည်းက မုန်တိုင်းစဲသွားပြီ ထင်နေတာ"

"အဲဒါ မုန်တိုင်းဗဟိုချက် ဖြတ်သွားရုံပဲ ရှိသေးတာ၊ သားရေ့။ မုန်တိုင်းဗဟိုချက်က လေငြိမ်တယ်လေ။ ဗဟိုချက် ဖြတ်ပြီးတဲ့အခါ လေတွေပြန်တိုက်လာရော။ အဲဒီမှာ ခေါင်မိုးထိပ် ပြုတ်ထွက်သွားတာ"

ဒီလောက်ထိ ဖြစ်ပျက်သွားတာတောင် အိပ်ပျော်နေနိုင်ခဲ့တာ ကိုယ့်ကိုယ်ကိုယ် မယုံနိုင်အောင်ပဲ။

ဘာဘာက ဒေါ် လူးခိုင်အိမ်က ပြန်လာတယ်။ မိုးရွာနေဆဲမို့ မက္ကလာတစ်ထည် ဆောင်းထားတယ်။ သူ့အတူ လမ်းပေါ် က ကောက်လာတဲ့ သရက်သီး လေးငါးခြောက် လုံးလည်းပါလာလေရဲ့။

"ရေဒီယိုနားထောင်ပြီး ပြန်လာတာ။ ကံကောင်းလို့ပေ့ါ။ မုန်တိုင်းက တစ်နာရီ မိုင် ၇၀ နှုန်းနဲ့ပဲ တိုက်သွားတာ။ အခုတော့ မုန်တိုင်းက အားပျော့ပြီး ဘင်္ဂလားဒေ့ရှ်ဘက် ဦးတည်သွားပြီတဲ့ကွ"

"သားတို့အိမ်ကော အခြေအနေကောင်းလားဟင်၊ ဘာဘာ"

"ကောင်းပါတယ်ကွ။ မီးဖိုခန်းအမိုးပဲ ပြန်ပြင်ဖို့လိုမှာ။ မီးဖိုခန်းတော့ နည်းနည်း မိုးစိုသွားတာပေ့ါ"

အိမ်မကြီးရဲ့ ခေါင်မိုးက အသစ်မိုးထားပြီး မီးဖိုခန်းက အဟောင်းမို့လို့ ဒီလိုဖြစ် တာလို့ ကိုကိုသိလိုက်ပြီ။ အိမ်ခေါင်မိုးမကြီးလိုမျိုး လုံးလုံးလဲပစ်စရာတော့မလို။ ခေါင်မိုးမ ကြီးထက် နည်းနည်းတော့ချို့နဲ့နေတယ်။

ကိုကိုက အိမ်ရှေ့ခန်းကို ပြေးပြီး အခြေအနေကို သွားကြည့်တယ်။ တောင်တောင် က အိမ်ပြင်ဘက်မှာ သစ်ကိုင်းကျိုးတွေကို သန့်ရှင်းရေးလုပ်နေလေရဲ့။ ကိုကိုက သူတို့ ဝါးအိမ်လေးကို ကြည့်လိုက်တယ်။ ပုံစံမပြောင်းဘဲ ပကတိအခြေအနေအတိုင်း ရှိနေတာ တွေ့တော့ စိတ်သက်သာရာရသွားတယ်။

ဘာဘာလည်း အလုပ်စဖျယ်ပါပြီ။ ပြိုပျက်သွားတဲ့ ခေါင်မိုးတွေကို အမျိုးသားတွေက အတူတူ လိုက်ပြင်ကြရတာလေ။ အရင်ဦးဆုံး အိမ်နီးချင်းသုံးယောက် အကူအညီနဲ့ တောင်တောင်တို့အိမ်ခေါင်မိုးကို ဘာဘာပြင်ပေးတယ်။ အဲ့ဒီနောက် ဦးထွန်းစိန်တို့ အိမ်ခေါင်မိုးကို သွားကူပြင်ပေးကြတယ်။ မိုးတွေ အားပြင်းပြင်းနဲ့ပြန်မရွှာခင် ခပ်သွက် သွက်လေး အမိုးမိုးလိုက်ကြတယ်။ ဆိုက်ကလုန်းမုန်တိုင်းစဲသွားပါပြီ။ သို့ပေမယ့် မိုးရာ သီမို့ မိုးတွေသည်းသည်းမည်းမည်း ရွာနေဦးမှာကိုး။

ကိုကို၊ ညီညီနဲ့ ဝမ်းကွဲမောင်နှမတို့ ဘာဘာယူလာတဲ့ သရက်သီးတွေကို စား လိုက်ကြတယ်။ စားပြီးတာနဲ့ တောင်တောင်အတွက် အုန်းပင်ပေါ်ကကြွေကျတဲ့ အုန်းသီး တွေကို ကူကောက်ပေးလိုက်တယ်။ သူကူနိုင်တဲ့ သစ်ကိုင်းလေးတွေလည်း ကူသယ်ရှင်း ပေးလိုက်ရဲ့။ တောင်တောင်တို့အိမ်က ခေါင်ဦးထိပ်ကလွဲ့ပြီး တခြား ထိခိုက်မှု အများကြီး မဖြစ်ခဲ့လို့ တောင်တောင်တစ်ယောက် ကျေးဇူးတင်နေသေးတယ်။ ဒါပေမယ့် ကွမ်းသီးပင် တစ်ချို့ ကျိုးသွားလို့ တောင်တောင် စိတ်မချမ်းမြေ့ဖြစ်နေဆဲ။ ကွမ်းသီးပင်က သူမအတွက် ဝင်ငွေရလမ်းတစ်ခုကိုး။

လမ်းဟိုဘက်နားလေးမှာ နေတဲ့ ဘာဘာ့အစ်ကို ဘကြီးဦးအောင်ဖိုးသန်းလည်း သတင်းကြားလို့ ရောက်လာတယ်။

"သားမှာ အိမ်ခေါင်မိုးတစ်ခုလုံး လေနဲ့ပါသွားတယ်။ အိမ်ထရံတစ်ဘက်လည်း လွင့်ပျောက်သွားတယ်။ မေမေကော အခြေအနေဘယ်လိုလဲ"

"ကွမ်းသီးပင်တွေ နည်းနည်းပါသွားတယ်ကွဲ့။ ပြီးတော့ ခေါင်ဦးထိပ်ရောပဲ။ အောင်သန်းရွှေမှာတော့ မီးဖိုချောင်ခေါင်မိုးပဲ ဖာဖို့လိုတာ။ ကံကောင်းလို့ပေါ့ကွယ်"

"မေမေတို့မှာက အကာအကွယ် သစ်ပင်တွေရှိတာကိုး"

တစ်ခါတလေ လောကကြီးက ထူးဆန်းတယ်လို့ ကိုကို တွေးနေမိရဲ့။ ကိုယ့်ကို အန္တရာယ်ဖြစ်စေနိုင်လောက်တဲ့ သစ်ပင်ကြီးတွေကပဲ ကိုယ့်ကို အကာအကွယ်ပေးတတ် တာကိုး။

"မင်းလမ်းတလျှောက်မှာ ခေါင်မိုး လေနဲ့ပါသွားတဲ့ အိမ်တွေအများကြီးပဲ။ နေရာတိုင်းမှာ သစ်ကိုင်းတွေ အများကြီးကျိုးကျနေတာလေ။ အုန်းသီးတွေ၊ သရက်သီး

တွေ့ရောပဲ"

ဘကြီးဦးအောင်ဖိုးသန်းက ဘာဘာကို ရှာဖို့ထွက်သွားတယ်။ သူ့အိမ်ခေါင်မိုး ကူပြင်ပေးဖို့ အကူအညီတောင်းနိုင်အောင်ပေါ့လေ။ ဘာဘာက တခြားအိမ်တွေမှာ ခေါင်းမိုးကူပြင်ပေးရင်း တစ်မနက်လုံး ပျောက်နေလေရဲ့။ သူ့အိမ်ခေါင်မိုးကို နောက်ဆုံးမှ ပြင်တာတွေ့တယ်။ နေ့လည်စာကို ဘောင်ဘောင်တို့အိမ်မှာချက်ပြုတ်ကြတယ်။ ဘာဘာ က ကိုယ့်အိမ်ခေါင်မိုးကို မိုးနေလေရဲ့။ နေ့လည်စာစားတာလည်း နောက်ကျတယ်။ အိမ်ခေါင်မိုးပြင်တာ မပြီးမချင်း အလုပ်ကိုနားမပစ်ချင်လို့လေ။

နေ့လည်စာစားပြီးတဲ့အခါ ဘောင်ဘောင်က ရေနွေးကြမ်းနဲ့ ပဲလွမ်းလျော်ကျွေး တယ်။ ရေနွှမ်းကြမ်းသောက်၊ ပဲလျော်စားရင်းနဲ့ပဲ မုန်တိုင်းကြီးအကြောင်း ကိုကို နား ထောင်ရလေရဲ့။

*****

ဆိုင်ကလုန်းမုန်တိုင်းကြီးဇာတ်လမ်း

"ဒီတစ်ခေါက် ဆိုင်ကလုန်းမုန်တိုင်းက မကြီးလို့ တော်သေးတယ်"

ဘာဘာက ဆိုရင်း ရေနွေးကြမ်းတစ်ကျိုက် သောက်လိုက်တယ်။ ဘောင်ဘောင်က ခေါင်းညိတ်သဘောတူ လိုက်တယ်။

"လေတွေ ဒီထက် ပြင်းခဲ့ရင် မုန်တိုင်းကြီး တိုက်တဲ့ နှစ်တုန်းကလို အပျက်အစီး တွေ ပိုများခဲ့မှာ"

ကိုကိုက ထိုင်နားထောင်ရင်း ပဲလွမ်းလျှော်စားနေလိုက်တယ်။ ဘောင်ဘောင်တို့ အိမ်ထဲမှာ အတော်လေး နွေးနွေးထွေးထွေးဖြစ်နေတယ်။ မိုးတွေ သည်းသည်းမည်းမည်း ရွာတဲ့ဒဏ်ကနေ ကာကွယ်ပေးမယ့် ခေါင်မိုးကိုပြန်ပြင်ထားပြီကိုး။ ဆိုင်ကလုံးမုန်တိုင်း စဲပြီး လေပြင်းမတိုက်၊ မိုးတွေပဲ သည်းသည်းမည်းမည်းရွာလို့ ကိုကို ပျော်နေမိတယ်။

"အဲဒီဆိုင်ကလုန်းမုန်တိုင်းကြီးက တစ်သက်နဲ့တစ်ကိုယ် အဆိုးဆုံးမုန်တိုင်းပဲ"

ဘောင်ဘောင်က ဆက်ပြောတယ်။

"ဘာတွေ ဖြစ်ခဲ့လို့လဲဟင်၊ ဘောင်ဘောင်"

"လွန်ခဲ့တဲ့ နှစ် ၂၀ က ဖြစ်ခဲ့တာပေါ့ကွယ်။ အဲဒီတုန်းက မြေးလေးတို့ ဘာဘာ ကလေးပဲ ရှိသေးတာလေ။ မုန်တိုင်းစဲသွားချိန်မှာ ရွာထဲ ဘာမှကိုမကျန်လိုက်ဘူး။ လူးခိုင်အိမ်ကလွဲလို့ တခြားအိမ်တွေ ဘာမှကိုမရလိုက်တာ။ သစ်ပင်အများစုလည်း လဲကုန်ရော။ လဲကျ၊ ကျိုးကျသွားတဲ့ အပင်တွေ၊ အကိုင်းတွေဆိုတာ မနည်းမနောပဲ။ ဘယ်လောက်တောင်များသလဲဆိုရင် ဘေးအိမ်နား ကူးသွားလို့တောင်မရဘူး"

ကိုကိုက အဲဒီတုန်းက အခြေအနေကို တွေးကြည့်လိုက်တယ်။ ကျွန်းဦးပင်ကြီး အကြောင်းလည်းတွေးလိုက်မိရဲ့။ တခြားသစ်ပင်တွေလဲကျပြီး ဒီသစ်ပင်ကြီးတစ်ပင်ပဲ တထီးတည်းကျန်နေခဲ့တာကိုး။

"အခ မြေးလေးတို့အိမ် ရှိရာနေရာနောက်ဘက်မှာ အရင်က အပင်ကြီးတစ်ပင် ရှိခဲ့တာကွဲ။ အဲဒီမုန်တိုင်း တိုက်တော့ ဒီသစ်ပင်ကြီးက အကိုင်းတစ်ကိုင်း ကျိုးကျသွားတယ်။ လေပြင်းကြောင့် ဒီအကိုင်းက တောင်တောင်တို့အိမ်ခေါင်မိုးပေါ် က ကျော်ပြီး ဒေါ်အောင်နုတို့အိမ်အထိ ရောက်သွားတာလေ။ သစ်ကိုင်းက ဘေးခေါင်မိုးကို ဖောက် ဝင်ပြီး ရာဝင်စဉ့်အိုးကြီးကိုထိလို့ စဉ့်အိုးကွဲသွားပါလေရော။ စဉ့်အိုးက ဆန်တွေ၊ ကွမ်းသီးတွေထည့်လျှောင်တဲ့ အိုးမျိုးလေ။

ဒါ အိုးကြီးမျိုးပဲဆိုတာ ကိုကို သိထားတယ်။ ညီညီအရပ်လောက်မြင့်တယ်။ ကိုကိုနဲ့ညီညီနှစ်ယောက်လုံး အတွင်းဝင်နေရင်တောင် ဆန်လောက်တဲ့အထိ အကြီးကြီးပဲ၊ 'ခွမ်း'ကနဲ အသံကျယ်ကြီး မြည်သွားမှာ အမှန်ပဲ။

"ရာဝင်အိုး ကွဲသွားတော့ ဒေါ်အောင်နုက သူ့ရာဝင်အိုးခကို တောင်တောင်က ပေးလျှော်ရမယ်လို့ဆိုလာတယ်"ပြောရင်း တောင်တောင်ကရယ်လိုက်တယ်။

"တောင်တောင်က ရာဝင်အိုးခ ပေးသင့်တယ်လို့ မထင်ဘူးလေ။ တောင်တောင့် အမှားမှ မဟုတ်တာပဲကိုကွယ်။ ဒီကိစ္စနဲ့ပတ်သက်ပြီး တောင်တောင်တို့ စကားများကြ သေးတယ်။ သူ့ကို ရာဝင်အိုးခလည်း မပေးဖြစ်ပါဘူး"

"လူတွေကတော့ ပြောကြတယ်။ တစ်နာရီ မိုင် ၁၂၀ လောက်နှုန်းနဲ့ လေတိုက်တာ တဲ့လေ" ဘာဘာကဝင်ပြောတယ်။

"ဒါပေမဲ့ ဘယ်သူမျှအတပ်မပြောနိုင်ဘူးလေ။ အဲဒီတုန်းက ရေဒီယိုမှမရှိသေး တာ။ ဒါကြောင့် လေတိုက်နှုန်းကို အတိအကျတော့ ဘယ်သိပဲ့မလဲ။ မုန်တိုင်းတိုက်မယ့် အကြောင်း ကြိုတင်သတိပေးချက်လည်း မရှိခဲ့ဘူးလေ"

"အဲလိုဆို မုန်တိုင်းတိုက်မယ်ဆိုတာ မသိခဲ့ဘူးပေါ့နော်" ကိုကိုက ဝင်မေးလိုက် တယ်။

"တိရစ္ဆာန်တွေရဲ့ ပြုမူလှုပ်ရှားမှုတွေကြောင့် သက်ကြီးဝါကြီးတွေကတော့ သိကြ တယ်ကွဲ့။" တောင်တောင်က ပြောတယ်။

"မုန်တိုင်း ဝင်တော့မယ်ဆိုရင် တိရစ္ဆာန်တွေရဲ့အပြုအမူက ထူးဆန်းတယ်။ အားလုံးငြိမ်သက်တိတ်ဆိပ်နေကြတယ်။ ခွေးတွေလည်း မဟောင်တော့ဘူး။ ငှက်တွေ လည်း စိုစိုစိုစိ မအော်ကြတော့ဘူး။ ကြက်ဖတွေလည်း မတွန်တော့ဘူး။ ကောင်းကင်မှာ တိမ်တွေ ငြိမ်ပြီး မှောင်ပိန်းနေတယ်။ ပင်လယ်စင်ရော်တွေ ကောင်းကင်မှာ ပျံဝဲနေတတ် တယ်။ ဒါပေမဲ့ ပင်လယ်စင်ရော်ဆိုတာ ပင်လယ်နားမှာပဲရှိတတ်တာလေ။ ကုန်းပေါ်မှာ သိပ်နေတတ်တဲ့ကောင်တွေ မဟုတ်ဘူး။ အဲလို ထူးထူးဆန်းဆန်းဖြစ်နေတာ။ ဒါတွေ တွေ့ရရင် မုန်တိုင်းတိုက်တော့မယ်ဆိုတာ သိပြီပေါ့။ မိုးရာသီမှာ မုန်တိုင်းတွေ အဖြစ်များ တာကိုး။ ဒါပေမဲ့ စောစောကပြောခဲ့တဲ့ အခြင်းအရာတွေ တွေ့ရရင်တော့ မုန်တိုင်းက ကြီးမယ်လို့ လူကြီးသူမတွေက သိကြပြီပေါ့"

သရက်ချိုရွာမှာလည်း အိမ်အများစု ပြိုပျက်သွားတာပဲ” မေမေက ဝင်ပြောတယ်။ “ဒါပေမယ့် မေမေတို့ အိမ်တော့ မပျက်သွားဘူး။ မေမေ့အဖေမှာ ထူးခြားတဲ့အတွေး တစ်ခုရှိနေတယ်။ အုန်းထရံတွေကို ဖယ်ရှားပစ်ဖို့လေ။ လေတွေက ဖြတ်တိုက်သွားနိုင်ရင် အနည်းဆုံး အိမ်အမိုးတော့ ကျန်မယ်လို့ သူက တွေးတာကိုး။ သူ တွေးတာအမှန်ပဲ။ မိသားစုနှစ်စု မေမေတို့အိမ်မှာလာနေကြတယ်။ မုန်တိုင်းတိုက်ပြီးလို့ မိုးရွာရင် မိုးလွတ် အောင် သူတို့မှာတခြားဘယ်မှ သွားစရာမရှိလို့လေ။ မေမေ့မောင် အောင်မြင့်က ၂ နှစ်လောက်ပဲရှိဦးမယ်။ ဒီလောက် မုန်တိုင်းတိုက်နေတာတောင် သူက တောက်လျှောက် အိပ်ပျော်နေတာလေ။ အံမယ် -နိုးလည်း နိုးလာရော သူက မေးသေး။ ဘာလို့ အိမ်မှာ လူတွေအများကြီး ရောက်နေတာလ”တဲ့လေ။

“ဒေါ်လှုံးခိုင်တို့အိမ်မှာဆို တခြားမိသားစု ၅ စု လာနေကြသေးတယ်” ဘာဘာက ပြောတယ်။ “မုန်တိုင်းဒဏ် ကြောင့် အပျက်အစီး များပေမယ့် ရွာသားတွေ တစ်ယောက်မှ အထိအခိုက်မရှိလို့တော်သေးတယ်။ ရခိုင်ပြည်က တခြားနေရာဒေသတွေမှာဆို ရေကြီး ရေလျှံ ဖြစ်လို့ လူတွေအများကြီး သေကြေပျက်စီးကြရသေးတယ်”

“နင်နဲ့ နင့်အစ်ကို ကံကောင်းလို့ ထိခိုက်ဒဏ်ရာ မရခဲ့တာပေါ့” ဘောင်ဘောင်က ဘာဘာကို ဆူလိုက်တယ်။ ဆူရအောင် ဘာဘာက ကလေးလည်း မဟုတ်တော့ဘူးလေ။ “လေပြင်းတိုက်နေချိန် နင်တို့တွေ အပြင်မှာဆော့ဖို့လုပ်နေလို့ အတွင်းဝင်လာဖို့ နင့် အဖေ အော်ငေါက်လိုက်ရသေးတယ်လေ”

ဘာဘာတစ်ယောက် ကောင်ဆိုးလေး ဖြစ်ခဲ့တယ်ဆိုတာ ကိုကို တွေးကြည့်ဖို့တောင် ခက်လှတယ်။

“မင်းလမ်းနားက အိမ်မှာနေတဲ့ အဘိုးအိုတစ်ယောက်လည်း ကံကောင်းသွားလို့” ဘာဘာက ဆိုတယ်။ “သူ အိပ်နေတုန်း အိမ်ပေါ် သစ်ကိုင်းတစ်ကိုင်း ကျိုးကျတာလေ။ သစ်ကိုင်းကွေးကွေးလေးက သူ့ခေါင်းအထက်နား သီသီလေးပဲလွတ်ပြီး ကျသွားတာ။ သစ်ကိုင်းက ခန္ဓာကိုယ်ရဲ့ တစ်ဘက်စီမှာကျနေရော”

“ကံကောင်းလို့ပေါ့” မေမေက ပြောတယ်။

“အပင်တွေ လဲတာမှ အများကြီးပဲ။ အိမ်ပတ်လည်က သရက်ပင်တွေကြောင့် အိမ်မပျက်စီးတာအံ့ဩမိတယ်။ မေမေတို့အိမ်မှာဆို အိမ်ပတ်လည်မှာ အပင်တွေ၊ သရက်ပင်တွေ၊ အကိုင်းတွေ၊ အရွက်တွေ ထူပိန်းနေအောင် ကျနေရော။ ဘယ်လောက် ထူလဲဆိုရင် ခြေတောင် ကောင်းကောင်းချလို့မရနိုင်အောင်ပဲ။ သရက်သီးတွေ ကြွေတာ များလွန်းလို့ မေမေ့အဖေက မပုပ်ခင်တွင်းကြီးတစ်တွင်းတူးပြီး မြှုပ်လိုက်ရသေးတယ်”

ကိုကိုက ဘုန်းကြီးကျောင်းအကြောင်း တွေးမိပြန်ရော။ ဘုန်းကြီးကျောင်းကို သစ်သားနဲ့ လုပ်ထားပြီး သွပ်ခေါင်မိုးထားတာလေ။

“ဘုန်းကြီးကျောင်းကော ပြိုသွားသေးလားဟင်” ကိုကိုက မေးတယ်။

"မပြီသွားဘူး၊ သားရေ့" ဘာဘာက ပြန်ဖြေတယ်။ "ဒါပေမယ့် လေပြင်းတိုက်တော့ ဘုန်းကြီးကျောင်း ဇေတဝန်ခေါင် ပြုတ်ထွက်သွားတာလေ။ ပြုတ်သွားတဲ့ ဇေတဝန်ခေါင်က ကျောင်းဝင်းတစ်ခုလုံးကိုကျော်၊ ကျောင်းနားက အိမ်တစ်လုံးကိုဖြတ်ပြီး နောက်အိမ်ခြံ ဝင်းထဲ ကျသွားတာ"

"ဒါပေမယ့် စာသင်ကျောင်းတော့ ပြိုသွားလေ့ရဲ့" တောင်တောင်က ဆက်ပြော တယ်။ "ရွာဆော်က နောက်သုံးလေးရက်လောက်နေတော့ ရွာထဲလှည့်ပြီးကြေညာတယ်။ တစ်အိမ်ကို လူတစ်ယောက်ကျစီ ဝါးလုံးရှည်တစ်ချောင်း၊ အုန်းဖျစ် ၁၀ ဖျစ်စီယူပြီး စာသင်ကျောင်းကို လာကူဆောက်ပေးရမယ့်လေ"

"ဘာဘာ၊ ကျောင်းပြိုသွားလို့ ကျောင်းတက်မသွားရတော့ ပျော်လားဟင်" ကိုကိုက မေးလိုက်တယ်။

"ပျော်တာပေါ့ကွာ" ဘာဘာက ပြန်ဖြေတယ်။ "ဒါပေမယ့် ကျောင်းအုပ်ကြီးက ပညာရေးနဲ့ပတ်သက်ပြီး သိပ် အလေးအနက်ထားတဲ့သူဆိုတော့ ဘာအကြောင်းနဲ့မှ ကျောင်းစာသင်ကြားရေးကို ရွှေ့ဆိုင်းမှာ မဟုတ်ကြောင်းတင်းခံတယ်။ ဒီလိုနဲ့ စာသင် ကျောင်းပြန်ဆောက်နေတုန်း စာသင်ကြားရေးကိစ္စကို ဘုန်းကြီးကျောင်းမှာပဲ လုပ်ခဲ့ကြ တာပေါ့"

"အဲဒီတုန်းက ထူးတော့ ထူးဆန်းတယ်" တောင်တောင်က စကားဆိုတယ်။

"အားလုံးမှာ အိမ်တွေပြိုသွားတာမို့ လုံးတီးဆန်တွေလည်းမိုးစိုပြီး သုံးလေးငါးရက် အကြာမှာ ပျက်စီးသွားရော။ လူတွေ တောင်ပေါ် သွားပြီး တောင်မြှောက်ဉ သွားတူကြရ တာလေ။ တကယ်တော့ နောက်တစ်နှစ်မှာ အလားတူမုန်တိုင်းကြီးတွေ ပြန်လာမှာကို လူတိုင်းစိုးကြောက်နေကြတာ။ ဒါကြောင့် ရွာဆော်က ရွာထဲလျှောက်ပြီး ကြေညာပြန်တယ်။ တစ်အိမ်ကို လူတစ်ယောက်စီ တောင်ပေါ် သွားပြီး တောင်မြှောက်ဉသွားရှာရမယ်၊ လိုလိုမယ်မယ် ၅ ပိဿာရှာလာရမယ့်လေ"

"အဲဒီတောင်မြှောက်ဉတွေက ထူးဆန်းတယ်။ လက်မောင်းလောက် ရှည်တတ် တယ်လို့ ကိုကိုသိထားပြီးသား။ ထမင်းအစား တောင်မြှောက်ဉစားရမှာ ကိုကို တွေးလို့ တောင်မရ။

တောင်တောင်က စကားဆက်တယ်။ "ကျွန်တဲ့ ဆန်နည်းနည်းနဲ့ တောင်မြှောက်ဉ တွေ၊ ပဲတွေကိုရောပြီး စွပ်ပြုတ်ကျို့ရတာလေ။ အရင်က ဒီလိုမျိုးအစားအစာကို ဘယ် သူမှ မစားဖူးဘူး။ ဒါပေမယ့် အသက်ရှင်ဖို့ဆိုတော့ ရှိတာစားရတာပေါ့လေ"

"ရွာက ဆယ်ကျော်သက်လူငယ်တွေက ကြွေကျတဲ့ အုန်းသီးအားလုံး လိုက် ကောက်ပြီး ရွာသားတွေကိုဝေပေးတယ်လေ"မေမေက ဆိုတယ်။ "အုန်းသီးရည် များများ သောက်ပြီး အုန်းသီးအသားတွေ များများစားခဲ့ကြတာပေါ့"

ဘာဘာက ပြောပြန်တယ်။ "ဟွေ့ – နောက်နှစ်ကျတော့ ရွာဆော်က ဆန်နဲ့ပတ်

သက်ပြီး တစ်မျိုးကြေညာလာပြန်ရော။ နောက်ထပ် မုန်တိုင်းတိုက်လာရင် သုံးနိုင်အောင် တစ်အိမ်ကို ဆန်တစ်တောင်း လှူပြီး ဘုန်းကြီးကျောင်းမှာ လှောင်ထားရမယ်တဲ့လေ။ ဆန်တွေလေးလွန်းလို့ ဘုန်းကြီးကျောင်းရဲ့ သစ်သားကြမ်းခင်းတောင် ညွတ်ကျသွားတဲ့အထိပဲ"

"အဲဒီမုန်တိုင်းပြီးတော့ ရခိုင်ပြည်မြောက်ပိုင်းက လူတွေ သရက်ချိုမော်တော်ဘုတ်ဆိပ်ရောက်လာကြရော"မေမေက ပြောတယ်။ "ပုံမှန်ဆို ဆန်တစ်တောင်း နှစ်ကျပ်နဲ့ရောင်းနေကျလေ။ ဒါကိုမှ ဆန်တစ်တောင်း ၂၅ ကျပ်နဲ့လာရောင်းကြတာ။ လူအများစုက ဘယ်လိုလုပ် ဒီလောက်ဈေးကြီးပေးဝယ်နိုင်မလဲ။ ဆန်ဝယ်ဖို့ပိုက်ဆံတွေ တအားသုံးလိုက်တာ သိပ်အံ့ဩနေမိတယ်။ ဒီလောက်ငွေတွေအများကြီးနဲ့ အဝတ်အစားချုပ်ဖို့ တက်ထရွန်ပိတ်စတွေ၊ ဖဲသားတွေ အများကြီးဝယ်ပစ်လိုက်လို့ရတယ်လို့ အဖေကို ပြောလိုက်တယ်။ ဒါပေမယ့် ကိုယ်ကလည်း ငယ်ငယ်လေးပဲဆို ဆန်အလုံအလောက်ရှိခြင်းရဲ့ အရေးပါပုံကို နားမလည်ခဲ့ဘူးလေ"

"ဟုတ်တယ်" ဘောင်ဘောင်က ထောက်ခံလိုက်တယ်။ "ဘောင်ဘောင်ဆို မြေးလေးတို့ဘိုးဘိုးကို ရဲစခန်းလွှတ်ပြီး နိုင်ငံတကာအထောက်အပံ့ထဲက တစ်အိမ်ထောင်စာဝေစုကို သွားယူခိုင်းလိုက်တယ်။ ပြန်လာတော့ ဆန်တစ်တောင်း၊ လုံချည်တစ်ထည်နဲ့ စောင်တစ်ထည်ပဲ ပါလာတာလေ"

ဆန်တစ်တောင်းဆို ပြိုက်ကနဲ ကုန်သွားမှာလို့ ကိုကို တွေးမိရဲ့။ ဆန်ကို နို့ဆီဘူးခွံနဲ့ ခြင်တွယ်လေ့ရှိပြီး ဆန်တစ်တောင်းမှာ နို့ဆီဘူး ၃၂ လုံး ဝင်ပါတယ်။ သူတို့မိသားစုအတွက်ဆို ဆန်တစ်တောင်းက တစ်ပတ်ပဲခံမှာ။ လုံချည်အသစ်တစ်ထည်ထက် ဆန်တွေပိုပေးရင်ကောင်းမှာ။

"နိုင်ငံတကာအထောက်အပံ့က ဒီထက်မက ရသင့်၊မရသင့်ကို ဘယ်သူမှ မသိဘူးလေ" ဘောင်ဘောင်က ဆက်ပြောတယ်။ "စစ်အစိုးရက ရွာသားတွေ အထောက်အပံ့မရခင် နိုင်ငံတကာအထောက်အပံ့ထဲက လိုချင်တာမှန်သမျှ ယူချင်ယူထားမှာပေါ့"

"မုန်တိုင်းစဲပြီး နောက်တစ်နေ့မနက်မှာ ဘုန်းကြီးကျောင်းက သံဃာတော်တွေအတွက် မေမေတို့မိသားစု ဆွမ်းချက်လှည့် ကျတယ်" မေမေက ပြောတယ်။ "အိမ်မှာလာနေတဲ့ တခြားမိသားစုနှစ်စုလည်း အတူတူပဲပေါ့။ ဒါပေမယ့် လေလည်းတိုက် မိုးလည်းရွာနေဆဲဆိုတော့ ရှိတဲ့ ဆန်တွေလည်း မိုးစိုကုန်ပြီ။ အိမ်တောင် မကျန်တော့တာကို ဘယ်လိုလုပ် ဆွမ်းချက်နိုင်မတုန်း။ မေမေတို့အိမ်မှာတော့ ခေါင်မိုးတစ်ခုပဲကျန်ခဲ့လေရဲ့။ အိမ်နီးချင်းတွေမှာ ကြက်တွေမွေးထားတော့ ကြက်ဥတွေကောက်ပြီး ပြုတ်ပေးလိုက်တယ်။ သရက်သီးကိုလည်း ပြုတ်လိုက်တယ်။ ဟင်းခတ်အမွှေးအကြိုင်မပါဘဲ ဒီဟင်းတွေကို တုံးတိကြီးမစားတတ်ဘူးလေ။ သံဃာတော်တွေအတွက်ဆို အထွတ်အမြတ်ထားပြီး ကောင်းပေ့ညွန့်ပေ့ဆိုတဲ့ ဟင်းတွေ ချက်ပေးနေကျ။ ဒါပေမယ့်

တခြားလုပ်ပေးလို့ရတာလည်း မရှိတော့ဘူးလေ။ ဒီတော့ သံဃာတော်တွေ ဘုန်းပေး
နိုင်အောင် ဒီဟင်းတွေပဲ ချက်ပေးလိုက်ရတော့တာပေါ့။ လူနှစ်ယောက်က အိုးတွေကို
တောင်းတစ်လုံးထဲ ချည်လိုက်ရတယ်။ အဲဒီဆွမ်းတောင်းကို နှစ်ယောက်ကြားမှာ တုတ်
တစ်ချောင်းနဲ့ထမ်းပြီး မိုးထဲလေထဲ သစ်ပင်တွေလဲကျနေတဲ့ထဲ သယ်သွားကြရတယ်လေ”

ကိုကိုက ဒီအကြောင်း တွေးနေမိရဲ့။ များသောအားဖြင့် အမျိုးသမီးတွေကပဲ
သံဃာတော်တွေကို ဆွမ်းသွားပို့ကြတာပါ။ ဒါပေမယ့် အပျက်အစီးတွေများနေလို့
သံဃာတော်တွေထံ အမျိုးသားနှစ်ယောက် ဆွမ်းသွားပို့ကြရပါသတဲ့။

“မေမေကော ကြောက်နေခဲ့တာလားဟင်”

“မုန်တိုင်း ဖြတ်သွားပြီးချိန်တော့ မကြောက်တော့ဘူးပေါ့ကွယ်။ ဘာဘာ၊ မေမေ
တို့နဲ့ တစ်မိုးတည်းအောက် အတူနေရတာကိုက စိတ်လှုပ်ရှားစရာပဲလို့တွေးမိတယ်။
ဘာဘာလည်း လယ်သွားထွန်စရာမလို။ အလှူပွဲတစ်ပွဲ လုပ်နေသလို ပျော်စရာကြီး။
အားလုံး အမိုးအောက်မှာ အတူတူရှိနေတာကို”

ကိုကိုက ပဲလွမ်းလျှော်တွေ နောက်ထပ်ယူစားလိုက်တယ်။ ဘာဘာလည်း လယ်

ကွင်းထဲအလုပ်ထွက်မလုပ်ဘဲ ဘောင်ဘောင့်အိမ်မှာ အတူတူရှိနေတာ စိတ်ထဲ နွေးနွေး ထွေးထွေးခံစားရတယ်။ မေမေကလည်း ချက်ပြုတ်လျှော်ဖွတ်ရေးကိစ္စနဲ့ အလုပ်များမနေဘဲ အဲဒီမှာထိုင်နေလေရဲ့။ ခဏကိုယ် နွေးထွေးနေတာမို့ မေမေပြောတဲ့စကားကို ကိုကို သဘောတူထောက်ခံလိုက်တယ်။ ဟုတ်ပါရဲ့။ အလှူပွဲတစ်ပွဲလို သိပ်ပျော်စရာကောင်းတာ။

*****

ကျောင်းတက်ခြင်း

အိမ်တွေပြန်ပြင်တာ ခပ်မြန်မြန်လေးပြီးသွားပြီ။ အားလုံးပုံမှန်အတိုင်း ပြန်ဖြစ် လာပြီလေ။ အခုဆို မိုးတွေက သည်းသည်းမည်းမည်းနဲ့ ဆက်တိုက်ရွာနေတာမျိုး။ တစ်ခါတလေ နေဆိုတာမမြင်ရဘဲ သုံးရက်ဆက်တိုက်ရွာတတ်တာ။ နေ့ခင်းဘက်ဆို မိုးတိမ်တွေ ညှိမည်းပြီး မြေပြင်နဲ့ခပ်နီမ့်နီမ့်အနေအထားမျိုးရှိရဲ့။ လျင်မြန်စွာ ပေါက် ရောက်ကြီးထွားလာနေတဲ့ သစ်ပင်ပန်းမံတွေပေါ် မိုးရွာကျနေလေရဲ့။ ညဘက်ဆို လေထဲ ဖားတွေ၊ ပုရစ်တွေရဲ့ တေးသီကျူးသံတွေအပြည့်။

ဇွန်လမှာ ကျောင်းတွေ စ,ဖွင့်နေကျလေ။ ကိုကိုက အောက်တိုဘာမှာ ၅ နှစ် ပြည့်တော့မယ်။ ဒီတော့ ကျောင်းစယတက်ရတော့မှာပေါ့။ ဒီကိစ္စအတွက် မေမေက အားလုံး အဆင်သင့်ပြင်ထားပေးရတယ်။

မေမေက စျေးကနေ ကြယ်သီးပါတဲ့ ရုပ်အက္ကျီဖြူဖြူတစ်ထည်၊ ဘောင်ဘီတို့ ဖိနပ် နဲ့ ပုခုံးသိုင်းလွယ်ဖို့ ကြီးပါတဲ့ ရိုးရာကျောင်းလွယ်အိတ်တစ်လုံး ဝယ်လာတယ်။ သစ်သား ဘောင်ကွပ်ထားတဲ့ ကျောက်သင်ပုန်းတစ်ချပ်နဲ့ ကျောက်တံတစ်ချောင်းလည်း ပါသေး တယ်။ ကိုကို့အတွက် ဘာဘာ မင်္ဂလာရက်ပေးဖို့ အသုံးပြုမယ့် သလူရွက်(စလူရွက်) တွေလည်းဝယ်လာလေရဲ့။ ကျောင်းသွားကျောင်းပြန် လမ်းလျှောက်ရင်း လမ်းမှာမိုးရွာရင် ဆောင်းလို့ရအောင် မင်္ဂလာအသစ်တစ်ထည် ကိုကို့မှာလိုနေပြီလေ။

ဘာဘာက မင်္ဂလာ စယရက်ပါပြီ။ အရင်ဦးဆုံး ဝါးချောင်းတွေကို နီးပါးပါး လေးတွေထိုးတယ်။ ပြီးရင် အဖျားချွန် ဦးထုပ်သဏ္ဌာန်ဖြစ်အောင် နီးတွေကိုရက်လိုက် တယ်။ ဒီလိုမျိုး ပုံစံတူနှစ်ခုရက်လုပ်ပါတယ်။ ဦးထုပ်ပုံသဏ္ဌာန် နီးအကြမ်းထည်ပေါ် မှာ သလူရွက်တွေကို စီလိုက်တယ်။ ပြီးတာနဲ့ ကျန်နေတဲ့ နီးအကြမ်းထည်နဲ့ အပြင်ဘက်က ထပ်အုပ်ပြီး အံကိုက်ချွလိုက်တယ်။ ဒီနည်းနဲ့ မင်္ဂလာမှာ အလွှာတွေပါပြီး တောင်းတောင့်

တင်းတင်းနဲ့ ကြာရှည်ခံစေပါမယ်။ နောက်ပြီးတော့ မက္ကလာနှီးအကြမ်းထည်နှစ်ခုကို ရက်ချည်ပြီး အနားတဝိုက် စွန်ထွက်နေတဲ့ ဝါးနီးစတွေကို ဖြတ်တောက်လိုက်တယ်။ နောက်ဆုံးမှာ မက္ကလာအနားကို ကြိမ်နဲ့ ကွပ်လိုက်တယ်။ အချိန်ရမှ မက္ကလာရက်ရတာ ဖြစ်လို့ ဒီမက္ကလာကို ရက်ပြီးဖို့လေးငါးရက်လောက်ကြာလိုက်ပါတယ်။ မက္ကလာ မရက်ပြီး ခင် မီးဖိုချောင်ထဲက မီးဖိုအထက်နား မျက်နှာကြက်နဲ့ ပူးချည်ထားတဲ့ ကြိပ်စင်ထက်မှာ ချိတ်ပြီး ကြိပ်တင်ထားလိုက်တယ်။ မီးဖိုအထက်နား မျက်နှာကြက်ဟာ မီးခိုးတွေကြောင့် မဲတူးနေလေရဲ့။ ဒီနေရာလေးကိုပဲ ကြိပ်စင်လို့ ဒေသတွင်းခေါ်ကြလေရဲ့။ လူတွေက ပစ္စည်းတစ်ခုခု သိုလှောင်ဖို့ အခြောက်ခံဖို့အတွက်ဆို ဒီပေါ် လာထားတတ်ကြတာလေ။ မီးဖိုက မီးခိုးတွေ အထက်သို့ လွင့်ပျံရိုက်လာအောင် ဘာဘာက ကြိပ်စင်ပေါ် မက္ကလာ အကြမ်းထည်ကိုချိတ်ထားလိုက်တယ်။ ဒီလိုလုပ်ထားတယ်ဆိုရင် မီးခိုးနဲ့တွေ့ နီးမှာ စွဲနေပြီး ပိုးမစားချင်တော့တာကြောင့် ကြာရှည်ခံတာပေါ့လေ။

ကိုကိုက သင်ပုန်းသစ်နဲ့ ကျောက်တံတို့ကို သဘောကျနေပြီ။ သင်ပုန်းပေါ် စာတွေ၊ အရုပ်တွေရေးဖြစ်တယ်။ အက္ခရာစာလုံးတွေရေးဆွဲပြီး ကျောင်းတက်တမ်းလည်း နည်းနည်းလောက်ကစားပစ်ရဲ့။ ညီညီလည်း သင်ပုန်းနဲ့ကျောက်တံလိုချင်နေပြီ။ ဒါပေ မယ့် နောက်နှစ် ကျောင်းစ၊တက်တဲ့အထိ သူက စောင့်ရဦးမှာ၊ ကိုကိုစိတ်ထဲ သနားသလို ဖြစ်နေလို့ သူ့သင်ပုန်းသစ်ပေါ် စာတွေ၊ အရုပ်တွေ ရေးစေတယ်။ ညီအစ်ကိုနှစ်ယောက် တစ်ယောက်တစ်လှည့် ရေးခြစ်ကြတာပေါ့။ ကိုကိုက စာတွေကိုနည်းနည်းသိနေပြီ။ မေမေက သူနဲ့ညီညီကို အက္ခရာစာလုံးတွေနဲ့ ကိန်းဂဏန်းရေတွက်နည်းကို အိပ်ရာ မဝင်ခင် အချိန်အားရင်အားသလို သင်ပေးလာခဲ့တာကိုး။

မေမေဟာ လေးတန်းနဲ့ ကျောင်းထွက်ခဲ့ရသူဖြစ်ပေမယ့် သိပ်ဉာဏ်ကောင်းပါတယ်။ စာအသင်အပြလည်းတော်သူပါ။ မေမေဟာ သင်္ချာပုစ္ဆာတွေနဲ့ ကိန်းဂဏန်းတွေကို ချမရေးဘဲ မှတ်မိနိုင်ပါတယ်။ မေမေက သူမောင်အငယ်ဆုံး သုံးခဲ့တဲ့ စာအုပ်ဟောင်းတွေကို သုံးပြီး ကိုကို၊ ညီညီတို့ကို သင်ပြပေးနေကျ။ အရင်တုန်းက ကျောင်းသင်ရိုးတွေမှာ အင်္ဂလိပ်စာကို ၅ တန်းရောက်မှ စယသင်ပေးပါတယ်။ မေမေက လေးတန်းက ကျောင်း ထွက်ခဲ့တာမို့ အင်္ဂလိပ်စာမတတ်။ (မတတ်တော့ မသင်ပြနိုင်ဘူးပေါ့လေ)။ ဒါပေမယ့် ဘာဘာ အားလပ်ချိန်ရရင် ကိုကို့ကို အင်္ဂလိပ်အက္ခရာတွေ သင်ပေးတယ်။ ဒါကြောင့် ကိုကိုက မြန်မာအက္ခရာရော အင်္ဂလိပ်အက္ခရာပါ တတ်နေပြီ။ ဒါပေမယ့် ရခိုင်အက္ခရာကို ကိုကို မရေးတတ်။ မြန်မာတွေက ရခိုင်ပြည်ကိုသိမ်းပိုက်ပြီးတဲ့အခါ နိုင်ငံတွင်းက အခြားပြည်နယ်တွေမှာလို့ မြန်မာဘာသာစကားကိုပဲ သင်စေခဲ့တာ။

အဲဒီညမှာ ဘာဘာဆီက သင်လိုက်ရတာတစ်ခုကို ကိုကိုက ညီညီကို ပြပါတယ်။ သင်ပုန်းပေါ်မှာ မြန်မာဂဏန်းတွေဆွဲပြတာပါ။ အရင်ဆုံး ၄ ဂဏန်းရေးပြတယ်။ ပြီးရင် ၇ ထပ်ပေါင်းတယ်။ တစ်ခါ အောက်ခြေနားက ၉ ဂဏန်းကို ထည့်ပြန်တယ်။

နောက်ဆုံး ၂ ဂဏာန်း ရေးလိုက်တယ်။ နောက်တစ်ခါ ၂ ဂဏာန်းတစ်ခု ထပ်ဖြည့်လိုက်ပြန်တယ်။ ဟော့ -ငှက်တစ်ကောင်ပုံ ဖြစ်လာရော။

ညီညီက သဘောကျပြီး တခစ်ခစ်ရယ်နေတယ်။ ကိုယ်တိုင်လည်း စမ်းရေးကြည့်ချင်ပြန်ရော။ ညီညီ ငှက်ရုပ်ဆွဲကြည့်နေချိန်မှာပဲ ကိုကိုက မေမေကို ကျောင်းအကြောင်း မေးမြန်းမိပြန်တယ်။

"မေမေ ကျောင်းတက်ရတာ ပျော်ခဲ့လားဟင်"

"သိပ်ပျော်တာပေါ့ကွယ်။ နှစ်တိုင်း အတန်းထဲ ပထမရခဲ့တာပဲလေကွယ်"

"ကျောင်းမှာ ပျော်ရဲ့သားနဲ့ ဘာလို့ကျောင်းထွက်လိုက်တာလဲ"

"အဲဒီတုန်းက မေမေ့အသက် ၉ နှစ်လေ။ အကြီးဆုံးသမီးဖြစ်တော့ အိမ်မှာ အကူအညီပေးရတာပေါ့ကွယ်။ မိန်းကလေးတွေက ကျောင်းထွက်ပြီး အိမ်မှာဝိုင်းကူပေးရတာထုံးစံကိုကွဲ့။ တစ်ခါတလေ အကြီးဆုံးသားတွေလည်း ကျောင်းထွက်ပြီး လယ်ထဲဝိုင်းကူလုပ်ပေးရတာ ရှိတာပဲလေ"

"ကျောင်းတက်ရတာ ပြန်လွမ်းတာမျိုး ရှိခဲ့လားဟင်၊ မေမေ"

"သိပ်ရှိတာပေါ့ သားရေ။ ဒါပေမယ့် မေမေ့မိဘနှစ်ပါးက စပါးစိုက်ရင်း လယ်ပြင်မှာပဲ ကြိုးစားရုန်းကန်ပြီး မိသားစုကို ထောက်ပံ့နိုင်အောင်လုပ်ရတာလေ။ ဒါကြောင့် အိမ်မှာ မေမေ့အကူအညီလိုတာတော့ အမှန်ပဲ။ ဒါပေမယ့် ကျောင်းအုပ်ဆရာကြီးကတော့ သဘောမတူဘူး"

"ဘာလို့ပါလိမ့်"

"ဘာလို့လဲဆိုတော့ မေမေ့ကို ကျောက်ဆက်တက်စေချင်လို့ပေ့ါကွယ်။ ဒီကိစ္စမှာ ကျောင်းအုပ်ကြီး ဝင်ပါတာ အတော့်ကို ထူးတယ်။ ဒါပေမယ့် ကျောင်းအုပ်ကြီးဦးကျော်ညာက မေမေ့မိဘတွေ့ထံ လေးငါးခြောက်ခါလောက်လာပြီး မေမေက အတန်းထဲမှာ အတော် ဆုံးမို့ ကျောင်းဆက်ထားဖို့ အမျိုးမျိုးနားချပါသေးတယ်။ မေမေ့အဖေဆို အခုမှ မေမေ့ ကို ကျောင်းဆက်မထားဖြစ်ခဲ့တာအတွက် နောင်တရနေတာ။ သားသမီးတွေ့ထဲမှာမှ ဘွဲ့ရပညာတတ်ဆိုလို့ သားတစ်ယောက်ပဲရှိလို့လေ။ မောင် ၂ ယောက်နဲ့ အစ်ကို ၁ ယောက်က ကျောင်းစာမှာသိပ်မတော်ကြတော့ ကျောင်းထွက်သွားကြတာ။ ကဲပါ- သားလည်း အိပ်ချိန်တန်ပြီ။ နက်ဖြန် သားအတွက်အရေးကြီးတဲ့နေ့လေ"

နောက်တစ်နေ့မနက်မှာ မေမေ စောစောအိပ်ရာထတယ်။ ကိုကို ကျောင်းမသွား ခင် နေ့လည်စာချက်ထားနိုင်အောင်ပေ့ါ။ ဘာဘာက အိမ်နီးချင်းတစ်ယောက်ဆီက ကတ်ကြေးကောင်းကောင်းတစ်လက် ငှားလာပြီး ကိုကို့ဆံပင်ကိုညှပ်ပေးတယ်။ အဲ့ဒီ နောက် မေမေက ကိုကို့ကို ရေမိုးချိုးပေးပြီး မျက်နှာမှာ သနပ်ခါးပါလိမ်းပေးသေးရဲ့။

ကိုကို့တို့မိသားစု နေ့လည်စာ စောစော စားလိုက်ကြတယ်။ ကျောင်းတက်နေတုန်း နေ့လည်စာမှ မကျွေးတာလေ။ ကျောင်းသားတစ်ချို့က အိမ်ပြန်ပြီး နေ့လည်စာ စားကြ တယ်။ ဒါပေမယ့် ကိုကို့တို့လို ကျောင်းသားအများစုအတွက်တော့ အိမ်ကိုလမ်းလျှောက် ပြန်ဖို့ဝေးလွန်းတယ်။ နေ့လည်စာစားရင်း စားပွဲကိုမလှုပ်မိအောင် ကိုကို ထိန်းပြီး စား လိုက်တယ်။ မနေ့က ဘာဘာ ကွန်ပစ်ထွက်ထားတော့ ကန်စွန်းဟင်းနဲ့ ထမင်းအပြင် ပုစွန်ငါးခေါင်းဟင်းချိုလည်း စားရရဲ့။

ကိုကိုက ကျောင်းဝတ်စုံအသစ်ကျပ်ချွတ်ကို ဝတ်ပြီး မေမေ့ရှေ့နား လာရပ်တယ်။ မေမေက သူ့ကော်လာကို ထောင်ပေး၊ ပြီးရင် ခေါင်းဖြီးပေးပြီး ဆံပင် လှလှလင်းလင်းလေး ဖြစ်နေအောင် အုန်းဆီထည့်ပေးတယ်။ ကျောင်းစတက်တာက အထူးအခါမယတစ်ခုကို။

"မေမေ့သားကြီးရေ့ သားက လူတော်လေးပါကွယ်။ သားနဲ့ ညီညီ ပညာတတ်ကြီး ဖြစ်ရမယ်နော်။ ဒါ သားတို့ကို မေမေဖြစ်စေချင်တဲ့ဆန္ဒပဲကွဲ့။ သားရဲ့ ဘာဘာနဲ့ မေမေတို့က လယ်သမားတွေဆိုတော့ နဖူးကချွေးခြေမဦးကျအောင် အလုပ်တွေကြီးစား ရတာ။ ဒါပေမယ့် သားတို့ကို ပိုကောင်းတဲ့ဘဝမျိုးရစေချင်တယ်။ သားကြောင့် ဘာဘာ၊ မေမေတို့ ဂုဏ်ယူူရမယ်ဆိုတာ မေမေ သိပါတယ်ကွယ်"

မနေ့ညက မေမေ ပြောခဲ့တာလေးကို ကိုကို မှတ်မိသေးရဲ့။ မေမေက ပညာတတ် ကြီးဖြစ်ဖို့ ကံပါမလာဘူးလေ။ ဒီလမ်းကို မေမေ ရွေးချယ်ခဲ့တာမဟုတ်။ အခုတော့ ဘယ်လိုပဲဖြစ်ဖြစ် သားနှစ်ယောက် ပညာတတ်ကြီးဖြစ်ဖို့ သူကိုယ်တိုင်း ရွေးချယ်လိုက် ပြီပေ့ါ။

မေမေက ကိုကို့ကျောင်းလွယ်အိတ်သစ်ထဲ သင်ပုန်းသစ်၊ ကျောက်တံနဲ့ ကျောင်း သုံးစာအုပ်ဟောင်းတွေထည့်ပေးတယ်။ ဘာဘာက သူ့ကိုယ်တိုင်လုပ်ထားတဲ့ ဝါးပေတံ

လေးကို မေမ္မေထံပေးလိုက်တယ်။ မေမကa ဝါးပေတံကိုလည်း လွယ်အိတ်ထဲထည့်
လိုက်ပြန်တယ်။ ကိုကိုကို ဖိနပ်စီးတော့ မင်္ဂလာသစ်ယူဖြစ်အောင်ယူဖို့ မေမက သတိပေး
လိုက်တယ်။ ကိုကိုက မေမ္မေ့ကိုပွေ့ ဖက်လိုက်တယ်။ ရုတ်တရက် သူ ကျောင်းမသွားချင်
တော့။ တစ်နေကုန် ညီညီနဲ့နေပြီး ကစားလိုက်၊ မေမနဲ့စကားပြောလိုက်ပဲ လုပ်နေချင်
တော့တယ်။ ညီညီက ဘာတွေဖြစ်နေလဲဆိုတာ ကောင်းကောင်းနားမလည်ပေမယ့်
စိတ်လှုပ်ရှားစရာ တစ်ခုခုတော့ဖြစ်နေတာသိတယ်။ ဒါကြောင့် သူလည်း ကိုကို့ကိုလာပြီး
ပွေ့ဖက်လိုက်တယ်။ ကိုကို ကျောင်းသွားဖို့ တုံ့ဆိုင်းနေတာမြင်ရတယ်။ သူ ရင်တထိပ်ထိပ်
ဖြစ်နေတာလည်းတွေ့လေရဲ့။ ကိုကိုက အမြဲ ဟိုအကြောင်သည်အကြောင် တွေးပူတတ်
တာလေ။

"သား - ကိုကို၊ သား ဘာမှမဖြစ်ဘူးနော်။ လူတိုင်းလည်း ကျောင်းစတက်တဲ့နေ့မှာ
စိတ်လှုပ်ရှားတတ်တာပဲ။ ကျောင်းတက်ရတာ နေသားကျသွားမှာပါကွယ်"

ကိုကို ဘာနဲ့မှ နေသားမကျသွားချင်။ အရင်အတိုင်းပဲ ရှိနေစေချင်တာ။ အိမ်မှာ
မေမေ၊ ညီညီတို့နဲ့ပဲ နေချင်တာ။

ဒါပေမယ့် သွားဖို့ အချိန်ကျပြီ။ ကိုကိုက ဘာဘာရှေ့ကနေ လမ်းအတိုင်း
စုန်ဆင်းသွားတယ်။ ဘာဘာက ငှက်ပျောခိုင်မှာ တွဲလျက်အနေအထားနဲ့ ငှက်ပျောဖီးတွေ
ထမ်းလာတယ်။ ကျောင်းသားသစ် ကျောင်းစ၀င်တဲ့နေ့မှာ ကျောင်းအုပ်ကြီးနဲ့ ဆရာ
ဆရာမတွေကို လက်ဆောင်ပေးတာအစဉ်အလာကိုး။ ဒါကြောင့် ငှက်ပျောသီးကို ကိုကို့
ဆီကလက်ဆောင်အဖြစ် ယူလာပေးတာပါ။ ကိုကိုက လမ်းအတိုင်းဆက်လျှောက်လာရင်း
နောက်နှစ်ဆို ညီညီလည်း သူနဲ့အတူ ကျောင်းသွားရတော့မှာပဲလို့တွေးမိရဲ့။ အဲဒီအချိန်
ကျရင် သိပ်ပျော်စရာကောင်းမှာ။

မင်းလမ်းမပေါ် ရောက်တာနဲ့ ရေစိုနေလို့ သတိနဲ့လျှောက်ရတယ်။ ခပ်မြန်မြန်
လျှောက်ရင် ခြေထောက်နောက်ဘက်ကို သဲစိုစိုတွေ ဖလပ်-ဖလပ်နဲ့ လာကပ်ကြတယ်။
မိုးနည်းနည်းရွာနေလို့ မင်္ဂလာသစ်ကိုဆောင်းလိုက်တယ်။ နာရီဝက်လောက် လမ်း
လျှောက်ပြီးတဲ့အခါ ကိုကိုနဲ့ဘာဘာတို့ ဘုန်းကြီးကျောင်းလမ်းမှာ ဘယ်ဘက်ချိုးတွေ့
လိုက်ကြတယ်။ မိနစ် ၂၀ အကြာမှာ လမ်းက ညာဘက်ချိုးတွေ့သွားပြီး ကိုကိုတို့လည်း
ဘုန်းကြီးကျောင်းနားက ဖြတ်လျှောက်ကြပြန်တယ်။ တခြားကလေးတွေလည်း ကျောင်းကို
လမ်းလျှောက်သွားတာ ကိုကို မြင်ရဲ့။ လေးငါးမိနစ်လာက် ကြာတော့ ကျောင်းအဆောက်
အဉီကို ကိုကိုလှမ်းမြင်ရပြီ။ သူ့နှလုံးခုန်သံမြန်လာပြီ။ ဘာဘာရဲ့လွတ်နေတဲ့ လက်တစ်
ဘက်ကို သွားကိုင်လိုက်တယ်။

ဒီရှည်မျောမျော အဆောက်အဉီမှာ သူငယ်တန်းကနေ စတုတ္ထတန်းထိ အတန်း
အားလုံး ရှိနေရဲ့။ သူငယ်တန်းကို ၀လာ၉တန်း(မူကြိုတန်း)နဲ့ သူငယ်တန်းဆိုပြီး နှစ်တန်း
ခွဲထားတယ်။ စတုတ္ထတန်းပြီးရင်တော့ ကျောက်တွေရွှာက ကျောင်းသူကျောင်းသားတွေ

၃ မိုင်ခရီးကို ခြေကျင်လျှောက်ပြီး ဇရပ်ပြင်ကျောင်းမှာ ပညာဆက်လက် သင်ယူကြရတယ်။ ကျောင်းရှေ့မှာ အလံတိုင်တစ်တိုင် ရှိတယ်။ အလံတိုင်ပေါ်မှာ မြန်မာနိုင်ငံအလံတစ်ခု လေမှာ လွင့်နေလေရဲ့။ အလံက အနီရောင်လေး။ အလံရဲ့ ဘယ်ဘက်အထက်စွန်းမှာ အပြာရောင်အကွက်လေးရှိတယ်။ ခွေသွားစိပ်ပုံပတ်လည်မှာ ကြယ် ၁၄ လုံး ဝန်းရံ ထားပြီး အပြာရောင်လေးထောင့်ကွက်ထဲ စပါးနှံ့ပုံပါလေရဲ့။

ကျောင်းရှေ့မှာ လှေကားနှစ်ခုရှိတယ်။ ဘဘက အနီးဆုံး လှေကားကနေ ကိုကိုကို ခေါ်ပြီး တက်သွားတယ်။ စာသင်ခန်းထဲ ကလေးတွေ စကားပြောသံ ကြားနေ ရပြီ။ ကလေးတစ်ချို့က ကျောင်းရှေ့မှာကစားနေကြရဲ့။ ဘဘက အဆောက်အဦရဲ့ ဘယ်ဘက်ခြမ်းက ကျောင်းအုပ်ကြီးရုံးခန်းထဲ ဦးတည်သွားလိုက်တယ်။ ဘဘနဲ့ ကိုကိုတို့ မင်္ဂလာခွတ်ပြီး ဝရန်တာဘေးတန်းမှာမိုထားခဲ့ကြတယ်။ ကျောင်းအုပ်ကြီးရုံးထဲ မဝင်ခင် ဖိနပ်ခွတ်ရင်း ကိုကိုက ဝရန်တာအရှည်ကို စုန်ပြီးကြည့်လိုက်တယ်။ ဆုံးစ မထင်အောင် တပြန်တပြော့ကြီးဖြစ်နေပုံပါပဲ။ အဲဒီနောက် ဘဘနောက်ကနေ ရုံးခန်းထဲဝင်သွားလိုက်တယ်။ ကျောင်းအုပ်ဆရာကြီး ဦးအောင်ထွန်းကျန်က သစ်သား စားပွဲတစ်ခုနားထိုင်နေလေရဲ့။

"အောင်သန်းရွှေတို့ သားအဖပါလား။ လာပါ။ ထိုင်ကြ - ထိုင်ကြ"

"ဆရာကြီးအတွက် ငှက်ပျောသီးတွေ ယူလာပါတယ်"

ဘဘက သစ်သားခုံတစ်လုံးမှာ ဝင်ထိုင်တယ်။ ကိုကိုကတော့ မတ်တပ်ရပ်နေ တယ်။ ကျောင်းအုပ်ကြီးနဲ့ စကားပြောနေတုန်း မတ်တပ်ရပ်နေရမယ်ဆိုတာ ကိုကို သိပြီးသားလေ။

"ကျေးဇူးပါဗျာ" ဆရာကြီးက ပြန်ပြောတယ်။ အဲဒီနောက် ဘောပင်တစ်ချောင်းနဲ့ မှတ်စုစာအုပ်တစ်အုပ်ယူပြီး ကိုကို့ကို ကြည့်ရင်းမေးလိုက်တယ်။

"သားလေးနာမည်က ဘာလဲကွယ်"

"အောင်ဇေမင်းပါ"

"သား - ကိုကို၊ ဆရာကြီးနဲ့ စကားပြောနေတုန်း လက်ပိုက်ထားကွဲ့."

ကိုကိုက ရင်ဘတ်ရှေ့မှာ လက်မောင်းကိုယှက်တင်ပြီး လက်ပိုက်ထားလိုက်တယ်။

"ကျောင်းအုပ်ကြီးနဲ့ စကားပြောရင် လက်ပိုက်ထားရမယ်ကွဲ့။ ပြီးတော့ ဆရာ ဆရာမနဲ့ စကားပြောရင်လည်း လက်ပိုက်ထားရမယ်နော်"

ကိုကို့နှလုံးခုန်သံ မြန်နေလေရဲ့။ ကျောင်းအုပ်ဆရာကြီးက ကိုကို ကြောက်နေတာ သတိပြုမိသွားတယ်။

"မစိုးရိမ်ပါနဲ့၊ မောင်အောင်ဇေမင်း" ဆရာကြီးဦးအောင်ထွန်းကျန်က ပြောပြီး သူ့နာမည်ကို ကျောင်းအပ်စာရင်းစာအုပ်မှာ ရေးမှတ်လိုက်တယ်။ "သား မွေးနေ့က ဘာလဲကွယ်"

"၁၃၄၅ ခု - သီတင်းကျွတ်လပြည့်ကျော် - ၉ ရက်ပါ၊ ဆရာကြီး"

ဒါက မြန်မာပြက္ခဒိန်အရ သူ့မွေးနေ့ပေ့။ အင်္ဂလိပ်ပြက္ခဒိန်အရ သူ့မွေးနေ့ကိုမသိ။ ဆက်တော့ပြောသေးတယ်။ "သားက တနင်္ဂနွေနေ့ဖွားပါ"တဲ့။ မြန်မာနိုင်ငံမှာ မွေးနေ့ ထက် မွေးရက်က ပိုတောင်အရေးကြီးသေးတာကိုး။

"၁၉၈၃ ခု၊ အောက်တိုဘာ ၃၀ ရက်နေ့ပါ၊ ဆရာကြီး" ဘာဘာက ကျောင်းအုပ် ဆရာကြီးကို ပြောလိုက်တယ်။

ကျောင်းအုပ်ကြီးက ပြုံးပြုံး မွေးနေ့ကို စာရင်းစာအုပ်ထဲ ရေးမှတ်လိုက်တယ်။

"အိမ်မှာ စာတွေဘာတွေ တစ်ခုခုသင်ထားပြီလား"

"ဟုတ်ကဲ့၊ သင်ထားပါတယ်၊ ဆရာကြီး၊ ကျွန်တော့်အမျိုးသမီးက အိပ်ရာမဝင်ခင် နည်းနည်းပါးပါး သင်ပေးနေကျပါ။ မြန်မာအက္ခရာနဲ့ အင်္ဂလိပ်အက္ခရာတွေ သူ သိထား ပါပြီ"

"သိပ်ကောင်းတာပေ့။ သား ကောင်းကောင်းလေး စ,ယထားပြီပဲ။ ဝလာ၉တန်း ကနေ သား စ,တက်ရမယ်။ သားတို့ဆရာမက ကျောင်းသားအရေအတွက် ရေပြီးတာနဲ့ ကျောင်းသုံးစာအုပ်သစ်တွေ အယူ့ခိုင်လိုက်မှာ။ နှစ်ပတ်သုံးပတ်လောက်ဆို ကျောင်း စာအုပ်သစ်တွေရလာမှာပါ"

"ဟော - ကျောင်းသားသစ်လေးပါလား" ဆိုတဲ့ ရွှင်မြူးတဲ့ အသံတစ်သံ တံခါးဝ နားက ပေါ်လာတယ်။

ကိုကိုက လှည့်ကြည့်လိုက်တော့ ဘာဘာ့ဝမ်းကွဲညီမက ကျောင်းအုပ်ကြီးရုံးခန်းထဲ ကြည့်နေတာ တွေ့လိုက်ရတယ်။ သူမ ဒီမှာ ဘာလာလုပ်နေပါလိမ့်လို့ ကိုကို တွေးမိတယ်။ နောက်မှ ဘာဘာက သူမကို နှုတ်ဆက်စကား ပြောလိုက်တယ်။

"ဟော - သိန်းယဉ့်နု၊ ငါ့ကလေးကို ဂရုစိုက်ဦးနော်။ ပထမဆုံး ကျောင်းတက်ရမှာကို သူ နည်းနည်း စိတ်လှုပ်ရှားနေတာ"

သူမက ပြုံးပြီး ခေါင်းညိတ်ပြလိုက်တယ်။ အဲဒီနောက် ကိုကိုက သူမဟာ သူ့ ဆရာမဖြစ်လာမယ်ဆိုတာ သိလိုက်တော့တယ်။ သူ နည်းနည်းစိုးရိမ်စိတ် လျော့သွားတယ်။ ဒေါ်သိန်းယဉ့်နုက အမြဲဖော်ဖော်ရွေရွေ ဆက်ဆံတတ်တယ်။ ကိုကိုက လေးစားသမှုနဲ့ လက်ပိုက်ထားမြဲ ပိုက်ထားလိုက်တယ်။

"ကဲ - ရပါပြီ။ စာသင်ခန်းထဲ သွားကြည့်ချင်ရင် သွားကြည့်လို့ရပြီနော်" ကျောင်း အုပ်ဆရာကြီးက ပြောယ်။

ဘာဘာနဲ့ ကိုကိုတို့ မင်္ဂလာကို မှီထားတဲ့နေရာကနေ ပြန်ယူလိုက်ကြတယ်။ ကိုကိုက ဘာဘာနဲ့ ဒေါ်သိန်းယဉ့်နုတို့ နောက်ကနေ ဝရန်တာအတိုင်းလိုက်ခဲ့တယ်။

"ကိုကို၊ ရေဆာရင် ဒီမှာ ရေအိုးတွေ ရှိတယ်နော်" ဒေါ်သိန်းယဉ့်နုက ကိုကိုကို ပြောတယ်။ ရေအိုးကသုံးလုံး။ တစ်လုံးစီမှာ ပိုးမွှားတွေမဝင်အောင် ထိပ်က အုန်းသီး

မာလာခွံနဲ့ဖုံးအုပ်ထားတယ်။ အုန်းသီးမာလာခွံထိပ်မှာ သွပ်ခွက်တစ်လုံးစီရှိလေရဲ့။

ရေအိုးစင်နားက ဖြတ်လာပြီးနောက် တံခါးပေါက်တစ်ပေါက်ရဲ့ အပြင်ဘက်မှာ သူတို့ ရပ်နားလိုက်ကြတယ်။ ဝရန်တာလက်ရန်းကို မှီပြီး မက္ကလာတွေ တန်းစီချထားတာ တွေ့တယ်။ ပျဉ်ပြားနဲ့ သွပ်ခေါင်မိုးကြား ညှပ်ထားတဲ့ မက္ကလာတွေလည်းတွေ့ရရဲ့။ အခန်းပြင်ဘက်က မက္ကလာတန်းထဲမှာ သူ့မက္ကလာကို ထားလိုက်ပြီး ကိုယ့်မက္ကလာကိုယ် မှတ်မိအောင် မှတ်ထားလိုက်တယ်။ ကိုကိုနဲ့ ဘာဘာတို့ ဖိနပ်ချွတ်လိုက်ကြပြန်တယ်။ ပြီးတော့ တံခါးပေါက်တစ်ပေါက်ကနေ အတွင်းသို့ဝင်လိုက်ကြတယ်။ ကျောင်းအဆောက် အဦအတွင်းပိုင်းက နံရံစည်းမခြားထားတဲ့ ခန်းမကြီးတစ်ခုလို ဖြစ်နေလေရဲ့။ အတန်း တစ်တန်းစီမှာ ခုံတန်းပုလေးနှစ်တန်း ခြားထားတဲ့ အပိုင်းလေးတစ်ပိုင်းစီရှိတယ်။ အတန်းထဲမှာ ယောကျ်ားလေးတွေက ညာဘက်မှာထိုင်ပြီး မိန်းကလေးတွေက ဘယ်ဘက် မှာထိုင်ရတယ်။ တစ်တန်းစီမှာ ဆရာအသုံးပြုဖို့ သင်ပုန်းကြီးတစ်ခုလည်းရှိလေရဲ့။

"အိမ်ပြန်ရင် ကျွန်မနဲ့ စုစုမတို့ ကိုကိုနဲ့အတူ လမ်းလျှောက်ပြန်လာလိုက်မယ်။ ကျွန်မတို့အိမ်ကို ကျော်လာရင်လည်း စုစုမနဲ့အတူ ကျန်လမ်းပိုင်းကို လျှောက်သွားလို့ ရတာပဲလေ"

ဒေါ်သိန်းယဉ်နုက ဘာဘာကို ပြောလိုက်သံ ကြားရတယ်။ မစုစုမက ဒုတိယတန်း ကလေ။ သူက ကိုကိုတို့အိမ်နားက။

"ဒီမှာ ထိုင်နော်၊ မောင်အောင်ဇေမင်း။ ယောကျ်ားလေး လေးယောက်ထိုင်လို့ ရတယ်။ သားက ဒီဘက်အစွန်က ထိုင်လိုက်ပေါ့"

ယောကျ်ားလေးတွေ ထိုင်ရမယ့်အခြမ်းက တတိယခုံတန်းလေးကို လက်ရိပ်ပြရင်း ဆရာမက ကိုကို့ကို ပြောလိုက်တယ်။ ကိုကိုက တခြားကျောင်းသားတွေလုပ်တာ မြင် ထားတဲ့အတိုင်း ခုံတန်းပုလေးအောက်မှာ လွယ်အိတ်ကိုထားလိုက်တယ်။ ကျောင်းသား တစ်ချို့က ကြမ်းပြင်ပေါ် ထိုင်ပြီး စာသင်ဖို့ အဆင်သင့်ဖြစ်နေပြီ။

"ဘာမှ မစိုးရိမ်နဲ့နော်၊ ကိုကို။ သားမှာ သဘောကောင်းတဲ့ ဆရာမတစ်ယောက် ရှိနေပြီ။ အိမ်နီးနားချင်း သူငယ်ချင်းတွေလည်း သားနဲ့အတူ ရှိနေပြီလေ"

"ဟုတ်ကဲ့ပါ၊ ဘာဘာ"

ဒီလို ပြန်ဖြေလိုက်ပေမယ့် သူ့စိတ်ထဲ နည်းနည်းတော့ စိုးထိတ်နေဆဲ။ ဝမ်းနည်းနေ ဆဲ။ ဘာဘာကို ကျောင်းက မပြန်သွားစေချင်။

ဘာဘာနဲ့ ဆရာမဒေါ်သိန်းယဉ်နုတို့ အခန်းထဲက ထွက်သွားကြပြီး ဝရန်တာမှာ ဘာဘာက လက်ပြနှုတ်ဆက်လိုက်တယ်။ ကိုကိုက ကြမ်းပြင်မှာ တင်ပလ္လင်ခွေထိုင်နေတယ်။ လက်ကိုတော့ ခုံပုရှည်ပေါ် တင်ထားလိုက်တယ်။ ခုံပုရှည်ကလှုပ်မနေ။ ကြမ်းခင်းက မညီညာတဲ့ ဝါးကြမ်းခင်းမှမဟုတ်တာလေ။ ပျဉ်ပြားကြမ်းခင်းကိုး။ အခန်းရှေ့မှာ ပြတင်း ပေါက်တစ်ပေါက်ရှိတယ်။ ပြတင်းပေါက်ကနေ အုန်းပင်တွေ၊ ကွမ်းသီးပင်တွေ လှမ်းမြင်

ရတယ်။ ကောင်းကင်မှာ မိုးသားတိမ်လိပ်တွေ ပြည့်နေလေရဲ့။ ဒီအချိန်ဆို ညီညီနဲ့ မေမေတို့အိမ်မှာ ဘာလုပ်နေကြလေမလဲလို့ သူ တွေးနေမိတယ်။ ညီညီ ကစားနေတာလား မသိ။ တစ်ယောက်ယောက်က သူ့နာမည် လှမ်းခေါ်တာကြားလို့ ကိုကို လန့်ဖျတ်သွားမိတယ်။

"ကိုကို၊ မင်း ဒီနေ့ ကျောင်းစယတက်တာလား"

ကိုကို လှည့်ကြည့်လိုက်တော့ ဝမ်းကွဲအစ်ကို ကိုနေမျိုးလွင်ကို တွေ့လိုက်ရတယ်။ ကိုကိုက ခေါင်းညိတ်အဖြေပေးတယ်။

"ကောင်လေးတစ်ယောက်ယောက် မင်းကို ပြဿနာရှာရင် ငါ့ကိုပြော။ ငါ ရှင်းပေးမယ်"

"ဟုတ်ကဲ့။ ကျေးဇူးပါ၊ အစ်ကို"

ကောင်လေးတွေ ဘယ်လို ပြဿနာရှာမလဲတော့ ကိုကို မတွေးတတ်။ ဒါပေမယ့် ကိုနေမျိုးလွင်က ဒီလို ပြောလိုက်တော့ စိတ်ထဲ နေသာထိုင်သာ ရှိသွားရော။

အခန်းထဲမှာ ကျောင်းသားတွေနဲ့ ပြည့်လာပြီ။ ဆရာမဒေါ်သိန်းယဉ်နုက အခန်းထဲ ဝင်လာတယ်။ သူ့လက်ထဲ မြေဖြူ စာအုပ်တစ်အုပ်နဲ့ တုတ်ရှည်တစ်ချောင်း ပါလေရဲ့။ ကျောင်းသားတွေက ရုတ်တရက် မတ်တပ်ရပ်ပြီး လက်ပိုက်လိုက်ကြတယ်။ ကိုကိုလည်း မတ်တပ်ရပ်ပြီး လက်ပိုက်ထားလိုက်တယ်။ စာသင်ခန်းအပြင်ဘက် ရောက်နေခဲ့တဲ့ ကျောင်းသားတွေလည်း အခန်းထဲပြေးဝင်လာပြီး လက်ပိုက်ရင်း မတ်တပ်ရပ်နေလိုက်ကြတယ်။

"မင်္ဂလာပါ၊ ဆရာမ"

ကျောင်းသားတွေက ညီညီညာညာ နှုတ်ဆက်လိုက်ကြတယ်။ 'မင်္ဂလာပါ'ဆိုတာ ပဋိသန္ဓာရနှုတ်ဆက်စကားပါ။ အင်္ဂလိပ်မှာ 'Hello' (တွေ့ဆုံချိန် နှုတ်ဆက်စကား) သို့မဟုတ် 'Goodbye'(ခွဲခွာခါနီး နှုတ်ဆက်စကား)နှုတ်ဆက်စကားပြောတာနဲ့ တူတာပေါ့။ တိုက်ရိုက်အဓိပ္ပာယ်က "ကောင်းချီးပေးပါစေ"ဆိုတဲ့ သဘောပါ။

"မင်္ဂလာပါ၊ တပည့်တို့။ ကဲ - ကဲ -ထိုင်ကြပါကွယ်"

ကျောင်းသားတွေက ထိုင်လိုက်ကြတော့ ကိုကိုလည်းထိုင်လိုက်တယ်။ ဆရာမဒေါ်သိန်းယဉ်နုက ဝါးတုတ်ရှည်ကိုသုံးပြီး သင်ပုန်းကြီးပေါ်မှာ မျဉ်းဖြောင့်တွေ ဆွဲလိုက်တယ်။ အဲဒီနောက် မြန်မာအက္ခရာ "ဝ" ကို သင်ပုန်းကြီးပေါ် ဆွဲပြပါတယ်။

"ပေတံသုံးပြီး သင်ပုန်းပေါ်မှာ မျဉ်းကြောင်းတွေဆွဲကြမယ်။ မျဉ်းကြောင်းဆွဲပြီးရင် **ဝလုံး**ရေးတော့။ ဝလုံးရေးရင် အောက်ကနေ စရေးကြကွဲ့။ ဘယ်ဘက်ကွေ့ပြီး ညာဘက် ပြန်ဝိုက်ချလိုက်နော်။ ဒီလိုမျိုးပေါ့ကွယ်"

ဆရာမက ဝလုံး တစ်ခါ ပြန်ရေးပြရင်း ပြောလိုက်တယ်။ ဝလုံးက သူညနဲ့တူပေ
မယ့် အရစ်အဆွဲမှန်ရပါမယ်။

ကိုကိုက ဘာဘာ လုပ်ပေးထားတဲ့ သစ်သားပေတံကို သုံးပြီး မျဉ်းကြောင်းတွေ
ဂရုတစိုက် ဆွဲလိုက်တယ်။ ဝလုံးကိုလည်း ဂရုတစိုက် ထပ်တလဲလဲ ရေးတယ်။ ဆရာမ
ကတော့ စာသင်ခန်းထဲ လှည့်ပတ်ပြီး ကျောက်တံ ကောင်းကောင်း မကိုင်တတ်သူတွေကို
ကျောက်တံကိုင်နည်း ပြပေးနေလေရဲ့။ ကိုကိုက ဒါတွေသိထားပြီးသားလေ။ ဒီတော့
ကိုယ့်ကိုယ်ကို ကျေနပ်နေမိတာပေါ့။

ဆရာမက ကိုကိုတို့ခုံတန်းဘက် ရောက်လာတဲ့အခါ ဆရာမအကူအညီမပါဘဲ
ကိုကို ဝလုံးရေးပြီးသွားတာကို အံ့ဩနေရော။

"အောင်ဇေမင်းက သိပ်တော်တာပဲ"

ဆရာမက ကိုကို့ကို ချီးကျူးစကားဆိုလိုက်တယ်။ မေမေက အိမ်မှာ စာသင်ထား ပေးပြီးသားမို့ ကိုကို ဝမ်းသာမိတယ်။

ဆရာမက ကျောင်းသားတွေကို သင်ပုန်းမှာ ဝလုံးတွေ အပြည့်ရေးခိုင်းလိုက် ပြန်တယ်။

ကိုကိုက သင်ပုန်းအပြည့် ဝလုံးတွေ ခပ်သွက်သွက်လေးရေးလိုက်တယ်။ သူ့ရှေ့မှ ထိုင်နေတဲ့ ကောင်လေးလည်းပြီးသွားပြီ။ ပြီးတဲ့အခါ မတ်တပ်ရပ်လိုက်တာတွေ့ရဲ့။ ဒီကောင်လေးက ကိုကို ပြီးသွားတာမြင်တော့ နောက်လှည့်ပြီး တိုးတိုးလေး ပြောလိုက် တယ်။

"ပြီးသွားရင် ရှေ့ထွက်ပြီး ဆရာမကိုသွားပြလေကွာ"

ဒီကောင်လေးက မနေ့က ကျောင်းစယတက်တာလေ။ ဒါကြောင့် ဘာလုပ်ရမယ် ဆိုတာ သိထားပြီးသား။

ကိုကိုက ဒီကောင်လေးလိုမျိုး အတန်းရှေ့သို့ သင်ပုန်းကိုယူသွားလိုက်တယ်။ ကိုကိုက ကောင်လေးကိုသိနေတယ်။ လမ်းမတန်းဘက်ကလေ။ မွန်မွန်ရည်ရည်ရှိပုံလေးပါ။

ဆရာမဒေါ် သိန်းယဉ်နက တခြားကျောင်းသားတွေကို ကူညီပေးနေလို့ အတန်း ရှေ့စားပွဲနား မရောက်သေး။ တခြားကျောင်းသားတွေလည်း သင်ပုန်းလေးတွေကိုင်ပြီး ကိုကို့နောက်က လာရပ်ကြလေရဲ့။ အဲ့ဒီနောက် ဒေါ်သိန်းယဉ်နှ စားပွဲနားပြန်ရောက်လာ တယ်။ လမ်းမတန်းဘက်က ကောင်လေးက ရင်ဘတ်ရှေ့နားမှာ သင်ပုန်းကို ပင့်ကိုင်ပြ လိုက်တယ်။ ဆရာမကစစ်ကြည့်ပြီး "မောင်သန်းဝေ၊ သိပ်တော်တယ်ဟေ့" ချီးကျူးလိုက် တယ်။ ဒီလိုဆိုရင်း သင်ပုန်းပေါ် အဖြူရောင်အမှတ်တစ်မှတ် ရေးခြစ်လိုက်လေရဲ့။

အခုတစ်ခါ ကိုကို့အလှည့်ပေါ့။ မောင်သန်းဝေ သင်ပုန်းကိုင်တဲ့နည်းအတိုင်း ကိုကိုလည်း သင်ပုန်းကို တစ်ပိုစံတည်း စိုးတထိပ်ထိပ်နဲ့ ကိုင်ထားလိုက်တယ်။ ဆရာမက သူ ရေးထားတဲ့ ဝလုံးတွေကို စစ်ကြည့်နေတုန်း ကိုကိုက ဆရာမမျက်လုံးတွေကိုကြည့်ပြီး ဘာတွေများ ပြောလာလေမလဲလို့ အဖြေရှာကြည့်နေမိရဲ့။ နောက်ဆုံးတော့ ဆရာမက လက်ကို သင်ပုန်းအပေါ်ဘက် ရွှေ့လိုက်တယ်။ သင်ပုန်းပေါ်မှာ မြေဖြူခဲနဲ့ အမှတ်မှတ်ကြီး တစ်မှတ် ရေးခြစ်လိုက်တာလေ။

"သိပ်တော်တယ်၊ အောင်ဇေမင်း" ဆရာမက ချီးကျူးစကားဆိုလိုက်တယ်။

ကိုကို ဂုဏ်ယူဝင့်ကြွားစွာပြုံးပြီး သင်ပုန်းကို သူထိုင်တဲ့နေရာဆီပြန်ယူသွား တယ်။ သူ ပြန်ထိုင်တော့ မောင်သန်းဝေက နောက်လှည့်ပြီး သူ့ကိုသွားဖြဲလေးနဲ့ ပြုံးပြ တယ်။ နှစ်ယောက်လုံးမှာ သင်ပုန်းပေါ် အမှတ်မှတ်ကြီးကိုယ်စီနဲ့။ ကိုကိုက သင်ပုန်းကို မဖျက်ဘဲထားလိုက်တယ်။ ရလာတဲ့ အမှတ်မှတ်ကြီးကို ဘာဘာနဲ့မေမေ့ကို ပြချင်လို့လေ။ ခန်းမကြီးထဲက တခြားအတန်းတွေ စာဆက်သင်နေသံ ကြားရလေရဲ့။ နည်း

နည်းကြီးတဲ့ ကလေးတွေက စာတစ်ပုဒ် ရွတ်ဆိုနေသံ ကြားရတယ်။ နောက်တစ်ခန်းက ဆရာမက ကျောင်းသားတွေ အာရုံစိုက်လာအောင် စားပွဲပေါ် တုတ်ကိုတဖြန်းဖြန်း ရိုက်သံကြားရဲ့။ သူတို့အနားက သူငယ်တန်းကလေးတွေက 'က ကနေ အ'အထိ ပြန်ရွေးနေလေရဲ့။ မေမေ သင်ပေးထားလို့ ကိုကိုက မြန်မာအက္ခရာတွေကို အစအဆုံး သိထားပြီးသား။ မေမေက ဆရာမ ဖြစ်ခဲ့သင့်တယ်လို့ သူ တွေးနေမိတယ်။

        "ကျောင်းစာအုပ် ပါရင် ထုတ်လိုက်ကြပါကွယ်" ဆရာမက **၀လာ၁၉**တန်းက ကလေးတွေကို အသံကျယ်ကျယ်လေးနဲ့ ပြောလိုက်တယ်။ "စာအုပ် မရှိတဲ့သူတွေအတွက် ဆရာမ စာအုပ်မြှောက်ပြထားပေးမယ်။ ဒီမှာကြည့်ကြနော်။ ဆရာမစာအုပ်ကနေ လှမ်းမကြည့်ချင်သူတွေက အနားက အတန်းဖော်တစ်ယောက်ရဲ့ စာအုပ်ကို ကြည့်လို့ ရတယ်နော်"

        ကိုကို့မှာ သူ့ဦးလေးရဲ့ ပုံနှိပ်စာအုပ်ဟောင်း ပါလာတော့ စာအုပ်ကို အိတ်ထဲက ထုတ်လိုက်တယ်။ ကျောင်းသားအားလုံး မတ်တပ်ရပ်လိုက်တာကြောင့် ကိုကိုလည်း မတ်တပ်ရပ်လိုက်တယ်။ သင်ပုန်းကြီးဖတ်စာအစ စာမျက်နှာကိုလှန်လိုက်တယ်။ တခြား ကောင်လေး ၃ ယောက် သူ့အနားလာရပ်ပြီး စာအုပ်လာကြည့်ကြလေရဲ့။ ဒီစာမျက်နှာမှာ မြန်မာသင်ပုန်းကြီးဖတ်စာရဲ့ ပထမအက္ခရာ ၅ လုံးပါပါတယ်။ စာတွေဘေးမှာ ပုံတွေ လည်းပါရဲ့။

        'က ကလေးငယ် ချစ်စဖွယ်' ပထမအက္ခရာကဗျာစာကြောင်းကို ဆရာမ ဒေါ်သိန်းယဉ်နက ဆိုလိုက်တယ်။ က အက္ခရာနဲ့ ကဗျာစာကြောင်းလေးအနားက ချစ်စရာ ကလေးငယ်တစ်ယောက်ရဲ့ပုံ ပါလေရဲ့။ ဒီကဗျာစာသား ဆိုရတာက a is for apple' ဆိုတဲ့ အင်္ဂလိပ်အက္ခရာကဗျာ ဆိုရတာနဲ့တူပါတယ်။

        'က ကလေးငယ် ချစ်စဖွယ်' ကျောင်းသားတွေက ပြိုင်တူ လိုက်ဆိုကြတယ်။

        ဒီနည်းနဲ့ အက္ခရာအားလုံးကို တောက်လျှောက်ဆိုကြရတာ။ ကိုကိုအကြိုက်ဆုံး ကဗျာစာကြောင်းက လ လဝါဝါ ထိန်ထိန်သာ ဆိုတဲ့ အပိုင်းပါ။ ကဗျာစာသားလေးနဲ့အတူ ညဘက် အိမ်တစ်လုံးအပေါ် က လဝါဝါလေး ထွန်းလင်းတောက်ပပြီး ရေထဲမှာ အရိပ် ထင်နေတဲ့ ပုံလေးတစ်ပုံပါလေရဲ့။ ဒီပုံလေးက သိပ်လှတယ်လို့ ကိုကို တွေးမိတယ်။

        အပြင်ဘက်မှာ မိုးတိမ်တွေ ပိုလို့ မှောင်မည်းလာပြီ။ လေတွေလည်း ပိုပြင်းလာ တယ်။ အဲဒီနောက် မိုးတွေရွာလာတယ်။ မိုးသည်းသည်းထန်ထန် ရွာလာပေါ့။ ဘယ် အတန်းမှ စာတွေဆက်သင်လို့မရတော့။ သွပ်ခေါင်မိုးပေါ် မိုးတွေတချွမ်းချွမ်းရွာကျသံကို ကျော်ပြီး ဆရာမ ပြောတာကြားရဖို့က သိပ်ခက်တယ်လေ။ အရင်က မိုးရွာနေတုန်း သွပ်ခေါင်မိုးအောက်မှာ ကိုကို မနေဖူးခဲ့တော့ အသံတွေ ဒီလောက်တောင်ကျယ်ပါလား လို့ မယုံနိုင်အောင်ပဲ။ သူ့နားသူ ပိတ်ထားလိုက်ချင်ရဲ့။ ဒါပေမယ့် တခြားကောင်လေးတွေ နားမပိတ်ထားတာမို့ သူလည်းမပိတ်ဖြစ်။ အပြင်မှာ မိုးတွေသည်းရင် သူနဲ့ ညီညီ

စောင်ခြံထဲ ကစားနေကြမှာလို့တွေးနေမိတယ်။ ဒါပေမဲ့ မိုးသည်းနေချိန်တောင် အုန်းခေါင်မိုးပေါ် မိုးရွာကျသံက သွပ်ခေါင်မိုးပေါ် မိုးရွာကျသံလောက် မကျယ်ဘူးလေ။ သွပ်ခေါင်မိုးပေါ် မိုးရွာကျသံ ဘယ်လောက်တောင် ကျယ်ကြောင်း အိမ်ပြန်ရောက်ရင် ညီညီကို သူ ပြောဦးမှာ။

လေတိုက်နှုန်း ပြင်းလွန်းလို့ အခန်းထဲမိုးတွေပက်လာရော။ ဆရာမတွေက ပြတင်းပေါက်တွေ လိုက်ပိတ်တယ်။ အခုတော့ ကျောင်းခန်းတွင်း အလင်းရောင်နည်း သွားလို့ ရှေ့နားတောင် ကောင်းကောင်း မမြင်ရတော့။ မှောင်နေတာမို့ အလုပ်လုပ်လို့လည်း မရတော့ ဆရာမဒေါ်သိန်းယဉ့်ရှုက ဘာဘာယူလာပေးတဲ့ ငှက်ပျောသီးတွေကို ကျောင်း သားတွေထဲ တစ်ယောက်တစ်လုံးကမ်းပေးတယ်။ ကျောင်းသားအားလုံး ကျောင်းမ ရောက်သေးတော့ ကိုကိုတို့အတန်းသားအားလုံးအတွက် ငှက်ပျောသီးတွေ လောက် လောက်ငငဖြစ်ပါတယ်။ ဒီလကုန်လောက်ထိ အတန်းထဲ ကျောင်းသားတွေ ပြည့်ပြည့် လာမှာ။ ဇွန်လမှာ ကျောင်းဖွင့်ပြီး ကျောင်းစဖွင့်ရက် သတ်သတ်မှတ်မှတ် မထားတာမို့ပါ။ ကိုကိုက သူရတဲ့ ငှက်ပျောသီးကို စားရင်း အတန်းထဲ နောက်ထပ် ကျောင်းသားဘယ် နှစ်ယောက် ရောက်လာဦးမှာလဲလို့ တွေးနေမိတယ်။ နောက်တစ်နှစ်ဆို ညီညီလည်း ကျောင်းစတက်ရတော့မှာပါလား။

နောက်ဆုံးတော့ မိုးရွာတာ လျော့သွားတယ်။ ဆရာမတွေလည်း ကျောင်းပြတင်း ပေါက်တွေ ပြန်ဖွင့်လိုက်ကြတယ်။ အခုတော့ သွပ်ခေါင်မိုးပေါ် မိုးရွာကျသံ အရင်က လောက် မကျယ်တော့။ ဆရာမတွေလည်း စာဆက်သင်ကြပြန်တယ်။ ခဏနေတော့ ခေါင်းလောင်းကြီးတစ်လုံးကို သံတုတ်နဲ့ထုရိုက်သံကြားရတယ်။ ကျောင်းဆင်းခေါင်း လောင်းထိုးပြီလေ။ ကျောင်းက နေ့တစ်ဝက်ပဲတက်ရတာ။ ရွာက ကျောင်းသားအားလုံး ကျောင်းမအပ်ကြသေးလို့ပေါ့။ ကျောင်းသားအားလုံးစုံတဲ့အထိ နေ့တစ်ဝက်ပဲ ကျောင်း တက်ရမှာပါ။

ကိုကိုက ပစ္စည်းတွေကောက်သိမ်းပြီး အိတ်ထဲထည့်လိုက်တယ်။ ဝရန်တာမှာ ဖိနပ်ခဲ့နဲ့ မဏ္ဍာလိုက်ရှာတယ်။ တခြားကျောင်းသားတွေလည်း ဖိနပ်တွေ၊ မဏ္ဍာတွေ ကမန်းကတန်းလိုက်ရှာနေကြလေရဲ့။ ပြီးရင် ကျောင်းဝင်းထဲမတ်တပ်ရပ်ရင် ဆရာမ အလာကို စောင့်နေလိုက်တယ်။

ကိုကိုက ဆရာမဒေါ်သိန်းယဉ့်နဲ့ မစုစုမ၊ မောင်သန်းဝေတို့နဲ့အတူ အိမ်ပြန်လာ ကြတယ်။ အိမ်နီးနားချင်း တခြားကလေး သုံးလေးငါးယောက်လည်းပါလေရဲ့။ ကိုကိုက မနက်တုန်းက ဘာဘာနဲ့အတူလာခဲ့တဲ့ လမ်းအတိုင်းလျှောက်လာတယ်။ မနက်ပိုင်းက အချိန်တွေ ကြာလှတယ်လို့ သူ အောက်မေ့မိရဲ့။ ဆရာမဒေါ်သိန်းယဉ့် နောက်ကနေ ဘုန်းကြီးကျောင်းလမ်းတွေ့အတိုင်းလိုက်လာတယ်။ အဲ့ဒီနောက် မင်းလမ်းမပေါ် ရောက်တဲ့အထိ ဆက်လျှောက်ပြန်တယ်။ မင်းလမ်းမရောက်တော့ ညာဘက်ချိုးလိုက်

တယ်။ ဆရာမဒေါ် သိန်းယဉ်နဲ့အိမ်နား ရောက်တော့ ဆရာမက ကိုကို့ကိုပြောလာတယ်။ "မနက်ဖြန် တွေ့ကြမယ်။ စုစုမနောက်ကနေ အိမ်ကိုလိုက်သွားနော်၊ ကိုကို" ကိုကိုက မစုစုမနဲ့အတူ လမ်းလျှောက်သွားလိုက်တယ်။ နောက်ဆုံးတော့ ကျွန်ဦး ပင်နဲ့ စေတီကိုလှမ်းမြင်နေရပြီ။ စေတီနားရောက်တော့ ညာဘက်ချိုးကွေ့ပြီ အိမ်အသွား လမ်းထဲဝင်လိုက်တယ်။ အိမ်ရောက်ခါနီးပြီလေ။ အိမ်ကို ပြေးသွားဖို့ သူ ဆုံးဖြတ်လိုက်တယ်။

ကိုကို အသားကုန်ပြေးသွားလိုက်တယ်။ မေမေနဲ့ညီညီက အိမ်ရှေ့ခန်းမှာ ကိုကို့ ကို မျှော်နေကြရဲ့။ ကိုကိုမသိခဲ့ပေမယ့် မေမေကတော့ ကိုကိုအိမ်ပြန်လာနိုင်နဲ့ လမ်းပေါ် တစ်နေကုန် မျှော်ကြည့်နေခဲ့တာတဲ့။ ကိုကိုက လွယ်အိတ်ထဲက သင်ပုန်းကိုထုတ်ပြီ အမှတ်ကြီးကို မေမေ့ထံပြလိုက်တယ်။ မြေဖြူရာတစ်ချို့ ပြုန့်သွားပေမယ့် အမှန်မှတ်တော့ ရှိနေဆဲ။ မေမေက ပြုံးပြုံးလေးနဲ့ပြောတယ်။

"မွေ့သားကြီးက တော်လိုက်တာကွယ်"

မေမေပြောခဲ့တဲ့အတိုင်း ကျောင်းတက်ရတာ ကိုကို နေသားကျသွားပါပြီ။ ဘေး အိမ်က သူငယ်ချင်းတွေနဲ့ ကျောင်းသွားကျောင်းပြန် လမ်းလျှောက်လာဖြစ်တယ်။ ကျောင်းသားကြီးတွေက ၃ မိုင်ခရီးကွာတဲ့ ဇရပ်ပြင် အလယ်တန်းနဲ့ အထက်တန်း ကျောင်းမှာ ကျောင်းတက်ဖို့ ဆန္ဒကျင့်ဘက်အရပ်ကို ခြေကျင်သွားကြတာ သူ တွေ့နေရ ရဲ့။ တစ်ခါတလေဆို တခြားကလေးတွေမှာ ထီးပါတာတွေ့တယ်။ ထီးရှိတဲ့ ကျောင်း သားတွေ ကိုကို့အသိထဲမှာမရှိ။ သူ့ဘော်ဒါအများစုက မိုးမစိုအောင် မဏ္ဍလာပဲ ဆောင်း ကြတာလေ။ ထီးရှိရင် သိပ်ပျော်ဖို့ကောင်းမှာလို့ တွေးနေမိတယ်။

နောက်ဆုံးတော့လည်း ကလေးအားလုံး ကျောင်းလာတက်ကြလို့ စာသင်ခန်းမှာ လူပြည့်လာပြီလေ။ စာအုပ်တွေလည်းမှာလိုက်ပြီ။ ပုံနှိပ်စာအုပ်တွေ ရောက်လာတော့ ကျောင်းသားတစ်ယောက်ချင်းစီ နာမည်ခေါ်ပြီး အတန်းရှေ့မှာ စာအုပ်သစ်တွေ လာ ယူစေတယ်။ စာအုပ်သစ်တွေရဲ့ စက္ကူနံ့က သင်းသင်းလေးမွှေးလို့ ကိုကိုတစ်ယောက် တနေကုန် နမ်းရှူနေမိရော။ အခုဆို အတန်းသားတိုင်းမှာ မြန်မာဖတ်စာနဲ့ အင်္ဂလိပ် ဖတ်စာ ရှိနေပြီပေါ့။ နှစ်အုပ်လုံးက စက္ကူဖုံးနဲ့ ရခိုင်ပြည်နယ်မှာ အားလုံးရခိုင်လိုပဲ ပြောကြပေမယ့် မြန်မာဘာသာစကားနဲ့ မြန်မ့ာသမိုင်းကိုပဲ ကျောင်းတွေမှာသင်ကြရတာ။ ပြည်နယ်တိုင်းမှာ ဒီအတိုင်းပဲ။ ပြည်နယ်တိုင်းမှာ သူ့ဘာသာစကားနဲ့ သမိုင်းတွေ ရှိပေ မယ့် မြန်မာဘာသာစကားနဲ့ မြန်မ့ာသမိုင်းပဲသင်ပေးကြရတယ်။

တစ်ခါတလေ ကျောင်းက အိမ်အပြန် မိုးတွေ အုံးကန့်ရွာချတတ်ရဲ့။ မဏ္ဍလာ ဆောင်းထားလို့သာ ကိုကို့ခေါင်းမိုးလုံနေတာ။ ခေါင်းလုံပေမယ့် တခြားအပိုင်းတွေ ရွှဲရွှဲစိုကုန်ရော။ မိုးတွေသည်းရင် စာအုပ်သစ်တွေ မိုးမစိုအောင် အိတ်ကိုရင်ဘတ်နား တင်းတင်းကပ်ထားနေကျ။

အခုတော့ နေ့တစ်ဝက် မဟုတ်တော့ဘဲ တစ်နေကုန် ကျောင်းတက်နေရပြီ။

နေ့လည်စာစားချိန် တစ်နာရီနားရတယ်။ ဒါပေမဲ့ ကိုကိုတို့လို ကျောင်းနဲ့အိမ် ဝေးတဲ့ ကလေးတွေက အိမ်ပြန်ပြီး နေ့လည်စာမစားဖြစ်ကြ။ ဒီကလေးတွေက နေ့လည်စာ အိမ်ပြန်မစားဖြစ်ပေမဲ့ တစ်ခါတစ်ရံ ၄ွက်ပျောသီး၊ သရက်သီး၊ အုန်းသီးနဲ့ သကာ၊ ဒါမှမဟုတ် မုန့်ဖက်ထုတ်စားဖြစ်လေရဲ့။

နေ့လည်စာစားချိန်အတွင်း မောင်သန်းဝေ၊ တခြားကောင်လေးတစ်ချို့ နဲ့ ကစား ရလို့ ကိုကို တအားပျော်ရတယ်။ မိုးရွာနေရင် ဝရန်တာမှာ ထိုင်ပြီး ကျောက်သင်ပုန်းမှာ အရုပ်တွေ ဆွဲကြတယ်လေ။ ကျောက်တံ အရောင်မှိန်သွားပြန်ရင်လည်း ပြဿနာမရှိ။ ကျောက်လှေကားထစ်တွေပေါ် တချောက်ချောက် ခြစ်ပြီးသွေးလိုက်ရုံပဲ။ မိုးမရွာတဲ့ နေ့တွေဆို ကျောင်းပတ်လည်မှာ ရှုကြံကစားကြတယ်။ တစ်ခါတလေ ပလတ်စတစ်အိတ် လေးတစ်လုံးတွေ့ရင် လေမှုတ်သွင်းပြီး အပြင်စကိုကြီးနဲ့ချည်၊ ပြီးရင် လေထဲမှာ မြှောက် မြှောက်ပြီး မြေပေါ်ပြန်မကျအောင်ကစားကြတာ။ တစ်ခါတစ်ရံ လည်ပင်းဖြူ ပိတုန်းတွေ လိုက်ဖမ်းကြတယ်။ ဒီပျားမျိုးက မတုပ်တတ်တော့ ဖမ်းပြီးပြန်လွှတ်ရတာ ပျော်ဖွယ်ကောင်း တယ်။

နေ့တိုင်း ကျောင်းမတက်ခင် ကလေးတွေကျောင်းဝင်းထဲကစားကြလေရဲ့။ မိုးရွာ နေရင် ဝရန်တာမှာထိုင်ပြီး ကစားနည်းမျိုးစုံကစားကြတာလေ။ ဒါပေမဲ့ ကောင်လေး တစ်ချို့က ကျောင်းအောက်ဝင်ပြီး လောင်းကစား သွားလုပ်ကြတယ်။ ကစားနည်းတွေ ကစားပြီး ရှုံးရင် သားရေကွင်း ပေးတမ်း ကစားကြတာ။ လက်မှာ သားရေကွင်းအများဆုံး ဝတ်နိုင်တဲ့ ကောင်လေးက အမိုက်ဆုံးပဲ။ ကိုကိုက ကျောင်းအောက်ကိုတော့ တစ်ခါမှ မသွားဖြစ်။ ကျောင်းအောက် ဝင်ရင် မေမေ ကြိုက်မှာ မဟုတ်ဘူးဆိုတာ ကိုကို သိထား တယ်။ ကျောင်းအောက်ဝင်ပြီး သားရေကွင်းပေးတမ်းကစားတဲ့ အသက်ခပ်ကြီးကြီး ကောင်လေးတွေက စာလည်းမတော်ကြဘူးလေ။

တစ်ခါတလေ အတန်းသားတွေ ထိန်းမနိုင်သိမ်းမရဖြစ်နေရင် ဆရာမက သင်ပုန်းကြီးကို တုတ်နဲ့တဖြန်းဖြန်းရိုက်ပစ်ရရော။ ကိုကိုက လိမ်လိမ်မာမာလေး နေတာမို့ ကလေးတစ်ချို့လို ဆရာမဆီ အရိုက်ခံမရ။ ဆရာမ အတန်းထဲက ထွက်သွားလို့ တခြားကလေးတွေ ခုံပုရှည်ပေါ် သားရေကွင်းပစ်တမ်း ကစားရင်တောင် သူ ဝင်မဆော့ ဖြစ်။ ကစားချင်ရင် သူ ဝင်ကစားလို့ ရတာပေ့။ ကောက်ရထားတဲ့ သားရေကွင်းတစ်ကွင်းကို လက်မှာ ဝတ်ထားတာပဲလေ။ ဒါပေမဲ့ သူက စတိုင်ကျချင်လို့ပဲ သားရေကွင်းဝတ် ထားတာ။ သားရေကွင်းပေးတမ်း ကစားပြီး ပိုရလာအောင်တော့ မဆော့ချင်ပါဘူး။

ကိုကို့ဘာဘာနဲ့ မေမေ ကျောင်းတက်ခဲ့တဲ့ ဟိုးအရင်နှစ်တွေတုန်းက အင်္ဂလိပ်စာ ကို ၆းတန်းရောက်မှ စ,သင်ရတာလေ။ ဒါပေမဲ့ အခုတော့ ကျောင်းစ,တက်တဲ့ နှစ်မှာပဲ အင်္ဂလိပ်စာသင်ရတာ။ အင်္ဂလိပ်အက္ခရာတွေ ထထပြီးရွတ်ဆိုရတာ သိပ်ရယ်ဖွ ကောင်းတယ်လို့ ကိုကို တွေးမိရဲ့။ တစ်ခါတလေဆို စကားလုံးအသံထွက်တွေက

တအား ရယ်စရာကောင်းလို့ သူနဲ့ မောင်သန်းဝေတို့ တစ်ယောက်မျက်နှာ တစ်ယောက် ကြည့်ပြီး တခွီးခွီးရယ်မိကြရဲ့။ အင်္ဂလိပ်စာကို ကိုကို ကောင်းကောင်း လိုက်နိုင်ပါတယ်။ ဘာဘာဆီက သင်ထားပြီးသားမို့လို့လေ။ ABC သီချင်းဆိုရတာ ပျော်စရာပဲလို့ ကိုကို တွေးမိရဲ့။ ညီညီကို ဒီသီချင်း သင်ပေးဦးမှပါလေ။

နောက်ဆုံးတော့ ကိုကို့ ရှေ့ဆုံးတန်း အပို့ခံရရော။ မောင်သန်းဝေလည်း ရှေ့ဆုံး တန်းရောက်သွားတယ်။ သူတို့နှစ်ယောက်က အတန်းထဲမှာ အတော်ဆုံးလေ။ အတော်ဆုံး ကျောင်းသားတွေက ရှေ့ဆုံးတန်းမှာထိုင်ရတယ်။ သူတို့နှစ်ယောက်ဟာ အကောင်းဆုံး သူငယ်ချင်းတွေလည်း ဖြစ်လာတယ်။ တစ်ခါတလေဆို ကျောက်သင်ပုန်းပေါ် ဆရာမ ရေးခြစ်ပေးလိုက်တဲ့ အမှန်မှတ်တွေ့ထဲ ဘယ့်သူ့အမှတ်က ပိုကြီးလဲဆိုပြီး နှိုင်းယှဉ်ကြည့် ကြသေးတယ်။

*****

မိုးသည်းနေ့တွေ

အခုဆို အရာအားလုံးက စိုစွတ်စိမ်းစိုလို့။ ပန်းလှလှလေးတွေလည်း နေရာတိုင်း မှာရှိနေလေရဲ့။ ခဏတဖြုတ် အပြင်ထွက်ရင်တောင် မက္ခလာတွေ ဆောင်းနေရတာမျိုး။ မကြာခဏဆိုသလို အကြာကြီး မိုးသည်းသည်းထန်ထန် ရွာနေကျ။ ကျောင်းတက်မသွားခင် ကိုကို ထမင်းတွေ အများကြီးစားနိုင်အောင် မေမေက နေ့လည်စာစောစောချက်ထား တယ်။ လယ်ကွင်းထဲမှာ လယ်ထွန်နေတဲ့ ဘာဘာအတွက် နေ့လည်စာလည်း စောစော သွားပို့လို့ ရတာပေါ့လေ။

ဇွန်လမှာ ကျောင်းစ,ဖွင့်တတ်သလို လယ်ထွန်တဲ့အလုပ်လည်း စ,လုပ်ရပါတယ်။ ဘာဘာက မနက် ၄ နာရီခွဲဆို အိပ်ရာကထပြီး မနေ့ညကကျန်တဲ့ ထမင်းချမ်းတွေကို ဆီနဲ့ကြော်၊ မြေပဲလှော်ပြီး မနက်စာအတွက် ပြင်ဆင်တယ်။ ကိုကို၊ ညီညီတို့အတွက်လည်း စားပွဲပေါ်မှာ ထမင်းကြော်နည်းနည်း ချန်ထားလေ့ရှိတယ်။ ကိုကိုတို့ နိုးလာရင် ထမင်း ကြော်ပန်းကန်မြင်ရလို့ ပျော်သွားမယ်ဆိုတာ ဘာဘာ သိထားတယ်လေ။ မနက်စာ စားပြီးနောက် အိတ်ထဲမှာ မီးခြစ်၊ ဆေးပေါ့လိပ်လေးငါးလိပ်၊ ကွမ်းယာယာဖို့ ပစ္စည်းတွေ၊ ဓား၊ လေးခွ၊ လယ်စောင့်တဲ့မှာ မီးဖိုပြီး ရေနွေးကျိုသောက်ဖို့ လက်ဖက်ခြောက်တို့ကို ထည့်မယ်။ ပြီးရင် လယ်ထဲထွက်သွားတာပဲ။

ဘာဘာရဲ့ လယ်မြေကရွှေ့မြေလေ။ ရွှေ့မြေက သဲမြေနဲ့မတူဘူး။ ကွင်းထဲက လယ် ကွက်အားလုံးမှာ စပါးမစိုက်ခင် ထွန်ယက်ပြီး ထွန်ခြစ်နဲ့ခြစ်ပေးရပါတယ်။ သဲမြေမှာတော့ မိုးစယရွာတာနဲ့ လယ်သမားတွေက လယ်ထွန်ကြမယ်။ ပြီးရင် စပါးစိုက်မယ့်နေ့မှာ လယ်ကို ထွန်ခြစ်နဲ့ခြစ်ပစ်ရတယ်။ ထွန်ခြစ်နဲ့ အစောကြီးခြစ်ထားရင် စပါးစိုက်ပျိုးလို့ မရလောက်အောင် မြေတွေမာသွားမယ်။ ဘာဘာရဲ့ ရွှေ့လယ်မြေက ထွန်ရပြုရ တအား ခက်ခဲတာ။ အရင်ဆုံးလယ်ထွန်ရတယ်။ ပြီးရင် လယ်ကွက်ထဲရေအတန်အသင့် ပြည့်

အောင်စောင့်ရတယ်။ အဲဒီတော့မှ ထွန်ခြစ်နဲ့ ခြစ်ရတယ်။ အဲဒီနောက် နောက်တစ်ခေါက် လယ်ထွန်ပြီး ထွန်ခြစ်နဲ့ ပြန်ခြစ်ရတယ်။ ဒုတိယအကြိမ် ထွန်ခြစ်နဲ့ခြစ်တာကို ပျိုး မစိုက်ခင် ၂ ရက်အလိုမှာလုပ်ဆောင်ရတယ်။ ပျိုးစိုက်မယ့်နေ့မှ ထွန်ခြစ်နဲ့ခြစ်ရင် ရေနဲ့ ရွှံ့တွေကို မွှေပစ်လိုက်သလို ဖြစ်တာကြောင့် ပျိုးပင်အတွက်မကောင်းတော့။ ပျိုးစိုက်ဖို့ အမှိုက်တွေရှင်းပြီး ရေတွေလည်းကြည်နေရပါမယ်။ ဒါကြောင့်လည်း ဘာဘာက နေ့တိုင်း အလုပ်ကြီးစားနေတာပေါ့။ စပါးစိုက်ဖို့ အချိန်မီအဆင်သင့်ဖြစ်အောင် လယ် ကွင်း ၂ ကွင်းကို ထွန်ယက်ပြင်ဆင်နေရတယ်။

မေမက စောစော ချက်ပြုတ်ထားတဲ့ နေ့လည်စာကို အိုးတစ်လုံးထဲ ထည့်ပြီး ဘာဘာကို ထမင်းသွားပို့တယ်။ ဘောင်ဘောင်က ညီညီကို စောင့်ကြည့်ပေးထားတယ်။ ကိုကိုက ကျောင်းသွားဖို့ ပြင်ဆင်နေလေရဲ့။ ကိုကိုက အခုနေ လယ်ကွင်းထဲ ဘယ်လို နေလဲ သိချင်နေမိတယ်။ ဒါကြောင့် ကျောင်းမတက်ရတဲ့ တစ်ရက်မှာ ကိုကို အကြံတစ်ခု ပေါ်လာတယ်။

"မေမေ၊ ဒီနေ့ သား ကျောင်းမတက်ရဘူး"

"ဟုတ်တာပဲ"

"ဒီနေ့ ဘာဘာ့ဆီ ထမင်းသွားပို့ဖို့ သား လိုက်ကူပေးလို့ရမယ်ထင်တယ်"

"ကောင်းသားပဲကွယ်"

မေမက သွပ်အိုး ယူလိုက်တာကို ကိုကို ကြည့်နေမိတယ်။ ဒီအိုးက ဟင်းချက် ပြုတ်တဲ့အိုးမဟုတ်။ အစားအစာတွေထည့်သို့ဖို့ ထည့်သယ်ဖို့ သုံးတဲ့အိုးမျိုး။ အိုးတစ်ခြမ်း မှာ ထမင်းနဲ့ဖြည့်ပြီး နောက်တစ်ခြမ်းမှာ ဟင်းခွက်တွေထည့်ထားတဲ့ ခွက်တွေကို စီလိုက်တယ်။ ပြီးတဲ့အခါ အိုးကို အဖုံးဖုံးလိုက်တယ်။ ဒီမနက်ခင်း မိုးက မရွာ။ မေမက အဝတ်စတစ်ခုကို လိပ်ခွေပြီး ခေါင်းထက် တင်လိုက်တယ်။ အဲဒီနောက် သွပ်အိုးကို ခေါင်းခုထက် တင်ရွက်လိုက်တယ်။ မေမက မင်္ဂလာကြီးကို ပုခုံးသိုင်းလွယ်ထားလို့ နံဘေးမှာ တွဲလွဲကျနေလေရဲ့။

ကိုကိုက သဲထူထူလျှောက်လမ်းအတိုင်း မေမေ့နောက်က လိုက်ခဲ့တယ်။ မင်္ဂလာ ဆောင်းလို့၊ တစ်ခါတစ်ရံ လျှောက်လမ်းကကျဉ်းကျဉ်းလေး။ ချိုပုတ်တွေကြားက ဖြတ် သွားရရဲ့။ သစ်ပင်တွေမှာ သစ်ရွက်တွေနဲ့ဝေနေပြီဆိုတော့ သစ်ကိုင်းတွေကြောင့် ဉမင် လိုဏ်ဂူကို ဖြတ်လျှောက်နေရသလို ခံစားရစေတယ်။ မေမက အိုးကိုခေါင်းမှာရွက်လို့၊ တစ်ခါတလေ လမ်းမညီရင် ငြိမ်အောင်ထိန်းကိုင်ဖို့ ခေါင်းပေါ် လက်ရောက်သွားတတ်တယ်။ တစ်ခါတစ်ရံ လယ်သမားတစ်ယောက် နွားတွေကို ဘယ်ကွေ့၊ ညာကွေ့ဖို့ ပြောနေသလို မျိုး ဟစ်အော်ညွှန်ကြားသံလည်းကြားရဲ့။ ရွှံ့ထူတဲ့ နေရာတွေမှာ ဖိနပ်တွေ ချွတ်ရသေး တယ်။ မေမက ဖိနပ်တွေချွတ်၊ တဖြည်းဖြည်းကိုယ့်ကိုကုန်း၊ ဖိနပ်ကောက်ယူပြီး ကိုယ် ကို ပြန်တည့်မတ်လိုက်ပေမယ့် သွပ်အိုးမမှောက်ကျတာကိုကြည့်ပြီး အံ့ဩနေမိတယ်။

တစ်ခါတစ်ရံ မေမေနဲ့ ကိုကိုတို့ ခြေသလုံးအထိ ရွှံ့ထဲ နစ်ဝင်သွားတတ်ရဲ့။ ဒါကြောင့် ရွှံ့တောထဲ ဖိနပ်စီးလို့မဖြစ်တာပါ။ ခြေမှာစီးထားတဲ့ ဖိနပ်ကို ရွှံ့ကစုပ်ယူထားလိုက် တတ်လို့လေ။

ရွှံ့ထူထူ နေရာတွေရှိတဲ့ သဲလမ်းကို ကျော်ပြီးနောက် ချောင်းတစ်ခုကို ဖြတ်ရ တော့မယ်။ ကိုကို သူ့မျက်လုံးသူ မယုံနိုင်အောင်ပဲ။ ဒီနားကို ဘာဘာနဲ့အတူ မို့လာရာ တုန်းက ဒီနေရာက ကွင်းပြင်ချည်းပဲ။

"အရင်က ဒီချောင်း၊ ဒီနားမှာမရှိခဲ့ပါဘူး"

"ဒါ မိုးရေချောင်းလေ၊ သားရေ။ နှစ်တိုင်း မိုးရာသီဆို ဒီချောင်းက ပေါ်လာနေကျ ပေ့ါကွယ်။ ရွှာ့ရဲ့ အရှေ့ဘက်အတိုင်း စုန်ပြီးစီးတယ်။ ပြီးရင် သား အရင်ကမြင်ဖူးခဲ့တဲ့ ပင်လယ်ရေငန်ချောင်းကြီးထဲ စီးဝင်သွားတယ်ကွဲ့။ စပါးတို့ရွှာ အသွားလမ်းမှာ တံတားကို ဖြတ်ကူးတုန်းက ဖြတ်လျှောက်ခဲ့ကြတဲ့ ချောင်းပေ့၊ သားရေ"

မေမေက သွပ်အိုးကြီးကို မြေကြီးပေါ် ချလိုက်တယ်။

"သား - ကိုကို၊ သားကို မေမေ ဟိုဘက်ကမ်းကို သယ်သွားရမယ်ကွဲ့"

မေမေက ကိုကို့ကို ချောင်းတစ်ဘက်ကမ်းသို့ သယ်သွားလိုက်တယ်။ ပြီးနောက် ဘာဘာအတွက် နေ့လည်စာထည့်လာတဲ့အိုးကို သွားပြန်သယ်လေရဲ့။ ရေက မေမေ့ခါး လောက်ရောက်ပါတယ်။ ချောင်းထဲက တက်လာတော့ မေမေ့ထမီ စိုရွှဲနေပြီ။

"မေမေ့တစ်ကိုယ်လုံး စိုရွှဲနေပြီ"

ကိုကိုက အော်ပြောလိုက်တယ်။ မေမေ အအေးမိပြီးဖျားမှာကို ကိုကို စိုးရိမ် နေမိတယ်။

"မစိုးရိမ်ပါနဲ့၊ ကိုကိုရေ။ သားရဲ့ ဘာဘာဆီ ထမင်းလာပို့ရင် မေမေက ရေစိုနေကျ လေ။ အခုက မိုးရာသီဆိုတော့ ရေစိုတာက ရှောင်လွဲလို့မရတဲ့ကိုး"

ကိုကိုက မေမေ့နောက်ကနေ ရွှံ့ထူထူလမ်းလေးအတိုင်း လိုက်ခဲ့တယ်။ နွေရာသီ က ခြောက်သွေ့နေခဲ့တဲ့ နေရာအားလုံး အခုတော့ ရေတွေလွှမ်းလို့ လယ်ကွင်းတွေထဲ ရေတွေအပြည့်ပဲ။ လျှောက်လမ်းလေးက ရွှံ့ထူတော့ ဖိနပ်စီးလို့မရ။ တစ္ဆေသရဲတွေ ရှိတဲ့ ညောင်ပင်နားကနေ ကိုကိုတို့သားအမိ ဖြတ်လာကြသေးတယ်။ လယ်စောင့်တဲ့နား ရောက်တော့မှ ဖိနပ်တွေပြန်စီးလို့ရတော့တယ်။

ဘာဘာက လယ်ထဲမှာ မဣ္ဆလာတစ်ထည်ဆောင်းပြီး ထယ်ဆွဲနေတဲ့ နွားတွေ နောက်က ခြေပလာနဲ့လိုက်နေလေရဲ့။ လယ်သမားတွေက ဖိနပ်စီးလို့မရဘူးလေ။ ရွှံ့ထဲ၊ ရေထဲမှာ ဖိနပ်တွေ ကျွံဝင်သွားမှာမို့လို့ပေ့။ နွားတွေက ထယ်ကို ဆွဲပြီး ဘာဘာက ထယ်လက်ကိုင်ပေါ် လက်တစ်ဘက်တင်ထားတယ်။ ထယ်သွားက လယ်ကွက်ထဲက မြေတွေကို ထိန်းချုပ်ထွန်ယက်နိုင်အောင်ပေ့လေ။ ဘယ်ဘက်က နွားရဲ့ကြိုးကို ထယ် လက်ကိုင်ရိုးမှာချည်ထားတယ်။ နွားတွေ ခိုင်းတဲ့အတိုင်းမလုပ်ရင် ဘာဘာက ကြိုးတွေ

ဆွဲပြီး ထိန်းနိုင်အောင်ပါ။ ဘာဘာရဲ့ တခြားလက်တစ်ဘက်မှာ နွားတွေ ခေါင်းမာနေရင် ရိုက်ဖို့ ဝါးတုတ်ချောင်းတစ်ချောင်း ကိုင်ထားလေရဲ့။ ဘာဘာက နာရီလက်တံ ပြောင်းပြန် လှည့်တဲ့ပုံစံအတိုင်း လယ်ထွန်နေတာတယ်။ လယ်ထွန်ယက်တာကို နာရီလက်တံ ပြောင်းပြန် လှည့်တဲ့ပုံစံအတိုင်း အမြဲထွန်ယက်ရပါတယ်။ နာရီလက်တံလည်တဲ့အတိုင်း လှည့်တာက ဘုရားစေတီ သို့မဟုတ် ဘုန်းတော်ကြီးကျောင်းမှာ ဓာတ်တက်ပွဲ၊ ဆရာကန်တော့ပွဲလိုမျိုး ဘာသာရေးပွဲတော်တွေမှာပဲ လုပ်ကြရတာ။

မေမေနဲ့ ကိုကိုတို့ လယ်ကွင်းနားသွားလိုက်ကြတယ်။ ဘာဘာက နွားတွေကို မောင်းနေသံ ကိုကိုကြားနေရတယ်။ နွားတွေနဲ့ဆက်သွယ်ဖို့ လယ်သမားအားလုံး ဒီစကားတွေကိုသုံးကြပါတယ်။ ဒါပေမယ့် ဒီစကားတွေက ဘယ်ဘာသာစကားကမှ လာတာမဟုတ်ပါဘူး။ 'တီးတီး' ဆိုတာက တည့်တည့်သွား အဓိပ္ပါယ်ရတယ်။ 'ဘားဘား' ဆိုတာက ဘယ်ဘက်ကို ကွေ့ဆိုလိုတယ်။ 'ဆူးလည်' ဆိုတာ ဘယ်ဘက်ကို ကွေ့ဆိုတဲ့ အဓိပ္ပါယ်ပေမယ့် ပိုပြီး လေသံခပ်ပြင်းပြင်းလေး ပြောရတာမျိုး။ နွားတွေက ရုတ်တရက် ကွေ့ရမယ့် အခြေအနေမျိုးဆိုရင် 'ဆူးလည်' အော်ရတာပါ။

"ကိုကိုပါလားကွ။ သားကိုတွေ့ရလို့ ဘာဘာက အံ့ဩနေတာ"

"မေမေ ထမင်းပို့သွားရာမှာ သားက ကူပေးချင်လို့လိုက်လာတာပါဗျ"

မေမေက ထမင်းအိုးကို အောက်သို့ ချလိုက်တယ်။ ဘာဘာက လယ်ကွင်းထဲမှာ နေ့လည်စာကို ခပ်သုတ်သုတ်လေး စားနေကျမို့လို့လေ။

"ဒီနေ့တော့ တဲထဲမှာ စားလို့ရပါတယ်။ တဲနဲ့လည်း နီးနေပြီပဲလေ"

မေမေက နေ့လည်စာကို တဲထဲသယ်သွားတယ်။ ကိုကိုက မေမေ့နောက်က လိုက်ခဲ့တယ်။ တဲနဲ့ နီးလာတဲ့အခါ ဘာဘာ စိုက်ပျိုးထားခဲ့တဲ့ ဟင်းသီးဟင်းရွက်ပင်တွေ အားလုံး ကောင်းကောင်းရှင်သန်ကြီးထွားနေကြတာ ကိုကိုတွေ့ရတယ်။ ဘာဘာ မြေကြီးထဲ ထိုးစိုက်ထားခဲ့တဲ့ ဝါးကိုင်းတွေပေါ် ပဲလုံးသီးတွေ ရစ်တွယ်တက်နေလေရဲ့။ ငရုတ်ပင်နဲ့ ခရမ်းပင်တွေလည်း ရှည်ထွက်လာနေပြီ။ သခွားပင်နဲ့ ရွှေဖရုံပင်တွေက ဘာဘာ မီးရှို့ပြာချထားတဲ့ လက်ပံပင်ပြာတွေထဲ ကြီးထွားနေကြတာ ကိုကို မြင်နေရဲ့။

တဲအမိုးအောက်မှာ ခြောက်သွေ့နေတယ်။ တဲထောင့်နားလေးမှာ ထိုင်နားလို့ရ အောင် ခပ်မြင့်မြင့် ဝါးကွပ်ပျစ်လေးတစ်ခုကို ဘာဘာ ဆောက်ထားတာ ကိုကို မြင်ရဲ့။ တဲထဲ မိုးမပက်အောင် တဲ့ပတ်လည်မှာ ထရံတိုတိုလေး ၂ ခု ထပ်ကာထားတယ်။ မေမေက ဘာဘာရဲ့နေ့လည်စာ ထည့်လာတဲ့သွပ်အိုးကို ဝါးကွပ်ပျစ်လေးပေါ် တင်လိုက် တယ်။ အဲဒီနောက် ရွှံ့ကြမ်းပြင်ပေါ် က နွားချေးတွေကို ဝါးခေါပြားနှစ်လက်နဲ့ ကျုံးပြီး ခြင်းတောင်းထဲထည့်လိုက်တယ်။ ပြီးရင် ခြင်းတောင်းကို အပြင်ဘက်ထုတ်လိုက်တယ်။ ပြီးတဲ့အခါ ဟင်းခင်းထဲက ဟင်းပင်တွေပတ်လည်မှာ မြေသြဇာကောင်းအောင် နွားချေး တွေ အုံထားပေးလိုက်တယ်။ ကိုကိုက မေမေကို အကူအညီ ပေးမယ်လို့မပြောဖြစ်

နွားချေးတွေ ကိုင်ရတာ သူ မကြိုက်လို့လေ။ အထူးသဖြင့် ဟင်းခင်းနဲ့ ရှာလမ်းတလျှောက် နွားချေးတွေ မိုးရေကြောင့် အရည်ပျော်ကျနေချိန်ဆို သူ မကြိုက်ဆုံးပဲ။

လယ်တဲထဲ မေမေ ပြန်ရောက်တော့ မီးတစ်ဖို ဖိုလိုက်တယ်။ ဘာဘာ စုပုံထားတဲ့ ထင်းခြောက်တစ်ချို့ကို ထင်းတိုးဘေးမှာ ချလိုက်တယ်။ ထင်းတိုးက နွားတွေ အနွေးဓာတ်ရပြီး ပိုးကောင်မကျအောင် ညလုံးပေါက် မီးကျွမ်းလောင်နေတာလေ။ မေမေက တဲထဲ ဘာဘာထားထားတဲ့ ရေနံဆီပုလင်းကိုရှာပြီး ထင်းခြောက်တွေပေါ် နည်းနည်းလေး လောင်းချလိုက်တယ်။ ပြီးရင် မီးခြစ်နဲ့ရေနံဆီ မီးစွဲအောင်ကြိုးစားကြည့်ပေမယ့် မီးက တောက်မလာ။ အဲဒီနောက် လေတဟုတ် တိုက်လာလို့ မီးခြစ်မှာ မီးငြိမ်းသွားလေရဲ့။ မေမေ့စိတ်တွေ နောက်ကျိနေပြီ။

"ဒီရေနံဆီက စေးပျစ်လွန်းတယ်။ ရှဲ့ရေနံဆီက မကောင်းပါဘူးလေ" မေမေက မပွင့်တပွင့် ရေရွတ်လိုက်တယ်။

"ရှဲ့ရေနံဆီဆိုတာ ဘာလဲဟင်၊ မေမေ"

"ရှဲ့ရေနံဆီက မြေအနက်ကြီးထဲက တူးယူထားတာ မဟုတ်ဘူးကွဲ့။ ပင်လယ် ရေငန်ချောင်းတလျှောက် ရှဲ့ထွက်တဲ့ မြေတိမ်လေးထဲက ရလို့ စေးပျစ်နေတာလေ။ ပုံမှန်ရေနံဆီလောက် မကောင်းဘူးပေါ့ကွယ်။ ဒီဆီမျိုးက မီးစွဲလည်းနှေးတယ်လေ"

"ဒီဆီတွေ ဘာဘာ ဘယ်က ရတာလဲဟင်"

"ဒီတဲနား ချောင်းကမ်းတလျှောက် ရှဲ့တောထဲကပေါ့ကွယ်။ တစ်ချို့တွေက ဒီ ဆီမျိုးမကြိုက်တာ။ ပုံမှန်ဆီတွေလောက် အလင်းရောင်မပေးနိုင်ရင်တောင် ရေနံဆီမီး ခွက်နဲ့ထွန်းရင် ကြာကြာအထွန်းခံတာကိုး။ တစ်ခါတလေ သားဘာဘာမှာ ဆီတွေ အလုံအလောက် စုဆောင်းမိရင် ပိုလျှံဆီတွေကို မေမေက ဈေးထဲသွားရောင်းပေးတာလေ"

နောက်ဆုံးတော့ မေမေ မီးဖိုလို့ရသွားပါပြီ။ ကိုကိုက မေးခွန်းတွေ ဆက်မေးချင် သေးပေမယ့် မေမေက အလုပ်များနေလေရဲ့။ ကိုကိုကိုလည်း ရေနွေးအိုး သွားယူခိုင်လိုက် တယ်။ ရေနွေးအိုးက မြေအိုးသေးသေးလေးပါ။ မီးဖိုထဲ တင်ဖန်များလို့ မဲတူးနေလေရဲ့။ ရေနွေးအိုးအဖုံးက အုံးမွတ်ခွက်ပေါ်လေ။ မြေအိုးနှုတ်ခမ်းပတ်လည်မှာ ဝါယာကြီးတစ်ပင် ရစ်ပတ်ထားပြီး ထိပ်ကနေ ဝါယာကြီးကွင်းတစ်ခုကို လက်ကိုင်အဖြစ် လုပ်ထားလေရဲ့။ မေမေက ရေနွေးအိုးကို အပြင်ဘက် ယူသွားပြီး လယ်ကွင်းထဲမှာ တင်ကျန်ခဲ့တဲ့ ကြည် လင်တဲ့ မိုးရေနဲ့ ဖြည့်လိုက်တယ်။ ပြီးရင် ရေနွေးအိုးကို မီးဖိုပေါ် တင်ပြီး ရေနွေးကျိုလိုက် တယ်။ အခုဆို ဘာဘာ ထမင်းစားပြီးတာနဲ့ ရေနွေးကြမ်းပူပူလေးပါ သောက်လို့ရပြီလေ။

မေမေ အပြင်သွားတော့ ကိုကိုလည်း လိုက်လာပြီး တဲနားမှာ သဘာဝအတိုင်း ပေါက်နေတဲ့ ဟင်းသီးဟင်းရွက်တွေကို ကူခူးပေးတယ်။ အဲဒီနောက် ချဉ်ပေါင်ရွက်နဲ့ ကန်းစွန်းရွက်တွေကို ဟင်းခင်းထဲက ခူးလိုက်တယ်။ မေမေက ဒီဟင်းတွေကို ညနေစာ ချက်မှာလေ။ ကိုကိုက မိုးရေထဲ အရည်ပျော်ကျနေတဲ့ နွားချေးတွေကိုသတိထား ရှောင်

ကွင်းသွားလိုက်တယ်။ နွားချေးတွေဆို ရွှဲလွန်းလို့ သူ ကြည့်တောင်မကြည့်ချင်။

မကြာခင်မှာပဲ ဘာဘာ နေ့လည်စာစားဖို့ ရောက်လာတယ်။ နွားတွေက ဘာဘာ ပြန်အလာကိုစောင့်ရင်း လယ်ကွက်ထဲမှာ တန်းလန်းကြီးရှိနေဆဲ။

"နွားတွေက ဘယ်တော့ မြက်စားရမှာလဲဟင်၊ ဘာဘာ"

"လယ်ထွန်ပြီးရင် စားရမှာပေါ့၊ သားရေ၊ အခုနေ ဒီကောင်တွေကိုလွှတ်ပြီး မြက်စားခိုင်းလိုက်ရင် ဒီနေ့အဖို့ ဒီကောင်တွေအလုပ်လုပ်ချင်မှာ မဟုတ်တော့ဘူး။ မပူပါနဲ့၊ ကိုကိုရေ၊ စောင့်နေရတာ သူတို့အတွက် အေးဆေးပါ။ လယ်ထွန်ပြီးရင် သူတို့ စိတ်ကြိုက် စားချင်သလောက် စားလို့ရပြီလေ"

ဘာဘာက လုံချည်အခြောက်တစ်ထည်ကို လဲဝတ်ပြီး လုံချည်အစိုကို မီးဖိုဘေးက ဝါးချောင်းပေါ် ချိတ်တင်လိုက်တယ်။ ပြီးတာနဲ့ သွပ်အိုးဖုံးပေါ် ထမင်းနည်းနည်း ဖြည့် ဟင်းတစ်မျိုးစီကာ နည်းနည်းစီ ထည့်လိုက်လေရဲ့။ အဲဒီနောက် အိုးအဖုံးကို ဝါးစင်ပေါ် တင်ပြီး တဲအနီးအနားတဝိုက်နေကြတဲ့ နတ်ဒေဝတာတွေကို ပူဇော်ပသလိုက်တယ်။

ပြီးတဲ့အခါ မီးဖိုဘေး ဆောင့်ကြောင့်ထိုင်ပြီး မေမေ ထုတ်ပိုးယူလာတဲ့ နေ့လည်စာကို ဘာဘာ လွေးပါတော့တယ်။ မေမေက ထမီရေစိုကို ဝတ်ထားတုန်းပဲ။ ဒါပေမယ့် မီးဖိုတဝိုက် ဟိုလုပ် သည်လုပ်နဲ့ လျှောက်သွားနေလို့ သွေ့ခြောက်စ၊ပြုလာပြီလေ။ ဘာဘာ ပုံမှန်စားနေကျအတိုင်း လယ်ထဲမှာပဲ ထမင်းစားလိုက်တယ်ဆိုရင်လည်း လုံချည်အစိုကို ဝတ်ထားဦးမှာပေါ့။

ကိုကိုက ဘာဘာ ထမင်းစားနေတုန်း မီးဖိုထဲတုတ်တစ်ချောင်းနဲ့ ထိုးမွှေနေ လိုက်တယ်။ ဘာဘာ့ထမင်းပွဲမှာ ငံပြာရည်၊ ငရုတ်၊ ငါးပိရည်တို့နဲ့ ချက်ထားတဲ့ ပုစွန် ချက်၊ မြေပဲဆီနဲ့ ချက်ပြုတ်ထားတဲ့ ရာသီစာ တောဟင်းတောင်ဟင်းနဲ့ ထမင်းပူပူတို့ ပါလေရဲ့။ လယ်တဲထဲ ဆွေးနွေးထွေးထွေးလေးနဲ့ နေရထိုင်ရကောင်းလှတယ်။ ဘာဘာက မြေအိုးထဲက ရေနွေးကြမ်းကို အုန်းမှုတ်ခွက်ဖုံးထဲလောင်းထည့်ပြီး အဲဒီက ရေနွေးကြမ်းကို သောက်လိုက်တယ်။ ပြီးတဲ့အခါ ဘာဘာ၊ မေမေ နှစ်ယောက်လုံး ဆေးပေါ့လိပ်သောက်ပြီး မီးဖိုနွေးနွေးလေးနား ထိုင်လိုက်ကြတယ်။

"အိမ်ပြန်မသွားခင် ကိုကိုနဲ့ ကျွန်မတို့ ဝတုတ်(မျှစ်)ချိုးသွားကြမလို့"

"တဲတောင်ဘက်နားမှာ ဝတုတ်တွေ မြင်ခဲ့သေးတယ်"

ဘာဘာ့စကားကို ကြားတော့ ကိုကို ဝမ်းသာသွားတယ်။ မေမေ့ ဝတုတ်ချက်က သူ့အကြိုက်ပဲ။ မေမေ့နောက်ကနေ ကိုကိုလိုက်သွားတယ်။ မေမေက ဘာဘာ့ဓားကိုသုံးပြီး ဝတုတ်တွေကိုလိုက်ခုတ်တယ်။ ဝတုတ်ရဲ့ အစိမ်းရောင် အပြင်ခွံမှာ ပွယောင်းယောင်း အမွေးတွေရှိတာမို့ ခုတ်ဖြတ်တဲ့အခါ သတိထားရပါတယ်။ မတော်လို့ ဒီအမွေးတွေ စူးမိရင် အရေပြားပေါ် အဖုအပိန့် ထွက်တတ်လေရဲ့။ မေမေက အစိမ်းရောင်ဝါးပတ်ကို ဓားနဲ့ရှင်းပစ်ပြီးတဲ့အခါ အတွင်းသားတွေပဲ ဖြူဖွေးပြီးကျန်နေခဲ့ရဲ့။ ဒီအသားကိုပဲ စား

လို့ရတာလေ။

မေမေ အလုပ်လုပ်နေတုန်း ကိုကိုက လယ်ကွင်းထဲပတ်ကြည့်ရင်း ရေထဲမှာ ခရုတစ်လုံးသွားတွေ့တယ်။ လယ်ခရုတွေက ဆားငန်ရေထဲနေတဲ့ ကတော့ပုံခရုတွေနဲ့ မတူပါဘူး။ အခုတွေ့နေရတဲ့ ခရုတွေက ရေချိုခရုကြီးမျိုးလေ။

"မေမေ၊ သား ခရုတစ်လုံး တွေ့ထားပြီ"

ကိုကိုက စိတ်လှုပ်ရှားတဲ့အသံနဲ့ အော်ဟစ်လိုက်တယ်။

"ဟုတ်လား၊ သား။ ဒီရာသီဆို ခရုတွေ ထွက်ပြီပေါ့ကွယ်။ ညနေစာ ချက်ရအောင်

ခရတွေ ရှာကောက်ပေးပါကွယ်”

ဒါ့ကြောင့် ကိုကိုလည်း ခရတွေ လိုက်ကောက်ပေးတယ်။ သားအမိနှစ်ယောက် အိမ်အပြန်လမ်းမှာ မေမေက ခရတွေ၊ ဝတုတ်တွေ၊ ဟင်းခင်းက ခူးလာတဲ့ ဟင်းသီး ဟင်းရွက်တွေနဲ့ သဘာဝပင်တွေက ခူးလာတဲ့ တောဟင်းတွေကို သွပ်အိုးထဲထည့်ပြီး ခေါင်းထက် တင်ရွက်လာခဲ့တယ်။ ကိုကိုတို့ အိမ်ပြန်ရောက်တော့ မိုးတွေ သည်းသည်း မည်းမည်းရွာနေရော။ ကိုကိုက တစ်ကိုယ်လုံး မိုးရေစိုရွှဲနေပြီမို့ အကြံတစ်ခုပေါ် လာ တယ်။

“မေမေ၊ သား မိုးရေထဲမှာ ကစားလို့ ရလားဟင်”

မိုးရာသီအစပိုင်းမှာ ကလေးတွေကို မိုးရေထဲ ကစားခွင့်ပြုလေ မရှိကြပေမယ့် အခုတော့ ကစားခွင့်ပေးပြီလေ။

ကိုကိုကို မေမေက မိုးရေထဲ ကစားခွင့်ပေးလိုက်တယ်။ ခေါင်မိုးထက်က ရေတွေ ရေတံခွန်လို့ ဒလဟောစီးကျနေတဲ့ တံစက်မြိတ်အောက်နားမှာ ကိုကိုတစ်ယောက် ရှေ့ တိုးနောက်ငင် ပြေးလွှားကစားပါလေရော။ ကိုကို မိုးရေထဲကစားနေတာမြင်တော့ ညီညီလည်းကစားချင်လာရော။ နောက်ဆုံးတော့ ဝမ်းကွဲညီမ မမချေလည်း ကိုကိုတို့နဲ့ အတူ လာဆော့ပြန်တယ်။ သုံးယောက်သား တံစက်မြိတ်အောက်မှာ ရှေ့တိုးနောက်ငင် ပြေးလွှားဆော့ကစားကြတယ်။ ပြီးရင် ဘောင်ဘောင်တို့အိမ်နား ပြေးသွားပြီး တံစက် မြိတ်အောက် သွားဆော့ကြပြန်တယ်။ မကြာပါဘူး။ ခြံဝင်းတစ်ခုလုံး ရာနဲ့ချီတဲ့ ဖားသေ သေလေးတွေ ဟိုခုန်သည်ခုန် လုပ်နေကြတာတွေ့ ရရော။ ဖားတွေက သေးသေးညှက် ညှက်လေးတွေ။ ဖားတွေ အမျိုးအစားမတူကြ။ ရိုးရိုးဖားတွေပါသလို ဖားပြွတ်လေး တွေလည်းပါတယ်။ ဒါပေမယ့် ဖားတွေက သေးလေးလေးတွေမို့ ရိုးရိုးဖားလား၊ ဖားပြွတ် လား ခွဲပြောနိုင်ဖွဲ့မလွယ်ဘူး။ ဖားတွေက ကိုကို့ လက်မခံ့လောက်ပဲရှိတာလေ။

မိုးရေထဲ ဆော့ကစားနေကြတုန်း မေမေက ညနေစာ ချက်ပြုတ်ပြင်ဆင်နေပြီ။ အရင်ဦးဆုံး ဆန်ဖွပ်ပြီး ဆန်ကောနဲ့ ဆန်တွေ ပြာထုတ်တယ်။ အဲဒီနောက် မီးဖိုခွင်မှာ မီးဖို၊ ဆန်ကို သုံးခါဆေး၊ ထမင်းအိုးကို မီးဖိုပေါ် တင်ပြီး ချက်ပါတော့တယ်။ ထမင်း ကျက်တဲ့အခါ လယ်ခရတွေကိုဆေးကြောပြီး ရေလုံပြွတ်လိုက်တယ်။ လယ်ခရကို ပြွတ် ထားရင်း ဝတုတ်တွေကို အပိုင်းလေးတွေပိုင်ပြီး ရေနဲ့ဆေးလိုက်တယ်။ လယ်ခရတွေကို ပြွတ်ပြီးတဲ့အခါ အိုးကို မီးဖိုက ချလိုက်တယ်။ အဲဒီနောက် ဝတုတ်အိုးကို မီးဖိုပေါ် တင်ပြီးပြွတ်ပြန်တယ်။ ဝတုတ်တွေကို မချက်ခင် အရင်ပြွတ်လိုက်ရတယ်။ ဒီလိုမှ မပြွတ်ထားရင် ဝတုတ်အရသာက ခါးတူးနေမှာလေ။

ဝတုတ်ပြွတ်ထားတုန်း လယ်ခရတွေကို အခွံထဲကနေ အသားထုတ်ရတယ်။ ကိုကိုက ကူပေးဖွဲ့ရောက်လာလို့ ဝါးချောင်းလေးတစ်ချောင်းကို မေမေက ကမ်းပေးပြီး တယ်လက်နဲ့ ခရခွံကိုကိုင်ရင်း တုတ်ချောင်းလေးကို အခွံထဲထိုးသွင်းလို့ ခရသားကို

ဘယ်လို ထွတ်ထုတ်ရကြောင်း လက်တွေ့ပြပေးတယ်။ ခရသားတွေအားလုံးကို အိုးလေး ထဲထည့်ပြီးနောက် ချောက်ကျိုကို ဖြစ်နေလို့ မေမေက ရေနဲ့ဆေးကြောသန့်ရှင်းရရဲ့။ မေမေက ဝါးရွက်တစ်ဆုပ်စာသွားဆွတ်ပြီး အိုးထဲက ခရသားတွေထဲရောထည့်လိုက်တယ်။ ပြီးရင် ဝါးရွက်တွေနဲ့ ခရသားတွေကို လက်နဲ့အခေါက်ပေါင်းများစွာ မွှေလိုက်တယ်။ ပြီးတာနဲ့ ရေထည့်ပြီး လက်နဲ့မွှေပြန်ရော။ နောက်တော့ ရေတွေသွန်ပစ်တယ်။ တစ်ခါ ရေပြန်ထည့် ပြန်မွှေပြီးနောက် ရေတွေ ထပ်သွန်ပစ်ပြန်တယ်။ နောက်ဆုံးတစ်ခေါက် ဆေးတဲ့အခါ လက်နဲ့ မမွှေခင် ဆားထည့်လိုက်တာတွေ့ရဲ့။ ဒီရေကို စွန့်ထုတ်ပြီးတဲ့နောက် ခရသားက ချက်ဖို့အဆင်သင့်ဖြစ်ပါပြီ။

မေမေက ငရုတ်သီးခြောက်တွေကို ရေထဲထည့်ပြီး ကြွတ်လို့ကောင်းအောင် အပျော့ခံထားလိုက်တယ်။ ပြီးရင် ငရုတ်သီး၊ ကြက်သွန်ဖြူ၊ နှင့်ငါး၊ ဆားကို အဖတ်ဖြစ် အောင် ရောကြိတ်ပြီး ခရသားထဲထည့်လိုက်တယ်။ ဝတုတ်ပြုတ်ပြီးတဲ့အခါ အိုးကို ခွင် ထက်(မီးဖိုပေါ်)ကချပြီး မြေပဲဆီထည့်ထားတဲ့ ဒယ်အိုးတစ်လုံးကို ခွင်ပေါ်(မီးဖိုပေါ်) တင်လိုက်တယ်။ မြေပဲဆီ ဆူလာတော့ ငရုတ်ကြိတ်ထည့်ထားတဲ့ ခရသားပေါ် လောင်း ချပြီး အားလုံးကိုရောမွှေပါလေရော။ အရသာက မွှေးမွှေးလေး။ ဒါပေမယ့် ခရဟင်းက စားဖို့ အဆင်သင့်မဖြစ်သေး။ မှျင်ငါးပိနည်းနည်းထည့်၊ ရေတွေဖြည့်၊ အဖုံးဖုံးပြီး အရင် ဆုံးချက်ရမှာပါ။

အခုတော့ မေမေ ဝတုတ်ချက်ဖို့ စလုပ်နေပြီ။ ဝတုတ်ပြုတ်ကို အတုံးလေးတွေ တုံးပြီး အိုးထဲ ထည့်လိုက်တယ်။ ပြီးရင် လက်ချောင်း၊ လက်မတို့နဲ့ ငရုတ်သီးစိမ်းတွေကို အပိုင်းပိုင်း ဆွဲဆိတ်ပြီး အိုးထဲ ထည့်လိုက်တယ်။ ပြီးရင် ငရုတ်ကောင်း၊ ကြက်သွန်ဖြူတို့ကို ရောကြိတ်၊ မှျင်ငါးပိ၊ မြေပဲဆီ၊ ဆားတို့နဲ့ ရောပြီး အိုးထဲ ထည့်လိုက်လေရဲ့။

ခရသားနှူးသွားတဲ့အခါ မေမေက မရိတ်စေ့တွေကြိတ်ပြီး အိုးထဲထည့်လိုက်တယ်။ ခရဟင်းကျက်သွားတော့ ဝတုတ်ဟင်းကို မေမေ ချက်ပြန်တယ်။ နောက်ဆုံးမှာ သဘာဝ ဟင်းရွက်စိမ်းတွေ၊ ချဉ်ပေါင်ရွက်၊ ကန်စွန်းရွက်တို့နဲ့ ဟင်းချို ကြည်ကြည်လေးတစ်အိုး ချက်ပါတယ်။

ညနေစာ ချက်ပြီးနောက် မေမေက ကိုကိုနဲ့ ညီညီကို ရေချိုးပေးတယ်။ မိုးရာသီမှာ ကျောက်ရေတွင်းနား သွားဖို့မလိုတာကြောင့် ရေချိုးရတာလွယ်ပါတယ်။ ရွာကအိမ်တိုင်း မှာ ခေါင်မိုးက ကျလာတဲ့ မိုးရေတွေကိုခံထားဖို့ မြေအိုးကြီးတွေပဲဖြစ်ဖြစ်၊ သွပ်အိုးပဲဖြစ်ဖြစ် ရှိတတ်ကြလို့ပါ။ မေမေက ညီအစ်ကိုနှစ်ယောက်ကို ခပ်သွက်သွက်လေး ဆပ်ပြာတိုက်ပြီး ရေနဲ့ ဆေးပေးတယ်။

ကိုကို၊ ညီညီတို့ မျက်နှာနဲ့ ကိုယ်ပေါ် သနပ်ခါးလိမ်း၊ လတ်ဆတ်ခြောက်သွေ့တဲ့ အဝတ်အစားတွေ ဝတ်ပြီးတဲ့အခါ အိမ်ထဲမှာနေရင်း ကိုကို့ကျောက်သင်ပုန်းပေါ် အရုပ် ရေးပြီးကစားကြတယ်။ ဘာဘာ အိမ်ပြန်ရောက်လာတော့ ကိုကိုက သူ မြင်တွေ့လိုက်တဲ့

ဖားလေးတွေအကြောင်း မေးလိုက်တယ်။

"ဘာဘာ၊ ဒီနားမှာ ဖားလေးတွေ ရာနဲ့ချီပြီးတွေ့လိုက်တယ်။ ဘာဘာကော တွေ့ခဲ့လားဟင်"

"အင်း - တွေ့ခဲ့တယ်၊ သား။ ဒီရာသီက ဖားတွေ အနောက်ဘက်ကနေ အရှေ့ဘက်သို့ စယရွှေ့ပြောင်းတဲ့ ရာသီကိုးကွဲ့"

"ဖားတွေက ဘာလို့ ရွှေ့ပြောင်းရတာလဲဟင်"

"မြေနိမ့်တဲ့ နေရာကနေ မြင့်တဲ့ နေရာသို့ ရွှေ့ပြောင်းကြတာပေါ့ကွာ။ လယ်ကွင်းတွေကနေ တောင်တွေပေါ် ရွှေ့ပြောင်းကြတာလေ"

အဲဒီနေ့က ညနေစာ စားချိန်အထိ ကိုကိုတစ်ယောက် ဖားရုပ်လေးတွေ ပုံဆွဲလေ့ကျင့်နေလေရဲ့။

*****

စပါးပျိုးထောင်ခြင်း

တစ်ညမှာ ခါတိုင်းထက်စောပြီး ဘာဘာ အိမ်ပြန်ရောက်လာတယ်။ မျိုးစပါးကို ညလုံးပေါက် ရေစိမ်ပြီး စပါးပင်ဖောက်ဖို့လေ။ နောက်ဆုံးကျရင် စပါးပင်ပေါက်လေးတွေကို သေချာလေး ထွန်ယက်ပြင်ဆင်ထားတဲ့ မြေမှာ သွားစိုက်ရမှာပါ။ ပျိုးပင် တစ်လသား အရွယ်ရောက်ရင်တော့ လယ်ထဲပြောင်းစိုက်ရမှာလေ။

ဘာဘာက အထူးတလည် ရိတ်သိမ်းပြီး စပါးမျိုးဖောက်ဖို့ လှောင်ထားခဲ့တဲ့ စပါးအိတ်ကို ထုတ်ယူလိုက်တယ်။ မျိုးစပါးကို တခြားစပါးတွေနဲ့ ရောလှောင်ထားတာ မဟုတ်။ အိမ်ထဲမှာပဲ လှောင်ထားတာ။ ဘာဘာက တံစက်မြိတ်အောက် မိုးမစိုအောင် ရပ်ရင်း မြေအိုးကြီးတစ်လုံးကို စောင်းပြီး အတွင်းက မိုးရေတွေကို သွန်မှောက်ပစ်လိုက်တယ်။ အဲဒီနောက် စပါးတစ်အိတ်လုံးကို မြေအိုးကြီးထဲ သွန်ချလိုက်ရဲ့။ စပါးတွေ အိုးထိပ်ဝနားထိ ရောက်ခါနီး ဖြစ်နေရော။ ဘာဘာက မြေအိုးကြီးကို တံစက်မြိတ်အောက် တည့်တည့်သို့ ပြန်တွန်းထုတ်လိုက်တယ်။ အိုးထဲ မိုးရေတွေ ပြည့်လာအောင်ပေါ့လေ။ မိုးရေနဲ့ မျိုးစပါး ရောထည့်ထားတဲ့ မြေအိုးကြီးထဲ ဘာဘာက လက်နဲ့ မွှေပြီး စပါးခွံတွေ အပေါ်တက်လာအောင် လုပ်လိုက်တယ်။ စပါးခွံတွေ အပေါ်တက်လာရင် အိုးထဲကနေ လက်နဲ့ ပက်ထုတ်ပစ်လိုက်တယ်။ အခုဆို စပါးအကောင်းတွေပဲ အိုးအတွင်း ရေထဲမှာ ကျန်နေရစ်တော့တယ်။ ဘာဘာက ဒီစပါးကို ညလုံးပေါက် ရေစိမ်ထားမှာပါ။

နောက်တစ်နေ့မှာ ဘာဘာက အိုးထဲက ရေတွေ စစ်ထုတ်ပြီး စပါးရေစိုကိုခပ်လို့ ပေါက်ဖက်တွေ စီခင်းထားတဲ့ တောင်းနှစ်လုံးထဲထည့်တယ်။ အဲဒီနောက် စပါးကို နောက်ထပ်ပေါက်ဖက်တွေနဲ့ ဖုံးအုပ်ပြီး သစ်ရွက်တွေ လေနဲ့လွင့်ပါမသွားအောင် အပေါ်က သစ်တုံးလေးတွေနဲ့ ဖိထားလိုက်တယ်။ ဒီပေါက်ဖက်တွေက တောင်းထဲက စပါးတွေကို နွေးစေတာမို့ စပါးတွေ မြန်မြန်အညှောက်ပေါက်စေတယ်လေ။ နောက်

တစ်နေ့ ရောက်တော့ ဘာဘာက စပါးတောင်းတွေထဲ ရေလောင်းထည့်တယ်။ ဒီနေ့ ပျိုးခင်းထောင်မယ့် မြေကွက်ကို ထွန်ခြစ်နဲ့ခြစ်ရမယ့်နေ့ပေါ့။ မနက်ဖြန်ဆို စပါးတွေ အညှောက်ပေါက်ပြီ ပျိုးခင်းထဲစိုက်ပျိုးရတော့မှာလေ။ ချောင်းတစ်ဘက်ကမ်းက လယ်ကို ထွန်ယက်ပြီးတဲ့အခါလည်း ဘာဘာ ဒီနည်းအတိုင်း လုပ်ရဦးမှာပါ။

ပျိုးခင်းထောင်ဖို့ အသုံးပြုမယ့် လယ်ကွက်က မြေဆီသြဇာကောင်းမွန်တဲ့ အထူး မြေကွက်လေ။ ဘာဘာက လယ်ကိုထွန်ယက်ထားပြီးသား။ ဒီနေ့တော့ ထွန်ခြစ်နဲ့ ခြစ်နေလေရဲ့။ မေမေက ထမင်းပို့သွားရင်း ဘာဘာ ထွန်ခြစ်နဲ့ ခြစ်ရာမှာ ကူညီပေးမယ် လေ။ အဲဒီနေ့က ကိုကို ကျောင်းမတက်ရလို့ မေမေက ကိုကိုနဲ့ညီညီကို လယ်ထဲ ခေါ်လာခဲ့တယ်။

သားအမိသုံးယောက် လယ်ပြင်ကို မိုးထဲရေထဲ လမ်းလျှောက်သွားကြတယ်။ ဘာဘာက ချောင်းနား ဆင်းလာပြီး ကိုကိုတို့သားအမိ ချောင်းကို ဖြတ်ကူးနိုင်အောင် ကူညီပေးတယ်။ ဘာဘာက ထွန်ခြစ်ကို ဆင်လိုက်တယ်။ နွားတွေက ထယ်ကို ဆွဲသလိုမျိုး ထွန်ခြစ်ကိုလည်း ဆွဲကြလေရဲ့။ ထွန်ခြစ်နဲ့ ခြစ်လိုက်လို့ မြေပေါ်မှာ မြက်ထုံးတွေနဲ့ အမှိုက်သရိုက်တစ်ချို့ ကျန်နေရစ်တယ်။ ဒီမြက်ထုံးတွေ၊ အမှိုက်သရိုက်တွေကို မေမေက လိုက်လံဖယ်ရှားပေးလေရဲ့။ ကိုကိုက မေမေ့ကို ကူညီပေးတယ်။ ညီညီလည်း အတတ်နိုင်ဆုံး ကူညီပေးလေရဲ့။ ဒါပေမယ့် သူက များများစားစား မသယ်နိုင်။ ငယ်သေးတာကိုး။ နွားတွေနဲ့အတူ နောက်က ထွန်ခြစ်နဲ့ ဘာဘာတို့ တစ်ပတ်လည်လာတိုင်း ကိုကိုတို့ သတိထားရှောင်ရပါတယ်။

ခဏနေတော့ ကိုကိုနဲ့ ညီညီ ညောင်းလာကြပြီ။ ဒါကြောင့် အနားက လယ်ကွက်ထဲ သူနဲ့ ညီညီ ကစားဖို့ ခွင့်တောင်းလိုက်တယ်။ ညီအစ်ကိုနှစ်ယောက် အတတ် အစားတွေချွတ်ပြီး အင်္ကျီကိုခေါက် ထားလိုက်ကြတယ်။ အဲဒီနောက် မတ္တလာကို အင်္ကျီတွေပေါ် အုပ် ထားပြီး မိုးရေထဲထားခဲ့လိုက်တယ်။ ဘောင်းဘီတိုက မိုးရေစိုနေပြီးသား ဖြစ်လို့ သိပ်အရေးမကြီးတာကြောင့် မိုးရွာထဲမှာပဲ ဒီအတိုင်း ချွတ်ထားခဲ့ လိုက်ရဲ့။ ရေက ကိုကို့ပေါင်နားထိ ရောက်ပါတယ်။ တစ်ချို့နေရာတွေ

မှာဆို ခါးလောက်ထိနက်တာ။ ရုတ်တရက် ညီညီ အော်ဟစ်လိုက်တယ်။

"မြွေ - မြွေတစ်ကောင်"

ဘာဘာနဲ့ မေမေတို့ အပြေးအလွှား ရောက်လာကြတယ်။

"ဩော် - ဒီမြွေက ရေမြွေကွဲ့။ အဆိပ်မရှိဘူး" ဘာဘာက ပြောတယ်။

"မေမေ့နားမှာ ကစားကြနော်၊ သားတို့" မေမေက ကိုကိုနဲ့ ညီညီကို ပြောတယ်။

ညီအစ်ကိုနှစ်ယောက် ရေထဲဆက်ကစားနေကြရဲ့။ မေမေနဲ့ မလှမ်းမကမ်းမှာ ကစားနေကြတာပေ့ါ။ မိုးရွာနေဆဲပေမယ့် လေကနွေးတေးတေးလေး။ ဒါပေမယ့် ခဏ လောက် ဆော့ကစားပြီးတဲ့အခါ ညီညီတစ်ယောက် ချမ်းလို့ခိုက်ခိုက်တုန်လာရော။ သူကိုယ်တိုင်လည်း အေးလာနေပြီ။ မိုးသီးတွေက ခပ်ကြီးကြီးမို့ အသားနဲ့ ထိတာများတော့ စပ်ဖျဉ်းဖျဉ်း ဖြစ်လာပြီ။ ဒါကြောင့် ကိုကိုနဲ့ ညီညီတို့ ရေထဲက တက်ပြီး အဝတ်အစားတွေ ဝတ်လိုက်ကြတယ်။

"သားတို့ ဘယ်အချိန် ပြီးမှာလဲဟင်၊ မေမေ" ကိုကိုက မေမေ့ကို မေးတယ်။

"သိပ်မကြာတော့ပါဘူးကွယ်" မေမေက ပြန်ဖြေတယ်။

ကိုကို၊ ညီညီတို့နှစ်ယောက် မေမေ့အနား မြေပေါ်ဆောင့်ကြောင့်ထိုင်ရင်း ရေကူးအပြီး ခန္ဓာကိုယ်နွေးအောင်လုပ်နေကြရဲ့။ သူတို့အင်္ကျီတွေက ခြောက်သွေ့နေပြီး မက္ကလာဆောင်းထားလို့ မျက်နှာနဲ့ ရင်ဘတ်နား မိုးလုံပေမယ့် ဘောင်းဘီတိုက ရေစိုနေဆဲ။ မိုးကလည်း ရွာမြဲ ရွာနေလေရဲ့။ မေမေ့မက္ကလာက ခေါင်းရော ကျောနဲ့ရင်ဘတ်ပါ မိုးလုံတဲ့ ခမောက်မျိုးလေ။ ဒါပေမယ့် ထမီက ရေစိုနေလေရဲ့။ ဘာဘာက မက္ကလာဆောင်း ထားတဲ့အပြင် ပုခုံးပေါ် ပလတ်စတစ်စတစ်ခု ဖြန့်ခြုံပြီး မိုးမစိုအောင် ကာထားတယ်။ ဒါပေမယ့် လုံချည်လည်း ရေစိုနေပြီ။

"ပျိုးကြမယ့်လယ်ထဲ မြက်ချေးတစ်စ မကျန်အောင် ထုတ်ပစ်ဖို့ ဘာလို့သိပ်အရေး ကြီးလဲ။ သိလား၊ သားတို့" မေမေက မေးလိုက်တယ်။

"ဟင့်အင်း။ သိဘူး၊ မေမေ"

"မြက်ချေးအားလုံး ကောက်လိုက်ရင် ပျိုးပင်တွေ အားပိုကောင်းအောင်လို့ပေ့ါကွယ်။ ကောက်ဖို့ ကျန်နေခဲ့တဲ့ မြက်ချေးတွေက ပျိုးပင်တွေနဲ့အတူ ရောနှောကြီးပြင်းလာရင် ပျိုးပင်လေးတွေ အားနည်းသွားကြရော။ ပျိုးစိုက်ဖို့ ပျိုးနှုတ်ရမယ့် အချိန်ကျတော့ မြက်ပင်တွေကြောင့် ပျိုးနှုတ်မရတာမျိုး ဖြတ်တတ်တယ်ကွဲ့"

ပျိုးပင်တွေ မြင့်မြင့်လာရင် လယ်ကွက် ဘယ်လိုနေမလဲလို့ ကိုကို တွေးကြည့်နေမိရဲ့။ သူနဲ့ ညီညီက ပျိုးထောင်မယ့် လယ်ကွက်ရဲ့ ကန်သင်းဘောင်ပေါ် ထိုင်နေကြတယ်။ လယ်ကန်သင်းက ခပ်မို့မို့လေးဖြစ်တာကြောင့် နံရံလေးတစ်ခုနဲ့တောင်တူလေရဲ့။ လယ်ကွက်တိုင်းရဲ့ပတ်လည်မှာ လယ်ကန်သင်းရှိတယ်လေ။ လယ်ထဲ စပါးပင်တွေ ကြီးလာ တာနဲ့အမျှ လယ်သမားတွေက ရေမျက်နှာပြင်ကို ထိန်းညှိနိုင်အောင် လယ်ကန်သင်းက

ကူညီပေးတယ်။

နောက်ဆုံးတော့ အလုပ်တွေ ပြီးသွားရော။ ဘာဘာက နွားတွေ လယ်တဲ့နား မြက်ရှာစားနိုင်ဖို့ ခုပ်သွက်သွက်လေး ထမ်းပိုးဖြုတ်ပေးလိုက်တယ်။ ပြီးတာနဲ့ အားလုံး နွေးသွားအောင် လယ်တဲ့ထဲ မီးတစ်ဖို့ ဖိုလေရဲ့။ မေမေက ကိုကို၊ ညီညီတို့ဝတ်ဖို့ယူ လာတဲ့ ဆောင်းဘီတို့အပိုကိုထုတ်ယူလိုက်တယ်။ သွေ့ခြောက်တဲ့ ဆောင်းဘီတို့တွေ လဲဝတ်လိုက်တော့မှ ကိုကိုနွေးနွေးထွေးထွေးနဲ့ နေသာထိုင်သာရှိသွားတော့တယ်။ ဘာဘာက နေ့လည်စာနည်းနည်းကို လယ်စောင့်နတ်တွေထံ ပူဇော်ပသတာတွေ့ရဲ့။ မေမေက အဆာပြေစားဖို့ ပဲလွမ်းကိုလှော်တယ်။ ပြီးတာနဲ့ ဘာဘာက မီးဖိုမှာ ရေနွေး တည်လိုက်တယ်။

ဘာဘာ နေ့လည်စာ စားပြီးတော့ ငါးမျှားတံ ဆင်ပါတော့တယ်။ ငါးမျှားတံက ဝါးတံပိန်ရှည်ရှည် တစ်ချောင်းလေ။ ငါးမျှားတံအစွန်းမှာ ငါးမျှားကြိုးတစ်ပင် ချည်လိုက် တယ်။ ငါးမျှားကြိုးအစွန်မှာ ငါးမျှားချိတ်တစ်ခုနဲ့ အလေးစီးဖို့ ခဲတစ်လုံး ချိတ်လိုက်တာ တွေ့ရဲ့။ အဲဒီနောက် မင်္ဂလာဆောင်းပြီး တဲပြင်ဘက်ထွက်လို့ ငါးစာအတွက် တီကောင် လိုက်ရှာပြန်တယ်။ လယ်တဲ့နားမှာ တီကောင်တွေရှာရတာ လွယ်မှလွယ်ပဲ။ တီကောင် တွေက အကြီးကြီး။ ငါးမျှားချိတ်မှာ ငါးစာတပ်ပြီး ငါးမျှားတံကိုရေငန်ချောင်းနား ယူ သွားလေရဲ့။ ရေငန်ချောင်းက မိုးရေတွေနဲ့ ပြည့်လျှံနေရော။ ဘာဘာက ဆေးပေါ့လိပ် တစ်လိပ်မီးညှိပြီး စောင့်နေလိုက်တယ်။ မကြာပါဘူး။ ဘာဘာ ငါးတစ်ကောင် မိပါ လေရော။

ကိုကိုက ဘာဘာကို ကြည့်နေတုန်း ငါးမျှားတံကို ဆတ်ကနဲဆွဲတာ မြင်ရပြန် တယ်။ ငါးမျှားချိတ်မှာ ချိတ်ပြီးပါလာတာက ငါးရိုင်း(ငါးခူ)တစ်ကောင်။ ဘာဘာက ငါးစရိုင်းကို ငါးမျှားချိတ်ကနေ ဖြုတ်ပြီး နောက်ကျောဘက် မြက်ခင်းပြင်ပေါ် ဖတ်ကနဲ ပစ်တင်လိုက်တယ်။ ပြီးတာနဲ့ နောက်ထပ်တီတစ်ကောင်နဲ့ ငါးမျှားချိတ်မှာ ခုပ်သွက်သွက် လေး ငါးစာတပ်လိုက်တာတွေ့ရဲ့။ ဟော့ - နောက်ထပ် ငါးစရိုင်းကြီးတစ်ကောင် မိပြန်ပြီ။ ဒီတစ်ကောင်က ထိပ်မှာ မဲ့ညှို့ညှို့။ ပိုက်သားဖြူဖြူနဲ့။ ပထမတစ်ကောင်ထက် ပိုတောင်ကြီးသေး။ နောက်ထပ် ငါးတစ်ချို့ဖမ်းမိပြီးနောက် ငါးအားလုံးကို တဲဆီပြန် ယူလာခဲ့တယ်။

"အခုက ငါးမျှားဖို့ အကောင်းဆုံးအချိန်ပဲ၊ ကိုကိုရေ။ ဒီရေကျပြီး တောင်ပေါ်က မိုးရေတွေ ကျနေချိန်လေ"

ကိုကိုတစ်ယောက် စိတ်လှုပ်ရှားနေမိရဲ့။ တဲအနီး မြက်ခင်းပြင်ပေါ်မှာ ငါးတွေကို ဘာဘာ ငါးသင်နေတာ ကိုကို ကြည့်နေမိတယ်။

"ငါးထဲက အဆီတွေ မြင်လား၊ ကိုကို။ ဒီရာသီဆို ငါးတွေက ပြည့်ပြည့်ဖြိုးဖြိုး လေးတွေလေ"

ဘာဘာက ငါးသုံးကောင်ကိုငါးသင်ပြီး ကျန်တဲ့ငါးတွေကို အိမ်ယူသွားဖို့ သပ်သပ် ထားလိုက်တယ်။ ဝါးချောင်းသုံးချောင်း ဖြတ်ပြီး အစွန်းတွေမထွက်အောင် ဓားနဲ့အချော သတ်တယ်။ အဲ့ဒီနောက် ငါးတစ်ကောင်စီကို အလျားလိုက် စို့တံနဲ့ထိုး၊ ဆားပွတ်ပြီး မီးဖိုနားဘေး မြေကြီးထဲ စို့တံတွေကိုအားစိုက်ထိုးလိုက်တယ်။ အခုဆို ငါးတွေကို ကင်တော့ မှာလေ။

ဘာဘာက ငါးမွှားချိတ်မှာ နောက်ထပ်တီတစ်ကောင်နဲ့ ငါးစာတပ်ပြီး ငါးထပ် ဖမ်းဖို့ မိုးရေထဲထွက်သွားပြန်တယ်။ ကိုကိုနဲ့ညီညီတို့ မီးဖိုနား ငါးကင်တာထိုင်ကြည့် နေကြတယ်။ ငါးကင်နဲ့ မွှေးလာတော့ ကိုကို လျှာရည်ကျလာရော။ ထွန်ယက်စိုက်ပျိုးတဲ့ ရာသီဖြစ်လို့ ဘာဘာ ကွန်ပစ်မထွက်ဖြစ်တော့ ငါးလတ်လတ်ဆတ်ဆတ် မစားရတာ ကြာပြီလေ။

ဘာဘာက သွပ်အိုးကို ချောင်းနား ပြန်ယူသွားတယ်။ နောက်ထပ် ငါးတွေ ဖမ်းမိပြန်ရော။ ဘာဘာက ငါးတွေကို သွပ်အိုးထဲ ပစ်ထည့်လိုက်တယ်။ ရုတ်တရက် ဘာဘာ အော်လိုက်တယ်။ ကိုကို ဖျတ်ကနဲ လှမ်းကြည့်တော့ ငါးမွှားချိတ်ကို ဘာဘာ ဆွဲနေတာ တွေ့တယ်။ ငါးမွှားချိတ်တစ်ဘက်စွန်း ရေအောက်ထဲမှာ ခပ်ကြီးကြီးတစ်ကောင် မိနေပြီလေ။ ဘာဘာက ဟိုဘက်ဒီဘက် ဆွဲယူကြည့်တယ်။ နောက်ဆုံးတော့ ရေထဲက ပြုန်းကနဲ တုတ်ဆွဲလိုက်နိုင်ရဲ့။ ပေါ်လာတဲ့ အကောင်က မြွေလိုလို ဘာလိုလို။ ကိုကိုက မဏ္ဍာလာကို သွက်သွက်လေး ဆောင်းပြီး အနီးကပ်ကြည့်နိုင်အောင် မိုးရေထဲ ပြေးထွက် သွားတယ်။ ဒီမြွေလိုလိုအကောင်က ကိုယ်ထည်ခပ်ထူထူ၊ ကိုကို့အရပ်လောက်ရှည်တာ။ ဘာဘာက ဒီကောင်ကြီးကို ငါးမွှားချိတ်ကနေ ဖြုတ်ဖို့ကြိုးစားနေလေရဲ့။ ဒါပေမယ့် ဒီကောင့်ကိုယ်ထည်က ချောလွန်းလို့ ဘာဘာ လှမ်းကိုင်လို့မရ ဖြစ်နေဆဲ။

"မခင်ရို့၊ ဓားမ ယူခဲ့" ဘာဘာက အော်ပြောလိုက်တယ်။

မေမေက ဓားမကို ဘာဘာ့ဆီခပ်သုတ်သုတ်လေး ယူသွားပေးလိုက်တယ်။ ညီညီလည်း လိုက်လာလို့ မြွေလိုလိုအကောင်ကြီးကို မြင်သွားပြီ။

"ဒါ ဘာလဲဟင်၊ မေမေ"

"ဒါ ငါးပထိုးလို့ ခေါ်တယ်ကွဲ့။"

ဘာဘာက ငါးပထိုးကို ချိတ်ကဖြုတ်လို့ မရနိုင်သေး။ မေမေ ယူလာတဲ့ ဓားမကို သုံးလိုက်ရရော။ ပြီးတဲ့အခါ တခြားငါးတွေနဲ့ရောလို့ သံဖြူပုံးထဲထည့်တယ်။

ငါးပထိုးအကြောင်း အရင်ကတည်းက ကိုကို ကြားဖူးပြီးသား။ ကံကောင်းမှ စားခွင့်ကြုံတဲ့ အထူးစပါယ်ရှယ် ဟင်းလျာကိုး။ တစ်ခါတလေ ကျောင်းမှာ တခြားကလေး တစ်ချို့က ညက ညနေစာ ငါးပထိုးသားနဲ့ စားခဲ့ရကြောင်း ကြွားလုံးထုတ်တတ်ကြသေးတယ်။ လယ်တဲ့ထဲ ကိုကိုတို့အားလုံး ပြန်ဝင်လာကြတယ်။ ဘာဘာ့မှာ ငါးတွေအများကြီး ရထားပြီ။ ဘာဘာက ညနေစာ ငါးပထိုးသား ချက်မှာပေါ့။ တခြားငါးတွေကို နောက်

နေ့တွေမှ စားရမှာပါ။

ငါးကင်က ကျက်နေပြီ။ မေမေက ငါးကင်နှစ်ဘက်လုံး ကျက်အောင်လှည့်လှည့် ပေးတယ်။ ဘာဘာက လယ်တဲ့အပြင်ဘက် သစ်ပင်တစ်ပင်ကနေ သစ်ရွက်စိမ်းတစ်ရွက် သွားခူးလိုက်တယ်။ ပြန်ရောက်တာနဲ့ ငါးကင်အသားနည်းနည်းကို တစ်စုံကနေ ခြေယူပြီး သစ်ရွက်ပေါ် တင်လိုက်တယ်။ ပြီးရင် လယ်စောင့်နတ်တွေကို ပူဇော်တဲ့အနေနဲ့ စင်မြင့် လေးပေါ် သစ်ရွက်ကို တင်လိုက်တယ်။ အဲဒီနောက် ဘာဘာနဲ့မေမေက ငါးကင် တစ်ကောင်ကို နှစ်ယောက်ဝေစားကြတယ်။ ကိုကိုနဲ့ ညီညီတို့က တစ်ယောက်တစ်ကောင်စီ စားကြလေရဲ့။

ကိုကို တအားပျော်နေမိတယ်။ တစ်စုံကိုင်ပြီး ကျက်နေတဲ့ ငါးကင်ကို လက်တွေနဲ့ ဖွဖွစားနေတယ်။ ငါးကင်ရဲ့အပြင်ဘက်မှာ တစ်ချို့နေရာတွေက မည်းတူးတူးနဲ့ ကြွတ် ကြွတ်လေး။ ဒါပေမယ့် အတွင်းသားက ပျော့ပျော့လေးနဲ့ အရည်ရွှမ်းနေလေရဲ့။ အရသာက ရှယ်ကောင်းပဲ။ လတ်ဆတ်တဲ့ ငါးကိုကင်စားဖို့ ဆားနည်းနည်းပဲ ဖြူးပေးဖို့ လိုပါတယ်။ ငါးမကင်ခင် ဘာဘာက ဆားလေးဖြူးထားတယ်လေ။

"ငါးအရိုးစူးမယ်။ သတိထားနော်၊ သားတို့" မေမေက ကိုကိုနဲ့ညီညီကို ပြောတယ်။ ငါးကင်တစ်ခြမ်းကုန်တာနဲ့ ငါးအရိုးတွေမြင်ရရော။ ကိုကိုက အရိုးတွေကို ရှောင် ကွင်းပြီးစားတယ်။ ငါးအရိုးတွေက ခပ်ချွန်ချွန်ခပ်သေးသေးလေးတွေ။ ကိုကိုက အရင် တစ်ခါ ငါးရိုးစူးဖူးလို့ သတိနဲ့စားနေတယ်။ ငါးရိုးစူးမိပြီဆိုရင် အာခံတွင်းက စူးပြီးနာ တာလေ။ အာခေါင်ကိုစူးမိရင် ပိုတောင်ဆိုးသေး။ အာခေါင်ကို ငါးရိုးစူးမိရင် ထမင်းဆုပ် ခပ်ကြီးကြီးတစ်ဆုပ် မျိုချခိုင်းတတ်လေရဲ့။ ထမင်းဆုပ် မျိုချလိုက်ရင် ငါးရိုးကျသွားရော။

ငါးကင်ရဲ့ အခြားတစ်ဘက်ခြမ်းက အသားတွေကို ဖွဲ့ခြေပြီး ကိုကို စားပြန်တယ်။ အရိုးသေးသေးလေးတွေကို တအုံ့တသြကြည့်လို့ ငါးကင်အရသာခံရင်းနဲ့ပေါ့။ မကြာပါ ဘူး။ ငါးကင်မှာ ခေါင်းနဲ့အမြီးပဲ ကျန်လိုက်တော့လေရဲ့။ ဘာဘာက ပါးဟက်ကိုဖယ် ရှားထားပြီးဖြစ်လို့ ငါးခေါင်းတစ်ခုလုံး အရိုးကလွဲပြီး စားလို့ရတယ်လေ။ ကိုကိုက ငါး ခေါင်းကို တစ်စုံကလျှောကနဲ ထုတ်ယူလိုက်တယ်။ ငါးခေါင်းနဲ့အတူ အလယ်ရိုးတွေပါ ပါလာရဲ့။ ဒီအလယ်ရိုးကိုတော့ သူ စွန့်ပစ်လိုက်ပါတယ်။ ကိုကိုက ငါးမြီး ကျန်နေစရှစ်ခဲ့တဲ့ တစ်စုံကို သူ့ရှေ့ မြေကြီးထဲ ထိုးသွင်းလိုက်တယ်။ ငါးမြီးကို သူ စားလို့မပြီးသေး။ ငါး ခေါင်းကို လက်ထဲကိုင်ရင်း အရိုးတွေဖယ်ပြီး သတိနဲ့ဆက်စားတယ်။ ငါးခေါင်း ကုန်သွား တော့ တစ်စုံကိုကောက်ယူပြီး ငါးမြီးကို လျှောကနဲ့ဆွဲထုတ်လိုက်ပြန်တယ်။ ငါးမြီးက မဲမဲကြွတ်ကြွတ်လေး။ အတွင်းက အရိုးလေးတွေက ဝါးစားလို့ရလောက်အောင် ကျက် နေပြီ။ ငါးမြီးတစ်ခုလုံးကို သူ စားလိုက်ရော။ ငါးရတာ တခြမ်းခြမ်းနဲ့ သိပ်ကောင်းတာ။

ဗိုက်ပြည့်သွားတာမို့ ကိုကိုတစ်ယောက် ခမည်ပဲ ကျေနပ်တဲ့ဟန်နဲ့ သက်ပြင်းလေး ဟူးကနဲ မှုတ်ထုတ်နိုင်တော့တယ်။ အဲဒီနောက် တစ်စုံကို တစ်ခါကောက်ကိုင်လိုက်ပြန်တယ်။

တံစို့ပေါ် ကျန်တာဆိုလို့ ကပ်နေတဲ့ ငါးကင်စတွေပဲ ရှိတော့တယ်လေ။ ကိုကိုက တံစို့ကို သွားနဲ့ ခြစ်ပြီး နောက်ဆုံးတစ်စတလေမှ မကျန်ရအောင် စားနေလိုက်တယ်။ နောက်ဆုံးတော့တံစို့မှာ ငါးကင်အသားစတွေ ပြောင်သလင်းခါသွားရော။

"ကိုကို။ ဘာမှမကျန်တော့ဘူး။ သားကိုကြည့်ရတာ မေမေက ဘာမှမကျွေးထားတဲ့ပုံ ပေါက်နေပြီ"

ကိုကိုက တံစို့ကို နောက်ဆုံးတစ်ကြိမ် လျှာနဲ့ လျက်ပြီးနောက် မီးပုံထဲ ပစ်ထည့်လိုက်တယ်။

အိမ်ပြန်မသွားခင် ဘာဘာက နွားတွေကို လယ်တဲထဲ သွင်းပြီး အမိုးအောက်က တိုင်မှာ ချည်လိုက်တယ်။ ထင်းတုံးကြီးကို မီးပုံထဲ ထည့်ပြီးတာနဲ့ နွားချေးပုံအစိုတစ်ပုံကို ကောက်ယူပြီး မီးဖိုနဲ့ သစ်တုံးကြီးပေါ် အုံလိုက်တယ်။ ဒီလို အုံထားလိုက်တော့ မီးခိုးပိုထွက်တာကြောင့် ယင်ကောင်တွေ၊ ပိုးတွေမလာအောင် တားပေးနိုင်တာပေါ့လေ။ ဒီလိုမှလည်း ညကျရင် နွားတွေစိတ်အေးသက်သာ နားနိုင်မှာကိုး။

ကိုကိုတို့ အိမ်ပြန်ရောက်တော့ နေ့အလင်းရောင် မှေးမှိန်စပြုနေပြီ။ မေမေက မီးတစ်ဖို ဖိုပြီး ထမင်းဟင်း ချက်ပြုတယ်။ ဘာဘာက ငါးတွေကို ငါးသင်တယ်။ ကိုယ်ထည်ချောနေတဲ့ ငါးပထုံးကို စ,ကိုင်တာ ကိုကိုကြည့်နေမိတယ်။ ဘာဘာက ဓားတစ်ချောင်းနဲ့ ငါးရဲ့အကျိအချွဲတွေကို ခြစ်ထုတ်တယ်။ ဒါပေမယ့် အားလုံးတော့ မစင်သွား။ ဒါကြောင့် လက်နှစ်ဘက်နဲ့ ငါးပထုံးကို ကိုင်၊ ခေါင်းကနေစပြီး သဲပြင်မှာ ရှေ့တိုးနောက်ငင် ခြစ်ပါတော့တယ်။ ဒီလို ထပ်ခါတလဲလဲလုပ်ရင်း ငါးပထုံးရဲ့ကိုယ်အောက်ပိုင်းကို တိုက်ချသွားလေရဲ့။ ငါးတစ်ကိုယ်လုံးကို သဲထဲ အကျိအချွဲတိုက်ချွတ်ပြီးတဲ့အခါ နောက်ဆုံးလက်ကျန် အကျိအချွဲတွေကိုဖယ်ရှားဖို့ ငါးပထုံးကို ဓားနဲ့တစ်ခါခြစ်ပြန်ရော။ ပြီးတာနဲ့ ငါးပထုံးကို အတုံးလိုက် ပိုင်းပြီး မေမေ ချက်ဖို့အဆင်သင့်ဖြစ်အောင် လုပ်ပေးလိုက်လေရဲ့။ မေမေက ငါးပထုံးကို မြေအိုးထဲ ထည့်လိုက်တယ်။ ပြီးရင် နနွင်း၊ ငရုတ်သီး၊ ကြက်သွန်ဖြူဆားတို့ကို ရောကြိတ်ပြီး အိုးထဲ ထည့်လိုက်တယ်။ ပြီးတာနဲ့ မြေပဲဆီကို ဆီသပ်လိုက်တယ်။ ဆီဆူလာတော့ ငါးပထုံးနဲ့ ဟင်းခတ်အမွှေးအကြိုင်တွေပေါ် ဆီလောင်းချရော။ ဆီတွေက တရှဲရှဲမြည်သွားလေရဲ့။ အဲဒီနောက် မျှင်ငါးပိတစ်ခဲ၊ သရက်သီးခြောက်နဲ့ ရေတွေ ထပ်ထည့်လိုက်တယ်။ နောက်ဆုံး အိုးကို မီးဖိုပေါ်တင်လိုက်တယ်။ ရေတွေဆူပြီး အတော့်ကိုခမ်းခြောက်သွားတဲ့အခါ ရှမ်းနံနံပင်ထပ်ထည့်လိုက်တယ်။ ငါးပထုံးဟင်းက အနံ့တွေမွှေးနေရော။ ဒီည ညနေစာတော့ လွတ်ကောင်းပဲ။

နောက်တစ်နေ့ကျတော့ ဘာဘာ အိမ်ပြန်ပြီး ထမင်းစားတယ်။ နေ့လည်စာစားပြီးတဲ့အခါ သူ ရေလောင်းပေးလာတဲ့ မျိုးစပါးတွေကို အုပ်ထားတဲ့ သစ်ရွက်ကြီးတွေကို မယယူဖယ်ရှားပစ်လိုက်တာတွေ့ရဲ့။ ဟော့ - စပါးတွေ အညှောက်လေးတွေ ပေါက်နေပေါ့။ ကိုကိုက စပါးညှောက်လေးတွေကို တို့ထိကြည့်တယ်။ သစ်ရွက်တွေအောက်မှာ

ရှိနေခဲ့တာမို့ နွေးတေးတေး ဖြစ်နေရဲ့။ ဘာဘာက တောင်းသုံးလုံးမှာ စပါးပင်ပေါက်လေး တွေကို အပြည့် ဖြည့်လိုက်တယ်။ တောင်းနှစ်လုံးကို ထမ်းပိုးမှာချည်ပြီး လယ်ထဲ သယ်ဖို့အသင့်ပြင်ထားတယ်။ တတိယတောင်းကိုတော့ မေမက ခေါင်းမှာ ရွက်သယ် ဖို့လေ။ ဒီတစ်ခါတော့ ကိုကိုနဲ့ ညီညီက တောင်ဘောင့်အိမ်မှာ ကျန်နေခဲ့လိုက်တယ်။

ထွန်ခြစ်နဲ့ ခြစ်အပြီး မေမေ မြက်ချေးကောက်ထားတဲ့ မြေကွက်မှာ ဘာဘာက စပါးပင်ပေါက်တွေကို သတိနဲ့ ကြလိုက်တယ်။ စပါးကြတဲ့အခါ တိတိကျကျ လုပ်တတ်ရပါ တယ်။ စပါးပင်ပေါက်တွေ မထူလွန်း မပါးလွန်းအောင် ကြရလို့လေ။ နောက်ပိုင်း စပါးပင်ပေါက်တွေကို (ကြီးလာရင်) လယ်ထဲ ပြောင်းစိုက်ရမှာပါ။

တောင်ဘောင့်အိမ်မှာ ကိုကိုက ညီညီနဲ့ကစားနေလိုက်တယ်။ မနက်ဖြန် ကျောင်းက အတန်းဖော်တွေကို ငါးပထိုးနဲ့ စားခဲ့ရကြောင်းပြောပြဖို့ ကိုကို မျှော်တွေးနေ ရင်းပေါ့။

*****

ဝါတွင်းကာလ အစ

ဗုဒ္ဓဘာသာ ဝါတွင်းကာလဟာ မိုးရာသီအလယ်မှာ စလေ့ရှိပါတယ်။ ဝါဆို လပြည့်နေ့မှာစတင်ပြီး သုံးလတာကြာမြင့်တတ်ပါတယ်။ ဝါဆိုလပြည့်နေ့ဟာ မြန်မာ ပြက္ခဒိန်ရဲ့ လေးလမြောက်လမှာ ကျရောက်ပါတယ်။ အင်္ဂလိပ်ပြက္ခဒိန်မှာတော့ ဇူလိုင်လ အတွင်းကျရောက်လေ့ရဲ့။ အောက်တိုဘာလ (သီတင်းကျွတ်)မီးထွန်းပွဲတော်အထိ ဝါတွင်းကာလ ကြာရှည်တတ်ပါတယ်။

ဝါဆိုလပြည့်နေ့ဟာ ဝါတွင်းကာလရဲ့ ပထမဆုံး ဥပုသ်နေ့ဖြစ်တယ်။ ဝါတွင်း ကာလအတွင်း ဝါဆိုလပြည့်နေ့နဲ့ ဥပုသ်နေ့အားလုံးမှာ သက်ကြီးဝါကြီးတွေက စောစော စီးစီး ဘုန်းကြီးကျောင်း သွားပြီး ဆရာတော့်ထံက တရားနာပြီး ရှစ်ပါးသီလ ယူကြလေ့ ရှိပါတယ်။ သီလယူပြီး လိုက်နာစောင့်ထိန်းဖို့လည်း အာမခံ့ကြတယ်။ ဗုဒ္ဓ ဘာသာဝင်အားလုံးက ငါးပါးသီလစောင့်ထိန်းလေ့ရှိတယ်။ ဒါပေမယ့် ဝါတွင်းကာလ ဘုန်းကြီးကျောင်းသွားပြီး သီလယူသူတွေက ရှစ်ပါးသီလယူကြတယ်။ ရှစ်ပါးသီလဆိုတာ သူတစ်ပါးအသက် မသတ်ခြင်း၊ သူတစ်ပါး ပစ္စည်းဥစ္စာကို မခိုးယူခြင်း၊ အပြဟ္မစရိယ အမှုဟူသမျှ မကျင့်ကြံခြင်း၊ လိမ်ညာပြောဆိုမှု မပြုခြင်း၊ အရက်သေစာ မသောက်စားခြင်း၊ နေ့လွဲညစာ မစားခြင်း၊ ကခုန်၊ သီဆို၊ အမွေးနံ့သာ လိမ်းကျံတာတွေရှောင်ခြင်း၊ ဖိမ်ခံအိပ်ရာ၊ မြင့်တဲ့ အိပ်ရာတွေမှာ မအိပ်စက်ခြင်းတို့ ဖြစ်ပါတယ်။ တစ်ခါတလေဆို ဘာဘာက ဘုန်းကြီးကျောင်း သွားပြီး သီလယူဖြစ်ပေမယ့် များသောအားဖြင့် သက်ကြီး ဝါကြီးတွေပဲ ဥပုသ်စောင့်သွားကြတာ။ တခြားလူတွေက အလုပ်များလွန်းနေလို့လေ။ ခုနောက်ပိုင်းနှစ်တွေမှာတော့ ဥပုသ်နေ့မှာ လူငယ်တွေ ဘုရားကျောင်းကန်သွားတာ ပိုများလာပြီ။

ဝါဆိုလပြည့်အကြိုနေ့အပါအဝင် အဖိတ်နေ့(ဥပုသ်အကြိုနေ့)တိုင်းမှာ ဥပါ

သကာအဖွဲ့က သက်ကြီးဝါကြီးတွေ ရွာဦးကျောင်းဝေါပကရုံပုံငွေအတွက် ရွာကိုပတ်ပြီး အလှူခံထွက်လေ့ရှိတယ်။ ရတဲ့ အလှူငွေတွေက ဘာသာရေးအတွက် သုံးဖို့ပေါ့လေ။ ဥပါသကာအဖွဲ့က ခေါင်းလောင်းပြားပြားလေးနဲ့တူတဲ့ ခပ်ထူထူကြေးစည်တစ်လုံးကို သယ်ပြီး အလှူခံထွက်ရတယ်။ ကြေးစည်က အကြီးကြီးပဲ။ ဝါးလုံးကြီးတစ်ချောင်းနဲ့ ကြေးစည်ကို အလယ်ကတွဲလွဲချပြီး လူနှစ်ယောက် ထမ်းသွားရလောက်အောင်ကို ကြီး တာ။ မင်းလမ်းမက ထုတဲ့ ကြေးစည်သံကို အိမ်ထဲကနေ ကိုကို အတိုင်းသား ကြားရတာပါ။ ကြေးစည် တစ်ချက်ရိုက်လိုက်တိုင်း အနီးအနားကခွေးတွေ အားပါးတရ ဆွဲဆွဲငင်ငင်အူကြ ရော။ ရွာသားတွေက ငွေတွေလှူကြတယ်။ တစ်ချို့အိမ်တွေကဆို ဥပသကာအဖွဲ့ကို မနက်စာနဲ့ ရေနွေးကြမ်းတိုက်ကြတယ်။ အိမ်စစ်အိမ်က မနက်စာကျွေးမွေးလှူဒါန်းပြီ ဆိုရင် အဲဒီအိမ်မှာဝင်နားပြီး လက်ဘက်ရည်နဲ့ မုန့်ပဲသွားရည်စာ စားသောက်ကြရတယ်။ ဒါပေမယ့် နှစ်စဉ်နှစ်တိုင်း ဒေါ်လူးခိုင်အိမ်မှာ မပျက်မကွက် တထောက်နားလေ့ရှိတယ်။ ဒေါ်လူးခိုင်ရဲ့ ယောက္ခမက ဥပါသကာအဖွဲ့ကို ကွမ်းယာ လှူဒါန်းဉ္ဇေင်းခံနေကျဆိုတော့ သူတို့အိမ်က တအောင့်တနား ထိုင်နားဖို့ အကောင်းဆုံးနေရာပေါ့လေ။

ဝါတွင်းကာလမှာ ကျောင်းတက်ရက် အပြောင်းအလဲရှိတယ်။ ကျောင်းစ,တက် တုန်းက စနေ, တနင်္ဂနွေရက်တွေမှာ ကိုကိုတို့ ကျောင်းပိတ်ပါတယ်။ ဝါတွင်းကာလ ရောက်တော့ မြန်မာပြက္ခဒိန်အရ အဖိတ်နေ့နဲ့ဥပုဒ်နေ့တို့မှာ ကျောင်းပိတ်လေရဲ့။ ဒါကြောင့် ဝါဆိုလပြည့်နေ့မတိုင်ခင်ရက်နဲ့ ဝါဆိုလပြည့်နေ့တို့မှာ ကိုကိုတို့ ကျောင်းမတက် ရ။ နောက်ပိုင်း အဲဒီအချိန်ကစပြီး ခုနစ်ရက်သီတင်းပတ်ကို ရေတွက်တာလေ။ ခုနစ် ရက်တစ်ကြိမ်စီ ဥပုဒ်နေ့ကျပါတယ်။

ဝါဆိုလပြည့်နေ့မှာ ဘယ်သူမှ အလုပ်မလုပ်ကြပါဘူး။ လယ်သမားတွေတောင် လုပ်ငန်းခွင်မဝင်ကြ။ တပင်တပမ်း အလုပ်တွေလုပ်ရတဲ့ နွားတွေကို လေးစားတဲ့အနေနဲ့ အဲဒီနေ့မှာ ဘာဘာက နွားတွေကိုပြောနေတတ်သေး။

"နွားလေးတွေရေ၊ ဒီနေ့ ဝါဆိုလပြည့်နေ့ကွဲ့။ ဒီနေ့အဖို့ ကောင်းကောင်း အနား ယူကြနော်"

ဝါဆိုလပြည့်နေ့ပြီးလို့ နောက်တစ်နေ့မှာတော့ လယ်သမားတွေအတွက် အလုပ် များဆုံးအချိန်ပါပဲ။ လယ်သမားတွေအတွက် ဝါတွင်းကာလဟာ ပျိုးပင်တွေ လယ်ကွင်းထဲ ပြောင်းစိုက်ဖို့ အခါသမယပေ့။ ဘာဘာနဲ့ မေမေတို့က တခြားရွာသားတွေရဲ့ လယ် တွေမှာပျိုးစိုက်ဖို့ကူညီပေးကြတယ်။ ပြီးရင် ဘာဘာ၊ မေမေတို့ကို ရွာသားတွေက နောက်ပိုင်း တစ်ခါ ပြန်ကူပေးကြမှာလေ။ မေမေက တခြားသူတွေရဲ့ လယ်မြေတွေမှာ အရင်ဆုံး ကူပေးတယ်။ ဘာဘာ၊ မေမေတို့ ပြက္ခဒိန်ကြည့်ရင်း စကားပြောဆိုနေသံ မကြာမကြာကြားရလေရဲ့။ နောက်နေ့တွေမှာ ဘယ်နေရာ သွားကူပေးရမယ်ဆိုပြီး မေမေက ဘာဘာကိုပြောတယ်။ မိဘနှစ်ပါး ပြောကြဆိုကြတာ နားထောင်ရင်း စပါး

ခုနစ်မျိုးရှိတယ်ဆိုတာ ကိုကို သိလာပါတယ်။ တစ်ချို့စပါးတွေကို မိုးဦးပိုင်းမှာ စိုက်
ပျိုးရပြီး တစ်ချို့ကိုတော့ မိုးနှောင်းပိုင်းမှာစိုက်ပျိုးရပါသတဲ့။ တစ်ချို့စပါးတွေက စိုက်တာ
နောက်ကျလွန်းရင် ရိတ်သိမ်းချိန်မှာ အဆင်သင့်မဖြစ်ဘဲရှိတတ်ပါသတဲ့။ တစ်ချို့ကျ
တော့လည်း စောစောလေး စိုက်ရင် ရိတ်သိမ်းချိန်မှာ မိုးရေတွေနဲ့မို့ ရိတ်သိမ်းလို့
မရပြန်ဘူးတဲ့လေ။ ဒီစပါးမျိုးတွေ စိုက်ပျိုးတာဟာ လယ်မြေက မိုးရေရရှိပြီး ရွှံ့ထူမထူ၊
သဲ့ထူမထူ ဆိုတဲ့အချက်ပေါ် မူတည်ပါတယ်။ စပါးမျိုးတွေကို ချိန်ခါသင့် စိုက်ပျိုးတတ်
ဖို့က သိပ်အရေးကြီးပါတယ်။ ဆန်စပါးက လူတိုင်းအတွက် အဓိကအစားအစာရင်းမြစ်
ဖြစ်နေတာကိုး။

ဒီရက်ပိုင်းတွေမှာ ဘာဘာရော မေမေပါ စောစောလေး အိပ်ရာထကြတယ်။
ဘာဘာက လယ်ထဲ အလုပ်သွားလုပ်တယ်။ မေမေက မနက်အစောကြီး နေ့လည်စာ
ချက်ပြုတ်တယ်။ မနက် ၈ နာရီကနေ ညနေ ၆ နာရီထဲ လယ်ထဲ အလုပ်သွားလုပ်ရမှာမို့လေ။
အလုပ်နားချိန် နေ့လည်စာစားဖို့ ထုတ်ပိုးယူဆောင်သွားတတ်ရဲ့။ မေမေက သနပ်ခါး
လူးလိုက်တယ်။ ပြီးတဲ့အခါ မိုးရွှာရင် အေးမှာစိုးလို့ရော အကော့ဗလောင်တွေ မကိုက်
အောင်လို့ပါ လက်ရှည်အင်္ကျီတစ်ထည် အပေါ်ကထပ်ဝတ်လိုက်တယ်။ အဲ့ဒီနောက်
ဘဲ့ဥပုံ ခမောက်ရှည်ကြီးကိုယူလိုက်ရော။ ခမောက်ကအရှည်ကြီးပဲ။ ကျောထိလုံလေရဲ့။
ပျိုးစိုက်သွားသူတိုင်း ခမောက်တစ်ထည် ဆောင်းသွားတတ်စမြဲ။ မိုးရေထဲ ခါးကုန်းပြီး
၁၀ နာရီကြာကြာ လယ်ထဲ ပျိုးစိုက်နေချိန် လယ်သူမတွေ နောက်ကျော မိုးမစိုအောင်
ဒီဇိုင်းထွင် ရက်လုပ်ထားတာလေ။ ခမောက်ဆောင်းလိုက်ပြီဆိုရင် လိပ်ခုံဆောင်းထားတာနဲ့
တူရော။ ခမောက် ယူပြီးတဲ့အခါ မေမေက နေ့လည်စာဘူး၊ ဆေးပေါ့လိပ်နဲ့ ကွမ်းယာတွေ
ယူပြီး လယ်ထဲ အလုပ်လုပ်ဖို့ ထွက်သွားရော။ မေမေက ဘာဘ့လယ်နဲ့ လမ်းသင့်တဲ့
လယ်ကွက်မှာ ပျိုးမစိုက်ရတဲ့ နေ့တွေဆို ဘာဘာကို ထမင်းသွားမပို့ဖြစ်။ အဲ့လိုနေ့တွေဆို
ဘာဘာက အိမ်ပြန်ပြီး မေမေချန်ထားခဲ့တဲ့ နေ့လည်စာလာစားဖြစ်လေရဲ့။

မေမေ အိမ်မှာမရှိတာမျိုး ကိုကို မကြိုက်လှ။ မိုးတွေ တသောသောရွာသွန်းဖြိုးတဲ့
မိုးရာသီ ကုန်ဆုံးစေချင်လှပြီ။ အနည်းဆုံးတော့ အဖိတ်နဲ့ ဥပုဒ်နေ့တွေမှာ ကျောင်းနားပြီး
ဘောင်ဘောင်တို့အိမ်မှာ ညီညီနဲ့အတူနေခွင့်ရတာပဲလေ။ တစ်ခါတလေ ဘာဘာ
နေ့လည်စာ အိမ်ပြန်စားရင်လည်း နိပ်ပြန်ရော။ နေ့လည်စာ စားပြီးတာနဲ့ ဘာဘာက
တအောင့်တနားနေပြီး ပိုက်ကွန်အသစ်တစ်လက် ရက်တယ်။ ဒါပေမယ့် မေမေ အိမ်မှာ
မရှိတာတော့ ကိုကို မကြိုက်ပါဘူး။ ည ၆ နာရီထိုးလို့ မေမေ အိမ်ပြန်ရောက်တော့မှာ
ကိုကို သက်ပြင်းချနိုင်တော့တယ်။

မိုးရာသီကျတော့ ကိုကိုတို့ အိမ်နားမှာ ချောင်းကလေးတစ်ခု ပေါ်လာရော။
အဲ့ဒီနေရာဟာ နွေရာသီတုန်းကဆို လျှောက်လမ်းလေးပဲ။ မိုးရာသီကျမှ မိုးရေတွေစီးပြီး
ချောင်းကလေးတစ်စင်းလိုဖြစ်ရော။ တစ်ခါတလေဆို လူတွေ အဲ့ဒီနားလာပြီး အပျော်တမ်း

ငါးများကြတယ်။ ဒါပေမယ့် မေမေက သူလယ်ထဲ ပျိုးစိုက်ထွက်နေချိန် အဲဒီနားသွားပြီး ဆော့ကစားတာမလုပ်ဖို့ ကိုကိုနဲ့ညီညီကို ပြောထားတယ်။ ဝါတွင်းကာလမှာ သတ္တဝါတွေ အသက် မသတ်ကောင်းဘူးလို့လည်း မေမေက ဆုံးမတတ်ပါသေးတယ်။

ဒါပေမယ့် တစ်နေ့ကျတော့ ကိုကို ကျောင်းဆင်းပြီး အိမ်ပြန်လာချိန် ကောင်လေး တစ်ချို့ ငါးများနေတာတွေ့တယ်။ သူလည်း တစ်ခါလောက်တော့ ငါးများကြည့်ချင်ရဲ့။ များပြီး ငါရလာရင်လည်း ပြန်လွှတ်မှာလေ။ မေမေက အဲဒီနား "မကစားနဲ့" လို့ပဲ ပြောတာ၊ "ငါးမများနဲ့" လို့မှ မပြောဘဲကိုး။ ဒီလို တွေးပြီး သူ ဝါးချောင်းတစ်ချောင်း ရှာလိုက်တယ်။ ငါးများကြီးအတွက်တော့ ငှက်ပျောပင်ဆီ သွားလိုက်ရုံပဲ။ ညီညီက ကိုကို့နောက် ကောက်ကောက်ပါအောင် လိုက်လာလေရဲ့။ လက်သည်းထိပ်နဲ့ လက်မထိပ် ကိုသုံးပြီး ကိုကိုက ငှက်ပျောပင်ရဲ့ အစလေးတစ်ခုကို ဆိတ်ဆွဲယူလိုက်တယ်။ ငှက်ပျော လျော် ခပ်ရှည်ရှည်တစ်ပင် ထွက်ကျလာရော။ ငါးများကြီးအဖြစ်သုံးဖို့ ကွက်တိပဲပေါ့။ အဲဒီနောက် ကိုကိုက အဘွားဒေါ် အောင်နုတို့ အိမ်ဆီ လျှောက်သွားလိုက်တယ်။ အဲဒီမှာ ဝါးပင်တစ်ပင်စိုက်ထားတာကိုး။ ဝါးပင်ရဲ့အရွက်တွေထဲ ပေါက်ဖတ်တွေက အသိုက်တည်နေကျလေ။ ကိုကိုက လိပ်နေတဲ့ ဝါရွက်တစ်ရွက်ကို သတိနဲ့ ဖြေကြည့်တယ်။ ဟော့ - ပေါက်ဖတ်သိုက်တစ်ခု တွေ့ပြီ။ အသိုက်ထဲက ပေါက်ဖတ်ကို ကိုကိုထုတ်ယူပြီး ညီညီကိုင်ထားနိုင်အောင် ပေးလိုက်တယ်။ နောက်ထပ် ဝါရွက်တွေကိုဖြေပြီး ပေါက်ဖတ် တွေလိုက်ကောက်ပြန်တယ်။ ညီအစ်ကိုနှစ်ယောက် ပေါက်ဖတ်တွေယူပြီး ချောင်းကလေး နားသွားကြတယ်။ အနားရောက်တော့ ပေါက်ဖတ်အားလုံးကို ညီညီကို ကိုင်ခိုင်းထားတယ်။ အဲဒီနောက် ကိုကိုက တစ်ကောင်ချင်းယူပြီး ငှက်ပျောလျော်ကြီးအစွန်းမှာ ချည်တယ်။ အဲဒီနောက် ဘာဘာ ငါးများတုန်းက မြင်ဖူးလိုက်သလို သူငါးများကြီးကိုလည်း ရေထဲ ပစ်ချလိုက်ရော။

ကိုကိုက ငါးလေးငါးခြောက်ကောင်မိတယ်။ ပြီးရင် ပြန်လွှတ်လိုက်ရော။ တစ်ခါ တလေဆို လမ်းမတန်းဘက်က ကောင်လေးတွေလာပြီး နောက်ပိုင်း ချောက်ပိုင်း ချောက်ကြီးအနား ငါးများသွားရင် ငါးစာအဖြစ် သုံးနိုင်အောင် ငါးလေးတွေကို ထည့်ထားကြလေရဲ့။ ကိုကိုက ညီညီကိုတစ်လှည့် ငါးများစေပြီး သူကတော့ ငါးလေးတွေထည့်ထားဖို့ ချောင်း ကလေးဘေး အိုင်ခွက်လေးတစ်ခုတူးတယ်။ ကိုကိုက ငါးတွေကိုယူထားမှာမဟုတ်။ ငါးတွေ ရေကူးနေတာပဲကြည့်ချင်တာလေ။ ညီညီက ငါးလေးတစ်ကောင် ဖမ်းမိတယ်။ သူ သိပ်ပျော်နေပေါ့။

ချောင်းငယ်လေးနား ကိုကိုတို့ သုံးရက်ငါးများပေမယ့် မေမေက မသိခဲ့။ တတိယ နေ့မှာ ကိုကို၊ ညီညီတို့ ခြေတွေ ယားကျိကျိဖြစ်လာရော။ မေမေက ကိုကိုတို့ညီအစ်ကို ခြေချောင်းလေးတွေကြား ကုတ်ခြစ်နေတာတွေ့တယ်။ ခြေတွေမှာ အကောင်ပလောင် ကိုက်ရာတွေလည်း မြင်သွားရော။

"ကောင်လေးတွေ၊ ရေနား သွားဆော့နေကြတာမလား"

ကိုကို ပြန်မဖြေလိုက်နိုင်သေးခင် ညီညီက အသံပြဲကြီးနဲ့ အော်ပြောလိုက်တယ်။

"ကိုကိုနဲ့ ငါးသွားမျှားကြတာ၊ မေမေရဲ့"

မေမေက ကိုကို့ကို မျက်မှောင်ကြုတ်ပြီး ကြည့်လိုက်တယ်။

"ဒီရာသီဆို အရေပြားရောဂါပိုးကူးစက်တတ်တယ်ကွဲ့။ ရေထဲ ဘက်တီးရီးယား ပိုးတွေ အများကြီးရှိတယ်။ သဲထဲ အကောင်ဗလောင်တွေလည်း ရှိတတ်တယ်လေ"

ကိုကိုတို့ အိပ်ရာမဝင်ခင် ခြေထောက်ကို မေမေက ပိုးသတ်ဆေးမှုန့်လူးပေး လိုက်ရသေးတယ်။ မိုးရာသီရောက်တိုင်း ခြေချောင်းတွေကြားက အရေပြားကို အကြာကြီး ရေစိုခံလို့ ခြေတွေနာကျင်ခံခက် ဖြစ်ရပုံအကြောင်း ကိုကို တွေးဖြစ်ရဲ့။ ကိုကို့ခြေရယ်လို့ မဟုတ်ပါဘူး။ တခြားသူတွေလည်း အလားတူ ခြေချောင်းတွေကြား အရေပြားရောဂါပိုး ကူးစက်တတ်တယ်လေ။ မိုးရာသီရောက်တိုင်း မေမေက သူနဲ့ ညီညီတို့ရဲ့ ခြေချောင်းလေး တွေကြား ဆေးလူးပေးရတာ ကိုကို မကြိုက်လှ။ ဒါပေမယ့် ကိုကို၊ ညီညီတို့ရဲ့ ခြေထောက် တွေပေါ်က ကိုက်ခဲရာတွေက ချောင်းကလေးနားက အကောင်တွေ ကိုက်တာဆိုတော့လေ။ အကောင်ကိုက်တာတွေနဲ့ ခြေချောင်းကြား ရောဂါပိုးကူးစက်တာနဲ့ပေါင်းတော့ ပိုဆိုးပါ လေရော။ (ဒေသခံတွေကတော့ ဒီလိုဖြစ်တာကို ခြေသဲစားတယ် ဆိုတတ်ကြလေရဲ့။)

*****

ရိုးရာဓလေ့အားဖြင့် ရဟန်းသံဃာတွေက နေ့စဉ်ဆွမ်းခံထွက်ကြပေမယ့် ရွာတွေ မှာတော့ အိမ်ထောင်စုအလိုက် ဘုန်းကြီးကျောင်းကို အလှည့်ကျဆွမ်းပို့ရတာလေ။ ဒါပေမယ့် ရဟန်းသံဃာတွေက ဝါတွင်းကာလမှာ ရွာကိုလှည့်ပြီး ဆွမ်းခံထွက်ကြပါတယ်။ ကိုကို ကျောင်းမတက်ရတဲ့ အဖိတ်နေ့ တစ်ရက်မှာတော့ သံစည်တီးသံ ကြားလိုက်ရရဲ့။ "တိန် - လိန် - လိန် - လိန် - လိန် - လိန် - လိန်" ဆိုတဲ့ သံစည်တီးသံက နားဝင်ချို လိုက်တာမှ။

"ကိုကို၊ သားမေမေ ဆွမ်းလောင်းဖို့ ချန်ထားခဲ့တဲ့ ဟင်းခွက်တွေ ယူလာခဲ့ကွယ်" ဘောင်ဘောင်က ဆိုတယ်။

ကိုကိုက ထမင်းဇလုံလေးတစ်လုံးနဲ့ ဝတုတ်ချက်ဇလုံလေးတစ်လုံး သွားယူလာ တယ်။ ဒါတွေက မေမေ ပျိုးစိုက်မထွက်ခင် ဆွမ်းလောင်းဖို့ချန်ထားခဲ့တာလေ။ ဘောင်ဘောင်ကဆွမ်းလောင်းဖို့ ငှက်ပျောသီးတွေသယ်လာတယ်။ ကိုကိုက ဘောင် ဘောင့် နောက်ကလိုက်ခဲ့တယ်။ ဘောင်ဘောင့်မှာ ဖိနပ်စီးထားတာမတွေ့ရ။

"ဘောင်ဘောင်၊ ဖိနပ်စီးဖို့ မေ့သွားပြီ"

"ရဟန်းသံဃာတွေကို ဆွမ်းလောင်းလှူချိန်မှာ ဖိနပ်မစီးရဘူး၊ ကိုကိုရဲ့"

"ဘာလို့လဲဟင်"

"ဖိနပ်မစီးတာက ရဟန်းသံဃာတွေကို လေးစားကြောင်း ပြတာပေါ့ကွယ်။ ဆွမ်းမလောင်းခင် ဖိနပ်ချွတ်နော်၊ မြေးလေး"

လမ်းတစ်ဘက်ကို ကူးပြီးမှ ကိုကိုတို့ ရပ်တန့်စောင့်နေလိုက်ကြတယ်။

"ဘောင်ဘောင်၊ ဘာလို့ လမ်းကူးလိုက်ရတာလဲဟင်"

ဒါ အဓိပ္ပါယ်မရှိဘူးလို့ ကိုကို တွေးနေမိတယ်။ စဉ်းစားကြည့်လေ။ ဘုန်းကြီး တွေက အရှေ့ဘက်ကနေလာမှာ။ သူတို့မြေးဘောင်ဘောင်နှစ်ယောက် လမ်းမကူးဘဲ ကိုယ့်အိမ်ဘက်ခြမ်း လမ်းဘေးမှာပဲ နေလိုက်လို့ရတာပဲဟာကို။

"ရဟန်းသံဃာတွေရဲ့ အရိပ်ကို တက်မနင်းမိအောင်နေတာ ရိုးရာခလေပဲ၊ မြေးလေးရဲ့"

"ဘာလို့ပါလိမ့်"

"သံဃာတော်တွေရဲ့ အရိပ်ကိုတက်နင်းမိရင် အဂါရဝဖြစ်တာပေါ့ကွယ်။ မရှိ သေရာကျတာပေါ့"

ကိုကိုက ဘောင်ဘောင်နား ရပ်ပြီး ဘုန်းဘုန်းတွေကြအလာကို စောင့်နေလိုက် တယ်။ မြေပေါ် ငုံ့ကြည့်မိတော့ သူ့အရိပ်သူမတွေ့။ မိုးရွာနေတော့ နေက တိမ်တိုက်ကြား ထဲက မထွက်နိုင်ရှာ။ ဘုန်းဘုန်းတွေမှာလည်း အရိပ်ထွက်မှာမဟုတ်။

"ဘောင်ဘောင်ရေ"

"ကဲ - ဘာလဲ ပြောဟေ့"

"သားတို့အရိပ်လည်း မပေါ် ဘဲနဲ့။ မိုးရွာသီလေ၊ ဘောင်ဘောင်ရေ"

"အို - အဲဒါ အရေးမကြီးပါဘူးအေ။ ရိုးရာက ရိုးရာပဲ။ ပြီးတော့လည်း နေက မိုးတိမ်ကြားက ထွက်ချင်ထွက်လာမှာပေါ့။ ကဲ - တိတ်တိတ်လေးနေပြီး အာရုံစိုက် ထားတော့နော်"

ကိုကိုက ဖိနပ်ချွတ်ပြီးစောင့်နေလိုက်တယ်။ မကြာပါဘူး။ သံဃာတော်တွေ စီတန်းကြချီလာတာမြင်ရရဲ့။ ထိပ်ဆုံးမှာ အသက် ၉ နှစ်လောက်အရွယ် ကိုရင်လေးတစ်ပါး ရှိလေရဲ့။ ကိုရင်လေးက တခြားဘုန်းကြီးတွေလို ကတုံးရိတ်ထားတယ်။ ကိုရင်လေးက သက်တုံးစည်းနဲ့။ မိုးရေကြောင့် သက်တုံးတွေရေစိုနေပြီ။ သံဃာတော်တွေ ဆွမ်းခံကြရင် ထီးတွေ၊ ဦးထုပ်တွေ မဆောင်းရတာကြောင့်လေ။ ဆွမ်းခံထွက်တာမဟုတ်တဲ့ တခြား အချိန်တွေဆို ထီးဆောင်းလို့ရပေမယ့် ဦးထုပ်တော့မဆောင်းရပါဘူး။ ကိုရင်လေးရဲ့ လက်ထဲမှာ ခါးင်းလောင်းသဏ္ဌာန် ကြေးစည်လေးတစ်လုံးနဲ့ သစ်သားတုတ်လေးတစ်ချောင်း ကိုင်ထားလေရဲ့။ ရံဖန်ရံခါဆိုသလို "တိန် - လိန် - လိန် - လိန်" ဆိုတဲ့ နာပျော်ဖွယ် အသံလေး ထွက်လာအောင် ကြေးစည်ထုရိုက်ပြီး ဆွမ်းခံကြလာကြောင်း ရွာသားတွေကို အသိပေးနေလေရဲ့။ ကိုရင်လေးရဲ့ နောက်မှာ ကျောင်းထိုင်ဆရာတော်ပါလာပါတယ်။ ကျောင်းထိုင်ဆရာတော် နောက်မှာ ကိုရင်လေးနှစ်ပါး လိုက်လာလေရဲ့။ ဒီကိုရင်လေး

နှစ်ပါးက အုပ်ဆောင်းဖူးပါတဲ့ သစ်သားလင်ပန်းကြီးကို ဝါးလုံးနဲ့ဆိုင်းပြီး ကိုယ်စီ ပုခုံးပေါ် တင်ထမ်းလာကြရဲ့။

ရှေ့ဆုံးက ကိုရင်လေး ဘောင်ဘောင်နဲ့ ကိုကို့နား ကပ်လာတဲ့အခါ လမ်းလျှောက် တာ ရပ်လိုက်ကြလေရဲ့။ ကျောင်းထိုင်ဆရာတော်လည်း ရပ်နားလိုက်တယ်။ သူ့ခြေအစုံမှာ ဖိနပ်မပါ၊ ခြေဗလာနဲ့။ ဆရာတော်ဘုရားက ရှေ့ ၆ ပေအကွာပဲ မြေကြီးပေါ်ကြည့် နေတယ်။ ဘေးဘယ်ညာမကြည့်။ ပြုံးလည်းမပြုံး။ စကားလည်းမဆို။ ဘောင်ဘောင့်ကိုရော ကိုကို့ကိုပါမကြည့်။ သက်န်းက မိုးတွေစိုရွှဲနေပြီ။ ဆရာတော်က သပိတ်ဖုံးကို ဖြည်းဖြည်း လေး မ,လိုက်တယ်။

"ကိုကို၊ ရှေ့တိုးလိုက်ကွဲ့"

ကိုကိုက ကျောင်းထိုင်ဆရာတော်နား တိုးကပ်သွားတယ်။ ဆရာတော် ကိုင်ထားတဲ့ သပိတ်က ကိုကို့အရပ်နဲ့ မမီလောက်အောင် မြင့်လွန်းနေတာမို့ ဆရာတော်က ကိုကို သပိတ်ကို မီလောက်တဲ့ အနေအထားထိ ကိုယ်ကိုညွှတ်ပေးတော်မူတယ်။ ကိုကိုက ပန်းကန်လုံးလေးထဲက ဆွမ်းကို သပိတ်ထဲလောင်းထည့်လိုက်တယ်။ ဆရာတော်က ကိုကို့ကိုမကြည့်။ သပိတ်ဖုံးပိတ်လိုက်တယ်။ အဲဒီနောက် ရှေ့ ၆ ပေအကွာ ရှုရင်း ဆက်လျှောက်သွားလေရဲ့။ နောက်တော့ ဝါးလင်ပန်းကြီးသယ်လာတဲ့ ကိုရင်လေးနှစ်ပါး ရှေ့တိုးလာကြတယ်။ ဘောင်ဘောင်နဲ့ ကိုကိုတို့ရှေ့မှာ ရပ်နားလိုက်တဲ့အခါ နောက်က ကိုရင်လေးက လင်ပန်းကြီးကို အဖုံးဖွင့်ပေးတယ်။ ကိုကိုက လင်းပန်းကြီးထဲက လွတ် နေတဲ့ဟင်းခွက်တစ်ခွက်ထဲ ယူလာတဲ့ဝတုတ်ခွက်ကို မှောက်ထည့်လိုက်တယ်။ ဟင်းခွက် တစ်ချို့မှာ တခြားအိမ်တွေက လောင်းလျှုလိုက်တဲ့ ဆွမ်းဟင်းတွေနဲ့ ပြည့်နေတာ ကိုကို မြင်လိုက်ရတယ်။ ပုစွန်ချက်၊ ခရမ်းသီးဟင်း၊ ချဉ်ပေါင်ဟင်းရည်၊ ငါးဟင်းနဲ့ ကြက်ဥပြုတ် တို့ကို ဟင်းခတ်အမွှေးအကြိုင်တွေနဲ့ ချက်ပြုတ်ထားတာလေ။ ဟင်းအမယ်မျိုးစုံ မြင်ရတော့ ကိုကို ပိုက်ဆာလာရော။ ဘောင်ဘောင်က ဆွမ်းဇလုံ တစ်လုံးထဲ ငှက်ပျောသီး တွေ ထည့်လိုက်ပါတယ်။ အဲဒီနောက် ကိုရင်လေးက အုပ်ဆောင်းဖူးကို ပြန်ပိတ်လိုက်တယ်။

　　　　သံဃာတော်တွေ ထွက်သွားကြတာ ကိုကို လှမ်းကြည့်နေမိတယ်။ ကိုရင်လေးတွေ တစ်ပါးနဲ့တစ်ပါး စကားပြောသံ ကြားရရဲ့။ ကိုရင်လေးတွေက ကျောင်းထိုင်ဆရာတော်ကို ကူညီပေးနေတာဖြစ်ပြီး ကိုယ်တိုင် ဆွမ်းခံနေတာ မဟုတ်လို့ ရှေ့က မြေကြီးကို ၆ ပေအကွာ စက္ကူက္ကူရွှေ့ဆည်ပြီး လျှောက်စရာလည်း မလိုဘူးပေါ့လေ။ တစ်ရွာလုံး လှည့်ပြီး ဆွမ်းခံထွက်နေတုန်း ကိုရင်လေးတွေ ဘေးဘီဝဲယာလည်း ကြည့်လို့ ရသလို စကားလည်း ပြောလို့ ရပါတယ်။ ကိုရင်လေးတွေ ထွက်သွားတာ ကြည့်နေရင်း ဒီကိုရင်လေးတွေ မတော်တဆ သူ့အရိပ် ကိုယ့်အရိပ် နင်းမျှားနင်းမိကြသေးလားလို့ ကိုကိုတစ်ယောက် အတွေးနယ်ချဲ့နေမိပါရဲ့။

　　　　　　　　　　　*****

အစားအစာ ရှားလာပြီ

မိုးတွေ ဆက်ရွာနေသေးတယ်။ ဝါလရက်တွေ ကုန်လွန်လာတာနဲ့အမျှ ၉ပုသ် နေ့တွေမှာ ၉ပုသ်စောင့်၊ ကောင်းမှုကုသိုလ်ပြု၊ ရဟန်းသံဃာတွေကို ဆွမ်းခဲဖွယ်ဘောဇဉ်၊ သက်နံးတို့ လှူဒါန်းတာတွေ ဆက်လက် လုပ်ဆောင်ကြတယ်။ ဒီရာသီဆို အစားအစာ ရှားပါးလာတတ်လေရဲ့။ မိုးရာသီရောက်တိုင်း ဒီလိုပါပဲ။ လူတွေက ကိုယ့်မှာ သိုလှောင် သိမ်းဆည်းထားတာတွေပဲ စားကြရတာ။ မိုးရွာလို့ ဈေးသွားတဲ့ မင်းလမ်းမကြီးလည်း ရေတွေနဲ့ ချောနေတယ်။ ခက်ခက်ခဲခဲ အကြာကြီး လျှောက်နေရတယ်လေ။ မေမေအပါ အဝင် အမျိုးသမီးတွေက မနက်ကနေ ညနေထိ တစ်နေကုန်တစ်နေခန်း ပျိုးစိုက်သွားနေ ရလို့ ဈေးမသွားနိုင်ကြ။ လယ်သမားတွေလည်း ထွန်ယက်စိုက်ပျိုးတာတွေနဲ့ ရှုပ်နေလို့ ကွန်ပစ်မထွက်နိုင်ကြ။ အချိန်ရတယ်ဆိုရင်တောင်မှ မိုးရေတွေ ဒလဟောစီးနေမယ့် ချောင်းထဲကွန်ပစ်ထွက်ဖို့က လုံးဝ မဖြစ်နိုင်။ မိုးရာသီမှာ မိုးတွေတအားသည်းတတ်လေရဲ့။ တစ်ခါတလေဆို လူတွေမှာ ဆန်ကုန်သွားတာရှိရဲ့။ ဆန်ကုန်သွားတော့ ဘေးအိမ်တွေက ချေးယူရတယ်လေ။ ချေးယူထားတဲ့ ဆန်ကို စပါးပေါ် ချိန် ပြန်ဆပ်နိုင်သလို ပျိုးစိုက်ပြီးလို့ ဈေးမှာ ရောင်းချရငွေနဲ့လည်း ပြန်ဆပ်ကြပါသေးတယ်။

လူများစုကတော့ သိုလှောင်ထားတဲ့ အခြောက်အခမ်းတွေကိုစားကြရဲ့။ မေမေမှာ သရက်သီးခြောက်တွေ၊ နွေရာသီတုန်းက ကောက်ထားတဲ့ သခွတ်ပွင့်ခြောက်တွေရှိတယ်။ တောထဲ ပေါက်ရောက်တဲ့ ဟင်းသီးဟင်းရွက်တွေက ရဖို့မလွယ်ပြန်။ နေရာအတော် များများ မိုးရေလွှမ်းနေလို့ ခူးဖို့ မလွယ်တာလေ။ သို့ပေမယ့် ဝတ္တုတွေက အလွယ်တကူ ချိုးလို့ရသလို ပေါလည်းသိပ်ပေါနေလေရဲ့။ ဒါကြောင့် မိုးရာသီဆို ဝတ္တုတွေက ထမင်းစားပွဲဝိုင်းမှာ အတွေ့ရများတာပေါ့။ စားရဖန်များလို့ ကိုကို ပြီးတောင်ပြီးငွေ့ လာပြီ။

မေမေမှာ ငါးခြောက်တွေ၊ ငါးမန်းရီခြောက်တွေ (ငါးမန်းရေခြောက်တွေ) သိုလှောင်သိမ်းဆည်းထားတာရှိရဲ့။ ငါးမန်းရီက သိပ်မာတာ။ ညလုံးပေါက်ရေစိမ်ပြီး မနက်ကျမှ ရေလဲပြုတ်ရတာလေ။ မနက်ရောက်တော့ မေမေက ငါးမန်းရီကို ၎င်းရုတ်သီး စပ်စပ်လေးနဲ့ သုတ်ရင်သုတ်၊ ဟင်းခတ်အမွှေးအကြိုင်တွေထည့်ပြီး ချက်ရင်ချက်ပေါ့။ တစ်ချို့ရက်တွေဆို မေမေ နောက်ကျပြီးမှအိမ်ပြန်လာရင် ဘာဘာက ညနေစာ ချက် ပြုတ်ရလေရဲ့။ အဲဒီချိန်ဆို ဘာဘာက မျှင်ငါးပိကို ကြွတ်ကြွတ်လေးကြော်တယ်။ ၎င်းရုတ်သီးမီးကင်ပြီး ၎င်းရုတ်ကြွတ်တစ်ခွက်ကြွတ်တယ်။ ချဉ်ပေါင်ရွက်ဟင်းချို၊ ကန်စွန်းရွက် ဟင်းချိုချက်တယ်။ ဘာဘာပဲဖြစ်ဖြစ်၊ မေမေပဲဖြစ်ဖြစ် ဟင်းပွဲမှာ ငါးခြောက်အပြင် အသားမခတ်ရချင်ရင် ဘာဘာလုပ်သလိုမျိုး ငါးပိကြော်ရုံပဲ။ ငါးခြောက်ကုန်သွားပြီး ၎င်းပိကြော်စားရတာ ဦးငွေ့သွားတာနဲ့ မေမေက ဆားတစ်ခဲကိုအမွေးနဲ့ရတဲ့ သစ်ရွက် တစ်ရွက်ထဲထုတ်ပိုးပြီး မီးဖိုပေါ် မှာတင်ဖုတ်တတ်ရဲ့။ သစ်ရွက်မီးကျွမ်းသွားရင် မဲတူးနေတဲ့ ဆားခဲကို ခွက်တစ်လုံးထဲထည့်ပြီး အပေါ်က ပဲဆီလောင်းထည့်လိုက်ရော။ ဆားခဲက ပူလွန်းတော့ မီးခိုးတွေထွက်ပြီး မြေပဲဆီကြောင့် တရဲ့ရဲ့အသံမြည်သွားရော။ ဆားဆီ ဆမ်းကြွတ်ကြွတ်လေးကို ထမင်းနဲ့ရောနယ်လိုက်တာပေါ့။ မြေပဲနဲ့မြေပဲဆီထဲ အသား မခတ်နည်းနည်းပါတော့ ၎င်းခြောက်၊ ၎င်းပိတို့နေရာမှာ အစားထိုး အသုံးပြုလို့ အဆင်ပြေ တာပေါ့လေ။

မေမေက ဟိုဘက်ရွာက ၎င်းသည်မ ၎င်းလာရောင်းရင် ဆားလှူး၎င်းတစ်ကောင် ဝယ်ထားပေးဖို့ ဘောင်ဘောင့်ကို မှာထားတယ်။ ဒီရာသီဆို ပင်လယ်နားက ရွာတွေက အမျိုးသမီးတွေ ၎င်းလာရောင်းနေကျ။ ကုန်းတွင်းပိုင်းက လူတွေ အစားအစာရှားနေ ကြပြီဆိုတာ သိလို့လေ။

တစ်နေ့တော့ အမျိုးသမီးတစ်ယောက် ၎င်းအော်ရောင်းသံ ကိုကို ကြားရတယ်။

"၎င်းရောင်းရေ။ ၎င်းသလောက် - ၎င်းသလောက် ရောင်းရေ" (၎င်းရောင်းတယ်။ ၎င်းသလောက် - ၎င်းသလောက် ရောင်းတယ်။)

ကိုကိုက လမ်းဘက် အပြေးလေး သွားကြည့်လိုက်တယ်။ အမျိုးသမီးတစ်ယောက် တောင်းတစ်လုံး ခေါင်းပေါ် တင်ပြီး လမ်းအတိုင်း လျှောက်လာတာတွေ့ရဲ့။ တောင်းထိပ် မှာ မိုးမစိုအောင် မဏ္ဍလာကြီးတစ်ဆောင်တင်ထားတယ်။ မဏ္ဍလာက ထီးလောက်တောင် ကြီးလေရဲ့။

ပင်လယ်နားရွာအဝေးကြီးကမို့ သူလေသံက တစ်မျိုးလေးပဲ။ ဘောင်ဘောင်က ကိုကို့အနားလာရပ်ပြီး ၎င်းသည်မအနားရောက်လာအောင် စောင့်နေလိုက်တယ်။ အနား ရောက်လာတော့ ဘောင်ဘောင်က အော်ပြောတယ်။

"ဝင်ခဲ့ပါဦး"

၎င်းသည်မက ဘောင်ဘောင်နောက်ကနေ အိမ်ရှေ့ခန်းနားလိုက်ခဲ့တယ်။ ကိုယ်

ကိုကုန်းပြီး မင်္ဂလာကို ဂရုစိုက်ချွတ်လို့ လှေကားထစ်တွေပေါ် တင်ထားလိုက်တယ်။ အဲဒီနောက် အိမ်ရှေ့ခန်းမှာ ငါးတောင်းကိုချလိုက်ရဲ့။ ညီညီက မမချေ၊ သူ့ရိန်စိုးတို့နဲ့အတူ အိမ်ထဲကထွက်လာရော။ အားလုံး တောင်းထဲကြည့်လိုက်ကြတယ်။

အထဲက ငါးတွေပေါ်မှာ ငါးကိုအလေးချိန်ဖို့ ချိန်ခွင်တစ်ခုမြင်လိုက်တယ်။ ကိုကို ထင်ထားသလို ငါးလတ်လတ်ဆတ်ဆတ်တွေမဟုတ်။ ဘေးနားကိုတိဖြတ်ပြီး ဆားသိပ်ထားတဲ့ ငါးတွေလေ။ ဘောင်ဘောင်က မေမေ့အတွက် ငါးသလောက်ကြီး တစ်ကောင် ရွေးဝယ်လိုက်တော့ ငါးသည်မက ချိန်ခွင်ပေါ်တင်လိုက်တယ်။ ချိန်ခွင်ကို ငါးနဲ့လုပ်ထားပြီး လင်ပန်းလေးနဲ့တူလေရဲ့။ ချိန်ခွင်လက်ကိုင်ရိုးကို သစ်သားနဲ့ လုပ်ထား တယ်။ ငါးသည်မက ချိန်ခွင်ကို ကိုင်ပြီး ငါးကို ချိန်လိုက်ရဲ့။ အဲဒီနောက် အရီးဒေါ်ပုချေမ အတွက် ရွေးထားတဲ့ ဒုတိယငါးတစ်ကောင်ကို ချိန်လိုက်ပြန်တယ်။ ဘောင်ဘောင်က ငါးနှစ်ကောင်လုံးအတွက် ငွေရှင်းပေးလို့ ငါးသည်မလည်း ငါးတောင်းခေါင်းရွက်ပြီး ခေါင်းပေါ် မင်္ဂလာတင်ရင်း အော်ဆိုလိုက်တယ်။

"ငါးရောင်းရေ၊ ငါး။ ငါးသလောက်" (ငါးရောင်းတယ်၊ ငါး။ ငါးသလောက်)

ကိုကိုက မေမေနဲ့ အရီးဒေါ်ပုချေမတို့အတွက် ဘောင်ဘောင်ဝယ်လိုက်တဲ့ ငါး တွေကိုကြည့်လိုက်တယ်။

"ငါးကို ဘာလို့ ပိုင်းပြီးသား ရောင်းတာလဲဟင်၊ ဘောင်ဘောင်"

"အတွင်းဘက် ဆားသိပ်ဖို့ လိုလို့ပေါ့ကွယ်။ ဒီငါးတွေကို ဆားလူးပြီး ဆားထဲ ထည့်ထားတာလေ"

"ဘာလို့လဲဟင်"

"မပုပ်မသိုးရအောင်ပေါ့။ မြေးလေးရေ။ ငါးတွေ မပုပ်သိုးတော့ မိုးတွင်းကျရင် ရွှာတကာ လှည့်ပြီး လိုက်ရောင်းလို့ ရတာပေါ့ကွယ်"

ကိုကို ဝမ်းသာသွားရဲ့။ ငါးခြောက်စားရတာ များလို့ ပြီးငွေ့နေပြီလေ။

အဲဒီနေ့ညနေမှာ မေမက ငါးသလောက်ဆားလူးနည်းနည်း ချက်ပါတော့တယ်။ ဘေးကနေ ပိုင်းပြီးသားမို့ ငါးကို အဖွဲ့လိုက် ခြေဖို့ လွယ်ပါတယ်။ ငါးသလောက်ဖွဲ့တစ်ချို့ကို ငရုတ်သီးထောင်း၊ သရက်သီးခြောက်တို့နဲ့ စပ်စပ်လေးချက်တယ်။ မနက်ကျတော့ ငါး သလောက်ဖွဲ့တစ်ချို့ကို ငှက်ပျောရွက်နဲ့ထုပ်ပိုးတယ်။ ထမင်းအိုးဆူလို့ ထမင်းရည် ညစ်ပြီးတဲ့အခါ ငှက်ပျောရွက်နဲ့ထုပ်ထားတဲ့ ငါးသလောက်ထုပ်ကို ထမင်းအိုးထဲထည့် လိုက်ရော။ အဖုံးကို အိုးမှာပြန်ဖုံးပြီး မီးဖိုပေါ် တင်ထားလိုက်ရဲ့။ ဒီလိုထားလိုက်ရင် နေ့လည်စာအတွက် ငါးသလောက်နှပ်ပြီးသား ဖြစ်သွားရောလေ။ ငါးသလောက်နှပ်ကို ကိုကို ကြိုက်ပါတယ်။ အရသာ သိပ်ရှိတာကို။ ထမင်းတစ်ပန်းကန်အတွက် ငါးသလောက် နှပ်တစ်တုံးဆိုပြီးပြည့်စုံပြီ။ ငါးသလောက်တုံးလေးတစ်တုံးဆို ဆားတွေ၊ ဆီတွေ၊ ငါး အရသာတွေ အများကြီးပါလို့လေ။

*****

ဒီလိုနဲ့ မိုးရေစိုတဲ့ နေ့ရက်တွေ ဆက်တိုက်ပါပဲ။ မေမက စျေးမသွားဖြစ်သလို ဘာဘာလည်းကွန်ပစ်မထွက်ဖြစ်။ ဒါကြောင့် တစ်ရက်မနက်စောစောမှာ အရီးဒေါ် ပုချေမ ရဲ့ အမျိုးသားဖြစ်တဲ့ ဦးလေးဦးမောင်စိန်မြင့်နဲ့ ဘာဘာ စကားပြောသံကြားလို့ ကိုကို နားစိုက်ထောင်နေမိတယ်။

"ဒီနေ့ နွားတစ်ကောင် ပေါ်နေတယ်။ အမဲသားလိုချင်လား၊ အစ်ကို"

"လိုချင်တာပေါ့ကွာ။ ဒီနေ့ လယ်ထဲကနေ စောစောအိမ်ပြန်လာခဲ့မယ်"

ကိုကို စိတ်လှုပ်ရှားနေမိပြီ။ အမဲသားလတ်လတ်ဆတ်ဆတ်ဆိုတာ သိပ်ရှားတယ် လေ။ အမဲသားကို စျေးမှာတင်ပြီးမရောင်းကြ။ တစ်ယောက်ယောက် နွားပေါ်တာ သိထားမှ အမဲသားရတာပါ။ မေမက တစ်နှစ်ကိုသုံးလေးခါလောက်ပဲ အမဲသား ချက်ရတာ။

အဲဒီနေ့မွန်းလွဲပိုင်းလောက်မှာ ဦးလေးဦးမောင်စိန်မြင့်နဲ့ သူ့သူငယ်ချင်းနှစ်ယောက် ရောက်လာကြတယ်။ သူ့သူငယ်ချင်းနှစ်ယောက်က ပုခုံးပေါ် က ဝါးလုံးတန်းမှာ ချိတ်ဆွဲ ထားတဲ့ ပိန်အိတ်တစ်လုံးထဲ အမဲသားလတ်လတ်ဆတ်ဆတ်တွေ ထည့်သယ်လာကြလေရဲ့။ ဘာဘာက သူတို့ကို အိမ်ပြင်ဘက် ကွမ်းသီးပင်အောက်မှာတွေ့ဆိုပြီး အမဲသားတွေ

ရွှေးဝယ်လိုက်တယ်။

ဘာဘာပြန်လာတော့ လက်ထဲမှာ အမဲသားတွေအများကြီးပဲ။ ဘာဘာက သစ်
တုံးကြီးတစ်တုံးကို စင့်နီတုံးအဖြစ်သုံးပြီး ခုတ်ထစ်နေတာ ကိုကို ကြည့်နေလိုက်တယ်။
အမဲနံရိုးနဲ့ အဂ်ါအစိတ်အပိုင်းတွေကို ခါးမနဲ့ခုတ်ထစ်နေလေရဲ့။ နွားအစာအိမ်ရဲ့ ကြွ,
နိုင်ဆုံးနိုင်တဲ့ မဲနက်နက်အပိုင်းကို ထူးနဲ့ပွတ်တိုက်နေလေရဲ့။ အဲသလိုပွတ်တိုက်ပြီးတဲ့အခါ
အမဲဝမ်းတွင်းသားကနေ မဲနက်နက်အကွက်တွေ ကွာကျလာတယ်။ အဲဒီနောက် ဘာဘာ
က ရေနဲ့ဆေးပြီး အတုံးလေးတွေတုံးလိုက်ပြန်တယ်။ ခုတ်ထစ်ဆေးကြောပြီးသား အမဲ
တုံးလေးတွေကို မေမေ ပြင်ဆင်ချက်ပြုတ်နိုင်အောင် အိုးကြီးတစ်လုံးထဲ ထည့်လိုက်ရော။
ကိုကို့မှာ မေးစရာမေးခွန်းတွေအများကြီးပဲ။ အထူးသဖြင့် ဝါတွင်းကာလ နွားပေါ်တဲ့
အကြောင်းမေးချင်တာလေ။ ဒါပေမယ့် ဘာဘာကိုမေးဖို့ အဆင်မပြေလောက်။ ကိုကို
မေးသမျှမေးခွန်းတွေကို ဘာဘာက စိတ်ရှည်လက်ရှည်မဖြေပေးလို့လေ။

အဲဒီနေ့ညမှာ မေမေက အမဲနံရိုး၊ အမဲဝမ်းတွင်းသားနဲ့ အဂ်ါအစိတ်အပိုင်းတွေကို
ငရုတ်သီး၊ နှင်း၊ ကြက်သွန်နီ၊ ဆားတို့နဲ့ရောကြိတ်ထားတဲ့ ငရုတ်ဖတ်နဲ့မြေပဲဆီထည့်ပြီး
ချက်ပါတယ်။ ဘာဘာက တောင်တောင့်အိမ်နားသွားပြီး စပါးလင်သွားခဲ့လေရဲ့။ စပါး
လင်ပင်စည်ရှိရှိနဲ့ စပါးလင်ရွက်တွေကို ဘာဘာက ခေါက်ချိုးပြီး အစည်းလေးစည်းလိုက်
တယ်။ အဲဒီစပါးလင်စည်းလေးကို မေမေက အမဲသားဟင်းမကျက်ခင် အိုးထဲထည့်လိုက်
လေရဲ့။ ကိုကိုက အိမ်ရှေ့ခန်းကနေ ဟင်းနံ့လေးရပြီး သွားရည်တွေတောင်ယိုမိရော။
နောက်တစ်အိုးမှာတော့ မေမေက ကျန်တဲ့အမဲသားတွေကို နှင်း၊ ဆားတို့နဲ့ ပြုတ်ပြီး
နောက်ရက်တွေမှာ ချက်စားလို့ရအောင် လုပ်ထားလိုက်လေရဲ့။

ဝက်သားလည်း ရံဖန်ရံခါ ရောင်းတတ်ပါတယ်။ အမဲသားလိုပဲ စျေးမှာ ခင်းကျင်း
ရောင်းချတာမျိုးတော့မလုပ်တတ်ကြ။ ဒါကြောင့် ဝက်သားလည်း အထူးတလည် စားရ
ခဲ့တဲ့အသားလေ။ တစ်ယောက်ယောက် ဝက်ပေါ်တော့မှပဲ ဝက်သားရောင်းကြတာ။
ဝက်သားရောင်းတဲ့အခါ လူနှစ်ယောက်က ပုခုံးပေါ် ဝါးလုံးတင်ပြီး ဝက်သားတောင်းကို
ချိတ်ဆွဲလို့ တစ်ရွာလုံး လည်ရောင်းကြတယ်။ ဝက်သားနဲ့ ပတ်သက်ပြီး ထူးခြားတာက
မိုးရာသီဆို အကြွေဝယ်လို့ရတာပါပဲ။ ဝက်သားဖိုးကို စပါးပေါ်ချိန်ရောက်မှ စပါး
တောင်းနဲ့ပေးချေကြလေရဲ့။ ဝက်သားရောင်းချတဲ့မှတ်တမ်းကို အကြွေစာရင်းမှာ မှတ်
ထားလေ့ရှိပါတယ်။

တစ်ခါတစ်ရံ အိမ်နီးချင်းတစ်ယောက် ငါးထောင်ဖို့ မြှုးတွေ ရက်တတ်လေရဲ့။
မြှုးတွေက ဝါးနဲ့ရက်လုပ်ထားတဲ့ ရေအိုးသဏ္ဍာန် ခြင်းတောင်တွေပါ။ ဘေးဘက်မှာ
ခပ်ထူထူနဲ့ လည်ပင်းနား ပါးပါးလေး ရှိလေရဲ့။ ဘေးတစ်ဘက်မှာ အပေါက်တစ်ပေါက်
ပါပြီး အပေါက်တလျှောက်ဝါးတံလေးတွေ အတွင်းဘက်ကျွေ့ဝင်နေရဲ့။ ငါးတွေ၊ အထူး
သဖြင့် ငါးစရိုင်းတွေက အပေါက်ထဲဝင်လာရင် အတွင်းဘက်ကျွေ့ဝင်နေတဲ့ ဝါးတံလေး

တွေက ငါးတွေပြန်မထွက်နိုင်အောင် တားပေးတယ်လေ။ အတွင်းမှာ ငါးစာတွေထည့်
ထားတယ်။ ငါးစာတွေက အခွံကိုထုခွဲထားတဲ့ လယ်ခရုတွေ၊ ဒါမှမဟုတ် ကြိတ်ခွဲရာက
ကျန်တဲ့ မြေပဲဖတ်တွေပါ။ ဒါကြောင့် အိမ်နီးချင်းတစ်ယောက်ယောက် ငါးစရိုင်းတွေ
ပိုလို့ လာရောင်းရင်လည်း စိတ်လှုပ်ရှားစရာကောင်းလေရဲ့။ ငါးစရိုင်းချက်ရင် မေမေက
နနွင်းရွက်ထည့်ချက်လေ့ရှိတယ်။ ငါးစရိုင်းနဲ့ နနွင်းရွက်က ရောချက်ရင် သိပ်စားလို့
ကောင်းတာ။

　　　ရွာသားတွေအတွက်ပဲ အစားအစာ ရှားတာ မဟုတ်၊ တိရစ္ဆာန်တွေအတွက်လည်း
အစာရှားလာပါပြီ။ ရွာရဲ့ အရှေ့ဘက် တောအုပ်ထဲ ခဲဝါတွေ(ခွေးအတွေ)ရှိလေရဲ့။
ခဲဝါတွေဟာ ညနက်ဆို ရွာနားလာပြီးအစာရှာလေ့ရှိပါတယ်။ တစ်ခါတလေဆို ခဲဝါ
အူသံ ကိုကို ကြားရရဲ့။ ခဲဝါတွေ အူပြီး တစ်ကောင်နဲ့တစ်ကောင် စကားပြောသလိုမျိုး
အသံကြားရပြီဆိုရင် ကိုကို ညီညီတို့ ကြောက်စိတ်ဝင်မိရော။

　　　တစ်နေ့မှာပေ့။ ဘာဘာ လယ်ထဲ အလုပ်လုပ်နေတဲ့အချိန်။ မေမေကလည်း
ပျိုးစိုက်သွားနေချိန်ပေ့။ ကိုကိုနဲ့ ညီညီတို့ အောင်အောင့်အိမ်မှာ မမချေ၊ သူရိန်စိုးတို့နဲ့
ကစားနေကြလေရဲ့။ အောင်အောင်က စပါးလှော်နေတယ်။ စပါးပေါက်ပေါက်ဖောက်တာက
ပြောင်းဖူးစေ့ပေါက်ပေါက်ဖောက်တာနဲ့ တူပါတယ်။ အောင်အောင်က စပါးစေ့တွေကို
အနက်ရောင် သွပ်အိုးဟောင်းတစ်လုံးမှာ ထည့်လိုက်ပြီး အိုးကို မီးဖိုပေါ် တင်လိုက်တယ်။
မောင်းကာအောက်မှာ မီးဖိုထားတာပါ။ အောင်အောင် စပါးလှော်နေတဲ့ပုံစံက နွေးနွေး
ထွေးထွေးလေးနဲ့ ကြည့်နေချင်စရာ။ ဖြတ်သွားဖြတ်လာတွေ မီးဖိုဘေး လာထိုင်ပြီးမီးလှုံကြ
တယ်။

　　　စပါးစေ့တစ်စေ့ အခွံထဲကစူထွက်ပြီး‘ဖောင်း’ကနဲ ပေါက်သွားတဲ့အခါတိုင်း
ကိုကို၊ ညီညီနဲ့ မ်းကွဲမောင်နှမတစ်စု တခိခိရယ်ကြလေရဲ့။ အစတုန်းကတော့ စပါးစေ့တွေ
ဖြည်းဖြည်းချင်း ပေါက်ကြတယ်။ ဒယ်အိုးထဲက ပေါက်ပေါက် ခုန်ထွက်သွားရင် ကိုကိုနဲ့
မမချေတို့ လိုက်ဖမ်းဖို့ ကြိုးစားကြရော။ ခဏနေတော့ ပေါက်ပေါက်တွေ ခပ်မြန်မြန်
ပေါက်လာရော။ မြန်လွန်းလို့ တဖောင်းဖောင် ပေါက်သံတွေ ညံစီသွားလေရဲ့။

　　　အောင်အောင် စပါးလှော်နေတုန်း ပြန်းဆို နောက်ဖေးခြံထဲက ဝါးရဲ့တောဆီကနေ
အသံတစ်သံ ကြားရဝတယ်။ ဝါးရဲ့တောထဲကနေ ကြက်တွေ တကော်ကော်နဲ့ အော်ပြီး
တောင်ပံတဖျတ်ဖျတ် ခတ်ရင် အိမ်ဘက် ထွက်ပြေးလာတာ အားလုံး မြင်လိုက်တယ်။
ခဲဝါတစ်ကောင်လည်း ပါးစပ်မှာ ကြက်တစ်ကောင်ကိုက်ချီပြီး ဝါးရဲ့တောထဲက ပြေး
ထွက်လာလေရဲ့။ ရှန်းကန်လွတ်မြောက်ဖို့ကြိုးစားနေတဲ့ ကြက်ကို ကိုက်ချီထွက်ပြေးနေတဲ့
ညိုဝါရောင်ပြေးတဲ့ အစင်းအကျားနဲ့ ခဲဝါကို ကိုကိုမြင်ရတယ်။ မိုးရေချောင်းကို
တလျှောင်းလျှောင်း ဖြတ်ကူးပြီး မြင်ကွင်းက ပျောက်ကွယ်သွားလေရဲ့။

　　　အောင်အောင်က အိုးကို မီးဖိုပေါ် ကနေ ခပ်သွက်သွက်လေးချပြီး မင်္ဂလာဆောင်

လိုက်တယ်။ ပြီးတာနဲ့ ခဲဝါပြေးသွားတဲ့ဘက်ကို ဟစ်အော်ပြီး မိုးရေထဲပြေးလိုက်ရော။ အိမ်နားက ဦးထွန်းစိန်လည်း ဝရန်သုန်းကားဖြစ်သံကြားလို့ ဘောင်ဘောင်ကို ခဲဝါ ကူလိုက်ပေးလေရဲ့။ ကိုကို၊ ညီညီ၊ မမချေနဲ့ ဝမ်းကွဲမောင်နှမတို့က နေရာမှာတင် ထိုင်နေလိုက်ကြတယ်။ ဘောင်ဘောင်နဲ့ ဦးထွန်းစိန်တို့လို့ မိုးရေချောင်းကို သူတို့တွေ ဖြတ်ကျော်ပြေးဖို့ အဆင်မပြေ။ အားလုံးက ငယ်လွန်းသေးတာကိုး။

ကိုကိုက မမချေ၊ ညီညီ၊ သူရိန်စိုးတို့နဲ့အတူ မောင်းကာအောက်က စောင့်မျှော် နေလေရဲ့။ တခြားကြက်တွေက သူတို့လုံခြုံတယ်လို့ခံစားရတဲ့ အိမ်အောက်မှာ ရောက် နေကြပြီ။ ဝါးရုံတောထဲက ခဲဝါပြေးထွက်လာတာတွေ့ရတာ သိပ်ကြောက်ဖွယ်ကောင်းတယ်လို့ ကိုကို တွေးနေမိတယ်။ ခဲဝါက ခွေးနဲ့တူပါတယ်။ ဒါပေမဲ့ ရွာထဲကခွေးတွေက ကြက် တွေကို ဒီလိုလာကိုက်ယူတာမျိုး ဘယ်တော့မှမလုပ်တတ်။

ခဏနေတော့ ဘောင်ဘောင်နဲ့ ဦးထွန်းစိန်တို့ လက်ချည်းဗလာနဲ့ ပြန်လာကြလေရဲ့။

"ဘာဖြစ်သွားလဲဟင်၊ ဘောင်ဘောင်"

"ခဲဝါ လွတ်သွားပြီကွဲ့။ ခဲဝါ ပြေးတဲ့ဘက် ဘောင်ဘောင်တို့လည်း ပြေးလိုက်ကြ တာလေ။ ကြက်မွေးတွေ တွေ့ပေမယ့် ခဲဝါက တောထဲဝင်ပြေးသွားလို့ မတွေ့တော့ဘူး"

"ခါတိုင်းဆို ခဲဝါတွေက ညမှ ရွာထဲဝင်လာနေကျ။ ဒီကောင်တွေက လူကြောက် တာလေ။ နေ့ခင်းကြောင်တောင် ကြက်ခိုးစားပုံထောက်တော့ ဗိုက်ဆာလွန်းလို့ ဖြစ်မယ်" ဦးထွန်းစိန်က ပြောတယ်။

မိုးရာသီမှာ အိမ်အောက်ရေဝင်တတ်လို့ ရွာက အိမ်အားလုံးကို သဲမြေပြင်နဲ့ လွတ်အောင် ဆောက်လုပ်တတ်ကြလေရဲ့။ အိမ်နဲ့ သဲပြင်ကြား နေရာလွတ်က ညဘက် မှာပဲဖြစ်ဖြစ်၊ မိုးဖွဲဖွဲ ရွာရင်ပဲဖြစ်ဖြစ် ကြက်တွေ စတည်းချတတ်တဲ့ နေရာပေ့လေ။ ဒါပေမယ့် ကြက်တွေ ခဲဝါအခိုးခံရပြီးနောက်မှာ နေ့ခင်းဘက်ဆို ဦးလေးဦးမောင်စိန်မြင့် တစ်ယောက် ဘောင်ဘောင်အိမ်အောက်က ဝါးခြံစည်းရိုးခတ်ထားတဲ့ နေရာမှာပဲ ကြက်တွေကိုထားပါတော့တယ်။ ညဘက်ဆို ခဲဝါအူသံ ကိုကိုကြားရရဲ့။ ကိုကိုက ခဲဝါ အူသံကိုကြောက်ပေမယ့် ဒီကောင်တွေမှာလည်း စားစရာတွေမရှိလို့ ဖြစ်မယ်လို့ အတွေး ဝင်မိတယ်။ မိုးရာသီမှာ စားစရာအလုံအလောက်မရှိတာကြောင့် ခဲဝါတွေလည်း စိတ် ပျက်နေလောက်ပြီ။ ကိုကိုတောင် ဝတုတ်တွေ ထည်လဲစားနေရလို့ ရှုံးအီသွားပြီမလား။

*****

ပျိုးစိုက်ခြင်း

ဘာဘာ့ပျိုးခင်းက ပျိုးပင်တွေကို လယ်ထဲပြောင်းစိုက်ဖို့ အချိန်ကျလာပါပြီ။ ချောင်းတစ်ဘက်ကမ်းက လယ်ကွက်ကိုပျိုးစ,စိုက်မှာလေ။ ဘာဘာက ပျိုးနှုတ်ဖို့ နောက် ထပ်လူနှစ်ယောက် ခေါ်လိုက်တယ်။ ပျိုးနှုတ်ရာမှာ ပျိုးပင်တစ်စုကို လက်နှစ်ဘက်လုံးနဲ့ စုကိုင်ပြီး ဆွဲနှုတ်ရတာပါ။ ပျိုးတစ်လက်ဆုပ်ဆို ပျိုးပင် ၃၀၀ လောက် ပါတတ်လေရဲ့။ ပျိုးနှုတ်လို့ မြေသားအပိုတွေ (ပျိုးချေးတွေ) အမြစ်မှာ တွယ်ကပ်ပါလာရင် ခြေစောင်းတင် ပျိုးပင်အမြစ်တွေကို ခတ်ရှိက်ပြီး ပျိုးချေးခါရတာလေ။ ပြီးရင် ပျိုးနှုတ်သမားတွေက ပျိုးဆုပ်က ပျိုးပင်တစ်ချို့နဲ့ ပျိုးဆုပ်ကိုတွန့်လိမ်ပတ်ပြီး ကြိုးနဲ့ချည်တုပ်သလို ချည်လိုက် တယ်။ ဒီလိုစည်းလိုက်တော့ ပျိုးစည်းက စည်းတင်းပြီး သပ်ယပ်သွားတာပေ့ါ။ ဘာဘာက ပျိုးစည်းတစ်ချို့ကို လယ်ကွက်တစ်ခုဆီသယ်သွားတယ်။ နောက်နေ့မနက်စောစော ပျိုးစိုက်နိုင်အောင်ပေါ့လေ။

မနက်ပိုင်း ဘာဘာ စောစောထပြီး ခါတိုင်းလို လယ်ထဲထွက်သွားလေရဲ့။ အဲဒီနေ့က ကိုကို ကျောင်းမတက်ရ။ ဒါကြောင့် မနက်စာ စောစောလေးစားပြီး မေမေနဲ့ အတူ လယ်ထဲ ဆင်းဖို့ အဆင်သင့် ပြင်ကြတယ်။ မေမေက ဘာဘာအတွက် နေ့လည်စာ အပြင် ကိုကိုနဲ့ ညီညီနဲ့ သူ့အတွက်ပါ နေ့လည်စာအပိုယူသွားလေရဲ့။ အမျိုးသမီးတစ်စုလည်း ပျိုးကူစိုက်ပေးဖို့ရောက်လာကြတယ်။ အားလုံးစုပြီး လယ်ကွက်ဆီ အတူတူသွားကြတယ်။ အမျိုးသမီးအားလုံးနဲ့ မေမေတို့ လိပ်ခွဲနဲ့တူတဲ့ ငါးခမောက်ကို ဆောင်းထားလေရဲ့။ ကိုယ်စီ နေ့လည်စာဘူးတွေယူလာကြရဲ့။ အရီးဒေါ်ပုချေမက ကောက်ညှင်းထမင်းနဲ့ အုန်းသီးခြောက်နှစ်လုံး ပါတဲ့ တောင်းတစ်လုံးကို သယ်လာတယ်။ နောက်အမျိုးသမီး တစ်ယောက်က အောက်ခြေမှာအပေါက်လေးရှိတဲ့ ကောက်ညှင်းပေါင်းဖို့ မေမေ့ အထူး မြေအိုးကို သယ်လာပေးတယ်။ မေမေက ပျိုးကူစိုက်ပေးတဲ့ အမျိုးသမီးတွေကို

ကျေးဇူးတင်တဲ့အနေနဲ့ အားလုံးအတွက် ကောက်ညှင်းပေါင်းကို လယ်တဲထဲပေါင်းပေးမှာလေ။ အမျိုးသမီးတွေက ညီညီကို အလှည့်ကျရွက်ပေးကြတယ်။ လမ်းတလျှောက်စွတ်စိုပြီး ချောကျိကျိဖြစ်နေလို့ပါ။

ချောင်းတစ်ဘက်က လယ်ကွင်းထဲရောက်ဖို့ မိုးရာသီမစခင် ဘာဘာတို့ ပြန်ပြင်ထားတဲ့ ဝါးတံတားပေါ်က လူတိုင်းဖြတ်ကျော်သွားရတယ်။ ကိုကိုက ဝါးတံတားပေါ်စိုးရိမ်တကြီးကျော်ဖြတ်နေရရဲ့။ ဝါးတံတားက ချောနေတာမို့ အားလုံးက ဖိနပ်တွေချွတ်ပြီး ကူးကြရတယ်။ မေမေက ညီညီကိုချီပြီး တံတားဟိုဘက်သွားပို့လိုက်တယ်။ တစ်ခေါက်ပြန်လာ၊ ကိုကို့လက်ကိုဆွဲရင်း တံတားပေါ်က လျှောက်ပြန်ရော။ ကိုကိုက အောက်သို့ငုံ့မကြည့်ရဲ။ မိုးရေတွေကြောင့် ချောင်းရေမြင့်တက်ပြီး အညိုရောင်သန်းနေလို့ တဝေါဝေါအသံမြည်ရင်း ရေစီးလည်းမြန်နေလေရဲ့။ ချောင်းတစ်ဘက်ကမ်းရောက်မှ ကိုကိုအလုံးကြီးကျသွားတော့တယ်။

ကိုကိုက လယ်တဲကို လှမ်းမြင်နေရပြီ။ နောက်လယ်တဲတစ်လုံးနဲ့ ပုံစံက အတူတူဆိုပေမယ့် ဒီလယ်တဲက ကုန်းမို့မို့လေးပေါ် ရှိနေလေရဲ့။ တဲအပြင်ဘက်မှာ ဟင်းသီးဟင်းရွက်တွေ စိုက်ပျိုးထားတာလည်းမရှိ။ ဒီလယ်တဲအတွင်းမှာလည်း ဘာဘာကစင်မြင့်လေးတစ်ခု ဆောက်ထားသေးတယ်။ ဒီစင်မြင့်လေးပေါ် အားလုံးရဲ့ နေ့လည်စာဘူးတွေ တင်ထားလိုက်ကြတယ်။ မေမေက ဘာဘာ့နေ့လည်စာဘူးကိုလည်း အဲဒီမှာတင်ထားလိုက်ရဲ့။ နောက်ပိုင်း ကောက်ညှင်းပေါင်းဖို့ အသုံးပြုမယ့် အရာတွေလည်းအဲဒီပေါ်မှာပါပဲ။

ကိုကို၊ ညီညီတို့က မေမေနဲ့ တခြားအမျိုးသမီးတွေရဲ့ နောက်က လိုက်ခဲ့ကြတယ်။ သူတို့ ဦးတည်ရာက ပျိုးစိုက်မယ့် လယ်ကွက်ပါပဲ။ ဘာဘာက အရင်က တခြားလယ်တစ်ကွက်မှာ နွားတွေနောက်က ထွန်ခြစ်နဲ့လိုက်ခြစ်နေလေရဲ့။ နွားတွေကို 'တီးတီး၊ ဘာဘာ၊ ဆူးလှည်း' အော်ပေးသံတွေလည်း ကိုကို ကြားရရဲ့။ လယ်ကွက်တွေအားလုံးက စပါးတုံ့ရွာနားထိ ပေါက်တဲ့ ချောင်းကြီးနံဘေးမှာ ရှိနေတာတွေ့ရတယ်။ နောက်ထပ်တံတားတစ်စင်းလည်း သူ လှမ်းမြင်ရရဲ့။ ဒီတံတားက အကြီးကြီး။ သစ်သားနဲ့လုပ်ထားတာ။ တံတားရဲ့တစ်ဘက်ကမ်းမှာ အုန်းပင်၊ ကွမ်းသီးပင်တွေရှိလေရဲ့။

"ဟိုဘက်မှာ ဘာရှိလဲဟင်၊ မေမေ"

"အဲဒါ တောလယ်ရွာပေါ့ကွယ်။ မေမေ့အဘိုး ဇာတိရွာပေါ့"

ဘာဘာ့လယ်က တောလယ်ရွာနဲ့ ဒီလောက်ထိနီးတယ်ဆိုတာ ကိုကိုမသိခဲ့။ မေမေ့ဘောင်ဘောင်က မေမေ့အဘိုး တောလယ်သားမို့ အစတုန်းက မကြိုက်ခဲ့ပုံအကြောင်း သူ စဉ်းစားမိသွားတယ်။

မေမေက ကိုကို၊ ညီညီတို့ ထိုင်ဖို့ မြေစိုစိုပေါ် ပလတ်စတစ်စတစ်ခုကို ဖြန့်ခင်းလိုက်တယ်။ ညီအစ်ကိုနှစ်ယောက် မေမေနဲ့ တခြားအမျိုးသမီးတွေ အလုပ်လုပ်နေတာ

ထိုင်ကြည့်ကြရဲ့။ မေမေတို့အားလုံး ဖိနပ် မစီးထားကြ။ ထမီကို ခါတိုင်းလို ခြေမျက်စိနား အထိရောက်အောင် မဝတ်ဘဲ ဒူးလောက်တင်ပြီးဝတ်ထားကြတယ်။ မျက်နှာမှာ သနပ်ခါး တွေလိမ်းလို့။ လယ်ကွင်းထဲ ခါးကုန်းပြီး ပျိုးစိုက်နေပြီဆို ဆောင်းထားတဲ့ ခမောက်ကြီးက လိပ်ခွံတွေလို ခုံးခုံးလေးရှိလေရဲ့။ စပါးပင် ၃၀၀ လောက်ရှိတဲ့ ပျိုးတစ်စည်းက လက်တစ် ဘက်တစည်းနဲ့ဆုပ်ကိုင်လို့ မရလောက်အောင်များလွန်းနေတယ်။ ဒီတော့ တစ်ယောက်က ပျိုးစည်းကို သုံးဆုပ်ခွဲပြီး တခြားသူတွေထံကမ်းပေးတယ်။ ကောက်စိုက်သမတစ်ယောက်စီက ဘယ်ညာ အတန်းလိုက် လက်တစ်ဆုံးပျိုးစိုက်ကြရော။ ပျိုးပင်တွေက တစ်ပင်နဲ့တစ်ပင် ၆ လက်မလောက် ကွာရပါတယ်။ ပျိုးတွေ တစ်တန်းတည်းတစ်ဆက်တည်း ကွက်တိ စိုက်နိုင်ဖွဲ့ ကောက်စိုက်သမတွေ ကောက်စိုက်ကျွမ်းကျင်ဖွဲ့လိုတာပေါ့။ များသောအားဖြင့် တစ်နေရာတည်းမှာ ပျိုးပင်နှစ်ပင်သုံးပင် စိုက်ဖြစ်သွားကြတယ်။ ပျိုးပင်တစ်ပင်ချင်းစီ ခွါရတာ အချိန်ကြာတဲ့အပြင် နှစ်ပင်သုံးပင် အတူတူစိုက်ပျိုးရတာလည်း လွယ်ကူလို့ပါ။ ပျိုးပင်တစ်တန်း စိုက်ပြီးပြီဆိုတာနဲ့ ကောက်စိုက်သမတွေ နောက်ဆုတ်ပြီး တစ်တန်းပြီး တစ်တန်းစိုက်သွားရတယ်။ ဒီနည်းနဲ့ လယ်တစ်ကွက်လုံးပြီးအောင် စိုက်ရတာလေ။ တစ်ခါတလေဆို အတွေ့အကြုံနည်းတဲ့ ကောက်စိုက်သမတွေက မကျွမ်းကျင်လို့ ကျွမ်း ကျင်သူတွေက ပျိုးတန်းတွေ ညီညီညာညာ ဆက်သွားအောင် ဝိုင်းကူပေးရတတ်ရဲ့။ ကောက်စိုက်သမတွေက ပျိုးစိုက်ရင်း စကားတွေပြောလိုက်၊ ရယ်မောလိုက်နဲ့ပေါ့။

ကိုကိုက မေမေပျိုးစည်းကိုင်ပြီး ရွှံ့ထဲ ရေထဲရပ်နေတာကြည့်နေမိတယ်။ မေမေ့ခြေမျက်စိအထိ ရွှံ့ထဲနစ်မြုပ်နေလေရဲ့။ ရေက ခြေသလုံးတစ်ဝက်လောက် ရောက်တယ်။ ခါးကုန်းထားရင်း ဘယ်လက်မှာ ပျိုးဆုပ်ကို ကိုင်ထားလေရဲ့။ မေမေ့ ညာလက်က ပျိုးဆုပ်ထဲက ပျိုးပင်တစ်ပင်နှစ်ပင်ယူပြီး ရေထဲနှစ်၊ ရွှံ့မြေထဲ ထိုးထည့် လိုက်တယ်။ အခုစိုက်ပျိုးလိုက်တဲ့ ပျိုးပင်တွေက နောက်လေးလလောက်အကြာ စပါး ရိုက်သိမ်းချိန်ထိ ဒီလယ်ထဲမှာပဲကြီးပြင်းလာကြမှာလေ။ ပျိုးဆုပ်ကုန်သွားပြီး နောက်ပျိုး တစ်ဆုပ်လိုတဲ့အထိ ခါးကိုမဆန့်ဘဲ ပျိုးပင်တွေကို ၆ လက်မခြားလို့ စိုက်ပျိုးနေလေရဲ့။

ခဏနေတော့ ဘာဘာက လယ်ကွက်ကို ထွန်ခြစ်နဲ့ ခြစ်ပြီးသွားတယ်။ ပြီးတဲ့အခါ ကိုကို၊ ညီညီတို့ထိုင်တဲ့နေရာကို ဘာဘာ လျှောက်လာတယ်။

"ဘာဘာ၊ ဟော့ဟိုက ဝါးပင်ကြီးတွေက ဘာတွေလဲဟင်"

အဲဒီဝါးပင်ကြီးတွေအကြောင်း တစ်ယောက်ယောက်ကိုမေးဖို့ ကိုကို စောင့်နေတာ လေ။ ဒါပေမယ့် အားလုံးက လယ်ထဲအလုပ်များနေကြလို့ မေးခွင့်မသာခဲ့။ လယ်ကွင်း အလွန်မှာ ဝါးပင်တွေပေါက်နေလေရဲ့။ ကိုကို မြင်ဖူးသမျှထဲ ဒီဝါးပင်တွေက အကြီးဆုံးပဲ။ ပုံမှန်အားဖြင့် ဝါးပင်တွေဟာ ပင်စည်လုံးပတ် ၆ လက်မလောက်ရှိတတ်ပါတယ်။ ဒါပေ မယ့် ဒီဝါးပင်တွေက ပုံမှန်ဝါးတွေထက် လေးဆလောက်ပိုကြီးလေရဲ့။ ကိုကို့ခါးထက်တောင် လုံးပတ်ပိုကြီးမှာ။

"အဲဒါ ကသောင်းဝါးကြီးမျိုးပေါ့။ သားရေ။ တို့ရွာမှာတော့ ဒီဝါးမျိုး ရှားတယ်လေ"

ဘာဘာက ကိုကိုတို့အနားက ခွာပြီး နေ့လည်စာ သွားစားတယ်။ စားပြီးတဲ့အခါ မေမေနဲ့ တခြားအမျိုးသမီးတွေ ပျိုးစိုက်နေတဲ့ လယ်ကွက်ဆီ ပြန်လာတယ်။ ပျိုးစိုက်နေသူ တွေ ပျိုးစည်းတွေ ဝေးဝေးလံလံ သွားမယူရအောင် ဘာဘာက နောက်ထပ်ပျိုးစည်းတွေကို လယ်ထဲ ပစ်ချပေးတယ်။ ဒီလယ်ကွက်က ပျိုးစိုက်ပြီးတော့မှာမို့ ပျိုးစိုက်မယ့် နောက် လယ်ကွက်ထဲ ပျိုးစည်းတွေထပ်ချပေးပြန်တယ်။ ကိုကိုနဲ့ ညီညီတို့လည်း ဘာဘာကို ကူပေးကြတာပေါ့။ ကိုကိုက လေ့ကျင့်ဖန်များလာတော့ ပျိုးစည်းကို ပစ်ချချင်တဲ့နေရာ ရောက်အောင် ချိန်ရွယ်ပစ်ချလာနိုင်တယ်။ ပျိုးစည်းတွေက သူ ပစ်ချချင်တဲ့နေရာ ကျ သွားကြလေရဲ့။ ဒါပေမယ့် ညီညီက ပိစ်ဉ္ဇောက်တောက်လေးဆိုတော့ ပျိုးစည်းကို ခပ်ဝေးဝေးမပစ်ချနိုင်။ အခက်တွေ့နေလေရဲ့။

ဘာဘာက နွားတွေဆီ ပြန်သွားပြီး နောက်လယ်တစ်ကွက်ကို ထွန်ခြစ်နဲ့ စ၊ခြစ် ပါလေရော။ ကောင်းကင်ပြင် မဲမှောင်လာပြီ။ မကြာပါဘူး။ မိုးတွေ သည်းသည်းမည်းမည်း ရွာလာရော။ လေလည်း တိုက်လာလေရဲ့။ ညီညီကို ခေါ်ပြီး သစ်ပင်လေးတစ်ပင်နားက စောင့်နေဖို့ မေမေက ကိုကိုကိုပြောလိုက်တယ်။ လေလည်း တအားကိုက်၊ မိုးလည်း တအားရွာဆိုတော့ ဘာဘာ လယ်ကွင်းထဲ နွားနောက်ကနေလိုက်ပြီး လယ်ထွန်နေတာ ကိုကို မမြင်ရတော့။ မေမေနဲ့ တခြားကောက်စိုက်သမတွေ နောက်လယ်ကွက်ထဲ ပျိုး

စိုက်နေတာလည်း မမြင်ရသလောက်ပဲ။ ဒါပေမယ့် အလုပ်လုပ်တာ နားပစ်လို့က မဖြစ် ပြန်။ ပိုးမစိုက်လိုက်ရဘူးဆိုရင် ကောက်ရိတ်သိမ်းချိန်မှာ စပါးတွေမပေါ် တော့ဘူးပေါ့လေ။ တောလယ်ဘုန်းကြီးကျောင်းက နေ့လည် ၁၂ နာရီထိုးကြောင်း အချက်ပြတဲ့ တုံးခေါင်းခေါက်သံကြားလိုက်ရတယ်။ မိုးရွာတာ နည်းနည်းနေးသွားပြီ။ ဘာဘာ နွား တွေကိုထမ်းပိုးကနေ ဖြေလွှတ်နေတာ ကိုကိုမြင်နေရတယ်။ ဘာဘာ ထွန်ခြစ်နဲ့ ခြစ်ပြီး သွားပြီလေ။ ကိုကို၊ ညီညီတို့ ဘာဘ့နောက်ကနေ တဲဆီလိုက်ခဲ့ကြတယ်။ ဘာဘာက ငနီနဲ့ ပျာယာခတ်မကို တဲအနီး မြက်ခင်းပြင်ဆီ ခေါ် သွားတယ်။ ကွက်ကျားနဲ့ နွားပေါက် လေးက နောက်ကလိုက်သွားကြရဲ့။ ဒီနှစ်ကောင်က အနားမှာ မြက်စားနေခဲ့တာလေ။ ဒါပေမယ့် ဘာဘာက တခြားနွားတွေကို ခေါ် သွားတာတွေ့တော့ သူတို့လည်း လိုက်လာ တာပေ့ါ။ ဘာဘာက ငနီနဲ့ပျာယာခတ်မတို့ရဲ့ နွားလှုံကြိုးတွေကို တဲအနီး မြင်ခင်းပြင် ပေါ်က ဦးတိုင်တွေမှာသွားချည်လိုက်တယ်။ တပင်တပန်း အလုပ်လုပ်ပြီးတဲ့နောက်မှာတော့ သူတို့တွေခမျာ မြက်ပင်စိမ်းစိမ်းလေးတွေကို စားခွင့်ရကြပြီပေါ့။ ကွက်ကျားနဲ့ နွားပေါက် လေးတို့ကိုတော့ ချည်တိုင်မှာ ချည်စရာမလို။ ငနီနဲ့ ပျာယာခတ်မတို့ သွားလေရာနောက် ဒီနှစ်ကောင်က ကောက်ကောက်ပါအောင် လိုက်တတ်ကြတာကိုး။

ဘာဘာက လယ်တဲ့ထဲ မီးတစ်ဖို ဖိုပြီး ရေနွေးကြမ်းတည်လိုက်တယ်။ ကိုကိုနဲ့ ညီညီက အဝတ်အစားလဲဖို့ မလို။ သိပ်မှ ရေစိုမသွားဘဲလေ။ ဒါပေမယ့် ဘာဘာကတော့ လုံချည်အခြောက်တစ်ထည်ကို လဲဝတ်လိုက်တယ်။ အဲဒီနောက် တဲရဲ့တံစက်မြိတ်အောက် မှာ သွပ်အိုးကြီးကိုချပြီး ရေခံထားလိုက်လေရဲ့။

ဘာဘာက မေမေ သယ်လာတဲ့ အုန်းသီးခြောက်တစ်လုံးကိုယူပြီး ဓားမနဲ့ နှစ်ခြမ်းခွဲလိုက်တယ်။ အုန်းသီးရည်ကို ခွက်တစ်လုံးထဲခံထားလေရဲ့။

"သားတို့ နည်းနည်း သောက်ကြလေ။ ဒီအုန်းသီးရည်က အုန်းစိမ်းရည်လောက်တော့ မကောင်းပေမယ့် သောက်လို့ မဆိုးပါဘူးကွာ"

ကိုကို၊ ညီညီတို့ အုန်းသီးရည်ခွက်ကိုပါးစပ်နဲ့တွေ့ပြီး အုန်းသီးရည်ကို တစ်ယောက် တစ်လှည့် ဝေမျှသောက်ကြလေရဲ့။ ဘာဘာပြောတာမှန်တယ်။ အုန်းပင်ပေါ်က တိုက် ရိုက်ခူးဆွတ်ပြီး သောက်ရတဲ့ အုန်းစိမ်းရည်လောက်တော့ မကောင်းလှ။ အခု ကိုကိုတို့ အရည်သောက်နေတဲ့ အုန်းသီးက ခြောက်နေပြီ။ အခွံစိမ်းရာကနေ ညိုရောင်သမ်းပြီး သွေ့ခြောက်နေပြီလေ။

ဘာဘာက အုန်းသီးခြောက်နောက်တစ်လုံးကို ထက်ပိုင်းခွဲလိုက်ပြန်တယ်။ ဒီ တစ်လုံးက အပင်တောင်ထွက်နေပြီ။ အတွင်းမှာ အုန်းသီးရည်အများကြီးမပါ။ ဘာဘာက အုန်းသီးရည်ကို ခွက်ထဲလောင်းထည့်လိုက်ပြန်တယ်။ ကိုကို၊ ညီညီတို့က အုန်းသီးရည်ကို နှစ်ယောက် မျှဝေသောက်လိုက်ကြပြန်ရော။ အုန်းသီးရည်က အရင်တစ်လုံးလောက် မချို။ ဒီတစ်လုံးက အပင်ပေါက်နေလို့လေ။ အုန်းသီးပင်ပေါက်ကြောင့် အုန်းသီးအတွင်း

အခေါင်းပုံစံ ဖြစ်မနေ။ ခြေဝင်လို့ ဒေသတွင်း ခေါ်ကြတဲ့ နူးညံ့အိစက်တဲ့ အလုံးတစ်လုံး ရှိနေလေရဲ့။ ဘာဘာက ခြေဝင်ကို နှစ်ပိုင်းပိုင်ပြီး ကိုကို့ကို တစ်ဝက်၊ ညီညီကို တစ်ဝက် ပေးလိုက်တယ်။ ခြေဝင် စားရတာ ကိုကိုတို့အတွက် စိတ်လှုပ်ရှားစရာပါပဲ။ ခြေဝင်က နူးညံ့ချိအိပြီး သိပ်ဝါးလို့ ကောင်းတာ။ ညီအစ်ကိုနှစ်ယောက် တပျော်တပါး စားလိုက်ကြ ရော။ အပင်ပေါက်နေတဲ့ အုန်းသီးထဲ ခြေဝင်တွေ အမြဲရှိနေတတ်တာကိုး။

အဲဒီနောက်မှာ ဘာဘာက အုန်းသီးခွံတွေကို မီးဖိုထဲပစ်ထည့်ပြီး ဖျူလွလွ အုန်း သီးအသားကို အုန်းခြစ်နဲ့ခြစ်ပြန်တယ်။ ညီညီက အိပ်ပျော်နေပြီ။ ကိုကိုက ဘာဘာ အုန်းသီးခြစ်ပြီး အုန်းသီးစာကို ခွက်တစ်လုံးထဲ ထည့်တာ ကြည့်နေမိရဲ့။ အဲဒီအခိုန်မှာပဲ မေမေ တဲထဲဝင်လာတယ်။ သူတစ်ယောက်တည်း ခမောက်ကြီးဆောင်းလို့ပေါ့လေ။

"ကောက်ညှင်းချက်ဖို့ လာတာ" မေမေက ပြောတယ်။ စင်ကလေးပေါ် ညီညီ အိပ်ပျော်နေတာတွေ့တော့ မေးရဲ့။

"ညီညီတစ်ယောက်တော့ အရမ်း အိပ်ချင်နေမှာပဲ။ သားကော အိပ်ချင်နေပြီလား၊ ကိုကို"

"မအိပ်ချင်ပါဘူး၊ မေမေရေ" ကိုကိုက ပြန်ဖြေလိုက်တယ်။ အသစ်အဆန်းတွေ ကြည့်ရှုစရာ ပေါ်မှပေါ်ပဲလို့ ကိုကို ခံစားမိရဲ့။

မေမေက သွပ်အိုးလေးတစ်လုံးကို ယူပြီး တံစက်မြိတ်အောက် ဘာဘာ ရေခံ ထားတဲ့သွပ်အိုးကြီးထဲက ရေတွေနဲ့ ဖြည့်လိုက်တယ်။ ရေဖြည့်ပြီးတော့ အိုးကို မီးဖိုပေါ် တင်လိုက်တယ်။ အဲဒီနောက် ကောက်ညှင်းဆန် ရေစိမ်ထားတဲ့ အိုးထဲကနေ ဆန်တွေ ပြန်ဆယ်လိုက်တယ်။ ကောက်ညှင်းဆန်ကို အောက်ခြေမှာ အပေါက်လေးတွေပါတဲ့ ကောက်ညှင်းပေါင်းအိုးထဲ ထည့်လိုက်ပြန်ရော။ ဒီကောက်ညှင်းပေါင်းအိုးက ကောက်ညှင်း ပေါင်းဖို့သုံးတဲ့ အထူးပေါင်းအိုးလေ။ မေမေက ကောက်ညှင်းပေါင်းအိုးကို ရေဖြည့်ထားတဲ့ သွပ်အိုးထက်က ထပ်တင်လိုက်တယ်။ ရေနွေးတွေ မထွက်သွားအောင် အဝတ်တစ်စကို ယူ၊ ရေဆွတ်ပြီး ကောက်ညှင်းပေါင်းအိုးအောက်ခြေ သွပ်အိုးစွန်းနားကို ရစ်ပတ်လိုက်ရော။ ဒီနည်းနဲ့ အိုးနှစ်လုံးကြား အလုံပိတ်လိုက်တယ်။ နောက်ဆုံးမှာ ကောက်ညှင်းပေါင်း အိုးထိပ်နှုတ်ခမ်းမှာ အုန်းမှုတ်ခွက်တစ်လုံးကို အဖုံးအဖြစ်တင်လိုက်ပါလေရော။

ဘာဘာက အုန်းသီးစာခွက်ကို အဖုံးဖုံးပြီး တောင်းထဲထည့်ထားလိုက်တယ်။ ကောက်ညှင်းပေါင်းအိုးထိပ်က ရေနွေးတွေထွက်ထွက်လာတာ ကိုကို ကြည့်နေမိရဲ့။ ရေနွေးတွေနဲ့အတူ အုန်းမှုတ်ခွက်လည်း တဖွဲ့ဖွဲ့မြည့်လာလေရဲ့။ ဒီမြင်ကွင်းကို ညီညီ မြင်စေချင်စမ်းပါ။ ဒါပေမဲ့ သူက အိပ်မောကျနေဆဲ။

မေမေက မီးဖိုနား ပတ်ပြီး အလုပ်များနေလေရဲ့။ မေမေလုပ်နေတာ ထိုင်ကြည့် ရင်း မေမေနဲ့ကောက်စိုက်သမတွေ အချိန်ဘယ်လောက်ကြာအောင် ခါးကုန်းပြီး ပျိုး စိုက်နေရအုံးမှာလဲလို့ တွေးနေမိရဲ့။ တစ်ခါတလေ ကျောင်းမှာ အကြာကြီးထိုင်ပြီး

အညောင်းတောင်မဆန့်ရလို့ ကိုယ်တွေလက်တွေ တောင့်နေခဲ့ပုံကို ကိုကို ပြန်တွေးမိရဲ့။

"မေမေ၊ တစ်နေကုန်ပျိုးစိုက်ပြီးရင် ကိုယ်တွေလက်တွေ တောင့်တောင့်ကြီး မဖြစ်ဘူးလားဟင်"

"ငယ်တုန်းကတော့ ဖြစ်တာပေါ့ကွယ်။ လယ်ထဲ ပျိုးစ,စိုက်တဲ့နေ့ကဆို ပျိုးစိုက် ပြီးတော့ လမ်းတောင် ကောင်းကောင်းမလျှောက်နိုင်ဘူး။ တစ်ကိုယ်လုံး တောင့်တောင့်ကြီး ဖြစ်နေတာလေ။ ဘယ်ညာလှည့်လို့တောင်မရဘူး။ သားရေ့၊ ဒါပေမဲ့လည်း ခဏပါပဲ။ နောက်တော့ နေသားကျသွားရော။ အခုဆို မေမေ့အတွက် ဒါလေးက အသေးအဖွဲ ဖြစ်သွားပြီကွဲ့."

"ဟာ - ဆန်က မွှေးနေတာပဲ။ ပေါ် ဆန်းမွှေးထမင်းလောက်နီးနီး မွှေးတာနော်၊ မေမေ၊ ဒါပေမဲ့ သူ့မွှေးရန့်က တစ်မျိုးလေးပဲ"

"ဒါ ကောက်ညှင်းဆန်မို့ပွေ့ါကွယ်"

တောလယ်ရွာဦးကျောင်းက ၂ နာရီအချက်ပြ တုံးမောင်းခေါက်သံ ပေါ် လာတာနဲ့ အမျိုးသမီးအားလုံး ပျိုးစိုက်တာ နားလိုက်ကြရော။ တစ်နာရီတိတိ နားချိန် ရပြေါ်လေ။ လယ်တဲ့အောက် အားလုံးလာထိုင်ပြီး နေ့လည်စာတွေ တစ်ယောက်နဲ့တစ်ယောက် ဝေမျှစားသောက်လိုက်ကြတယ်။ မေမေက ညီညီကိုခွဲလိုက်တယ်။ ကိုကိုတို့ ညီအစ်ကိုနှစ် ယောက်လုံး ကောက်ညှင်းစားဖို့ပွေ့ါလေ။

ဘာဘာက မေမေ့ကို ကူပြီး ကောက်ညှင်းပေါင်းပူပူလေးကို လင်ပန်းပေါ် ထည့် ပေးတယ်။ အဲ့ဒီနောက် အုန်းသီးစာကို အပေါ်ကဖြူးပေးပါတယ်။ မေမေကလည်း နှမ်းလျှော်နဲ့ ဆားနည်းနည်းလေးကို အပေါ် က ထပ်ဖြူးလိုက်ရဲ့။ အခုဆို ကောက်ညှင်းပေါင်း ဝေပေးဖို့ အဆင်သင့်ဖြစ်ပြီလေ။ ကောက်ညှင်းပေါင်းတွေကို အမျိုးသမီး ၁၀ ယောက်ထံ ဇလုံးနှစ်လုံးနဲ့ ခွဲပေးလိုက်တယ်။ ဘာဘာအတွက် ခွက်လေးတစ်လုံးထဲ ကောက်ညှင်း ပေါင်းနည်းနည်း ထည့်ထားလေရဲ့။ ဘာဘာက ခွက်ထဲက ကောက်ညှင်းပေါင်း ယူ စားလိုက် ရေနွေးကြမ်းသောက်လိုက်နဲ့ သိပ်ကျေနပ်နေပြီ။ မေမေက ကောက်ညှင်းပေါင်းကို လက်နဲ့ တစ်ဆုပ် ဆုပ်ယူလိုက်တယ်။ ပြီးတာနဲ့ ကောက်ညှင်းပေါင်းကို အလုံးဖြစ်အောင် လုံးပြီး ကိုကို့ထံပေးတယ်။ အုန်းသီးစာနဲ့ ကောက်ညှင်းပေါင်း ရောလို့ နောက်တစ်လုံး ဆက်လုံးပြီး ညီညီကို ကမ်းပေးလိုက်တယ်။ အခုဆို ကိုကို၊ ညီညီတို့မှာ ကိုယ်စီ စားစရာ ကောက်ညှင်းဆုပ်တွေရထားကြပြီ။ ကိုကိုက ကောက်ညှင်းပေါင်းဆုပ်စားရင်း လူကြီးတွေ ကောက်ညှင်းပေါင်းစား၊ ရေနွေးကြမ်းသောက်ရင် ပြောဆိုရယ်မောသံကို နားထောင်နေမိ တယ်။ အပြင်မှာ မိုးရွာနေဆဲဖြစ်ပေမဲ့ လယ်တဲ့အမိုးအောက်မှာတော့ အရာရာတိုင်း နွေးထွေးသာယာနေပုံရလေရဲ့။

စားသောက်တဲ့ ကိစ္စ ပြီးတဲ့အခါ အားလုံး အနားယူကြတယ်။ အမျိုးသမီးသုံးလေး ယောက်က အနားက ဘာဘ့ုကောက်ရိုးပုံကနေ ကောက်ရိုးနည်းနည်းယူပြီး တဲ့ကြမ်း

ပြင်ပေါ် ခင်းပြီး နေရာကောင်းလေးတစ်ခုဖန်တီးလို့ လဲလျောင်းနေလိုက်ကြရဲ့။ တစ်ချို့ တွေကကွမ်းစားတယ်။ တစ်ချို့ကျပြန်တော့ ဆေးပေါ့လိပ်သောက်ကြတာတွေ့ရဲ့။ တော လယ်ရွာဦးကျောင်းက ညနေ ၃ နာရီ ထိုးတဲ့အခါ အားလုံးလုပ်ငန်းခွင် ပြန်ဝင်ဖွဲ့အချိန် ကျရော။

အမျိုးသမီးတွေ လယ်ထဲပြန်ဆင်းကြပြီ။ ဘာဘာက အမျိုးသမီးတွေမှာ ပျိုးစည်း တွေ ကုန်သွားရင် လိုက်ယူပေးတယ်။ ခဏနေတော့ မိုးတိတ်သွားလို့ တိမ်တိုက်ကြားက နေမင်းကြီးထွက်ပြူလာပေါ့။ နေက အနောက်ဘက်ကိုရောက်နေပြီ။ မကြာခင် တစ်နေ့ တာ အလုပ်သိမ်းရတော့မယ်။

အလုပ်တွေကို ညနေ ၆ နာရီမှာ လက်စသတ်ကြတယ်။ လယ်ကွက်တစ်ဝက်လောက် ပျိုးစိုက်လို့ပြီးသွားပြီ။ သန်ဘက်ခါဆို လယ်ကွက်တွေအားလုံး ပျိုးစိုက်ပြီးတော့မှာ။ အဲဒါပြီးတော့ မေမေနဲ့ သူ့ကောက်စိုက်အဖွဲ့သားတွေ နောက်တစ်ယောက်ရဲ့ လယ်မှာ ပျိုးသွားစိုက်ရဦးမှာလေ။ ကောင်းကင်ကို မော့မော့ကြည့်ပြီး ရာသီဥတု ဘယ်လိုနေမယ် ဆိုတာ အမြဲတမ်းကြည့်နေကြရတာ။ မိုးရွှာရင် လယ်သမားက လယ်ကွက်ထဲကနေ ရေနည်းနည်းဖောက်ချရတယ်။ မိုးတွေ လုံလောက်အောင်မရွှာပြန်ရင်လည်း လယ် ကွက်ထဲရေသွင်းရသေးရဲ့။ ရေမျက်နှာပြင်ကို အမြဲတမ်းညီနေရတာလေ။ ရေနည်းလွန်းရင် စပါးခင်းတွေခမ်းခြောက်သွားမှာ။ ရေများလွန်ပြန်ရင်လည်း ပျိုးပင်တွေ မြေကြီးအပြင် ဘက် ငေါ့ထွက်နေမှာလေ။ ဆန်စပါးက သိပ်အရေးကြီးတယ်။ ဆန်စပါးဟာ လူတိုင်း အတွက် အရေးကြီးဆုံး အစားအစာဖြစ်ရုံမကပါဘူး။ ဝင်ငွေရလမ်းအဖြစ်သော် လည်းကောင်း၊ ရောင်းချဖွဲ့အတွက် သော်လည်းကောင်း ဆန်စပါးကို အသုံးပြုကြရတာ ကိုး။

*****

ရွှေကျောင်းတော်ကြီး ပိတ်လေပြီ

ညနေစာစားပြီးလို့ မိုးတွေ သည်းသည်းမည်းမည်း မရွာဘူးဆိုရင် ဘာဘာ တစ်ယောက် ဒေါ်လူးခိုင်အိမ်သွားပြီး ရေဒီယိုနားထောင်လေ့ရှိတယ်။ အိမ်ပြန်ရင် သတင်းဗလင်းအစုံပါလာရော။ တစ်ခါတလေ မေမွေကိုပြန်ပြောတတ်ရဲ့။ မြန်မာ့နိုင်ငံ ရေးအခြေအနေ မတည်မငြိမ်ဖြစ်နေသတဲ့လေ။ ကိုကိုက သိပ်တော့အာရုံစိုက်လို့ နား မထောင်ဖြစ်။ ဒါ လူကြီးတွေပြောတတ်တဲ့ စကားမျိုးကိုး။

ဒါပေမယ့် အခုတလော အစိုးရအကြောင်း လူကြီးတွေပြောတာပိုပြီး ကြားလာ ရပုံပါပဲ။ တစ်ညမှာတော့ ဒေါ်လူးခိုင်အိမ်က ဘာဘာပြန်လာပြီး မေမွေကိုပြောတယ်။ ရန်ကုန်မြို့တော်ကြီးမှာ ကျောင်းသားသပိတ်ကြီး ပေါ်နေပြီတဲ့လေ။ အဲဒီနေ့က ၁၉၈၈ ခု၊ သြဂုတ်လ ၈ ရက်နေ့။

နောက်ရက်အနည်းငယ်ကြာတော့ သတင်းဆိုးတစ်ခု ကြားရရော။ အစိုးရက ကျောင်းသားတွေရဲ့ ဆန္ဒပြပွဲတွေကို ရက်ရက်စက်စက် နှိမ်နင်းလိုက်တဲ့။ ညမထွက်ရ အမိန့်ထုတ်တယ်။ လူစုလူဝေးကြီးမလုပ်ရ၊ ကျောင်းအားလုံး ပိတ်လိုက်ပြီတဲ့လေ။ ဒိုက်စွန့်ပတ်သက်ပြီး ကိုကို ဘယ်လိုခံစားနေရမှန်း သိပ်မသေချာလှ။ တစ်ခါတစ်ရံ ကျောင်းတက်ရတာ သူ ပျော်ရဲ့။ သူ့အကောင်းဆုံးသူငယ်ချင်း မောင်သန်းဝေကို လွမ်းနေမိမှာ။ ဒါပေမယ့် အိမ်မှာ ညီညီနဲ့အတူ ရှိနေရလို့ ပျော်မိတာတော့အမှန်။

တစ်နေ့တော့ ဆန္ဒပြပွဲတစ်ပွဲ လုပ်ကြပါလေရော။ ကျောက်တွေရွာသားတွေက တခြားရွာသားတွေနဲ့ပေါင်းပြီး ဆန္ဒပြထွက်ကြမှာလေ။ တစ်အိမ်တစ်ယောက်ကျ ဆန္ဒပြပွဲမှာပါဝင်ရလေရဲ့။ ဘာဘာက နွားလွန်သွားရလို့မလိုက်နိုင်၊ မေမက ပျိုးမစိုက်ရ တော့တဲ့အချိန်မို့ ဆန္ဒပြပွဲမှာပါဝင်ရတယ်။ ကျွန်ဦးပင်နား အားလုံးစုဝေးပြီး စပါးတုံ့ရွာသို့ မင်းလမ်းမအတိုင်း ချီတက်ထွက်ခွာသွားကြတယ်။ လက်ထဲမှာ "တော်လှန်ရေးကို ပြည်သူ က နိုင်မှာ"၊ "တစ်ပါတီအာဏာရှင်စနစ်ကျဆုံးပါစေ"၊ "ဒီမိုကရေစီလိုချင်တယ်"၊ "စစ်

အစိုးရ အလိုမရှိ"စတဲ့ ဆိုင်းဘုတ်တွေ ကိုင်သွားကြလေရဲ့။

အဲဒီည မေမေ ပြန်လာတော့ ကိုကိုက မေးခွန်းတွေ မေးတယ်။

"ဒီနေ့ ဘာလုပ်ကြတာလဲဟင်၊ မေမေ"

"မေမေတို့ ဝါးကျိန်ပြင်အထိ ချီတက်ကြတာ၊ သားရေ့"

"ဝါးကျိန်ပြင်က ဘယ်မှာလဲဟင်"

"မေမေတို့ တိုက်နယ်မှာ ရွာပေါင်း ၁၄ ရွာ ရှိတယ်။ ဒီရွာတွေရဲ့ အလယ်ဗဟိုမှာ ရှိတာကွဲ့။ ရွာ ၁၄ ရွာကိုပေါင်းစုပြီး လေးတောင်နယ်လို့ ခေါ်ကြတာပေါ့ကွယ်။ အဲဒီ ဝါးကျိန်ပြင်မှာ ဗုဒ္ဓရုပ်ပွားတော်ကြီးတစ်ဆူ ရှိတယ်လေ"

"အဲဒီကို ရောက်တော့ ဘာလုပ်ကြတာလဲ၊ မေမေ"

"တခြားရွာတွေက လူတွေလည်း ဝါးကျိန်ပြင်ဘုရားကြီးနားတွေ့ကြတာ။ ဒီမို့ ကရေစီနဲ့ပတ်သက်ပြီး မိန့်ခွန်းတွေခြေကြတာကွဲ့။ နောက်တော့ တစ်ချို့တွေက ရမ်းပြုမြို့ အထိ ၁၇ မိုင်ခရီးကို ခြေကျင်ဆက်လျှောက်သွားပြီး အဲဒီက ဆန္ဒပြအဖွဲ့နဲ့ သွားပေါင်း ကြယ်လေ"

"ဒီမို့ကရေစီဆိုတာ ဘာလဲဟင်"

"စစ်အစိုးရ မအုပ်ချုပ်ဘဲ ပြည်သူ့ကပဲ အုပ်ချုပ်တာကိုပြောတာကွဲ့။ ပြည်သူတွေ က စစ်အစိုးရ မအုပ်ချုပ်စေဘဲ ကိုယ့်ခေါင်းဆောင်ကို ကိုယ်ကိုယ်တိုင် မဲပေးရွေးချယ်ခွင့် ရှိတယ်လေ။ အဲဒီနောက် ခေါင်းဆောင်က မတရားတာတစ်ခုခု လုပ်မိပြီဆိုရင်လည်း လူတွေက ဆန္ဒမဲပေးပြီး ပြန်ရွှေကြရတာ၊ သားရေ့"

ကိုကို ဒီမိုကရေစီအကြောင်း စဉ်းစားဖြစ်ရဲ့။ ဒီမိုကရေစီဆိုတာ စိတ်ကူးအကြံဉာဏ် ကောင်းတစ်ခု ဖြစ်ပုံရလေရဲ့။

*****

ကိုကို ကျောင်းမတက်ရတဲ့ အခုလိုအချိန်မှာ သူ့နေ့ရက်တွေက ညီညီနဲ့ ကစား လိုက်၊ မေမေ့ကိုကူလိုက်နဲ့ အချိန်ပြည့်ပါပဲ။ ဖျူးစိုက်ပြီးသွားပြီဆိုတော့ မေမေလည်း အိမ်မှာနေရပြီပေါ့လေ။ ဘာဘာက လယ်ထဲ သိပ်အလုပ်မရှိတော့။ စောစောလည်း ထစရာမလိုတော့။ အခုဆို မနက်မိုးလင်းရောင်နီလာတော့မှ ဘာဘာ အိမ်ကထွက်တယ်။ နွားလွှန်ပြီးတဲ့အခါ အစ်ကိုနှစ်ယောက်၊ တခြားလူနှစ်ယောက်တို့နဲ့ ပေါင်းပြီး ရေနံ့သွား တူးကြတယ်။ ရေနံမတူးဖြစ်တဲ့ အချိန်တွေဆို ပိုက်ကွန်အသစ်ကိုရက်နေရော။ တစ်မိုးလုံး ပိုက်ကွန်အသစ်ရက်လာလို့ အခုဆို ပြီးသလောက်ရှိနေပြီလေ။

မိုးရွာနေဆဲဖြစ်ပေမယ့် အရင်ကလို မရွာတော့။ ဆက်တိုက် မိုးရွာတာမရှိတော့ တစ်နေ့ မိုးတိတ်နေတုန်း ကိုကိုနဲ့ညီညီ ‌ဒေါ်လူးခိုင်တို့အိမ်နား သရက်ပင်အောက် သဲပြင်မှာဆော့ကစားနေကြရဲ့။ ကိုကိုက သူ ရွာတွေ့လာတဲ့ သားမတစ်ချောင်းနဲ့ သဲတွေ တူးနေတယ်။ ညီညီကတော့ ကိုကို သဲတူးနေတာ ကြည့်လို့။ ကိုကိုက သဲပြင်ကို ‌ဒားမနဲ့

လေးငါးခေါက် တစွတ်စွတ်တူးပြီးတာနဲ့ တစ်ခါနားပြီး သဲတွေကိုလက်နဲ့ယက်ထုတ်ပါတယ်။ တူးလိုက် ယက်ထုတ်လိုက်၊ တူးလိုက်ယက်ထုတ်လိုက်နဲ့ပေါ့။ ကိုကိုက တအားအားရဲ စိုက်ပြီးအလုပ်လုပ်နေတာ။ သဲထဲမှာ ဉမင်လှိုက်ခေါင်းတစ်ခုတူးတယ်။ ဉမင်မှာဝင်ပေါက်၊ ထွက်ပေါက်ပါလေရဲ့။ ကိုကို၊ ညီညီတို့ ဉမင်တွင်း လက်နှစ်ချောင်းလုံးနှိုက်ပြီး လက်ချင်းထိ ကြည့်ကြတယ်။ ခဏနေတော့ နေ့လည်စာစားဖို့ အချိန်ကျပြီဆိုတာ ကိုကို သိလိုက်ရော။ နောက်ဆုံး ပျော်စရာအဖြစ် ဒီဉမင်လှိုက်ခေါင်းကို သူ ဖျက်ဆီးပစ်တော့မှာလေ။ ခါးမကို လေပေါ်မြှောက်လိုက်တယ်။

"၃ အထိ ရေမယ်" ကိုကို အသံကျယ်ကြီးနဲ့ ပြောလိုက်တယ်။ "တစ် – နှစ် –" ညီညီက ကစားတာ မနားချင်သေး။ လက်ကို ဉမင်လှိုက်ခေါင်းထဲ ထည့်ထားဆဲ။ ကိုကိုကတော့ ညီညီတစ်ယောက် လက်ထုတ်ထားပြီလို့ ထင်တာပေါ့။ အမှန်က ညီညီ လက်ကို မထုတ်ရသေး။

"သုံး " ကိုကိုက အော်ပြောတယ်။

ခါးမက ညီညီလက်ပေါ် ကျသွားရော။ ညီညီ နာလွန်းလို့အော်လိုက်တယ်။ လက်မအထက် လက်ထိပ်နားကို ကန့်လန့်ဖြတ် ခါးရှသွားပြီ။ သွေးတွေ ပန်းထွက်နေရော။ ကိုကို လန့်သွားတယ်။ ညီညို့နောက်လက်တစ်ဘက်ကို ဆွဲကိုင်ပြီး ညီညီကို အိမ်ဘက်သို့ အတူ ပြေးစေတယ်။ ကိုကိုစိတ်ထဲ သိပ်မကောင်းလှ။ ကြောက်နေပြီလေ။ ညီညီကို နာကျင်စေဖို့ သူ မရည်ရွယ်ခဲ့။ ညီညီလက်ကိုထုတ်ထားမယ်ပဲ သူ ထင်နေခဲ့တာ။

မေမေက ကိုကိုအော်ပြောသံ၊ ညီညီအော်ငိုသံကိုကြားတယ်။ အိမ်ပြင်ဘက် ပြေးထွက်လာပြီ။ ညီညီလန့်ပြီး သတိမေ့လဲကျမသွားခင်အချိန်လေးမှာ ညီညီကို မေမေ လှမ်းပွေ့ထားလိုက်တယ်။ ညီညီကို အိမ်ထဲသယ်သွားရော။ မေမေက ဆပ်ပြာနဲ့ရေကို သုံးပြီး ညီညို့ဒဏ်ရာကို ဆေးကြောပေးနေတာ ကိုကို ကြည့်နေလိုက်တယ်။

"ကိုကို၊ ဇာမနီရွက်တွေ သွားခူးလိုက်"

ဇာမနီပင် ပေါက်နေတဲ့ အိမ်နောက်ဖေးဘက်ဆီ ကိုကို ပြေးသွားလိုက်တယ်။ ဇာမနီရွက်နုလေး လက်တစ်ဆုပ်စာ ခပ်သွက်သွက်ခူးလိုက်တယ်။ ညီညီ အဆင်ပြေသွားဖို့ မျှော်လင့်မိရဲ့။ ညီညီသတိလစ်သွားလို့ ကိုကိုလန့်သွားတာအမှန်ပဲ။

ကိုကို အိမ်ထဲပြေးဝင်သွားပြီး မေမေထံ ဇာမနီရွက်ကမ်းပေးတယ်။ အခုတော့ ညီညီ သတိပြန်ရပြီ။ ငိုမနေတော့ဘူး။ ဒါပေမယ့် သူ့လက် သူ ပြန်မကြည့်ချင်။ မေမေက ဇာမနီရွက်တွေကို လက်နဲ့ချေပြီး ထွက်လာတဲ့အရည်တွေကို ဒဏ်ရာပေါ်ညှစ်ထည့် လိုက်လေရဲ့။ ကိုကို စိုးရိမ်နေတယ်ဆိုတာ မေမေ သိတော့နှစ်သိမ့်ပေးတယ်။

"ဇာမနီရွက်က သွေးတိတ်စေတယ်ကွဲ့။ ပြီးတော့ ရောဂါပိုးကူးစက်တာမျိုး မဖြစ်အောင် ကာကွယ်ပေးတယ်။ မစိုးရိမ်နဲ့နော်၊ ကိုကို။ ညီညီကောင်းသွားမှာပါ"

ကိုကိုက သေချာပေါက် တုတ်နဲ့ အဆော်ခံရတော့မယ်လို့ တွေးထားရဲ့။ ဒါပေမယ့်

တုတ်နဲ့ အဆော်မခံရ။ သူများ ဒားကို ခွင့်ပြုချက်မတောင်းဘဲယူသုံးပြီ ဂရုမစိုက်ရကောင်း
လားဆိုပြီး ဘာဘာရော မေမေပါ ကိုကိုကို ဆူကြရော။ နောက်ဆို ဒားမကိုင်ရတော့ဘူးလို့
ကိုကို ပိတ်ပင်ခံလိုက်ရတယ်။

* * * * *

မိုးရာသီမှာ နောက်ဆုံးမိုးကြိမ်ကြီးတစ်ကြိမ် ရွာတတ်လေရဲ့။ ဒီမိုးကို 'ငါးကျမိုး'
လို့ ခေါ်ကြတယ်လေ။ ဒီမိုးကြီး ရွာပြီဆို ရေလျှံလို့ တင်ကျန်နေတဲ့ အိုင်ခွက်တွေ၊
လယ်ကွင်းထဲက ခုံနက်နက်ရေဝပ်နေရာတွေထဲက ရေတွေစီးဝင်ပြီး မိုးရေချောင်းတွေထဲ
ပြည့်လျှံလာရော။ ဒီလိုပြည့်လျှံလာပြီဆို ငါးတွေအကုန် ချောင်းကြောင်းအတိုင်း စုန်
ဆင်းတော့တာပါပဲ။ မိုးရေချောင်းတွေမှာဆို ငါးတွေ ဖွေးဖွေးလှုပ်နေတတ်တာ။

ငါးကျမိုး ရွာနေတုန်း မေမေနဲ့ အရီးဒေါ် ပုချေမတို့ ကိုကို ငါးမှျားခဲ့တဲ့ နေရာနားက
ရေချိုချောင်းထဲ ဆင်းသွားကြတယ်။ ပယိုင်းနဲ့ ယက်သဲကိုယ်စီလွယ်လို့။ ပယိုင်းဆိုတာ
ငါးထည့်ဖို့ ဝါးတောင်စောက်စောက်လေးပါ။ ယက်သဲက ပုစွန်တွေသဲ့ယူဖို့အတွက်
သုံးတဲ့ဟာမျိုးပေ့။ ယက်သဲကို ဝါးပါးပါးလေးနဲ့ ကြိုင်ပုံစံရက်လုပ်ထားလေရဲ့။ ယက်သဲ
ဟာ ရေဝင်နိုင်ထွက်နိုင်လောက်အောင် လျှော့ရဲရဲရက်လုပ်ထားရပေမယ့် ငါးကျမိုးရွာ
နေတုန်း ပုစွန်တွေ၊ ငါးတွေဖမ်းနိုင်လောက်အောင်တော့ တင်းတင်းလေးဖြစ်ပါတယ်။

ကိုကို၊ ညီညီတို့က မေမေနဲ့ အရီးဒေါ် ပုချေမတို့ ယက်သဲ တစ်ယောက်တစ်ခု
ကိုင်ပြီး ရေထဲကူးဖြတ်သွားတာ ကြည့်နေလိုက်ကြတယ်။ မေမေနဲ့ အရီးဒေါ် ပုချေမတို့က
ရေထဲ လှိုင်းကြက်ခွပ်လေးမြင်တဲ့နေရာဆီ မှန်းပြီး ယက်သဲကို နှစ်ချနေတာတွေ့ရရဲ့။
လှိုင်းကြက်ခွပ်တွေက ငါးအုပ်ကြီးတစ်အုပ်ရှိကြောင်းပြနေတာလေ။ ယက်သဲထဲ ငါးတွေ
ပါသင့်သလောက် ပါလာပြီဆိုရင် ခါးမှာ ဝိုက်ချည်ထားတဲ့ ပယိုင်းထဲဖမ်းမိသမျှ ငါးတွေ၊
ပုစွန်တွေကို သွန်မှောက်ထည့်တယ်။

မေမက ပယိုင်းထဲ ငါးတွေ တစ်ခေါက်ပြီးတစ်ခေါက် ထည့်ထည့်နေတာတွေ့လို့
ကိုကို စိတ်လှုပ်ရှားနေမိပြီ။ ငါးခုံတွေ ရာနဲ့ချီပြီးတွေ့ရရဲ့။ ပြီးတော့ ကကတစ်ငါး၊
ငါးရဲ့၊ ငါးပြေစုတ်ငါး၊ ဘာဘာ လယ်တဲ့နားဖမ်းမိခဲ့တဲ့ ငါးပထိုးတို့လည်းမြင်ရရဲ့။ ငါး
ပထိုးတစ်ကောင်ရဖို့ဆိုတာ ကြာတောင့်ကြာခဲ့မှ့ စိတ်လှုပ်ရှားစရာလည်း ကောင်းပါတယ်။
တစ်ခါတလေဆို ငါးရှဉ့်လေးတွေ အုပ်စုလိုက်ဖမ်းမိပေမယ့် စားလို့ကောင်းတဲ့ အကောင်
တွေတော့မဟုတ်။ ဘယ်သူမှ မစားတဲ့ ပန်းရောင်ရှည်မျောမျောငါးတွေလေ။ ဒီကောင်
တွေကိုဖမ်းမိရင် ပြန်လွှတ်ပေးလိုက်ကြတာပါပဲ။

နှစ်နာရီလောက်ကြာတော့ မေမေနဲ့ အရီးဒေါ် ပုချေမတို့ ရေထဲက ပြန်တက်လာ
ကြတယ်။ ကိုကိုနဲ့ညီညီလည်း သူတို့နောက်က လိုက်လာရင်း ငါးတွေအကြောင်း ကိုကို
စဉ်းစားမိရော။

"မေမေ၊ အဲဒီငါးတွေက ဘယ်သွားကြတာလဲဟင်"

"ရေချိုချောင်းနဲ့ ရေငန်ချောင်း ဆိုတဲ့နေရာထိ စုန်ပြီးကူးခတ်သွားကြတာ၊ သားရေ"

"အဲလိုဆို ပင်လယ်ထဲ ရောက်တဲ့အထိ တောက်လျှောက် ကူးသွားကြတာလားဟင်"

"အဲလိုလည်း မဟုတ်ဘူးကွဲ။ ရေချိုငါးတွေက ရေငန်မှာ မနေနိုင်ကြလို့လေ"

"ရေငန်ချောင်းနား ရောက်တော့ ဘာဆက်ဖြစ်တာလဲဟင်"

"အဲဒီကို ရောက်ရင် ပြန်လှည့်ပြီး ပြန်ကူးလာရော။ ပြန်လှည့်ပြီး ကူးလာတာကြောင့် ရေငန်ချောင်းနား ငါးသွဲ့တဲ့ အမျိုးသမီးတွေက ဆန့်ကျင်ဘက်အရပ်ကို မျက်နှာမူထားရ တယ်လေ"

ဒါ ငါးလေးတွေအတွက် အချိန်ပြွန်းသလိုဖြစ်နေတာပဲလို့ ကိုကို တွေးမိရဲ။ သန်းနဲ့ချီတဲ့ငါးတွေ ရေငန်ချောင်းဘက် စုန်ဆင်းကူးခတ်ကြပြီးခါမှ ရောက်တာနဲ့ ပြန်လှည့်ကြတာတဲ့လေ။

* * * * *

ဘာဘာက မိုးရာသီ အားချိန်တွေမှာ အလုပ်တွေ ထုံပိုင်းထုံပိုင်း လုပ်ရင်း နောက်ဆုံးတော့ ပိုက်ကွန်ရက်ပြီးသွားပြီလေ။ ခဲပြားတစ်ချပ်က ခဲတွေကို ဘာဘာက ထောင့်မှန်စတုဂံပုံ ဖြတ်တောက်တာ ကိုကို ကြည့်နေလိုက်ရဲ။ အဲဒီနောက် ထောင့်မှန် စတုဂံပုံ ခဲပြားတစ်ခုစီကို ပိုက်ကွန်စွန်းမှာ တင်၊ နှစ်ခေါက်ခေါက်ပြီး အားနဲ့တွန်းလို့ အစနှစ်ဘက်ကို ပူးလိုက်တာတွေ့တယ်။ ပိုက်ကွန်အောက်ခြေစွန်းတလျှောက် ဒီနည်း အတိုင်း ခဲပြားလေးတွေချိတ်ဆွဲသွားလေရဲ။

ဘာဘာက အိမ်ရှေ့ဘက် ထွက်သွားတော့ ကိုကို၊ ညီညီတို့ နောက်က လိုက်ခဲ့ကြ တယ်။ ဘာဘာက ပိုက်ကွန်ကို အိမ်ရှေ့ဲမြေတလင်းမှာ စမ်းကြည့်တော့မှာလေ။ ပိုက်ကွန်ကို မြေပေါ် ချပြီး ကြိုးရှည်စကို ကိုင်လိုက်လေရဲ။ ကြိုးရှည်စအဆုံးမှာ ကြိုးထုံး ထုံးထားပြီး ကြိုးကွင်းလေးတစ်ခုလုပ်ထားတယ်။ ကွန်ပစ်တဲ့အခါ လက်လျှိုထည့်ဖို့ ကွင်းလေးပေါ်လေ။ ပထမဆုံးကြိုးရှည်ကို လေးခေါက်ကွင်းလုပ်ပါတယ်။ အဲဒီနောက် လက်ကောက်ဝတ်အပေါ်နား ကြိုးကွင်းကို လျှောသွင်းလိုက်ရဲ။ အခုဆို ပိုက်ကွန်ကြီးစွန်းကို ညာလက်ကောက်ဝတ်အပေါ်နား ချိတ်ထားပြီး ညာလက်မှာ ကြိုးကွင်းကို ကိုင်ထားပြီလေ။ နောက်တော့ ကြိုးချည်ထားတဲ့ နေရာက ပိုက်ကွန်ကို စုစည်းပြီး ကွန်ပိုက်အောက်ခြေပဲ လွတ်ကျန်နေအောင် အလားတူ ကွင်းပုံစံ လုပ်လိုက်ပါတော့တယ်။ ခဲအလေးတွေကာ တစ်ခုနဲ့တစ်ခုတိုက်မိပြီး ခေါင်းလောင်းတွေလို တချွင်ချွင်အသံမြည်လာရော။ ဘာဘာက ကွင်းပုံစံလုပ်ထားတဲ့ ပိုက်ကွန်ကိုကွင်းပါတဲ့ ကြိုးနဲ့အတူ ညာဘက်လက်ထဲထည့်လိုက်ရဲ။ နောက်ဆုံးမှာ ပိုက်ကွန်အောက်ခြေက ကြီးလွန်းလို့ ဘာဘာက ဒီအပိုင်းရဲ့ တစ်ချို့ တစ်ဝက်ကို ညာဘက်လက်ထဲ လွှဲထည့်လိုက်တယ်။ တစ်ချို့အပိုင်းတွေက ညာဘက် တံတောင်ဆစ်ပေါ် တင်နေပြီး ပိုက်ကွန်ရဲ့ ကျန်နေတဲ့ အစိတ်အပိုင်းတွေကို ဘယ်ဘက်

လက်နဲ့ ဆုပ်ကိုင်ထားလိုက်တယ်။ ဒီလိုထားလိုက်ရင် ကိုင်တွယ်ရ ပိုလွယ်စေတယ်လေ။ အခုဆို ဘာဘာ အဆင်သင့်ဖြစ်ပြီ။ ကိုယ်ကို ခပ်ပြန်ပြန်တစ်ချက်လွှဲပြီး ပိုက်ကွန်ကို ပစ်လိုက်ရော။

ကြည့်ရတာ ရင်ခုန်စရာ သိပ်ကောင်းတယ်။ ပိုက်ကွန်အောက်ခြေက လေထဲ ထိပ်ဝကျယ်ကျယ် ပွင့်သွားလေရဲ့။ ၁၅ ပေလောက် စက်ဝိုင်းသဏ္ဌာန် ပြန့်ကားပြီး သဲပြင်ပေါ် ကျသွားတယ်။ ကိုကို၊ ညီညီတို့ ရယ်မိကြရော။ ပိုက်ကွန်ရဲ့၊ တကယ့်အရွယ် အစားကို ကြည့်ရတာပျော်စရာကြီး။ ဘာဘာ ပိုက်ကွန်ရက်နေချိန်က ကြိုးကို အိမ်တိုင် တစ်လုံးမှာ ချည်ထားခဲ့တာမို့ ပိုက်ကွန်က ကတော့ချုန်ပုံစံ ဖြစ်နေခဲ့တာလေ။ အခုလို စက်ဝိုင်းသဏ္ဌာန် ဖြန့်ခင်းလိုက်တော့မှ အရွယ်အစားအများကြီး ပိုကြီးပုံပေါ် လာတော့ တယ်။ ဘာဘာက ပိုက်ကွန်ကို ပြန်ဆွဲယူတယ်။ ကြိုးကိုဆွဲ၊ ကွင်းပုံစံ ပတ်ရစ်နဲ့ အရင်က လုပ်ခဲ့ဖူးသလိုမျိုး ဆွဲယူနေလေရဲ့။ ပိုက်ကွန်ကို ဆွဲလိုက်တော့ သစ်ရွက်ခြောက်တစ်ချို့ စုဝေး ပါလာတယ်။

ဘာဘာက သစ်ရွက်ခြောက်တွေကို ခါထုတ်ပြီး ကြိုးကို ကွင်းပုံစံ ဆက်ရစ်တယ်။ ပိုက်ကွန်ကို ကွင်းပုံစံဆက်ရစ်ပြီး ဒုတိယတစ်ကြိမ်ပစ်လိုက်ပြန်တယ်။ ပိုက်ကွန်က လှပ သေသပ်တဲ့ စက်ဝိုင်းကြီးပုံစံနဲ့ လေထဲကျော့ကျော့လေး မြင့်တက်သွားပြန်ပေါ့။ ဘာဘာ့ ကြည့်ရတာ ကျေနပ်နေတဲ့ပုံပဲ။

"အခြေအနေ ဘယ်လိုလဲ၊ ဘာဘာ"

"ကောင်းပါတယ်၊ သားရေ"

ကိုကိုက ဘာဘာအတွက်ဂုဏ်ယူမဆုံးပါပဲ။ လူတိုင်းမှာ အဖေရှိပေမယ့် အဖေ တိုင်းက ပိုက်ကွန်မရက်တတ်ဘူးလေ။ ဘာဘာက ပိုက်ကွန်ရက်နည်းကို သူ့အစ်ကို ဘကြီးဦးအောင်ဖိုးသန်းဆီက သင်ထားတာ။ ဘကြီးကလည်း ပိုက်ကွန်ရက်နည်းကို ဧရာဝတီမြစ်ဝကျွန်းပေါ် ဒေသက လူတစ်ယောက်ဆီက သင်ထားတာတဲ့လေ။

*****

ဒီရက်ပိုင်းမှာ မိုးရွာတာနည်းလာလို့ နေသာတဲ့ရက်တွေဆို မေမေက ထင်း ကောက်ထုတ်နိုင်လာပါတယ်။ အိမ်ရဲ့အရှေ့ဘက်က တောထဲထင်းခွေသွားတတ်ရဲ့။ တစ်ခါတစ်ရံ ထင်းတွေက ရေတွေစိုထိုင်းထိုင်းဖြစ်နေဆဲ။ ဒါပေမယ့် နေပွင့်တာကြောင့် အိမ်ပြန်ရောက်လို့ ထင်းတွေကို ဖြန့်ခင်းထားလိုက်ရင် ထင်းတွေပိုခြောက်သွားမှာပဲလေ။ ကိုကိုကမေမေနဲ့ အတူသွားရတာကြိုက်တယ်။ သူနဲ့ညီညီ လမ်းမှာ ဆော့လို့ရလို့လေ။ ဒီရာသီဆို သစ်ပင်တွေ၊ ချုံပုတ်တွေအောက်'မှိုဝါခြေ'လို့ ခေါ်ကြတဲ့ မှိုဝါလေးတွေ ပေါက်တတ်လေရဲ့။ မှိုဝါခြေက ဖုထစ်နေတတ်ပြီး ခပ်တိုတိုလေးလေ။ ကိုကို၊ ညီညီတို့က မှိုတွေ လိုက်ခူးပေးတတ်တယ်။ တစ်ခါတလေဆို ထီးနဲ့သဏ္ဌာန်တူတဲ့ မှိုစီခြေ ဖြူဖြူ လေးတွေတွေ့ရတတ်ရဲ့။ ဒီမှိုတွေလည်း ခူးလိုက်တာပါပဲ။ ဒီမှိုတွေကို တွေ့ရင် မေမေက

တိုးတိုးလေး ပြောစရာမလို။ ဒီမို့တွေက အရင်က သူတို့ရွာတွေ့ ဖူးတဲ့ တောင်ပို့မို့တွေလို အထူးစပါယ်ရှယ် မို့တွေမဟုတ်။ အဲဒီလောက် ရှားပါးတဲ့မို့လည်းမဟုတ်။ ဒီမို့လေးတွေက အတွေ့ ရများတာကိုး။

တစ်နေ့တော့ ကိုကို၊ ညီညီတို့ မေမေနဲ့အတူ တောထဲဝင်ပြီး ထင်းသွားရှာကြတယ်။ ကိုကိုက သစ်ပင်တစ်ပင်ပေါ် မော့ကြည့်တော့ ထူးခြားတဲ့ သစ်ရွက်တစ်မျိုးကို မြင် လိုက်ရော။ ဒီရွက်တွေက အရွယ်အစားခပ်ကြီးကြီး။ ထိပ်မှာအချွန်လေးတွေပါလေရဲ့။ ဒီအပင်တွေက သစ်လုံးတွေ၊ တခြားသစ်ပင်တွေပေါ် ပေါက်ရောက်တတ်တယ်။ သူမြင် နေရတဲ့ သစ်ရွက်တွေက ဟောင်းနွမ်းခြောက်သွေ့နေပြီ။ (ဒီရွက်တွေကို ရွာသားတွေက 'ဘီလူးနားပတ်စွန်ရွက်'ခေါ်ကြပါတယ်။)

"မေမေ၊ ဒီအရွက်တွေက စွန်လုပ်လို့ရတဲ့ ဘီလူးနားပတ်စွန်ရွက်တွေလားဟင်"

"ဟုတ်တယ်၊ သား"

တခြားကောင်လေးတွေ မင်းလမ်းမနားက ကွင်းပြင်ကျယ်ကြီးထဲ စွန်လွှတ်တာ ကိုကို မြင်ဖူးထားတယ်လေ။ နှစ်တိုင်း မိုးရာသီအကုန်ပိုင်းလောက်ဆို စွန်လွှတ်လေ့ရှိကြ တယ်။ မိုးတွေလည်း ပါးသွားသလို နေမင်းကြီးလည်း ပိုလို့ ထွက်ပြူလာတတ်တာကြောင့်ပါ။

"သားကို တစ်ရွက်လောက် ခူးပေးပါလား၊ မေမေ"

မေမေက ခေါင်းပေါ် တင်ရွက်လာတဲ့ ထင်းစည်းကို မြေပေါ်ချပြီး ဘီလူးနား ပတ်စွန်ရွက်ရှိရာ အပင်နားတိုးကပ်သွားလေရဲ့။ အဲဒီအရွက်တွေက မေမေ့အရပ်နဲ့ လှမ်းမီတဲ့နေရာမှာ ရှိနေတယ်လေ။ မေမေက အကောင်းဆုံးနှစ်ရွက်ကို ခူးယူလိုက်တယ်။ တစ်ရွက်က ကိုကို့အတွက်။ နောက်တစ်ရွက်က ညီညီ့အတွက်။ ဘီလူးနားပတ်စွန်ရွက်တွေကို ကိုကို့လက်ထဲ ထည့်ပေးလိုက်တယ်။ ကိုကိုက တစ်ရွက်ကို ညီညီ့ထံပေးလိုက်တယ်။ ညီညီက မျက်လုံးအဝိုင်းသားနဲ့လှမ်းယူရော။ ကိုကို တအားစိတ်လှုပ်ရှားနေပါပြီ။ ညီညီ လည်း စိတ်လှုပ်ရှားနေပေါ့။ သို့ပေမယ့် ညီညီက စွန်တွေအကြောင်းမသိသေး။ အိမ် အပြန်လမ်းမှာ မေမေ့နောက်က တကောက်ကောက် လိုက်ရင်း ကောင်လေးနှစ်ယောက် ဘီလူးနားပတ်စွန်ရွက်တွေကို ဂရုတစိုက်ယူလာကြလေရဲ့။

ကိုကို၊ ညီညီတို့ အိမ်ရှေ့ခန်းမှာ ထိုင်ပြီး မေမေ့ကို ကြည့်နေကြတယ်။ ချည်ခင် ထုထုတစ်ခုထဲက အပ်ချည်ကြီးဖျ ဖြုတစ်ပင်ယူလိုက်တယ်။ ပြီးရင် ဘီလူးနားပတ်စွန်ရွက်ရဲ့ အလယ်ရိုးပေါ် က နေရာနှစ်ခုမှာ အပ်ချည်ကြီးကို သွားချုပ်လိုက်တယ်။ ဒီကြိုးနှစ်စကို ပေါင်းချုပ်လိုက်ပြီး ကြိုးရှည်တစ်ပင်နဲ့ ဆက်ပေးလိုက်ရဲ့။ ဒီကြိုးရှည်က စွန်လွှတ်တဲ့အခါ ကိုကို၊ ညီညီတို့ ကိုင်ထားဖို့ ကြိုးလေ။ နောက်ဆုံးမှာ စွန်ရဲ့ အောက်ခြေက နောက်ထပ် ကြိုးတစ်ပင် ချည်လိုက်ပြီး ဒီကြိုးမှာ တုတ်ချောင်းလေးတစ်ခု ချည်ပေးလိုက်ပြန်တယ်။ ဒီအမြီးလေး ထည့်လိုက်ရင် လေထဲ စွန်ပျံဝဲနေတုန်း ထိန်းမနိုင်သိမ်းမရ လည်ထွက်နေ တာမျိုး မဖြစ်တော့ဘူးပေါ့။

နောက်ဆုံးမှာ ကိုကို၊ ညီညီတို့ စွန်လွှတ်ကစားနိုင်ကြပြီ။ စွန်ကြိုးကို ဘယ်လိုကိုင်၊ ဘယ်လိုပြေးဆိုပြီး စွန်လွှတ်တတ်အောင် ကိုကိုက ညီညီကိုသင်ပေးလိုက်တယ်။ ဝါး အိမ်လေးပတ်လည်မှာ အုန်းပင်၊ ကွမ်းသီးပင်တွေ ရှိနေလို့ လေတွေ အလုံအလောက် မရ။ ဒါကြောင့် အထက်သို့ သူ့ဟာသူ မြင့်တက်နိုင်လောက်တဲ့ လေပမာဏကို မဖမ်း ယူနိုင်။ ကိုကိုက ပြေးနေတော့မှ ဘီလူးနားပတ်စွန်က လေပေါ်ပျံနေမှာလေ။ ဒါပေမယ့် ပြေးနေရလို့ စိတ်ထဲ ဘယ်လိုမှသဘောမထားပါဘူး။ တအားပျော်နေတာကိုး။

နောက်တစ်နေ့ မေမေက လမ်းမတန်းဘက် သွားစရာရှိလို့ စွန်ယူပြီး နောက်က လိုက်ချင်လိုက်ခဲ့လို့ ခေါ်တယ်။ မေမေက အနီးအနားက ဆိုင်ကလေးမှာ ဟင်းခတ်အမွှေး အကြိုင်နဲ့ ဆေးပေါ့လိပ်တွေ သွားဝယ်ရမှာလေ။ လူတစ်ယောက်ရဲ့ အိမ်ရှေ့ခန်းဈေးဆိုင် လေး တစ်ခုကိုသွားမှာပါ။ ဘုန်းကြီးကျောင်းနားက ဆိုင်နဲ့ဆင်တူပေမယ့် အခုသွားမယ့် ဆိုင်က ပိုသေးတယ်။ ပစ္စည်းတွေလည်း ပိုနည်းတယ်လေ။ ဈေးဝယ်ပြီးတဲ့အခါ မေမေက ကိုကိုနဲ့ညီညီတို့ ကွင်းပြင်ထဲ တခြားကလေးတွေနဲ့အတူ သွားဆော့ချင်သွားဆော့ဖို့ ပြောလိုက်တယ်။ ကွင်းပြင်ကျယ်ထဲ သူတို့ထက် အသက်ပိုကြီးတဲ့ တခြားကောင်လေး ၅ ယောက် စွန်လွှတ်နေကြရဲ့။ သူတို့က ကိုကိုတို့ထက် ပိုကြီးတော့ သူတို့ရဲ့ စွန်တွေက ပလတ်စတစ်စွန်တွေလေ။ ကိုကိုက ဘီလူးနားပတ်စွန်ကိုဆွဲပြီးပြေးတယ်။ ဝေးဝေး မပြေးလိုက်ရ။ လေတွေပင့်အားနဲ့ စွန်က အပေါ်ပျံတက်သွားရော။ ကိုကိုက စွန်တက် နိုင်သမျှ မြင့်မြင့်တက်အောင် လက်ချောင်းလေးနဲ့ ကြိုးလျှော့ပေးလိုက်ရဲ့။ ဘီလူးနား ပတ်စွန်ရွက်ဟာ ပြာလဲ့ကြည်လင်နေတဲ့ ကောင်းကင်ပြင်နောက်ခံမှာ သေးသေးလေး လိုပါပဲ။ စက္ကူစွန်တွေလောက် သူ့ဘီလူးနားပတ်စွန်ကို ခပ်မြင့်မြင့်မလွှတ်တင်နိုင်။ စက္ကူစွန်တွေမှာက နိုင်လွန်ကြိုးတွေနဲ့လေ။ ဘီလူးနားပတ်စွန်ကို အရမ်းအမြင့်ကြီး လွှတ်တင်လိုက်ရင် အပ်ချည်ကြိုးနဲ့မို့ အားပိုနည်းပြီး အလွယ်တကူပြတ်ထွက်သွားနိုင်တယ်။ ကိုကို့ဘီလူးနားပတ်စွန် လေထဲကနေ အောက်ပြုတ်ကျတာ မြင်တော့ ညီညီက သဘော ကျလို့ တခိခိရယ်လိုက်ရဲ့။ သူက သူ့ဘီလူးနားပတ်စွန်နဲ့လည်း ပြေးလိုက်တယ်။ မကြာပါ ဘူး။ ညီညီ့ဘီလူးနားပတ်စွန်လည်း ကိုကို့စွန်လိုပဲ လေထဲမြောက်တက်လာရော။

တခြားလယ်ကွင်းတွေမှာ စပါးပင်တွေ ကြီးထွားရှင်သန်နေတာ ကိုကို မြင်ရတယ်။ စပါးပင်တွေက သူ့အရပ်လောက်ကို မြင့်နေပြီ။ မြကမ္ဗလာခင်းထားသလို စိမ်းစိမ်းစိုစိုလေး။ လေထဲမှာ ငှက်အုပ်ကြီးတစ်အုပ် ပျံနေတာ တွေ့တယ်။ ဟော့ - ငှက်တွေက လယ်ကွင်းထဲ လာနားကြပေါ့။ ကောင်လေးတစ်ချို့က သူတို့မိသားစုပိုင် နွားတွေကို ကျောင်းနေတာ တွေ့ရဲ့။ ဒီရာသီဆို နွားတွေ စိမ်းစိုစို စပါးခင်းတွေကို သွားမစားအောင် နောက်ကနေ လိုက်လိုက်ကြည့်ရတယ်။ ငနီ၊ ကွက်ကျား၊ ပျာယာခတ်မနဲ့ နွားပေါက်လေးတို့ကို လိုက်မကျောင်းရတာ ကိုကို ပျော်မိရဲ့။ ကွင်းပြင်ထဲ စွန်လွှတ်တမ်းကစားခွင့်ရတာ ဝမ်းသာမိတာပေါ့။

မေမေက သူ့အနား မတ်တပ်လာရပ်တယ်။

“အဲဒီသစ်ပင်ကြီးကိုတွေ့လား၊ ကိုကို” မေမေက မေးခွန်းမေးရင်း အနောက်ဘက်ချောင်းတစ်ဘက်ကမ်းက (ဒေသအခေါ်) ဗာရာဏာသီပင်ကြီးကို လက်ညှိုးညွှန်ပြတယ်။

“အဲဒီအပင်ကြီးကို ကျော်လိုက်ရင် သရက်ချိုရွာက သားတို့ဘိုးဘိုးအိမ်ကိုရောက်ပြီလေ”

“အဲလိုဆို သရက်ချိုရွာကို ဒီဘက်လမ်းက ဘာလို့မသွားကြတာလဲဟင်။ ဒီဘက်က သွားရင်ပိုလွယ်မှာပေါ့”

“ဒီဘက်လမ်းက တံတားမရှိလို့ပေါ့ကွယ်”

“ဘာလို့ တံတားက မရှိရတာလဲဟင်၊ မေမေ”

“ဘာလို့လဲဆိုရင် ဒီဘက်မှာ လယ်ကွင်းတွေရှိလို့ပေါ့၊ သားရေ။ ပြီးတော့ ရွာတစ်ရွာနဲ့တစ်ရွာ ဆက်ထားတဲ့ ရွာချင်းဆက်လမ်းက တစ်လမ်းတည်းပဲထားတတ်လို့လေ”

အဲဒီနေ့ကစပြီး မင်းလမ်းမထက် ကိုကို လျှောက်ဖြစ်တဲ့အခါတိုင်း လယ်ကွင်းအနောက်ဘက်က ဗာရာဏာသီပင်ကြီးကို မျှော်ကြည့်ရင်း ဗာရာဏာသီပင်ကြီးအကျော်နားက ဘိုးဘိုး၊ ဘောင်ဘောင်တို့ ဘယ်လိုများ နေထိုင်နေကြသလဲ၊ နေလို့မှ ကောင်းပါလေစ တွေးမိပြန်ရော။

* * * * *

သရက်ချိုရွာသို့ သွားရောက်ခြင်း

တစ်နေ့တော့ မေမေ့ညီမ ဒေါ်မွဲမွဲရီ အိမ်ကိုအလည်လာတယ်။ အိမ်ပြန်ဖို့ ပစ္စည်းတွေသိမ်းနေတုန်း သူက ကိုကိုကိုပြောတယ်။

"အချေ၊ ချေချေနဲ့ အိမ်ကိုလိုက်ချင်လား။ ဘိုးဘိုး၊ ဘောင်ဘောင်တို့က သားကို သတိရနေကြတယ်"

ချေချေက ကိုကိုကို "အချေ"(ကလေး)ခေါ်တယ်။ ဒါပေမယ့် သူက လူမမယ် ကလေးအရွယ်မဟုတ်တော့။ ချေချေက ကိုကိုထက် ၁၄ နှစ်ပဲပိုကြီးတာ။ ဒါပေမယ့် ကိုယ့်သားအရင်းလို ကိုကိုကို ချစ်တာ။

"မေမေ၊ သား လိုက်သွားလို့ရလားဟင်"

"ရတာပေါ့ကွယ်"

မေမေက ကိုကို နှစ်ညအိပ်လောက်နေဖို့ အဝတ်အစားနဲ့ ပစ္စည်းတွေစုထည့်ပေး တယ်။ ကိုကိုက မေမေနဲ့ ညီညီတို့ကို လက်ပြနှုတ်ဆက်ပြီးနောက် လမ်းမှာ ချေချေဒေါ် မွဲမွဲရီရှေ့ကလျှောက်ခဲ့တယ်။ ကျွန်းဦးပင်နားရောက်တော့ ညာဘက်မင်းလမ်းမပေါ် ချိုးကွေ့လိုက်တယ်။ အနောက်ဘက် ကွင်းပြင်ကို ဖြတ်သန်းတဲ့အခါ သရက်ချိုရွာက အမြင့်ဆုံးသစ်ပင်ကို ရှုကြည့်မိရဲ့။ ဘိုးဘိုးတို့အိမ်က အဲဒီသစ်ပင်ကြီးနောက်မှာရှိတယ် လို့ သူ သိထားတာကိုး။

"ချေချေ၊ အဲဒီအပင်ကြီးနောက်မှာ ဘိုးဘိုးတို့အိမ် ရှိတယ်ဆိုတာ သိလားဟင်"

"သိတာပေါ့ကွယ်။ အဲဒါ ရွာရှင်မနတ်ပင်ပဲကွဲ့။ သရက်ချိုရွာကို ကာကွယ်စောင့် ရှောက်တဲ့ ရွာစောင့်နတ်နေတဲ့သစ်ပင်လို့ ယုံကြည်ကြတာလေ"

"နတ်ပင်နဲ့ နီးနီးလေး နေရတာ ချေချေ မကြောက်ဘူးလားဟင်"

"မကြောက်ပါဘူးကွယ်။ ချေချေက ကျင့်သားရသွားပြီလေ"

"ကျောက်တွေ့ရွှာမှာလိုမျိုး ရွှာကို ကာကွယ်စောင့်ရှောက်ဖို့ နတ်ကန္တားပွဲတွေ လုပ်ကြသေးလား၊ ချေချေ"

"အင်း - လုပ်ကြတယ်ကွဲ။"

ဘိုးဘိုးတို့အိမ်နားမှာ နတ်ပင်တစ်ပင်ရှိတာသိလိုက်ရတော့ အခုဆို ကိုကို စိုးရိမ်စိတ်ကလေး ဝင်မိတယ်။

ကိုကိုတို့ မင်းလမ်းမအတိုင်း လျှောက်သွားကြတယ်။ လမ်းဘေးဝဲယာ စပါးခင်းတွေက စိမ်းစိုလို့။ ကိုကိုက မေမေနဲ့အတူ သရက်ချို့ရွှာသွားတုန်းကနဲ့ မတူတော့။ မေမေနဲ့ သွားတုန်းကဆို အရာရာခြောက်သွေ့ပြီး ဝါညို့ညို့၊ ဖုန်ထူထူဖြစ်နေခဲ့တာ။ စပါးတို့ရွှာကူးတံတားကိုကျော်ပြီး ဘယ်ဘက်လမ်းခွဲအတိုင်း ကွေ့လိုက်ကြပြန်တယ်။

"ချေချေ၊ သားကို ခေါ်လာသလိုမျိုး ညီညီကို သရက်ချို့ရွှာကို ဘာလို့မခေါ် လာတာလဲဟင်"

"ချေချေက ညီညီထက် ကိုကို့နဲ့ နည်းနည်းလေးပိုရင်းနှီးလို့လေ။ သားကို မမွေး ခင် ဘိုးဘိုး၊ တောင်တောင်တို့က သားမေမေအတွက် စိုးရိမ်ခဲ့ကြတာ။ အိမ်မှာမမွေး စေချင်ဘူး။ သရက်ချို့ဆေးရုံမှာပဲ မွေးစေချင်ကြတာလေ။ ဆေးရုံမှာ သားကိုမွေးပြီး တဲ့အခါ သရက်ချို့ကနေ ကျောက်တွေ့ထိ အရှည်ကြီး လမ်းလျှောက်ရလို့ ချေချေတို့အိမ်မှာ တစ်လလောက် နေခဲ့ကြတယ်။ ဒါကြောင့် သားကို ချေချေက ကူထိန်းပေးခဲ့တယ်။ သားက သိပ်ချစ်ဖို့ကောင်းတာလေ။ သားကိုမွေးပြီးလို့ ၁၆ လအကြာမှာ ညီညီကို မွေးတာပဲ"

"ညီညီကိုလည်း ဆေးရုံမှာ မွေးတာပဲလားဟင်"

"ဟုတ်တယ်ကွဲ။ သားမေမက ချေချေတို့နဲ့ အတူနေခဲ့တော့ သားမေမက ညီညီကိုထိန်း၊ ချေချေက သားကိုထိန်းခဲ့ရတာလေ။ အဲဒီတုန်းက သားမေမေ ချေချေတို့နဲ့ လအတော်ကြာနေခဲ့တာ။ သားတို့ အိမ်ပြန်နေကြတဲ့အခါ သားကိုလွမ်းလို့ အားတိုင်း လာလည်ခဲ့တာ။ သား နည်းနည်းကြီးလာတော့ သရက်ချို့မှာ ညအိပ်ညနေ နေနိုင်အောင် သားကိုလာလာခေါ်တာလေ။ သားမေမက သားနှစ်ယောက် တစ်ချိန်လုံးထိန်းရတဲ့ အလုပ်လည်း နည်းနည်းသက်သာတာပေါ့ကွယ်"

"အခုကော ကလေးမွေးရင် အားလုံး ဆေးရုံမှာပဲ မွေးကြတာလား၊ ချေချေ"

"မဟုတ်ဘူးကွဲ။ အမျိုးသမီးအများစုက အိမ်မှာပဲမွေးကြတာ။ ဒါပေမယ့် သားရဲ့ ဘိုးဘိုး၊တောင်တောင်တို့က တစ်ခုခုမှားသွားမှာတွေ့ပူပြီး ဆေးရုံမှာ ကလေးမွေးတာ အကောင်းဆုံးဖြစ်မယ်လို့ နားလည်ထားကြတယ်လေ။ ဒါကြောင့် သားကိုရော၊ ညီညီကိုပါ ဆေးရုံမှာမွေးဖို့ သားရဲ့ဘိုးဘိုး၊ တောင်တောင်တို့က တင်းခံထားကြတာ။ ချေချေတို့ရွှာ နားမှာ ဆေးရုံတစ်ရုံရှိတာ ကံကောင်းတယ်။"

"ညီညီကို မွေးပြီးချိန်က မေမေ ဘာလို့ တစ်လကျော်ကြာကြာ ချေချေတို့ဆီမှာ

နေခဲ့တာလဲဟင်”

“အဲဒီအကြောင်း ပြောပြပေးဖို့ နောက်မှ သားမေမေကို ကိုယ်တိုင်မေးကြည့်လေကွယ်”

မိနစ်အနည်းငယ်ကြာတော့ ချေချေဒေါ်မှုံမှုံရီက တစ်ကိုယ်တည်း ရယ်လိုက်တယ်။

“သားက သိပ်ချစ်ဖို့ကောင်းတယ်လို့ အားလုံးက ထင်ကြတာလေ။ ကျောက်တွေရွာမှာ သားက အိတ်နက်လေးတစ်လုံးဆွဲပြီး ဆရာဝန်လိုဟန်ဆောင်ရင်း အိမ်နီးချင်းတွေရဲ့ အိမ်ကို လှည့်သွားတဲ့အကြောင်းတွေပြောနေကြတုန်းပဲ။ အဲဒီတုန်းက ကိုကိုက စကားတောင် မပီကလာပီကလာ ပြောတတ်ရုံပဲရှိသေးတယ်။ အံမယ် -ဘေးအိမ်တွေ ရောက်တာနဲ့ ချေးထိုးမယ်(ဆေးထိုးမယ်) ခပ်ကျယ်ကျယ် ဆိုလိုက်ရော”

ဒီအကြောင်းနားထောင်ရတာ ကိုကို နည်းနည်းတော့ရှက်မိသား။ ဒါပေမယ့် လက်ကိုင်ပါတဲ့ အိတ်မည်းလေးကို ခုထိ သူ မှတ်မိနေတုန်း။ ရွာဆရာဝန်ဖြစ်ချင်ခဲ့တာလည်း မှတ်မိနေဆဲလေ။

မိနစ် ၄၀ လောက် လျှောက်လာပြီးနောက်မှာ ဝါးပင်တွေကို ကျော်လွန်လာကြတယ်။ လမ်းခွဲနေရာနား ရောက်ပြီ။ မင်းလမ်းမ ဘယ်ဘယ်ကို ချိုးကွေ့လိုက်ကြရဲ့။ အဲဒီနောက် လမ်းက နွားလှည်းလမ်းလို ဖြစ်လာတယ်။ သရက်ချိုရွာကို လှမ်းမြင်လာရပြီ။

ဘိုးဘိုး၊ ဘောင်ဘောင်တို့ အိမ်ကို ရောက်တော့ ဘောင်ဘောင်က အိမ်တဝိုက် သန့်ရှင်းသပ်ရပ်သွားအောင် သဲပြင်ပေါ်နဲ့ သစ်ပင်တန်းအစွန်းနားမှာ သစ်ရွက်တွေကို တံမျက်စည်းလှဲနေလေရဲ့။ ဘောင်ဘောင်က အုန်းရွက်ရိုးတံမျက်စည်းတစ်လက်ကို သုံးလို့ ခါးကုန်းပြီး တံမျက်စည်းလှဲနေတာလေ။ ကိုကို လာတာမြင်တော့ ဘောင်ဘောင် ခါးဆန့်ပြီး မတ်တပ်ရပ်လိုက်တယ်။

“အောင်ဇေမင်းလားဟေ့။ အို -ငါ့မြေးလေး ရောက်လာပြီ”

ဘောင်ဘောင်က ကိုကို့အနား ကပ်လာပြီး ထွေးပွေ့ထားလိုက်တယ်။

“ယောက်ျားရေ - ယောက်ျား” ဘောင်ဘောင်က အိမ်နောက်ဘက်မှာ ခြံစည်းရိုးထိုးနေတဲ့ ဘိုးဘိုးကို လှမ်းခေါ်လိုက်တယ်။ “မြေးလေး ရောက်နေတယ်တော့”

ဘိုးဘိုးက အိမ်ရှေ့ဘက် ပတ်လာတယ်။

“ဟာ - အောင်ဇေမင်း၊ မြေးလေးကို ဘိုးဘိုးက လွမ်းနေတာ”

ဘိုးဘိုးက ကိုကို့ကို တင်းတင်းပွေ့ဖက်လိုက်တယ်။ အဲဒီနောက် ချေချေဒေါ်မှုံမှုံရီက ကိုကို့ကို အိမ်ရှေ့ခန်းမှာထိုင်စေတယ်။ အိမ်ရှေ့သောက်ရေအိုးထဲက ရေတစ်ခွက်ခပ်ပြီး ကိုကို့ကိုပေးတယ်။ ကိုကိုက ခြေတွေကိုအနားပေးရင်း အိမ်အနီးတဝိုက်က ပန်းလှလှလေးတွေကို အမြတ်တနိုးကြည့်နေမိရဲ့။ ဘယ်ရာသီမဆို ဘောင်ဘောင်တို့အိမ်ခြံထဲမှာ ပန်းလှလှလေးတွေ ပွင့်လန်းဝေဆာနေစမြဲ။

ကိုကို့ဦးလေးတွေဖြစ်တဲ့ ဦးဝင်းနိုင်နဲ့ ဦးငွေးလွင်တို့ ဘေးအိမ်ခြံထဲမှာ သူငယ်ချင်း

တွေ့နဲ့ ခြင်းခတ်နေကြတယ်။ ဘိုးဘိုးတို့အိမ်ကို ကိုကို ရောက်သံကြားတာနဲ့ ဦးလေးနှစ်ယောက်စလုံး လာနှုတ်ဆက်ကြလေရဲ့။

"အောင်ဇေမင်း၊ သားကို ပြစရာတစ်ခု ရှိတယ်"

ဒီလို ဆိုပြီးနောက် ဦးလေးဦးဝင်းနိုင်က အိမ်ထဲဝင်သွားပြီး စွန်တစ်လက်ထုတ်လာတယ်။ ကိုကို အရင်က ဒီလိုစွန်မျိုးကိုမမြင်ဖူးခဲ့။ ကျောက်တွေ့ရွှာ ကွင်းထဲမှာ နည်းနည်းကြီးတဲ့ ကောင်လေးတွေတင်နေတဲ့ စက္ကူစွန်တွေလိုထိပ်မှာပိုက်၊ အောက်ပိုင်းမှာ ချွန်တဲ့စွန်မျိုးမဟုတ်။ အခု တွေ့ရတဲ့စွန်က စက္ကူပိုင်း သုံးပိုင်းပါလေရဲ့။ စွန်က ကိုကို့ အရပ်ထက်မြင့်တယ်။ ဦးလေးအရပ်ထက်တောင် ပိုရှည်ရဲ့။ စွန်ကို ဝါးချောင်းတွေ၊ ကျောင်းသုံး လေ့ကျင့်ခန်းစာအုပ်တွေက စာရွက်တွေနဲ့ လုပ်ထားတယ်။ ကိုကို ပါးစပ် အဟောင်းသား ဖြစ်နေမိတယ်။

"စမ်းကြည့်ကြမလားကွ"

"ဟုတ်ကဲ့"

ကိုကိုက လမ်းအတိုင်း ဦးလေးနောက်ကလိုက်ခဲ့တယ်။ အိမ်နီးချင်းအိမ် ကျော်တာနဲ့ ကွင်းငယ်တစ်ခုကိုရောက်တာပါပဲ။ ဦးလေးမှာ နိုင်လွန်ကြီးရစ်ထားတဲ့ သစ်သားစက်သီးတစ်လုံး ပါလာတာ တွေ့ရဲ့။

ကွင်းထဲ ရောက်တော့ ကိုကိုက စွန်ကိုကိုင်ပေးထားရင်း ဦးလေးက နိုင်လွန်ကြိုးကို ဖြေထုတ်ပြီး စက်သီးနဲ့လျှောက်ထွက်သွားတယ်။ ပေခြောက်ဆယ်လောက်ရောက်တော့ ဦးလေးက အော်ပြောလိုက်တယ်။

"ရပြီ၊ အောင်ဇေမင်း၊ လွှတ်လိုက်တော့"

ကိုကိုက စွန်ကို လွှတ်လိုက်တယ်။ ဦးလေးက စွန်ကို လေပင့်ပေးသွားတဲ့အထိ ခပ်သွက်သွက်လေး ပြေးလိုက်တယ်။ စွန်က မြင့်သထက်မြင့်တက်သွားလေရဲ့။ စွန်ဖြူကြီးက မိုးပြာကောင်းကင်နောက်ခံမှာ သိပ်လှတယ်လို့ ကိုကိုတွေးနေမိတယ်။ စွန်က တိမ်တွေလိုဖြူလွနေပေါ့။ ကိုကိုက ထူးဆန်းတဲ့ တဖျတ်ဖျတ်ခတ်သံပါ ကြားလိုက်ရတယ်။

"ဦးလေး၊ ဒါက ဘာသံလဲဟင်"

"အဲဒီအသံက စွန်ရဲ့ နောက်ကျောဘက်မှာတပ်ထားတဲ့ ဖလဖြတ်တွေက လာတာကွ။ ဒီစွန်အတွက်တော့ ဖလဖြတ် မဖြစ်မနေလိုအပ်တာတော့ မဟုတ်ဘူးပေါ့။ ဒါပေမယ့် ဦးလေးက ဒီလို တဖျတ်ဖျတ်ခတ်သံကို ကြိုက်လို့လေ"

ကိုကိုလည်း ဒီလိုအသံမျိုးကို ကြိုက်ပါရဲ့။

ကလေးတစ်ချို့က ဦးလေး စွန်လွှတ်တာ လာကြည့်နေကြတယ်။ ဒီလို အမိုက်စား စွန်ကို လုပ်တတ်တဲ့ ဦးလေးအတွက် ကိုကို ဂုဏ်ယူမိပေါ့။

"စက်သီးကို ကိုင်ကြည့်ချင်လား၊ ကိုကို"

ကိုကိုက စိုးရိမ်နေမိပေမယ့် ဦးလေးဦးဝင်းနိုင်နား တိုးကပ်သွားရဲ့။ ကိုကိုက စက်သီးပေါ် လက်တင်လိုက်တယ်။ ဦးလေးက စက်သီးကိုကိုင်ထားဆဲ။ ကိုကိုက ခပ်တင်းတင်းကိုင်လိုက်တယ်။ ဦးလေးက စက်သီးကိုလွှတ်ချလိုက်ပြီ။ ဟော့ -စွန်က ကိုကို့ကို ဆွဲယူသွားပါပကော။ လဲကျလုနီးပါးတောင် ဖြစ်သွားရဲ့။ ဒါကြောင့် ဦးလေးက ကိုကိုကိုင်ထားတဲ့ စက်သီးကို လက်တစ်ဘက်နဲ့ လှမ်းထိန်းပေးလိုက်တယ်။

အခုဆို စွန်က တအားအမြင့်ကြီးရောက်နေပြီ။ ကောင်းကင်ပေါ် မိုင်ဝက်လောက် မြင့်နေရောပေါ့။ တဖျတ်ဖျတ်ခတ်သံ မကြားနိုင်လောက်တော့အောင် မြင့်လွန်းနေပြီ။ စွန်လည်းငြိမ်ကျသွားရဲ့။

"စွန်က လေထဲမှာ ဘာလို့မရွေ့တော့တာလဲ၊ ဦးလေး"

"အထက်ကို တအားမြင့်တက်သွားရင် တိုက်လေမရှိတော့ဘူး။ လေထုပဲရှိတော့တာ။ ဒီကိုလာပြီး နားထောင်ကြည့်၊ ကိုကို"

ကိုကို အနားကပ်လာပြီး ဦးလေး လုပ်သလိုမျိုး ကြိုးနားကပ်လို့ နားစွင့်ကြည့်လိုက်တယ်။ နားစွင့်ကြည့်တော့ စွန်ကြိုး တဝီဝီ အသံမြည်နေတာ အံ့သြစဖွယ်ကြားရရဲ့။

"ကြိုးက ဘာလို့ ဒီလိုမြည်နေတာလဲဟင်၊ ဦးလေး"

"စွန်က တအားအမြင့်ကြီးရောက်နေလို့ ကြိုးလည်း တင်းနေတာလေ။ အဲဒါကြောင့် စွန်ကြိုးတုန်ခါပြီး ဆူညံသံဖြစ်နေတာ၊ ကိုကိုရဲ့"

ဦးလေးက လယ်ကွင်းအလယ်ကနေ ခြံစည်းရိုးနား လျှောက်လာတယ်။ ခြံစည်းရိုးနားရောက်တာနဲ့ စက်သီးရဲ့အလယ်ဝါးချောင်းရှည်ကို မြေကြီးပေါ် ထိုးစိုက်ပြီး တင်းတင်းလေး မကိုင်ထားရတော့အောင် လုပ်လိုက်တယ်။ စွန်က သိပ်ကိုအားကောင်းကောင်းနဲ့ ဆွဲနေလို့ ဝါးချောင်းရှည်ကို မနည်းအားစိုက်ပြီး မြေထဲထိုးစိုက်နေရတာ ကိုကို မြင်ရရဲ့။ ကောင်းကင်ပေါ် မြင့်မြင့်တက်လာလေလေ စွန်ရဲ့ဆွဲအားကလည်း ပိုကြီးလာလေလေပါပဲ။

သိပ်မကြာပါဘူး။ နောက်လူတွေလည်း စွန်တင်ဖို့ ရောက်လာကြရော။ ကျောက်တွေက အသက်ခပ်ကြီးကြီး ကောင်လေးတွေ တင်တတ်တဲ့စွန်မျိုး သူတို့လည်းလွှတ်တင်နေကြရဲ့။ ကောင်းကင်ပေါ်က စွန်ဖြူဖြူလေးတွေကြည့်ရတာ စိတ်လှုပ်ရှားစရာ။ တိမ်တွေလို ဖြူလွလွတောက်ပနေကြတာလည်း ကိုကို ကြိုက်မိပေါ့။

"ဟော့ - အောင်ဇေမင်း၊ ဒီကွင်းထဲ စွန်လွှတ်သူတွေ တအားများလာပြီကွ။ စွန်ကို အိမ်ထိဆွဲသွားရင် မကောင်းဘူးလား"

ကိုကိုက ဦးဝင်းနိုင်ကို ကြည့်လိုက်တယ်။ သူက ရယ်လို့မောလို့။ ဦးလေးပြောသလိုမျိုး သစ်ပင်တွေကြား စွန်ကို ဘယ်သူမှမဆွဲသွားကြဘူးလေ။ စွန်တွေကို ကွင်းပြင်မှာပဲလွှတ်တင်ကြတာ။ သစ်ပင်တွေကြား ဆွဲသွားနိုင်လောက်အောင် ဘယ်သူမှလည်း မကျွမ်းကျင်ဘူးလေ။ ဦးလေး နောက်နေတယ်ပဲ ကိုကို ထင်ထားတာ။ ဒါပေမယ့် သူ နောက်နေတာမဟုတ်။

ဦးလေးက စက်သီးကို ဆွဲပြီး ဘိုးဘိုးတို့ အိမ်ဆီသို့ လျှောက်လမ်းအတိုင်း တဖြည်းဖြည်း လျှောက်လာခဲ့ပြီ။ စွန် အောက်ကိုပြုတ်ကျသွားရင် ဦးလေးက ကြိုးကို ဆွဲလိုက်ရရော။ သရက်ပင်၊ ဝါးရုံပင်တွေမှာ နိုင်လွန်ကြိုး မငြိအောင် စွန်ကြိုးကို တန်းနေအောင်ထားရတယ်။ ကိုကိုက အံ့ဩမြင်သက်စွာ နောက်က လိုက်လာလေရဲ့။ ဦးလေးက သိပ်ကျွမ်းတာ။ ဘိုးဘိုးတို့အိမ် ရောက်တဲ့အထိ တောက်လျှောက် ယူသွားနိုင်မယ်လို့ ကိုကို မထင်။ စွန်ကြိုးက သစ်ပင်တွေနဲ့ ငြိသွားမယ်လို့ တထစ်ချ သူ တွက်ထားပြီးသား။ သို့ပေမယ့် ဦးလေးဦးဝင်းနိုင်က ဘယ်သူမှမလုပ်ဖူးတဲ့အလုပ်ကို လုပ်သွားလေရဲ့။ စွန်ကို အိမ်အထိယူလာနိုင်ခဲ့ပြီလေ။ ကိုကိုက ဦးလေးကို သိပ်အထင်ကြီးမိသွားတာပေါ့။

ဘိုးဘိုးတို့အိမ်ကိုရောက်တော့ ဦးလေးက စက်သီးရဲ့အလယ်ဝါးချောင်းကို မြေကြီးထဲ တစ်ခါထိုးစိုက်လိုက်ပြန်ရော။ မြေကြီးထဲစိုက်ဝင်သွားပြီဆိုတာနဲ့ စွန်ကြိုး ဘယ်လောက်တင်းနေလဲဆိုတာ ကိုကို့ကို ပြလိုက်တယ်။

"ဒီမှာကြည့်။ စွန်ကြိုးကိုဆွဲရင် ဒီလိုဆွဲရတာကွ။ ကြိုးက လက်ချောင်း အသားမာနေရာနဲ့ပဲထိရတာ။ အရေပြားပါးလွှာလွှာ၊ ဒါမှမဟုတ် လက်သည်းတွေနဲ့ သွားမထိရဘူး။ စွန်က တအားအမြင့်ကြီးရောက်နေပြီဆိုတော့ ကြိုးကတင်းနေပြီလေ။ ဒါကြောင့် အရေပြားပါးလွှာတဲ့နေရာနဲ့ ထိမိရင် လက်ချောင်းတွေထိရှသွားနိုင်တယ်။ လက်သည်း

ထိပ်နဲ့ထိမိရင်လည်း နည်းမှန်လမ်းမှန်နဲ့ မဆွဲမိရင် ကြိုးပြတ်သွားနိုင်တယ်ကွ”

ကိုကို ခေါင်းညိတ်ပြလိုက်တယ်။ အဲဒီနောက် အနားကပ်လာပြီး ကြိုးကိုနားထောင်ကြည့်ပြန်တယ်။ တဝီဝီ မြည်နေဆဲ။

ဦးလေးဦးငွေးလွင် အိမ်ထဲက ထွက်လာပြီး ကောင်းကင်ပေါ်က စွန်ကို မော့ကြည့်တယ်။ ဦးလေးနှစ်ယောက်က ခြံဝင်းထဲ ခြင်းလုံးခတ်နေကြတော့တယ်။ ကိုကိုလည်း စွန်ကို မော့မော့ကြည့်ရင်း တဝီဝီအသံကိုနားစွင့်နေမိရဲ့။ စွန်ကြိုးကို နည်းမှန်လမ်းမှန်နဲ့ ကိုင်တတ်အောင် သူ လေ့ကျင့်ကြည့်သေးတယ်။

ခဏနေတော့ မိုးအုံ့လာရော။ မကြာခင် မိုးရွာတော့မယ်လေ။

“ကိုချေငွေးလွင်၊ စက်သီးကို ကိုင်ပေးဦး။ မိုးမရွာခင် စွန်ကိုချရဦးမှာ”

ဦးလေးဦးငွေးလွင်က သဲထဲ ထိုးစိုက်ထားတဲ့ စက်သီးကိုဆွဲနှုတ်ပြီး ကိုင်ထားပေးတယ်။ ဦးလေးဦးဝင်းနိုင်ကတော့ ကောင်းကင်ကိုမော့လို့ စွန်နီးကပ်လာတာ ကြည့်ရင်း စွန်ကြိုးကိုဆွဲချပါတော့တယ်။ စွန်ကြိုးကို ဆွဲချနေတုန်း သူ တစ်နေရာတည်းမှာ ရပ်နေလို့မရ။ ရပ်နေရင် စွန်ကြိုးသစ်ပင်တွေကြား ငြိတော့မှာလေ။ ကြိုးကိုဆွဲချနေရင်း ဟိုနားဒီနား ပတ်လျှောက်ရတယ်။ ဦးငွေးလွင်က တတ်နိုင်သမျှမြန်မြန်လေး ကြိုးကို စက်သီးမှာလိုက်ရစ်တယ်။ ဦးလေးဦးဝင်းနိုင်က ကြိုးကိုဆွဲချနေရင်း မိုးဖွဲလေးတွေ ရွာကျလာတာ ကိုကို ခံစားမိတယ်။ စွန်ကို အချိန်မီမဆွဲချနိုင်လိုက်မှာကို ကိုကို စိုးရိမ်နေမိပြီ။ စက္ကူစွန်လှလှလေး ရေစိုသွားရင် ပျက်စီးတော့မှာလေ။ ဦးလေးဦးဝင်းနိုင်က ဆက်ပြီး ဆွဲချနေတယ်။ အစတုန်းကတော့ စွန်က အမြင့်ကြီး ရောက်နေလို့ ဆွဲချရတာ လွယ်ပါတယ်။ ဒါပေမယ့် အောက်ကို နိမ့်ဆင်းလာတဲ့အခါ သစ်ပင်တွေကြား မငြိသွားအောင် ဦးလေးဦးဝင်းနိုင် သတိထားနေရတယ်။ စွန်က လေထဲနိမ့်နိမ့်ကျလာတယ်။ ပန်းဖြူလေးတွေပွင့်နေတဲ့ တရုတ်စံကားပင်ကြီးနဲ့ ငြိတော့မလိုဖြစ်သွားလို့ ကိုကို တစ်ယောက် အသက်ရှူတောင်မှားသွားရဲ့။ ဒါပေမယ့် ဦးလေးဦးဝင်းနိုင်က ကျွမ်းကျင်လှပါတယ်။ စွန်ကြိုးကို ပိုင်ပိုင်နိုင်နိုင်ထိန်းထားလို့ စွန်က သစ်ပင်မှာသွားမငြိ။ နောက်ဆုံးမှာ စွန်က ဦးလေးလက်ထဲ ရောက်လာရော။ စွန်ရပြီးလို့ သိပ်မကြာလိုက်။ ဝုန်းဆို မိုးတွေ သည်းသည်းမည်းမည်း စရွာပါလေရော။ ဦးလေးက ကိုကို့ထက် အများကြီးပိုကြီးဟန်ရှိတယ်။ ဒါပေမယ့် သူက မေမေ့မောင်အငယ်ဆုံးမို့ သူ့ထက် ၉ နှစ်ပဲပိုကြီးတာပါ။ သူက ကိုကို့အကြိုက်ဆုံး ဦးလေးလေ။

ချေချေဒေါ်မှုံမှုံရီက ညနေစာကို ဖွယ်ဖွယ်ရာရာ ချက်ပေးတယ်။ ငါးအစပ်ချက်တစ်ပွဲ၊ သခွားသီးအစပ်သုတ်၊ ကဏန်းဟင်းချိုနဲ့ ဟင်းရွက်ချက်တစ်ပွဲပါလေရဲ့။ ကြမ်းပြင်ပေါ်က ပုပျပ်ပျပ်စားပွဲဝိုင်းမှာ အားလုံးဝိုင်းထိုင်လိုက်ကြတယ်။ ကိုကိုက ချေချေနဲ့ ဘောင်ဘောင်တို့ကြားမှာထိုင်လိုက်တယ်။ ဘောင်ဘောင့်အနားမှာ ဘိုးဘိုးက ထိုင်တယ်။ ကိုကိုနဲ့ မျက်နှာချင်းဆိုင်မှာ ဦးလေးဦးဝင်းနိုင်နဲ့ ဦးလေးဦးငွေးလွင်တို့

ထိုင်ကြတယ်။ ချေချေဒေါ်မှုံမှုံရီက အရင်တစ်ခေါက် လာလည်တုန်းကလို ကိုကိုစားမယ့် ငါးကို အရိုးတွေဖျင်ပေးပြီး အသားတွေကို ထမင်းနဲ့စားစေတယ်။ ဘိုးဘိုးက ဘောင်ဘောင်အတွက် ငါးအရိုး ဖျင်ပေးနေတာလည်း ကိုကို တွေ့ရဲ့။ ဒီလို လုပ်ပေးတာ သိပ်ကောင်းတယ်လို့ ကိုကို တွေးမိရဲ့။ စားပွဲကို မလှုပ်မိအောင် ကိုကို နေလိုက်တယ်။ လှုပ်လိုက်ရင်လည်း ခုံလှုပ်သွားမှာ မဟုတ်ဘူးဆိုတာ သူ သိတယ်။ ဘိုးဘိုးတို့အိမ်မှာ ချောမွေ့တဲ့ သစ်သားကြမ်းခင်းရှိလို့လေ။

ညနေစာ စားပြီးနောက် သရက်ပင်အောက်က ဘိုးဘိုး လုပ်ပေးထားတဲ့ ဝါး ကွပ်ပျစ်လေးပေါ် ကိုကိုနဲ့ ဦးလေးနှစ်ယောက်ထိုင်ကြတယ်။ တစ်ခါတလေဆို ဒီလို ကွပ်ပျစ်လေးတွေကို ရွာသားတွေဆောက်တတ်ပါတယ်။ အနားယူအပမ်းဖြေဖို့ လေ တဖြူးဖြူးတိုက်နေတဲ့ နေရာလေးဖြစ်လို့လေ။ ဒီကွပ်ပျစ်လေးက အိမ်ထဲမှာထက် ပိုအေး တယ်လေ။ ဦးလေးဦးငွေးလွင်က တူရိယာတစ်ခု ကိုင်ထားလေရဲ့။ ဒီတူရိယာမျိုး ကိုကို အရင်က မမြင်ဖူးခဲ့။

"အဲဒါ ဘာလဲဟင်"

"မယ်ဒလင်လို့ ခေါ်တယ်၊ ကိုကိုရဲ့"

ဦးလေးဦးငွေးလွင်က ပြန်ဖြေတယ်။ ဦးလေးက မယ်ဒလင်ကြိုးကို ကြိုးညှိလိုက် တယ်။ ဒေါ်လူးခိုင်တို့အိမ်မှာ ရေဒီယိုကနေ ကြားခဲ့ဖူးတဲ့ အသံမျိုးပဲလို့ သူ သိလိုက်ရဲ့။ ကိုကိုက မယ်ဒလင်သံကို ကြိုက်တယ်။ ဦးလေးဦးငွေးလွင်နဲ့ ဦးဝင်းနိုင်တို့ တစ်ယောက် တစ်လှည့် မယ်ဒလင်တီးကြ၊ သီချင်းဆိုကြလေရဲ့။ ရခိုင့် နာမည်ကြီးအဆိုတော် ဦးမောင်သိန်းရဲ့ တေးသီချင်းတွေလည်းဆိုကြတယ်။ ဦးဝင်းနိုင်က"ပန်းဝေဒနာ" သီချင်း ကိုဆိုတယ်။ သီချင်းက သိပ်ချစ်ဖို့ကောင်းတယ်လို့ ကိုကို တွေးမိရဲ့။

ညမှောင်လာပြီ။ ကောင်းကင်ပေါ်မှာ လင်းနို့တွေ ဟိုဘက်သည်ဘက် ပျံသန်း လာကြပြီ။ ပတ်ဝန်းကျင်မှောင်လာနေပေမယ့် တရုတ်စံကားပန်းဖြူဖြူလေးတွေကို မြင်နေရဆဲမို့ ကိုကိုတော့ သဘောတွေ့နေလေရဲ့။ ညကောင်းကင်ပြင်မှာ ငှက်ပျင်းတွေ လည်းထွက်လို့ ဟိုဟိုသည်သည် ပျံသန်းလာကြပြီ။ ကြယ်ထွက်လာတာ ကြည့်ရင်း မယ်ဒလင်တီးသံ၊ တေးဆိုသံတွေ နားထောင်နေမိတယ်။

မကြာခင် ကိုကို အိပ်ရာဝင်ဖို့ အချိန်ကျလာပြီ။ ဦးလေးနှစ်ယောက်က မယ်ဒလင် တီးပြီး သီချင်းတွေဆက်ဆိုနေကြလေရဲ့။ ဒါပေမယ့် ကိုကိုက ဘိုးဘိုး၊ ဘောင်ဘောင်၊ ချေချေဒေါ်မှုံမှုံရီတို့နဲ့အတူ အိမ်ထဲဝင်သွားလိုက်တယ်။ ဒေါ်မှုံမှုံရီက ကိုကိုအိပ်ဖို့ အိပ်ရာပြင်ပေးနေတယ်။ ဘိုးဘိုး၊ ဘောင်ဘောင်တို့က ဘုရားစင်အောက်မှာ ဘုရားရှိခိုး နေလေရဲ့။ ဘုရားစင်ပေါ်မှာ သောက်တော်ရေတစ်ခွက်နဲ့ ဘုရားပန်းအိုးတစ်လုံး ကပ် လှူထားတာတွေ့တယ်။ ဆီမီးခွက်တစ်လုံးလည်း ထွန်းထားလေရဲ့။ ဘောင်သွင်းထားတဲ့ ဘုရားပုံတော်က ကိုကိုတို့အိမ်က ဘုရားပုံတော်နဲ့မတူ။ ညဘက် ဘာဘာ၊ မေမေတို့နဲ့

ဘုရားရှိခိုးသလိုမျိုး ဘိုးဘိုး၊ ဘောင်ဘောင်တို့နဲ့ သူ ဘုရားရှိခိုးလိုက်တယ်။ ဒါပေမယ့် ဘိုးဘိုးတို့ ဘုရားရှိခိုးတော သူ့ထက် တအားကြာတတ်တော့ သူပြီးတာနဲ့ တိတ်တိတ်ကလေး ထထွက်ပြီး အိပ်ရာဝင်ခဲ့တော့တယ်။ အိပ်ရာက ချောမွေ့တဲ့ သစ်သားကြမ်းပြင်ပေါ်မှာ ဖျာတစ်ထည် ခင်းထားရုံလေးပါ။ ဖျာက ကိုကိုတို့အိမ် ဝါးကြမ်းခင်းပေါ်မှာလို အဖု အထစ်တွေများမနေ။

ကိုကိုက အိပ်ရာထက် လဲလျောင်းလိုက်တယ်။ အိပ်ရာက ဘိုးဘိုးအိပ်တဲ့ ဖျာနဲ့ ကပ်ရက်။ ဘောင်ဘောင် ပုံမှန်အိပ်တဲ့နေရာမှာ ကိုကို အိပ်နေလို့ သူ အိပ်မယ့်ဖျာကို ကိုကိုတို့ အိပ်ရာအောက်နား ရွှေ့ထားလိုက်ပြီလေ။

ဘိုးဘိုးနဲ့ ဘောင်ဘောင်တို့ ဘုရားရှိခိုးပြီးသွားပြီ။ ဘောင်ဘောင်က ကြေးစည်လေးကိုကောက်ကိုင်ပြီး ထုတံလေးတစ်ခုနဲ့ထုရိုက်လိုက်တယ်။ ကြေးစည်က တွဲလွဲဆွဲထားတဲ့ကြိုးပေါ် တဝီဝီလည်နေလေရဲ့။ ဘောင်ဘောင်က ကြေးစည်ကို နောက်ထပ်နှစ်ကြိမ် ထုရိုက်လိုက်ပြန်တယ်။ ကြေးစည်သံကြားတော့ သံဃာတော်တွေ ရွာကိုလှည့်ပြီး ဆွမ်းခံကြွကြပုံကို ကိုကို သွားသတိရရော။ မေမေနဲ့ဘာဘာမှာ ဒီလိုကြေးစည်မျိုးမရှိ။ ဘုရားဝတ်တက်ပြီးတဲ့အခါ ဘိုးဘိုးက ပြောလာတယ်။

"မအိပ်ခင် မြေးလေးကို ဝတ္ထုတစ်ပုဒ်ပြောပြမယ်။ မဟာဇနကမင်းသားဇာတ်ကို ပြောပြမယ်နော်။ ဒီဇာတ်က ဗုဒ္ဓဝင် ဇာတကဝတ္ထုတစ်ပုဒ်ပေါ့ကွယ်"

ကိုကိုက အာရုံစိုက်ပြီး နားထောင်လိုက်တယ်။ ဘိုးဘိုး ဝတ္ထုတွေပြောပြရင် သူ သိပ်ကြိုက်တာ။

"ဟိုး ရှေးရှေးတုန်းက မိတ္ထိလာပြည်မှာ မင်းသားနှစ်ပါး ရှိသတဲ့ကွယ်။ ဖခင်ဘုရင်ကြီး နတ်ရွာစံတော့ အစ်ကိုမင်းသားက ဘုရင်ဖြစ်လာတယ်။ အတော်လေးကြာတော့ ညီတော်မင်းသားက ထီးနန်းလိုချင်လာရော။ ညီအစ်ကိုနှစ်ယောက် ရန်သူတော်တွေဖြစ်ပြီး စစ်မက်ဖြစ်ကြတာပေါ့ကွယ်။ အဲဒီမှာ အစ်ကိုကြီးက စစ်ရှုံးပြီးကံတော်ကုန်ရော။ အစ်ကိုတော်မင်းကြီးမှာ မိဖုရားက ကိုယ်ဝန်အရင့်အမာနဲ့လေ။ ယောကျ်ားဖြစ်သူဘုရင်ကြီးနတ်ရွာစံတော့ သူလည်း ထွက်ပြေးရတော့တာပေါ့။ သူ့ဗိုက်ထဲ လွယ်ထားတဲ့ ကိုယ်ဝန်က ဘုရားလောင်းလေ။ သားတော်လေးမွေးလာတဲ့အခါ အမေလုပ်သူက မဟာဇနကမင်းသားလို့ အမည်ပေးတယ်။ မင်းသားလေး ကြီးပြင်းလာတဲ့အခါ မိတ္ထိလာပြည်ကို ဖခမည်းတော်အုပ်စိုးဖူးလို့ အဲဒီပြည်ကိုသွားကြည့်ချင်တယ်တဲ့။ မိတ္ထိလာပြည်ကို သင်္ဘောတစ်စီးနဲ့ ရွက်လွှင့်ပြီး ကုန်ကူးသွားဖို့စီစဉ်တော့တာပေါ့။ မိတ္ထိလာပြည် အသွားလမ်းမှာ သင်္ဘောနစ်တော့မလို ဖြစ်တယ်တဲ့ကွယ်"

"ဘာလို့လဲဟင်၊ ဘိုးဘိုး"

"ဘာလို့လဲတော့ မသိဘူးကွဲ့။ မုန်တိုင်းတိုက်လို့ ဖြစ်မှာပေါ့။ အဲလိုနဲ့ သင်္ဘောနစ်ပါလေရော။ သင်္ဘောပေါ် ပါလာသူတွေလည်း ရေထဲ နစ်ကုန်တာလေ။ ရေထဲမှာ

အသားစားတဲ့ ငါ၊ လိပ်၊ မကန်းတွေ့နဲ့ဆိုတော့ မဟာဇနကမင်းသားဇာတ်လမ်း ဒီမှာပဲ ပြီးဆုံးဖို့ ရှိတော့တာပေါ့။ ဒါပေမဲ့ မဟာဇနကမင်းသားက သိပ်ဉာဏ်ကောင်းတာ။ သင်္ဘောရဲ့ အမြင့်ဆုံးအပိုင်းဖြစ်တဲ့ ရွက်တိုင်ထိပ်ကိုတက်သွားတယ်။ တိုင်ထိပ်ရောက်တော့ ဝေးနိုင်သမျှ အဝေးရောက်အောင်ခုန်ထွက်လိုက်တယ်။ ငါ၊ လိပ်၊ မကန်းတွေ့ကို ကျော် သွားအောင် သူ ခုန်လိုက်နိုင်တယ်လေ။ အဲ့လိုနဲ့ သူ ရေကူးတော့တာပေါ့ကွယ်။ သုံးလေးရက်ရေကူးပြီးတဲ့အခါ ဇနကမင်းသား မောပန်းလာတာပေါ့။ ဒီအခါ သိကြား မင်းရဲ့ ပဏ္ဏကမ္မလာမြကျောက်ဖျာ တင်မာလာရော။ သိကြားမင်းက ဘယ်သူလဲ မှတ်မိလား၊ မြေးလေး"

"နတ်ပြည်က ဘုရင်ကြီးပါ၊ ဘိုးဘိုး"

"ဟုတ်တာပေါ့ကွယ်။ ပဏ္ဏကမ္မလာမြကျောက်ဖျာ တင်မာလာပြီဆိုရင် လူ့ပြည်က ဘုရားလောင်း တစ်ခုခု ဖြစ်နေပြီလို့ သိကြားမင်းကသိရော့ပဲ။ သိကြားမင်းက ဘုရား လောင်းမင်းသားလေးကို မကောင်းတဲ့ တစ်ခုခုမဖြစ်စေချင်ဘူးလေ။ ဒါကြောင့် မဏိ မေခလာနတ်သမီးကို ရှေ့တော်မှောက်ခေါ်လိုက်တယ်။ သိကြားမင်းက မဟာဇနက မင်းသားလေးကို ကယ်တင်ဖို့ မဏိမေခလာနတ်သမီးကို ညွှန်ကြားတာဝန်ပေးလိုက် တာပေါ့ကွယ်။ အဲ့လိုနဲ့ နတ်သမီးလည်း လူ့ပြည်သို့ ဆင်းသက်လာပြီ ဇနကမင်းသားကို သွားတွေ့တယ်။ မင်းသားက အကူအညီမလိုချင်ဘူး။ ကိုယ့်ခွန်ကိုယ့်အားကိုပဲ အားကိုး ချင်တာလေ။ ဒါပေမဲ့ နတ်သမီးက သူ့အနားက မခွာတဲ့ မင်းသားပြောတဲ့ ပညာရှိ စကားတွေကိုနားထောင်တယ်။ မင်းသားက ခုနစ်ရက်၊ ခုနစ်ည ဖွဲနဲပဲ ကြီးစားကူးခတ် တယ်။ နောက် သူ နိုးလာတော့ ကမ်းခြေမှာတင်လျှက်သား တွေ့ရသတဲ့ကွယ်"

"ပြီးတော့ ဘာဆက်ဖြစ်သေးလဲ၊ ဘိုးဘိုး"

"အင်း-။ ဒီလိုနဲ့ မဟာဇနကမင်းသားဟာ မိတ္တိလာပြည်ကမ်းခြေပေါ် ရောက်သွား တာပေါ့ကွယ်။ မိတ္တိလာပြည်မှာက ဘုရင်ကြီးနတ်ရွာစံတာ ခုနစ်ရက် ပြည့်မြောက်တဲ့ နေ့လေ။ ပြည်သူပြည်သားတွေက ဘုရင်သစ်တစ်ပါးရှာနေကြသတဲ့။ ဘုရင်ကြီးရဲ့ သမီးတော်က ဘုရင်ဖြစ်ထိုက်သူကို မြင်းတွေ ကတဲ့ ဖုဿရထားက(သူ့အလိုလို) ရှာတွေ့ပါစေလို့ ဆုတောင်းသတဲ့။ ဒီရထားက ဘယ်နားသွားဆိုက်တယ်ထင်လဲကွဲ့"

"မင်းသားရှေ့နားမှာပေါ့၊ ဘိုးဘိုးရဲ့"

"သိပ်ဟုတ်တာပေါ့ကွယ်။ ဖုဿရထားက မင်းသားရှေ့မှာ သွားရပ်တယ်။ ဒါပေမဲ့ ဒီလောက်လေးနဲ့ မင်းသားကို ဘုရင်အဖြစ်မတင်မြှောက်သေးဘူးတဲ့။ ပထမ ဆုံး စမ်းသပ်မှုနှစ်ခုကို ဖြတ်ကျော်ရတယ်။ ပထမစမ်းသပ်မှုက ခွန်အားကို စမ်းသပ်တာတဲ့ မြေးလေးရဲ့။ ပိုလ်ခြေတစ်ထောင် သယ်မှရတဲ့ ရောမဇလုံကြီးကို လေးနဲ့ပစ်ခွဲရမှာတဲ့ကွယ်။ ဘယ်သူတစ်ဦးတစ်ယောက်ကမှ ဒီဇလုံကြီးကို လေးနဲ့ပစ်ခွင်းပြီး မခွဲ့စိစ်ခဲ့ကြဘူးတဲ့လေ။ ဒါပေမဲ့ ဘုရားလောင်းမင်းသားက သိပ်ကိုသန်မာအားကောင်းလေတော့ ဒီစမ်းသပ်

ချက်ကို အောင်မြင်စွာဖြတ်ကျော်နိုင်တာပေါ့ကွယ်။ ဒုတိယစမ်းသပ်ချက်က ဉာဏ်ရည်စစ်ဆေးမှုတစ်ခုလေ။ ဘုရင့်နန်းတော်တဝိုက်မှာ ရွှေအိုးကြီး ၁၆ လုံးကို ဝှက်ထားတယ်။ ရွှေအိုးတွေကို ပဟေဠိတစ်ခုလို မြေကြီးထဲ မြှုပ်ထားပြီး ဘယ်နားရှိလဲလို့ မင်းသားက ဖော်ထုတ်ပေးရတာပေါ့လေ။ ဒီတစ်ခါလည်း သူ အောင်မြင်သွားပြန်တယ်။ ဒီလိုနဲ့ သူ မိတ္ထိလာပြည်မှာ ဘုရင်ဖြစ်သွားတာပေါ့၊ မြေးလေးရေ"

"နောက်ကော ဘာဖြစ်သေးလဲ၊ ဘိုးဘိုး"

"နှစ်ပေါင်းများစွာ ဘုရင်လုပ်ပြီးနောက် တစ်နေ့တော့ သရက်ပင်နှစ်ပင်ကို မဟာဇနကမင်းကြီး မြင်တွေ့သွားတယ်။ သရက်ပင်တစ်ပင်က သိပ်လှနေတာ။ အရွက်တွေလည်းလှပစိမ်းစိုလို့။ ဒါပေမယ့် အသီးတွေမသီးဘူးတဲ့။ ဒုတိယသရက်ပင်က သရက်သီးတွေ တွဲရရွဲသီးနေတဲ့ သရက်ပင်လေ။ လူတွေက သရက်သီးတွေ လာလာဆွတ်ကြတာမို့ သရက်ကိုင်းတစ်ချို့မှာ အရွက်တွေမရှိတော့ဘူးတဲ့။ သရက်သီးတွေလည်း ကြွေကျပြီး မြေပေါ်မှာပုပ်နေကြပြီ။ သရက်ပင်တစ်ခုလုံး အတော့်ကိုထိခိုက်ပျက်စီးနေလေရဲ့။ ဒါကြောင့် မဟာဇနကမင်းကြီးက လူတွေရဲ့ဘဝမှာ ပိုင်ဆိုင်မှုတွေများလေ တွယ်တာမှုတွေများလေ၊ ဒီပိုင်ဆိုင်မှုတွေကို လူတစ်ယောက်ယောက်၊ အကြောင်းအချက်တစ်ခုခုကြောင့် ယူငင်ပျောက်ဆုံးသွားမှာကို စိုးရိမ်နေရလေပဲဆိုတာ နားလည်သဘောပေါက်လာတယ်။ တွယ်တာမှုတွေ၊ အနှောင်အဖွဲ့တွေမရှိတဲ့ ရသေ့ရဟန်းဘဝသည်သာ ပိုကောင်းတဲ့ ဘဝပဲဆိုတာ သူ သဘောပေါက်လာတာပေါ့ကွယ်"

"အဲဒီတော့ သူ ရသေ့ရဟန်း ဝတ်သွားလားဟင်၊ ဘိုးဘိုး"

"ဟုတ်တယ်ကွဲ့။ သူကိုယ်တိုင် ဘုရင်အဖြစ်ကို စွန့်လွှတ်လိုက်သလို သူ့အမျိုးသမီးကလည်း မိဖုရားအဖြစ်ကိုစွန့်လွှတ်လိုက်တယ်။ နှစ်ယောက်လုံး ရသေ့ရဟန်းဘဝနဲ့ အသက်ထက်ဆုံး နေသွားကြသတဲ့ကွယ်။ ဘဝတွေ အတော်လေးကြာတဲ့အခါ မဟာဇနကမင်းကြီးဟာ ဘုရားအဖြစ်ကို ရလာတာပေါ့၊ မြေးလေးရေ။ ကဲ - မြေးလေး အိပ်ချိန်တန်ပြီ။ အိပ်တော့နော်"

ဝတ္ထုထဲက အကြိုက်ဆုံးအပိုင်းက မဏိမေခလာနတ်သမီး မဟာဇနကမင်းသားကို ကူညီဖို့ လာပေမယ့် အကူအညီမယူချင်ဘဲ တင်းခံနေတဲ့အခန်းပါပဲ။ မဟာဇနကမင်းသားက ဆုံးဖြတ်ချက်ခိုင်မာသလို တစ်ပါးသူကိုအားမကိုးဘဲ မိမိကိုယ်သာ အားကိုးရာလုပ်တတ်တာလေ။ ဒီအပိုင်းအကြောင်းတွေးရင်း ကိုကို အိပ်ပျော်သွားလေရဲ့။

*****

နောက်တစ်နေ့မနက်ရောက်တော့ ဦးလေးဦးဝင်းနိုင်က မော်တော်ဘုတ်ဆိပ်ဘက်လမ်းလျှောက်လိုက်ခဲ့ဖို့ ကိုကို့ကို ခေါ်တယ်။

"ဦးလေးရဲ့ သူငယ်ချင်းမိသားစုက ချောင်းနားမှာ ရီအုန်းခြံတစ်ခြံရှိတယ်။

ရီအုန်းပင်က ရီအုန်းသီးကို ခုတ်ကြတော့မလို့။ သူတို့က ရီအုန်းလက်က ပင်ကျရည်ကို ခံပြီး အရက်ချက်ကြတာလေ။ ရီအုန်းသီးကို သိပ်ပြီး ဂရုစိုက်တာမဟုတ်ဘူး။ ဒါကြောင့် ဦးလေးက သူတို့နဲ့လိုက်ပြီး ရီအုန်းသီးသွားယူမှာ"

ကိုကိုက ရီအုန်းသီးကို အရင်က မစားဖူးခဲ့။ ဦးလေးဦးဝင်းနိုင်နောက်က အားတက်သရောလိုက်လာခဲ့တယ်။ အောင်ဆိပ်ကေဆိပ်ကမ်းဟာ ဘိုးဘိုးတို့အိမ်ကနေ ခဏလေးလျှောက်ရင်ရောက်တဲ့ အကွာအဝေးမှာရှိလေရဲ့။ ဒီနားက ချောင်းဟာ ဘာဘာလယ်တဲ့နားက ချောင်းနဲ့ ပုံစံတူတာ ကိုကို တွေ့ရတယ်။ တခြားနေရာတွေကို ကုန်စည်တွေပို့ဆောင်ဖို့ အသုံးပြုတဲ့လှေကြီးတစ်ချို့ကိုတွေ့ရဲ့။ ဒါ့အပြင် ငါးဖမ်းလှေငယ် တစ်ချို့လည်းတွေ့ရလေရဲ့။ ဦးလေးဦးဝင်းနိုင်က သူ့သူငယ်ချင်းကို တွေ့တော့ သူငယ်ချင်းက အညိုရောင်ရီအုန်းသီးခိုင်ကြီးတစ်ခိုင် သူ့ကို ကမ်းပေးတယ်။ ရီအုန်းသီးခိုင် အကြီးကြီးပဲ။ ဦးဝင်းနိုင်က ပုခုံးတင်ထမ်းရတာပေါ့။ ကိုကိုက ဦးလေးနောက်ကနေ တောင်တောင်တို့အိမ်ဘက် ပြန်လျှောက်လာခဲ့တယ်။

ကိုကိုက ရီအုန်းသီးခိုင်ကြီးကို ပျဉ်ပြားလေးတစ်ချပ်နဲ့ ရိုက်လိုက်တာ ကိုကို ကြည့်နေလိုက်တယ်။ တစ်ချက်ရိုက်လိုက်တိုင်း အညိုရောင်ရီအုန်းသီးမာမာတွေ ပြန်ကြ ထွက်သွားလေရဲ့။ ရီအုန်းသီးခိုင်က ရီအုန်းသီးတွေ လုံလောက်အောင်ခြွေချပြီးတဲ့အခါ ဦးလေးက ရီအုန်းသီးတစ်လုံးစီကို ဓားနဲ့ခွဲပါတော့တယ်။ ဓားမတစ်လက်နဲ့ ရီအုန်းသီး ထိပ်ပိုင်းကို တွန်းလှိုးလိုက်။ မြေပေါ်ချထားတဲ့ပျဉ်ပြားပေါ် ရီအုန်းသီးကို ဒေါက်ကနဲ့ သွားထုလိုက်လုပ်နေလေရဲ့။ ဒီလိုနဲ့ အညိုရောင် ရီအုန်းသီးမာမာကို သူ နှစ်ခြမ်းခွဲလိုက် တယ်။ အတွင်းက ရီအုန်းသီးသားက သေးသေးလေး ဖြူဖွေးကြည်လင်နေတဲ့ အလုံးလေး ပေါ့။ ဦးလေးဦးဝင်းနိုင်က သူ့ဓားနဲ့ ရီအုန်းသီးသား အလုံးလေးကိုထွက်ထုတ်ပြီး ကိုကို့ကိုပေးလိုက်တယ်။ ကိုကိုက တစ်ကိုက်ကိုက်ကြည့်တယ်။ အသားက ပျော့ပျော့လေး။ အရည်ရွှန်းပြီး နည်းနည်းချိုပါတယ်။ အသားက ဂျယ်လီအသားလိုမျိုးပဲ။

"ဘယ်လိုနေလဲ"

"ကောင်းတယ်ဗျ။ အုန်းသီးနဲ့တောင် တူသလိုလိုပဲ"

"ဒါကြောင့်လည်း 'ရီအုန်းသီး'(ရေအုန်းသီး)ခေါ်တာပေါ့ကွာ"

ကိုကိုက ဆက်စားဖြစ်သေးတယ်။ စားနေရင်း ညီညွတ်ရို့ လွမ်းလာပေါ့။ ညီညီဆိုရင် လည်း ရီအုန်းသီးကို စားကြည့်ချင်ရှာမှာပဲလေ။ အခုတော့ ကိုကို ကိုက်ဝါးကြည့်ဖို့ မလိုတော့။ ရီအုန်းသီးကို ကြိုက်တာ သိနေပြီလေ။ ရီအုန်းသီးအသားကို ပါးစပ်ထဲ အလုံးလိုက်ထည့်ပြီး ပိုက်တင်းအောင်စားပစ်လိုက်ရဲ့။ ဒီနေ့ မနက်စာတော့ သိပ်ကောင်း ပေါ့။

ကိုကိုက တစ်နေကုန် အလုပ်များနေတယ်။ နေ့လည်စာ စားပြီးတာနဲ့ ချေချေ ဒေါ်မှုံမှုံရိက ကိုကို့ကို ဖီးဖီးထံအလည်သွားဖို့ ခေါ်သွားတယ်။ ဖီးဖီးတို့အိမ် ရောက်တော့

ဖီးဖိတစ်ယောက် ကွမ်းယာဝါးရင် အလွယ်တကူဝါးလို့ရစေဖို့ ကြေးနီဆိုင်းယ်တစ်လုံးနဲ့ သစ်သားကျည်ပွေ့တစ်ချောင်းကို သုံးပြီး ကွမ်းသီးတွေကို အဖွဲ့လေးတွေဖြစ်အောင် ထောင်းနေလေရဲ့။ ဖီးဖိက ကိုကိုကိုမြင်ရလို့ ဝမ်းသာနေတာတယ်။ မေးခွန်းတွေ မေးလိုက် တာလည်းအများကြီးပဲ။ ကိုကို့မိသားစုအကြောင်း ကျောင်းမပိတ်ခင် ကျောင်းတက်ရတာ ပျော်၊မပျော် စသည်ဖြင့်ပေါ့လေ။ ကိုကို မပြန်သွားခင် ဖီးဖိက ကိုကို့အတွက် မုန့်ဖိုး နှစ်ကျပ်ပေးတယ်။ ကိုကိုက မယူချင်။ ဒါပေမဲ့ ဖီးဖိ ယူဖြစ်အောင်ယူစေတယ်။ ကိုကိုက စိတ်လှုပ်ရှားနေပြီ။ ပိုက်ဆံတစ်ကျပ်နဲ့ မုန့်တီသုံးပွဲ ဝယ်စားလို့ရတာကိုး။

ကိုကို့ညီမဝမ်းကွဲ သီသီလွင်လည်း လာကစားတယ်။ ဒါပေမဲ့ သူမောင်လေး မောင်ပြုံးချိုက ငယ်သေးတော့ မကစားနိုင်သေး။ ပြုံးချိုက သူတို့နောက်ကပဲ ပတ်လိုက် နေတာ။ ပြုံးချို နောက်ကလိုက်နေလေ ညီညို့ကို ကိုကို လွမ်းလေပဲ။ သရက်ပင်အောက်မှာ ခရခွံတွေကို ဟင်းခွက်တွေ လုပ်ပြီး အိုးချေခွက်ချေ (ထမင်းချက်တမ်း) ကစားကြတယ်။ အဲဒီနောက် ချေချေဒေါ် မွဲမွဲရ အဆာပြေစားစရာတစ်ခုလုပ်ရာမှာ ကိုကိုတို့က ကူပေးကြ ရဲ့။ အားလုံး ရေတွင်းနားဘက် ချေချေနောက်က လိုက်သွားကြတယ်။ ရေတွင်းနားက ရှောက်ပင်မှာ ရှောက်သီးကြီးတွေ ပွတ်သိပ်နေရော။ ရှောက်ကိုင်းတွေကို တုတ်ချောင်းကြီး တစ်ချောင်းနဲ့ ထိုးဆွလိုက်တယ်ဆိုရင်ပဲ ရှောက်သီးတွေပြုတ်ကျလာတယ်။ ဒီရှောက်သီး ကြီးတွေက သိပ်ချဉ်တာ။ ကြီးလည်းအကြီးကြီးပဲ။ ကိုကို့လက်တစ်ဘက်မှာ တစ်လုံးစီပဲ ကိုင်လို့ဆန့်တယ်။ ကိုကိုနဲ့ ဝမ်းကွဲမောင်နှမတို့ ရှောက်သီးခူးနေတုန်း ချေချေက လွမ်း သတိပေးရဲ့။

"သတိထားကြနော်၊ ဆူးတွေရှိတယ်"

ကိုကိုက ခဏရပ်ပြီး ကြည့်လိုက်တယ်။ ရှောက်ကိုင်းတွေနဲ့ မြေပေါ် ကျနေတဲ့ ရှောက်ကိုင်းခြောက်တွေပေါ်က ဆူးတွေဟာ သူ့အရှည်ဆုံး လက်ညှိုးထက်ပို၍ရှည်ပါတယ်။ ရှောက်ဆူးတွေက ဘာဘာ့လက်ချောင်းထက်တောင် ပို၍ရှည်မယ့်ပုံပဲ။

မောင်နှမတစ်သိုက် ချေချေဒေါ် မွဲမွဲရဲ့အတူ ရှောက်သီးတွေကို မီးဖိုချောင်ထဲ သယ်သွားကြတယ်။ ချေချေက ရှောက်သီးအစပ်သုပ်တစ်ပွဲ သုတ်ပြီးနောက် အိမ်ရှေ့ခန်း မှာ စားကြတယ်။ ရှောက်သီးအမွှာတွေ (ရှောက်သီးရဲ့အမွှောင့်တွေ)ကို ကြက်သွန်ဖြူ ၊ ငရုတ်၊ ငရုတ်ကောင်း၊ ငါးပိတို့ ရောကြိတ်ထားတဲ့ ငရုတ်ကြိတ်နဲ့ သုပ်ထားတာလေ။ ရှောက်သီးနဲ့ ငရုတ်ကြိတ်အနံ့က သိပ်ကောင်းတယ်လို့ ကိုကို တွေးမိရဲ့။ ဒီလို ချဉ်စုပ်စုပ် ရှောက်သီးအကြီးပင်မျိုး ကိုကိုတို့အိမ်မှာ မစိုက်ထားတော့ ရှောက်သီးသုပ်လည်း တစ်ခါ မှမစားဖူးခဲ့။ ရှောက်သီးနဲ့ ဟင်းခတ်အမွှေးအကြိုင်တွေက ထွက်လာတဲ့ မွှေးရနံ့ကို သူ ကြိုက်မိရဲ့။ ရှောက်သီးသုတ်က တအားချဉ်ပြီး စပ်နေတော့ ကိုကိုတစ်ယောက် စားနေ ရင်း ရေတွေသောက်သောက်နေရရော။

ရှောက်သီးသုတ် စားပြီးတဲ့အခါ ကိုကိုတို့ မောင်နှမတစ်သိုက် နောက်ထပ်

ကစားကြသေးတယ်။ ဝမ်းကွဲမောင်နှမတွေ အိမ်ပြန်သွားတော့ ဦးလေးဦးဝင်းနိုင်က ပုခုံးပေါ် ဝါးလုံးနှစ်လုံးတင်ထမ်းပြီး ပြန်လာရော။ ဒီဝါးက ငါးမျှားတံ၊ ဝါးသေနတ်၊ မက္ကလာတို့လုပ်ဖို့ အသုံးပြုတတ်တဲ့ဝါးမျိုး။ ဝါးမျိုးကောင်းပေါ့လေ။ ဝါးလုံးထိပ်မှာ ခုတ်ဖြတ်ထားတာတွေ့ရတော့ ငါးမျှားတံတွေလုပ်ဖို့ မဟုတ်ဘူးဆိုတာ ကိုကို သိလိုက်ပြီလေ။

"အဲဒါတွေ ဘာလုပ်ဖို့လဲဟင်၊ ဦးလေး"

"လုပ်စရာတစ်ခု ရှိလို့ကွ"

ဦးလေးက အိမ်ထဲ ဝင်သွားပြီး ဓားတစ်ချောင်းနဲ့ ပြန်ထွက်လာတယ်။ ဝါးလုံးကို ဓားနဲ့ ခွဲစိတ်လိုက်ရဲ့။ ကိုကိုက သိပ်ကိုသိလိုစိတ်များတဲ့ ကလေးလေ။ ဒီဝါးတွေကို ဘာလုပ်မှာလဲလို့ သူ စဉ်းစားမရ။ နောက်ဆုံးမှာတော့ ဦးလေးက ကိုကို့ကို မေးတယ်။

"အောင်ဇေမင်း၊ မင်း ငါးစွန်ကိုကြိုက်လား။ ဖင်တုံးချေ(အောက်ခြေမပါတဲ့ စွန်)ကို ကြိုက်လား။ ဒါမှမဟုတ် ဖင်စိတ်မ(အောက်ခြေနှစ်ခြမ်းကွဲပုံစံရှိတဲ့ စွန်)ကို ကြိုက်လား။ ဘယ်ဟာ ပိုကြိုက်လဲကွ"

ကိုကိုက သူ့နားသူ မယုံနိုင်အောင် ဖြစ်နေရဲ့။ ဦးလေးဦးဝင်းနိုင်က သူ့အတွက် စွန်တစ်လက် လုပ်ပေးတော့မှာလေ။

"ဘယ်ဟာဖြစ်ဖြစ် အဆင်ပြေပါတယ်ဗျ"

သူ စိတ်လှုပ်ရှားလွန်းလို့ ခုန်ဆွခုန်ဆွလုပ်ပစ်ချင်ရဲ့။ စက္ကူစွန်တစ်လက် ပိုင်ဆိုင်ရတော့မယ်လေ။

"ကဲ -ဘယ်စွန်မျိုး လိုချင်လဲ စဉ်းစားကြည့်ကွာ"

ကိုကို စဉ်းစားလိုက်တယ်။ ငါးစွန်ကို အရင်က မမြင်ဖူးခဲ့။ ဖင်တုံးချေနဲ့ ဖင်စိတ်မတို့ကိုတော့ မြင်ဖူးပြီလေ။ ကျောက်တွေရွာက ကွင်းပြင်ထဲ ကောင်လေးတွေ လွှတ်တင်တာ မြင်တွေ့ဖူးထားတာကိုး။

"ငါးစွန် ယူပါမယ်" ကိုကိုက ခပ်ရှက်ရှက်လေး ပြောလိုက်ရဲ့။

"သိပ်ကောင်းတဲ့ ရွေးချယ်မှုပဲ"

ဦးလေးဦးဝင်းနိုင်က ဝါးခြမ်းပြားရှည်တွေ ယူပြီး ဓားနဲ့ အချောသတ်တာ ကိုကို ကြည့်နေလိုက်တယ်။ ဝါးချောင်းနှစ်ချောင်းကို ကြက်ခြေခတ်သဏ္ဍာန် ပူးချည်ပြီးနောက် ကန့်လန့်ဖြတ်တန်းအစွန်းနှစ်ဘက်ကို ကွေးညွတ်ပြီး ပထမဝါးချောင်းမှာ သွားချည်လိုက်တယ်။ အစွန်းနှစ်ဘက် ကွေးညွတ်နေလေရဲ့။ ဒီလို လုပ်လိုက်တာက ငါးရဲ့ ခန္ဓာကိုယ်ဘောင်ကို ဖြစ်စေတာပေါ့။ အောက်ခြေနားက ဝါးချောင်းကို နှစ်ခြမ်းခြမ်းလိုက်ပြီး အစွန်းနှစ်ဘက်ကို အပေါ်ကွေ့နေတဲ့ အနေအထားမျိုး ဖြစ်အောင် ချည်ထားလိုက်တယ်။ ဒီလို လုပ်လိုက်ခြင်းက ငါးရဲ့အမြီး အကြမ်းထည်ကို ဖြစ်စေတယ်။

ညနေစာစားချိန် နီးလာပြီမို့ ဦးလေးဦးဝင်းနိုင်က စွန်ကို ချထားလိုက်တယ်။ ကောင်းကင်ပေါ် နေမင်းကြီး နိမ့်ဆင်းနေပုံကို ကြည့်ပြီး ကိုကို အတပ်ပြောနိုင်ပေါ့။

နေရောင်ခြည်တွေက သရက်ပင်ရဲ့ အရွက်တွေကို ထိုးဖောက်လင်းလက်နေပြီလေ။ ခါတိုင်း ဒီအချိန်ဆို ညီညီနဲ့ဆော့နေမှာလို့ သူ တွေးမိလာရော။ အိမ်ကိုလွမ်းလှပြီ။ နေရောင်ခြည်တွေက ဒေါ် လူးခိုင်ရဲ့ အိမ်က သရက်ပင်တွေကြားကနေလည်း အလားတူ လင်းလက်တတ်စမြဲ။

ကိုကို အိမ်လွမ်းဝေဒနာကို ကြာကြာ မခံစားလိုက်ရ။ အသံချဲ့စက်က ဂီတသံ ညစီလာပါလေရော။

"ရှင်ပြုပွဲ မင်္ဂလာပွဲ တစ်ခုခု ရှိလို့လားဟင်"

အသံချဲ့စက်နဲ့ သီချင်းတွေ ဖွင့်ပြီဆိုရင် ရှင်ပြုပွဲတစ်ပွဲ ရှိရင်ရှိ၊ မရှိရင် မင်္ဂလာပွဲ တစ်ပွဲ ရှိနေလို့ပဲဖြစ်မယ်လေ။

"မရှိပါဘူးကွယ်။ ဝါတွင်းမှာ မင်္ဂလာဆောင်လို့မှ မရတာ။ ဒါ ဗီဒီယိုရဲ့က လာတဲ့ အသံကွဲ။ ညနေစာ စားပြီးရင် ချေချေတို့ ဗီဒီယို သွားကြည့်ကြမလို့"

"ဗီဒီယိုရဲ့ဆိုတာ ဘာလဲဟင်၊ ချေချေ"

"သရက်ချို့ရွာက မိသားစုတစ်စုက သူတို့အိမ်ခြံဝင်းထဲ ဗီဒီယိုရဲ့တစ်ရုံ ဆောက် ထားတယ်လေ။ ဗီဒီယိုရဲ့က အိမ်တစ်လုံးနဲ့တူတယ်။ ဒါပေမယ့် လူတော့ မနေဘူးပေါ့ ကွယ်။ အတွင်းမှာ တီဗီစက်တစ်လုံး၊ အောက်စက်တစ်လုံး ရှိတယ်။ မိုးရာသီကုန်တာနဲ့ ဗီဒီယိုတွေ ပြတော့တာပဲ။ အချေက သွားချင်လား"

"သွားချင်ပါတယ်"

ကိုကိုက တအုံ့တည် ဆိုလိုက်တယ်။ ကျောက်တွေရွာမှာ ဗီဒီယိုရဲ့မရှိဘဲကိုး။ ညနေစာ စားပြီးနောက် ကိုကိုက ချေချေ့လက်ကို ဆွဲပြီး သီချင်းသံလာရာနောက် လိုက်လျှောက်ခဲ့ကြတယ်။ ချေချေ့သူငယ်ချင်းတွေလည်း ပါရဲ့။ ဗီဒီယိုရဲ့သို့ သွားနေကြတဲ့ လူတွေ အများကြီးပဲ။ ဘယ်အချိန် ရောက်မှာလဲ မေးဖွယ်လို။ သီချင်းသံ အတိုးအကျယ်ကို နားထောင်ရင်း ပြောနိုင်ရဲ့။ ဗီဒီယိုရဲ့ကို ရောက်သွားကြချိန်မှာ မီးစက်ခိုးသံ တဂျွတ်ဂျွတ် ကိုလည်းကြားရရဲ့။ ဗီဒီယိုရဲ့ဝမှာ ဗီဒီယိုလာကြည့်သူတွေဆီက ရုံဝင်ခကောက်တဲ့ လူ တစ်ယောက်ရှိနေတယ်။ လူကြီး နှစ်ကျပ်၊ ကလေး အခမဲ့တဲ့လေ။ ဗီဒီယိုရဲ့ကို ဝါးနဲ့ လုပ်ထားပြီး ခေါင်မိုးနဲ့ထရံတွေကို အုန်းဖျင်နဲ့လုပ်ထားတာတွေ့ ရတယ်။ ရုံထဲရောက် တာနဲ့ တီဗီရှေ့ကြမ်းပေါ် မှာ ကလေးတစ်ချို့ ထိုင်နေတာတွေ့ရရဲ့။ တီဗွီစက်က အောက်ခံပါတဲ့ အလေးကြီးမျိုးပါ။ တီဗွီစက်ကိုတော့ စားပွဲတစ်လုံးပေါ် တင်ထားတယ်။ တီဗွီစက်ရဲ့ပတ်လည်မှာ သေတ္တာပုံစံတစ်ခုကိုလုပ်ထားလေရဲ့။ တခြားရွာတွေက ဗီဒီယို ငှားပြီး အခကြေးငွေနဲ့ပြရင်ပဲဖြစ်ဖြစ်၊ ပွဲတော်တွေမှာပဲဖြစ်ဖြစ် တီဗွီစက် မပျက်စီးရ လေအောင် ကာကွယ်ထားတာလေ။ တီဗွီစက်ကလည်း နောက်တစ်ရွာသို့ သယ်ဖို့ဆိုရင် လူလေးယောက်ထမ်းမှ ရတာမျိုး။ တီဗွီစက်ထည့်ထားတဲ့ သေတ္တာကို ပိတ်ထားဆဲမို့ တီဗွီလည်း မဖွင့်ရသေးဘူးပေါ့။ ဒါပေမယ့် အသံချဲ့စက်က သီချင်းသံက ညစီနေဆဲ။

အသံခဲ့စက်ကိုတော့ ဗွီဒီယိုရဲ့ခေါင်မိုးထက်မှာ တင်ထားလေရဲ့။ ကိုကိုက ကြိုးတစ်ပင်
မြင်လိုက်တယ်။ ဒီကြိုးက ခေါင်းမိုးထက်တက်ပြီး ခေါင်မိုးအပြင်က အသံခဲ့စက်နဲ့
ဆက်ထားတယ်လို့ ကိုကို သိလိုက်ပေါ့။ ကြိုးတလျှောက် လိုက်ကြည့်တော့ တီဗွီစက်ကြီး
ဘေး စားပွဲပေါ်က အရာဝတ္ထုသုံးခုနဲ့ ဆက်ထားတာတွေ့ရရဲ့။ ဒေါ်လှးခိုင်တို့အိမ်က
ရေဒီယိုလေးနဲ့ ဆင်တူတဲ့ ကက်ဆက်တစ်လုံး ရှိပါတယ်။ ကက်ဆက်ရဲ့ အောက်နားမှာ
ရုပ်သံဖမ်းတဲ့ အပိုင်းလေး ရှိလေရဲ့။ ဒီအပိုင်းရဲ့ ရှေ့မှာ သီချင်းသံနဲ့အတူ အပေါ်အောက်
လှုပ်ရှားနေတဲ့ ထူးထူးဆန်းဆန်း အလင်းရောင်တွေရှိတယ်။ ရုပ်သံဖမ်းတဲ့ အပိုင်းအောက်
မှာ အောက်စက်ရှိလေရဲ့။ မီးစက်က ရုပ်ရှင်ရဲ့အတွက် လျှပ်စစ်မီးပေးတာလေ။

"ဒီနားလေး ထိုင်ရအောင်၊ အချေ"

ကိုကိုက ကြမ်းပြင်ပေါ် ထိုင်တယ်။ ချေချေက သူ့နောက်မှာထိုင်နေရဲ့။ ပိုးကောင်
တွေက ဝါးတန်းလျှောက်ကနေ တွဲလွဲချိတ်ထားတဲ့ မီးလုံးတွေကို ဝေ့ဝိုက်ပျံသန်းနေလေရဲ့။
ကိုကို ဗွီဒီယိုကြည့်ချင်လှပြီ။ စိတ်က မရှည်ချင်တော့။ လူကြီးတွေက စကား
တပြောပြောနဲ့ဆိုတော့ စောင့်နေရတာ စိတ်ထဲ ဘယ်လိုမှအောက်မေ့ပုံမရ။ ကိုကိုက
အဲဒီမှာ နာရီပေါင်းများစွာ ထိုင်စောင့်နေရသလိုခံစားနေရပြီ။ နောက်ဆုံးတော့ လူ
တစ်ယောက်ရောက်လာပြီ တီဗွီထည့်ထားတဲ့ သေတ္တာရဲ့သစ်သားတံခါးကို အပေါ်သို့
မ,တင်လို့ တံခါးကို အပေါက်ထဲလျှောထည့်လိုက်တယ်။ ဗွီဒီယို စပြတော့မယ်လေ။

အဲဒီလူက တီဗွီစက်ကို ဖွင့်လိုက်တော့ မိုးသီးသာကုတွေ (ရုပ်မြင်သံကြားလိုင်း
အနှောင့်အယှက်ကြောင့် မိုးသီးလေးတွေလို အစက်လေးတွေ တီဗွီဖန်သားပြင်မှာ ပေါ်
လာတဲ့အရာတွေ)ပေါ် လာပြီး အသံခဲ့စက်ကလည်း တရဲ့ရဲ့အသံမြည်လာရော။ အဲဒီ
နောက် ဗွီဒီယိုခွေတစ်ခွေကို အောက်စက်ထဲထည့်လိုက်တယ်။

ရုတ်တရက် မေဆွ ရဲ့ သီချင်းတစ်ပုဒ်ဆိုနေတဲ့ မိန်းကလေးတစ်ယောက်
တီဗွီဖန်သားပြင်မှာ ပေါ်လာပါလေရော။ သီချင်းအပြီးမှာ ဗွီဒီယိုခွေ လဲလိုက်ပြန်တယ်။
တီဗွီမှာ တိရစ္ဆာန်တွေ ပေါ်လာပြန်ရော။ မျောက်တွေသစ်သီးစားပြီး ဟိုဟိုသည်သည်
ခုန်ကူးနေတာတွေ့ရဲ့။ ကိုကိုက စကားလုံးတွေကို နားမလည်။ ဗွီဒီယိုခွေမှာ နောက်ခံ
စကားပြောသူက အင်္ဂလိပ်လိုပြောနေတာကိုး။ ကိုကိုက မြင်သမျှအရာတိုင်းကို မှတ်မိ
အောင် ကြိုးစားနေလိုက်တယ်။ အိမ်ပြန်ရောက်ရင် ဒီအကြောင်း သူ ပြောပြချင်နေပြီ။
မျောက်တွေ၊ မျောက်ဝံတွေ၊ ကျားတွေကို ကြည့်ပြီးနောက်မှာ အခွေပြောင်းလိုက်ပြန်တယ်။
ဒီတစ်ခေါက်မှ တကယ်ပြမယ့်ဗွီဒီယိုကားလေ။

ဗွီဒီယိုမင်းသားက နာမည်ကျော်မင်းသား ကျော်ဟိန်း။ အစပိုင်းတုန်းကတော့
စိတ်ဝင်စားဖွဲ ကောင်းသလိုလို။ နောက်တော့ သူ ပျင်းလာရော။ အိပ်လည်းအိပ်ချင်
လာပြီ။ တိရစ္ဆာန်တွေကို ကြည့်တာကမှ ပိုကောင်းသေးရဲ့။ ဒီလိုနဲ့ ကိုကို အိပ်ပျော်သွား
တာဖြစ်ပါလိမ့်မယ်။ အဲဒီနောက် ချေချေက ဗွီဒီယိုဆုံးပြီ၊ အိမ်ပြန်ရတော့မယ် ပြောနေ

တာပဲမှတ်မိတော့လို့လေ။

ကိုကိုက တအားပင်ပန်းနေပြီ။ ခြေထောက်တွေ မလှုပ်ချင်သလိုဖြစ်နေရဲ့။ ဒါပေမဲ့ ခြေချေနဲ့အတူ အမှောင်ထဲ လမ်းလျှောက်ပြန်လာခဲ့တယ်။ ဘာဘာမှာလို ဘယ်သူ့မှာမှ ဓာတ်မီးမရှိ။ တစ်ခုတည်းသော အလင်းရောင်က လရောင်ပါပဲ။ တစ် ယောက်ယောက် မီးအိမ်ဆွဲလာရင်တော့ မီးရောင်ရမှာပေ့လေ။ ဘိုးဘိုးတို့အိမ် ရောက် တော့ ဖျာပေါ် ကျောခင်းမိတာနဲ့ ကိုကို အိပ်ပျော်သွားပါလေရော။

*****

နောက်တစ်နေ့မနက်စောစောမှာ ဦးလေးဦးဝင်းနိုင်က ကျောင်းသုံးလေ့ကျင့် ခန်းစာအုပ်ဟောင်းတွေ လိုက်ရှာပြီး စွန်ကိုဆက်လုပ်ပြန်ပါတယ်။ အိမ်တွင်း ကြမ်းပြင်ပေါ် ထိုင်နေလေရဲ့။ ကိုကိုက လေ့ကျင့်ခန်းစာအုပ်ဟောင်းတွေထဲက စာရွက်တွေကို ဆွဲ ကူဖြုတ်ပေးတယ်။ ဦးလေးမှာ စာရွက်အလုံအလောက်ရတဲ့အခါ သနပ်သီးတစ်လုံးကို ခွဲလိုက်တယ်။ သနပ်သီးက အတွင်းမှာ ကော်လိုကပ်စေးစေးလေးရှိလေရဲ့။ ဒါကြောင့် လည်း ဒီအတွင်းသားကို ကော်အဖြစ်သုံးကြတာပါ။ ဦးလေးက စာရွက်တွေကို သနပ်သီးနဲ့ ကပ်ပြီး စက္ကူရွက်ကြီးတွေ ဖြစ်အောင်လုပ်တယ်။ အဲဒီနောက် မနေ့က သူ လုပ်ထားတဲ့ ငါးစွန်ရဲ့ ဝါးအကြမ်းထည်နဲ့ အံကိုက်ဖြစ်အောင် စက္ကူရွက်ကြီးကို ဖြတ်တောက်လိုက်တယ်။ ပြီးရင် စွန်အကြမ်းထည်မှာ စက္ကူရွက်ကြီးကို သနပ်သီးနဲ့ သွားကပ်ပြန်တယ်။ နောက်တော့ ငါးအမြီးပုံ ဖြတ်တောက်ပြီး စွန်မှာသွားကပ်ပြန်ပေ့။ ကြိုဂံပုံစက္ကူနှစ်ရွက်ကို ဖြတ်ထုတ်ပြီး အနားမြိတ်လေးတွေလုပ်ဖို့ ဘေးစွန်နားကိုပါ ကိုက်ညှပ်လိုက်တယ်။ အဲဒီနောက် ကြိုဂံပုံစက္ကူနှစ်ရွက်ကို ငါးစွန်ရဲ့ ဘေးတစ်ဘက်တစ်ချက်မှာ သွားကပ်လိုက်ရဲ့။ ဒါတွေက ငါးရဲ့ ဆူးတောင်တွေပေ့လေ။ နောက်ဆုံးတော့ ကျန်တဲ့ စက္ကူတစ်ရွက်ကို ထောင့်မှန် စတုဂံပုံညှပ်ပြီး အမြိတ်လေးတွေ ဖြစ်အောင် ညှပ်လိုက်ပြန်တယ်။ ဒါကို ငါးအမြီးနေရာမှာ သွားကပ်တယ်။ ကိုကိုက ဆူးတောင်တွေနဲ့ အမြီးပေါ်က အမြိတ်လေးတွေ မိုးပေါ် အမြင့်ကြီးပျံဝဲနေတုန်း ဘယ်လိုတောင် လူးကာလွန့်ကာ လှုပ်ရှားနေမလဲဆိုတာ တွေး ကြည့်နေမိရဲ့။

ဦးလေးဦးဝင်းနိုင်က ကိုကိုကို ကြည့်ပြီး ပြုံးပြတယ်။ ကိုကို စိတ်လှုပ်ရှားနေတယ် ဆိုတာ သူ အတပ်ပြောနိုင်ရဲ့။ ငါးစွန်ရဲ့ကျောဘက်မှာ ကန့်လန့်ဖြတ်ကြိုးတစ်ချောင်းကို ခပ်သွက်သွက်ချည်လိုက်တယ်။ စွန် လေထဲပျံနေချိန် တဖျတ်ဖျတ်ခတ်ပြီး ပျော်စရာ အသံမျိုး မြည်နေမယ့် ဖလဖြတ်တွေကို တွဲပေးလိုက်တယ်။ ကိုကို ဒီအသံကို ကြိုက်တာ ဦးလေးက သိထားတယ်လေ။

အလယ်ဝါးချောင်းပေါ် က နေရာနှစ်ခုမှာ ဆိုင်းကြိုးတစ်ပင် ချည်လိုက်တယ်။ ပြီးတာနဲ့ စွန်ရဲ့ အနားစွန်းနှစ်ဘက် ဟန်ချက် ညီမညီ စစ်ကြည့်ဖို့ စွန်ကို ဆိုင်းကြိုးကနေ

ကိုင်ပြီး တွဲလွဲချကြည့်တယ်။ စက်သီးက ကြိုးနဲ့ ဒီဆိုင်းကြိုးမှာသွားချည်ရမှာပါ။

"ကြည့်ရတာတော့ အဆင်ပြေတယ်"

ဦးလေးဦးဝင်းနိုင်က ဆိုလိုက်တယ်။ ကိုကိုက သဘောတူကြောင်း ဆိုလိုက်ရဲ့။ ဦးလေးနောက်ကနေ ကိုကို အပြင်သို့ လိုက်ခဲ့တယ်။ အိမ်ရှေ့မြေကွက်လပ်မှာ စွန်ကို နည်းနည်းဆွဲပြေးပြီး စမ်းသပ်ကြည့်တယ်။ ဦးလေးက စွန်ကို ကြိုးရှည်ကြီးနဲ့ မတွဲသေး။ စမ်းသပ်နေဆဲကိုး။ ဒါပေမယ့် ငါးစွန်က တအားကြည့်ကောင်းတယ်လို့ ကိုကို တွေးနေ မိရဲ့။ ညီညီလည်း ဒီမှာရှိစေချင်လိုက်တာ။

ဦးလေးဦးဝင်းနိုင်က စွန်ကို အိမ်ရှေ့ခန်းမှာ တင်ပြီး ဖိနပ်ဟောင်းနှစ်ဘက်ကို ယူလိုက်တယ်။ ပြီးရင် ဖိနပ်အောက်ခံ တစ်ခုစီကနေ စက်ဝိုင်းသဏ္ဌာန် ဖြတ်ထုတ်လိုက် တယ်။ စက်ဝိုင်းသဏ္ဌာန် ဖိနပ်အောက်ခံရဲ့ အစွန်နားပတ်လည်မှာ အပေါက် ၆ ပေါက် ဖောက်လိုက်တယ်။ စက်ဝိုင်းသဏ္ဌာန်တစ်ခုစီရဲ့ အလယ်မှာ အပေါက်တစ်ပေါက်လည်း ပါလေရဲ့။ အလယ်ပေါက်ကနေ ဝါးချောင်းတစ်ချောင်း ထိုးထည့်လိုက်တယ်။

"ဒါ စွန်ကြိုးရစ်ဖို့ စက်သီးဖြစ်လာမှာလေ"

ဦးလေးက ကိုကို့ကို ပြောတယ်။

စွန်ကြိုးကို အလွယ်တကူ ရစ်ပတ်ထားနိုင်အောင် စက်ဝိုင်းသဏ္ဌာန် ဖိနပ် အောက်ခံရဲ့ အနားစွန်းတစ်ဘိုက်က အပေါက်တွေထဲ အလယ်ဝါးချောင်းထက် ပိုသေးတဲ့ ဝါးချောင်းလေးတွေကို ထိုးသွင်းလိုက်တယ်။ ဘာကြောင့်လဲဆိုတော့ ကြိုးကိုရစ်ပတ်တဲ့အခါ ဝါးတစ်ချောင်းပေါ်မှာ ရစ်ပတ်တာထက် ပိုကြီးပိုထူတဲ့ ဝါးချောင်းခြောက်ချောင်းပေါ်မှာ ရစ်ပတ်ရတာ ပိုလွယ်လို့လေ။ ဦးလေးဦးဝင်းနိုင်က စက်သီးကို ကိုကို့ထံ လက်ဆင့်ကမ်းပေး လိုက်တယ်။

"ဘယ်လိုလဲကွ"

"သိပ်ကောင်းပါတယ်၊ ဦးလေးရယ်"

စက်သီးက ကိုင်ရပြုရ လွယ်တယ်လေ။ ဦးလေးပိုင်တဲ့ စွန်ရဲ့ စက်သီးက သစ် သားနဲ့လုပ်ထားတာမို့ လေးလွန်းလို့ သူ ကိုင်ဖို့အဆင်မပြေ။

ဦးလေးမှာ သူ့စွန်ကနေ နိုင်လွန်ကြီးအပိုတွေ ရှိနေတာကြောင့် ကိုကို့စက်သီးမှာ နိုင်လွန်ကြီးတွေ ရစ်ပတ်ပေးတယ်။ အဲ့ဒီနောက် ကြိုးအစွန်းကို ကိုကို့ရဲ့ ငါးစွန်အသစ်နဲ့ သွားချည်ပေးလိုက်တယ်။

"စမ်းလွှတ်ကြည့်ဖို့ အဆင်သင့်ဖြစ်ပြီလားဟေ့"

"အဆင်သင့်ပါ"

ကိုကိုက အံ့ဩဟန်နဲ့ ရေရွတ်လိုက်တယ်။ သူ မစောင့်နိုင်အောင် ဖြစ်နေပြီ။

ကိုကိုက သူ့စွန်ကို သယ်၊ ဦးလေးက သူ့ရဲ့ စွန်ကို ကိုင်ပြီး ဘုန်းကြီးကျောင်းနားက ကွင်းထဲသွားကြတယ်။ ဒီကွင်းက အရင်တစ်ခါက ကွင်းထက်ပိုကျယ်တယ်လေ။

"မင်းရဲ့ စွန်ကို အရင်ဆုံး စမ်းကြည့်ကြရအောင်ကွာ"

ဦးလေးဦးဝင်းနိုင်က စွန်ကို လေထဲ လွှတ်တင်ပြီး စက်သီးကို ကိုကို့ထံ ပေးလိုက် တယ်။ ကိုကိုက ကျောက်တွေရွာက အသက်ခပ်ကြီးကြီး ကောင်လေးတစ်ယောက်လို ကိုယ်ပိုင်စက္ကူစွန် လွှတ်တင်နိုင်ပြီဆိုတော့ အတော်လေးကြီးလာပြီလို့ ခံစားမိပေါ့။ ကျောက်တွေက ကောင်လေးတွေမှာ ငါးစွန်လည်း မရှိဘူးလေ။

ချေချေဒေါ်မှုမှုရှိ နေ့လည်စာစားဖို့ လာခေါ် တာတောင် သူ မယုံနိုင်ဖြစ်နေရဲ့။ တစ်မနက်လုံး စွန်တင်ရင်း အချိန်ကုန်သွားပေမယ့် အချိန်ကုန်လို့တောင် ကုန်မှန်းမသိ။ နေ့လည်စာစားနေတဲ့ တစ်ချိန်လုံး သူ့ငါးစွန်လေး လုပုံအကြောင်းတွေးနေမိရဲ့။ စွန်လေး က မိုးပေါ်မှာပျံနေရင်း စက္ကူပိုင်းတွေ တဖျတ်ဖျတ်ခတ်ပြီး ပျော်စရာအသံလေး မြည် နေတာလေ။

နေ့လည်စာစားပြီးနောက် သရက်ပင်တွေအောက်က ကွပ်ပျစ်လေးပေါ် ဦးလေး နဲ့အတူ ကိုကို ထိုင်လိုက်တယ်။ ဦးလေးက မယ်ဒလင်တီးနေလေရဲ့။ ကိုကို့ကိုတောင် မယ်ဒလင် စမ်းတီးကြည့်စေတယ်။ ကိုကို အိမ်ပြန်ဖို့မပြင်ဆင်ခင် နှစ်ဦးသား နောက် တစ်ကြိမ်စွန်လွှတ်တင်ကြပြန်တယ်။ ချေချေက ညနေစာကို စောစောလေး ချက်ပြုတ် တယ်။ ချက်ပြုတ်ပြီးတဲ့အခါ ကိုကိုနဲ့ နှစ်ဦးသား ကျောက်တွေရွာသို့ ထွက်လာခဲ့ကြတယ်။ ကိုကိုက သူ့ငါးစွန်ကို သယ်လို့ပေါ့လေ။ အိမ်ပြန်ဖို့ သူ မျှော်လင့်စောင့်စားနေတာလေ။ အိမ်ပြန်ရောက်ရင် ညီညီကို ပြောပြစရာတွေ တပုံကြီးရှိလေရဲ့။

*****

သိတင်းကျွတ် မီးထွန်းပွဲတော်

လယ်ကွင်းထဲ စပါးတွေ မှည့်ရင့်လာတာကြောင့် စပါးနံ့တွေက မြစိမ်းရောင်ကနေ ရွှေအိုရောင်အဆင်းသို့ ပြောင်းစပြုလာပါပြီ။ စာကလေးငှက်တစ်အုပ် စပါးခင်းတွေထဲက နေ အပြာတောက်တောက် တိမ်မဲ့ကောင်းကင်ထက် ပျံတက်သွားကြတာမြင်ရရဲ့။ စာ ခေါင်းကြီးတွေက သစ်ပင်တွေကြား ဘာသာဘာသာ စိုးစီစိုးစီအော်မြည်နေကြလေရဲ့။ မိုးလည်းကုန်ပြီ။ ဝါတွင်းကာလလည်းပြီးဆုံးလေပြီ။ သိတင်းကျွတ်လပြည့်နေ့ မီးထွန်း ပွဲတော်အတွက် ပြင်ဆင်ဖို့အချိန် ရောက်လာပြီလေ။

ဝါတွင်းသုံးလပတ်ကုန်ဆုံးချိန်ဟာ ဗုဒ္ဓမြတ်စွာဘုရား တာဝတိံသာနတ်ပြည်က မယ်တော်မိနတ်သားကို တရားဟောပြီးလို့ လူ့ပြည်သို့ ပြန်လည်ဆင်းသက်တော်မူတဲ့ အချိန်ဖြစ်လို့ မီးထွန်းပွဲတော်ဟာ မြတ်စွာဘုရား လူ့ပြည်သို့ ဆင်းသက်ကြွရောက်တော်မူ လာတာကို ပူဇော်တဲ့အထိန်းအမှတ်ပွဲဖြစ်တယ်။ သိတင်းကျွတ်လပြည့်နေ့ဟာ ဥပုသ်နေ့ လည်းဖြစ်တယ်။ ဒီနေ့ဆို လူငယ်တွေက ဘုရားကျောင်းကန်တွေကို သန့်ရှင်းရေးလုပ်၊ လမ်းသွယ်လမ်းမတွေကို မြက်ထွင်ပြီး သပ်သပ်ရပ်ရပ်လေး ဖြစ်အောင် လုပ်ဆောင်နေကျ။ စေတီတွေကို ထုံးသက်ဆင်မြန်းနေကျ။ သက်ကြီးဘိုးဘွားတွေကို ပူဇော်ကန်တော့နေကျ လေ။ လူကြီးတွေက ဥပုသ်စောင့်၊ တရားနာကြတယ်။ လူတိုင်းက ကိုယ့်အိမ်ကိုယ် သန့်ရှင်းရေးလုပ်ကြတယ်။ လူကြီးလူငယ်မရွေး မီးထွန်း၊ မီးပုံပုံလွှတ်တင်နဲ့ မီးထွန်း ပွဲတော်မှာ ပါဝင်ဆင်ခွဲ့ကြလေရဲ့။

"ဘာဘာ၊ သမန်းနည်းနည်းလောက် ယူလာခဲ့ပေးပါလားဟင်" ကိုကိုက ပြော လိုက်တယ်။ သိတင်းကျွတ် လပြည့်နေ့ ရောက်ဖို့ သုံးလေးရက်လောက်ပဲ လိုတော့ပြီလေ။ "မီးထွန်းပွဲတော်အတွက် ဆီမီးခွက် လုပ်ချင်လို့ပါ"
ကိုကိုက ဆက်ပြောတယ်။
သမန်းဆိုတာ ချောင်းကမ်းပါးက သမန်းရွဲ့ကို ပြောတာလေ။ ဒီသမန်းသားက

ကစားစရာတွေလုပ်ဖို့ ကောင်းတဲ့ရွှံ့မျိုးပေါ့။ ဘာဘာက နွားတွေလှန်ထားခဲ့ပြီးနောက်
သမန်းလုံးကြီးတစ်လုံးကို အရွက်တွေအုပ်ပြီး အိမ်သို့ယူလာတယ်။ ကိုကိုက အရွက်တွေ
ခွာပြီး လုပ်ငန်းစလိုက်တော့တယ်။ သမန်းလက်တစ်ဆုပ်စာ ယူပြီး ဆီမီးခွက်ငယ်သဏ္ဍာန်
လုပ်လိုက်ရဲ့။ ဆီမီးခွက်မှာ နှစ်ပိုင်းပါတယ်။ အောက်ခြေပိုင်းက ခွက်တစ်လုံးနဲ့ တူရဲ့။
ထိပ်ပိုင်းက အလယ်မှာအပေါက်လေးပါတဲ့ အဖုံးတစ်ခုပါ။ ဆီမီးခွက်လုပ်ပြီးတာနဲ့
ဆီမီးခွက်အပိုင်းနှစ်ပိုင်းကို သီးခြားထားပြီး အခြောက်ခံလိုက်တယ်။ သဘော်ရွက်ရဲ့
အလယ်ရိုးက အခေါင်းပါပါတယ်။ မေမေက အဝတ်စတစ်ခုတ်လိမ်ပြီး သဘော်ရွက်ရိုးတံ
ခေါင်းထဲ ထိုးထည့်လိုက်တယ်။ ဒီအဝတ်စက မီးစာအဖြစ်နဲ့ ဆီမီးခွက်ထဲက ဆီတွေကို
စုတ်ယူမှာပေါ့လေ။

ညီညီလည်း ဆီမီးခွက်ကို ကိုယ်တိုင်လုပ်နေလေရဲ့။ ဆီမီးခွက်ပုံစံလေး လှအောင်
မေမေက ညီညီကိုကူညီပေးတယ်။ ကိုကိုက အသံချဲ့စက်လေးတစ်လုံး၊ တီဗွီစက်၊
ရုပ်သံဖမ်းစက်၊ အောက်စက်တို့ကို သမန်းနဲ့လုပ်လိုက်တယ်။ ညီအစ်ကိုနှစ်ယောက်
သရက်ချုံ့ရွှာက ဗွီဒီယိုရုံမှာ ဗွီဒီယိုသွားကြည့်တမ်း ဆော့နိုင်အောင်ပေါ့လေ။ ကိုကိုက
ယင်ဝဲပင်တစ်ပင်က ယင်ဝဲစေ့တွေ ဆွတ်ယူလာတယ်။ ယင်ဝဲစေ့တွေက မာကျောပြီး
အနီရောင်လေး။ အနက်ရောင် အကွက်လေးတစ်ကွက်လည်းပါရဲ့။ ကိုကိုက ယင်ဝဲစေ့
တွေကို ရွှံ့အီလက်ထရွန်နစ်ပစ္စည်းတွေထဲ နှစ်ထည့်လိုက်တယ်။ ယင်ဝဲစေ့တွေက
မီးလုံးလေးတွေနဲ့တူနေလေရဲ့။ ဝါယာကြိုးအတွက် နွယ်ကြီးတွေကို နောက်မှ သူ
သွားဆွတ်မှာလေ။ မေမေက နောက်ထပ်ဆီမီးခွက်တွေလုပ်လိုက်တယ်။ ကိုကို၊ ညီညီတို့
ကစားဖို့ နွားရုပ်လေးတွေလည်း လုပ်ပေးသေးရဲ့။ ယင်ဝဲစေ့တွေကိုတော့ နွားမျက်လုံးတွေ
အဖြစ် သုံးထားတယ်။ တရွှီရွီမှုတ်ကစားလို့ရအောင် ရွှံ့ပလွေလေးတွေလည်း လုပ်ပေး
ပြန်တယ်။ ရွှံ့ပလွေလေးတွေက ချိုးရုပ်ပုံလေးတွေ။ လေမှုတ်သွင်းလိုက်ရင် လေချွန်သံ
မြည်စေဖို့ အပေါက်လေးတွေလည်း ပါလေရဲ့။ သားအမိသုံးယောက် လုပ်ထားသမျှ
ရွှံ့ထည်ပစ္စည်းတွေကို နေထုတ်လှန်းကြတယ်။

မီးထွန်းပွဲတော်ရက်မတိုင်ခင် ဂီတတူရိယာပစ္စည်းတွေ တီးခတ်သံ ကြားရတာကိုက
စိတ်လှုပ်ရှားစရာ။ ပုံတီးသံတွေ၊ အခြားတစ်ရွာက သစ်သားတူရိယာ လေ့ကျင့်တီးခတ်သံ
တွေ။ နောက်ထပ်တစ်ရွာကလည်း အသံချဲ့စက်နဲ့ သီချင်းဖွင့်သံ ကြားရပြန်ရော။
မီးထွန်းပွဲတော်မတိုင်ခင် ရက်မှာ ကိုကိုက မေမေ့ကို ပူဆာတယ်။

"မေမေ၊ ဈေးက ဗြောက်အိုး ဝယ်ခဲ့ပေးပါလားဟင်"

"ဗြောက်အိုး ဝယ်လို့မရဘူး၊ ကိုကိုရေ၊ သားက သိပ်ငယ်သေးတော့ ဗျောက်အိုး
တွေနဲ့ဆော့ဖို့ အဆင်မပြေသေးဘူး။ အန္တရာယ်များတယ်ကွဲ့။"

ကိုကို စိတ်ပျက်မနေတော့။ ဗျောက်အိုးတွေက အရမ်းစိတ်လှုပ်ရှားစရာကောင်း
တယ်လို့ သူ တွေးမိရဲ့။ နည်းနည်းကြီးတဲ့ ကောင်လေးတွေဆို မီးထွန်းပွဲတော်ညမှာ

ပျောက်အိုးတွေမီးညှိပြီး တဒိုင်းဒိုင်းဖောက်ကြတာလေ။ ဒါပေမယ့် မေမေက ဆက်ပြော
လာတယ်။

"သားနဲ့ ညီညီက မီးပန်းလေးတွေနဲ့ပဲ ကစားလို့ရမှာနော်"

ကိုကို စိတ်ပျက်မနေတော့။ မီးပန်းလေးတွေလည်း ပျော်ဖွယ်ကောင်းတာပဲလေ။
အပြင်ဘက်မှာ မှောင်မဲနေပြီဆို မီးပန်းလေးတွေကို ဟိုဟိုသည်သည် ဝေ့ယမ်းကစားရတာ
ကိုကို ကြိုက်ပါ့။

မေမေ စျေးက ပြန်လာတော့ မီးပန်းလေးတွေ၊ ဖယောင်းတိုင်၊ ရောင်စုံစက္ကူ၊
ကောက်ညှင်းဆန်နဲ့ သကာတို့ ပါလာတယ်။ ကောက်ညှင်းဆန်နဲ့ သကာတို့က မီးထွန်း
ပွဲတော်အတွက် မုန့်ပဲသွားရည်စာလုပ်ဖွဲ့လေ။ မေမေက ကောက်ညှင်းဆန်ကို ရေမှာ
စိမ်လိုက်တယ်။ ရေစိမ်ပြီးတာနဲ့ အရီးဒေါ် ပုချေမက ကောက်ညှင်းဆန် ထောင်းပေးတယ်။
အဲဒီနောက် ရေနွေးနဲ့ ရောပြီး မုန့်ဖတ်နယ်လိုက်တယ်။ မေမေနဲ့ ချေချေက မုန့်ဖတ်ကို
လေးထောင့်ပြားပြားလေးပုံလုပ်ကြတယ်။ လတ်လတ်ဆတ်ဆတ် ခြစ်ယူထားတဲ့ အုန်းသီး
နဲ့ သကာတို့ကို ရောချက်လိုက်ပြီးနောက် အုန်းသီးသကာချက်ကို မုန့်ဖတ်လေးထောင့်ပြား
လေးရဲ့အလယ်မှာ တစ်ဇွန်းစီခတ်ထည့်တယ်။ ပြီးတာနဲ့ မုန့်ကို ခေါက်၊ လက်ထိပ်နဲ့
ဆွဲပိတ်၊ ငှက်ပျောရွက်တစ်ပိုင်းနဲ့ ပတ်ရစ်ပြီး ရေလုံပြွတ်လိုက်တယ်။ နောက်တစ်နေ့
မနက်ဆို မီးထွန်းပွဲတော်အတွက် ဘုန်းကြီးကျောင်းကို မုန့်ဖတ်ထုပ် သွားလှူကြမှာလေ။
ဒါပေမယ့် မုန့်ဖတ်ထုပ်အများကြီး ရှိလေတော့ ကိုကို၊ ညီညီတို့ ဒီည စားချင်သလောက်
အဝ စားနိုင်ကြတာပေ့ါ။

မီးထွန်းပွဲတော်ရက် မနက်ပိုင်းမှာ ကိုကိုက ရွာဦးကျောင်းက အသံချဲ့စက်သံကြား
ရတယ်။ ကျေးရွာတွင်းကျင်းပတဲ့ပွဲတွေက အသံချဲ့စက်ဖွင့်ရင် မနက် ၄ နာရီမှာ စဖွင့်
နေကျ။ ကြက်ဖကြီးတွန်သံစတဲ့ ရှင်မြူးစရာ သီချင်းတစ်ပုဒ်ကို အာရုံတက်ချိန်မှာ
ဖွင့်လေ့ရှိတယ်။ ဒါပေမယ့် အစောကြီးမို့ ကိုကိုလည်းပြန်အိပ်ပျော်သွားနေကျ။ ဒါပေမယ့်
မေမေကတော့ ဒီအသံကြားရင် အိပ်ရာက ထနေကျလေ။ ဖက်ထုပ်မုန့်တွေ သွားလှူဖို့နဲ့
သံဃာတော်တွေ၊ ဥပုဒ်သည် လူကြီးသူမတွေနဲ့ ဧည့်သည်တော်တွေအတွက် ဆွမ်းကူချက်
ပေးဖို့ ရွာဦးကျောင်းကိုသွားရတယ်။

ကိုကိုနဲ့ ညီညီတို့ အိပ်ရာက နိုးတော့ သူတို့နှစ်ယောက်အတွက် မေမေက ဖက်
ထုပ်မုန့်တွေချန်ထားခဲ့ပြီး ဘုရားစင်ပေါ်မှာ ဆီမီးခွက်တင်ထွန်းခဲ့တာတွေ့ရတယ်။
ဘာဘာက အိမ်မှာပဲရှိနေဆဲ။ ဒီရက်မှာ ဘယ်သူမှအလုပ်မလုပ်ကြဘူးလေ။ မနေ့ကတည်း
က လယ်တဲက နွားတွေကို ဘာဘာအိမ်ပြန်ခေါ် လာတာလေ။ သူ့နဲ့အတူ နွားတွေစားဖို့
မြက်တောင်းကြီးနှစ်တောင်းလည်း ထမ်းလာလေရဲ့။ နွားလှန့်မသွားရအောင်လို့ပေ့ါလေ။

"ဒီနေ့က သီတင်းကျွတ်လပြည့်နေ့ကွဲ။ မိုးရွာတဲ့နေ့တွေ လွန်ခဲ့ပြီ။ ပျော်ပါးဖို့
အချိန်ကျပြီ" ဘာဘာက နွားတွေကို ပြောလိုက်တယ်။

ကိုကို နဲ့ ညီညီက နွားတွေကို မြက်ကျွေးဖို့ ဘာဘာကို ကူညီပေးကြတယ်။ အဲဒါ လည်းပြီးရော ဘာဘာက မေမေ ဈေးကဝယ်လာတဲ့ ရောင်စုံစက္ကူတွေကို ထုတ်ယူလိုက် တယ်။ ရောင်စုံစက္ကူ၊ ဝါး၊ ဓားနဲ့ ထမင်းလုံးတစ်ခွက်တို့ကို ယူလာပြီး ဘာဘာ အိမ်ရှေ့ ခန်းမှာထွက်ထိုင်လိုက်တယ်။ ကိုကို၊ ညီညီတို့လည်း ဘာဘာ့အနား လာထိုင်ကြတယ်။ ဘာဘာက ဝါးချောင်းတစ်ချောင်းကို ပါးပါးလေး ခွဲစိတ်လိုက်တယ်။ ဝါးချောင်းပါးပါးလေး တွေကို ကြိုးအဖြစ် သုံးရမှာလေ။ ဝါးချောင်းပါးပါးလေးတွေ အလုံအလောက် ရလာတော့ ဝါးချောင်းပါးပါးတစ်ချောင်းစီကို လေးလက်မလောက်အကျယ်ရှိတဲ့ စက်ဝိုင်းအဖြစ် ဝိုက်ချည်လိုက်တယ်။ ဝါးချောင်းပါးလေးက ခပ်မာမာလေးဆိုတော့ စက်ဝိုင်းသဏ္ဌာန် ပုံမပျက်အောင် ကောင်းကောင်း ထိန်းထားလေရဲ့။ ဘာဘာက ဝါးစက်ဝိုင်းလေးကို ယူပြီး ရောင်စုံစက္ကူတစ်ရွက်နဲ့ အုပ်လိုက်တယ်။ အဲဒီနောက် ထမင်းလုံးခွက်ထဲ လက်မနဲ့ ထိုးချေပြီး ကော်ဖြစ်အောင် လုပ်လိုက်ရော။ ပြီးတာနဲ့ ရောင်စုံစက္ကူတွေကို ဝါးစက်ဝိုင်းမှာ သွားကပ်ဖို့ ဒီကော်ကို သုံးတယ်။ နောက်တော့ ရောင်စုံစက္ကူတစ်ရွက်ကို ဝါးစက်ဝိုင်းမှာ ပတ်ပြီး အောက်ခြေမှာ စက်ဝိုင်း ရှိအောင် ထားလိုက်တယ်။ အနားစွန်းတွေကို ကပ်ဖို့ နောက်ထပ် ထမင်းကော်တွေကို သုံးသေးရဲ့။ အခုဆို ခွက်တစ်လုံးနဲ့ တူလာပါပြီ။ ဘာဘာက ခွက်ထိပ်ဘက်ကို နောက်ထပ် စက်ဝိုင်းသဏ္ဌာန် ဝါးကွင်းလေးတစ်ကွင်း ထည့်ပြန်တယ်။ အနားစတွေ သိမ်းခေါက်ပြီးတဲ့အခါ ထမင်းကော်ကို သုံးပြီး နေသားတကျ ကပ်လိုက်ပြန်တယ်။ အခုဆို ထိပ်ပိုင်းဟာ မာကျောကြီးခိုင်နေပြီမို့ ဘာဘာက အုပ်ချည် ကြိုးတစ်ပင်ကို လက်ကိုင်အဖြစ်တပ်နိုင်နေပါပြီ။ ပထမဆုံး စက္ကူမီးအိမ်တော့ ပြီး သွားပြီလေ။

ဘာဘာက ရောင်စုံစက္ကူတွေကို အသုံးပြုပြီး မီးအိမ် ၇ လုံး လုပ်လိုက်တယ်။ မီးအိမ်အားလုံးက အနီရောင်၊ အစိမ်းရောင်၊ အဝါရောင်၊ ပန်းရောင်နဲ့ အပြာရောင် လှပကြရှုလို့ ကိုကိုနဲ့ညီညီတို့ မီးအိမ်တွေကို တစ်ယောက်တစ်လှည့် ကိုင်ရင်း အရောင်စုံ တွေကို ရှုန်းရှုန်းစားစား ကြည့်နေကြတယ်။ မီးအိမ်တွေထဲ ဖယောင်းတိုင်တွေတော့ မရှိသေး။ ဒါပေမဲ့လည်း ဒီမီးအိမ်တွေ ဆွဲပြီး အပြင်ဘက် ဟိုဟိုသည်သည် လျှောက်ရင်း တဲ့လောင်းလေး ဆွဲသွားရတာ သိပ်စိတ်လှုပ်ရှားဖို့ကောင်းတာပဲ။ နည်းနည်း အသက် ကြီးတဲ့ ကောင်လေးတွေ ပျောက်အိုးဖောက်နေကြတာကြားရဲ့။ နောက်ပိုင်း မီးပန်း လေးတွေနဲ့ကစားရဖို့ပဲ သူ မျှော်လင့်နေမိတယ်။

မေမေက နေ့လည်စာအတွက် ရှွာဦးကျောင်းက ဆွမ်းတွေယူလာတယ်။ ဆွမ်း ဟင်းတွေက သိပ်ကောင်းတာလေ။ နေ့လည်စာ စားပြီးတဲ့အခါ ဆီမီးခွက်တွေ ပြီးအောင် မေမေက အဆင်သင့်လုပ်ထားတယ်။ အဝတ်စတွေကိုလည်း ဆီစိမ်ထားလိုက်တယ်။ အဝတ်စ ဆီဝသွားတဲ့အခါ အဝတ်စတစ်ခုနဲ့တစ်ခု လိမ်ကျစ်ပြီး သဘောရှိုးခေါင်းထဲ ထည့်လိုက်တယ်။ ကိုကိုက ချောင်းနားက သမန်းနဲ့လုပ်ထားတဲ့ ရှူ့ဆီမီးခွက်တွေကို

သွားရှာပြီး မေမေ့ထံယူလာတယ်။ ရွှဲဆီမီးခွက်တွေထဲ မေမေက ဆီဖြည့်ပေးတယ်။ ပြီးတဲ့အခါ သင်္ဘောရိုးခေါင်းကို ရွှဲမီးခွက်တစ်လုံးစီရဲ့ ထိပ်ပေါက်ထဲထည့်လိုက်တယ်။ အခုတော့ အဆင်သင့်ဖြစ်နေပြီလေ။

ရေချိုးပြီးတဲ့အခါ မေမေက ကိုကို၊ ညီညီတို့ကို သနပ်ခါး လိမ်းပေး၊ ဝတ်ကောင်း စားလှ ဝတ်ပေးတယ်။ ဘာဘာနဲ့ မေမေတို့လည်း ဝတ်ကောင်းစားလှ ဝတ်ထားကြပြီလေ။ ကိုကိုတို့မိသားစု အိမ်ဘေးက တောင်တောင့်အိမ်ကို သွားပြီး လက်အုပ်ချီရို့ ရှိခိုးကြတယ်။ ပုဆစ်ဒူးတုပ်ထိုင်ပြီး ဗုဒ္ဓရုပ်ပွားတော်၊ သံဃာတော်တွေကို ဦးချသလိုမျိုး ဦးသုံးကြိမ်ချပြီး ကန်တော့ကြတာလေ။ တောင်တောင်က ကျန်းမာပါစေ၊ ပျော်ရွှင်ပါစေ၊ ချမ်းသာပါစေ၊ အသက်ရှည်ပါစေ၊ နိဗ္ဗာန်ရောက်ပါစေ ဆိုတဲ့ သမားရိုးကျ ဆုပေးစကားတွေကို ဆိုပေး တယ်။ တောင်တောင် ဆုပေးပြီးတဲ့အခါ ကိုကို၊ ညီညီက ဘာဘာနဲ့ မေမေကို ရှိခိုးကြ တယ်။ ဘာဘာ၊ မေမေတို့ကလည်း သမားရိုးကျ ဆုပေးစကားတွေ ဆိုကြပြန်ရော။ တောင်တောင်က ဉပုဒ်စောင့်တဲ့ ယောဂီဝတ်စုံကို ဝတ်ထားဆဲ။ ထူးခြားတဲ့ ကြယ်သီးတွေ ပါတဲ့ လက်ရှည်ရှပ်အကျီ့အဖြူရယ်၊ အညိုရောင် ထမီရယ်၊ ပုခုံးပေါ်မှာ အညိုရောင် တံဘက်ရယ်လေ။ တောင်တောင်က ဘုန်းကြီးကျောင်းက ပြန်လာတာမို့ မီးပုံးပျံတွေ လုပ်နေတာ မြင်ခဲ့မှာပဲလို့ ကိုကို သိထားတော့ ဒီလို မေးတယ်။

"တောင်တောင်၊ ဒီနှစ် မီးပုံးပျံတွေ လွှတ်ကြဦးမှာလားဟင်"

"ဟုတ်တယ်ကွဲ့။ ရောင်စုံ မီးပုံးပျံနှစ်လုံး လုပ်နေတာ မြင်ခဲ့တယ်"

ကိုကို၊ ညီညီတို့ တစ်ယောက်မျက်နှာ တစ်ယောက် ကြည့်ပြီး ပြုံးလိုက်ကြတယ်။ မီးပုံးပျံက တစ်လုံးတောင် မဟုတ်။ နှစ်လုံးကြီးများတောင်တဲ့။

အခုတော့ ကျွန်းဦးပင်နားက စေတီကို သွားဖို့အချိန်ကျပြီလေ။ ဘာဘာ၊ မေမေ ကိုကိုတို့နဲ့ညီညီတို့ လက်ထဲ ရွှဲဆီမီးခွက်ကိုယ်စီကိုင်လို့ စေတီအသွားလမ်းအတိုင်း လျှောက် လာခဲ့ကြတယ်။ မင်းလမ်းမနဲ့ နီးလာတဲ့အခါ အရပ်မျက်နှာအသီးသီးမှာရှိတဲ့ တခြား ရွာတွေရဲ့ အသံချဲ့စက်ကဖွင့်တဲ့သီချင်းသံတွေ ကိုကို ကြားရရော။ အနောက်မြောက်ဘက် သရက်ချို့ရွာကလည်း ကြားရသလို မြောက်ဘက် စပါးတုံရွာနဲ့ တောလယ်ရွာတဲ့ဘက် ကလည်း ကြားရလေရဲ့။ တစ်ချို့ရွာတွေက အိုးစည်ပုံမောင်း တီးသံတွေလည်း အခြား တစ်ရွာက ကက်ဆက်တိတ်ခွေ၊ အသံချဲ့စက်တို့နဲ့ဖွင့်တဲ့ ခေတ်ပေါ်သီချင်းသံတွေနဲ့ ရောစပ်သွားပါလေရော။

စေတီပတ်လည်မှာ ရွာသားတွေ ဖယောင်းတိုင် စယ်ထွန်းနေကြပြီ။ အမျိုးသမီး တစ်ယောက်က ဖယောင်းတိုင်တစ်တိုင်ရဲ့ အောက်ခြေနားကို အခြားတစ်တိုင်ရဲ့ မီးညွှန့်နဲ့ နားကပ်ကိုင်ထားတာ တွေ့တယ်။ ဖယောင်းသား နည်းနည်း အရည်ပျော်ပြီဆိုတာနဲ့ စေတီတော်ခြေရင်းမှာ မြဲမြဲမြဲ ထိုးစိုက်လိုက်တာ ကိုကို ကြည့်နေမိရဲ့။ ဖယောင်းတိုင် အားလုံးက အဖြူရောင်တွေချည်းပဲ။ စေတီတော်ကို လောလောလတ်လတ် ထိုးသက်နှန်း

ကပ်ပြီးခါစဆိုတော့ သန့်ရှင်းဖြူဖွေးစွာ သပွယ်နေလေရဲ့။ သစ်ရွက်ခြောက်တွေနဲ့ မြက်တွေကို ရှင်းထားပြီးသား။ ကြည့်ရတာ ကြည်နူးစရာလို့ ကိုကို တွေးမိရဲ့။ စေတီတော်နား ရောက်တော့ ကိုကိုတို့ ဖိနပ်ချွတ်လိုက်ကြတယ်။ အဲဒီနောက် ဘာဘာက ဆီမီးခွက်တွေ မီးထွန်းပြီး စေတီတော်ခြေရင်းက ဖယောင်းတိုင်တွေဘေးမှာ တင်ထွန်း လိုက်တယ်။ တခြားသူတွေလည်း ရှုံ့ဆီမီးခွက်တွေ လုပ်လာကြတာ ကိုကို မြင်ရရဲ့။ သိပ်အများကြီးတော့ မဟုတ်ပေမယ့် အတော်များများတော့ ရှိလေရဲ့။ သူ့ဆီမီးခွက်ထက် ပိုမြင့်တဲ့ ဆီမီးခွက် ၂ လုံးတော့ရှိတယ်။ တစ်လုံးက သူ့ဆီမီးခွက်ထက်ပိုနိမ့်တယ်။ နောက်တစ်လုံးက အနားတွေ လုံးဝိုင်ဝိုင်း ဖြစ်နေလေရဲ့။ ဆီမီးခွက်တွေ၊ ဖယောင်းတိုင် တွေက နေမှောင်လာရင် စေတီတဝိုက် သိပ်ကိုပသာဒကျနေမှာပါပဲ။

ကိုကိုက ဘာဘာ၊ မေမေ၊ ညီညီတို့နဲ့အတူ ဒူးထောက်ပြီး စေတီတော်ကို ဦးခိုု့ လိုက်တယ်။ မေမေက အိတ်ထဲက မီးပန်းနှစ်ချောင်းကိုထုတ်ယူပြီး ကိုကိုနဲ့ ညီညီထံ တစ်ယောက်တစ်ချောင်းပေးလိုက်တယ်။ ဘာဘာက မီးပန်းတွေကို မီးခြစ်နဲ့ မီးညှိပေး တယ်။ ကိုကိုက သူ့ရဲ့ မီးခိုးရောင်မီးပန်း ရွတ်တရွက် မီးပွားလေးတွေ ထွက်လာတာ ကြည့်ရင်း ရယ်မိရော။ မီးပန်းထိပ်ဟာ အရုပ်လေးမျက်နှာကို ကြယ်တစ်စင်းလို လင်းလက်တောက်ပရင်း မီးပွားလေးတွေ ခုန်ထွက်နေကြတာလေ။ ကိုကိုက မီးပန်းကို ဝှေ့ယမ်းကစားတော့ ညီညီလည်း လိုက်ကစားရော။ ညီအစ်ကိုနှစ်ယောက် တစ်ချိန်လုံး ရယ်မောနေမိကြရဲ့။ ပျော်စရာက ခုမှစတာ။ ရွှေဦးကျောင်းကိုသွားပြီး မီးပုံပုံ သွားကြည့်ဖွဲ့ အချိန်ကျပြီလေ။

ရွှေဦးကျောင်းနား ရောက်တော့ ကျောင်းတံတိုင်းပတ်လည်မှာ ဖယောင်းတိုင်တွေ ထွန်းထားတာ ကိုကို မြင်ရရော။ ကျောင်းမုခ်ဝနားမှာ ကိုကို၊ ညီညီတို့ ဖိနပ်ချွတ်ပြီး ဘာဘာ၊ မေမေတို့ရဲ့ ဖိနပ်တွေနားထားရခဲ့ကြတယ်။ ဖိနပ်အရဲ ၁ဝဝ လောက် ချွတ် ထားတာတွေ့ရဲ့။ မုခ်ဦးကနေဝင်ပြီး ဘုန်းကြီးကျောင်းဆီ မြေလမ်းအတိုင်းလျှောက်ခဲ့ကြ တယ်။ ဘုန်းကြီးကျောင်းက သစ်သားကျောင်း။ ခေါင်မိုးကိုတော့ သံဖြူကောင်းကောင်းလေး မိုးထားလေရဲ့။ ဘုန်းကြီးကျောင်းဆီ သွားရာလမ်းတလျှောက် ဝါးလက်ရန်းလေးတွေ ရှိတယ်။ ဝါးကို စိပ်ထားလို့ ရေတံလျှောက်ပုံသဏ္ဌာန် ဖြစ်နေလေရဲ့။ ဖယောင်တိုင်ထွန်းဖွဲ့ နေရာကောင်းလေးပဲပေါ့။ ဝါးခြမ်းပေါ်မှာ ဖယောင်းတိုင်တွေတင်ပြီး ဘုန်းကြီးကျောင်း နားထိ တောက်လျှောက် ထွန်းထားလေရဲ့။ အုတ်အင်္ဂတေနဲ့ လုပ်ထားတဲ့ လှေကားနှစ်ခက ကျောင်းပေါ်သို့ ဦးတည်နေတယ်။ လှေကားတစ်ခက ရဟန်းသံဃာတော်တွေ အတက် အဆင်းလုပ်ဖွဲ့။ နောက်တစ်ခက လူဝတ်ကြောင်တွေသုံးဖွဲ့လေ။ အရင်က ဒီလိုလှေကား ထပ်မျိုးတွေ ကိုကို မမြင်ဖူးခဲ့။ လှေကားထပ်တွေက သစ်သားတွေ၊ ဝါးတွေနဲ့ပဲ လုပ်တတ် ကြတာကိုး။ ဒီလှေကားထပ်တွေက တစ်နည်းတစ်ဖုံ ဆန်းပြားနေလေရဲ့။ ကိုကိုက လူ ဝတ်ကြောင်တွေ တက်တဲ့ လှေကားကနေ တက်လာခဲ့တယ်။ ကျောင်းအောက်မှာတော့

ကျောင်းကို ပင့်ခံပေးထားတဲ့ သစ်သားတိုင်လုံးတွေ မြင်ရရဲ့။ တိုင်လုံးတွေက အကြီးကြီးပဲ။ လက်နှစ်ဘက်နဲ့ သိုင်းဖက်ကြည့်ရင်တောင် ဖက်လို့မိမှာမဟုတ်။

အဆောက်အဦရဲ့ ရှေ့ဘက်နဲ့ ဘေးတစ်ဘက်မှာ ဝရန်တာတစ်ခုရှိတယ်။ ဘုန်းကြီးကျောင်းအတွင်းဝင်ဖို့ လှုပခန်ထည်တဲ့တံခါးပေါက် ၉ ပေါက်ရှိလေရဲ့။ ကိုကို၊ ညီညီတို့က ဘာဘာနဲ့မေမေနောက်ကနေ တံခါးတစ်ပေါက်ကို ဖြတ်လာခဲ့တယ်။ ဘုန်းကြီးကျောင်းအတွင်းပိုင်းက အကျယ်ကြီးပဲ။ သစ်သားမျက်နှာကြက်အမြင့်ကြီး တစ်ခုလည်း ရှိလေရဲ့။ ဘုန်းကြီးကျောင်းဟာ မျက်နှာကြက်တပ်ထားတဲ့ တစ်ခုတည်းသော နေရာပါပဲ။ တခြားအိမ်တွေ၊ အဆောက်အဦတွေမှာဆို အမိုးဒိုင်းတွေ၊ တန်းတွေကို မြင်နေရတာလေ။ ကျောင်းအဆောက်အဦတွင်းက သစ်သားအကွပ်တွေကို အပြောက် အမွမ်းတွေနဲ့ တန်ဆာဆင်ထားလေရဲ့။ ထောက်တိုင်လုံးအများစုကို မှန်အမြင့်ကြီးတွေနဲ့ ဖုံးအုပ်ထားရဲ့။ မှန်နဲ့ မအုပ်ထားတဲ့ တိုင်လုံးတွေကို ရုပ်ကြွလက်ရာတွေနဲ့ မွမ်းမံခြယ်သ ထားတယ်။ မျက်နှာကြက်အောက် နံရံပတ်လည်မှာ မြတ်ဗုဒ္ဓရဲ့ ဘဝဖြစ်တော်စဉ်အကြောင်း အသေးစိတ်ခြယ်မှုန်းပြီး ဆေးခြယ်ထားတဲ့ သစ်သားပန်းကြွလက်ရာတွေ ရှိလေရဲ့။

သစ်သားကြမ်းခင်းရဲ့ အလယ်ဗဟိုမှာ မှိုင်မတိုက်ရသေးလို့ ပြာချပ်နေတဲ့ မီးပုံးပျံနှစ်လုံးကို ကိုကို မြင်ရတယ်။ ရွာသားတွေက မီးပုံးပျံအတွက် လိုအပ်တဲ့ပစ္စည်း တွေကို အလှူငွေကောက်ခံ ဝယ်ယူပြီး ကိုယ်တိုင်လုပ်ထားကြတဲ့ မီးပုံးပျံတွေပေ့။ မီးပုံး ပျံတွေကို ရောင်စုံစက္ကူနဲ့ လုပ်ထားတယ်။ တစ်လုံးက ၂၅ ပေလောက် ရှည်ပြီး နောက် တစ်လုံးက ပေ ၂၀ ခန့် ရှည်ပါတယ်။ မီးပုံးပျံတွေ လွှတ်တင်တာ ကိုကို ကြည့်ချင်လှပြီ။ မစောင့်နိုင်အောင်ပဲ။ မီးပုံးပျံတွေကို မတ်တပ်ရပ်ပြီး အကြာကြီးကြည့်နေချင်ပေမယ့် ဘာဘာ၊ မေမေတို့နောက်ကလိုက်ပြီး ဗုဒ္ဓရုပ်ပွားတော်ရှေ့မှောက် လိုက်သွားရဦးမယ်လေ။

ကျောင်းရှေ့တံခါးပေါက်တွေနဲ့ မျက်နှာချင်းဆိုင်မှာ ဗုဒ္ဓရုပ်ပွားတော်တစ်ဆူ ရှိလေရဲ့။ ရုပ်ပွားတော်က အကြီးကြီး။ ရပ်တော်မူရုပ်ပွားတော်တစ်ဆူလေ။ ရုပ်ပွားတော်ရဲ့ ရှေ့မှာ ရှည်မျောမျော စားပွဲခံကျဉ်းလေးတစ်ခုရှိတယ်။ ရွာသားတွေက ဒီစားပွဲခံပေါ်မှာ တင်ထွန်းဖို့ ဖယောင်းတိုင် မီးညှိသူက ညှိ၊ ရှိခိုးသူက ရှိခိုးနေလေရဲ့။ မေမေက အိတ်ထဲ က ဖယောင်းတိုင်တွေထုတ်လိုက်ပြီး မိသားတစ်စု တစ်ယောက်တစ်ချောင်းစီ ယူလိုက်ကြ တယ်။ ကိုကိုက အခြားဖယောင်းတိုင်တစ်တိုင်ရဲ့ မီးညွန့်ကနေ မီးကူးပြီး သူ့ဖယောင်းတိုင်ကို ထွန်းလိုက်တယ်။ အဲဒီနောက် စားပွဲပေါ်က အခြားဖယောင်းတိုင် ရာပေါင်းများစွာနဲ့အတူ ရောထွန်းလိုက်တယ်။

ဖယောင်းတိုင် မလဲအောင် သေချာလေး တင်ထွန်းပြီးတဲ့နောက် တခြားမိသားစုဝင် တွေနဲ့သွားပေါင်းလိုက်တယ်။ သူတို့အားလုံး မြတ်စွာဘုရားကို လက်စုံမိုးပြီး သုံးကြိမ် ဦးချကန်တော့ကြတယ်။ ကိုကို၊ ညီညီတို့က ဘုရားရှိခိုးရင် ဘာဘာ၊ မေမေတို့ထက်အရင် ပြီးနေကျလေ။ ငယ်သေးတော့ ဘုရားစာတွေ သိပ်မရသေးသလို ဘာဘာ၊ မေမေတို့

သိတဲ့ ပါဠိစာတွေလည်း သူတို့ မသိသေးလို့ပေါ့။ ကိုကိုက ဘာဘာ၊ မေမေတို့ ဘုရားဝတ်တက်ပြီးအောင် စောင့်နေရင်း ကြမ်းပြင်ပေါ် ချထားတဲ့ မီးပုံးပျံလှလှလေးကို မျှော်ကြည့်နေမိရဲ့။

"ကိုကို၊ ဒီပုဒ္ဓရုပ်ပွားတော်အကြောင်းကို သိလားကွဲ့"

မသိသေးပါဘူး၊ မေမေ"

ကိုကိုက ဒီလို ဆိုရင်း ရောင်စုံစက္ကူသားနဲ့ လုပ်ထားတဲ့ မီးပုံးပျံတွေဘက်ကနေ အကြည့်လွှဲလိုက်တယ်။

"ဒီရုပ်ပွားတော်နဲ့ပတ်သက်ပြီး စိတ်ဝင်စားစရာ ဇာတ်လမ်းတစ်ပုဒ် ရှိတယ်ကွဲ့။ လွန်ခဲ့တဲ့ နှစ် ၂၀၀ လောက်က ဘင်္ဂလားပင်လယ်အော်ထဲ ဒီရုပ်ပွားတော် မျောနေတာ တွေ့တယ်။ ကျောက်တွေရွာက တံငါသည်တစ်ယောက်က တွေ့တာတဲ့။ ကျောက်တွေတောင်ကျောင်းမှာထားသင့်လား၊ မြောက်ကျောင်းမှာထားသင့်လားဆိုတဲ့ကိစ္စ အငြင်းအခုံဖြစ်ကြသေးသတဲ့။ ဒါပေမယ့် နောက်ဆုံးတော့ ကျောက်တွေမြောက်ကျောင်းပေါ်ပဲ ပင့်ဆောင်ကိုးကွယ်လာကြတယ်တဲ့ကွယ်"

"ရုပ်ပွားတော် ဘယ်ကနေ ရောက်လာတာလဲဟင်၊ မေမေ"

"အတိအကျတော့ ဘယ်သူမှ မသိဘူးပေါ့ကွယ်။ ရခိုင်ပြည်နယ်တောင်ပိုင်းက လာတာလို့ တစ်ချို့က ထင်ကြတယ်။ တစ်ချို့ကျပြန်တော့ အပြောက်အမွှမ်းလက်ရာတွေက မန္တလေးခေတ် ရှေးဟောင်းအနုပညာ လက်ရာနဲ့ ဆင်တူလို့ ရေကြီးနေတုန်း ဧရာဝတီမြစ်အတိုင်း စုန်ပြီးမျောပါလာတဲ့ ဘုရားတစ်ဆူလို့ ယူဆကြတယ်ကွဲ့"

"မန္တလေးက ဘယ်နားမှာလဲ၊ မေမေ"

"မန္တလေးဆိုတာ မြန်မာနိုင်ငံအလယ်ပိုင်းမှာရှိတယ်၊ ကိုကိုရေ့။ ဒီကဆို သိပ်ဝေးတာလေ။ ဒါပေမယ့် ဒီရုပ်ပွားတော်ကို ထုလုပ်ခဲ့တဲ့ ပန်းပုဆရာတွေက ဧရာဝတီမြစ်ဝကျွန်းပေါ်ဒေသမှာ နေထိုင်ကြသူတွေလည်း ဖြစ်ချင်ဖြစ်မှာပေါ့။ ဗုဒ္ဓရုပ်ပွားတော်က တစ်လလောက် ရေထဲမျောပါလာခဲ့တာ ဖြစ်မှာပေါ့၊ ကိုကိုရယ်"

ရုပ်ပွားတော်ကြီး တစ်လကြာကြာ ပင်လယ်ထဲ မျောပါနေတဲ့အကြောင်း သူတွေးမိရဲ့။ ရုပ်ပွားတော်ကြီးကို ငါးတွေ မြင်ရင် ဘယ်လို ထင်ကြမလဲ ကိုကို သိချင်စမ်းပ့ါ။

"သစ်သားက အကောင်းပကတိဆိုတော့ လူတွေက ကျွန်းသားလို့ ထင်ကြတယ်ကွဲ့။ ကျွန်းသားကသိပ်မာတာ။ ပေါ့လည်းပေါ့ပါးတယ်လေ။ ဆားငန်ရေစိုလို့လည်း ကျွန်းသားက မပျက်စီးဘူး။ ပိုးစားထားတာလည်း မရှိဘူးလေ။ ရုပ်ပွားတော်ကို မှန်ဘောင်သွင်းထားတာ မြင်လားကွဲ့"

"ဟုတ်ကဲ့"

"ဒါဟာ မြတ်ဗုဒ္ဓရဲ့ သင်္ကန်းတော်က ရွှေရောင်ဖြစ်လို့လေ။ မကြာသေးခင်က လူတစ်ယောက် ရုပ်ပွားတော်က ရွှေတွေခွာယူနေတာမိသွားလို့ အခုလိုမှန်ဘောင်သွင်း

ထားလိုက်တာကွဲ။။ အဲဒီနတ်သားကို မြင်လား၊ ကိုကို"

နတ်ရုပ်ကို ကိုကို ကြည့်လိုက်တယ်။။ ဆေးခြယ်ထားလို့ ရောင်စုံဖြစ်နေလေရဲ့။။ နတ်သားရဲ့ ခေါင်းမှာ ခပ်ချွန်ချွန် ခေါင်းဆောင်းရှည်တစ်ခု ဆောင်းထားတယ်။။ နတ်ဝတ် နတ်စားတွေက အကွက်တွေအတက်တွေနဲ့ တန်ဆာဆင်လို့။။

"ဘာဘာရဲ့ အမိဘက်က ဘိုးဘေးတစ်ယောက်က အဲဒီနတ်ရုပ်ကို လှူထား တာလေ။။ နှစ်ပရိစ္ဆေဒ ကြာခဲ့ပြီပေါ့ကွယ်"

ကိုကိုက မတ်တပ်ရပ်ပြီး နတ်ရုပ်နား တိုးကပ်သွားတယ်။။ သူ့အရပ် နှစ်ဆလောက် မြင့်လေရဲ့။။ အဲဒီနောက် ကိုကိုနဲ့ ညီညီတို့ ဘာဘာ၊ မေမေတို့နောက်ကနေ ကျောင်းထဲက ထွက်ပြီး လှေကားအတိုင်း ဆင်းလာခဲ့ကြတယ်။။ အပြင်ဘက်မှာ မှောင်လာနေပြီ။။ မကြာခင် မီးပုံပွဲလွှတ်တင်ကြဖို့အချိန် ရောက်တော့မယ်လေ။။

ဘုန်းကြီးကျောင်းတံတိုင်းအတွင်း ပင်မကျောင်းဆောင်ကြီးဘေးမှာ ပိုသေးတဲ့ အဆောက်အဦတစ်ခုရှိလေရဲ့။။ အဲဒါ သိမ်တက်ရဟန်းခံကြတဲ့သိမ်ပါပဲ။။ ကိုကိုတို့ မိသားစု သိမ်ထဲဝင်သွားလိုက်တဲ့အခါ လျောင်းတော်မူ ဗုဒ္ဓရုပ်ပွားတော်ကြီးတစ်ဆူ ဖူးတွေ့ရတယ်။။ တစ်ခါ ကိုကိုက ဖယောင်းတိုင်တွေထွန်းညှိပြီး မိသားစုနဲ့အတူ ဘုရား ရှိခိုးပြန်တယ်။။

သိမ်ထဲက ထွက်တဲ့အခါ မှိုင်းမတိုက်ရသေးတဲ့ မီးပုံပွဲပြားချပ်ချပ်တွေကို ငါး ယောက်တစ်ခုစီ သယ်သွားတာတွေ့ရတယ်။။ သူတို့ ဦးတည်ရာက ကျောင်းခြံအပြင်ဘက် ကွင်းပြင်ကြီးပါပဲ။။ ရွာသားအားလုံး ဘုန်းကြီးကျောင်း မုခ်ဦးကနေထွက်ပြီး ဒီလူတွေ နောက်က ကွင်းပြင်ထဲလိုက်လာခဲ့ကြတယ်။။

အခုဆို အာကာတခွင် မည်းမှောင်နေပြီ။။ သို့ပေမယ့် လပြည့်ညမှာ သာတဲ့လက လောကကြီးကို ကြည့်ရှုဖို့ လုံလောက်တဲ့ အလင်းရောင်ကို ပေးစွမ်းနေလေရဲ့။။ ကိုကိုတို့ အားလုံး ကွင်းထဲလှမ်းလျှောက်လာပြီး ရောင်စုံစက္ကူ မီးပုံပွဲတွေကို မြေပေါ်ချလိုက်တာ ကြည့်ကြတယ်။။ မီးပုံပွဲကိုပတ်ဝိုင်းပြီး လူတွေစုနေကြတယ်။။ မိနစ်ပိုင်းအတွင်း နောက်ထပ် လူတွေ ရောက်လာကြရဲ့။။ လူနှစ်ယောက်က ဝါးလုံးတစ်လုံးစီ မယ့်ကိုင်ပြီး တခြားသူတွေ မှိုင်းဖြည့်နေတုန်း မီးပုံကို အပေါ်မြှင့်ထားလို့ရအောင် မီးပုံပွဲထိပ်က ကြိုးကွင်းထဲ ဝါးလုံးကိုလျှောထည့်လိုက်ကြတယ်။။ မီးပုံပွဲရဲ့အမြင့်ကို အားလုံး အခုမှမြင်ရတာပါ။။ ကလေးတွေကို နောက်ဆုတ်နေဖို့ ပြောလိုက်တယ်။။ လူတစ်ယောက်က တုတ်ချောင်းထိပ်မှာ မီးတောက်နေတဲ့ မီးတုတ်ကို ကိုင်ပြီး မီးပုံပွဲအောက်ခြေကနေ အတွင်းသို့ သတိနဲ့ထိုး သွင်းလိုက်တယ်။။ မီးပုံပွဲအောက်ခြေပင်းက ဝါးကို စက်ဝိုင်းပုံပုံ ဝိုက်ပြီး လုပ်ထားတာလေ။။ တဖြည်းဖြည်းနဲ့ မီးတုတ်က မှိုင်းတွေကြောင့် မီးပုံပွဲ မှိုင်းဝလာပြီ ပြန်ကားထွက်လာလေရဲ့။။ မီးပုံပွဲကို ထမင်းကောက်နဲ့ကပ်ထားတဲ့ လေးထောင့်စက္ကူရွက်ကြီးတွေနဲ့ လုပ်ထားမှန်း အခုမှ အလွယ်တကူမြင်ရရဲ့။။ မီးပုံပွဲထဲက မီးတုတ်ကြောင့် ညကောင်းကင်ပြင်မှာ

မီးပုံပျံကို လှပကြရွှစွာ လင်းလက်တောက်ပစေပါတယ်။

အခုမှ ခက်ခဲတဲ့အပိုင်းက လာပါပြီ။ မီးပုံပျံက မိုးပေါ် တက်မယ့်တကဲကဲ ဖြစ်
လာပြီ။ လူတွေက မီးပုံပျံ မတက်သွားအောင် ဆွဲချထားရတယ်။ ဝါးလုံးတွေနဲ့ ဆိုင်းထား
သူတွေလည်း ကိုင်မြှောက်ထားစရာ မလိုတော့လို့ မီးပုံပျံကို ကြိုးကွင်းကနေ လွှတ်ပေး
လိုက်ကြပါပြီ။ သတိတစ်ချက် လွတ်သွားတာနဲ့ မီးပုံပျံကြီး မီးလောင်ကျွမ်းသွားမှာလေ။
မီးတုတ်ကိုင်ထားသူက မီးပုံပျံထဲ မီးတုတ်ကို ခပ်မြင့်မြင့်ကိုင်ထားပေးရတယ်။ မှန်တိုင်ကို
အောက်ခြေ ဝါးစက်ဝိုင်းပိုင်းမှာ ကန့်လန့်ဖြတ်သွားချည်ဖို့ နေရာချန်ပေးရလို့လေ။
မှန်တိုင်မှာ ရေနံဆီစိမ်ထားတဲ့ သက်န်းဟောင်းစန့် လုပ်ထားတဲ့ မီးခွေတွေနဲ့ ရစ်ထား
လေရဲ့။

မီးပုံပျံအောက်ခြေနားမှာ စက်ဝိုင်းသဏ္ဌာန် ဝါးကွင်းပေါ် မှန်တိုင်တွေချည်နေ
တုန်း ကြိုးတစ်ပင်နဲ့တွဲချည်ထားတဲ့ စက္ကူမီးအိမ်ထဲက ဖယောင်းတိုင်တွေကို တစ်ယောက်
က မီးညှိလိုက်တယ်။ မီးအိမ်တွေတွဲထားတဲ့ဒီကြိုးကို စွန်အမြီးလိုမျိုး မီးပုံပျံမှာ သွားချည်
မှာလေ။

ကလေးအားလုံး တပျော်တပါး ဟစ်အော်အားပေးနေကြရဲ့။ မီးပုံးပျံ လွတ်တော့
မလား။ တစ်ယောက်ယောက် လက်ချော်သွားလို့ မီးပုံးပျံရဲ့စက္ကူသားလေး မီးစွဲလောင်
သွားတော့မလား။ မှန်တိုင်ကို စက်ဝိုင်းသဏ္ဌာန်ဝါးကွင်းမှာ သွားချည်ပြီးတာနဲ့ ဆီစိမ်
သက်နှန်းစတွေပတ်ချည်ထားတဲ့ မှန်တိုင်အပေါ် တည့်တည့် ဖြစ်နေ၊မနေ စစ်ဆေးကြည့်
ရတယ်။ တကယ်လို့သာ မှန်တိုင်လဲကျနေတာမျိုး ဖြစ်နေရင် ရောင်စုံစက္ကူ မီးပုံးပျံ
မီးစွဲလောင်သွားမှာလေ။ ဒါကြောင့် အားလုံးကို သေချာလေး ချည်ပေးရပါတယ်။

"လွတ်တင်ဖို့ အဆင်သင့်ဖြစ်ပြီဟေ့"

လူတစ်ယောက်က အော်လိုက်တယ်။ မီးပုံးပျံထဲ မီးတုတ်မြှင့်ကိုင်ထားသူက
ဆီစိမ်သက်နှန်းစတွေနား ကပ်လာတဲ့အထိ မီးတုတ်ကို သတိနှင့်မှ့ချလိုက်တယ်။ သက်နှန်းစ
မီးစွဲလောင်ပြီဆိုတာနဲ့ မီးတုတ်ကို ခပ်သွက်သွက်လေးထုတ်လိုက်တယ်။ ခပ်မြန်မြန်
မလုပ်နိုင်လိုက်ရင် မီးပုံးပျံ မီးစွဲလောင်သွားနိုင်တယ်လေ။ မီးတုတ်ကို မီးပုံးပျံထဲက
ထုတ်လိုက်တယ်ဆိုရင်ပဲ မီးပုံးပျံအောက်ခြေကို တင်းတင်းဆွဲကိုင်ထားတဲ့ လူနှစ်ယောက်
လည်းလွတ်လိုက်ကြလေရဲ့။ အားလုံးက အော်ဟစ်အားပေးကြတယ်။ မီးပုံးပျံ တက်သွား
ပါပြီ။

မီးပုံးပျံက ဆီပူတွေ တစ်စက်စက် ကျရင်း ပျံတက်သွားတာကြောင့် အောက်နားမှာ
သွားရပ်နေဖို့ မသင့်ပါဘူး။ လေထဲရောက်သွားတော့ လူအုပ်ကြီးထိခိုက်အနာတရ
မဖြစ်အောင် မီးပုံးပျံအောက်ကနေ ရဲ့ပေးကြရတယ်။ ကိုကို မတ်တပ်ရပ်နေတဲ့ဘက်
မဟုတ်တဲ့ အခြားတစ်ဘက်ကနေ မီးပုံးပျံ ပျံတက်သွားတာကြောင့် ကိုကိုတို့ မိသားစု
နေရာရွှေ့ပေးဖို့ မလိုလိုက်။

မီးပုံးပျံ တရိပ်ရိပ် မြင့်တက်သွားတာ ကိုကို ကြည့်နေမိတယ်။ အပေါ်သို့ မြင့်
တက်သွားလေ အားပေးအော်ဟစ်သံ ပိုကျယ်လာလေပဲ။ ရောင်စုံစက္ကူလှလှလေးတွေက
အတွင်းက မီးရောင်နဲ့ လင်းလက်တောက်ပနေရဲ့။ မီးပုံးပျံအမြီးမှာ စက္ကူမီးပုံး ရောင်စုံ
လေးတွေနဲ့။ အတွင်းဘက်က ဖယောင်းတိုင်တွေကြောင့် အဝါ၊ အနီ၊ အပြာ၊ အစိမ်း၊
ပန်းရောင် အရောင်အသွေးစုံ လင်းလက်တောက်ပနေလေရဲ့။ အမြီးပါတဲ့ မီးပုံးပျံက
ညကောင်းကင်ပြင်မှာ ပဉ္စလက်ဆန်နေလေရဲ့။ သီတင်းကျွတ်လပြည့်နေ့မှ့ လစန္ဒာက
ဘုန်းကြီးကျောင်းခေါင်မိုးထက်မှာ ပြည့်ပြည့်ဝန်းဝန်း ထိန်ထိန်သာနေပေါ့။

ခဏနေတော့ မီးပုံးပျံ တအားအမြင့်ကြီးကိုရောက်သွားလို့ မြင့်ဖို့တောင် ခက်ခဲ
လာရော။ မီးပုံးပျံက မှိတ်တုတ်မှိတ်တုတ် လင်းလက်နေတဲ့ ကြယ်တစ်စင်းနဲ့တူနေပြီ။
မီးပုံးပျံ ဘယ်ဆီဘယ်ဝယ် ဦးတည်သွားနေလဲဆိုတာ ဘယ်သူမှမသိကြ။ အတွင်းက
မီးစာကုန်တာနဲ့ မီးပုံးပျံက ပြုတ်ကျတော့မှာလေ။ ဘယ်နေရာမဆို ပြုတ်ကျသွားနိုင်တာပေါ့။

အခုတစ်ခါ ပိုသေးတဲ့ ဒုတိယမီးပုံးပျံကို အလားတူ လွတ်တင်ကြတော့မယ်။
မီးပုံးပျံကြီးလို့ အမြီးမှာ မီးအိမ်တွေသိပ်မများလှ။ မီးပုံးပျံကြီးမှာ မီးအိမ်ဆယ်လုံးရှိပြီး

ဒီအငယ်တစ်လုံးမှာတော့ မီးအိမ်သုံးလုံးပဲ ရှိလေရဲ့။ မီးပုံးပျံ တင်ဖွဲ့ ပြင်ဆင်နေကြတုန်း ပုန်းညက်ပင်ဆီ လူတွေ လက်ညှိုးထိုးပြလာကြရော။ တောင်ကျောင်းက မီးပုံးပျံလွှတ် တင်လိုက်ပြီကိုး။ မီးပုံးပျံက ပုန်းညက်ပင်ရဲ့ အစွက်တွေကြားကနေ အဝေးကိုမြင့်တက် သွားတာမြင်ရဲ့။ ကိုကိုက သိပ်တော့ အာရုံစိုက်ပြီးလှမ်းမကြည့်လိုက်မိ ဒုတိယမီးပုံးပျံ လွှတ်တင်တာကြည့်ဖွဲ့ ပိုလို့စိတ်ဝင်စားနေမိတယ်။

ဒုတိယမီးပုံးပျံလည်း လူပရိသတ်တွေ ဟစ်အော်အားပေးသံတွေနဲ့ လွှတ်တင် လိုက်ပြီ။ မီးပုံးပျံ မိုးပေါ် တရိပ်ရိပ်မြင့်တက်သွားလေရဲ့။ မီးအိမ်တွေက နောက်မှာ တန်းစီပြီး ရှင်မြူးဖွယ်လင်းလက်တောက်ပလို့ မြင့်တက်သွားတယ်။ သေးသေးလေးပဲ မြင်ရတော့တဲ့အထိ ကိုကို လိုက်ကြည့်နေမိတယ်။ ဟော့ - အခုဆို ပထမမီးပုံးပျံလိုပဲ ကောင်းကင်ပေါ် ကြယ်တာရာတစ်စင်းနယ် မှိတ်တုတ်မှိတ်တုပ်ပဲ မြင်နေရပြီလေ။

ငွေလသော်တာက လင်းလက်ရောင်ခြည်ဖြာနေတာမို့ အိမ်အပြန်လမ်းမှာ မီးအိမ်တွေမလို အိမ်အများစုမှာ အိမ်ခြံစည်းရိုးအတိုင်းသွယ်ပြီး ဖယောင်းတိုင်တွေ ထွန်းထားလေရဲ့။ ညဦးက မောနေပြီမို့ မေမေက သူ့ကို ချီထားလိုက်တယ်။ ကိုကို့ကိုတော့ ဘာဘာက ချီပြီး ပုခုံးပေါ် ခွစီးထိုင်ခိုင်ထားတယ်။ ကိုကိုက သိပ်ပျော်တာလေ။ ဘာဘာ ပုခုံးထက်ထိုင်ရတာ ပျော်စရာသိပ်ကောင်းပေါ့။ ကိုကိုက လင်းလက်တဲ့ လပြည့်ဝန်းကြီးကို မော့ကြည့်လိုက်မိရဲ့။ ညကောင်းကင်ပြင်မှာ လမင်းကြီးက အကြီးကြီးလိုဖြစ်နေပြီ။

"လပေါ်မှာ ဘာလို့ အစက်အပြောက်တွေ ရှိနေရတာလဲ၊ ဘာဘာ"

မေမေနဲ့ ဘာဘာက လမ်းလျှောက်တာ ခဏရပ်ပြီး ကောင်းကင်ကို မော့ကြည့်ကြ တယ်။ ပြီးတော့ ဘာဘာက ကဗျာလေးတစ်ပုဒ်ရွတ်ဆိုပြလေရဲ့။

"ရွှေလမှာ ယုန်ဝပ်လို့
ဆန်ဖွတ်တဲ့ အဘိုးအို
ဟော့ - ကြည့်ပါဆို။
ဆိုသာဆို
ပိုမိတဲ့ စကား။
ကလေး အငိုတိတ်အောင်
အရိပ်အယောင်ပြတယ်
ဖိုးလနတ်သား"

"အဲဒါ ဘာအဓိပ္ပာယ်လဲဟင်၊ ဘာဘာ"

"လပေါ်က အစက်အပြောက်တွေဆိုတာ ဆန်ဖွတ်နေတဲ့ အဘိုးအိုနဲ့ သူ့နား ထိုင်နေတဲ့ ယုန်တစ်ကောင်ပုံ ဖြစ်တယ်လို့ ဆိုလိုတာကွဲ့။" မေမေက ပြောပြတယ်။

"ပြီးတော့ ဂျီကျနေတဲ့ ကလေးငယ်တစ်ယောက်ကို နှစ်သိမ့်ချော့မြှူဖွဲ့ ဒီကဗျာကို ရွတ်ဆိုခိုင်တယ်လို့ ဆက်ပြောတာ၊ ကိုကိုရဲ့။"

"အဘိုးအိုနဲ့ ယုန်က လပေါ် ဘယ်လို ရောက်သွားကြတာလဲ၊ မေမေ"

"အင်း-ဒါက ကဗျာအဖြစ်ပဲ ရေးထားတာလေ၊ ကိုကိုရေ။ အမှန်ကတော့ ဒီအစက်အပြောက်တွေက တွင်းချိုင့်ကြီးတွေကွဲ့။"

ကိုကိုတို့မိသားစု ရှေ့ဆက်လျှောက်ကြပြန်တယ်။ ဒါပေမယ့် ကိုကို့မှာတော့ မေးစရာမေးခွန်း ကျန်သေးရဲ့။

"တွင်းချိုင့်ကြီးတွေဆိုတာ ဘာလဲဟင်။ မြင်နေရတဲ့ အစက်အပြောက်တွေက တွင်းချိုင့်ကြီးတွေမှန်း ဘယ်လိုလုပ် သိလဲ၊ မေမေ"

"တွင်းချိုင့်ကြီးတွေက တွင်းအနက်ကြီးတွေပေါ့ကွဲ့။ အမေရိကန်အာကာ သယာဉ်မှူးတွေ လပေါ် ရောက်ဖူးကြပြီကွဲ့။"

ကိုကို့မှာ နောက်ထပ်မေးစရာ မေးခွန်းတွေ ရှိလာပြန်ပြီ။ အမေရိကန်တွေအကြောင်း၊ အာကာသယာဉ်မှူးတွေအကြောင်းပေါ်လေ။ ပြီးတော့ အာကာသယာဉ်မှူးတွေ လပေါ် တက်နိုင်တယ်ဆိုရင် ဆန့်ဖွတ်တဲ့ အဘိုးအိုနဲ့ ယုန်တို့က ဘာလို့မတက်နိုင်ရမှာတုန်း ဒီမေးခွန်းတွေ မေးချင်ပေမယ့်မမေးဖြစ်ခဲ့။ တစ်ကိုယ်တည်းပဲ သိမ်းထားလိုက်မိရဲ့။

ကျွန်းဦးပင်နားက စေတီကို ကိုကိုတို့ ကျော်လွန်လာပြီ။ ဒါပေမယ့် ညာဘက် လမ်းကွေ့ထဲ မချိုးဝင်ဘဲ မင်းလမ်းမအတိုင်းဆက်သွားပြီး ကိုကို၊ ညီညီတို့ နည်းနည်းကြီး တဲ့ ကောင်လေးတွေနဲ့ ဘီလူးနားပတ်စွန့်လွတ်တင်ခဲ့ရာကွင်းပြင်သို့ ထွက်သွားကြလေရဲ့။

ကွင်းထဲ ရောက်တော့ ဘာဘာက ကိုကို့ကို ပုခုံးပေါ်က ချတယ်။ မေမေကလည်း ညီညီ့ကို မြေပေါ် ချပေးလိုက်တယ်။ အားလုံး ညကောင်းကင်ပြင်ကို မော့ကြည့်လိုက်ရဲ့။ ကိုကိုက မီးပုံးပျံငါးလုံး မြင်လိုက်တယ်။ ကိုကိုနဲ့ ညီညီတို့ မီးပုံးပျံတွေ တစ်ယောက်နဲ့ တစ်ယောက် လက်ညှိုးညွှန်ပြကြရဲ့။ နောက်တစ်ရှာက သစ်ပင်တန်းကို မီးပုံးပျံအသစ် တစ်လုံး ကျော်လွန်လာတာနဲ့ ညီအစ်ကိုနှစ်ယောက်အော်ကြရော။ ခဏနေတော့ ကိုကိုက မီးပုံးပျံ ၁၂ လုံး ရေတွက်မိပြီ။

"လေက မေမေတို့ဘက် တိုက်နေတဲ့ပုံပဲ"

အပေါ် ကို မော့ကြည့်တော့ မီးပုံးပျံတွေ ကျောက်တွေရွှာဘက် တဖြည်းဖြည်း ရွှေ့လာနေတာ ကိုကို တွေ့ရရဲ့။ တခြားသူတွေလည်း ကွင်းထဲလာပြီး မီးပုံးပျံ ကြည့်နေကြ တယ်။ ကိုကိုက ကျောင်းကသူငယ်ချင်း မောင်သန်းဝေကို မြင်လိုက်ရဲ့။

"ဟိုမှာ တစ်လုံးတွေ့ပြီ"

ညီညီက ရုတ်တရက်စကားဆိုလိုက်တယ်။ သူ့ခေါင်းထက်တည့်တည့်ကို လက်ညှိုး ညွှန်ပြနေလေရဲ့။ လက်ညှိုးညွှန်ရာကို ကြည့်လိုက်တော့ ကောင်းကင်ပြင်ကို ဖြတ်ရွှေ့ နေတဲ့ အလင်းစက်လေးတစ်ခုကိုတွေ့ရရော။ ကြည့်ရတာ တရွှေ့ရွှေ့သွားနေတဲ့ ကြယ် တာရာတစ်စင်းလိုမျိုး။

"အဲဒါ မီးပုံးပျံ မဟုတ်ဘူး၊ ညီညီရေ။ ဂြိုလ်တုတစ်ခု ပတ်နေတာလေ"

ဘာဘာက ရှင်းပြတယ်။

"လေယာဉ်ပျံနဲ့ တူတယ်နော်" ကိုကိုက ဆိုတယ်။

"ဟုတ်တယ်၊ ကိုကိုရေ။ ဒါပေမယ့် လေယာဉ်တွေရဲ့ အလင်းရောင်က မှိတ်တုပ် မှိတ်တုပ် ဖြစ်နေတတ်တယ်။ ဂြိုဟ်တုက လာတဲ့ အလင်းရောင်က မှိတ်တုပ်မှိတ်တုပ် မဖြစ်ဘူးလေ"

"ဂြိုဟ်တုဆိုတာ ဘာလဲ၊ မေမေ"

"ဆက်သွယ်ရေးအတွက် အပြင်အာကာသထဲ ပို့လွှတ်ထားတဲ့ အရာပေါ့။ ဂြိုဟ်တုက ကမ္ဘာကို လှည့်ပတ်နေတာလေ"

"လှည့်ပတ်တယ်ဆိုတာ ကမ္ဘာကို ပတ်ပြီး သွားတာပေါ့ကွယ်"

ကိုကို မေးခွန်းမေးဖို့ အချိန်မရလိုက်ခင် မေမေက ဆက်ဖြည့်ပြောလိုက်တယ်။

ကိုကိုက ဂြိုဟ်တုကိုရော မီးပုံးပျံတွေကိုပါ ကြည့်နေလိုက်တယ်။ လမင်းကြီး သာနေပေမယ့် ညကောင်းကင်ပြင်မှာ ကြယ်တွေရဲ့ အရောင်က လင်းလက်တောက်ပနေဆဲ။ လရောင် ကြယ်ရောင်တွေရဲ့ လင်းလက်တောက်ပမှုကို ယှက်လျှော့သွားစေမယ့် အတု အယောင် အလင်းရောင်တွေမရှိ။ အနက်ရောင် မိုးကောင်းကင်ထက်မှာ ကြယ်တွေ သန်းနဲ့ချီပြီးရှိတဲ့ပုံပဲ။ အနားက လယ်ကွင်းထဲစိုက်ပျိုးထားတဲ့ စပါးပင်တွေပေါ် လေ ပြေဖြတ်တိုက်လာလို့ ကောက်ညှင်းချိတ်နဲ့မွှေးမွှေးလေးကို ကိုကိုတို့ဆီ ဆောင်ကြဉ်းပေး လာလေရဲ့။ ကောက်ညှင်းကို အိုးနဲ့ချက်တဲ့ အချိန်မှာရတဲ့ ရွှေးထွေးတဲ့ ကောက်ညှင်းနဲ့ နီးနီး မွှေးပျံ့နေပေါ့။

တခြားရွာတွေက မီးပုံးပျံ လွှတ်တင်ပြီးတဲ့အခါ ကိုကိုနဲ့ညီညီတို့ ဘာဘာ၊ မေမေ တို့ နောက်ကနေ အိမ်သို့ပြန်လိုက်ခဲ့တယ်။ ကိုကို၊ ညီညီတို့က ဘယ်မီးပုံးပျံကို အကြိုက် ဆုံးလဲလို့ အလှည့်ကျမေးလိုက်တယ်။ ပြီးတော့ အပြင်အာကာသထဲက ဂြိုဟ်တုကို တွေ့ရတာ သိပ်စိတ်လှုပ်ရှားဖို့ ကောင်းတဲ့အကြောင်း ပြောကြရဲ့။ ဒီဂြိုဟ်တုက ရွှေလခန်း ပေါ်က ဆန်ဖွပ်တဲ့ အဘိုးအိုနား ဘယ်လောက်နီးနီးလေး ရောက်သွားလဲဆိုတာ ကိုကို တွေးနေမိရဲ့။

အိပ်ရာမဝင်ခင် ဘာဘာက သူ လုပ်ထားတဲ့ စက္ကူမီးအိမ်တွေနဲ့ အိုးခြမ်းပဲတစ်ချို့ကို ထုတ်လာတယ်။ ဘာဘာက ဖယောင်းတိုင်ကို မီးညှိ၊ အိုးခြမ်းပဲတစ်ခုပေါ် ဖယောင်းစက် ချပြီး အဲဒီပေါ်မှာ ဖယောင်းတိုင် စိုက်လိုက်တယ်။ အခုဆို စက္ကူမီးအိမ်ထဲ ထွန်းထားတုန်း ဖယောင်းတိုင် လဲကျမှာမဟုတ်တော့။ ဒီလိုနည်းနဲ့ မီးအိမ်အားလုံးထဲ ဖယောင်းတိုင် ထွန်းပြီး ထည့်ထားလိုက်တယ်။ အဲဒီနောက် ဘာဘာ၊ မေမေတို့ အိမ်ရှေ့ခန်းအမိုးတလျှောက် တန်းစီပြီး ရောင်စုံစက္ကူမီးအိမ်တွေ ချိတ်ဆွဲတာကို ကိုကိုနဲ့ ညီညီ စောင့်ကြည့်နေလိုက်တယ်။ မီးအိမ်တွေကြောင့် အိမ်ကလေးက သိပ်လှနေရော။

အခုဆို အိပ်ရာဝင်ဖို့ အချိန်ကျပြီပေါ့။ ဘုရားဝတ်ပြုပြီးတဲ့အခါ ကိုကိုက ဖျာပေါ်

လဲလျှောင်းရင်း ညဇီးကွက်တွေ၊ ဖားတွေနဲ့ ပုရစ်တွေရဲ့ အသံကို နားထောင်နေမိတယ်။ ဦးလေးတွေနဲ့ ဘာဘာတို့ အိမ်ရှေ့ခန်းမှာ ရေနွေးကြမ်းသောက်ရင်း ဘောင်ဘောင်နဲ့ စကားပြောနေသံကြားရရဲ့။ ရုတ်တရက် အိမ်နီးချင်း ဦးထွန်းစိန် အော်သံကြားလိုက် ရရော။

"မီးပုံးပျံတစ်လုံး ကျလာပြီ။ အခု ဆင်းလာနေပြီဟေ့"

ကိုကိုက ထထိုင်လိုက်မိတယ်။ အိမ်ပြင်ဘက်မှာ အော်သံ၊ ဝရန်းသုန်းကားသံတွေ ညံစီသွားတယ်။ ကိုကို၊ ညီညီတို့ အိပ်ရာကထပြီ မေမေ့နောက်ကနေ အိမ်ရှေ့ခန်းသို့ ထွက်လာခဲ့တယ်။ ဘောင်ဘောင်တို့အိမ်ဘက်ကို လူတွေ အများကြီး ပြေးလာကြလေရဲ့။ မီးပုံးပျံတစ်လုံးက ဘောင်ဘောင့်အိမ်ဘက် ဦးတည်ကျလာနေပြီလေ။

မီးပုံးပျံအားလုံးမှာ ဆီစိမ်အဝတ်စတွေ ပါတယ်လေ။ မီးကျွမ်းပြီ ဆီကုန်သွားတဲ့ အခါ မီးပုံးပျံကို မှိုင်းဖြည့်ဖို့ မှိုင်းတွေ နည်းလာလို့ မီးပုံးပျံ တဖြည်းဖြည်း နိမ့်ဆင်းလာတတ် ပါတယ်။ အုန်းမိုးဝါးအိမ်လေးပေါ် မီးပုံးပျံကျလာရင် အန္တရာယ်များပါတယ်။ အိမ်ကို မီးစွဲလောင်တတ်လို့လေ။

"အိမ်ကို မီးပုံးပျံ ကျတော့မယ်ဟေ့"

တစ်ယောက်က လှမ်းအော်လေရဲ့။ ဦးထွန်းစိန်နဲ့ မိတ်ဆွေနှစ်ဦးရော ဘာဘာနဲ့ သူ့အစ်ကိုတွေဖြစ်တဲ့ ဦးအောင်ဖိုးသိန်း၊ ဦးအောင်ဖိုးသန်းတို့ပါ ဘောင်ဘောင့်အိမ်ခြံဝင်းထဲ ရပ်စောင့်နေကြတယ်။ ကြည့်နေရင်း ကိုကို့နှလုံးခုန်သံမြန်လာပြီ။ လူနှစ်ယောက်က ဝါးလုံးတွေကို အဆင်သင့် ပြင်ထားတယ်။ မီးပုံးသာ ဘောင်ဘောင့်အိမ်ခေါင်မိုးပေါ် ကျလာခဲ့ရင် ဆွဲချဖို့ပေါ့လေ။ ဒါပေမယ့် မီးပုံးပျံက ခေါင်းမိုးပေါ် ကျမလာ။ အိမ်ဘေးက ဆီးပင်ပေါ် ကျပါလေရော။ အရောင်အသွေးစုံတဲ့ မီးပုံးပျံကြီးတစ်လုံးလေ။ ရှာဦး ကျောင်းက မီးပုံးပျံကြီးများလားလို့ ကိုကို တွေးနေမိရဲ့။

မီးပုံးပျံက ဆီးပင်ပေါ် သွားညှပ်နေပြီ။ ဒါပေမယ့် အဲဒီမှာတင် အန္တရာယ်ရန်စွယ်က မပြီးသေး။ ရောင်စုံစက္ကူမီးပုံးပျံက ဆီးပင်ကို မီးစွဲလောင်လာခဲ့ရင် ဘောင်ဘောင့် အိမ်ခေါင်မိုးပေါ်ပြုတ်ကျပြီ အိမ်ကိုမီးကျွမ်းလောင်ဦးမှာလေ။ လူတွေက အော်ရင်းဟစ်ရင်း ဝါးလုံးတွေနဲ့ မီးပုံးပျံကိုတွန်းချကြရော။ ငြိနေတဲ့ မီးအိမ်အမှီးကို သစ်ကိုင်းတွေကနေ ဖြုတ်ချပစ်ကြတယ်။ မီးအိမ်အမှီး ပြုတ်ထွက်သွားပြီ။ မီးပုံးပျံက နောက်သစ်ပင်တစ်ပင်ဆီ လွင့်သွားပြန်တယ်။ ဒီတစ်ခါတော့ အုန်းပင်လေ။ အဲဒီမှာတစ်ခါ မီးပုံးပျံ ညှပ်နေပြန်ရော။ ဒါပေမယ့် ဘောင်ဘောင့်အိမ်နဲ့ဝေးသွားလို့ အန္တရာယ်မဖြစ်နိုင်တော့။

ရုတ်တရက် စက္ကူမီးစွဲလောင်ပြီး စက္ကူပိုင်းအတွင်း မီးကျွမ်းသွားရော။ ကိုကိုက ဒီလောက်ကြီးတဲ့ မီးမျိုးကို အရင်က မမြင်ဖူးခဲ့။ ပတ်ဝန်းကျင်တစ်ခုလုံး လင်းထိန်ပြီး ညအချိန်နဲ့တောင်မတူတော့။ နေ့ခင်းဘက်လို ထိန်ထိန်လင်းနေလေရဲ့။ အုန်းသီးပင်အကိုင်းတွေက တဖြည်းဖြည်းမီးကျွမ်းလောင်ပြီး တုတ်ချောင်းတွေ၊ မီးပွားတွေ

အပင်ပေါ် ကနေ ပြုတ်ကျကြတယ်။ ဒါပေမယ့် အခုဆို ဘောင်ဘောင့်အိမ်က ဘေးကင်း
နေပြီလေ။

မေမက ကိုကိုနဲ့ ညီညီကို ပြန်အိပ်ဖို့ပြောတယ်။ ကိုကို့မှာ တွေးစရာတွေအများ
ကြီးပဲ။ ဒီနေ့တစ်နေ့လုံး တအားစိတ်လှုပ်ရှားဖို့ကောင်းတာလေ။

* * * * *

နောက်တစ်နေ့မနက် ကိုကို ခိုးလာတော့ စက္ကူမီးပုံးပျံတစ်လုံးကို ကြမ်းပြင်ပေါ် မှာ
ပြားချပ်ချပ်နဲ့ ချထားတာတွေ့ရရဲ့။ ဘုန်းကြီးကျောင်းမှာ တွေ့ခဲ့တဲ့ မီးပုံးပျံတွေထက်
ပိုသေးပေမယ့် ကြီးတော့ အကြီးကြီးပါပဲ။ မီးပုံးပျံကို သတင်းစာစက္ကူဟောင်းတွေနဲ့
လုပ်ထားလေရဲ့။

ကိုကိုက အိမ်ရှေ့ခန်းကို ပြေးသွားတော့ နွားတွေကို မြက်ကျွေးနေတဲ့ ဘာဘာကို
တွေ့လိုက်ရတယ်။

"ဘာဘာ၊ ဒီမှာ မီးပုံးပျံတစ်လုံး ဘယ်လိုလုပ် ရောက်နေတာလဲဟင်"

"မနေ့ညသန်းခေါင်ကျော်လောက်မှာ နောက်ထပ်မီးပုံးပျံတစ်လုံး ဘာဘာတို့
ဘက်ကို ဦးတည်ပြီးကျလာသေးတယ်။ ဘာဘာနဲ့ သူငယ်ချင်းတွေ မီးပုံးနောက်က
ပြေးလိုက်သွားလို့ မြေပေါ်မကျခင် ဖမ်းလိုက်နိုင်တယ်။ ကွင်းထဲ မီးပုံးပျံကျလာတဲ့အခါ
မီးမကျွမ်းသွားအောင် သတိနဲ့ဖမ်းယူနိုင်လိုက်တာပေါ့ကွာ"

ကိုကို အိမ်ထဲ ပြန်ဝင်သွားပြီး စက္ကူမီးပုံးပျံကိုစစ်ဆေးကြည့်တယ်။ မီးပုံးပျံ
အတွင်းမှာ မီးခိုးမှိုင်းကြောင့် စက္ကူသားတွေ မဲနက်နေတာတွေ့ရဲ့။

"ညီညီ၊ ထ - ထ"

ကိုကိုက ညီညီကို အိပ်ရာကနှိုးလိုက်တယ်။ ညီညီ အိပ်ရာက ထလာတော့
နှစ်ဦးသား မီးပုံးပျံကို အမြတ်တနိုးကြည့်ရှုကြတယ်။ နောက်တော့ ဘာဘာ ရောက်လာပြီး
မျက်နှာသစ်၊ သွားတိုက်ဖို့ ညီအစ်ကိုနှစ်ယောက်ကို ဆူလွတ်လိုက်ရော။

အဲဒီနေ့မနက်ပိုင်း ကုန်ခါနီးမှာ ဦးလေးဦးမောင်စိန်မြင့်ရောက်လာတယ်။ ညက
မီးပုံးပျံကြီးက ပြုတ်ကျလာတဲ့ မီးအိမ်အမှိုးကနေ ယူထားလိုက်တဲ့ စက္ကူမီးအိမ်နှစ်လုံးကို
ကိုကိုနဲ့ ညီညီထံလာပေးတာလေ။ ကိုကို့ဝမ်းကွဲမောင်နှမတွေလည်း မီးအိမ်တစ်ချို့
ရထားပြီ။ အဲဒီနေ့အဖို့ ကိုကိုတို့ မီးအိမ်တွေနဲ့ ဆော့ကစားဖြစ်ကြလေရဲ့။ သီတင်းကျွတ်
မီးထွန်းပွဲတော်က စိတ်လှုပ်ရှားစရာ အပြည့်ပါပဲ။ မီးပုံးပျံတွေ လွှတ်တင်ကြ၊ ကြည့်ကြ
တယ်။ လစန္ဒာအကြောင်း စပ်ဆိုထားတဲ့ ကဗျာတစ်ပုဒ်ကို နားထောင်ရတယ်။ ကြူလ်တု
တစ်ခုကိုလည်းမြင်ရတယ်။ ဘောင်ဘောင့်အိမ်နားက အုန်းပင်ကြီးလည်း မီးကျွမ်းလို့
မဲ့တူးနေပြီ။ မီးပုံးပျံကြီးက ပြုတ်ထွက်လာတဲ့ အမှိုးကနေ မီးအိမ်လေးတွေရသေးရဲ့။
သတင်းစာစက္ကူနဲ့ လုပ်ထားတဲ့ မီးပုံးပျံတစ်လုံးညီ ညီအစ်ကိုနှစ်ယောက် အပိုင်
ရလိုက်ပါသေးတယ်။

* * * * *

ပင်လယ်နားသို့ အလည်တစ်ခေါက်

ဝါတွင်းကာလအပြီး ရက်တွေမှာ ကွမ်းသီးတွေဆွတ်ဖို့ အဆင်သင့်ဖြစ်နေပြီ။ မေမေ အလုပ်ရှုပ်တော့မယ့်အချိန်ပေါ့လေ။ မေမေက အိမ်နီးနားချင်းတွေဆီက ကွမ်းသီးတွေဝယ်ပြီး မနက်အစောကြီးစျေးသွားရောင်းတတ်တာ။ တစ်ခါတလေဆို ကွမ်းသီးတွေများလွန်းလို့ စျေးမှာဝယ်ယူဖို့အမှာကောက်ခဲ့ပြီး ဝယ်သူတွေကို ကျောက်တွေ ရွာသို့ လာဝယ်ခိုင်းတတ်ပါတယ်။

ဘောင်ဘောင့်မှာ ကွမ်းသီးပင်တွေ ရှိလေတော့ ကွမ်းသီးတွေရောင်းတဲ့အခါ ရောင်း၊ ဆေးရွက်ကြီးလို ပစ္စည်းတွေနဲ့လဲလှယ်သင့်တဲ့အခါ လဲလှယ်နေပြီလေ။ ဘောင်ဘောင်က ပန်းတူ(ဆေးတံ)သောက်ရတာ ကြိုက်တာကိုး။ ဘောင်ဘောင်တို့ လယ်မှာ ရေနံဆီလည်းထွက်လို့ ရေနံဆီနဲ့လည်းလဲလှယ်နိုင်သလို ရောင်းလည်းရောင်း ချနိုင်ပါတယ်။ ဘောင်ဘောင်နဲ့ ပစ္စည်းချင်းလာလဲသူများစုဟာ တောင်ဘက် ကျောက်ချောင်းတိုက်နယ်နဲ့ အရှေ့ဘက် ကန်တိုင်းတိုက်နယ်တို့ကပါ။ ကျောက်ချောင်းနဲ့ ကန်တိုင်းတိုက်နယ်တို့မှာ ရေနံဆီထွက်တဲ့ မြေတွေမရှိသလို ကွမ်းသီးပင်တွေလည်း မစိုက်ကြဘူးလေ။ ဒါကြောင့် အဲဒီက အမျိုးသမီးတွေ ဆေးရွက်ကြီး၊ ဟင်းသီးဟင်းရွက်၊ ကောက်ညှင်းနဲ့လုပ်ထားတဲ့ မုန့်ပဲသွားရည်စာတွေသယ်ပြီး ရေနံဆီ၊ ကွမ်းသီးတို့နဲ့ လာလဲနေကျ။

တစ်ညနေ ညနေစာစားချိန်မှာ မေမေက ပြောလာတယ်။

"ဒီနေ့မနက်က စျေးမှာ မှုံမှုံရီနဲ့တွေ့ခဲ့တယ်။ သူတို့အားလုံး ငါးလုပ်ငန်းနဲ့ အလုပ် များနေကြလို့ ကျောက်ဦးမော်မှာ မိဘတွေကို လေးငါးရက်လောက်သွားကူရဦးမှာ"

"သားတို့ကော လိုက်လို့ရမလား၊ မေမေ"

"ဟင့်အင်း၊ သားတို့လိုက်လို့မရဘူးကွယ်။ ကျောက်ဦးမော် အသွားခရီးက

ငါးမိုင်ဝေးတယ်။ ခြေကျင်လျှောက်ရမှာ။ ပြီးတော့ မေမေက အလုပ် တအားရှုပ်နေမှာကွဲ့။ ဘေးအိမ်က ဘောင်ဘောင်ကလည်း ကွမ်းသီးခူးဖို့ သားတို့အကူအညီလိုမှာလေ"

ကိုကိုက စိတ်ပျက်သွားရဲ့။ အဲဒီနောက် ဘာဘာက ဝင်ပြောတယ်။

"တို့သားအဖ လောင်းနဲ့ လာခေါ်လိုက်ရမလား"

"အင်း -ကောင်းသားပဲ။ ကျွန်မလည်း ငါးတွေ အများကြီး ယူလာချင် ယူလာဖြစ် မှာလေ။ ပြီးတော့ ကလေးတွေလည်း ပင်လယ်ကြီးကို မြင်ဖူးသွားတာပေါ့"

ကိုကိုက စိတ်လှုပ်ရှားနေမိရဲ့။ အရင်က လောင်း တစ်ခါပဲစီးဖူးတာလေ။ ပင်လယ်ပြင်ကြီးကို မြင်ဖူးချင်ခဲ့တာ ကြာပါပကော။ ညီညီက တစ်ခါမှ လောင်းမစီးဖူးခဲ့။ ဒီသတင်း ကြားရတော့ သူ ဝမ်းသာနေဟန်ရှိရဲ့။

မေမေက ကျောက်ဦးမော်မှာ ငါးတွေ ပေါနေလို့ သွားစရာရှိတာမို့ အတူလိုက်ချင် လိုက်ခဲ့ဖို့ အိမ်နီးချင်းတွေကို သတင်းစကားပါးလိုက်တယ်။ ဒီနည်းနဲ့ မေမေက ငါးမိုင် ခရီးကို တစ်ယောက်တည်းသွားဖို့မလိုတော့။ အိမ်နီးနားချင်းတွေက ငါးနဲ့လဲလှယ်ဖို့ ပစ္စည်းတွေယူသွားလို့ရတယ်လေ။

မနေ့တုန်းက မေမေက ငါးတွေနဲ့ လဲလှယ်ဖို့ ကွမ်းသီး၊ ကွမ်းရွက်၊ ရေနံဆီ၊ ဟင်းသီးဟင်းရွက်တွေ၊ ကိုယ်တိုင်လုပ် မုန့်ပဲသွားရည်စာတွေကို စုဆောင်းပြင်ဆင်ထား တယ်။ ဒီမနက်အစောကြီး အိမ်နီးချင်းတွေနဲ့ အိမ်ကထွက်သွားကြပြီ။

မေမေ မရှိတုန်း ဘောင်ဘောင်က ကိုကို၊ ညီညီတို့ကို စောင့်ရှောက်ပေးတယ်။ တစ်နေ့ကျတော့ ဘောင်ဘောင်တစ်ယောက် အိမ်ရှေ့ခန်းမှာ ခြေစင်းစင်းဆန့်ပြီး ထိုင် နေတာ ကိုကို တွေ့လိုက်ရတယ်။ လူတစ်ယောက် ဒီလိုထိုင်တာ ထူးတော့ထူးဆန်းသား။ ဒါပေမယ့် ဆေးသားလိပ်တွေလိပ်ပြီဆိုရင် ဘောင်ဘောင်က ဒီနည်းအတိုင်း ထိုင်နေ ကျလေ။

ဝါးချောင်းတစ်ချောင်းမှာ ဆေးရွက်ကြီးတွေ သီထားတယ်။ ဒါကို ဆေးတံလို့ ခေါ်တယ်။ ဘောင်ဘောင်က ဆေးတံကနေ ဆေးရွက်ကြီးတစ်ရွက် ဖြုတ်ယူပြီ လက်နဲ့ဖြစ်ဖြစ်၊ ထမီထိပ်နားမှာပဲဖြစ်ဖြစ် ဆေးရွက်ကြီးကို ဖွန်ခါတတ်လေရဲ့။ အဲဒီနောက် ဆေးရွက်ကြီးကို အလယ်ကဆုတ်ဖြဲပြီ ရိုးတံကိုထုတ်ပစ်တယ်။ ဆေးရွက်ကြီး နှစ်ခြမ်းကို ရသွားပြီပေါ့။ ရိုးတံကိုဖြတ်ပြီ အပျော့ပိုင်းကိုသိမ်းထားတယ်။ အဲဒီနောက် ရိုးတံ ပျော့ပျော့တွေတဆိုက် ဆေးရွက်ကြီးကို ပတ်ပြီ ဆေးသားလိပ် လိပ်ပါတယ်။ ဆေးသား လိပ် လိပ်ပြီးတာနဲ့ အစွန်းနှစ်ဘက် ကျစ်ကျစ်လေးလိပ်နေအောင် လိမ်ကျစ်ပစ်လေရဲ့။

ကိုကိုက ဆေးသားလိပ်တစ်လိပ် လိပ်ကြည့်ချင်ပေမယ့် ဘောင်ဘောင်ကို မပြောမိ။ အလုပ်လုပ်နေတုန်း ကလေးတွေ ကြားဝင်ရှုပ်ရင် ဘောင်ဘောင်က သည်းမခံ တတ်ဘူး။ အထူးသဖြင့် လူကြီးတွေလုပ်ရမယ့် အလုပ်မျိုးမှာပေါ့။ ဘောင်ဘောင်က ဆေးသားလိပ် ငါးလိပ် လိပ်ပြီးသွားတယ်။ တစ်လိပ်ကို ကွမ်းအစ်ထဲ ထည့်လိုက်တယ်။

ညည်သည်တွေရောက်လာလို့ ကွမ်းယာယာတဲ့အခါ ထည့်သုံးဖို့နဲ့ ဆေးသားလိပ် သောက်ချင်သူ သောက်ဖို့ပေ့လေ။ ဆေးတံသောက်ချင်တဲ့အခါလည်း ဆေးတံထဲဖြည့်ဖို့ ဆေးသားလိပ်ကို အပိုင်းပိုင်းဖြတ်ထည့်ရမှာလေ။

မေမေကို ကျောက်ဦးမော်က သွားခေါ် မယ့်အချိန်မရောက်ခင် မနက်ခင်းမှာ ကိုကိုနဲ့ ညီညီတို့ တောင်တောင့်အိမ်နားက သဲပြင်ပေါ် မှာ ဝမ်းကွဲမောင်နှမတွေဖြစ်တဲ့ မမချော၊ သူ့ရဲ့စိုးတို့နဲ့အတူကစားနေကြရဲ့။ ကိုကို မော့ကြည့်လိုက်တော့ ထူးထူးဆန်းဆန်း တစ်ခုသွားတွေ့တယ်။ လူတစ်ယောက် ကုလားမခြေထောက်နဲ့ သူတို့ဘက် လျှောက်လာ နေလေရဲ့။ သူ့ခြေထောက်တွေက မြေပြင်ကနေ သုံးပေခန့်အကွာမှာ ရှိနေတယ်။ သူက ဒီပုံစံအတိုင်း တောင်တောင့်အိမ်အထိ တောက်လျှောက် လမ်းလျှောက်လာတယ်။ အိမ်နား ရောက်တော့ ခုန်ဆင်းလိုက်ပြီး ကုလားမခြေထောက်ကို အိမ်ရှေ့ခန်းခေါင်မိုးမှာ မှီထားလိုက်တယ်။ ရောက်လာသူက အကျႆမဝတ်ထား။ ပုခုံးတစ်ဘက်မှာ ရိုးရာလွယ်အိတ် လေး လွယ်လို့။ လုံချည်ကို ခြေနားတဝိုက်ပတ်ရစ်ပြီး တောင်းဘီတိုလို ချည်ထားလေရဲ့။

တောင်တောင့်အိမ်ရှေ့ခန်း ရေအိုးစင်ပေါ် က ရေတစ်ခွက် ခပ်သောက်နေတုန်း တောင်တောင် ထွက်လာပြီး ပြောတယ်။

"မောင်သိန်းဟန်၊ နင် အဆင်သင့်ဖြစ်ရင် စကြမယ်လေ"

"ဟုတ်ကဲ့၊ ကြီးကြီး။ ကျွန်တော် အဆင်သင့်ဖြစ်ပါပြီ"

မောင်သိန်းဟန်ဆိုသူက ဆိုတယ်။ ကိုကိုက မောင်သိန်းဟန်အကြောင်း ကြား ဖူးခဲ့တာကိုအမှတ်ရမိရဲ့။ ဘယ်သွားသွား တစ်ချိန်လုံး ကုလားမခြေထောက်နဲ့ လမ်း လျှောက်သွားတတ်သူတဲ့လေ။ ကုလားမခြေထောက်နဲ့လျှောက်တာ ဘယ်လောက်တောင် ကျွမ်းကျင်သလဲဆိုရင် ချောင်းတွေမြောင်းတွေကို ကုလားမခြေထောက်နဲ့ ကူးနိုင်သလို ခြေစုံးရိုးတွေကိုလည်း ကုလားမခြေထောက်ထက်က မဆင်းဘဲ ကျော်ခွသွားနိုင်ပါသတဲ့။ ကုလားမခြေထောက်ပဲ အစီးတော်တာမဟုတ်၊ သစ်ပင်တက်ရာမှာလည်း သူက သိပ် ကျွမ်းတာတဲ့။ အုန်းပင်၊ ကွမ်းသီးပင်တွေက အမြင့်ကြီးမို့ အုန်းသီး၊ ကွမ်းသီး ခူးမယ်ဆိုရင် လူတွေက မောင်သိန်းဟန်ကိုပဲ ငှားကြတာ။ သူကလည်း မခေလှတဲ့ သမိုင်းနဲ့လူပျို။ တစ်ခါကဆို အုန်းလက်ပေါ် တက်စီးပြီး အုန်းပင်ပေါ် ကနေ ပျံဆင်းလာဖူးသတဲ့။

"နောက်က လိုက်ခဲ့ကွယ်"တောင်တောင်ကပြောတယ်။

"ဘယ်နားက စတက်ရမယ်ဆိုတာပြပေးမယ်။ ပြီးတော့ အုန်းသီးစိမ်းတွေနဲ့ အုန်းသီးအခြောက်တွေလည်း မောင်သိန်းဟန်ကို ကောက်စေချင်လို့"

ကိုကို၊ ညီညီနဲ့ ဝမ်းကွဲမောင်နှမတို့လည်း နောက်ကလိုက်သွားပြီး တရုတ် စကားပင်အောက်က ရပ်ကြည့်နေကြတယ်။ မောင်သိန်းဟန်က ကွမ်းသီးပင်ကနေ ကွာကျလာတဲ့ ကွမ်းသီးလက်တစ်လက်ကို ကောက်ယူပြီး သူ့လက်မောင်းလောက် အရှည်ရှိတဲ့ အပိုင်းလေးတွေအဖြစ် ဆုတ်ဖြဲလိုက်တယ်။ ဒီအပိုင်းလေးတွေကို ခပ်ထူထူ

ကြိုးတစ်ပင်အဖြစ် သွက်သွက်လေး လိမ်ကျစ်လို့ ဆက်ထုံး ထုံးလိုက်တယ်။ အဲဒီနောက် သူ့လုံချည်ကို ဘောင်းဘီတိုပုံစံ မြှုံမြှုံအောင် တင်ကျိုက်လိုက်တယ်။ ကွမ်းသီးပင် တက်ဖို့ အဆင်သင့်ဖြစ်ပြီလေ။

"ဦးလေး . . . ဦးလေး . . . သစ်ပင်ပေါ်က ပျံဆင်းခဲ့တယ်ဆိုတာ ဟုတ်လား ဟင်"

ကိုကိုက မေးလိုက်တယ်။ သူ့ မျှိုသိပ်မထားနိုင်တော့။

မောင်သိန်းဟန်က ပြုံးလိုက်ပေမယ့် ကိုကို့ကိုတော့ပြန်မဖြေ။ ခြေကို ကွမ်းသီး ပတ်ခြေထိပ်ထဲလျှောသွင်းပြီး ပထမဆုံးကွမ်းသီးပင်ကို စတက်ပါတော့တယ်။ သေး သွယ်သွယ် ကွမ်းသီးပင်စည်လုံးကို လက်နဲ့ဆုပ်ကိုင်ပြီး ခန္ဓာကိုယ်အလေးချိန်ကို မယကာ မယကာတက်သွားလေရဲ့။ အဲဒီနောက် ခြေထောက်တွေ့ကွေ့ပြီး သစ်ပင် တစ်ဘက်စီကို ခြေဖဝါးနဲ့ညှပ်ထားတယ်။ ကွမ်းသီးပတ်ခြေထိပ်က သူ့ခြေထောက်ကို စုထိန်းပေးထားလေရဲ့။ အဲဒီနောက် ကိုယ်ကိုဆန့်ထုတ်၊ အထက်သို့လက်လှမ်း၊ ကွမ်းသီး ပင်စည်လုံးကိုဆုပ်ကိုင်၊ အပေါ်သို့ ကိုယ်ကိုဆွဲတင်ရင်း ခြေထောက်က ကိုယ်ကို နေသားတကျဖြစ်စေတယ်။ ကွမ်းသီးပင်ထိပ်နားရောက်တော့ ကွမ်းသီးခိုင်ရဲ့ ထိပ်နားကို လက်နဲ့လှမ်းဆွဲတယ်။ ကွမ်းသီးခိုင်တစ်ခိုင်စီမှာ ကွမ်းသီး အလုံး ၃၀၀ လောက်ထိ ရှိတတ်လေရဲ့။ ကွမ်းသီးခိုင်အရင်းကို လက်နဲ့ကိုင်ပြီး ဆွဲလိုက်တယ်။ ကွမ်းသီးပင်ပေါ်က ကွမ်းသီးခိုင် ပြုတ်ထွက်သွားတာနဲ့ အောက်ကိုလွတ်ချလိုက်ရော။ မြေပေါ်ပြုတ်ကျ သွားတယ်။ ကွမ်းသီးခိုင်က မြက်ခင်းပေါ်ပဲဖြစ်ဖြစ် သဲပြင်ပေါ်ပဲဖြစ်ဖြစ် သွားထိပြီဆိုတာနဲ့ ကွမ်းသီးတစ်ချို့ ပြန်ဆို့ ဘေးနားပြန့်ကြသွားရော။ ဒါပေမယ့် ကွမ်းသီးအများစုက ကွမ်းသီးခိုင်နဲ့တွဲလျက်ရှိနေဆဲ။

ပထမကွမ်းသီးပင် တက်ပြီးသွားပြီလေ။ ဒါပေမယ့် ဦးမောင်သိန်းဟန်က ပြန် ဆင်းစရာမလို။ သူကသိပ်ကျွမ်းတာ။ ကွမ်းသီးပင်ကို ဘေးဘယ်ညှာယိမ်း၊ နောက်ထပ် ကွမ်းသီးပင်တစ်ပင်ရဲ့ အလက်တွေကို ဆွဲယူပြီး ကွမ်းသီးပင်ကို သူ့ဘက် ဆွဲယူလိုက်တယ်။ လုံလောက်အောင် နီးကပ်လာပြီလို့ ထင်တာနဲ့ သူ့ခန္ဓာကိုယ်ကို ဒုတိယကွမ်းသီးပင်ပေါ် သွားကနဲ့လွှဲခုန်လိုက်တယ်။ ပထမကွမ်းသီးပင်အတိုင်းပဲ ကွမ်းသီးခိုင်ကိုခူးပြီး အောက်သို့ လွှတ်ချလိုက်ပြန်ရော။ ဒီလိုနည်းနဲ့ တစ်ပင်ပေါ်က တစ်ပင်ခုန်ကူးရင်း ကွမ်းသီးခိုင်တွေ လိုက်ခူးတယ်။ ဒီအချက်ကြောင့်လည်း လူတိုင်းက သူ့ကို ကွမ်းသီးပင်တက်စေချင်ကြ တာကိုး။ ဦးမောင်သိန်းဟန်က တစ်ပင်တက်ပြီးရင် ပြန်မဆင်းဘဲ တစ်ပင်ကနေတစ်ပင် ခုန်ကူးသွားနိုင်လို့ မြန်ဆန်ထိရောက်စွာ ကွမ်းသီးခူးနိုင်တယ်လေ။

ကိုကိုက ဦးမောင်သိန်းဟန်ကို စောင့်ကြည့်မနေဝံ့။ လူတစ်ယောက် သစ်ပင် အမြင့်ကြီးပေါ်တက်နေတာ ကြည့်ရင် ကိုကို့နှလုံးခုန်သံမြန်လာရော။ ပြီးတော့ ဦးမောင်သိန်းဟန် အပင်တစ်ပင်ကနေ နောက်တစ်ပင်သို့ ပေါ်ပါးတဲ့ မျောက်တစ်ကောင်လို

လွဲကူးသွားတဲ့အခါတိုင်း ကိုကို အကြည့်ကို လွဲထားလိုက်ရတယ်။

တောင်တောင်က တောင်းတစ်လုံး ယူလာတယ်။ ဦးမောင်သိန်းဟန် အတော်လေး ဝေးသွားပြီဆိုတာနဲ့ အပင်အောက် ကြွေကျနေတဲ့ ကွမ်းသီးခိုင်တွေကို လိုက်ကောက်ပါ တော့တယ်။ ကိုကို၊ ညီညီနဲ့ ဝမ်းကွဲမောင်နှမနှစ်ယောက်လည်း တောင်တောင်ကို ကွမ်းသီးကူကောက်ပေးကြတယ်။ ဦးမောင်သိန်းဟန်တက်နေတဲ့ ကွမ်းသီးပင်နား သိပ် မကပ်နိုင်ကြ။ ကွမ်းသီးခိုင်တွေ တစ်ယောက်ယောက်ပေါ် ပြုတ်ကျမိပြီး ထိခိုက်နာကျင် သွားမှာစိုးလို့လေ။

ရုတ်တရက် ဦးမောင်သိန်းဟန် ကွမ်းသီးပင်ပေါ် က လျှောဆင်းလာတယ်။

"လွမ်းဂတ်တော။ ဒီကောင်တွေကို မမြင်လိုက်ဘူး။ နောက်မှ မြင်တာဟေ့"

သူတစ်ကိုယ်လုံး ခါချည်ကောင်တွေချည်းပဲ။ လက်မောင်း၊ ခြေထောက်၊ ခန္ဓာကိုယ် နဲ့ ကျောကုန်းတို့ပေါ် က ခါချည်တွေကို လက်နဲ့ခုပ်သွက်သွက်လေးသပ်ချတယ်။ ခါချည် တွေက သစ်ပင်တွေပေါ် နေကြတာလေ။ ကိုက်ရင် တအားနာတာ။

ဦးမောင်သိန်းဟန်က နောက်တစ်ပင်ပေါ် ခုပ်သွက်သွက် တက်ပြန်တယ်။ ဒီလိုနဲ့ ကျန်တဲ့ကွမ်းသီးပင်တွေလည်း တက်လို့ပြီးသွားတယ်။ ဒါ့အပြင် တောင်တောင် လိုချင်တဲ့ အုန်းသီးတွေလည်း ဆွတ်ပေးပါသေးတယ်။ အုန်းသီးတွေက ကွမ်းသီးတွေလိုပဲ မြေပေါ် ကျလာကြရော။ နောက်ဆုံးအုန်းပင်ကနေ သူ လျှောဆင်းလိုက်တယ်။ ကိုကိုက ဦးမောင်သိန်းဟန် ပျံဆင်းမလာလို့ စိတ်ပျက်မိတာတော့အမှန်။ ဒါပေမဲ့ ဦးမောင်သိန်း ဟန်ကို သူ အထင်ကြီးစိတ်တော့ မလျှော့သွား။ ကွမ်းသီးပင်တက်တဲ့ တခြားသူတွေက နှစ်ပင်၊ သုံးပင် တက်ပြီးတိုင်း ဆင်းလာရတယ်။ တစ်ခါ့ ဆို တစ်ပင်တက်ပြီး တစ်ခါတောင် ပြန်ဆင်းလာရဲ့။ ဒါပေမဲ့ ဦးမောင်သိန်းဟန်ကတော့ တစ်ကိုယ်လုံး ခါချည်ကိုက်တာ မျိုးလို အရေးပေါ် ကိစ္စမဖြစ်ရင် အပင်ပေါ် က မဆင်းတမ်းဆက်တက်လေ့ရှိတယ်။

ကွမ်းသီးတစ်ခါ့ အခွဲလန်နေတာ ကိုကို တွေ့တယ်။ အပြင်ခွဲတွေက နေရာအမျိုး မျိုးမှာ လန်နေ၊ ကွာနေကြတာ။

"တောင်တောင်။ အခွဲလန်နေတဲ့ ကွမ်းသီးတွေလည်း ယူမှာလားဟင်"

"အင်း-ယူမယ်၊ မြေးလေးရေ"

ကိုကိုက ကွမ်းသီးတွေ လိုက်စုပြီး တောင်းကြီးထဲ ထည့်ပေးတယ်။

"ဒီမှာ ကြည့်စမ်း ညီညီ" ကိုကိုက ပြောရင်း အခွဲလန်နေတဲ့ ကွမ်းသီးတစ်လုံးကို ပြလိုက်တယ်။ "ဒီနားကို ခွဲလင်လုတ်တွေ (လင်းနို့ကြီးမျိုးတွေ) အရည်စုပ်သွားတာကွ"

ခွဲလင်လုတ်တွေက လမုတောထဲနေကြတယ်။ နေဝင်ရီတရောဆို ခွဲလင်လုတ်တွေ က တောင်တွေဆို ပျံသန်းကြတာ မကြာမကြာတွေ့ရတတ်ရဲ့။ သူတို့ရဲ့ တောင်ပံက ဘာဘာ့အရပ်ထက်တောင် ရှည်ပါတယ်။ ပြီးတော့ ဒီကောင်တွေက အကြီးကြီးပဲ။ ခန္ဓာ ကိုယ်က ခွေးနဲ့တူတယ်လေ။ ဒါကြောင့်လည်း သူတို့ကို "ခွဲလင်လုတ်" (ခွေးလင်လုတ်)

ခေါ်ကြတာပါ။

ကျန်တဲ့ ကွမ်းသီးတွေကို မြေကြီးပေါ် ကရော မြက်ခင်းတွေကပါ ကောက်လိုက်ကြ
တယ်။ အုန်းသီးတွေရော ကောက်လိုက်ကြပဲ။ ဦးမောင်သိန်းဟန်က အုန်းသီးတစ်လုံးစီရဲ့
ထိပ်ကို ဓားနဲ့ခုတ်ဖြတ်ပြီး ဆောင်ဆောင် အိမ်ရှေ့ခန်းမှာ အားလုံးထိုင်ရင်း အုန်းသီးရည်
လတ်လတ်ဆတ်ဆတ်လေးကို သောက်ကြတယ်။ ကိုကိုက အုန်းသီးကို လက်နှစ်ဘက်နဲ့
ကိုင်ထားရင် နှုတ်ခမ်းနားစောင်းဲ့လိုက်တယ်။ အုန်းသီးအမျိုးအစားပေါ် မူတည်ပြီး
အုန်းရည်အရသာ ကွာခြားတတ်ပုံကို သူ သဘောကျတယ်လေ။ ကိုကိုက ညီညီထံ
အုန်းသီး ကမ်းပေးလိုက်တယ်။ ညီညီလည်း အုန်းသီးရည် သောက်လိုက်တယ်။ မမဆေနဲ့
သူ့ရန်စိုးတို့လည်း အုန်းသီးရည် သောက်ကြတာပေ့။ ဆောင်ဆောင်က ဦးမောင်သိန်းဟန်
ခူးပေးတဲ့ ကွမ်းသီးခိုင်အရေအတွက်ကို ရေကြည့်တယ်။ ဒီအရေအတွက်ပေါ် မူတည်ပြီး
ပိုက်ဆံရှင်းပေးတာကိုး။

သူတို့ အုန်းသီးရည် ထိုင်သောက်နေတုန်း ခေါင်းထက် တောင်းတစ်လုံး ရွက်လို့
အမျိုးသမီးတစ်ယောက် အိမ်နား ရောက်လာတယ်။

"ဇာတိ ပါလေး"(ဘာတွေ ပါလဲ)

ဆောင်ဆောင်က မေးလိုက်တယ်။ ဒီအမျိုးသမီးက ကျောက်ချောင်းတိုက်နယ်ကနေ
ပစ္စည်းချင်းလဲလှယ်ဖို့ လာတယ်ဆိုတာ ဆောင်ဆောင်က သိထားတာကိုး။

"အမှားကြီးရာ"(အမှားကြီးပဲ)

အမျိုးသမီးက ပြန်ဖြေတယ်။

ဆောင်ဆောင်က အိမ်ရှေ့ခန်းမှာ တောင်းကို ကူချပေးတယ်။ ကိုကိုက တောင်းထဲ
ကြည့်လိုက်တော့ ခရမ်းသီး၊ ငရုတ်သီးစိမ်း၊ ကန်းစွန်ရွက်နုနုလေး၊ ရေကန်းစွန်ရွက်၊
မန္ဓတ်ထုပ်၊ ကောက်ညှင်းကျည်တောက်နဲ့ ဆေးရွက်ကြီးတို့ ပါတာတွေ့တယ်။

ဆောင်ဆောင်နဲ့ ဈေးသည်အမျိုးသမီးတို့ ဘာတွေလဲလှယ်ကြမယ်ဆိုတာ ဆွေး
နွေးကြတယ်။ အမျိုးသမီးက ရေနံဆီ၊ ကွမ်းသီးတို့နဲ့ လဲချင်လို့လာခဲ့တာဆိုတော့ ရွေး
ချယ်ယူစရာ ကွမ်းသီးတွေက အများကြီးပဲပေ့။ အိမ်ရှေ့ခန်းဘေးမှာ ကွမ်းသီးခိုင်က
မဖြုတ်ရသေးတဲ့ ကွမ်းသီးပုံကြီးတစ်ပုံရှိသလို ကွမ်းသီးခိုင်က ပြုတ်ထွက်သွားတဲ့
ကွမ်းသီးပုံလည်း တစ်ပုံ ရှိပြန်သေးတယ်။ ဆောင်ဆောင်က ဟင်းသီးဟင်းရွက်နည်းနည်း၊
မုန့်ပဲသွားရည်စာ၊ ကောက်ညှင်းကျည်တောက်နဲ့ ဆေးရွက်ကြီးတို့ကို ရွေးယူလိုက်တယ်။
ကိုကို၊ ညီညီနဲ့ ဝမ်းကွဲမောင်နှမတို့ကိုလည်း မုန့်တွေဝေပေးတယ်။ အဲဒီနောက် ဈေး
သည်အမျိုးသမီးအတွက် ရေနံဆီသွားယူဖို့ အတွင်းဝင်သွားလေရဲ့။

ကိုကို မုန့်စားပြီးတဲ့အခါ ဆောင်ဆောင်က အလုပ်တစ်ခု လုပ်ခိုင်တယ်။ ဈေးမှာ
ပစ္စည်းချင်းသွားလဲဖို့ ကွမ်းသီးတွေကို ဆောင်ဆောင်က သပ်သပ်ဖယ်ထားပြီးပြီ။ ကျန်
တဲ့ ကွမ်းသီးတွေကိုတော့ မိုးရာသီကျရင် ဈေးမြင့်မြင့်နဲ့ ရောင်းချနိုင်ဖို့ အခြောက်လှန်းမှာပါ။

ကွမ်းသီးလှန်းရင် ခေါင်မိုးပေါ်မှာ လှန်းကြရတာပါ။ ဒါကြောင့် ကိုကို လုပ်ရမယ့် အလုပ်က ခေါင်မိုးပေါ် ကွမ်းသီးတစ်လုံးချင်းပစ်တင်ဖို့လေ။ ညီညီနဲ့မမချော့တို့က ငယ်လွန်းသေးတော့ ခေါင်းမိုးပေါ်အထိ အမြင့်ကြီး မပစ်တင်နိုင်ကြ။ ဒါပေမယ့် သူတို့လည်း ကြိုးစားပြီးပစ်ကြရှာတယ်။ သူရိန်စိုးက ကွမ်းသီးဘယ်လိုပစ်ရမှန်း မသိသေးတော့ ကြည့်ပဲကြည့်နေတယ်။ ဘောင်ဘောင့်အိမ်ခေါင်မိုးထက်မှာ ခေါင်မိုး ပိုခိုင်အောင်ဆိုပြီး ဝါးမျက်ကွင်းသစ်တစ်ခု တင်ထားတယ်။ ကွမ်းသီးတွေကို ခေါင်းမိုးပေါ် ပစ်တင်လိုက်ရင် အောက်ကို ပြန်လိမ့်ကျသွားပြီးမှ ဝါးမျက်ကွင်းရဲ့ လေးထောင့်ကွက်တွေမှာ သွားချိတ်မိပြီး ရပ်တန့်သွားကြလေရဲ့။

ဘောင်ဘောင်က လာမယ့်မိုးရာသီမှာ ကွမ်းသီးခြောက်တွေ ရောင်းမှာလေ။ မိုးရာသီဆို ကွမ်းသီးခြောက်တွေက တအားအဝယ်လိုက်တတ်တာကိုး။

* * * * *

နောက်တစ်နေ့မနက်ကျတော့ ဘာဘာက ကိုကို့ကို စောစောနှိုးတယ်။ မိုးမလင်းသေးလို့ ဘာဘာ ရေနံဆီမီးခွက် ထွန်းထားရတာ ကိုကို မြင်လိုက်တယ်။ ညီညီကို နှိုးဖို့က ပိုခက်ပါတယ်။

“ဟေ့ -ညီညီ။ မေမေတို့ဆီသွားဖို့ အချိန်ကျပြီ”

ညီညီက ဗလုံးဗထွေးပြောလာတယ်။ ဒါပေမယ့် အိပ်ရာကတော့မထ။ အဲဒီနောက် ဘာဘာက ပြောလိုက်တယ်။

“ဒီနေ့ လောင်းစီးပြီး သွားကြမှာလေ”

ဒီလို ပြောလိုက်မှပဲ ညီညီ အိပ်ရာက ဖြုန်းကနဲ ထထိုင်တော့တယ်။ အရင်က သူ လောင်းမစီးဖူးဘူးကိုး။

ရေနံဆီးမီးခွက်အလင်းရောင်နဲ့ သားအဖသုံးယောက် သွားတိုက်ကြတယ်။ အဲဒီနောက် ဘာဘာက နောက်ပိုင်းလောင်းလှော်ရတဲ့အခါ အေးအောင်လို့ မက္ကလာ ယူလိုက်တယ်။ ရိုးရာလွယ်အိတ်ကို ပုခုံးပေါ် လွယ်လိုက်တယ်။ အိမ်ပြင်ဘက်ရောက်တာနဲ့ ညီညီကို ပုခုံးပေါ်တင်လိုက်တယ်။ ညီညီ ကိုယ့်ခြေထောက်နဲ့ကိုယ် လျှောက်ဖို့က အဆင်မပြေလှ။ မှောင်မိုက်လွန်းနေလို့လေ။ ကိုကိုက အမှောင်ထဲမှာ လျှောက်လမ်းအတိုင်း ဘာဘာတို့နောက်ကလိုက်ခဲ့တယ်။ ကိုကိုက သူ့ရှေ့ကသွားနေတဲ့ ဘာဘာကို မမြင်ရသလောက်ပါ။ သို့ပေမယ့် ကြည့်ရတာ ရယ်ဖို့ကောင်းတယ်လို့ သူတွေးမိရဲ့။ ဘာဘာက မက္ကလာယူလာပေမယ့် ဆောင်းလို့က မရ။ သူ့ပုခုံးပေါ် ညီညီတင်ထားလို့လေ။ မက္ကလာကို ညီညီ့ခေါင်းပေါ်မှာ ဆောင်းထားရတာမို့ ဘာဘာ့ပုံရိပ်က ထူးထူးခြားခြား အရပ်ရှည်နေဟန်ရှိနေလေရဲ့။

ကျွန်းဦးပင်နား ရောက်လာတဲ့အခါ ကိုကိုက ရခိုင်မုန့်တီနံ့ရလိုက်တယ်။ မုန့်တီက

ငါး၊ ရေတ်သီးကြိုတ်တို့နဲ့ အသုတ်လုပ်ပြီးတော့ပဲဖြစ်ဖြစ်၊ ငါးဟင်းရည်နဲ့ပဲဖြစ်ဖြစ် စားရတာလေ။ အလင်းရောင် ထွက်ပြူစပြူလာပြီ။ ကျွန်းဦးပင်အောက်မှာ ဦးဘထွန်းရဲ့ သမီး ဒေါ်လုံးစိန်မေ မုန့်တီရောင်းနေတာ ကိုကို မြင်ရရဲ့။ သူက ကျွန်းဦးပင်အောက်မှာ မနက်တိုင်း မုန့်တီရောင်းနေကျ။ ဘာဘာက ညီညီကို ကျွန်းဦးပင်အောက်မှာ ပခုံးပေါ်က ချလိုက်တာ အံ့သြစွာတွေ့ရတယ်။ ဘာဘာက ဒီမှာ တထောက်နားပြီး မုန့်တီစားချင်လို့ ပေါ့လေ။ ဒေါ်လုံးစိန်မေရဲ့ မုန့်တီကသိပ်ကောင်းသလို မုန့်တီနံ့လေးကလည်း သင်းနေ လေတော့ မုန့်တီစားဖို့ ကိုကို စိတ်လှုပ်ရှားနေပြီလေ။

ဘာဘာက ညီညီကို ဒေါ်လုံးစိန်မေရဲ့ မုန့်တီဆိုင်ထဲ ချီပြီး ဒေါ်သွားတယ်။ အဲဒီနောက် ဘာဘာနဲ့ကိုကိုတို့ မုန့်တီဆိုင်ထဲလှမ်းဝင်ပြီး ထိုင်လိုက်ကြတယ်။ မုန့်တီ ဆိုင်က အုန်းမိုးထားတဲ့ ဝါးကွပ်ပျစ်လေးတစ်ခုပါ။ ထရံတွေမရှိ။ ဒေါ်လုံးစိန်မေရယ်၊ မြေအိုးတင်ထားတဲ့ မီးဖိုလေးတစ်ခုရယ်၊ ကိုကိုတို့အိမ်ကစားပွဲခုံနဲ့ အရွယ်အစားအတူတူ လောက်ရှိတဲ့ စားပွဲဝိုင်းလေးတစ်လုံးရယ်အတွက်ပဲနေရာရှိလေရဲ့။ ကိုကိုက အိမ်က စားပွဲဝိုင်းလို မညီမညာဝါးကြမ်းခင်းပေါ်မှာ ဒီစားပွဲလည်း လှုပ်လေမလားလို့ စမ်းကြည့် ချင်တယ်။ ဘာဘာ မဆူအောင် သတိနဲ့စမ်းလှုပ်ကြည့်တယ်။ ခုက နည်းနည်းပဲလှုပ်တယ်။ ဒေါ်လုံးစိန်မေက စားပွဲခြေထောက်တစ်ချောင်းအောက်မှာ သစ်သားစလေး ခုထားလို့ လေ။

"တစ်ယောက်တစ်ခွက် ထည့်ပေးပါ"

ဘာဘာက ဒေါ်လုံးစိန်မေကို ပြောလိုက်တယ်။ ဒေါ်လုံးစိန်မေက ဖျပ်ပေါ်မှာ မုန့်တီဖတ်ကို တစ်ခွက်စာစီ တိုင်းပြီး လုပ်ထားတယ်။ ပြီးရင် တစ်ခွက်စာ မုန့်တီဖတ်ကို ခွက်တစ်လုံးထဲ ထည့်လိုက်တယ်။ မုန့်တီကို ပြင်ဆင်ပေးနေတုန်း ဒေါ်လုံးစိန်မေက ဘာဘာကို မေးလိုက်တယ်။

"မနက်အစောကြီး ဒီသားအဖသုံးယောက် ဘယ်သွားကြမှာတုန်း"

"ကျောက်ဦးမော်ကို သွားကြမလို့၊ အရီ"

"လောင်းစီးပြီး သွားမှာ" ညီညီက အသံစာစာလေးနဲ့ ဝင်ထောက်လိုက်သေးရဲ့။

"ပျော်ဖို့ သိပ်ကောင်းမှာပဲကွယ်" ဒေါ်လုံးစိန်မေက ညီညီကို ပြောတယ်။

ဒေါ်လုံးစိန်မေ မြေအိုးအဖုံးဖွင့်တာ ကိုကို ကြည့်နေလိုက်တယ်။ သတ္တုလင်ပန်းပေါ် မီးတစ်ဖို ဖို့ မီးဖိုအပေါ်နား အုတ်ခဲသုံးလုံး ဖိုခလောက်ဆိုင်ပြီး မြေအိုးကို တင်ထားလေရဲ့။ ရေငွေ့တွေလုံအောင် အိုးအဖုံးနဲ့အိုးကြား သစ်ရွက်တစ်ရွက်ခံထားလေရဲ့။ ဝါးလက်ကိုင်ရှိ ပါပြီး အုန်းမှုတ်ခွက်နဲ့လုပ်ထားတဲ့ ယောက်ချိုကိုအသုံးပြုလို့ ငါးဟင်းရည်ကိုမုန့်တီဖတ်ထဲ ခပ်ထည့်လိုက်တယ်။ အဲဒီနောက် ဘာဘာ့ရှေ့မှာ မုန့်တီခွက်ကိုချပေးတယ်။ ကိုကို၊ ညီညီတို့အတွက်လည်း မုန့်တီပြင်ပေးလိုက်တယ်။ စားပွဲပေါ်မှာ ရေတ်သီးမီးကင်မှုန့်၊ ရေုပ်သီးစိမ့်တောင့်၊ ကြက်သွန်ဖြူရှဲ နှင်း၊ ပေါင်းကြော်ထားတဲ့မြေပဲဆီကျက်၊ နံနံပင်

နုနုလေးတွေနဲ့ မကျည်းသီးရည် စတဲ့ ဟင်းခတ်အမွှေးအကြိုင်ခွက်တွေကို စားပွဲပေါ်
တင်ထားတယ်။ ဘာဘာက မကျည်းသီးရည်ခွက်ကို အနားသို့ဆွဲယူပြီး သူ့ခွက်ထဲရော
ကိုကို၊ ညီညီတို့ရဲ့ ခွက်ထဲကိုရော နည်းနည်းစီခပ်ထည့်လိုက်ရဲ့။ မကျည်းသီးအရသာ
ခပ်ချဉ်ချဉ်ကို ကိုကိုတို့ညီအစ်ကို ကြိုက်တာ ဘာဘာ သိထားတယ်လေ။

              "ဆီကျက်ကော ယူဦးမလား"

ကိုကို၊ ညီညီတို့ နှစ်ယောက်လုံး ခေါင်းညိတ်လိုက်ကြတယ်။ ဘာဘာက ကြက်
သွန်ဖြူ၊ နနွင်းတို့နဲ့ ရောကြော်ထားတဲ့ မြေပဲဆီကျက်ကို သူတို့ခွက်တွေထဲ ဇွန်းနဲ့ခပ်
ထည့်လိုက်တယ်။

              "ငရုတ်သီးနည်းနည်း စားလို့ရမလား၊ ဘာဘာ"

ကိုကိုက ပြောလိုက်တယ်။ ငရုတ်သီးမီးကင်နဲ့ အရသာကို ကိုကို ကြိုက်တယ်လေ။
ဘာဘာက ကိုကို့မုန့်တီခွက်ထဲ ငရုတ်သီးမီးကင်နည်းနည်းလေး ထည့်ပေးတယ်။
အဲဒီနောက် ညီညီလည်း ငရုတ်သီးမီးကင် ထည့်ချင်လာပြန်ရော။ ဘာဘာက ငရုတ်သီး
မီးကင်ကို မုန့်တီထဲမထည့်ချင်။ ငရုတ်သီးစိမ်းတွေပဲထည့်ချင်တာ။ ငရုတ်သီးစိမ်း
တစ်လုံးကိုယူပြီး လက်မနဲ့လက်ချောင်းလေးသုံးလို့ ခွက်ထဲ အပိုင်းပိုင်းဆိတ်ထည့်လိုက်
တယ်။

              "နံနံပင် ထည့်ကြဦးမလားကွဲ့"

ဒေါ်လုံးစိန်မေက မေးလိုက်တယ်။ သူက နံနံပင်ခွက်ကို ကိုင်ထားတယ်။ မုန့်တီ
လာစားသူတွေဘက်မှာ နံနံပင်ခွက်ကိုမချပေးထား။ ဒီရာသီက နံနံပင်တွေ ပေါ်ဦးစ
ရာသီမို့ ရှားတာကြောင့် ခွေတာသုံးစွဲနေရတာကိုး။

              "ဟုတ်ကဲ့။ ထည့်ပါမယ်"

ဘာဘာက ပြန်ဖြေတယ်။ ကိုကို၊ ညီညီတို့လည်း ခေါင်းညိတ်လိုက်ကြရဲ့။
ဒေါ်လုံးစိန်မေက နံနံပင်တစ်ချို့ကို သားအဖသုံးယောက်ရဲ့ ခွက်တွေထဲ ထည့်
ပေးလိုက်ရဲ့။ အခုဆို မုန့်တီစားဖို့အချိန်ကျပြီလေ။

ကိုကိုက မုန့်တီခွက်ကို အမြတ်တနိုး ငုံ့ကြည့်နေမိရဲ့။ အခုချိန်ဟာ ထူးခြားတဲ့
အခါသမယပါ။ မုန့်တီက လက်ညှစ်ရခိုင်မုန့်တီစစ်စစ်။ ဒေါ်လုံးစိန်မေက မုန့်တီဖတ်ကို
လက်နဲ့ တစ်ပတ်နီးနီးလုပ်ထားရတာလေ။ မုန့်တီဖတ်လုပ်ဖို့ဆိုရင် မုန့်တီကို ရေနဲ့ဆေးပြီး
တအားပျော့လာတဲ့အထိ လေးရက်တာ ရေစိမ်ထားရတယ်။ အဲဒီနောက် မုန့်ဖတ်လုပ်မယ့်
ဆန်ကို အရည်စစ်ပြီး နှစ်ရက်ထားလိုက်ရပြန်တယ်။ နှစ်ရက်ကြာပြီးနောက် ဆန်ကို
ပိတ်စထဲစခုန့် ရှစ်ပတ်ရင်း ခေ၁ာထားလိုက်ရတယ်။ နောက်မှ အလုံးပုံစံ ဖြစ်နေတဲ့
ဆန်ပျော့ပျော့လေးကို ရေနဲ့ပြုတ်ရတယ်။ ရေနဲ့ပြုတ်ပြီးတဲ့အခါ ဆန်ပျော့က ပြန်မာလာ
ပြန်ရော။ ဒီဆန်ကို ဆုံထဲ ထည့်ထောင်းရပါတယ်။ ထောင်းပြီးတဲ့အခါ မုန့်ဖတ်လုပ်ဖို့
မုန့်ဆန်ထောင်းဖတ်ကို လက်နဲ့နယ်ရတယ်။ နောက်ဆုံးအဆင့်က နယ်ထားတဲ့ မုန့်ဆန်

ထောင်းဖတ်ကနေ မုန့်တီမျှင်တွေ ဖြစ်လာအောင် အပေါက်လေးတွေပါတဲ့ စည်သွပ်ဘူးခွံ တစ်လုံးထဲ တွန်းထည့်ရပါတယ်။ အပေါက်ထဲက မုန့်တီမျှင်တွေ ကျလာတာနဲ့ အောက်က ရေနွေးအိုးထဲ တန်းထည့်ပြီးပြုတ်လိုက်တယ်။ နောက်မှ ရေအေးထဲထည့်ရပါတယ်။

မုန့်တီမျှင်တွေက အရသာရှိမယ့်အနံ့ရတဲ့ မုန့်တီဟင်းရည်ထဲ ပေါလောပေါ် နေကြရဲ့။ ပင်လယ်ထဲကရတဲ့ သင်းဘုတ်ထွန်း(ငါးရွှေ)ကို မျှင်ငါးပါ။ ဆားတို့နဲ့ ရှော်ကျိုး ထောင်းထားတဲ့ ကြက်သွန်ဖြူ၊ ငရုတ်ကောင်တို့ကို နောက်မှထည့်မွှေပြီး ငါးဟင်းရည်ကျို ထားတာလေ။ မုန့်တီဟင်းရည်ကို ပူအောင် မီးဖိုပေါ်တင်ထားလေရဲ့။

ရေနွေးငွေ့ ပူပူလေးတွေက ထူးခြားတဲ့ မုန့်တီနံ့နဲ့အတူ ကိုကို့နှာခေါင်းထဲ ပြည့် သွားစေတယ်။ မုန့်တီနံ့က ငါး၊ ကြက်သွန်ဖြူ ငရုတ်ကောင်း၊ မကျည်းသီးရည်ချဉ်ချဉ်လေး၊ နံနံပင်၊ ငရုတ်သီးမီးဖုတ်တို့ရဲ့ ရန်တွေလေ။ ကိုကိုက မုန့်တီခွက်ထဲဇွန်းထည့်ပြီး ထည့် ထားသမျှ ဟင်းခတ်အမွှေအကြိုင်အားလုံးထဲက နည်းနည်းစီခပ်ကြည့်ပေမယ့် ခပ်မရပါ။ တစ်ခါတလေဆို မုန့်တီမျှင်တွေက ဇွန်းထဲကနေ လျှောကနဲထွက်သွားရဲ့။ ဒါပေမယ့် အဆင်ပြေပါတယ်။ ဇွန်းကို ခွက်ထဲ ပြန်နှစ်လိုက်ရုံပဲပေါ့။ ကိုကိုက အငွေ့တထောင်းထောင်း ထနေတဲ့မုန့်တီကို တစ်ဇွန်းချင်းမှုတ်သောက်မနေချင်။ မုန့်တီက သိပ်ကောင်းတော့ တစ်ဇွန်းချင်း နားနားပြီးသောက်နေရတာ သူ မကြိုက်။

ကိုကိုတို့သားအဖသုံးယောက် ဒုတိယတစ်ခွက်စီ လွှေးလိုက်ကြပြန်တယ်။ ဒေါ် လုံးစိန်မေက မြေအိုးထဲက မုန့်တီဟင်းရည်ကို မွှေပြီး သင်းဘုတ်ထွန်းဖွဲ့ကြီးတွေတောင် သူ့တို့ခွက်ထဲ ရှာထည့်ပေးတယ်။ မုန့်တီစားလိုက်ရတာ သိပ်ကောင်းတယ်လို့ ကိုကို တွေးမိရဲ့။ ဘာဘာက မုန့်တီ ၆ ခွက်စာ ငွေ ၁ ကျပ်နဲ့ ပြား ၅၀ ပေးလိုက်ချိန်မှာ ကိုကို ဗိုက်ပြည့်နေပြီ။

အခုဆို နေထွက်လာပြီမို့ ဘာဘာက ညီညီကို ပုခုံးပေါ်တင်စရာ မလိုတော့။ ဘာဘာက ဆေးပေါ့လိပ်မီးညှိ၊ ကျွန်းဦးပင်နားကခွာပြီး ညာဘက်ချိုးလို့ မင်းလမ်းမပေါ် တက်လိုက်တယ်။ အခုတော့ တခြားလူတွေလည်းရှိလာပြီလေ။ အမျိုးသမီးတစ်ချို့ ကုန်ပစ္စည်းတွေ ထည့်ထားတဲ့ တောင်းတွေကို ခေါင်းပေါ် ရွက်လို့ ဈေးဘက်သွားနေကြ တာ ကိုကို မြင်ရတယ်။ လယ်ထဲက စပါးခင်းတွေကို ကိုကို ကြည့်လိုက်တယ်။ မကြာခင် စပါးတွေ ရိုက်သိမ်းဖို့ အဆင်သင့်ဖြစ်တော့မယ်။ စပါးအများစုက ရွှေဝါရောင်သန်းနေကြပြီ။ အနောက်အရပ်ကို မျှော်ကြည့်တော့(သရက်ချိုရွာက) ဘိုးဘိုးတို့အိမ်နားက ဘရာဏသီ ပင်ကြီးကို လှမ်းမြင်ရရဲ့။ လမ်းမကြီးအတိုင်း လိုက်မသွားရဘဲ အဲဒီအတိုင်း တည့်တည့် လျှောက်သွားနိုင်ရင် ဘယ်လောက်ကောင်းမလဲ။

စပါးတုံ့ရွာတ်တားကို ဖြတ်ကျော်နေတုန်း အောက်က ချောင်းရေပြင်ကို ကြည့်မိပြီး ကိုကိုက ဘာဘာကို မေးလိုက်တယ်။

"အခု ဖြားကျနေတာလား၊ ဘာဘာ"

"ဟုတ်တယ်၊ သား။ သရက်ချိုရွာ ရောက်တဲ့အခါ ဖြားကျတာကို လိုက်ပြီး လောင်းလှော်မှာလေ။ ဒါကြောင့် ဘာဘာတို့ စောစော ထကြရတာ"

လမ်းမကြီးအတိုင်း လျှောက်လာပြီး ဘယ်ဘက်ချိုးကွေ့၊ အဲလိုနဲ့ စပါးတုံ့ရွာကို လွန်လာခဲ့တယ်။ အဲဒီနောက် တံတားလေးတစ်ခုကို ကျော်ပြီး သရက်ချိုရွာထိ လျှောက်လာခဲ့ကြတယ်။ ဘိုးဘိုးတို့ အိမ်ရောက်တော့ အိမ်ရှေ့ခန်းမှာ အနားယူရင်း ရေသောက်လိုက်ကြရဲ့။ နောက်တော့ ဦးလေးဦးဝင်းနိုင်က ပုခုံးထက် လှော်တက်နှစ်ချောင်းထမ်းပြီး အောင်ဆိပ်ကေဆိပ်ကမ်းဆီ ကိုကိုတို့သားအဖနဲ့ လိုက်လျှောက်လာတယ်။

"ဦးလေးက သားတို့နဲ့အတူ လိုက်မှာလား"

"မလိုက်ဖြစ်ပါဘူးကွာ။ အိမ်မှာ လုပ်စရာတွေ ရှိနေလို့"

ဦးဝင်းနိုင်က ပြန်ဖြေတယ်။ ကိုကို စိတ်ပျက်သွားရဲ့။ ဦးလေးဦးဝင်းနိုင်နဲ့ အချိန်တွေကုန်ဆုံးရတာ သူ သဘောကျတာကိုး။

ဦးလေးဦးဝင်းနိုင်က အိမ်နီးချင်းတွေဆီက ငှားထားတဲ့ သစ်သားလောင်း (လှေ) ကို ဘာဘာ့ကို ပြလိုက်တယ်။ ဒီလောင်းနဲ့ ကျောက်ဦးမော်အထိ ဘာဘာ လှော်ခတ်သွားရမှာလေ။ ကိုကို့နှလုံးခုန်သံမြန်နေပါပြီ။ လောင်းနဲ့သွားရမှာ စိတ်လှုပ်ရှားဖို့ကောင်းသလို စိုးရိမ်စိတ်လည်း ဖြစ်နေမိရဲ့။ ဘာဘာက လုံချည်ကို ခပ်တိုတို ဝတ်လိုက်တယ်။ ဦးလေးဦးဝင်းနိုင်က လောင်းကို ကိုင်ထားပေးတယ်။ ဘာဘာက ရွှံ့ပြင်ထဲဆင်းပြီး ညီညီကို လောင်းထဲ မ,တင်ပေးလိုက်တယ်။

"လောင်းဒဂုံတွေပေါ်ပဲ နင်းလျှောက်ကြနော်။ သစ်သားကြမ်းခင်းပေါ် နင်းမိရင် ကိုယ်အလေးချိန်ကြောင့် သစ်သားအခင်းတွေ ကျိုးသွားနိုင်တယ်၊ သားတို့ရေ့"

အဲဒီနောက် ဘာဘာက ကိုကို့ကိုလည်း မယချီပြီး လောင်းပေါ် တင်လိုက်တယ်။ လောင်းဒဂုံတွေ (ကန့်လန့်ဖြတ်ဘောင်တွေ) ပေါ်ပဲ ကိုကိုက သတိနဲ့ နင်းလျှောက်တယ်။ ကိုကိုနဲ့ ညီညီတို့ လောင်းကြမ်းပြင်က သစ်သားပြားလေးတွေပေါ် ထိုင်လိုက်ကြတယ်။ ကိုကိုက ရှေ့မှာ၊ ညီညီက အလယ်မှာ။ ဘာဘာလည်း လောင်းထဲလှမ်းဝင်လာပြီး နောက်ဘက်နားမှာ ထိုင်ချလိုက်တယ်။ အဲဒီနောက် ဦးလေးဦးဝင်းနိုင်က သစ်သားလှော်တက်တွေကမ်းပေးပြီး ချောင်းကမ်းနံဘေးကနေ လောင်းကိုတွန်းပေးလိုက်တယ်။

ကိုကိုက လောင်းနံရံနှစ်ဘက်ကို ကိုင်ရင်း တံတွေးမျိုချလိုက်မိရဲ့။ လောင်းရဲ့ ခပ်လှုပ်လှုပ်ပုံစံကို သူ သိပ်မကြိုက်လှ။ ဒါပေမယ့် ခဏနေတော့ သူ ကျင့်သားရသွားတယ်။ ဘာဘာက လောင်းကို ကမ်းကနေခွာပြီး ချောင်းလယ်နားဆီ လှော်ခတ်လာတယ်။ ဒါပေမယ့် ချောင်းလယ်ကနေ မသွားဖြစ်။ ချောင်းစပ်နား နည်းနည်းကပ်လှော်သွားတယ်။ ဒါကြောင့် ကိုကို နည်းနည်းပါးပါး စိုးရိမ်စိတ်လျော့သွားရဲ့။ ကိုကို လှည့်ကြည့်တော့ ညီညီပြုံးနေတာ တွေ့ရရဲ့။

ခဏနေတော့ ကိုကိုက သမင်လည်ပြန် တစ်ချက်ကြည့်တယ်။ မော်တော်ဘုတ်

ဆိပ်က ခပ်လှမ်းလှမ်းမှာကျန်ခဲ့ပြီ။ ဘာဘာက ချောင်းကြောင်းအတိုင်း လျှေကိုလျှော်ခတ်
ခဲ့တယ်။ ချောင်းက ဘယ်ဘက်ကို ကွေ့သွားပြီး တစ်ခါ ချောင်းကြောင်းတည့်သွားပြန်တယ်။
ရီအုန်းပင်(ခနိပင်)တွေ၊ လမုပင်တွေဆိုတာအများကြီးပဲ။ အဲဒီနောက် ကိုကို သတိထား
ကြည့်မိတော့ လောင်းထဲရေဝင်နေပြီ။ ရေမျက်နှာပြင်က ပိုပိုမြင့်လာလေရဲ့။

"ဘာဘာ၊ လောင်းမှာ အပေါက်ပေါက်နေတယ်။ လောင်းမြုပ်တော့မှာ၊ ဘာဘာ
ရေ"

ပြောလိုက်တယ်။

"ဘာမှ မဖြစ်ဘူး၊ ကိုကို။ သစ်သားလောင်းတွေက ရေစိမ့်ဝင်တတ်တယ်။
အဲဒီမှာ ဝါးခွက်လေး တွေ့လား"

ကိုကိုက လောင်းကြမ်းပြင်မှာ ပက်ခွ(ဝါးခွက်လေး)ကို မြင်လိုက်တယ်။ ကသောင်း
ဝါးရဲ့ဝါးဆစ်ကို နှစ်ပိုင်းပိုင်းပြီးလုပ်ထားတဲ့ ခွက်လေ။

"အဲဒီဝါးခွက်နဲ့ ရေတွေ ခပ်ထုတ်ကွာ"

ကိုကိုက ဝါးခွက်ကို လောင်းထဲက ရေထဲနှစ်ခပ်ပြီး လောင်းနံရံအပြင်ဘက်
လွှင့်ပစ်တယ်။ ဒါပေမယ့် လောင်းကို လှုပ်သလို ဖြစ်သွားတော့ နောက်ထပ်ချောင်းရေတွေ
လောင်းနံရံက ကျော်ပြီး လောင်းထဲဝင်လာစေပြန်ရော။

"သိပ်လှုပ်မနေနဲ့၊ ကိုကိုရေ"

ကိုကိုက ရေတွေကို ဖြည်းဖြည်းလေး သတိနဲ့ခပ်ထုတ်ရင်း လောင်းလှုပ်တာ
နည်းသွားအောင် လုပ်လိုက်တယ်။

"သားလည်း လုပ်ကြည့်ချင်တယ်" ညီညီက ပြောတယ်။

"မလုပ်နဲ့ဦး၊ ညီညီ။ သားက ငယ်သေးတယ်။ ကြီးလာတော့မှ လုပ်လို့ရမှာကွဲ့"
ရေအများစု ကုန်သွားတော့မှ ကိုကိုက ဝါးခွက်ကိုချလိုက်တယ်။ ဘေးဘီဝဲယာကို
ပိုလို့ ကြည့်ဖြစ်လာရဲ့။ မကြာလိုက်ပါဘူး။ ချောင်းအောက်ပိုင်း ခပ်လှမ်းလှမ်းက ထူး
ဆန်းတဲ့ အဖြူရောင်နေရာကွက်လေးကို မြင်လိုက်ရတယ်။

"အဲဒါ ဘာလဲဟင်၊ ဘာဘာ"

ကိုကိုက သဲဖြူသောင်ကမ်းကို လက်ညှိုးညွှန်ရင်း မေးလိုက်တယ်။

"အဲဒါ သဲဖြူတွေလေ၊ ကိုကိုရဲ့။ မောင်းကျအိုင်လို့ ခေါ်တဲ့ နေရာပေါ့"

သဲဖြူဖြူ နေရာကွက်လေးက ကြည့်ရတာ ထူးတော့ ထူးဆန်းသား။ ချောင်းကမ်းပါး
တလျှောက်လုံး ရီအုန်းပင်တွေ၊ လမုပင်တွေ၊ မြက်ပင်ရှည်တွေပဲ ရှိလာတာကိုး။ အရင်
တုန်းက ကိုကို မောင်းကျအိုင်အကြောင်း ကြားဖူးရဲ့။ မောင်းကျအိုင်ဆိုတာ "မောင်းကျ
သွားတဲ့နေရာ" အဓိပ္ပာယ်ရပါတယ်။ မောင်းကျအိုင်ရဲ့ ဘယ်ဘက်နားက ဆားချက်ဖို့
လမုပင်တွေ လိုက်ခုတ်ခဲ့တဲ့ နေရာနဲ့ နီးနေပြီဆိုတာ ကိုကို သိထားတယ်လေ။ ဒီနေရာကို
ဘာလို့ 'မောင်းကျအိုင်' ခေါ် လဲလို့ ဘာဘာကို မေးလိုက်ချင်ရဲ့။ ဒါပေမယ့် တစ်ခါတလေဆို

ဘာဘာက မေးခွန်းတွေ အများကြီးမေးတာမကြာချင်ဘူးလေ။

နေမင်းကြီးကို တိမ်တစ်ချို့ဖုံးထားလေရဲ့။ မိုးဖွဲ့လေလည်းရွာကျနေတယ်။ သို့ပေမယ့် လူတွေ ရေစိုအောင်တော့ မိုးက မရွှာသေး။ မိုးက လူကိုလန်းဆန်းစေရဲ့လေပါ။ ဒီအခါသမယမှာ မိုးရွာတာ ထူးဆန်းနေရဲ့။ သို့ပေမယ့် မိုးဖွဲ့လေးရွာတာက ကိစ္စမရှိ။ မိုးတွေသည်းတော့မှပဲ စပါးတွေပျက်စီးမှာလေ။

ကိုကိုက ရေကို တစ်ခါခပ်ထုတ်ပြန်တယ်။ အဲဒီနောက် ဘေးပတ်ဝန်းကျင်ကြည့်ပြီး သဘာဝရှုခင်းတွေကို ခံစားနေလိုက်တယ်။ လေပေါ်မှာ ငှက်တွေပျံဝဲနေတယ်။ စပါးခင်း တွေလည်း ရွှေ၀ါရောင်အဆင်းမှည့်ဝင်လို့။ လယ်ကွင်းထဲမှာ လူတစ်ယောက် မင်္ဂလာ ဆောင်းပြီး နွားလှန်ထွက်လာတာမြင်ရဲ့။

သဲဖြူဖြူကမ်းပါးနားမှာ ချောင်းကြောင်း တွေ့သွားလေရဲ့။

"ညာဘက်ကမ်းမှာ မြင်လား။ အဲဒါ ဘာဘ့အမေရဲ့ မြေပဲကွဲ။ ခေါင်မိုးအတွက် အုန်းပျစ်ထိုးဖွဲ့ အုန်းရွက်တွေ ခုတ်ခဲ့ကြတဲ့နေရာပေ့။ အမေက ဒီနားတဝိုက်က မြေတွေ ကို ပိုင်တာလေ"

ဘောင်ဘောင်ရဲ့ ကျွန်းမြေအလွန်မှာ ပင်မချောင်းထဲ ညာဘက်က စီးဆင်းနေတဲ့ ချောင်းငယ်လေးတစ်ခု ရှိလေရဲ့။ ဒါပေမယ့် ဘာဘာက ချောင်းမကြီးအတိုင်းပဲ ဆက် လှော်တယ်။ ချောင်းက ဘယ်ဘက်ကို တွေ့သွားပြန်တယ်။

"သစ်ပင်တွေကြားမှာ ဘာတွေလဲ ဘာဘာ" ညီညီက ရုတ်တရက် မေးလာတယ်။ အစတုန်းကတော့ သစ်ပင်ပေါ် ကနေ အနက်ရောင်သစ်သီးကြီးတွေ တွဲလောင်း ကျနေတာနဲ့ တူတယ်လို့ ကိုကို တွေးလိုက်မိတယ်။

"အဲဒါ ခွီးလင်လုတ်တွေကွဲ့။" ဘာဘာက ပြန်ဖြေတယ်။

ခွီးလင်လုတ်တွေ ပျံသန်းနေတာ အရင်က ကိုကို မြင်ဖူးရဲ့။ ဒါပေမယ့် သစ်ပင်ပေါ် ဒီလိုမျိုး တွဲလွဲခိုနေတာတော့ မမြင်ဖူးခဲ့။ ဇောက်ထိုး တွဲလွဲခိုနေတာ ထူးဆန်းနေလေရဲ့။

"ဒီကောင်တွေက ဘောင်ဘောင်တို့အိမ်မှာ ကွမ်းသီးရည်လာစုပ်တဲ့ ကောင်တွေ လေ"ကိုကိုက ညီညီကို ပြောတယ်။

"ဖြှားတက်လာနေပြီ" ဘာဘာက ပြောတယ်။

ဖြှားတက်တာကို ရေဆန်လှော်ခုတ်ရလို့ ဘာဘာ ညောင်းနေရော့မယ်လို့ ကိုကို တွေးပူမိရဲ့။ အဲဒီနောက်မှာ ဘာဘာက ဆက်ပြောတယ်။

"ချောင်းကျဉ်းလေးထဲ ရောက်ရင် တစ်ခါ ဖြှားပြန်သင့်သွားမှာပါကွ"

မျက်နှာချင်းဆိုင်ဘက်ကနေ လူတစ်ယောက် လှော်လာတဲ့ လောင်းတစ်စီး အနားရောက်လာပြီ။ လောင်းထိပ်မှာ အမျိုးသမီးတစ်ယောက် ထိုင်နေလေရဲ့။ လောင်း အလယ်မှာတော့ ခုတ်ယူလာတဲ့ ထင်းတွေတင်ထားတယ်။ လောင်းတစ်စီးနဲ့တစ်စီး အနားက ဖြတ်သွားချိန်မှာ ကိုကိုက လောင်းနံရံကိုပိုလို့ တင်းတင်းလေးဆုပ်ကိုင်ထား

လိုက်တယ်။ လောင်းက ဟိုဘက်သည်ဘက်လွန့်လူးတော့မှာလေ။

လောင်းဖြုတ်သွားပြီးတဲ့နောက် ကိုကိုက နောက်ထပ်ရေတွေ ပက်ထုတ်ပြန်တယ်။ လောင်းဝမ်းထဲက နောက်လှော်တက်တစ်ချောင်းကိုပဲ ကိုကို ကြည့်နေမိရဲ့။ ဘာဘာက လှော်တက်တစ်ဘက်နဲ့ပဲ လှော်နေတယ်။ နောက်လှော်တက်တစ်ချောင်းနဲ့ လှော်ကြည့်ချင် ပေမယ့် ဘာဘာထံက ခွင့်ပြုချက်မတောင်းဖြစ်။ ဘာဘာက လှေလှော်ခွင့်ပြုမှာ မဟုတ်ဘူးဆိုတာ သူ သိတယ်လေ။

"အဝ ရောက်ပြီဟေ့"

ကိုကိုက ရေပက်ထုတ်နေတာရပ်ပြီး မော့ကြည့်လိုက်တယ်။ ဘာဘာက "ပင်လယ်ဝ"ကို ပြောတာမှန်း သူ သိလိုက်တယ်။ ခပ်လှမ်းလှမ်းမှာ ချောင်းကမ်းနှစ်ဘက်လုံး သဲခုံတွေ မြင်ရရဲ့။ အဲဒီထက် ခပ်လှမ်းလှမ်းကို မျှော်ကြည့်ရင် ပင်လယ်ပြင်ကြီးကို မြင်ရရော။ ပင်လယ်ပြင်ကပြာလဲ့လဲ့။ ကိုကို ထခုန်ပစ်လိုက်ချင်ပြီ။ တကယ့် ပင်လယ်ပြင် ကြီးကို မြင်နေရပြီလေ။ ဒီပင်လယ်ပြင်က ဘင်္ဂလားပင်လယ်အော်။ ဒီပင်လယ်ကြီး အကြောင်း သူများပြောတာ ကိုကို ကြားဖူးနေကျ။ ညီညီလည်း စိတ်လှုပ်ရှားနေတယ်ဆိုတာ သူ အတပ်ပြောနိုင်ပါရဲ့။ ပင်လယ်ပြင်ကြီးက ကြီးလိုက်တာ၊ ပြာလဲ့နေတာပဲ စသည်ဖြင့် ညီအစ်ကိုနှစ်ယောက် စကားတွတ်ထိုးလာကြရော။

ဒါပေမယ့် ဘာဘာက ပင်လယ်ပြင်ကြီးဘက် တန်းမသွားဘဲ ညာဘက် ချောင်း ငယ်လေးထဲ ရုတ်တရက်ကွေ့ဝင်လိုက်တယ်။ အခုဆို လမုတောထဲကဖြတ်ပြီး ဖွားသင့် အတိုင်း လှော်ခတ်နေပြီလေ။ ချောင်းငယ်လေးက ညာဘက်ကို သိသိသာသာကွေ့ ကောက်နေတာတွေ့ရဲ့။ ခဏလောက်ကြာတော့ ဘယ်ဘက်ကို ကွေ့သွားရော။ အဲဒီ နောက် ကျန်တဲ့သစ်ပင်တွေကို မြွေလိမ်မြွေကောက် လှော်ခတ်သွားရပြန်တယ်။ ဝက်ပါ တစ်ခုနဲ့ တူတယ်လို့ ကိုကို တွေးမိရဲ့။ ဘာဘာက လောင်းလှော် တအားကျွမ်းတယ်လို့ ကိုကို တွေးမိသေးတယ်။

ကိုကိုက ထူးထူးဆန်းဆန်း တစ်ခု ကြားရတယ်။ အဲဒီနောက် ဒါကို အရင် မိုးရာသီတုန်းက ကြားဖူးတယ်ဆိုတာ မှတ်မိလိုက်ရော။ ဒါ ပင်လယ်ရဲ့ ဟိန်းသံပေါ့။ ခပ်လှမ်းလှမ်းမှာ အုန်းပင်ရှည်တွေ မြင်ရရဲ့။ ထူထဲတဲ့ လမုတောထဲက လှေထွက်လိုက်တာနဲ့ ဝါးတဲလေးတွေနဲ့ သဲသောင်ပြင်ကို ကိုကို လှမ်းမြင်လိုက်ရရော။

"ဒါ ကျောက်ဦးမော်ပဲ၊ သားတို့ရေ"

ဘာဘာက စိတ်သက်သာရာရသွားတဲ့ လေသံနဲ့ပြောလိုက်တယ်။ ဘာဘာ့လက်တွေ တအားညောင်းနေရော့မယ်လို့ ကိုကို တွေးမိရဲ့။ လောင်းနဲ့ ခရီးသွားတာ ၂ နာရီလောက် ကြာပါတယ်။

ဘာဘာက သဲခုံဘက်ဆီ လောင်းလှော်သွားလိုက်တယ်။ အဲဒီမှာ တခြားလောင်းတွေလည်း ရှိလေရဲ့။ ဘာဘာက လောင်းကို လမုပင်တစ်ပင်မှာ ချည်လိုက်တယ်။ ကိုကိုနဲ့ ညီညီကို လောင်းထဲက မယထုတ်လိုက်ပြီး ကမ်းခြေဘက်သို့ လျှောက်သွားကြတယ်။ ဝါးတဲတွေ၊ သဲခုံတွေ၊ သစ်ပင်တွေကြောင့် ပင်လယ်ပြင်ကို မမြင်တွေ့ရပြန်ဘူး။

ကိုကို၊ ညီညီတို့ ဘာဘာနောက်က လိုက်ခဲ့ကြတယ်။ ဖြတ်လာတဲ့ တဲတွေမှာ လူတွေ အလုပ်လုပ်နေကြလေရဲ့။ တစ်ချို့က ငါးတွေ ရွေးနေတယ်။ တစ်ချို့ကျတော့ ငါးတွေကို တွဲလွဲချိတ်ပြီး အခြောက်လှန်းနေကြတယ်။ တစ်ချို့တွေက ခေါင်မိုးထိပ်က စင်ပေါ်မှာ ငါးတွေ လှန်းနေကြလေရဲ့။ ကိုကို့နှာခေါင်းဝမှာ ငါးညှီနံ့တွေ အပြည့်။ သို့ပေမယ့် ငါးညှီနံ့လောက်ကို သူ မမှု။ ဒီအနံ့မျိုးနဲ့ သူ နေသားကျနေပြီ။ နည်းနည်း အနံ့ပိုပြင်းတာပဲ ရှိတယ်။

ဒီလိုနဲ့ ကိုကိုတို့သားအဖသုံးယောက် ဘိုးဘိုးတို့တဲလေးနား ရောက်လာကြပြီ။ တဲက ကမ်းခြေနဲ့ ပိုနီးပါတယ်။

ဘိုးဘိုးက ကိုကိုတို့ကို အရင်ဦးဆုံး မြင်လိုက်ပြီး တအံ့တသြ ဆိုတယ်။

"အောင်ဇေမင်းနဲ့ အောင်နေမင်းတို့ ရောက်ပြီဟေ့"

ညီညီက မေမေ့ဆီ အပြေးလေးသွားပြီး ပွေ့ဖက်လိုက်တယ်။ ကိုကိုကလည်း မေမေ့ကို ထွေးပွေ့လိုက်ရဲ့။ ညီအစ်ကိုနှစ်ယောက်လုံး မေမေ့ကို သိပ်လွမ်းနေကြတာလေ။

"မြေးလေးတို့ ဗိုက်ဆာနေပြီလား"

"ဆာတော့ ဆာနေပြီ၊ ဘောင်ဘောင်။ ဒါပေမယ့် ပင်လယ်ကြီးကို အနီးကပ် ကြည့်ချင်သေးတယ်"

"လာ။ ဒါဆို သွားကြည့်ကြမယ်"

မေမေက ကိုကို၊ ညီညီတို့နောက်က လိုက်သွားတယ်။ ညီအစ်ကိုနှစ်ယောက် သဲပြင်ကို ဖြတ်ပြီး ကမ်းခြေဘက် ပြေးဆင်းသွားတယ်။ ကိုကို့နားထဲ ပင်လယ်ရေလှိုင်းတွေ တဝေါဝေါ မြည်သံပဲ ကြားနေရတယ်။ ပင်လယ်ပြင်ကြီးက ပြာလဲ့လဲ့။ သိပ်ကျယ်တာ။ ညာဘက်ကနေ ဘယ်ဘက်ထိ ပင်လယ်ပြင်ကိုပဲ တပြန့်တပြောကြီး ကိုကို မြင်နေရရော။

ဒီဘက်လားပင်လယ်ကြီးရဲ့ ကျယ်ပြောမှုကို သူ မယုံနိုင်အောင် ဖြစ်မိရဲ့။ ညာဘက်မှာတော့ ကျောက်ဆောင်ကြီးတွေ မြင်ရတယ်။ ကျောက်ဆောင်အများစုက သူ့အရပ်ထက် မြင့်ရဲ့။ ဒါကြောင့်လည်း ဒီကျွန်းဆွယ်ကို ကျောက်ဦးမော်လို့ ခေါ်တာဖြစ်မယ်လို့ ကိုကို နားလည်လိုက်တယ်။ ကျောက်ဦးမော်ဆိုတာ ကျောက်စွန်းထွက်နေတဲ့ ကျွန်းဆွယ့် ဆိုတဲ့ အဓိပ္ပာယ်ရတယ်လေ။

မေမက ပင်လယ်ပြင်ဟိုဘက်ကို လက်ညှိုးညွှန်ရင်း မေးလိုက်တယ်။

"ဟော့ဟိုက မဲမဲသဏ္ဍာန်တစ်ခုကို မြင်ကြလား၊ သားတို့"

ကိုကိုက ကြည့်လိုက်တော့ ဟိုးအဝေးက ပင်လယ်ပြင်ကြီးမှာ မဲမဲသဏ္ဍာန်ကြီး တစ်ခုကို မြင်ရတယ်ဆိုရဲ့လေး မြင်လိုက်ရဲ့။

"အဲဒါ မာန်အောင်ကျွန်းပဲကွဲ့"

"အဲဒီကျွန်းက သားတို့ရွာလောက် ကြီးလားဟင်၊ မေမေ"

"ကြီးတာပေ့ါကွဲ့။ မေမေတို့ရွာထက် ပိုကြီးတာပေ့ါ။ ဒါပေမယ့် ရမ်းပြဲကျွန်းထက် တော့ သေးတယ်ကွဲ့။"

"ရေထဲ ကစားလို့ ရမလား၊ မေမေ"

"သားခြေဖမိုးထိပဲ ရေစိုခံနော်။ အဲဒီထက် အနက်ကြီးတော့ မဆင်းနဲ့။ မေမေ့ အနားပဲ ရေနဲ့ ဆော့ရမယ်နော်"

ကိုကိုနဲ့ ညီညီတို့ ရေနား ကပ်သွားကြပြီး မေမေ့လက်ကို ဆွဲထားတယ်။ ကိုကိုက တစ်နေရာတည်းမှာ မတ်တပ်ရပ်ပြီး သူ့ခြေနား လှိုင်းလုံးတွေ အကြိမ်ကြိမ် လာရိုက်ခတ် တာကိုစောင့်ကြည့်နေလေရဲ့။ ငြိမ်ပြီး မတ်တပ်ရပ်နေရင် ခြေဖနောင့်တွေ နစ်ဝင်သွား လေရဲ့။ ကိုကိုက ခြေထောက်တွေကို မြှုပ်သွားတဲ့ နေရာကနေ မယထုတ်ပြီး နေရာသစ် တစ်ခုမှာသွားထားရင် လှိုင်းလုံးတွေ ခြေဖမိုးပေါ် ကျော်ဖြတ်သွားပုံကို တစ်ဖန် စောင့် ကြည့်နေလိုက်ပြန်တယ်။ ပျော်စရာပါပဲ။ အပြောကျယ်တဲ့ ပင်လယ်ပြာကြီးကို သူ မှော် ကြည့်လိုက်ပြန်တယ်။ ပင်လယ်ပြင်ကြီးက ပြာလဲ့နေပေမယ့် လှိုင်းလုံးတွေ ကမ်းဘက် ပြေးလာချိန်မှာတော့ ထိပ်ပိုင်းမှာ ဖြူဖွေးနေရဲ့။ ပင်လယ်ရေတွေ ခြေဖမိုးပေါ် ကနေ ကျော်တက်သွားချိန်မှာ ကြည်ကြည်လင်လင်လေး။ အခုချိန်မှာတော့ ဟိန်းသံက ဘာလဲ ဆိုတာ ကိုကို သိပြီလေ။ ကမ်းခြေကို လှိုင်းတွေဝင်ဆောင်လို့ ဂုန်းကနဲမြည်တဲ့အသံပါ လားလို့ နားလည်သွားပေ့ါ။ မာန်အောင်ကျွန်းကို သူ တစ်ခေါက်ပြန်ကြည့်လိုက်တယ်။

"ဒီကျွန်းအလွန်မှာ ဘာရှိတာလဲဟင်၊ မေမေ"

"နောက်ထပ်ပင်လယ်ကြီးရှိတယ်။ ပြီးရင် အိန္ဒိယနိုင်ငံရှိတယ်ကွဲ့။"

"အိန္ဒိယဆိုတာ နောက်ထပ်ကျွန်းတစ်ကျွန်းလားဟင်"

"မဟုတ်ဘူးကွဲ့။ အိန္ဒိယဆိုတာ မြန်မာနိုင်ငံလိုမျိုး နိုင်ငံတစ်နိုင်ငံပဲ၊ ကိုကိုရေ့"

ပင်လယ်စင်ရော်တွေက တရော်ရော် အော်ရင်း ပျံဝဲနေကြလေရဲ့။ လေပြေကလည်း

လန်းဆန်းတဲ့ ရနံ့ကို ဆောင်ကြဉ်းလို့၊ ကိုကိုက ပင်လယ်ပြင်ကြီးနဲ့ ပတ်သက်သမျှ အရာတိုင်းကို နှစ်သက်နေပြီ။ ကမ်းခြေပေါ်မှာ အမျိုးသမီးတစ်ယောက်နဲ့ ကလေးသုံး ယောက် လမ်းလျှောက်လာကြတာမြင်လိုက်ရတယ်။ အနားရောက်လာတော့ အမျိုးသမီး က ထူးဆန်းတဲ့ စကားတွေ ပြောနေတာ ကိုကို ကြားလိုက်တယ်။

"သူတို့ ဘာစကားတွေ ပြောနေကြတာလဲဟင်၊ မေမေ"

"အဲဒါ ဘင်္ဂါလီစကားကွဲ့။"

"သူတို့လည်း ဒီမှာ နေတာပဲလားဟင်"

"သူတို့က ကျောက်နီမော်မှာ နေတယ်။ ရမ်းပြဲကျွန်းရဲ့ အခြားတစ်ဘက်ခြမ်းမှာပေါ့။ ကျောက်နီမော်က လူတွေလည်း ငါးဖမ်းရာသီဆို ကျောက်ဦးမော်ကိုလာပြီး ငါးဖမ်း လုပ်ငန်း လုပ်ကြတာကွဲ့။"

မေမေက ရခိုင်စကားရော မြန်မာစကားပါ ပြောနိုင်ပုံအကြောင်းတွေးမိရဲ့။

"သားလည်း ကြီးလာရင် ဘာသာစကားနှစ်မျိုး ပြောရမှာလား၊ မေမေ"

"အေးပေါ့ကွယ်။ သုံးဘာသာတောင် ပြောချင်ပြောလာရမှာ။ နောက်ကော ဘာမေးဦးမလဲ၊ ကိုကို"

ကိုကိုက ဘာမေးရဦးမလဲလို့ စဉ်းစားရင်း သဲဖြူသောင်ကမ်းရှိတဲ့ ချောင်းတွေ့ အကြောင်း တွေးမိသွားပြီး မေးလိုက်တယ်။

"အဲဒီနေရာကို မောင်းကျအိုင်လို့ ဘာကြောင့် ခေါ်တာလဲဟင်"

"မေမေတို့ဘောင်ဘောင်တို့ ငယ်ငယ်လေးပဲ ရှိသေးတဲ့ ဟိုးလွန်ခဲ့တဲ့ နှစ်တွေတုန်းက အဲဒီနားမှာ လောင်းပြိုင်ပွဲကျင်းပခဲ့ကြတာကွဲ့။ တစ်ရွာနဲ့တစ်ရွာ လောင်းပြိုင်ရတာလေ။ အနိုင်ရတဲ့အသင်းကိုပေးတဲ့ ဆုက မောင်းကလေးပုံစံလုပ်ထားတဲ့ ဆုတံဆိပ်ပေါ်။ ချောင်းရေထဲ မောင်းကျသွားလို့ မောင်းကျအိုင်လို့ခေါ်ကြတာပေါ့ကွယ်"

"လောင်းပြိုင်ပွဲတွေ ရှိသေးလားဟင်"

"ရမ်းပြဲမြို့မှာပဲ လောင်းပြိုင်ပွဲလုပ်ကြတော့တယ်။ ကိုကိုရေ။ ဒါပေမယ့် မောင်း ကျအိုင်မှာ လောင်းပြိုင်ပွဲလုပ်ခဲ့တုန်းက ၃ ရက်တာ ပွဲတော်ကျင်းပကြတာ။ ဇာတ်အဖွဲ့ တစ်ဖွဲ့ထွားထားပြီး ရိုးရာဆိုင်ဝိုင်းနဲ့ သီဆိုကပြတင်ဆက်ဖို့ စင်တစ်စင် ဆောက်ပေးထား လေ့ရှိတယ်လေ"

လောင်းပြိုင်ပွဲက သိပ်ပျော်ဖို့ ကောင်းတယ်လို့ ကိုကို တွေးမိရဲ့။ ကမ်းခြေပေါ်မှာ ဟိုဟိုသည်သည် ကြည့်နေရင်း ကလေးတစ်သိုက် ခရုခွံကောက်နေတာ မြင်လိုက်တယ်။ သူတို့ကို ကြည့်ရင်း ကိုကိုလည်း ခရုခွံကောက်ချင်လာရော။ စိတ်ဝင်စားစရာ

ခရုခွံတွေ၊ ခရုခွံလှလှလေးတွေ လိုက်ရှာကောက်ပါတော့တယ်။ အဲဒီနောက် ညီညီက ကိုကို လုပ်နေတာလာကြည့်ရော။ ညီညီက ရှပ်အကျီအောက်နားစွန်ကို မ,ပြီး ခရုခွံ လှလှလေးတွေကို အဲဒီမှာထည့်လိုက်တယ်။

ဘောင်ဘောင်က ကမ်းခြေပေါ် က ကိုကိုတို့ဆီ လိုက်လာတယ်။

"ကောင်လေးတွေ ဗိုက်ဆာနေရော့မယ်။ လာကြ။ ထမင်းသွားစားရအောင်"

ဘောင်ဘောင်တို့ရဲ့ တဲလေးက ကမ်းခြေပေါ် က တခြားတဲတွေနဲ့ တစ်ပုံစံတည်း ပါပဲ။ တဲအားလုံး ဆင်တူနေလေရဲ့။ တဲအတွင်း အခန်းတစ်ခန်း၊ နှစ်ခန်းပါမယ်။ တဲပြင် ဘက် အမိုးအောက်မှာ ချက်ပြုတ်ဖို့ နေရာတစ်ခုရှိမယ်။ တဲအများစုရဲ့ ရှေ့ခန်းခေါင်မိုး အထက်နားမှာ ငါးလှန်းဖို့ စင်တစ်ခုဆောက်ထားတတ်ရဲ့။ ငါးလှမ်းစင်က တဲရှေ့ခန်း ခေါင်မိုးကို ကျော်လွန်ထိုးထွက်ပြီး တဲရှေ့ခန်းရှေ့နားက သဲပြင်ကို အရိပ်မိုးပေးနေလေရဲ့။ တဲတွေကို ဝါးတွေနဲ့လုပ်ထားပြီး အုန်းဖျာမိုးထားပါတယ်။

ထမင်းစားဝိုင်းထဲက ဟင်းနဲ့မွှေးမွှေးလေးတွေ ရတော့မှ ကိုယ့်ဟာကိုယ် ဘယ် လောက်ဗိုက်ဆာနေတယ်ဆိုတာ ကိုကို သိလိုက်တယ်။ ဘောင်ဘောင်က နေ့လည်စာကို အထူးတလည် ချက်ထားလေရဲ့။ သင်းဘုတ်ထွန်းအှစ်ကို နှ,ွင်း၊ ငရုတ်သီး၊ ကြက်သွန်ဖြူ ဆားတို့ ရောထောင်းထားတဲ့ အထောင်းဖတ်နဲ့ ရောသမမွှေပြီး မြေပဲဆီနဲ့ ကြော်တယ်။

ပြီးတာနဲ့ ငါးပိ၊ မကျည်းသီးလတ်လတ်ဆတ်ဆတ်လေးတို့နဲ့ ရောပြီး ရေထည့်ချက်တယ်။ အဲဒီနောက် နံနံပင်ထည့်ပြီး ပြင်ဆင်မွမ်းမံထားရဲ့။ နောက်ဟင်းတစ်ခွက်က ငရုတ်သီး၊ ငရုတ်ကောင်း၊ ကြက်သွန်ဖြူ၊ ဆားတို့ကို ငါးပိဖုတ်နဲ့ ရောင်ထောင်းထားတဲ့ အထောင်း ဖတ်ကို ရေကြက်(ပြည်ကြီးငါး)ပြုတ်နဲ့ ကျားပုစွန်ပြုတ်တို့ ရောသုတ်ထားတဲ့ အသုတ် တစ်ပွဲပါ။ အသုတ်ကို သံပရာရည်ညှစ်ထည့်ထားရဲ့။ ငါးဟင်းချို့ကိုတော့ ငါးဖက်ရွက် (ငါးခွေးလျှာ) မျှင်ငါးပိ၊ မကျည်းသီး၊ နန္တင်း၊ ကြက်သွန်နီ၊ ဆားတို့နဲ့ ချက်ထားတာလေ။ ရေကန်စွန်းဟင်းကိုတော့ မျှင်ငါးပိ၊ ငရုတ်သီး၊ မကျည်းသီးတို့နဲ့ ရောချက်ထားတယ်။ စားပွဲပေါ်မှာ ရေကြက် ရေပုံပြုတ်တစ်ခွက် တင်ထားလေရဲ့။ ဘောင်ဘောင်က တခြား အစားအစာတွေ ငရုတ်သီးစပ်လွန်းရင် ကိုကို၊ ညီညီတို့ စားလို့ရအောင်ဆိုပြီး ဒီအတိုင်း ရေပုံပြုတ်ထားတာပါ။ ဒါပေမဲ့ ကိုကိုက ဟင်းတွေ တအားစပ်တယ်လို့တော့မထင်မိ။ အားလုံး ငါးပိအတော် ဆားအတော်နဲ့ အရသာရှိနေတယ်လို့ တွေးမိရဲ့။ အဝေ့ တထောင်း ထောင်းထနေတဲ့ ထမင်းနဲ့ဟင်းတွေကို ပိုက်ပြည့်အောင် စားလိုက်တယ်။

နေ့လည်စာစားပြီးနောက်မှာ ဘာဘာနဲ့ ဘိုးဘိုးက ရေဆွေးကြမ်း သောက်ကြတယ်။ ကိုကိုနဲ့ ညီညီက ခရမ်ခွံတွေ ရွေးပြီး ပုံသဏ္ဌာန်၊ အရွယ်အစားအလိုက် တန်းစီချထားကြတယ်။ ကိုကိုက ကမ်းခြေဘက် ပြန်သွားချင်နေတယ်။ လူကြီးတွေက အလုပ်များနေတော့ ခွင့်မတောင်းဘဲ ဆင်းလာကြတယ်။

အဲဒီနောက်မှာ ပင်လယ်ဘက်က တံငါလှေကြီးတွေ ဝင်လာတာ မြင်လိုက်ရရော။ တံငါလှေတွေမှာ ရွက်တိုင်ဖြူကြီးတွေ ရှိလေရဲ့။ ဘိုးဘိုး၊ ဘောင်ဘောင်နဲ့ မေမေတို့ တောင်းကြီးတွေကို အဆင်သင့်ပြင်နေကြရင်း မေမေက ပြောလိုက်တယ်။

"နောက်ထပ် ငါးတွေ ဝယ်ဖို့အချိန်ကျပြီ။ သားတို့ လိုက်ကြည့်ချင်လား"

ကိုကိုက တံငါလှေတွေကို အနီးကပ်လိုက်ကြည့်ချင်တယ်။ ညီညီလည်း ကြည့်ချင် နေလေရဲ့။ ညီအစ်ကိုနှစ်ယောက် မေမေ၊ ဘိုးဘိုး၊ ဘောင်ဘောင်တို့နောက်က လိုက် သွားကြတယ်။ ဘာဘာကလည်း ကူပေးဖို့လိုက်လာတယ်။ တခြားသူတွေလည်း ဝါးတဲ လေးထဲကထွက်ပြီး တံငါလှေတွေဆီ ဦးတည်သွားနေကြတာ ကိုကို မြင်ရတယ်။

တံငါလှေတွေဆီ ရောက်ဖို့ ခဏလေးပဲ လမ်းလျှောက်လိုက်ရတယ်။ ကိုကိုတို့ ကမ်းခြေနား ရောက်တော့ ကိုတံငါတွေ ရွက်တွေလိပ်ပြီး ကမ်းခြေဘက် ဆက်လျှော်လာကြ ရော။ ကမ်းခြေနားမှာ တံငါလှေ လေးငါးစီးလောက် ရှိနေပြီ။ နောက်ထပ် ဝင်လာနေတဲ့ တံငါလှေတွေလည်းရှိလေရဲ့။ စုစုပေါင်း တံငါလှေ ၁၀ စီးတွေ့တယ်။ ငါးညှီနဲ့ရလို့ ပင်လယ်စင်ရော်တွေ စိတ်လှုပ်ရှားစွာ တရော်ရော်အော်မြည်ရင် တံငါလှေအထက်နား ပျံဝဲနေကြရဲ့။ ကိုကိုနဲ့ ညီညီတို့က ခြေဖမိုးလောက်အနက်မှာပဲ ကျန်နေရစ်ကြပေမဲ့ ဘိုးဘိုး၊ ဘောင်ဘောင်၊ ဘာဘာနဲ့မေမေတို့က ရေနက်ထဲဆင်းသွားပြီး ငါးဖမ်းလှေ တွေထဲ သွားကြည့်ကြတယ်။ ငါးဖမ်းလှေတွေထဲ ငါးပုံကြီးတွေရှိနေမှာ သေချာတယ်။

ဘိုးဘိုးနဲ့ တောင်တောင်တို့က ငါးကြီးတွေကို စိတ်မဝင်စားကြ။ ပုစွန်တွေကိုပဲ စိတ်ဝင်စား ကြတာ။ အဲဒါ သူတို့လုပ်ငန်းလေ။ ပုစွန်တွေက ငါးလေးတွေ၊ ရေကြက်တွေနဲ့ ရောနေ တတ်တယ်။ ဒီတော့ ငါးပုစွန်အရောရောကို တောင်းလိုက်ဝယ်ကြရတယ်။ ဒါပေမယ့် သူတို့ စိတ်ထဲ ဘယ်လိုမှ မအောက်မေ့ကြ။ သူတို့ မလိုတာဆိုရင် ရောင်းတန်ရောင်း၊ ချက်စားတန် ချက်စား လုပ်လိုက်ကြတာချည်းပဲလေ။

ဘိုးဘိုးက တံငါသည်တစ်ယောက်နဲ့ ဈေးစကား ပြောကြပြီးနောက် ပေးချေရမယ့် တန်ဖိုးငွေကို သဘောတူလိုက်ကြတယ်။ တံငါသည်က ဘိုးဘိုး ယူလာတဲ့ တောင်းကြီးထဲ ပုစွန်နဲ့ ငါးအရောရောကို ထည့်လိုက်တယ်။ အဲဒီနောက် တောင်တောင်နဲ့ မေမေက ပုစွန်တောင်းကို ကမ်းခြေပေါ် သယ်သွားကြတယ်။ ပုစွန်တောင်းကို ကမ်းခြေသဲပြင်ပေါ် သွားသွန်နေချိန်မှာ ဘိုးဘိုးက ငါး၊ ပုစွန်နှစ်တောင်းဝယ်ဖို့ကိစ္စ နောက်ထပ် တံငါသည် တစ်ဦးနဲ့ဈေးညှိပြန်တယ်။ ငါးနဲ့ပုစွန်တွေကို မြေပေါ် အပုံလိုက်ပုံထားပြီးတဲ့နောက် တောင်တောင်နဲ့မေမေတို့က တောင်းထဲ ငါးတွေထည့်ပြီး သဲတွေစင်သွားအောင် ပင်လယ်ထဲသွားဆေးကြပြန်ရော။ တောင်တောင်နဲ့မေမေတို့ ရေဆေးပြီးသွားတဲ့ ငါး တွေကို ဘိုးဘိုးနဲ့ဘာဘာက တံထဲပြန်သယ်ပေးကြတယ်။ ငါးတွေအားလုံးကို ဆေးကြော ပြီး တံထဲသယ်ယူပြီးသွားတယ်ဆိုရင်ပဲ ငါးကို ငါးသပ်သပ်၊ ပုစွန်ကိုပုစွန်သပ်သပ် ရွေး ထုတ်တဲ့ လုပ်ငန်းစတင်ပါလေရော။

တဲထဲမှာ ဘိုးဘိုး ဆောက်ထားတဲ့ ငါးလှမ်းစင်အောက် အရိပ်ထဲ ဝါးဖျာကြီးပေါ် ငါးတွေကို စုပုံလိုက်ကြတယ်။ ငါးရွေးဖို့ အားလုံးက ကူညီပေးကြတယ်။ ပုစွန်ကြီးတွေတစ်ပုံ၊ ပုစွန်ဆိတ်တွေ တစ်ပုံ၊ ရေကြက်နဲ့ ကကန်းအတွက် တစ်ပုံ၊ ငါးသန်လေးတွေကို တစ်ပုံ၊ ငါးအမျိုးအစားပေါ် မူတည်ပြီး တခြားအပုံတွေ ပုံထားလေရဲ့။ ကိုကိုတောင် နည်းနည်း ဝင်ကူလိုက်သေး။

"ငါးခွေတွေကို သတိထားကွဲ့။ မြေးလေးရေ။ ငါးခွေစူးရင် သိပ်နာတာနော်"

တောင်တောင်က သတိပေးလိုက်တယ်။ ကိုကိုက သတိထားပြီး ငါးရွေးနေတယ်။ ညီညီကငယ်သေးတော့ ကူညီဖော်မရသေး။ ကိုကို့အနားက ထိုင်ကြည့်နေလေရဲ့။ ကိုကိုက ရေကြက်ကြီးတစ်ကောင်ကို ငါးပုံထဲက သတိနဲ့ဆွဲထုတ်လိုက်တယ်။ ကိုကို၊ ညီညီတို့ ရေကြက်ရဲ့ လျှောကိုကျိကျိ ပျော့တွဲ့တွဲ့ အထိအတွေ့ကိုခံစားကြည့်ပြီး ရယ်လိုက် ကြသေးရဲ့။ ကိုကိုက ရေကြက်ကို ရေကြက်ပုံထဲထည့်လိုက်တယ်။

"လဆန်းဖြားမှာ ပုစွန်တွေ အလုံအလောက်ရလိုက်ပါရဲ့လား၊ ခိုင်ခိုင်"
ဘာဘာက ဘိုးဘိုးကို မေးလိုက်တယ်။

"ရလိုက်ပါတယ်။ မင်းမိန်းမက ငါတို့အတွက် အကူအညီသိပ်ရတာ။ ဒီနေ့ဆို လည်း ပုစွန်တွေအများကြီးရလိုက်တယ်။ ဒါပေမယ့် အရင်ရက်တွေလောက်တော့ မများဘူးပေ့ါကွာ"

"ဒီနေ့၊ အိမ်ပြန်ရင်ယူသွားဖို့ ရေကြက်နဲ့ တခြားငါးတွေပေးလိုက်ဦးမယ်"

ဘောင်ဘောင်က ဖြည့်ပြောပေးတယ်။

ဒီစကား ကြားတော့ ကိုကို ပျော်သွားတယ်။ ကျောက်ဦးမော်က ရေကြက်ကြောင့် နာမည်ကြီးပါတယ်။ ဒီရာသီဆို ရေကြက်တွေပေါ်မှပေါ်ပဲ။ ရေကြက်တွေဆို သိပ်ကိုလတ် ဆတ်ပြီး အရသာရှိတာလေ။ ကျောက်ဦးမော်အကြောင်း တွေးမိရင် ရေကြက်အကြောင်းက မပါမဖြစ်။ အခုဆို မေမေ့မှာ ချက်ပြုတ်စားသောက်ဖို့ ရေကြက်လတ်လတ်ဆတ်ဆတ် လေးတွေ အများကြီးရတော့မှာလေ။

အားလုံး ငါးရွှေနေကြတုန်း တောင်ကိုယ်စီ ထမ်းလာတဲ့ လူနှစ်ယောက် တဲနား ရောက်လာတယ်။ တစ်ယောက်က ဘိုးဘိုးကို ပြောတယ်။

"ဘကြီးရေ၊ သင်းဘုတ်ထွန်းတွေ ရလာတယ်ဗျ"

ဘိုးဘိုးက ကျေနပ်နေတဲ့ပုံပဲ။ ကိုတံငါနှစ်ယောက်နဲ့ သင့်တော်တဲ့ ဈေးနှုန်းတစ်ခု ညှိပြီး ဘိုးဘိုးက သင်းဘုတ်ထွန်းတွေဝယ်လိုက်တယ်။

ဘိုးဘိုးက ငါးရွှေနေတဲ့ ဖျာပေါ်က ထွက်သွားပြီး သင်းဘုတ်ထွန်းကို စခွဲပါတော့ တယ်။ သင်းဘုတ်ထွန်းတစ်ချို့ဆို ကိုကို့အရပ်ထက် ပိုမြင့်လေးရဲ့။

"ဒီငါးတွေကို ဘိုးဘိုးက ဘာလုပ်ဖို့ လိုချင်တာလဲဟင်"

"ဒီငါးက သင်းဘုတ်ထွန်းဆိုတာ မြေးလေးသိပြီးသားပဲလေ။ သင်းဘုတ်ထွန်း ကင်ဖို့ စည်းစနစ်တကျ ခွဲနည်းကို လူတိုင်းသိကြတာတော့ မဟုတ်ဘူးကွဲ။ ဒီနားတဝိုက်က လူတွေက စည်းစနစ်တကျ သင်းဘုတ်ထွန်းခွဲနည်းကို ဘိုးဘိုးသိတယ်ဆိုတာ သိထားကြလို့ လာရောင်းကြတာလေ။ ဒါကြောင့်လည်း ထမင်းပွဲမှာ သင်းဘုတ်ထွန်းအငါ်စုံ စားခဲ့ရတာ ပေါ့။ အဲဒီဟင်းကို ငါ့မြေးလေး ကြိုက်ရဲ့လား။ ဘယ်လိုနေလဲ"

"သိပ်ကြိုက်တာပေါ့၊ ဘိုးဘိုးရယ်"

"သင်းဘုတ်ထွန်းကို မုန့်တီဟင်းခတ်ငါး လုပ်ကြတာလေ။ ပြီးတော့ အလှူပွဲတွေ လုပ်ရင်လည်း သင်းဘုတ်ထွန်းက အကောင်းစားဟင်းတစ်ခွက်ပေါ့။ ဒါကြောင့်လည်း သင်းဘုတ်ထွန်းကို လူတွေက တအားဝယ်ချင်ကြတာ၊ မြေးလေးရဲ့"။ ဘိုးဘိုးက စကား ဆက် ပြန်တယ်။ "အလှူပွဲတွေမှာ စားရတဲ့ အကောင်းစားဟင်းက ဘာလဲ သိလားကွဲ"

ကိုကိုက ခေါင်းညိတ်ပြလိုက်တယ်။ ဘိုးဘိုးမေးတဲ့ ဟင်းက မုန့်တီလို နာမည် ကြီးတဲ့ဟင်းလေ။'ငါးမုန့်'ခေါ်တဲ့ ဟင်းပေါ့။ ငါးမုန့်လုပ်ဖို့ဆိုရင် ကျပ်တိုက်ထားတဲ့ သင်း ဘုတ်ထွန်းသားကို အမှုန့်ဖြစ်အောင်ထောင်းပြီး နှံုင်း၊ ကြက်သွန်နီ၊ ကြက်သွန်ဖြူ၊ မကျည်းသီး၊ ငရုတ်သီး၊ ဆားတို့နဲ့ ရောနယ်ပြီး မြေပဲဆီနဲ့ကြော်တယ်။ အဲဒီနောက် ကြာဆံနဲ့ ရောသုတ်လိုက်ရော။ ငါးမုန့်ကို အလှူပွဲကြီးတွေမှာမှ လုပ်ကြတာလေ။

ကိုကိုက ဘိုးဘိုး သင်းဘုတ်ထွန်းခုတ်လှီးတာ ထိုင်ကြည့်နေလိုက်တယ်။ ဘိုးဘိုး က ခေါင်းကနေစလှီးပြီး အလယ်ပိုင်းနား ဆင်းသွားပေမယ့် လုံးဝကြီးပြတ်ထွက်သွား

အောင်တော့ မလွီးဖြတ်။ အခုဆို သင်းဘုတ်ထွန်းက လောင်းတစ်စီးနဲ့ တူနေပြီလေ။ ဘိုးဘိုးက သင်းဘုတ်ထွန်းအတွင်းအင်္ဂါတွေကို ဖြတ်ထုတ်လိုက်တယ်။ အဖြူရောင် ရှည်မျှောမျှောသဏ္ဌာန် ခပ်ပွပွအင်္ဂါအစိတ်အပိုင်းတစ်ခုကို မြင်လိုက်ရရဲ့။

"အဲဒါ ဘာလဲဟင်"

ကိုကိုက မေးလိုက်တယ်။ ဘာဘာ လွီးဖြတ်ခဲ့ဖူးတဲ့ ငါးပထုံးတွေမှာ ဒါမျိုးကို အရင်က ကိုကို မမြင်ဖူးခဲ့။

"အဲဒါ စီဖောင်းပေါ့။ ဒီအပိုင်းကို မစားကြဘူး။ ဘာလို့လဲဆိုတော့ စီဖောင်းကို ဈေးကောင်းကောင်းနဲ့ ရောင်းလို့ရတာကိုးကွ။ တစ်ခါတလေဆို သင်းဘုတ်ထွန်းစီဖောင်း တွေကို ဆေးဝါးတွေမှာ ထည့်သုံးကြတာ။ တစ်ခါတလေ နိုင်ငံခြားကို တင်ပို့ကြတာကွဲ။ သင်းဘုတ်ထွန်းစီဖောင်းအတွက် ဝယ်လိုအားက မြင့်တယ်လေ။ ဒါပေမဲ့ စီဖောင်းကို ထုတ်တဲ့အခါ သတိနဲ့ထုတ်ရတယ်။ စီဖောင်းပေါက်သွားလို့ လေတွေ ထွက်သွားတာနဲ့ ဘာမှ တန်ဖိုးမရှိတော့ဘူး။ မြေးလေးရေ့"

ဘိုးဘိုးက သင်းဘုတ်ထွန်းစီဖောင်းကို သတ်သတ်ဖယ်ထားလိုက်တယ်။ သင်း ဘုတ်ထွန်းကိုယ်ထည်ကို ဆက်ခွဲသွားပေမယ့် ပြတ်ထွက်သွားအောင်တော့ မလွီးဖြတ်။ အခုဆို နောက်ပိုင်း သင်းဘုတ်ထွန်း ကျွပ်တိုက်တဲ့အခါ ပြားကပ်နေတော့မှာပေါ့။ ဘိုးဘိုးက သင်းဘုတ်ထွန်းအားလုံးကို ဒီနည်းအတိုင်းလွီးဖြတ်ပြီး စီဖောင်းတွေကို အပုံလိုက်သိမ်းထားလိုက်တယ်။

အောင်ဘောင်၊ ဘာဘာနဲ့ မေမေတို့ ငါးတွေ ရွှေးပြီးသွားကြပြီ။ အောင်ဘောင်က မီးတစ်ဖို ဖိုလိုက်တယ်။ အဲဒီနောက် ပုစွန်ကြီးတွေကို အိုးကြီးထဲ ဆားနဲ့ရောထည့်ပြီး ရေလုံပြုတ်လိုက်တယ်။ ပုစွန်ကို အရင်ဦးဆုံး ပြုတ်ပြီးမှ လှမ်းစင်ပေါ် တင်လို့ နေလှန်းရ တာလေ။ ပုစွန်က တစ်နေ့နဲ့တစ်ဝက် နေလှမ်းထားပြီးမှ ဂုန်နီအိတ်ထဲထည့်ပြီး အပြင်ခွံနဲ့ ခေါင်းတွေ ကွာထွက်သွားတဲ့အထိ မြေကြီးနဲ့ထုရိုက်ရတယ်။ ပုစွန်တွေကို တစ်နေ့နဲ့ တစ်ဝက်ထက် ကျော်လွန်ပြီး နေလှန်မိသွားရင် ကျိုးကြေသွားတတ်တယ်လေ။ ပုစွန် ခြောက်အိတ်ကို မြေကြီးနဲ့ ထုရိုက်ပြီးရင် ပုစွန်၊ အပြင်ခွံနဲ့ ခေါင်းတွေကို ဆန်ပြာသလိုမျိုး ဆန်ကောနဲ့ ပြာယူရတယ်။ ပုစွန်ခေါင်းနဲ့ ပုစွန်ခွံတွေကို ကြက်စာအဖြစ် ရောင်းတတ်တယ်။ ပုစွန်ရဲ့ အကောင်းဆုံးအပိုင်းကို ဈေးကောင်းကောင်းနဲ့ ရောင်းချသလို နိုင်ငံခြားထဲ တင်ပို့တတ်ကြလေရဲ့။ လူချမ်းသာတွေပဲ ဒီလိုပုစွန်ခြောက်မျိုး စားကြတာ။ ဒါကြောင့် လည်း ရွှေပုစွန်လို့ခေါ်ကြတာပေါ့။ ဘိုးဘိုး၊ အောင်ဘောင်တို့ ဒီပုစွန်အိုးအတွက် ရမယ့် ဈေးနှုန်းက ဒီနေ့ သူတို့ သုံးလိုက်တဲ့ ငွေတွေကို ကာမိမှာပါ။ ပုစွန်ဆိတ်ကလေးတွေကို မှျင်ငါးပိလုပ်ကြမယ်။ သင်းဘုတ်ထွန်းကို ကျွပ်တိုက်မယ်။ ငါးသန်လေးတွေကိုတော့ ငါးပိထောင်းမှာ။ တခြားရေကြက်နဲ့ ငါးတွေကိုတော့ အမြတ်အစွန်းရအောင် ရောင်းတန် ရောင်း၊ ပစ္စည်းချင်း လဲတန်လဲလုပ်ရမှာပါ။ တခြားရွာတွေက လူ့တွေကျောက်ဦးမော်

လာပြီး ငါးတွေနဲ့ ပစ္စည်းတွေလာလဲကြတယ်။ လဆန်းဖြားတစ်ခါဆိုရင် ဘိုးဘိုး၊ အောင်အောင်တို့မှာ ဆန် ၃၄ တောင်းစာ လဲယူလိုက်နိုင်တယ်။ ဒီဆန်ပမာဏက အိမ်သားတွေ စားသောက်ဖို့ရော ဈေးမှာ သွားရောင်းချဖို့ပါ ဆန်တွေက လုံလောက်ပါ တယ်။ သူတို့စီးပွားရေးက တအားအောင်မြင်တာလေ။

မေမက ရေကြက်၊ ပုစွန်နဲ့ သင်းဘုတ်ထွန်းအင်္ဂါအစိတ်အပိုင်းတစ်ချို့ကို ရေလုံပြုတ်ဖို့ နောက်ထပ်မီးတစ်ဖို ဖိုလိုက်တယ်။ ဒီတစ်ခေါက် ပြုတ်တာတွေက အိမ်ယူ သွားဖို့လေ။ အဲလို မပြုတ်ထားရင် ငါးပုစွန်တွေ မြန်မြန်လေးပုပ်သွားမှာ။ ဘာဘာက ငါးတွေထဲ ရောနေတဲ့ စွန်ချေ(ငါးလိပ်ကျောက်ငယ်)နဲ့ ငါးမန်းလေးတွေကို တံစို့နဲ့ထိုး သီနေတယ်။ အိမ်သို့ မယူသွားခင် မီးဖိုဘေး ပတ်ဝိုင်းပြီးကင်မှာလေ။

ဘိုးဘိုးက သင်းဘုတ်ထွန်းအားလုံး လီးဖြုတ်ပြီးတဲ့အခါ တဲဘေးနား ဆောက် ထားတဲ့ စင်လေးပေါ် တင်လိုက်တယ်။ သင်းဘုတ်ထွန်းတွေပေါ် မီးခိုးတွေ လျောင်ထား နိုင်အောင် သစ်ရွက်စိမ်းတွေတင်လိုက်တယ်။ အဲဒီနောက် စင်လေးအောက်မှာ မီးတစ်ဖို ဖိုလိုက်တယ်။ ဒီမီးက သင်းဘုတ်ထွန်း ကျပ်တင်ဖို့ ဖိုတဲ့မီးဆိုတော့ အုန်းသီးခွံခြောက် ဟောင်းတွေကို ထင်းအဖြစ်သုံးရတာလေ။ အုန်းသီးခွံခြောက်မီးက တငွေ့ငွေ့လောင် ကျွမ်းမှုအားကောင်းတယ်။ မီးခိုးငွေ့ထူထူက အပေါ်သို့ အှုတက်လာပြီး သင်းဘုတ်ထွန်း တွေကို ကျပ်တိုက်မယ်။ သစ်ရွက်စိမ်းတွေက မီးခိုးတွေ လွင့်ထွက်မသွားအောင် ချုပ်ထားပေးမယ်ပေါ့လေ။ ဘိုးဘိုးလုပ်တဲ့ သင်းဘုတ်ထွန်းကျပ်တင်က ဒီနယ်တဝိုက် နာမည်ကြီးပဲ။ ဘိုးဘိုးက သင်းဘုတ်ထွန်းကို ကျွမ်းကျွမ်းကျင်ကျင် လီးဖြုတ်တတ်သလို ကျပ်တင်ရာမှာလည်း တော်လှ့လေ။

ကိုကို၊ ညီညီ။ ဒီရေကြက်လေး စားကြည့်ချင်လားကွယ်

ကိုကိုနဲ့ ညီညီတို့ ခရုခွံလှလှလေးတွေနဲ့ သဲပြင်ပေါ် ဆော့ကစားနေရာကနေ ထလာကြတယ်။ မေမက ရေကြက်တစ်ချို့ကို ခွက်ထဲထည့်ပြီး ကိုကိုတို့ညီအစ်ကို နှစ်ယောက် ဝေစားဖို့ပေးလိုက်တယ်။

"အရိုးပိုင်းကို သတိထားနော်။ အရိုးပိုင်းကိုရော အမဲအိတ်တွေကိုပါ ထုတ်ချိန် မရလိုက်လို့ကွဲ့"

ကိုကိုနဲ့ညီညီ ခွက်ထဲကရေကြက်တွေကို နှစ်ယောက်မျှစားလိုက်ကြတယ်။ ရေကြက်အရသာက သိပ်ကောင်းပြီး လတ်ဆတ်နေရောပဲ။ အရိုးပိုင်းကို သတိနဲ့ထုတ် လိုက်ကြတယ်။ ကိုကိုက ညီညီကိုကြည့်ပြီးပုံးပြတယ်။ ကိုကို့သွားတွေ ရေကြက်အမဲအိတ်က အမဲရောင်တွေကပ်ပြီး မဲနေတာ ကြည့်လို့ ညီညီရယ်ပါလေရော။ ညီညီ ရယ်လိုက်တော့မှ ညီညီ့ပါးစပ်ထဲ ဘယ်လောက်တောင် မဲတူးနေလဲဆိုတာ ကိုကို မြင်လိုက်ရတယ်။ ဒီတော့ ကိုကိုလည်းရယ်မိတာပေါ့။ တစ်ယောက်ကိုတစ်ယောက်ကြည့်ပြီး အရယ်မရပ်နိုင် ဖြစ်နေကြရဲ့။ သွားမဲတူးတူး၊ လျှာမဲနက်နက်ကို ကြည့်ရတာ တအားရယ်ဖို့ကောင်းတာကို။

ဘောင်ဘောင်က မလှမ်းမကမ်းမှာရှိတဲ့ ကျောက်ရေတွင်းထဲက ရေတွေသွားခပ်ဖို့ လိုနေပြီ။ နီးနီးနားနားဆိုတော့ ကိုကိုလည်း လိုက်လာခဲ့တယ်။ ရေတွင်းထဲ ဖားတွေနေ၊ မနေသွားကြည့်ချင်တာပါ။ ဘောင်ဘောင်က မြေအိုးကို မြေပေါ် ချလိုက်တယ်။ ကိုကိုက ကျောက်သားနဲ့လုပ်ထားတဲ့ ရေတွင်းဘောင်ပေါ် ကျော်ကြည့်လိုက်တယ်။ ဖားတွေ တစ်ကောင်တလေမှ မတွေ့။ အဲဒီနောက် ကိုကိုက နောက်ထပ်မေးခွန်းတစ်ခု မေးလိုက်တယ်။

"ဘောင်ဘောင်၊ ဒီရေတွင်းထဲက ရေတွေ ဆားငန်လားဟင်"

"မငန်ဘူးကွဲ့"

"ဘာလို့ မငန်တာလဲဟင်။ ပင်လယ်နဲ့ ဒီလောက် နီးနေတဲ့ဟာကို"

"ပင်လယ်နဲ့ နီးတာတော့ ဟုတ်တယ်။ ဒါပေမယ့် ဒီတွင်းရေက မြေအောက်ရေလေ။ ပင်လယ်ဆားငန်ရည် မဟုတ်ဘူး၊ မြေးလေးရေ့"

ဒီအကြောင်းကို ကိုကို တွေးကြည့်တယ်။ သူ့အတွက်တော့ သိပ်ယုတ္တိမရှိလှ။

"အရသာကကော ဘယ်လိုနေလဲဟင်"

"သရက်ချိုအိမ်က ရေလောက်တော့ မကောင်းဘူးပေါ့ကွယ်။ နည်းနည်း မြည်းကြည့်လေ၊ မြေးလေး"

ကိုကိုက လက်ဝါးနှစ်ဘက်ကို ခွက်ပုံစံ ဝိုက်ပြီး ခံထားလိုက်တယ်။ ဘောင်ဘောင်က တွင်းရေကို လက်ခုပ်ထဲ လောင်းထည့်ပေးတယ်။ ကိုကို နည်းနည်း သောက်ကြည့်တယ်။ ဒီတွင်းရေက ပျာတာတာဖြစ်နေလေရဲ့။ ရေနွေးကျိုပြီး သောက်ရတာနဲ့ ထူးမခြားနား လောက်ပဲ။

"ဘောင်ဘောင်တို့အိမ်က ရေလောက်လည်းမကောင်းဘူး။ သားတို့အိမ်က ရေလောက်လည်း မကောင်းဘူး"

"လဆုတ်ဖြားဆို လှိုင်းပျော့လို့ ဘယ်သူမှ ငါးဖမ်းမထွက်ကြဘူးလေ။ အဲဒါကြောင့် လဆုတ်ဖြားမှာ သရက်ချိုရွာသို့ ပြန်ပြီး လိုအပ်တဲ့ ပစ္စည်းတွေသွားယူတာ၊ အနားယူတာ တွေလုပ်ဖြစ်ကြတယ်ကွဲ့။ အိမ်ကတွင်းရေ ပိုကောင်းလို့ ဒီကိုအပြန်မှာ သောက်ရေ တစ်အိုးစီယူလာနေကျလေ။ ဒါပေမယ့် အိမ်ကယူလာတဲ့ သောက်ရေ ကုန်သွားရင်တော့ ဒီတွင်းရေပဲ သောက်ကြရတာပေါ့ကွယ်"

* * * * *

ကိုကိုနဲ့ ညီညီတို့ ကမ်းခြေပေါ်မှာ နောက်ဆုံးတစ်ကြိမ် သွားကစားကြတယ်။ လှိုင်းတွေထဲ ခြေဖမိုးထိ နှစ်ကစားရင်း တစ်ယောက်နဲ့ တစ်ယောက် ရေပက်ကစားကြတယ်။ ရုတ်တရက် လှိုင်းတွေပေါ် မြုပ်ချည်ပေါ်ချည် ဖြစ်နေတဲ့ တစ်စုံတစ်ခုကို ကိုကို မြင်လိုက်တယ်။

"အဲဒါ ဘာလဲ၊ မေမေ"

"ပျဉ်ပြားတစ်ချပ်နဲ့ တူတယ်ကွဲ။ သွားကြည့်ကြမယ်လေ"

အဲဒီအရာဝတ္ထု ကမ်းခြေပေါ် တင်လာတဲ့ နေရာနားဆီ သားအမိသုံးယောက်
လျှောက်သွားကြတယ်။

"ဟော - ပြင်သာလိပ်ခွံပဲ"

ဇီလိုလိပ်ခွံမျိုး ကိုကို တစ်ခါမှမမြင်ဖူးခဲ့။ ပြင်သာလိပ်တွေကို ပုံထဲမှာပဲ သူ
မြင်ဖူးခဲ့တာလေ။ မြင်ဖူးသမျှ လိပ်ရုပ်တွေကလည်း သေးသေးလေးတွေ။ အခု တွေ့နေ
ရတဲ့ အခွံပိုင်ရှင်လိပ်ကတော့ ဇေရာမပြင်သာလိပ်ကြီးဖြစ်မှာ။ ပြင်သာလိပ်ခွံကို ဘေးတိုက်
ထောင်လိုက်ရင်တော့ ကိုကို့အရပ်ထက် ပိုမြင့်နေဦးမှာ။

"ဇီလိပ်ကြီး ဘာဖြစ်သွားလို့လဲဟင်၊ မေမေ"

"အင်း - မသိပါဘူးကွယ်။ အသက်ကြီးလို့ သေတာလည်းဖြစ်နိုင်တယ်။ ပင်လယ်
ထဲက တစ်ခုခုကြောင့် အသက်သေဆုံးသွားတာလည်း ဖြစ်နိုင်တယ်။ ဒီကောင် သေတော့
အတွင်းသားတွေကို ငါးလေးတွေစားပြီး နောက်ဆုံး အခွံပဲကျန်ခဲ့တာပေါ့ကွယ်"

"လိပ်ကြီးအသက်က ဘယ်လောက်ရှိမယ်လို့ ထင်လဲဟင်"

"အရမ်းအသက်ကြီးမှာ။ ပြင်သာလိပ်တွေက လူ့အသက်လောက်ကို ရှည်ကြ
တာကွဲ။ တစ်ချို့ပြင်သာလိပ်တွေဆို နှစ်ပေါင်းရာချီပြီး အသက်ရှည်ကြတာ"

ကိုကိုနဲ့ညီညီတို့ ပြင်သာလိပ်ခွံကြီးကိုကြည့်ပြီး တစ်ယောက်တစ်လှည့် မ,ကြည့်
ကြလေရဲ့။ သို့ပေမယ့် လိပ်ခွံကြီးကလေးလွန်ပါတယ်။ သဲပြင်ပေါ် တွန်းကြည့်၊ ဆွဲကြည့်
ကြသေးတယ်။ ဒါပေမယ့် ညီအစ်ကိုနှစ်ယောက် တွန်းလို့လည်း မရွေ့၊ ဆွဲလို့လည်း
မပါ။ သိပ်လေးလွန်းနေတာကိုး။

မကြာမီ အိမ်ပြန်ဖွဲ့ အချိန်ကျလာပေါ့။ ဘိုးဘိုးက သင်းဘုတ်ထွန်းကျက်တင်တာနဲ့
အလုပ်များနေလို့ တံကပဲ နှုတ်ဆက်စကားဆိုလိုက်တယ်။ ဘောင်ဘောင်က သူတို့နဲ့အတူ
လောင်းနားထိ လမ်းလျှောက်ပြီး လိုက်ပို့တယ်။ မေမေမှာ အိမ်ပြန်ယူသွားမယ့် ပစ္စည်း
အားလုံးကို အဝကျယ်ကျယ် တောင်းပျုပ်ပျုပ်လေးထဲ အပြည့်ထည့်ထားလေရဲ့။

လောင်းနား ရောက်ချိန်မှာ ဖြားတက်နေပြီဆိုတာ ကိုကို တွေ့ရရဲ့။ ကိုကိုနဲ့
ညီညီတို့ ဘောင်ဘောင်ကို ဖက်ပြီး နှုတ်ဆက်လိုက်ကြတယ်။ အဲဒီနောက် ကိုကိုတို့မိသား
တစ်စု လောင်းထက်တက်လိုက်ကြတယ်။ ဘာဘာက လောင်းကိုကမ်းကနေ တွန်းထုတ်ပြီး
နောက် ခပ်သွက်သွက်လေး လောင်းထက်တက်လိုက်တယ်။ ဘောင်ဘောင်ကို နောက်ဆုံး
အကြိမ် လက်ဝှေ့ယမ်းနှုတ်ဆက်ပြီးတဲ့အခါ ချောင်းကြောင်းအတိုင်း လျှော်ထွက်ခဲ့ကြတယ်။
မေမေက ဘာဘာကို လောင်းကူလျှော်ပေးတာကြောင့် ဒီတစ်ခါတော့ ဘာဘာတစ်ဦးတည်း
လျှေလျှော်ကိစ္စကို အားစိုက်လုပ်စရာ မလိုတော့။

ဘိုးဘိုးနဲ့ ဘောင်ဘောင်တို့ ကျောက်ဦးမော်မှာ နောက်တစ်ပတ် ဆက်နေပြီ

အလုပ်တွေ လက်စသတ်ကြဦးမှာလေ။ ဘိုးဘိုး၊ ဘောင်ဘောင်တို့က သင်းဘုတ်ထွန်းကျတ် တင်လုပ်ငန်းနဲ့ ပုစွန်ခြောက်လုပ်ငန်းတို့မှာ တအားအောင်မြင်တာမို့ လယ်ထွန်စားဖို့ မလိုတော့။ မိသားစုကို ထောက်ပံ့ဖို့ လိုတာထက် ပိုရနေသေးလို့ ရွှေတွေတောင် ဝယ် ဝတ်နိုင်ရဲ့။ ရွှေဝယ်နိုင်တယ်ဆိုကတည်းက ချမ်းသာလို့ပဲပေါ့လေ။

* * * * *

မေမေ အဝေးသို့ ရောက်နေချိန်က

ဘိုးဘိုးနဲ့ တောင်တောင်တို့ ကျောက်ဦးမော်မှာ အလုပ်တွေ လုပ်ပြီးသွားတဲ့အခါ ကျောက်ဖြူမြို့သို့ မေမေနဲ့အတူ လိုက်သွားကြတယ်။ ကျောက်ဖြူမြို့က ရမ်းပြဲကျွန်းမှာ အကြီးဆုံးမြို့လေ။ မေမေ့မောင် ဦးအောင်မြင့်နဲ့ ဇနီးသည်တို့မှာ သားဦးရတနာ မောင်ပြည့်ဖြိုးကို လောလောလတ်လတ် မွေးထားတယ်။ ဒါကြောင့် မေမေ၊ ဘိုးဘိုးနဲ့ တောင်တောင်တို့ သူတို့အိမ် သွားလည်ကြမှာပါ။ ကျောက်ဖြူမြို့သို့ ရောက်ဖို့ မိုင် ၃၀ ခရီးသွားရတာဖြစ်လို့ မေမေက ညီညီကိုပဲ ခေါ်သွားမှာလေ။ ကိုကိုရော ညီညီပါ အတူ ခေါ်သွားဖို့ တအားခက်မှာ။ ဘာလို့လဲဆိုတော့ ကိုကိုတို့အိမ်ကနေ ခြောက်မိုင်ခရီးကို လမ်းလျှောက်သွားပြီးရင် မြစ်တစ်စင်းကို ရောက်၊ မြစ်ကို လှေလေးတစ်စင်းနဲ့ ဖြတ်ကူး၊ အဲဒီနောက် ရမ်းပြဲကျွန်း မြောက်ဘက်စွန်းက ကျောက်ဖြူမြို့အရောက် ထရပ်ကား နောက်ခန်းမှာထိုင်စီးပြီး လိုက်ရဦးမှာမို့ပါ။

ကိုကိုက မလိုက်ရလို့ စိတ်ပျက်မိပေမယ့် ဘာဘာနဲ့ အိမ်မှာ အတူနေခဲ့ရတာလည်း စွန့်စားခန်းတစ်ခုပဲလို့ တွေးလိုက်တယ်။ မေမေ မရှိတုန်း ဘာဘာက ထမင်းဟင်းတွေ ချက်ပြုတ်ပေးရတာလေ။ တစ်နေ့တော့ ဘာဘာပဲခင်းထဲအလုပ်လုပ်ပြီး အိမ်ပြန်လာ တော့ မီးကင်ထားတဲ့ အသားတွေပါလာတယ်။ ဒါ တောကြောင်သားဖြစ်မယ်လို့ ကိုကို တွေးလိုက်တယ်။ လူတွေက တောကြောင်တွေကို တောတောင်ထဲ လိုက်ဖမ်းကြတာ။ တစ်ခါတလေဆို လယ်ကွင်းတွေ၊ လမ့တောတွေနား လှည့်လည်သွားလာတတ်ကြတာ။ ဘာဘာက အိမ်မလာခင် အသားကို မီးကင်လာပြီးသား။ အခုတော့ ဘာဘာ အသား တွေကို ခုတ်ထစ်နေပြီ။ ခုတ်ထစ်ထားပြီးသား အသားကို ဘာဘာက နှစ်ခင်းနဲ့ ဆား ခပ်လိုက်တယ်။ ပြီးရင် ငရုတ်သီး၊ ကြက်သွန်နီတို့ကို မြေပဲဆီနဲ့ ဆီသပ်လိုက်တယ်။ နောက်တော့ ဆီကျက်ကို အသားတုံးတွေပေါ် လောင်းချလိုက်တယ်။ ဘာဘာက

အသားထည့်ထားတဲ့ အိုးထဲ မှှင်ငါးပိတစ်ဖဲ့ ထည့်ပြီး ချက်လိုက်တယ်။ ချက်ပြုတ်ပြီးလို့ အိုးကို ခွင်ထက်(မီးဖိုထက်)က ပြန်မထုတ်ခင်လေးမှာ မရိတ်စွေကြိတ်မှုန့်တွေ ထည့်လိုက် လေရဲ့။ ဟင်းအနံ့က သိပ်မွှေးနေလေတော့ ဘာဘာက ထမင်းချက်သိပ်တော်တယ်လို့ ကိုကို တွေးနေမိတယ်။

လေးငါးရက်လောက်နေတော့ မေမေနဲ့ ညီညီတို့ ပြန်ရောက်လာကြတယ်။ မေမေက ဘာဘာနဲ့ စကားပြောဆိုပြီးနောက် ကိုကိုကို လှမ်းမေးတယ်။

"ဘာဘာ ချက်ကျွေးတဲ့ ကြွက်သား ဘယ်လိုနေလဲ၊ သားရေ"

ကိုကို ပါးစပ်အဟောင်းသား ဖြစ်သွားလေရဲ့။ ပြီးတော့ "အဲဒါ တောကြောင်သား ထင်နေတာ" တအဲ့တဩ ပြန်ပြောတယ်။

မေမေက တဟားဟား ရယ်ရင်း ပြောတယ်။

"အဲဒါ လယ်ကြွက်တွေကွဲ့။ သားရဲ့ဘာဘာတို့ လယ်ပြင်မှာမြေပဲစားပြီး ဝကစ လာတဲ့ကောင်တွေပေ့။ ဒီကောင်တွေက အိမ်ကြွက်တွေနဲ့ မတူဘူး။ စားတဲ့အစားအစာက သန့်ရှင်းတယ်လေ။ ဒါပေမယ့် မေမေသာ အိမ်မှာရှိခဲ့မယ်ဆိုရင် မီးဖိုခန်းထဲ လယ်ကြွက် သားတွေ ချက်ခွင့်ပေးမှာမဟုတ်ဘူး"

ကိုကို ဘာပြောရမှန်းမသိတော့။ အဲဒီအသားက တောကြောင်သားလို့ သူ ထင် ထားတာကိုး။ အရသာလည်း ကောင်းတယ်လို့ ထင်ခဲ့မိတာလေ။ ဒီတော့လည်း မြေပဲ အဆီတက်နေတဲ့ လယ်ကြွက်သားစားလိုက်မိတာ သိလိုက်ရလို့လည်း ထူးခြားသွားမှာမှ မဟုတ်ဘဲ။

"ဘာဘာက ထမင်းချက်တော့ တော်တယ်၊ မေမေရဲ့။ ဒါပေမယ့် မေမေ့လောက် တော့ မတော်ပါဘူး"

မေမေက တဟားဟားရယ်ပြန်တယ်။ အဲဒီနောက် မေမေက ကျောက်ဖြူမြို့ခရီးမှာ ညီညီ ဂျီကျတဲ့အကြောင်း ကိုကို့ကိုပြောပြတယ်။ ကျောက်ဖြူအိမ်မှာ ဝက်သားဟင်းနဲ့ ထမင်းကို နေ့လည်စာအဖြစ် တည်ခင်းည်ဲခံတယ်။ ညနေစာကျတော့ ကြက်ဥတွေနဲ့ စားရရော။ အဲဒီမှာ ညီညီက ဝက်သားဟင်း စားချင်ပြန်ရော။ ဂျီးများပြီး ကွက်ကွက်ည အောင် ပူဆာတော့တာတဲ့လေ။ မေမေက ကြက်ဥစားဖို့ ချော့မော့ပြီး ကျွေးလိုက်ရတာ။ နောက်တစ်နေ့လည်းကျရော နေ့လည်စာ ငါးဟင်းနဲ့ တည်ခင်းည်ဲခံတယ်။ ဒါပေမယ့် ညီညီက ကြက်ဥဟင်း စားဖို့တောင်းပြန်ရော။ တစ်ခါ ဂျီးတွေများပြီး ခေါင်းမာနေပြန် ရော့။ မေမေက ညီညီအပြုအမူကြောင့် မျက်နှာပူနေပြီ။ ကျောက်ဖြူဈေးကြီးထဲ သွားတော့ ညီညီက မေမေ့ဆီကနေ ၂၅ ပြားတန် ငွေဒင်္ဂါးတစ်ပြား တောင်းပြန်ရော့။ မေမေက ၂၅ ပြားတန်ဒင်္ဂါးပြားကို ထုတ်ပေးလိုက်တော့ ဒင်္ဂါးပြားကိုင်ပြီး ဟိုပြေးဒီပြေး လုပ်ရင်း မုန့်တီစားဖို့ တောင်းပြန်ရော့တဲ့လေ။

"ကိုကိုလည်း မေမေတို့နဲ့အတူပါလာခဲ့ရင် ညီညီ ပိုပြီးလိမ်လိမ်မာမာ နေခဲ့မယ်

ထင်တယ်။ အိမ်ကိုရော သူ့အစ်ကိုကိုပါ လွှမ်းလို့ ဖြစ်မှာပေ့ါကွယ်"

ညီညီခမျာ အိမ်ပြန်ရောက်ရင်လည်း သူ့ဒုက္ခက မဆုံးသေး။

အဲဒီနေ့ ညမှာပေ့ါ။ ညီညီ အော်ငိုသံ ရုတ်တရက်ကြားလိုက်ရတယ်။ ကိုကိုနဲ့ မေမေတို့ မီးဖိုချောင်ကနေ ပြေးထွက်လာကြတယ်။ ဟော့ - မီးလောင်နေပြီ။ ဘာဘာက အရင်ဆုံးရောက်သွားတယ်။ ထိပ်နားက ထုံးထားတဲ့ ပိုက်ဆံလျှော်ကြိုးတစ်ထုံးကို ဘာဘာ ဆွဲဖြုတ်ပစ်လိုက်တယ်။ ကြိုးထုံးက မီးစွဲလောင်ပြီး မီးညွှန့် အပေါ် တက်နေပြီ။ ခေါင်မိုးအုန်းဖျစ်တွေကို မီးမစွဲသွားခင် ကြိုးထုံးကို တိကန့် ဖြတ်လိုက်နိုင်လို့ တော်သေးရဲ့။

ညီညီ စပ်စုစိန်လုပ်လို့ မီးစယလောင်တာမို့ တော်တော်လေး အဆူခံထိသွားလေရဲ့။ ပိုက်ဆံလျှော်တွေက ဘာဘာ နွားလှုန်ကြိုးကျစ်ဖို့ ထားထားတာလေ။ ညီညီက ရေနံဆီမီးခွက် ကောက်ကိုင်ပြီး ပိုက်ဆံလျှော်တစ်ပင်အောက် သွားထားလိုက်ရင် ဘာဖြစ်မလဲလို့ သွားစမ်းကြည့်ရာကနေ မီးစယလောင်တာပါ။ ကံဆိုးချင်တွေ ပိုက်ဆံလျှော်တွေက မီးလောင်လွယ်တဲ့ လျှော်မျိုးဖြစ်လို့ ရုတ်တရက် လျှော်စည်းတစ်စည်း လုံးကို ဝုန်းဆို မီးကူးသွားရော။

ဒီကိစ္စဖြစ်ပြီးတော့ ကိုကိုက ညီညီကို မျက်စိဒေါက်ထောက် ကြည့်ပြီး သူနဲ့ပဲ ကစားစေပါတော့တယ်။ ဒီလို့မှ ညီညီ ဒုက္ခတွေ့မယ့် အလားအလာ နည်းသွားနိုင်မှာလေ။

*****

ကောက်ရိတ်သိမ်းချိန်

ချောင်းတစ်ဘက်ကမ်းက လယ်ထဲ ဘာဘာ စိုက်ထားတဲ့စပါးခင်းက ရွှေရောင် အဆင်း စပါးနှံတွေတွဲဦးငိုက်ပြီး တွဲရဲ့ဖြစ်နေကြပြီ။ အခုဆို ကောက်ရိတ်သိမ်းဖို့အဆင်သင့် ဖြစ်ပြီလေ။ ကောက်စိုက်တုန်းကလိုပဲ ကောက်ရိတ်သိမ်းတော့လည်း ရွာသားတွေ တစ်ယောက်နဲ့တစ်ယောက် ကူညီပေးကြလေ့ရှိတယ်။ ဒါကြောင့် ဘာဘာက မိသားစုနဲ့ မိတ်ဆွေတွေကို လိုက်ခေါ်တယ်။ ကောက်ရိတ်သိမ်းတာ လေးငါးရက်လောကကြာမှာ လေ။ ကိုယ့်စပါးခင်းတွေ ရိတ်သိမ်းပြီးတာနဲ့ တခြားလယ်တွေမှာ တခြားတစ်အိမ်သားရဲ့ ကောက်ရိတ်အဖွဲ့ထဲ ဘာဘာ သွားကူဦးမှာ။ ရွာနဲ့ပိုးတဲ့လယ်ထဲက စပါးတွေ ရိတ်သိမ်းချိန်တန်တဲ့အထိ ဒီအတိုင်းလိုက်ကူရမှာပါ။ ကောက်ရိတ်သိမ်းချိန်ကို ကိုကို သိပ်ကြိုက်ပေ့။ ဒီအချိန်ဆို ကူညီရိတ်သိမ်းပေးသူတွေအတွက် အထူးညနေစာကို မေမေက ချက်ပေးလေ့ရှိလို့လေ။ ဒီလို အကောင်းစား ထမင်းဝိုင်းတွေကို ကိုကို မျှော် နေကျ။

ဘာဘာက လက်ရှည်အကျီ္ုတစ်ထည်ဝတ်ပြီး မင်္ဂလာဆောင်းလိုက်တယ်။ မေမေက ဘာဘာနဲ့ တခြားလူတွေ ကွမ်းစားဖို့ ပစ္စည်းတွေ အဆင်သင့် ပြင်ထားပေးတယ်။ ဘာဘာ၊ သူ့အစ်ကိုနှစ်ယောက်ဖြစ်တဲ့ ဦးအောင်ဖိုးသိန်းနဲ့ ဦးအောင်ဖိုးသန်း၊ ယောက်ဖ ဖြစ်သူ ဦးမောင်စိန်မြင့်နဲ့ အိမ်နီးချင်းနှစ်ယောက်ဖြစ်တဲ့ ဦးထွန်းစိန်နဲ့ ဦးရွှေသက်စိန်တို့ အားလုံး မင်္ဂလာတွေဆောင်း၊ တံစဉ်တွေကိုင်ပြီး လယ်ကွင်းဘက်ထွက်သွားကြယ်။ ကိုကိုက ဘာဘာတို့နဲ့အတူ တအားလိုက်ကြည့်ချင်နေတယ်။ ဒါပေမဲ့ မေမေက အထူးညစာ ချက်ပြုတ်နေရလို့ ကိုကိုကို လယ်ထဲခေါ်မသွားနိုင်။ ဘာဘာအပါအဝင် လူ ၆ ယောက်စာ ချက်ပြုတ်ရမှာမို့ အရီးဒေါ် ပုခွေမကို အကူအညီတောင်းရတယ်။ ကြက်သားကို ရခိုင်ချက် ချက်ဖို့ပြင်ထားလေရဲ့။ ဘာဘာက ဘကြီးဦးအောင်ဖိုးသိန်း

ရဲ့ ဇနီးထံက ကြက်ဖကြီးတစ်ကောင် ဝယ်ထားတယ်။ ကြက်ဖတွေက အသားများလို့လေ။ ဦးလေးဦးဝင်းနိုင်က ကြက်သတ်ဖို့ သရက်ချို့ရွာကနေရောက်လာတယ်။ ကိုကိုက ဦးဝင်းနိုင်နားနေရာတာ ကြိုက်လေတော့ အခုလည်း ဦးဝင်းနိုင်အလုပ်လုပ်တာကို စိတ် ဝင်တစားကြည့်နေမိရော။

ဦးဝင်းနိုင်က အိမ်ပြင်ဘက်မှာ မီးတစ်ဖို ဖိုပြီး ရေနွေးတစ်အိုး ကျို့လိုက်တယ်။ မီးဖိုချောင်ထဲမှာ မေမေ ချက်ပြုတ်နေလို့ မီးဖိုခွင် မလပ်တာကြောင့် အဲဒီမီးဖိုကို သူ သုံးလို့ မရတာလေ။ မေမေက ညစာအတွက် ထမင်းချက်နေရင်း ခရမ်းသီးအစပ်၊ မုန်လာချဉ်နဲ့ မျှင်ငါးပိ ရေတ်သီးကြိတ်တို့ပါ ပြင်ဆင်ချက်ပြုတ်နေတယ်။

ကြက်ဖကြီးရဲ့ ဘယ်အစိတ်အပိုင်းကိုမှမလွှင့်ပစ်။ ကြက်သွေးကိုတောင် အလ ဟဿ မဖြစ်စေရ။ ပထမဆုံး ကြက်သွေးကို အထူးစားဖွယ်အဖြစ်လုပ်ဖို့ ရေနွေးကျို့ လိုက်တယ်။ ဦးဝင်းနိုင်က ကြက်သွေးကို ဆူပွက်နေတဲ့ ရေထဲ သတိနဲ့လောင်းထည့်လိုက် တယ်။ ကြက်သွေးက ဝန်းဝန်းပြားပြားလေးနဲ့ တစ်ပိုင်းတည်းရှိနေလေရဲ့။ ကြက်သွေး ကျက်လာတော့ ဦးဝင်းနိုင်က ဇွန်းနဲ့ခပ်ယူပြီး ခွက်ထဲထည့်လိုက်တယ်။ အဲဒီနောက် ကြက်တစ်ကောင်လုံးကို ဆူပွက်နေတဲ့ ရေထဲနှစ်ထည့်လိုက်ရော။ ပြီးတာနဲ့ ခွက်ထဲက ပြုတ်ပြီးသား ကြက်သွေးကို သုံးပိုင်းပိုင်းပြီး သူတစ်ပိုင်း၊ ကိုကိုတစ်ပိုင်း၊ ညီညီတစ်ပိုင်း ဝေစားကြတယ်။

ကြက်ကို အမွေးမနှုတ်ခင် တစ်ကောင်လုံးကို ရေနဲ့ ပြွတ်လိုက်တာက ကြက်မွေး နှုတ်ရာမှာ ပိုလွယ်ကူသွားစေပါတယ်။ ကိုကိုက ကြက်မွေး ကူနှုတ်ပေးတယ်။ အဲဒီနောက် ဦးဝင်းနိုင်က ကြက်ခြေထောက်က အရေးခွံကို ဆွဲခွာလိုက်တယ်။ အဲဒီနောက် မီးမှာ ထင်းတွေထပ်ထည့်ပြီး ပိုပူအောင်လုပ်တယ်။ ပြီးတဲ့အခါ ကြက်ကိုမီးလျှံထက်မှာ ပင့်ကိုင် ထားပေးလိုက်တယ်။ ကြက်ကိုမီးကင်တာ အကြောင်းရှိပါတယ်။ ကြက်ရဲ့မွေးနုလေးတွေ မီးကျွမ်းသွားစေပါတယ်။ ကြက်မှာ ကပ်တွယ်နေတတ်တဲ့ ပိုးကောင်တွေ၊ ရောဂါပိုးတွေကို သေစေပါတယ်။ စားတဲ့အခါ မီးကင်အရသာလေး ရစေပါတယ်။ ဒါက ကြက်ရခိုင်ချက် ချက်ဖို့ ရခိုင်ရိုးရာအတိုင်း ပြင်ဆင်နည်းလေ။

နောက်တော့ ဦးလေးဦးဝင်းနိုင်က ကြက်သားကို ခုတ်လှီးလိုက်တယ်။ ခြေထောက်၊ ကိုယ်တွင်းအဂ်ါတွေနဲ့ ခေါင်းပိုင်းအများစုကိုတော့ သပ်သပ်ထားလိုက်တယ်။ ဦးလေးက ကြက်သားကို အတုံးလေးတွေ သင်တယ်။ ဒီကြက်ဖကြီးမှာ အသားတွေ အများကြီးပဲ။ အကောင်ကြီးကိုး။ ကြက်သားက လူဆယ်ယောက်စားသောက်ဖို့ အဆင်ပြေမှာပါ။ ဦးလေးက ကြက်သားအားလုံးကို မေမေ့ထံပေးလိုက်တယ်။ သူ့အလုပ်က ပြီးပြီလေ။ ဒီတစ်နေ့လုံး ဦးလေးက ကိုကိုတို့အိမ်မှာ ရှိမှာမို့ ကိုကို ပျော်နေမိရဲ့။

မေမေက ကြက်စွပ်ပြုတ်လုပ်ဖို့ လိုအပ်တဲ့ ကြက်ခြေထောက်၊ တောင်ပံ၊ ဦးခေါင်း နဲ့ တခြားကြက်ရိုးတွေကို ထုတ်ယူလိုက်တယ်။ ဒါတွေအားလုံးကို အိုးကြီးတစ်လုံးထဲ

ထည့်ပြီး အိုးကို ဘေးနားဖယ်ထားလိုက်တယ်။ စွပ်ပြုတ်အိုးကို နောက်ဆုံးမှ တည်နေကျ လေ။ ပူပူလောင်လောင် သောက်နိုင်အောင်ပေါ့။

အရီးဒေါ် ပုချေမက ကျန်တဲ့ကြက်သားတွေကို အိုးတစ်လုံးထဲထည့်တယ်။ မေမေ က ငရုတ်သီးခြောက်၊ ကြက်သွန်နီ၊ ကြက်သွန်ဖြူ နှင့်၊ ဆားတို့ကို အဖတ်ဖြစ်အောင် ကြိတ်ထားပြီးပြီ။ ဒီကြိတ်ဖတ်ကို ကြက်သားအိုးထဲထည့်ပြီး မွှေလိုက်တယ်။ အဲဒီနောက် မြေပဲဆီကို အိုးလေးတစ်လုံးထဲ လောင်းထည့်ပြီး ချက်လိုက်တယ်။ ဆီကျက်၊မကျက်ကို ဆားတစ်ဆိတ်စာလေးပစ်ထည့်ပြီး စစ်ဆေးကြည့်တယ်။ ရဲကနဲမြည်သွားပြီ မီးခိုးနည်း နည်းထွက်သွားရဲ့။ ဆီကျက်ပြီပေါ့လေ။ ဆီကျက်ကို အိုးထဲကကြက်သားထဲ လောင်း ထည့်လိုက်တယ်။ ဆီကျက်အပူကြောင့် ကြက်သားနဲ့မွှေမွှေလေး လေထဲလွင့်ပျံ့သွားရဲ့။ ဟင်း မကျက်သေးပေမယ့် ဟင်းနံ့က အရသာရှိမယ့်ပုံပဲ။ မေမေက ကြက်သားအိုးကို မီးဖိုပေါ်တင်ပြီး အပူပေးလိုက်တယ်။ အဲဒီနောက် အရီးဒေါ် ပုချေမက ကြက်သားအိုးကို ရေတွေဖြည့်၊ မှျင်ငါးပိနည်းနည်းထည့်ပြီး အဖုံးဖုံးလို့ ဆူအောင်ထားလိုက်တယ်။ မကြာ ခင် ကြက်သားဟင်းနဲ့ မွှေးမွှေးလေးက ဘေးပတ်ဝန်းကျင်ထိသင်းပျံ့နေရော။

မေမေက ကိုကိုနဲ့ ဦးဝင်းနိုင်ကို ခွေးတောက်ရွက်နုလေးတွေ သွားဆွတ်ခိုင်းလိုက် တယ်။ ကိုကိုတို့နှစ်ယောက် ဦးထွန်းစိန်အိမ်နောက်ဖေးသို့ သွားလိုက်ကြတယ်။ ခွေး တောက်ပင်က သရက်ပင် ပင်စည်းလုံးကို တွယ်တက်နေလေရဲ့။ ဦးဝင်းနိုင်က သူ လက် လှမ်းမမီတဲ့နေရာကို ဝါးတစ်ချောင်းနဲ့လှမ်းခူးတယ်။ ကိုကိုက ခွေးတောက်ရွက်တွေ မြေပေါ် ကျလာရင် လိုက်ကောက်ပေးတယ်။

ရလာတဲ့ ခွေးတောက်ရွက်နုလေးတွေကို မေမေ့ထံသွားပေးကြတယ်။ အခုဆို ကြက်စွပ်ပြုတ် ပြုတ်ဖို့အချိန်ကျပြီလေ။ မေမေက သပ်သပ်ဖယ်ထားလိုက်တဲ့ ကြက်သား အစိတ်အပိုင်းတွေကို အိုးကြီးထဲထည့်လိုက်တယ်။ ပြီးရင် ရေတွေထည့်၊ မှျင်ငါးပိထည့်၊ ကြက်သွန်ဖြူနဲ့ ငရုတ်ကောင်းအထောင်းကို ထပ်ထည့်၊ စပါးလင်၊ မြေပဲဆီ၊ နှင်းနဲ့ ဆားတို့ကိုထည့်ပြီး စွပ်ပြုတ်အိုးကို မီးဖိုမှာကျိုလိုက်တယ်။ ခွေးတောက်ရွက်တွေကိုတော့ ထမင်းမစားခင်လေးမှာထည့်မှ အစိမ်းရောင်သန်းပြီး အရသာရှိမှာလေ။ ကြက်ခွေးတောက် ဟင်းချိုမှာ သံပရာသီးတစ်လုံး လတ်လတ်ဆတ်ဆတ်ညှစ်ထည့်ပြီး သောက်ရုံပဲ။

ညနေစာ ပြင်ဆင်နေတုန်း ဘာဘာနဲ့ ကောက်ရိုက်အဖွဲ့သားတွေက စပါးခင်း ထဲမှာ အလုပ်လုပ်နေကြရဲ့။ ပထမဆုံး စပါးပင်ကို တံစဉ်နဲ့ရိုက်ရတယ်။ ကောက်ရိုက် သမားတွေက စပါးခင်းထဲ ကိုယ့်တာနဲ့ကိုယ်မတ်တပ်ရပ်ပြီး ကိုယ့်တာအပြီးထိ ဆက်ရိုက် ရတယ်လေ။ ဘယ်လက်နဲ့ စပါးပင်တွေကို လက်တစ်ဆုပ်စာစုကိုင်ပြီး တံစဉ်ကို ကိုယ့် ဘက်ပြန်ဆွဲလို့ ဖျောက်ကနဲရိုက်ရတယ်။ စပါးကိုရိုက်ပြီးတာနဲ့ ရိုက်ပြီးသား စပါးပင် ငုတ်တိုတွေပေါ် ဖြန့်ပြီးစီထားရတယ်။ ဒီလိုချထားလိုက်ရင် နေရောင်နဲ့ စပါးတွေ ခြောက်သွားမှာလေ။ နှစ်ရက်သုံးရက်နေရင် စပါးတွေကိုလိုက်သိမ်းလို့ရပါပြီ။

ညစာစားချိန်ရောက်တော့ အရီးဒေါ် ပုချေမက သူ့အိမ်က စားပွဲကို ယူလာတယ်။ လူတိုင်းအတွက် ထိုင်စားဖွဲ့ နေရာအလုံအလောက်ရအောင်ပေါ်လေ။ မေမက စားပွဲကို အိမ်ရှေ့ခန်းမှာ အရီးဒေါ် ပုချေမရဲ့ စားပွဲနဲ့ယှဉ်ထားလိုက်တယ်။ မှောင်လာနေပြီမို့ မီးအိမ်တွေ ထွန်းပြီး စားပွဲတွေပေါ် တင်လိုက်တယ်။ စားပွဲတစ်လုံးစီမှာ ကြက်သားဟင်း၊ ကြက်စွပ်ပြုတ်၊ ဟင်းခတ်အမွှေးအကြိုင်တွေနဲ့ ချက်ထားတဲ့ ခရမ်းသီးဟင်း၊ မုန်လာချဉ်နဲ့ ငရုတ်သီးစိမ်းထောင်တို့ ရှိလေရဲ့။ စားပွဲတစ်လုံးမှာ ဘာဘာနဲ့ ကောက်ရိတ်အဖွဲ့သားတွေ ထိုင်ကြတယ်။ နောက်စားပွဲတစ်လုံးမှာတော့ ဦးဝင်းနိုင်၊ ကိုကိုနဲ့ ညီညီတို့ ထိုင်ကြတယ်။ ဒီနေ့ညနေစက အထူးညစာဖြစ်လို့ ဘောင်ဘောင်ကိုဖိတ်ခေါ်ထားတယ်။ ဘောင်ဘောင် က ကိုကိုဘေးနားထိုင်တယ်။ မေမေနဲ့ ချေချေတို့က ထမင်း၊ ဟင်း မလစ်ဟင်းရအောင် လိုအပ်သလို ဖြည့်ပေးကြတယ်။ မေမက ကိုကို့ဇလုံနဲ့ ညီညီရဲ့ ဇလုံထဲ ဟင်းအမယ်မျိုးစုံ ခပ်ထည့်ပေးတယ်။ ကိုကိုက လယ်ကွင်းထဲ စပါးတွေဝင်းမှည်လာကတည်းက ကောက် ရိတ်ထမင်းစားရဖို့ မျှော်လင့်စောင့်စားနေခဲ့တာလေ။ ကောက်ရိတ်ထမင်းပွဲမှာ ကြက် ရနိုင်ချက်စားရတာ သူ သိပ်ကြိုက်တယ်။ ကောက်ရိတ်သိမ်းချိန်တိုင်း ဒီလိုညစာမျိုး နှစ်ကြိမ်စီ စားရတယ်။ ဘာဘာက စပါးတွေကို လယ်ကွက်နှစ်ကွက်မှာ စိုက်ထားလို့လေ။

တစ်ချို့ ကောက်ရိတ်သိမ်းချိန်တွေဆို ဘာဘာက နောက်တစ်နေ့ တခြားလူတစ် ယောက်ရဲ့ လယ်ကွင်းထဲမှာ စပါးသွားရိတ်ပေးတာလေ။ တခြားအချိန်တွေဆို ကိုယ့်လယ် ကွင်းမှာပဲ ရင့်မှည်နေတဲ့ စပါးတွေကို တစ်ကိုယ်တည်း ရိတ်သိမ်းတယ်။ နောက်လယ်တစ် ကွက် ရိတ်သိမ်းဖို့အဆင်သင့်ဖြစ်တာနဲ့ သူ့အဖွဲ့သားတွေပြန်ခေါ်ပြီး စပါးရိတ်၊ မေမက လည်း နောက်ထပ်အထူးညနေစာကို ချက်ကျွေးပေါ်လေ။

လယ်နှစ်ကွက်လုံးက စပါးတွေရိတ်သိမ်းပြီး နေပူထဲလှန်းထားပြီးတဲ့အခါ ကောက် လှိုင်းစည်းဖို့ အဆင်သင့်ဖြစ်ပါပြီ။ ဘာဘာက အိမ်မှာရှိနေတုန်း ကောက်လှိုင်းစည်းဖို့ နှီးရှည်တွေ ထိုးထားလေရဲ့။ လယ်တဲ့နားက စစ်ပင်နှစ်ပင်အောက် မြေကွက်လပ်လေးမှာ ဘာဘာက ပေါက်တူးတစ်ခုနဲ့ မြက်ရှင်းထားတယ်။ ဒီပေါ်မှာ ကောက်လှိုင်းတွေကို ပုံထားမှာပါ။ ဘာဘာနဲ့မေမေ လယ်ထဲအလုပ်သွားလုပ်နေချိန်ဆို ဘောင်ဘောင်က ကိုကို၊ ညီညီတို့ကို ကြည့်ထားပေးတယ်။ ဘာဘာ၊ မေမေတို့က လေးငါးရက်ကြာကြာ တစ်နေကုန် အလုပ်လုပ်ကြတယ်။

ပထမဆုံး ဘာဘာက နှီးရှည်ကိုလယ်ထဲပြန်ချလိုက်တယ်။ အဲဒီနောက် ဘာဘာနဲ့ မေမေတို့က နှီးရှည်အလျားအတိုင်း ရိတ်ထားတဲ့စပါးတွေကို စီပါတယ်။ နောက်တော့ ဘာဘာက စပါးတွေကို လိပ်ပြီး ထုလုံးရှည်ကြီးပုံစံဖြစ်အောင် စပါးတွေကို ပတ်စည်းလိုက် တယ်။ ကောက်လှိုင်းစည်း လေးစည်း ရလာတဲ့အခါ ဘာဘာက နှစ်စည်းကို ထမ်းပိုးနဲ့ ပုခုံးပေါ်တင်ထမ်းတယ်။ နောက်ထပ်နှစ်စည်းကို မေမေက ခေါင်းပေါ်ထမ်းပိုးနဲ့ တင် ရွက်တယ်။ ကောက်လှိုင်းစည်းရွက်တဲ့ ထမ်းပိုးက အထူးတလည်ပြုလုပ်ထားတဲ့ ထမ်းပိုး

တွေ။ ကွမ်းသီးပင်သားနဲ့ လုပ်ထားတာလေ။ ထမ်းပိုးရဲ့ အစွန်းနှစ်ဘက်က ချွန်ချွန်လေး။ ဒီအချွန်တွေနဲ့ ကောက်လှိုင်းစည်းထဲ ထိုးထည့်လို့ရအောင်ပေါ့လေ။ ကွမ်းသီးပင်သားက ခပ်ညွတ်ညွတ်လေးဆိုတော့ ထမ်းပိုးအစွန်းနှစ်ဘက် ကောက်လှိုင်းစည်းတွေက ခြေတစ် လှမ်းလှမ်းတိုင်း နည်းနည်းလေးလိုက်ခုန်တယ်။ ဒီလို ခုန်လို့လည်း သယ်ရပြုရ ပိုလို့ အဆင်ပြေတာပါ။

လယ်တဲအနီး ဘာဘာ ပေါက်ပြားနဲ့ လုပ်ထားတဲ့ တလင်းပြင်သို့ ကောက်လှိုင်းစည်း တွေကို ဘာဘာနဲ့မေမေတို့ သယ်ယူကြတယ်။ ကောက်လှိုင်းစည်းကိုချပြီးတာနဲ့ လယ် ကွင်းထဲပြန်သွားပြီး နောက်ထပ်ကောက်လှိုင်းတွေ စည်းကြပြန်ရော။ နေဝင်ခါနီးအထိ ဆက်တိုက် အလုပ်လုပ်ကြတာလေ။ တစ်နေ့တာအတွက် အိမ်မပြန်ခင်မှာ ကောက်လှိုင်း စည်းတွေကို တလင်းပြင်အနီး တစ်စည်းနဲ့တစ်စည်း ဘေးချင်းယှဉ်ပြီး သုံးတန်းစီ၊ ပြီးရင် တစ်စည်းပေါ်တစ်စည်းထပ်လို့ ဆက်စီကြတယ်။ ကောက်လှိုင်းစည်းပြီး လယ်တဲ နားက သစ်ပင်တွေအောက်မှာ သွားပုံပြီးဖွဲ့ သုံးလေးရက်ကြာပါတယ်။ စစ်ပင်တွေအောက် ကောက်လှိုင်းစည်းတွေ ပုံထားတာမို့ မနက်ခင်း နှင်းကျတာကို အကာအကွယ်ဖြစ်စေမှာပါ။ နောက်ဆုံးမှာ ကောက်လှိုင်းပုံက ဘာဘာရဲ့ခေါင်းထက် ပိုမြင့်သွားမှာလေ။

ဘာဘာတို့ စပါးတွေကို ရိတ်သိမ်း စည်းနှောင်ပြီး လယ်တဲနား သွားပုံပြီးတာနဲ့ တလင်းနယ်ဖို့ အချိန်ကျပြီ။

ကိုကိုက တလင်းနယ်ချိန်ကို ကြိုက်တယ်။ စွန့်စားခန်းလိုမျိုး ခံစားရရဲ့။ မေမေက ချက်ပြုတ်စရာ အိုးခွက်တွေ၊ ငါးခြောက်တွေ၊ ပန်းကန်ခွက်ယောက်တွေနဲ့ ဇွန်းတွေရော ရေနံ့ဆီနဲ့ ဟင်းခတ်အမွှေးအကြိုင်တွေကိုပါ တောင်းကြီးတစ်လုံးထဲ ထည့်တယ်။ နောက်တောင်းတစ်လုံးမှာ ရေပြည့်ဘူးတစ်လုံးတင်ပြီး တတိယတောင်းတစ်လုံးမှာ ဆန်တွေထည့်လိုက်တယ်။ ဘာဘာက ဆန်ထဲမှာ ပိုက်ကွန်တစ်ပိုင်း ထည့်လိုက်တယ်။ မေမေက သဘောပေါက်ဖျာ၊ စောင်နဲ့ ခေါင်းအုံးတွေကို နှစ်စည်းစည်းလိုက်တယ်။ ဆန်နဲ့ ပိုက်ကွန်ပိုင်း ထည့်ထားတဲ့တောင်းထိပ်မှာ ဖျာ၊ စောင်၊ ခေါင်းအုံးစည်းတွေ တင်လိုက် တယ်။ ဒီတောင်းနဲ့ ရေအိုးထည့်ထားတဲ့တောင်းကို ထမ်းပိုးတစ်ချောင်းနဲ့ ဘာဘာက ထမ်းတယ်။ မေမေက အစားအစာနဲ့ အိုးခွက်ပန်းကန်တွေထည့်ထားတဲ့ တောင်းကို ခေါင်းမှာတင်ရွက်တယ်။ သူ့ရဲ့ ဘာဘာအတွက် အလဲအလှယ် ဝတ်ဖို့ အဝတ်အစားတစ်စုံကို လွယ်အိတ်ထဲထည့်ပြီး ပုခုံးပေါ် လွယ်ထားသေးရဲ့။ ကိုကိုကလည်း လွယ်အိတ်ကို ပုခုံး မှာလွယ်ထားတယ်။ အိတ်ထဲမှာ သူ့အတွက်ရော ညီညီအတွက်ပါ အလဲအလှယ်ဝတ်ဖို့ အဝတ်အစားတစ်စုံပါလေရဲ့။ သူတို့ တစ်ပတ်လောက် လယ်ထဲသွားနေကြမှာလေ။

ဘာဘာက ရှေ့ဆုံးကလျှောက်တယ်။ သူက ပစ္စည်းအလေးကြီးတွေကို ထမ်းပိုးနဲ့ ထမ်းသွားရရင် မြန်မြန်လေး လျှောက်တတ်တာကိုး။ မေမေက ကိုကို၊ ညီညီတို့နဲ့အတူ နောက်က လိုက်လာတယ်။ အနီးဆုံး လယ်တဲလေးထိ ဆက်တိုက် လမ်းလျှောက်လာကြပြီ

လယ်တဲ့နားက ဖြတ်၊ ဝါးတံတားလေးကို ကျော်ပြီး ချောင်းတစ်ဘက်ကမ်းက လယ်တဲ့ဆီ ရောက်လာကြလေရဲ့။ ကိုကိုက လယ်ကွင်းထဲက အေးမြတဲ့လေပြေလေညင်းကို ခံစားမိ တယ်။ ဘာဘာက စစ်ပင်ကြီးနှစ်ပင်နား မြက်ခင်းပြင်မှာ စက်ဝိုင်းသဏ္ဌာန် မြက်ရှင်းထား ပြီးပြီ။ စစ်ပင်ကြီးတွေ့ဘေးမှာ ဝါးပင်တွေ့ရှိလေရဲ့။ ကိုကိုက ကောက်လှိုင်းပုံကြီးကို မြင်ရတယ်။ ကောက်လှိုင်းပုံကြီးကို ကြည့်ပြီး သူ အံ့ဩမိရဲ့။

ဘာဘာက ဝါးရဲ့တောက ဝါးပင်တွေ ခုတ်နေလေရဲ့။

"ဘာဘာက သားတို့ အိပ်ဖို့ နေရာကို လုပ်နေတာလားဟင်၊ မေမေ"

"ဟုတ်တယ်၊ ကိုကိုရေ"

မေမေက တောင်းထဲက ပစ္စည်းပစ္စယတွေကို ထုတ်ပြီး စီနေတယ်။

"လယ်တဲ့ထဲ အိပ်လိုက်ရင်ကော မရဘူးလား၊ မေမေ"

"တဲ့ထဲ နွားတွေ တစ်မိုးလုံး အိပ်ထားလို့ပေ့ါကွဲ့။ ပြီးတော့့လည်း ဆောင်းရာသီ ဝင်လာပြီဆိုတော့ ညဘက် အနွေးဓာတ်ရအောင် နံရံတွေလို့လဲ့လေ"

မေမေက မီးတစ်ဖိုဖိုပြီး ထမင်းအိုးတင်လို့ရအောင် ကျောက်ခဲ့ကြီးသုံးလုံးကို မီးဖိုဘေးမှာ ဖိုခလောင်ဆိုင်ထားလိုက်တယ်။ ကောက်လှိုင်းပုံကိုမှီပြီး ဘာဘာက အမိုးအကာတစ်ခုဆောက်တယ်။ ဝါးတွေနဲ့ အခြင်တွေဆောက်တယ်။ ပြီးတာနဲ့ ရီအုန်း ပင်တွေက ရီအုန်းလက်စိမ်းတွေကို ခုတ်ယူလာတယ်။ ဒီရီအုန်းလက်တွေ၊ မနေ့က ဘာဘာ ယူလာခဲ့တဲ့ အုန်းလက်ခြောက်တွေနဲ့ အမိုးမိုးလိုက်တယ်။ ဒီအမိုးအကာလေးက ယာယီနေရာလေးဖြစ်တဲ့အပြင် ဆောင်းရာသီဝင်လာပြီမို့ မိုးမရွာသလောက် နည်းသွား ပြီဆိုတော့ ခေါင်မိုးက ရီအုန်းပျစ်လို့မို့း မိုးလုံအောင်တော့မလုပ်ထား။ ဘာဘာက အုန်းလက်တွေနဲ့ပဲ ထရံနှစ်ချပ်ဆက်ရက်ပြီး ထရံကာပြန်တယ်။ တတိယထရံက ကောက် လှိုင်းစည်းတွေပါ။ နောက်ဆုံးထရံအတွက် ဘာဘာက ဝါးမျက်ကွင်းတစ်ခု လုပ်လိုက် တယ်။ အဲ့ဒီနောက် အုန်းလက်ခြောက်တွေကို ဝါးမျက်ကွင်းထဲ ထိုးရက်ထားလိုက်တယ်။ ဒီထရံက ထရံအဖြစ်ရော ဆွဲတံခါးအဖြစ်ပါ သုံးလို့ရမှာလေ။ မနှစ်က ကောက်ရိုးပုံကနေ ဘာဘာ ကောက်ရိုးနည်းနည်း သွားယူပြီး ကောက်ရိုးတစ်ချို့ကို ကြမ်းပြင်မှာ ခင်းလိုက် တယ်။ မနက်ပိုင်းနှင်းရေမစိုအောင် ရီအုန်းလက်တွေရဲ့ ထိပ်မှာလည်း ကောက်ရိုးနည်းနည်း တင်ထားလေရဲ့။ အခုဆို အမိုးအကာကို လုပ်ပြီးသွားပြီ။ မေမေက သဘောဇာဖျာတွေ၊ စောင်တွေ၊ ခေါင်းအုံးတွေကို တဲ့ထဲ သွင်းယူသွားပြီး ကောက်ရိုးအခင်းပေါ် တင်လိုက် တယ်။

မေမေက ခရမ်းသီး၊ ငရုတ်သီး၊ ကန်းစွန်းရွက်နုနုလေးတွေနဲ့ ရုံးပတီသီးတို့ကို တစ်ဘက်လယ်တဲ့နား ဘာဘာ စိုက်ထားတဲ့ ဟင်းခင်းထဲက သွားခူးတယ်။ ပြန်ရောက် တော့ ရုံးပတီသီးနဲ့ ခရမ်းသီးကို မြေအိုးတစ်လုံးထဲပေါင်းချက်တယ်။ ပြီးရင် ယူလာတဲ့ ဝါးကြောညှိခြောက်ကိုပြင်ဆင်တယ်။ ကန်းစွန်းရွက်ဟင်းချို့လည်း ချက်လိုက်ရဲ့။ လဟာ

ပြင်မှာ ထမင်းစားရမှာမို့ ဘာဘာက ဟင်းအမယ်အားလုံးထဲက နည်းနည်းစီကို ယူပြီး ခွက်လေးတစ်လုံးထဲ ထည့်လို့ နတ်ဒေဝတာတွေကို ပူဇော်ပသလိုက်တယ်။ နတ်တွေကို ပူဇော်တဲ့ ထမင်းခွက်ကို ကောက်လှိုင်းပုံထက် တင်လိုက်တာတွေ့ရဲ့။

မြေပြင်ထက် ဘာဘာ ဖြန့်ခင်းထားတဲ့ ကောက်ရိုးထက်မှာ အားလုံးထိုင်လိုက်ကြတယ်။ လဟာပြင်မှာစားရတာ ပျော်စရာပဲလို့ ကိုကို တွေးမိရဲ့။ အမိုးအကာလေးထဲ အိပ်ရမှာကိုလည်း သူ စိတ်လှုပ်ရှားနေတယ်။ နေဝင်တော့မှာမို့ ကောင်းကင်ပြင်မှာ အနီရောင်နဲ့ ပန်းရောင်အသွေး လှလှလေးဖြစ်နေလေရဲ့။ ဇာမဏီပင်တွေပေါ် ရှောက်ပလိန်ငှက်တွေ တစ်ညတာ အိပ်စက်ဖို့နေရာရှာရင်း အော်မြည်နေသံကြားရရဲ့။ အနီးအနား ဝါးပင်ပေါ်က ချိုးလည်ပြောက်တွေလည်း တကူးကူမြည်နေသံ ကြားရလေရဲ့။ ကိုကိုက ရာနဲ့ချီတဲ့ ငွေဗျိုင်းဖြူတွေ ပင်လယ်ဘက် ပျံသန်းသွားတာ မြင်ရပြန်ရော။ သူတို့တွေက လမုတောထဲ အိပ်တန်းတက်ကြတာကိုး။

နည်းနည်း မှောင်လာတော့ ခွီးလင်လုတ်တွေ အစာရှာဖို့တောင်တွေဆီပျံသန်းသွားတာ ကိုကို တွေ့ရတယ်။ ငွေဗျိုင်းဖြူတွေနဲ့ ခွီးလင်လုတ်တွေ ညဘက်မှာ နေရာလဲ၊ ပြီးရင် မနက်ပိုင်းမှာတစ်ခါ နေရာပြန်လဲကြတာ ရယ်စရာပဲလို့ ကိုကို တွေးမိရဲ့။ ညနေစာစားပြီးတော့ ကိုကို၊ ညီညီတို့ ကောင်းကင်ပေါ် မြင်ရသမျှ အရာအားလုံးကို လိုက်ရေကြည့်ကြတယ်။

ဘာဘာက နွားတွေကို အမိုးအကာနားက ဝါးပင်အောက်မှာ ချည်ထားလိုက်တယ်။

"နွားတွေကို တဲထဲ ဘာလို့ မသွင်းတာလဲ၊ ဘာဘာ"

"လယ်တဲက နွားတွေကို မိုးမစိုအောင် ကာကွယ်ပေးတာလေ၊ ကိုကိုရေ့။ အခုက မိုးမရွာတော့ဘူး။ ပြီးတော့ ဘာဘာက မနက်ဖြန်မနက်စောစော အလုပ် စလုပ်တဲ့အခါ နွားတွေလည်း အလုပ်စလုပ်ဖို့ ဒီနားမှာ အဆင်သင့် ရှိနေမှာလေ"

ဘာဘာက ကောက်လှိုင်းပုံထဲက ကောက်လှိုင်းအစည်း ၃၀ ကိုယူလာပြီး စစ်ပင်ကြီးတွေနားက တလင်းပြင်မှာ တစ်စည်းချင်းချလိုက်တယ်။ ကောက်လှိုင်းစည်းကြိုးကို ဖြတ်ပြီး ကောက်ပင်တွေကို တလင်းပြင်အလယ်ဘက် စပါးနှံ ဦးငိုက်နေတဲ့ အနေအထားနဲ့ ဖြန့်ခင်းလိုက်တယ်။ ကောက်လှိုင်းစည်းအားလုံးရဲ့ နှီးတွေကို ဖြတ်ပြီး ရှေ့နည်းအတိုင်း ကောက်ပင်တွေကို ဖြန့်ခင်းလိုက်တယ်။ အခုဆို မနက်ဖြန်မနက်စောစော တလင်းနယ်ဖို့ အဆင်သင့်ဖြစ်နေပြီပေါ့။ တလင်းနယ်ဖို့ အဆင်သင့်ပြင်ပြီးတာနဲ့ ဘာဘာက မီးဖိုနား ပြန်လာထိုင်၊ ဝါးတံပါးပါးလေးတွေ လုပ်ပြီး ရက်လုပ်ပါတော့တယ်။ တောင်းလေးတွေ ရက်နေတဲ့ ပုံပါပဲ။

"ဘာဘာ၊ အဲဒါ ဘာလုပ်ဖို့လဲဟင်"

"ဒါ နွားတွေရဲ့ ပါးစပ်မှာ တပ်ဖို့ နဖရှုတ်တွေ(ပါးချုပ်တွေ)လေ။ နဖရှုတ် မတပ်ထားရင် နွားတွေက ကောက်ပင်တွေကို စားပစ်ကြမှာကွဲ့။ ကောက်ရိုးနဲ့ စပါးတွေ

သီးခြားဖြစ်သွားအောင် အရင်ဆုံးလုပ်ရမယ်ဆိုတာ နွားတွေက နားမှမလည်ဘဲကို”

အခုဆို မှောင်နေပြီ။ မီးအလင်းရောင် တစ်ခုပဲ လင်းလက်နေလေရဲ့။ အရာ အားလုံးတိတ်ဆိတ်လို့၊ မကြာခင် အိပ်ရာဝင်ရတော့မယ်။

“အသံတစ်ခု ကြားတယ်။ သေချာလေး နားထောင်ကြည့်”

ကိုကို နားစိုက်ထောင်လိုက်တယ်။ အဲဒီနောက် အရင်က မကြားဖူးတဲ့ ထူးထူး ဆန်းဆန်း အသံတစ်သံ ကြားလိုက်ရယ်။ ပုံကြီးတစ်လုံးကို နှစ်ကြိမ် ထူရိုက်သံလိုမျိုး အသံခပ်တိုးတိုးလေး ကြားရရဲ့။ ဟော့ -နောက်ထပ် နှစ်ချက်ကြားပြန်ပြီ။

“ဒါ ဘာသံလဲဟင်”

အသံက ကြောက်စရာကောင်းနေသလိုပဲ။ လယ်ကွင်းပြင်ထဲ သူတို့လောက်ပဲ ရှိတာလေ။ ပြီးတော့ မီးဖိုတဲ့တိုက် နေရာကလွဲပြီး တခြားနေရာတွေ မှောင်မည်းနေရော။

“အဲဒါ ရှားပါးဇီးကွက်တစ်မျိုးဖြစ်တဲ့ ဒိုးဒိုးဒုံဒုံငှက်ပေါ့၊ ကိုကိုရေ။ ဒိုးဒိုးဒုံဒုံအသံ ကြားရတာ အရမ်းထူးဆန်းတယ်။ လူအများစုက တစ်သက်လုံး ဒိုးဒိုးဒုံဒုံငှက်ကို ကိုယ် တိုင် တစ်ခါမှမမြင်ဖူးကြဘူးကွဲ့”

“ဘာဘာကော မြင်ဖူးလားဟင်”

“မမြင်ဖူးပါဘူးကွယ်၊ ဒါပေမယ့် မင်းတို့ဘိုးဘိုးတော့ မြင်ဖူးတယ်”

သူ ကြားလိုက်တဲ့ ကြောက်စရာအသံက ဒိုးဒိုးဒုံဒုံငှက်သံဆိုတာ သိရတော့ ကိုကိုစိတ်ထဲ နည်းနည်း နေသာထိုင်သာ ရှိသွားရဲ့။ ဒါပေမယ့် ဒိုးဒိုးဒုံဒုံအသံက သူ့ကို တုန်လှုပ်စေဆဲ။

“ကဲ - ကိုကို၊ ညီညီ၊ သားတို့ အိပ်ရာဝင်ဖို့ အချိန်ကျပြီနော်”

မေမေက ပြောလိုက် တယ်။

မြေကြီးက နှင်းရည်တွေ နည်းနည်း စိုနေလေရဲ့။ မီးပုံကနေ ခွာပြီး အမိုးအကာဆီ ဖိနပ်နဲ့ လမ်းလျှောက်သွားနေတုန်း ကိုကိုရဲ့ ခြေချောင်းလေးတွေ တအား အေးနေတယ်။ တောလယ်ဘုန်းကြီးကျောင်းက မနက် ၄ နာရီ ထိုးတာနဲ့ ဘာဘာ၊ မေမေတို့ အိပ်ရာ ထရမှာမို့ အားလုံး တစ်ချိန်တည်းအိပ်ရာဝင်ခဲ့ကြတယ်။

* * * * *

နောက်တစ်နေ့မနက် ကိုကို မျက်လုံးဖွင့်ကြည့်တော့ ဘယ်ရောက်နေပါလိမ့်လို့ တွေးမိရဲ့။ နောက်မှ သူ သတိရသွားတယ်။ ဘာဘာ ဆောက်ထားတဲ့ အမိုးအကာလေးထဲ သူ ရောက်နေတာလေ။ တလင်းနယ်မယ့် အချိန် ရောက်နေပြီပေါ့။ မနေ့ညက အရမ်း အေးတာလေ။ ကိုကိုတို့ညီအစ်ကို ဘာဘာ၊ မေမေတို့ကြား ကပ်အိပ်ကြပေမယ့် ကိုကိုက ချမ်းနေဆဲဖြစ်လို့ အနွေးဓာတ်ရအောင် ဘာဘာ့အနား ဝင်ခွေ့လိုက်သေးရဲ့။

ညီညီက သူ့ဘေးမှာ အိပ်ပျော်နေဆဲ။ ကိုကို အိပ်ရာက ထပြီး ဝါးထရံကို ရွှေ့လိုက်တယ်။ ထရံက နှစ်ထပ်ဖြစ်သွားပြီး တံခါးပေါက်ပေါ် လာတယ်။ ညက တလင်း ပြင်မှာ ဘာဘာဖြန့်ချထားခဲ့တဲ့ ကောက်လှိုင်းတွေပေါ်မှာ နွားတွေနောက်က မေမေ လျှောက်လိုက်နေတာတွေ့ရရဲ့။ နွားတွေက နဖရုတ်(ပါးခြုပ်)တပ်ထားကြဆဲ။ မေမေက နွားတွေ တလင်းနယ်ရာက ထွက်ပြေးမှာစိုးလို့ နဖားကြိုးတွေကိုင်ထားလေရဲ့။ ဒါပေမဲ့ နွားတွေကလိမ္မာပြီး လုပ်စရာအလုပ်တွေကို အလိုက်တသိလုပ်ပေးကြတယ်။ ကောက်ပင် တွေပေါ် ဆက်လျှောက်နေရမယ်ဆိုတာ သူတို့ သိကြတယ်လေ။ ကောက်ပင်တွေပေါ် နွားတွေ နင်းလျှောက်သွားတာနဲ့ စပါးနှံတွေ ကျိုးကြေပြီး စပါးစေ့တွေ ပြုတ်ထွက်လာပါ လေရော။ ဘာဘာက ကောက်ဆွတစ်ချောင်း ကိုင်ပြီး တလင်းနယ်နေရာရဲ့ တစ်ဘက်စွန်း မှာရှိနေတယ်။ ကောက်ဆွလုပ်တဲ့အခါ ဝါးကိုင်းတစ်ကိုင်းကို တုတ်ချောင်းရှည်ပုံစံနဲ့ ထိပ်စွန်းမှာ အပေါ်သို့ ဌွေ့ထွက်နေတဲ့ အပိုင်းလေးတစ်ပိုင်းပါအောင် သေချာလေး ခုတ်ဖြတ်ရတယ်။ ကောက်ဆွကို အသုံးပြုပြီး ကောက်ပင်တွေရဲ့ အောက်ဆုံးလွှာကို ထိပ်သို့ ရောက်အောင် လှန်လှန်ပေးရတာလေ။ ကောက်ပင်တွေပေါ် နွားတွေ

နင်းလျှောက်လှည့်သွားရင် အပေါ်ဆုံးအလွှာက စပါးနဲ့တွေ့ပဲ စပါးကြွေသွားလို့ပါ။ ဘာဘာနဲ့ မေမေတို့ နှစ်နာရီလောက် တလင်းနယ်ထားကြပြီ။ အလုပ်တွေက အများကြီးပဲ။ ဒီတော့ ကိုကိုက သူတို့ကို အနှောင့်အယှက် မပေးချင်။ အရမ်း ချမ်းနေလို့ အမှိုအကာလေးအောက်က မခွာချင်။ မသွားချင်ပေမယ့် သွားရတော့မယ်။ ဆောင်းရာသီ ဝင်လာပြီမို့ မနက်စောစော ပိုအေးလာပြီလေ။ နင်းရည်စိုရွှဲလို့ အေးစက်နေတဲ့ မြက်ပင်တွေပေါ် ဖြတ်ပြေးရင် ခုပ်မြန်မြန်လေး ကျော်သွားနိုင်မှာမို့ ပိုကောင်းမယ်လို့ ကိုကို တွေးမိတယ်။ ဒါကြောင့် မီးကျွမ်းနေဆဲ မီးသွေးတွေ့ရဲ့အပူနဲ့ တည်ထားတဲ့ ရေနွေးအိုးရှိရာဆီ သူ ပြေးသွားလိုက်တယ်။ ရေနွေးအိုးထဲက ရေတွေ နွေးနေဆဲ။ ရေနွေးကို ခွက်တစ်လုံးထဲ ထည့်လိုက်ပြီးနောက် ရေအိုးထဲက ရေအေးနည်းနည်းကိုလည်း လောင်းထည့်လိုက်တယ်။ ရေနွေးနွေးလေးက မျက်နှာသစ်ဖို့ အကောင်းဆုံးပဲပေါ့။

မီးသွေးခဲနားမှာ ထားပြီး အနွေးခံထားတဲ့ မဲတူးတူး ဝါးဆစ်ပိုင်းတစ်ပိုင်းကို ကိုကို သတိပြုမိလိုက်တယ်။ ဝါးဆစ်ပိုင်းထဲ စားစရာတစ်ခုခု ရှိနေတာ သူ သိလိုက်ပြီလေ။ ကောက်ညှင်းကျည်တောက်လုပ်ဖို့ အသုံးများတဲ့နည်းတစ်နည်းက ဝါးစိမ်းပိုင်းခုပ်ထုထု တစ်ခုထဲ ကောက်ညှင်းဆန်ထည့်၊ ရေထည့်ပြီး မီးထဲထည့်ဖုတ်တာပါပဲ။ မေမေနဲ့ ဘာဘာတို့ ခဏနားမယ့်အချိန်ကို သူ မျှော်နေမိတယ်။ အဲဒီတော့မှ ကောက်ညှင်း ကျည်တောက်နည်းနည်း စားရမှာလေ။

အဲဒီအချိန်မှာပဲ ခုပ်လှမ်းလှမ်းက လူတစ်ယောက် စကားပြောသံ ကြားရတယ်။
    "ဝါးတံတားက ချောလိုက်တာကွာ"
အသံလာရာ ကြည့်လိုက်တော့ ဦးသိန်းမောင်ကို တွေ့လိုက်တယ်။ ဦးသိန်းမောင်က ဘာဘာ့အမေရဲ့ ဝမ်းကွဲအစ်ကိုလေ။ ဦးသိန်းမောင်က ချောင်းကမ်းနှစ်ဘက်လုံးက လယ်မြေတွေရဲ့ ပိုင်ရှင်ပေါ့။ ဘာဘာက အလုပ်ကောင်းသူ ဖြစ်လေတော့ သူ့လယ်မှာ ဘာဘာ လုပ်ကိုင်တာ ဦးသိန်းမောင်က သဘောကျတယ်လေ။
    "ဟ -ဒီနေ့မနက် အားလုံး အလုပ်တွေ ကြိုးစားနေကြပါလားဟေ့"
ဦးသိန်းမောင်က ဆိုတယ်။ ဦးသိန်းမောင်က စကားအများကြီးပြောရတာ ကြိုက်တယ်လေ။ တစ်ခါတလေဆို စိတ်ထဲမှာ တွေးမိတာတွေကိုလည်း ပြောတတ်လေရဲ့။
    "မီးဖိုဘေးမှာ ကောင်လေးတစ်ယောက်တောင် တွေ့တယ်ဟေ့"
ဦးသိန်းမောင်က ဆက်ပြောပြီး ကိုကိုကို ပြုံးပြလိုက်ရဲ့။
    ကိုကိုက ပြန်ပြုံးပြလိုက်တယ်။ ဦးသိန်းမောင်ကို သူ သဘောကျတယ်။ ဦးသိန်းမောင်က ကျောင်းဆရာလုပ်ခဲ့ဖူးတော့ အမြဲချီုချီုသာသာနဲ့ ကလေးတွေကို စကားပြောရတာ ကြိုက်တဲ့သူလေ။ များသောအားဖြင့် လူကြီးတွေက အလုပ်များတော့ ကလေးတွေနဲ့ စကားတွေမပြောနိုင်ကြ။ ဦးသိန်းမောင်က ဒီမနက် အဝေးကြီးလမ်း လျှောက်လာခဲ့ပုံပဲ။ ခေါင်းမှာ ဇာထိုးဦးထုပ်တစ်လုံး ဆောင်းထားတယ်။ တဘက်တစ်ထည်၊

အခွေးထည်တစ်လုံးကို ဝတ်ရင်း နိုင်ငံခြားဖြစ် ရှူးဖိနပ်တစ်ရန် စီးထားလေရဲ့။ ဦးသိန်းမောင် မီးဖိုနား ရောက်လာတော့ ကိုကိုလည်း ရှူးဖိနပ်ကို အနီးကပ်ကြည့် လိုက်တယ်။ ရှူးဖိနပ်ကြီးက စီးရတာဇိမ်ကျပုံမရ။ ဦးသိန်းမောင်ရဲ့ ခြေထောက်တွေ ရှူးဖိနပ်ထဲ ဘယ်လောက်တောင် လှောင်အိုက်နေမလဲလို့ ကိုကို တွေးမိရဲ့။ ဆောင်းရာသီ ဆို့ မနက်ခင်း ခြေထောက်အေးလှုပေမယ့်လည်း ရိုးရိုးဖိနပ်ပဲစီးတာ ပိုကောင်းတယ်လို့ ကိုကို တွေးမိပဲ့။

"ဘေးချေ၊ အစောကြီး လမ်းလျှောက်လာပါလား"

မေမေက တလင်းနယ်ရာက လှမ်းအော်ပြောလေရဲ့။ ဦးသိန်းမောင်က မေမေ့ ဦးလေးအရင်းတော့ မဟုတ်။ သို့ပေမယ့် တစ်ခါတစ်ရံ ရုပ်ထဲ့ရွာထဲ့ လေးစားသမှုနဲ့ 'ဘေးချေ'၊ 'ကြီးကြီး' စသည်ဖြင့် လူတွေကို ခေါ်ဝေါ်တတ်ကြတယ်လေ။

"ဟုတ်တယ်ကွဲ့။" ဦးသိန်းမောင်က ပြန်ဖြေရင်း ဝါးလုံးဆစ်အစိမ်းတစ်ခုကို မြှောက်ပြတယ်။

"ဒီမှာ အုန်းရည်အချိုရည် ပါလာတယ်။ မနက်စောစောမို့ အုန်းရေက ချို့မွှေးနေ တယ်ဟွေ့"

"ဘေးချေ ပိုက်ဆာရင် ကောက်ညှင်းကျည်တောက် စားလို့ရတယ်"

ညီညီက စကားပြောသံတွေ ကြားလို့ အိပ်ရာက နိုးလာပြီး အမိုးအကာလေးထဲက ထွက်လာတယ်။

"ညီညီ၊ ကိုကိုအနား သွားထိုင်နေဟွေ့"

မေမေက ညီညီကို ပြောတယ်။ ဘာဘာက နွားနောက်သို့ ရောက်လာပြီး မေမေ့ နေရာကို ဝင်ယူလိုက်တယ်။

ခြေထောက်အောက်က နှင်းရည်စိုနေတဲ့ မြက်ခင်းအေးစိမ့်စိမ့်ကို ညီညီ ကြိုက်မှာ မဟုတ်မှန်း ကိုကို ပြောနိုင်ရဲ့။

"ညီညီရေ၊ ပြေးလာလိုက်ဟွေ့။ အဲဒါ ပိုကောင်းတယ်"

ကိုကိုက အော်ပြောလိုက်တယ်။

ညီညီက ကိုကိုဆီ အပြေးလေး သွားလိုက်တယ်။ အနားရောက်တော့ ကိုကိုက ညီညီ မျက်နှာသစ်ဖို့ ရေငွဲ့ပေးလိုက်တယ်။ မေမေက သူတို့နား လာထိုင်တယ်။ ကောက် ညှင်းကျည်တောက်ကို မေမက ခွဲလိုက်ရော။ အားလုံး ဝေစားနိုင်အောင် ခွက်တစ်လုံးထဲ ကောက်ညှင်းတွေ ထည့်လိုက်တယ်။ ကောက်ညှင်းက စေးကပ်နေလေတော့ သူတို့ စားချင်တဲ့ ကောက်ညှင်းတုံး ကြီးကြီးသေးသေး ကြိုက်ရာ ဆွဲယူပြီး လက်နဲ့ကိုင်စားနိုင် ပါတယ်။

"မနေ့ညက တကယ် အေးတာနော်။ ဒီကို လမ်းလျှောက်လာလို့ နည်းနည်းတော့ နွေးနွေးလေး ဖြစ်သွားရဲ့"

ဦးသိန်းမောင်က ဝါးဆစ်ပိုင်းအစိမ်းကို မြှောက်ကိုင်ပြီး ကိုကိုကို ပြတယ်။

"ဒါက ဝါးလုံးကြီးပဲ။ ဒါကြီးကိုလည်း ဆွဲ၊ လက်တန်းကိုလည်း ကိုင်ဆိုတော့ ဝါးတံတားလေး ဖြစ်ရတာ ခက်တော့အခက်သား။ အုန်းရည်အချိုရည် ဘယ်သူ သောက်ကြဦးမလဲဟေ့"

ဦးသိန်းမောင် ကိုင်ထားတဲ့ ဝါးဆစ်ပိုင်းက အမှန်တော့ ဝါးဆစ်နှစ်ဆစ်ပေါင်းပါ။ ဝါးဆစ်တစ်ဆစ်တည်း မဟုတ်။ ဒါကြောင့် ရှည်မျှောမျှော ဖြစ်နေတာပေါ့။ ရှည်မျှောမျှော ဝါးကျည်တောက် ဖြစ်အောင် အလယ်ဆစ်ကို ဖောက်ထားတာလေ။ အတွင်းမှာတော့ အုန်းရည်အချိုရည် ထည့်ထားလေရဲ့။ မေမေက ကြွေခွက်လေးတစ်လုံး ကမ်းပေးတယ်။ ဦးသိန်းမောင်က ခွက်ထဲ အုန်းရည်အချိုရည်နည်းနည်း လောင်းထည့်ပြီး မေမေ့ထံ ကမ်းပေးတယ်။ မေမေက မြည်းကြည့်လေရဲ့။

"ချိုမွှေးနေတာပဲ"

နောက်ထပ် သုံးလေးကျိုတ် သောက်ပြီးနောက် ကိုကို့ထံ ကမ်းပေးလိုက်တယ်။ ကိုကို၊ ညီညီတို့က ကောက်ညှင်းကျည်တောက် စားရင်း အုန်းရည်ချိုကို တစ်ယောက်တစ် လှည့် ဝေသောက်ကြတယ်။ ကောက်ညှင်းကျည်တောက်မှာ ကိုကို့အကြိုက်ဆုံးအပိုင်းက မီးဒဏ်ပြင်းလို့ မာနေတဲ့အပိုင်းပါ။ ဝါးကျည်တောက်ထဲက မီးနဲ့ အနီးဆုံးဘက်ခြမ်းက ကောက်ညှင်းပိုင်းညှိပြီး ကြွတ်ကြွတ်လေးဖြစ်နေရော။ မီးဒဏ်ပြင်းလို့ မာတောင့်တောင့် ဖြစ်နေတဲ့ ကောက်ညှင်းပိုင်းကို ကိုကို နည်းနည်းချင်းကိုက်ဝါးရင်း အုန်းရည်ချိုကို တစ်ကျိတ်ချင်းသောက်တယ်။ ကောက်ညှင်းနဲ့ အုန်းရည်ချိုက တယ်လိုက်သကိုး။

"အင်း -ရေနံဆီခပ်ဖို့ အချိန်ကျပြီကွဲ့။ ဖြားမတက်ခင် သွားမှပဲ။ မသွားခင် အုန်းရည်ချိုတွေ ယူထားလိုက်ချင်သေးလား"

"ကျွန်မအမျိုးသားအတွက် နည်းနည်းလောက်ပါ"

ကိုကိုက စိတ်ပျက်သွားတယ်။ သူ အုန်းရည်အချိုရည် ဆက်သောက်ချင်သေးတာ လေ။ ဒါပေမယ့် အုန်းရည်ပဲဖြစ်ဖြစ်၊ ထန်းရည်ပဲဖြစ်ဖြစ် သိပ်အများကြီး သောက်တာမျိုး ကိုယ့်ကလေးတွေကို မလုပ်စေချင်ကြ။ တအားချိုလို့လေ။ ရွာထဲက လူတစ်ချို့ဆို အုန်းရည်၊ ထန်းရည်တို့ကို ကစော်ဖောက်ပြီး အရက်ချက်လို့ ရတာကြောင့် ကလေးတွေ သောက်တာ မကောင်းဘူးလို့ ယူဆကြလေရဲ့။

"ရေနံဆီခပ်တာ လိုက်သွားကြကည့်လို့ ရမလား၊ မေမေ"

"မသွားပါနဲ့ဦး၊ ကိုကိုရေ။ မနက်ဖန် သားရဲ့ဘာဘာ ရေနံဆီသွားခပ်မယ့်နေ့ဆိုတော့ အဲဒီတော့မှ သွားရအောင်နော်"

ဘာဘာနဲ့ ဦးသိန်းမောင်တို့က ဦးသိန်းမောင်ရဲ့လယ်မြေက ရေနံဆီတွေကို တစ်ယောက်တစ်လှည့် သွားဖော်နေကျလေ။ ဘာဘာက သူ့လယ်ကွက်မှာ အလုပ်လုပ် နေတဲ့အပြင် ဝါးလုံးနဲ့လုပ်ထားတဲ့ ရေနံဆီတွင်းကို ကူပြင်ပေးတာကြောင့် ဦးသိန်းမောင်က

ဘာဘာကို ရေနံဆီခပ်ခွင့် ပေးထားပါတယ်။

ဦးသိန်းမောင် ထွက်သွားရင်း ချောတဲ့ ဝါးတံတားကို ပြန်ဖြုတ်ဖို့ မလိုတော့ဘူးဆိုတဲ့ အကြောင်း၊ ဒီရေကျချိန်မို့ ရေနံဆီခပ်ရာနားက ချောင်းကိုပဲ ကူးပြန်တော့မယ်ဆိုတဲ့ အကြောင်းပြောသွားတာ ကိုကို ကြားရဲ့။

မေမက တလင်းပြင်ကို ပြန်သွားပြီး ဘာဘ့နေရာကို ယူလိုက်တယ်။ စပါးစေ့ အများစု ကောက်ရိုးကနေ ပြုတ်ထွက်ပြီး ကောက်ရိုးအောက်ရောက်သွားပြီမို့ နွားတွေ ဆီက နဖရှက်တွေကို ဘာဘာ ချွတ်လိုက်ပြီလေ။ အခုဆို နွားတွေက လှည့်ပတ်လျှောက် သွားရင်း ကောက်ရိုးတွေ ငုံစားလို့ရပြီပေါ့။ ဘာဘာက ကောက်ရိုးတွေဖယ်ရှားပြီး နောက်ထပ်ကောက်လှိုင်းစည်းတွေကို တလင်းပြင်မှာ ထပ်မချင် အလုပ်နည်းနည်းတော့ ကျန်သေးတာပေါ့။ သို့ပေမယ့် ပထမဦးဆုံး မေမက နွားတွေနောက်က လျှောက်လိုက် နေတုန်း ဘာဘာက ခဏတဖြုတ်လာထိုင်တယ်။ အုန်းရည်အချို့ရည်နည်းနည်း သောက် ပြီး ကောက်ညှင်းနည်းနည်းစားလိုက်တယ်။ နွားတွေက ဆက်လို့အလုပ်လုပ်ရဦးမှာလေ။ ဒါပေမယ့် အခုတော့ အလုပ်တွေလုပ်နေရင်း ခေါင်းလေးငုံ့လို့ ကောက်ရိုးတွေတစ်လုပ်ပြီး တစ်လုပ် ကောက်ကောက်စားနိုင်ကြပြီပေါ့။

ခဏနေတော့ ဘာဘာက နွားတွေကို လယ်ကွင်းထဲ လွှန်ထားလိုက်တယ်။ လယ်ကွင်းထဲ နွားတွေ ကြိုက်ရာစားစေပေါ့လေ။ စပါးတွေ ရိုက်သိမ်းပြီးသွားပြီကိုး။ ဘာဘာက တလင်းပြင်ထဲက ကောက်ရိုးအားလုံးကိုရှင်းထုတ်ပြီး တလင်းဘေးက ကောက်ရိုးပုံမှာတင်လိုက်တယ်။ အဲဒီနောက် ဘာဘာ ရေစပ်နားပေါက်နေတဲ့ သင်း ပန်းလျှော်ပင်က အကိုင်းတစ်ချို့ကို ခုတ်ယူလိုက်လေရဲ့။ သင်းပန်းကိုင်းတွေက သွယ် သွယ်လေးတွေ။ အကိုင်းနှစ်ကိုင်းကို သူ ခုတ်ယူလိုက်ရဲ့။ ကိုကို၊ ညီညီတို့က ဘာဘာ သင်းပန်းလျှော် ခွာနေတာကို ကြည့်နေလိုက်ကြတယ်။ ဘာဘာက သင်းပန်းကိုင်းရဲ့ အခေါက်အတွင်းဘက်ကို လက်သည်းနဲ့ဆိတ်ပြီးဆွဲယူလိုက်တယ်။ ဒီလိုနဲ့ လျှော်ကြိုးတစ်ပင် ရပါလေရော။ လျှော်ကြိုးတွေက လိုချင်သလောက် ခပ်ထူထူ ခပ်ပါးပါး လုပ်လို့ရတယ်လေ။ ဘယ်လောက်များများ ဆိတ်ဆွဲယူတယ်ဆိုတဲ့အပေါ် ပဲမူတည်တာပေါ့။ ဘာဘာက လျှော်ကြိုးပါးပါးလေးတွေလုပ်ပြီး တစ်ခုနဲ့တစ်ခုစည်းလို့ လျှော်ကြိုးနှစ်ပင်ကို လုပ်လိုက် တယ်။

"အဲဒါတွေ ဘာလုပ်ဖို့လဲဟင်၊ ဘာဘာ"

"ဖြားတက်လာပြီလေ၊ ကိုကို။ ဖြားတက်နဲ့ လိုက်ပြီး ကဏန်းကိုင်းမလို့ပေါ့ကွ"

ဘာဘာက လျှော်ကြိုးပါးပါးလေးနှစ်ချောင်းကို ဒါးနဲ့ အချွသတ်ပြီးနောက် လျှော်ကြိုးတစ်ပင်စီကို ဝါးချောင်းတစ်ချောင်းစီမှာ သွားချည်တယ်။ နောက်တော့ ဘာဘာက ကျောက်ခဲတစ်လုံးကို ကြိုးစွန်းနားမှာ သွားချည်တယ်။

"သား - ကိုကို၊ ငါးကြောညှိုခြောက်နည်းနည်း သွားယူလိုက်ပါကွယ်"

ကိုကိုက မေမေ ချက်ပြုတ်ပြင်ဆင်နေတဲ့ မီးဖိုနား သွားလိုက်တယ်။ မေမေက
ငါးကြော်ညှိုလေးငါးကောင် ပေးလိုက်တယ်။ ကိုကိုက ဘာဘ့ထံ ပြန်ပြေးသွားရော။
ဘာဘာက ငါးကြော်ညှိုတစ်ကောင်စီကို ကြိုးစအဆုံးမှာ ချည်လိုက်တယ်။

ဘာဘာက လွယ်အိတ်ထဲကနေ စက်ဝိုင်းလေးသဏ္ဌာန် ဖြတ်ယူထားတဲ့ ပိုက်
ကွန်ဟောင်းရဲ့ အပိုင်းတစ်ပိုင်းကို ဆွဲထုတ်လိုက်ရဲ့။ ဒီပိုက်ကွန်ဟောင်းပိုင်းရဲ့ အစွန်းကို
ကွေးညွတ်လို့ရတဲ့ ဝါးချောင်းတစ်ချောင်းနဲ့ထိုးသီပြီး ဝါးချောင်းအစွန်းနှစ်ဘက်ကို
ပူးချည်လိုက်တယ်။ အခုဆို ပိုက်ကွန်ဟောင်းပိုင်းမှာ ဝါးတောင်ကွပ်လေး ရှိနေပြီပေ့။
နောက်ဆုံးအဆင့်အနေနဲ့ဘာဘာ ဒီတစ်ခုလုံးကို ဝါးချောင်းရှည်တစ်ခုမှာ သွားချည်
လိုက်တယ်။ အခုဆို ပိုက်ကွန်ပိုင်းမှာ လက်ကိုင်ရိုးရှည်ပါ တပ်ပြီး ကကာန်ကော်တ
လုပ်ထားပြီ။ ဘာဘာက ဒီပိုက်ကွန်ဟောင်းပိုင်းကို ရည်ရွယ်ချက်ရှိရှိ ယူလာမှန်း ကိုကို
သိလိုက်ပြီ။ တလင်းနယ်နေချိန် ကကာန်းမှုားဖို့ စီစဉ်ထားတာကိုး။ တလင်းနယ်ချိန်က
သိပ်ပျော်ဖို့ကောင်းတယ်လို့ ကိုကို တွေးမိရဲ့။

ကိုကို၊ ညီညီတို့ ဘာဘာနောက်ကနေ ချောင်းနားသို့ လိုက်သွားကြတယ်။
ဘာဘာက ကကာန်းကိုင်းတံနှစ်ချောင်းနဲ့ ကကာန်းကော်တံတို့ကို ယူသွားတယ်။ ကိုကိုက
ကကာန်းထည့်ဖို့ မေမေ့သွပ်အိုးတစ်လုံးလည်း သယ်သွားတယ်။ ဘာဘာက ချောင်းကမ်း
ပါးမှာ မတ်တပ်ရပ်ရင်း ကြိုးကိုရေထဲပစ်ချလိုက်တယ်။ အဲဒီနောက် ကိုင်းတံကို ရှွဲထဲ
အနက်ကြီးထိုးထည့်လိုက်တယ်။ ဒုတိယကိုင်းတံကိုလည်း အလားတူလုပ်လိုက်ရဲ့။
မကြာမီ ကကာန်းကိုင်းတံ တစ်ချောင်းလှုပ်လာတာ ကိုကို မြင်လိုက်တယ်။ ဘာဘာက
ကကာန်းကော်တံကို ဆွဲယူလိုက်တယ်။ ကကာန်းမှုားကြီးကို ဘယ်လက်နဲ့ ဆွဲရင်း
ကကာန်းကော်တံကို ညာလက်နဲ့ကိုင်ထားလေရဲ့။ ကြိုးအစွန်းမှာ ကကာန်းတစ်လုံး
မြင်နေရပြီ။ ကကာန်းက အကြီးကြီးပဲ။ ကကာန်းတွေက အစာစားဖို့ ကြိုးစားနေတုန်း
လက်မနှစ်ချောင်းနဲ့ ကြိုးကို ညှပ်ကိုင်ထားတတ်ကြတယ်။ ဘာဘာက ကကာန်းအောက်မှာ
ကကာန်းကော်တံကို ပင့်ကိုင်ထားလိုက်တယ်။ ကကာန်းက ကြိုးကို လွတ်တာနဲ့ ကကာန်း
ကော်တံထဲကျသွားပါလေရော။ ဘာဘာက ကကာန်းကို အိုးထဲထည့်ပြီး ကိုကိုက အိုး
အဖုံးကို အုပ်လိုက်တယ်။ ကကာန်းထွက်မပြေးနိုင်အောင် ဘာဘာက အိုးအဖုံးပေါ်
ကျောက်ခဲကြီးတစ်လုံး တင်ထားလိုက်တယ်။ အဲဒီနောက် ကကာန်းကိုင်းတံမှာ နောက်
ကကာန်းတစ်လုံး လာစားဖို့စောင့်နေလိုက်တယ်။

ကကာန်းရှစ်လုံး ဖမ်းမိတာနဲ့ အိုးကို မေမေ့ထံ ပြန်ယူသွားတယ်။ မေမေက အိုး
အဖုံးကိုဖွင့်ရင်း တအံ့တသြရှေ့ရွတ်လိုက်တယ်။

"အို -ကကာန်းအများကြီး မိလာပါလား။ ဒီလိုဆို ငါးချောက်တွေ ချက်ဖို့မလို
တော့ဘူး"

မေမေက အိုးအဖုံးကို ခပ်သွက်သွက်လေး ပြန်ပိတ်လိုက်တယ်။ ကကာန်းတွေက

အကောင်ကြီးကြီး၊ လက်မတထောင်ထောင်နဲ့ အရမ်း ရန်လိုတာလေ။ ကဇာန်းလက်မ
တွေက ကလေးတစ်ယောက်ရဲ့ လက်ညှိုးကို တိကနဲပြတ်သွားစေနိုင်ရဲ့။

"ကဇာန်းတွေတော့ အသားတွေ အပြည့်ဖြစ်နေမှာပဲ"

"မေမက ဘယ်လိုလုပ် သိတာလဲ"

"ကဇာန်းတွေက အခွံလဲရင် အသားနည်းလာရော။ လပြည့်နေ့တွေဆို အခွံ
လဲတတ်တယ်၊ ကိုကိုရေ။ အခုက သူတို့ အခွံလဲချိန် မဟုတ်လို့ပေါ့ကွယ်"

နေ့လည်စာအတွက် ထမင်း၊ ကဇာန်းအစပ်သုတ်၊ ကဇာန်းဟင်းချို့နဲ့ ဟင်းသီး
ဟင်းရွက်ချက်တို့စားရတယ်။ နေ့လည်စားပြီးချိန်က မနက်ပိုင်းလောက် အလုပ်မများ။
နေ့လည် ၂ နာရီဝန်းကျင်လောက်ထိ နွားတွေကို အလုပ်ပြန်မလုပ်ခိုင်းကြ။ ဆောင်းရာသီ
ဝင်လာပြီဖြစ်ပေမယ့် မွန့်တည်ပတ်ချာလည်လောက်မှာ နေပူဒဏ် ပြင်းနေဆဲ ဖြစ်လို့လေ။
ဘာဘာက နွားတွေကို အရှေ့ဘက်က ချောင်းနားဆီ မောင်းသွားလိုက်တယ်။ ကိုကိုနဲ့
ညီညီတို့ ဘာဘာ့နောက်က လိုက်ခဲ့ကြတယ်။ နွားတွေက ချောင်းထဲက ရေတွေ
စသောက်ကြရော။

"ဘာဘာ၊ နွားတွေ ဆားငန်ရည် သောက်ရင် နေမကောင်း မဖြစ်ကြဘူးလားဟင်"

"မဖြစ်ပါဘူးကွယ်။ ဒီနားထိ ဖွားမရောက်ဘူးကွဲ့။ ချောင်းရဲ့ ဒီအပိုင်းက ရေချို
တွေချည်းပဲ။ မိုးရာသီမှာ တောင်ကျချောင်းရေတွေ စီးဝင်လို့ပေါ့။ ကိုကိုရေ"

"နွေရာသီဆိုရင်ကော ဒီချောင်းက ရှိနေဦးမှာလား"

"ဘယ်ရှိတော့မလဲ။ ခန်းခြောက်သွားမှာပေါ့ကွယ်"

နွားတွေက ရေတွေ သောက်ချင်သလောက် သောက်ပြီးတဲ့နောက် ဘာဘာက
ပြန်မောင်းလာပြီး အရိပ်ထဲ မြက်စားစေတယ်။

အခုတော့ အနားယူချိန် ရောက်ပြီပေါ့။ ကိုကိုနဲ့ ညီညီတို့ အမိုးအကာလေးနားက
ဝါးပင်ရိပ်အောက်မှာ ကစားကြတယ်။ နေ့လည် ၂ နာရီလောက်မှာ ဘာဘာက နောက်
ထပ် ကောက်လှိုင်စည်းကြီးတွေဖြတ်ပြီး ဘာဘာနဲ့မေမေ တလင်းညက်တဲ့အထိ ၄
နာရီလောက် တလင်းနယ်ကြပြန်တယ်။ တစ်ခါတလေဆို ကိုကို၊ ညီညီတို့ ကစားနေရင်း
တလင်းနယ်တဲ့ထဲ တက်သွားပြီး မေမေ့ကို ကူညီသလို ဟန်ဆောင်ရင်း မေမေ့နောက်က
လိုက်ကြတယ်။ တစ်ခါတလေဆို မေမက နွားနဖားကြီးတွေကို ကိုကို့ထံ ပေးကိုင်တယ်။
နွားတွေက သူ့ဟာသူ ပတ်သွားရမယ်မှန်း သိပြီးသားမို့ပေါ့။ ဒါပေမယ့် လိုလိုမယ်မယ်
မေမက အနားမှာ နေပေးတယ်။ ညီညီက ငယ်သေးတော့ ကြိုးကို တစ်ယောက်တည်း
ပေးမကိုင်။ ကိုကို ကြိုးကိုင်တဲ့အချိန် ညီညီလည်းကိုင်ခွင့်ရတယ်။ နွားနောက်က ဘာဘာ
လိုက်နေချိန်ဆို ကိုကိုတို့ညီအစ်ကို ဒီလိုဝင်မရှုပ်ဖြစ်။ ဘာဘာက အလုပ်လုပ်နေတုန်း
ကလေးတွေကြောင့် စိတ်ပျို့ရတာမျိုး အဖြစ်မခံချင်။

တစ်နေ့တာအလုပ်တွေ ပြီးသွားတဲ့အခါ မေမက ညနေစာ ချက်ပြုတ်တယ်။

ဒီတစ်ခါလည်း လဟာပြင်မှာ ထမင်းစား၊ နေဝင်တာကြည့်၊ တစ်ညတာ အိပ်စက်ဖို့
ပြင်ဆင်နေရင်း ကျေးငှက်သာရကာတွေရဲ့ တေးသီသံကို နားဆင်၊ ခွီးလင်လှတ်တွေ
ပင်လယ်ဘက် ပြန်လှို့ပျံသန်းသွားတာ ကြည့်ရတာ ကိုကို ကြိုက်နေမိပြန်ရော။

အဲဒီညက အိပ်ရတာ နည်းနည်း ပိုပြီး ဇိမ်ရှိလေရဲ့။ ကောက်ရိုးပုံထဲက ကောက်ရိုး
အသစ်တွေကို ဘာဘာက အမိုးအကာပတ်လည်မှာ ချထားပေးတာမို့ ညဘက်
လေအေးတိုက်တဲ့ ဒဏ်ကနေ ပိုပြီးအကာအကွယ်ပေးလို့ပဲ။ နောက်တစ်နေ့မနက်လည်း
အရင်မနက်ခင်းတွေအတိုင်းပါပဲ။ ဘာဘာ၊ မေမေတို့ အစောကြီးထပြီး တလင်နယ်တယ်။
ကိုကို၊ ညီညီတို့ မနက်စာစားဖို့ ထမင်းချမ်းခဲ့နဲ့ ငါးခြောက်ဖုတ်ရှိလေရဲ့။ ဘာဘာက
နွားတွေကို လယ်ထဲ မြက်စားစေပြီး မေမေ၊ ကိုကို၊ ညီညီတို့ ဘာဘာနဲ့အတူ ချောင်းကြီးနဲ့
ချောင်းငယ် ဆုံရာ ချောင်းဝနား သွားကြတယ်။ ဖွားကျနေချိန်မို့ ရွှံ့ထူထူ ချောင်းကြမ်းပြင်
ကို ဖြတ်ဖို့ အားလုံး ဖိနပ်တွေချွတ်လိုက်ကြတယ်။ တစ်ဘက်ကမင်္ဂက လမုတောထဲမှာ
၁၀ ပေအရှည်ရှိတဲ့ ဝါးလုံးတစ်ချောင်းနဲ့ အုန်းမှုတ်ခွက်ကြီးတစ်ခွက်ကို ပြန်ဖော်တယ်။
ဒီဝါးလုံးနဲ့ အုန်းမှုတ်ခွက်တို့ကို ဘာဘာနဲ့ ဦးသိန်းမောင် တစ်ယောက်တစ်လှည့် အသုံး
ပြုကြတာလေ။ ချောင်းကြမ်းပြင်မှာ ရွှံ့ထဲကထိုးထွက်နေတဲ့ ဝါးပိုက်လုံးနှစ်လုံး ရှိလေရဲ့။
ဝါးပိုက်တွေက ဝါးအကြီးစားမျိုးနဲ့ လုပ်ထားတဲ့ပိုက်မျိုး။ အတွင်းက ဝါးဆစ်တွေကို
ရိုက်ထုတ်ပြီး ဝါးလုံးတစ်ခုလုံး အခေါင်းဖြစ်နေအောင်လုပ်ထားတယ်။ ချောင်းကြမ်းပြင်
အောက် ဆယ်ပေလောက် စိုက်သွင်းထားတယ်လေ။ ဖွားတက်တဲ့အခါ ဆားငန်ရည်တွေ
ဝါးပိုက်ထဲ မဝင်နိုင်အောင် ဝါးလုံးရဲ့ ထိပ်နှစ်ဘက်ကို ချောင်းကမ်းပါးကရတဲ့ သမန်း
သားနဲ့ပိတ်ထားတယ်။ ဘာဘာက ဝါးပိုက်တစ်လုံးကို ပိတ်ထားတဲ့ သမန်းသားကို
တူးထုတ်လိုက်တယ်။ သမန်းသားကို တစ်ပေလောက် ထူအောင် သိပ်ထည့်ထားလေရဲ့။
သမန်းသားကို တူးထုတ်ပြီးတာနဲ့ ဘာဘာက လက်သွင်းပြီး ကောက်ရိုးတထွေးကြီးကို
ဆွဲထုတ်လိုက်တယ်။ ကောက်ရိုးက ရွှံ့တွေ အဝေးကြီး မရောက်သွားအောင် တားပေးတဲ့
အတားအဆီးပေါ့လေ။

ဘာဘာ ကိုင်ထားတဲ့ ဝါးလုံးမှာ ဝါးဆစ်တစ်ခုစီရဲ့ထိပ်နား တစ်ဘက်တစည်း
ဖောက်ထားတဲ့ အပေါက်လေးတွေရှိတယ်။ ဘာဘာက ဝါးပိုက်ထဲ ဝါးလုံးကိုထည့်လိုက်ပြီး
သတိနဲ့နားထောင်ကြည့်တယ်။ ဝါးပိုက်အတွင်း အောက်နားက ရေန်ဆီတွေက ထိုးသွင်း
လိုက်တဲ့ ဝါးလုံးရဲ့ အောက်ဆစ်ထဲ ဝင်လာကြမှာလေ။ ဒါပေမဲ့ ဘာဘာက သတ်ထားပြီး
ဝါးလုံးကို အောက်သို့ ချရတယ်။ ရေက ရေန်ဆီထက် ပိုလေးတာမို့ ဝါးလုံးကို အရမ်းကြီး
နှိမ့်ချလိုက်ရင် ရေန်ဆီအပိုင်းကို လွန့်ပြီး အောက်ဆုံးဝါးဆစ်ပိုင်းမှာ ရေတွေပဲပြည့်
လာမှာပါ။ ဘာဘာက ဝါးဆစ်ပိုင်း ဆီပြည့်လာတဲ့အထိ နားစိုက်ထောင်နေလိုက်တယ်။
ဆီတွေ ပြည့်လာတာနဲ့ ဝါးပိုက်ထဲကနေ ဝါးလုံးကို ဆွဲတင်ပြီး အုန်းမှုတ်ခွက်ကတစ်ဆင့်
ဖန်ပုလင်းတစ်လုံးထဲ သတိနဲ့လောင်းထည့်လိုက်တယ်။ အုန်းမှုတ်ခွက် အောက်ခြေမှာ

အပေါက်တစ်ပေါက် ပါတာမို့ ကတော့နဲ့ တူနေလေရဲ့။ ရေနံဆီက ဖန်ပုလင်း ပြည့်လု နီးပါးဖြစ်သွားတယ်။ ဘာဘာက ဝါးလုံးကို အောက်သို့ပြန်ချပြန်တယ်။ အဲဒီရေနံဆီက ဖန်ပုလင်းနဲ့ နောက်ပုလင်းတစ်ဝက် ပြည့်သွားပြန်တယ်။ တတိယတစ်ခေါက်မှာတော့ ရေတစ်ဝက် ဆီတစ်ဝက် ပါလာတယ်။ ရေက ပိုလေးတော့ ဘာဘာက လက်ညှိုးနဲ့ အုန်းမှုတ်ကတော့ပေါက်ကို ပိတ်ထားပြီး ရေကို အုန်းကတော့ပေါ် လောင်းချလိုက်တယ်။ ပြီးတော့ (လက်ညှိုးကလေးကို ဖွင့်ပြီး) ရေကို မြေပြင်ပေ ဖွင့်ချလို့ ဆီကိုစစ်ယူလိုက်တယ်။ အခုတော့ အုန်းမှုတ်ခွက်ထဲကနေ တစ်ဆင့် ဖန်ပုလင်းထဲ ရေနံဆီလောင်းထည့်နိုင်ပြီလေ။ ဝါးလုံးကို လေးငါးကြိမ်လောက်ချပြီး ရေတွေ၊ ရေနံဆီတွေကို တင်ယူလာတယ်။ ရေနံဆီတွေလောက်ပဲ ဖန်ပုလင်းထဲ စစ်ထည့်လိုက်တယ်။ ဒီနည်းနဲ့ ဖန်ပုလင်းနှစ်လုံး ရေနံဆီအပြည့် ဖြစ်သွားရော။

ရေနံဆီအားလုံးကို ရေနံတွင်းထဲက ခပ်ယူပြီးတဲ့အခါ ပိုက်ထဲက ကျန်ရေတွေကို ခပ်ထုတ်ပစ်ရတယ်။ နောက်တစ်နေ့ မြေအောက်က ရေတွေ၊ ရေနံဆီတွေနဲ့ ပြန်ပြည့်သွားအောင်ပေါ့လေ။ ဘာဘာက ဝါးလုံးကို နောက်တစ်ခေါက် ပြန်ချပြီး ဝါးဆစ်အားလုံး ရေတွေနဲ့ ပြည့်စေလိုက်တယ်။ ပြီးတာနဲ့ ဝါးလုံးကို မယထုတ်ပြီး မြေပေါ် သွန်ပစ်တယ်။ ရေတွေအားလုံး ကုန်သွားတဲ့အထိ ဒီနည်းအတိုင်း သူ လုပ်လိုက်တယ်။ အဲဒီနောက် ကောက်ရိုးထွေးကို ပြန်ထည့်၊ သမန်းတွေနဲ့ ပြန်ဆို့လိုက်တယ်။ ဒုတိယ ဝါးပိုက်ချထားတဲ့ ရေနံတွင်းကိုလည်း အလားတူ လုပ်ပြန်တယ်။ ဒီပိုက်ကနေ ရေနံဆီ ဖန်ပုလင်းတစ်ဝက်စာပဲ ရပါတယ်။

အဲဒီအချိန်မှာပဲ မေမေက နေ့လည်စာအတွက် ပက်ကျိတွေ လိုက်ရှာပါတယ်။ ကိုကိုက မေမေ့ကို ကူပေးဖို့ ကြိုးစားပေမယ့် ရွံ့က ခြေမျက်စိမြုပ်တဲ့ထိ ကျွံနေလေရဲ့။ ပြီးတော့ ပက်ကျိတွေက ရွံ့ရောင်နဲ့ တသားတည်း ဖြစ်လေတော့ မြင်ရဖို့ မလွယ်လှ။ မေမေက ကိုကိုနဲ့ညီညီကို ဘယ်လို တိတ်တိတ်လေးသွားရမယ်ဆိုတာပြတယ်။ အဲလို တိတ်တိတ်လေး မလုပ်ရင် ရွံ့ထဲ ပက်ကျိတွေ တိုးဝင်ပျောက်ကွယ်သွားမှာလေ။ အဲဒီနောက်မှာ ကိုကိုက ပက်ကျိနှစ်ကောင်၊ ညီညီက ပက်ကျိတစ်ကောင်တွေ့တယ်။ ပက်ကျိကို ကိုင်ရတာ ထူးဆန်းနေရဲ့။ ပက်ကျိတွေက ပြားပြားညိုညိုလေးတွေ။ ကိုကို့လက်ထဲ လျှောဆင်းပြီး လက်ချောင်းလေးတွေကြား ဝင်ပုန်းကြတယ်။ မေမေက ပက်ကျိတွေကို သွပ်အိုးထဲ ထည့်ထားတယ်။

မေမေက ငါးတောင်းပြောက်တွေလည်း လိုက်ဖမ်းပြန်တယ်။ ငါးတောင်းပြောက် ဖမ်းတဲ့အခါ ပက်ကျိတွေလို လွယ်လွယ်ဖမ်းလို့တော့မရ။ ဒီကောင်တွေက တအားမြန်တာ။ ရွံ့ထဲမှာ ငါးတောင်းပြောက်ခေါင်းတွေက ဘယ်ပုံဘယ်နည်းဆိုတာ သိထားရမှာလေ။ တွင်းပေါက်ကို ကြည့်၊ တွင်းပေါက်ထဲ ဝင်သွားတဲ့ ခြေရာလေးတွေ ကြည့်ရုံနဲ့ မေမေက တော့ ငါးတောင်းပြောက်ခေါင်းကို တန်းသိလေရဲ့။ ငါးတောင်းပြောက်ခေါင်းကို

တွေ့တာနဲ့ လက်ချောင်းနှစ်ချောင်းကို အခေါင်းထဲ ထိုးထည့်ပြီးနောက် တံတောင်ဆစ်အထိ လက်ထိုးထည့်လိုက်တယ်။ လက်ကို ထိုးထည့်လိုက်တာနဲ့ ပထမအပေါက်ရဲ့ အထက် နားကပဲဖြစ်ဖြစ်၊ ဘေးနားကပဲဖြစ်ဖြစ်ရှိနေတဲ့ တခြားအပေါက်တစ်ပေါက်ကနေ ရေတွေ ထွက်လာတတ်ရော။ ရေထွက်လာတဲ့ အပေါက်က ငါးတောင်းပြောက်ရဲ့ နောက်ဖေး တံခါးလေ။ မေမက နောက်လက်တစ်ဘက်ကို အဲ့ဒီအပေါက်ထဲ တံတောင်ဆစ်အကျော်ထိ ထိုးထည့်ရပြန်တယ်။ အဲ့ဒီနောက် လက်နှစ်ချောင်းဆုံးပြီး ငါးတောင်းပြောက်ကို ဖမ်း လိုက်တာပါပဲ။ ငါးတောင်းပြောက်ကို လက်တစ်ဘက်က ကိုင်ပြီး ပထမအပေါက်ကနေ ဆွဲထုတ်ရတာ။ ငါးတောင်းပြောက် ကိုင်တဲ့အခါ အသေအချာလေး ချုပ်ကိုင်ရတယ်။ ကိုင်တာ စနစ်မကျရင် လွတ်ပြီး ခုပ်သွက်သွက် ခုန်ထွက်ပြေးသွားမှာလေ။ လွတ်သွားပြီဆို ရင်တော့ ပြန်ဖမ်းဖို့ မလွယ်တော့။

မေမက ငါးတောင်းပြောက်အားလုံးကို ပက်ကျိတွေနဲ့ရော့ပြီး သွပ်အိုးထဲထည့် လိုက်တယ်။ ကိုကိုက ချောင်းကြမ်းပြင်ထဲ ငါးတောင်းပြောက်တွေ ပတ်သွားနေတာ ကြည့်နေမိရဲ့။ ငါးတောင်းပြောက်တွေက ဆူးတောင်နဲ့ ရှေ့တိုးသွားရင်း ဘေးတိုက် ရွှေ့သွားတာက ရယ်စရာကြီး။ ဒီကောင်တွေက ခြေထောက်မပါတဲ့ အိမ်မြှောင်အကြီးစား တွေနဲ့ တူလေရဲ့။ ကိုကို၊ ညီညီတို့က ငါးတောင်းပြောက်ဖမ်းဖို့ ကြိုးစားကြည့်ကြတယ်။ ဒါပေမဲ့ ငါးတောင်းပြောက်တွေကသိပ်မြန်တာ။ ငါးတောင်းပြောက်ဖမ်းရတာ ဦးငွေ့ လာချိန်မှာ ဒီကောင်တွေကို ပစ်ဖို့ ကျောက်ခဲလှလှလေးတွေကို ချောင်းကြီးထဲက ရေထဲ သွားရှာကြတယ်။ ရေတွေ ညာဘက်သို့စီးလာတာ စတွေ့ရပြီဆိုတော့ ဖြားတက်လာပြီ ပေါ့လေ။ အဲ့ဒီနောက် သူတို့အားလုံး ရှိနေတဲ့ ချောင်းကလေးထဲ ရေတွေ စီးဝင်လာ ကြပါလေရော။

ဘာဘာက အလုပ်တွေ လုပ်ပြီးသွားပြီ။ မေမေလည်း ငါးတောင်းပြောက် ရှာတဲ့ အလုပ် ပြီးသွားပေ့။ မေမ့လက်မောင်းတွေက လက်ကတီးအထိ တောက်လျှောက် ရွှံ့တွေ လူးနေရော။ မေမက ချောင်းရေထဲ လက်မောင်းတွေကို ဆေးကြောလိုက်တယ်။ ကိုကို၊ ညီညီတို့ လွန်ခဲ့တဲ့ လေးငါးမိနစ်လောက်က ရွှံ့ထဲ မတ်တပ်ရပ်နေခဲ့တဲ့ ချောင်းလေး ထဲ ဆားငန်ရည်တွေ စ,ပြည့်လာနေတုန်း ညီအစ်ကိုနှစ်ယောက် ရေပက်ကစားနေကြရဲ့။ အခုဆို ခြေသလုံးနားထိ ရေပြည့်လာပြီ။

တလင်းနယ်ရာဘက် အားလုံး လမ်းလျှောက်သွားပြီးနောက် ကိုကို၊ ညီညီတို့က မေမေ့နောက်ကနေ အနီးအနားက ရေတွင်းနားထိ လိုက်ခဲ့ကြတယ်။ နေ့လည်စာမစားခင် မေမက ရေခပ်ရဦးမှာလေ။ ကိုကို့နဲ့ ညီညီတို့လည်း ရေချိုးရမှာကိုး။ ဒီရေတွင်းပတ် လည်မှာ နံရံတွေမရှိ။ ကျောက်ခဲတွေလည်းမစီထား။ ကိုကိုက ရေတွင်းထဲ ခုပ်သွက်သွက် လေး ချောင်းကြည့်လိုက်တယ်။ သိပ်တော့ အနက်ကြီး မဟုတ်။ ဖားတွေလည်း မရှိပြန်။ တလင်းနယ်ရာနား ပြန်ရောက်သွားတဲ့အခါ မေမက နေ့လည်စာ ပြင်ဆင်

ချက်ပြုတ်ပါတော့တယ်။ ပက်ကျိတွေကို ရေဆေးပြီး ပြုတ်လိုက်တယ်။ ပက်ကျိတွေကို ပြုတ်ပြီးနောက် ရေတွေက အပြာရောင်ဖျော့ဖျော့ ဖြစ်သွားတတ်ရဲ့။ မေမေက ရေတွေကို မလွင့်ပစ်ဘဲ ထားလိုက်တယ်။ ပြီးရင် မကျည်းသီး၊ ကြက်သွန်ဖြူ၊ ငရုတ်ကောင်းထောင်းတို့ကို ပေါင်းထည့်လိုက်ပြန်တယ်။ ဒီဟင်းချိုက သိပ်ကောင်းတာလေ။ ပက်ကျိတွေကိုတော့ ငရုတ်သီးစပ်စပ်လေးနဲ့ အသုတ် သုတ်လိုက်တယ်။ ငရုတ်သီး၊ နနွင်း၊ ကြက်သွန်ဖြူနဲ့ ဆားတို့ကို ရောကြိတ်ပြီး ဒီကြိတ်ဖတ်ကို မှှင်ငါးပဲ၊ မကျည်းသီးတို့နဲ့ ငါးတောင်ပြောက် ချက်ဖို့ အိုးထဲ ထည့်လိုက်တယ်။ နေ့လည်စာက စားလို့ ကောင်းမှကောင်းပဲ။ ဘာဘာက ပက်ကျိဟင်းချို သိပ်ကြိုက်တာ။ ကိုကိုလည်း ကြိုက်ပါ့။ သိပ် အရသာရှိတာကိုး။ ကိုကိုက ပက်ကျိစားနည်းသိတယ်လေ။ ပက်ကျိကို များများ၀ါးလို့မရ။ များများ၀ါးမိရင် သဲကိုက်မိရော။ နည်းနည်း၀ါးပြီးတာနဲ့ မျိုချလိုက်ရုံပဲ။

နေ့လည်စာ စားပြီးတဲ့အခါ ဘာဘာက နွားတွေ ရေတိုက်ဖို့ ချောင်းနား ခေါ် သွား တဲ့နောက် ကိုကိုတို့လိုက်ခဲ့ကြတယ်။ ကိုကိုက ရွှံ့နဲ့ ပစ္စည်းတွေလုပ်ချင်လို့ သမန်းတွေ ယူသွားလို့ ရမလားလို့ မေမေ့ကိုမေးလိုက်တယ်။ မေမေက ချောင်းကမ်းနား ဆင်းသွားပြီး သမန်းထဲ လက်နဲ့ တူးဆွလိုက်တယ်။ မေမေ ပြန်လာတော့ သမန်းလုံးကြီးတစ်လုံးနဲ့လေ။ တလင်းနယ်ရာနား ပြန်ရောက်လာတဲ့အခါ ကိုကို၊ ညီညီတို့ ၀ါးပင်ရိပ်အောက် ထိုင်ရင်း ရွှံ့နဲ့ ပစ္စည်းတွေ လုပ်ကြတယ်။ ကိုကိုက အသံခဲ့စက်၊ တီဗွီ၊ တီဗွီဖမ်းစက်၊ အောက်စက်တို့ကို လုပ်လိုက်တယ်။ ၀ီဒီယိုရဲ့မှာ ၀ီဒီယိုသွားကြည့်တမ်း ကစားရတာ သူကြိုက်တာကိုး။ ညီညီက နွားရုပ်တစ်ရုပ်နဲ့ လူရုပ်တစ်ရုပ် လုပ်ကြတယ်လေ။ အဲဒီနောက် ကိုကို၊ ညီညီတို့ လောက်စားလုံး လုံးကြတယ်။ ဘာဘာက လောက်လေးခွ ယူလာတာလေ။ တစ်ခါတလေဆို ဘာဘ့လောက်လေးခွနဲ့ ကိုကိုတို့ အပစ်လေ့ကျင့်ကြဦးမှာ။ အားလုံး ပြီးသွားတဲ့အခါ နေပူမှာထုတ်လှန်းလိုက်ကြတယ်။

ဘာဘာနဲ့ မေမေက တလင်းနယ်တာ ဆက်လုပ်ကြတယ်။ အခုဆို ကောက်ရိုးပုံ လည်း တဖြည်းဖြည်းကြီးလာပြီ။ ကိုကို၊ ညီညီတို့ ကောက်ရိုးပုံပေါ် ဆော့ကစားရလို့ တအားပျော်ကြတာ။ ညီအစ်ကိုနှစ်ယောက် ကောက်ရိုးပုံထိပ် တက်ပြီး ခေါင်းမှူးလာတဲ့အထိ လှိမ့်လှိမ့်ဆင်းကြတာလေ။ ဆော့နေရင်း မနားတမ်းလည်း ရယ်ကြရဲ့။ ပိုးကောင်တွေလို ကောက်ရိုးအောက် လေးဘက်တွား သွားပြီး အလယ်မှာတွေ့ဖို့ ကြိုးစားကြတယ်။ တစ်ခါ တလေဆို ကောက်ရိုးအောက် လမ်းပျောက်သလို ခံစားရရဲ့။ သို့ပေမယ့် ကောက်ရိုးပုံထဲ ဆက်တွားသွားရင် နောက်ဆုံးတော့ တစ်ဘက်ဘက်က ထွက်သွားမှာလို့ ကိုကို သိထား တယ်လေ။ ကစားလို့မောသွားရင် ကောက်ရိုးပုံပေါ် တက်၊ ကျောခင်းအိပ်ပြီး ကောင်း ကင်ကြီးကိုမော့ကြည့်ကြရော။ ကိုကိုက မျက်လုံးလေးမှိတ်ပြီး ဘာဘာ နွားတွေမောင်း နေတာကို နားထောင်နေလိုက်တယ်။ သစ်ပင်တွေကို လေတိုးသံ၊ ချောင်းနားက ကျေး ငှက်တွေ အော်မြည်သံတို့လည်းကြားရရဲ့။ ကောက်ရိုးပုံကြီးပေါ် တက်နေရတာ တအား

စိတ်အပမ်းပြေစေပါတယ်။ ကောက်ရိုးက နည်းနည်းတော့ ယားပေမယ့် ကိုကို ဘယ်လိုမှ မအောက်မေ့။

"ကိုကိုရေ၊ ကြည့်လိုက်စမ်းပါ"

ညီညီက တအံ့တဩ ဆိုရင်း ကောင်းကင်ပေါ် လက်ညှိုးထိုးပြနေလေရဲ့။

ကောင်းကင်ထက် ဟိုးအမြင့်ကြီးမှာ လေယာဉ်တစ်စင်း ပျံသန်းနေပေါ့။ မြင့်လွန်းလို့ လေယာဉ်ပျံသံ မကြားရ။ ဒီလေယာဉ်က မီးခိုးတန်းမကျန်ခဲ့။

"အဲဒီလေယာဉ်ပေါ် လူ ဘယ်နှယောက် ပါမလဲ သိချင်လိုက်တာကွာ"

"ဆယ်ယောက်လောက်တော့ ပါမှာပေါ့၊ ကိုကိုရာ"

"လူငါးဆယ်လောက်တော့ ပါမယ်ကွ" ကိုကိုကပြန်ပြောတယ်။ ကိုကို ထထိုင်လိုက်တော့ အနားမှာ မေမေ့ကိုတွေ့တာမို့ မေးလိုက်ရဲ့။

"မေမေရေ-မေမေ၊ ဟော့ဟို မိုးပေါ်က လေယာဉ်မှာ လူဘယ်နှယောက် စီးနိုင်မလဲဟင်"

"လူ ၁၀၀ အထိ ပါနိုင်တယ်ကွဲ့။ အဲဒီထက်တောင် ပိုများဦးမယ်လို့ မေမေ ကြားဖူးတယ်"

မိုးပေါ်က အဲဒီလေယာဉ်ပိစိညှောက်တောက်လေးမှာ လူတွေ ဒီလောက်အများကြီး ဆန့်နိုင်ပါ့မလားလို့ ကိုကို မယုံနိုင်အောင်ဖြစ်မိရဲ့။

"ဒီလေယာဉ်က ဘယ်သွားမှာလဲဟင်"

"လေယာဉ်က မြောက်ဘက်က တောင်ဘက်ကို ပျံနေတာဆိုတော့ အိန္ဒိယက လေယာဉ်တစ်စီး ရန်ကုန်မြို့ကိုပဲ ဖြစ်ဖြစ်၊ ထိုင်းနိုင်ငံကိုပဲဖြစ်ဖြစ် သွားနေတာ ဖြစ်မှာပေါ့ကွယ်"

"တစ်နေ့နေ့ တစ်ချိန်ချိန်ကျရင် သားတို့ကော လေယာဉ်စီးရဦးမှာလားဟင်"

"သားတို့ ပညာတတ်ကြီးဖြစ်ပြီး ကြိုးစားရင် လေယာဉ်စီးခွင့်ရမှာပေါ့ကွယ်"

"ဘာကို ကြိုးစားရမှာလဲ၊ မေမေရေ့"

"ကျောင်းစာ တော်အောင် ကြိုးစားရမှာကွဲ့။ ကိုကို၊ ညီညီတို့ကို မေမေက စာတော်စေချင်တယ်။ စာတော်မှ မေမေ၊ ဘာဘာတို့လို လယ်သမားတွေ မဖြစ်တော့မှာ။ လယ်အလုပ်က ပင်ပန်းတယ်ကွဲ့။ ဒါကြောင့် သားတို့ကို ပညာတတ်ကြီး ဖြစ်စေချင်တာ လေကွယ်"

အခုတော့ ဘာဘာက ကောက်ရိုးတွေကို ကောက်ရိုးပုံကြီးပေါ် မယတင်နိုင်အောင် မေမေက နွားတွေနောက်က လိုက်နေပြီလေ။ ကိုကို၊ ညီညီတို့က သူတို့ကိုယ်ပေါ် ကောက်ရိုးတွေနဲ့ လာဖုံးလို့ ရယ်ကြရော။ မေမေ့ပြောစကားကို ကိုကို ပြန်တွေးမိရဲ့။ တစ်နေ့နေ့တစ်ချိန်ချိန်ကျရင် သူလည်း လေယာဉ်ကြီးစီးပြီး ခရီးနှင်နိုင်အောင် ကြိုးစားမယ်လို့ဆုံးဖြတ်လိုက်တယ်။ သူတို့မိသားစုထဲမှာ လေယာဉ်စီးဖူးသူ မရှိ။ မေမေပြောသလို

သူ စာကြိုးစားမယ်။ တလင်းနယ်ချိန်မျိုးမှာ လယ်လုပ်ရတာ ပျော်စရာလို့ ထင်ရပေမယ့်
လည်း သူ လယ်သမားတော့မဖြစ်ချင်။

တစ်နေ့တာအလုပ်သိမ်းလို့ နွားတွေကို လယ်ထဲ လှန်ထားပြီးတဲ့အခါ မေမေက
ညနေစာ ချက်ပြုတ်ပါတော့တယ်။ ဘာဘာကတော့ လုပ်ငန်းသစ်တစ်ခု စနေပြီလေ။
ဒီအချိန်ဟာ ကိုကို့အတွက် တလင်းနယ်ချိန်ရဲ့ အကြိုက်ဆုံး နောက်တစ်ပိုင်းပါ။
ဘာဘာက အမှိုးအကာကို ဖြုချပြီး ဝါးလုံးတွေကို သိမ်းထားလိုက်တယ်။ ဝါးနှစ်လုံးကို
ကောက်ရိုးပုံရှေ့က မြေကြီးထဲ လေးပေလောက်ခြားပြီး စိုက်ထူလိုက်တယ်။ ဒီဝါးလုံး
တွေကို နောက်ထပ်ဝါးတစ်လုံးစီနဲ့ သွားချည်လိုက်တယ်။ ဒုတိယဝါးလုံးတွေကို ကောက်
ရိုးပုံထဲဖောက်ပြီး မြေကြီးဘက် ခပ်စောင်းစောင်းလေးထားလိုက်တယ်။ အပေါ်က
ကောက်ရိုးတွေကို ပင့်ပေးထားနိုင်အောင် ဝါးလုံးတွေပေါ်မှာ ဘာဘာက နောက်ထပ်
ဝါးလုံးတွေ ကန့်လန့်ဖြတ်တင်လိုက်တယ်။ အဲဒဆို ဒီနားမှာပဲ ကိုကို့တို့ အိပ်ကြတော့မှာလေ။
ဒီလိုအိပ်ရတာ စိတ်လှုပ်ရှားစရာကောင်းရဲ့။ ဘာဘာက ကောက်ရိုးတွေကိုလိပ်ပြီး
အလုံးဖြစ်အောင် လုပ်နေချိန် ကိုကို၊ ညီညီတို့က တံခါးပေါက်လေးကို ထွက်ချည်ဝင်ချည်
လုပ်ကြတယ်။ ဘာဘာက ကောက်ရိုးလုံးကို တံခါးပေါက်နဲ့ အံကိုက်ဖြစ်အောင် လုပ်
ထားတာမို့ အခုဆို ညဘက် ကောက်ရိုးတဲလေးထဲ နွေးနွေးလေးဖြစ်နေမှာ။ လုံးဝကို
အေးမှာ မဟုတ်တော့။ ပထမညက ကိုကို့တို့ အိပ်ခဲ့တဲ့ အမှိုးအကာလေးက သိပ်အေးတာ။
ဒုတိယညမှာ ထိပ်ပိုင်းကနေ ဘာဘာ ကောက်ရိုးတွေ ထပ်ဖြည့်ပေးလိုက်တာမို့ နည်း
နည်းတော့ ပိုလို့နေသာထိုင်သာရှိသွားရဲ့။ ဒါပေမယ့် အခုတော့ ကောက်ရိုးပုံထဲ အိပ်ရ
တာ နွေးနွေးထွေးထွေးလေး ဖြစ်နေတော့မှာ။

အဲဒီနေ့ညက ညနေစာ စားပြီးတာနဲ့ ကိုကို အိပ်ရာစောစော ဝင်လိုက်ချင်ပြီ။
ကောက်ရိုးပုံထဲ အိပ်ရမှာ စိတ်လှုပ်ရှားနေလို့လေ။ ဒါပေမယ့် မအိပ်ဖြစ်သေး။ ကြယ်တွေ
ထွက်လာတာ ကိုကို ကြည့်နေမိရော။ ဘာဘာ၊ မေမေတို့ကတော့ ရေနွေးကြမ်းသောက်ရင်း
မေမေ ဘယ်အချိန် စေးသွားသင့်တယ်ဆိုတဲ့အကြောင်း ပြောနေကြလေရဲ့။ ကိုကိုက
ညဘက် ကြယ်တွေကို ကြည့်ရတာ ကြိုက်တယ်လေ။

        "ဘာဘာ၊ ဘယ်ကြယ်က ခွပ်ကြယ်လဲဟင်"

        "ခုနစ်စင်ကြယ်ကို လိုက်ရှာလေ၊ ကိုကိုရေ။ ခုနစ်စင်ကြယ်ရဲ့ အဆုံးမှာ ရှိတဲ့
ကြယ်နှစ်လုံးက ခွပ်ကြယ်နဲ့ တစ်တန်းတည်းပဲ"

        ကိုကို လိုက်ရှာကြည့်တော့ ခွပ်ကြယ်ကို တွေ့ရော။ အဲဒီနောက် ညီညီကို
ခွပ်ကြယ် ပြတယ်။

        "ဘင်္လားပင်လယ်အော်ထဲ ညဘက် လူတွေ ပိုက်တန်းသွားကြတဲ့အခါ မျက်စိ
လည်လမ်းမှားသွားတာမျိုး မဖြစ်အောင် ခွပ်ကြယ်ကို အမြဲတမ်းရှာရတယ်ကွဲ့" ဘာဘာက
ကိုကိုကိုပြောတယ်။ "တလင်းနယ်တဲ့အခါလည်း ကြယ်တွေကို အားကိုးရတာပဲ၊ ကိုကိုရေ။

သားတို့ မေမေနဲ့ဘာဘာဆို အရှေ့ဘက်က ဖျောက်ဆိပ်ကြယ်ကိုရှာကြတာ။ ဖျောက်
ဆိပ်ကြယ်ကိုမြင်တာနဲ့ လေးနာရီထိုးပြီ တလင်းနယ်တာ စ,ရတော့မယ်လို့ သိကြတာပေ့ါ။
ဖျောက်ဆိပ်ကြယ်ကို မတွေ့ရင်တော့ ဒီနေ့ အိပ်ရာထနောက်ကျသွားပြီ သိလိုက်ကြ
တာလေ"

"တောလယ်ဘုန်းကြီးကျောင်းက ၄ နာရီတီး တုံးခေါင်းသံ မကြားရလို့လားဟင်"

"တစ်ခါတလေ မေမေတို့ အိပ်ရာက မနိုးရင် မကြားရဘူးပေ့ါကွယ်။ ပြီးတော့
လည်း တစ်ခါတစ်ခါဆို ဘုန်းဘုန်းတွေ တုံးခေါင်းခတ်ဖို့ မ့ဲသွားတတ်တာလေ"

* * * * *

နောက်တစ်နေ့မနက်မှာ ကိုကို အိပ်ရာကနိုးလာပြီ ကောက်ရိုးတံခါးကို ဆွဲဖွင့်
လိုက်တယ်။ အပြင်မှာ တဟား မိုးလင်းနေတာ ကြည့်ပြီး အံ့ဩနေမိရဲ့။ ကောက်ရိုးတွေ
ထဲမှာတုန်းက သိပ်မှောင်နေတော့ နေအတော်မြင့်နေမှန်း သူ မသိခဲ့။ ကောက်ရိုးအမိုး
အကာပြင်ပမှာ လေတွေအရမ်းအေးနေတာလည်း သူ တအ့ံတဩဖြစ်မိရဲ့။ နွားတွေ
နောက်ကို ဘာဘာလိုက်နေတာမြင်လိုက်တယ်။ ရွှေးနေအောင် အရွှေးထည် ဝတ်ထား
တာလည်းတွေ့ရဲ့။

"ဘာဘာ၊ မေမေ ဘယ်မှာလဲဟင်"

"သားရဲ့၊ မေမေ သရက်ချိုစျေးကို သွားတယ်ကွဲ့။"

ကိုကိုက ဘေးဘီဝဲယာ ကြည့်လိုက်တော့ ကောက်ရိုးလိပ်တွေပေါ်က ပူတုတ်ထံ
ငါးတွေကို သတိပြုမိသွားတယ်။ ဘာဘာနဲ့ မေမေတို့ မနက်အစောကြီး ငါးသွားဖမ်း
ခဲ့ကြပုံပါပဲ။ မေမေက ငါးတွေသွားရောင်းတာနေမှာ။ ပြီးတော့ မနေ့က ရလာတဲ့
ရေနံဆီတွေလည်းရောင်းမှာပေ့ါ။ မီးဖိုဘေးမှာ ငါးတွေ ကိုယ်စီထိုးသီထားတဲ့ တံစို့သုံး
ချောင်းကို မြေကြီးထဲ ထိုးစိုက်ထားလေရဲ့။ ငါးတွေ ကင်ထားတာပါ။

သိပ်မကြာခင် မေမေ စျေးကပြန်လာရော။ မုန့်တီဖတ်တွေနဲ့ တခြားပစ္စည်းတွေ
ပါလာလေရဲ့။ မေမေက မုန့်တီဖတ်ကို တံစို့မှာ ထိုးထားတဲ့ ငါးကင်နဲ့ ချက်ပါတော့တယ်။
အလုပ်လုပ်ရင်း မေမေက စကားတွေလည်း လျှမ်းပြောနေတယ်။

"ကျားပုစွန်အတွက် စျေးကောင်းရခဲ့တယ်ရှင့်။ ပြီးတော့ ငါးတွေ၊ ပုစွန်တွေ
အတွက်ရောပဲ"

"ဘယ်တုန်းက ငါးသွားဖမ်းလိုက်တာလဲ၊ မေမေ"

"သားတို့ အိပ်နေတုန်းကလေ။ သားရဲ့ ဘာဘာနဲ့ မေမေတို့ ဒီနားတဝိုက်ကို
သွားကြတာ။ မေမေက ဘာဘာအတွက် ရေနံဆီမီးခွက်ကိုင်ထားပေးတယ်။ သူက
ရေထဲ မတ်တပ်ရပ်နေရလို့ တအားအေးနေတာ။ တုန်တောင်တုန်နေတာလေ။ ဒါပေမယ့်
သားရဲ့ဘာဘာက ငါးတွေအများကြီးရှိမယ့် ဖြားစ,တက်ချိန်ကို အတိအကျ သိထား

လို့ပေါ့”

“ဘာဘာ ဖျားမှာလားဟင်”

“မဖျားပါဘူးကွယ်။ ငါးဖမ်းပြီးတာနဲ့ တဲဘက် ပြန်လာကြတယ်လေ။ သားတို့ ဘာဘာက ကောက်ရိုးတွေလက်နဲ့ တစ်ပွေ့ကြီးဆွဲယူပြီး မီးဖိုကြီးတစ်ဖို ဖိုတယ်။ မီးက အမြင့်ကြီးဆိုတော့ ပူလည်း ပူတာပေါ့။ အဲဒီမီးပုံကြီးနားမှာ မီးလှုံလိုက်တာပေါ့ကွယ်”

မေမေက မနက်စာ ချက်ပြုတ်ပြီးပြီ။ ရခိုင်မုန့်တီကို ရိုးရာနည်းအတိုင်း ချက်ရင် သင်းဘုတ်ထွန်းနဲ့ ချက်ကြတာ။ ဒါပေမယ့် ငါးကင်နဲ့လည်း အရသာရှိသားပဲ။ ကိုကို၊ ညီညီတို့က ရခိုင်မုန့်တီကို မြိန်ရည်ယှက်ရည် စားလိုက်ကြတယ်။ မေမေ မုန့်တီစားပြီးတဲ့ အခါ ဘာဘာလည်း မုန့်တီစားနိုင်အောင် နွားတွေနောက်က ဘာဘာ့နေရာကို ဝင်ယူ လိုက်တယ်။ အဲဒီကိစ္စ ပြီးတော့ မေမေက နေ့လည်စာအတွက် ထမင်းနဲ့ တခြားငါးတွေ၊ ဟင်းတွေကို စ,ချက်ပါတော့တယ်။ ဒီနေရာလေးကို ရောက်နေတာ ကံကောင်းလိုက်တာလို့ ကိုကို တွေးမိရဲ့။ ဘာဘာက နွားတွေအတွက် ရေချို ရှိတဲ့ လယ်ကွက်မှာ အလုပ်လုပ်နေ တာလေ။ ပြီးတော့ ခဏလေးလျှောက်လိုက်ရင် ရောက်တဲ့ အကွာအဝေးမှာ ရေတွင်း တစ်တွင်းလည်းရှိလေရဲ့။ ငါးဖမ်းဖို့ ရေငန်ချောင်းတစ်ခုလည်း အနားမှာရှိပြန်တယ်။ ဘာဘာ ဆောက်လိုက်တဲ့ ပထမအမိုးအကာရဲ့ ခေါင်မိုးအတွက် ရီအုန်းလက်တွေလည်း ရလေရဲ့။ ဒီနေရာမှာ အားလုံး အဆင်ပြေတယ်။ လယ်ကွက်ထဲ လာနေတဲ့ တခြားသူ တွေက ကိုကိုတို့လောက် ကံမကောင်းကြ။

ကောက်လှိုင်းတွေက တစ်နေ့တခြား နိမ့်နိမ့်လာသလို နွားခွာအောက်က စပါးပုံ လည်း မြင့်မြင့်လာလေရဲ့။ ကောက်ရိုးပုံလည်း ကြီးကြီးလာပေါ့။ တလင်းနယ်တာ ပြီးဖို့ တစ်ပတ် ကြာပါတယ်။ အခုတော့ တလင်းသိမ်းပွဲလုပ်ဖို့ အချိန်ကျပြီလေ။

မေမေက ရွာပြန်ပြီး ဘောင်ဘောင်၊ ခဲအိုနှစ်ယောက်၊ အရီးဒေါ်ပုချေမ၊ ဦးသိန်းမောင်နဲ့ သူ့ဇနီး ဒေါ်ကျော့ယဉ်ချေတို့ကို နောက်တစ်နေ့ လယ်ထဲသို့ ကြွလာဖို့ သွားဖိတ်တယ်။ မေမေက မနက်ဖြန် ချက်ဖို့ ကောက်ညှင်းဆန်နဲ့ အုန်းသီး ဝယ်လာတယ်။ ဘာဘာ၊ မေမေတို့က တလင်းပြင်ထဲ စပါးတွေ ပြန့်မနေအောင် ပုံထားလိုက်တယ်။ မနက်ကျတော့ လူတွေ တလင်းသိမ်းပွဲ လာကြတယ်။ အုန်းသီးဆံနဲ့ နှမ်းလှော် ဖြူးထားတဲ့ ကောက်ညှင်းထမင်းကို ခွက်တစ်လုံးထဲ ထည့်ပြီး စပါးပုံထိပ်မှာ တင်လိုက်တယ်။ စပါးတွေ အောင်အောင်မြင်မြင် ရိတ်သိမ်းနိုင်လို့ ကျေးဇူးတင်တဲ့အနေနဲ့ရော နောက်နှစ် စပါးတွေ အထွက်တိုးစေဖို့ တောင်းဆိုချင်တဲ့အတွက်ပါ ကောက်ရိတ်သိမ်းနတ်ကို ပူဇော်တာပေါ့လေ။ ကျန်တဲ့ ကောက်ညှင်းတွေကို ပန်းကန်ပြားကြီးလေးငါးခုမှာ ထည့်ပြီး အားလုံး မျှဝေစားဖို့ ပေးလိုက်တယ်။ ပြီးရင် ရေနွေးကြမ်း တည်တာလေ။

မုန့်ပဲသွားရေစာ စားပြီးနောက် ဘကြီးဦးအောင်ဖိုးသန်းက စပါးပုံအမြင့်ကို တုတ်တစ်ချောင်းနဲ့ တိုင်းကြည့်တယ်။ အဲဒီနောက် တုတ်ချောင်းကို သူ့ခန္ဓာကိုယ်နား

ကပ်ကိုင်ထားရင်း ဘာဘာကို ပြောလိုက်တယ်။

"ခါးပိုက်နားထိ ရောက်တဲ့ပုံပဲ"

ခါးပိုက်ဆိုတာ လုံချည်ကို ခါးနားပတ်ချည်ပြီး ခါးပိုက်စည်းထားတဲ့ နေရာကို ပြောတာလေ။ ဘာဘာက ပြန်ပြောတယ်။

"အဲလိုဆို စပါးတောင်း ၄၀၀ လောက်တော့ ရှိမှာပေါ့"

စပါးအထွက်နှုန်းကို ဘာဘာ ကျေနပ်နေမိရဲ့။ ဦးသိန်းမောင်လည်း ပျော်နေပါတယ်။ ဘာဘာက အလုပ်ကောင်းကောင်း လုပ်သလို စပါးပျိုးထောင်တဲ့ အဆင့်ကနေ ကောက်ရိတ်သိမ်းချိန်အထိ စပါးခင်းကို ဘယ်လိုဂရုစိုက်ရမယ်ဆိုတာ သိလို့လေ။ လယ်သမားမှာ စပါးအထွက်တိုးရင် လယ်ရှင်လည်းအကျိုးခံစားရတာကိုး။

နို့ဆီဘူးတစ်ဘူးနဲ့ စပါးတွေ ၃၂ ကြိမ် ခြင်ထည့်ရင် စံသတ်မှတ်ထားတဲ့ တစ်တောင်းအပြည့်ရတယ်လို့ ကိုကို သိထားတယ်။ စပါးပုံအမြင့်ကိုကြည့်ပြီး စပါး ဘယ်နှစ်တောင်းရမယ်လို့ ဘာဘာတွက်တတ်မှန်း ကိုကို သိထားသေးရဲ့။ စပါးပုံက ပေါင်လောက်မြင့်ရင် စပါးတောင်း ၁၀၀ လောက်ရှိမယ်။ ဒူးဆစ်လောက်မြင့်ရင် စပါးတောင်း ၄၀ လောက်ရှိမှာလေ။

နေ့လည်စာ စားပြီးတဲ့အခါ မေမေ၊ ဘောင်ဘောင်၊ အရီးဒေါ်ပုချေမ၊ ဒေါ်ကျော်ယဉ်ချေနဲ့ ဒေါ်ကျော်ယဉ်ချေရဲ့ မိတ်ဆွေနှစ်ဦးတို့ ဝါးပင်တွေအောက်က အရိပ်ထဲထိုင်ပြီး လေအလာကို စောင့်နေကြတယ်။ အခုဆို သူတို့ စပါးလွှင့်(စပါးလှေ့) ကြတော့မှာလေ။ လေတိုက်လာတဲ့အခါ မတ်တပ်ရပ်ပြီး စပါးတွေကို စကောနဲ့တဖြည်းဖြည်း လောင်းချကြတယ်။ ဒီလို စပါးလွှင့်တော့ စပါးဖျင်းတွေ လေနဲ့လွှင့်သွားကြရော။ စပါးလွှင့်နေသူတစ်ဦးစီမှာ စပါးပုံတစ်ပုံစီရှိလေရဲ့။

တစ်ခါတလေဆို လေချွန်ပြီး လေခေါ်သံ ကြားရရဲ့။ လေကို မျှားခေါ်ရပါတယ်။ လေမတိုက်ရင် စပါးအဖျင်းတွေ လေထဲလွှင့်သွားမှာမဟုတ်တော့။ ဒါပေမယ့် မကြာမကြာ လေခေါ်စရာမလိုကြ။ ဘာဘာက အဲဒီနား တလင်းနယ်တဲ့အကြောင်းရင်း နှစ်ခုရှိတယ်။ တစ်ခုက သစ်ရိပ်ဝါးရိပ်အောက်မှာ ဖြစ်လို့ပါ။ နောက်တစ်ချက်က တောင်ကုန်းပေါ်မှာ ဖြစ်လို့ပါ။ တောင်ကုန်းတွေက မြေပြန့်ထက် လေတွေ ပိုတိုက်တာကိုး။ စပါးအားလုံးကို လွှင့်(လှေ့) ပြီးဖို့ သုံးရက်တိတိ ကြာပါတယ်။

ဒီအချိန်အတွင်း ဘာဘာက အိမ်မှာပဲ နေပြီး စပါးထည့်လှောင်ဖို့ စပါးရိုင်တစ်ခု ဆောက်နေတယ်။ စပါးကို အိမ်သို့ကူသယ်ယူဖို့အတွက်တော့ အိမ်နီးချင်းတွေ၊ မိတ်ဆွေတွေကို အကူအညီတောင်းလိုက်တယ်။ ဦးသိန်းမောင်က လယ်ပိုင်ရှင်ဖြစ်တာကြောင့် စပါးတောင်း ၁၀၀ ပြည့်တိုင်း သူက ၃၅ တောင်းရတယ်။ မိတ်ဆွေတွေနဲ့ အိမ်နီးချင်းတွေက ဘာဘာလုပ်ထားတဲ့ စပါးရိုင်ထဲသို့ရော ဦးသိန်းမောင်ရဲ့အိမ်သို့ရော စပါးတောင်းတွေ ကူသယ်ပေးကြလေရဲ့။

ကောက်ရိတ်သိမ်းလို့ ရလာတဲ့ စပါးတောင်းစုစုပေါင်းက ၄၂၀ လေ။ ဘာဘာ ခန့်မှန်းချက် မှန်တာပေါ့။ ဘာဘာက လက်ဝဲဘက်ချောင်းကမ်းက လယ်ကွက်မှာ စပါးရိတ်ပြီးရင်လည်း စပါးတွေကို အလားတူ ခွဲယူကြမှာပါ။ ပြီးရင် ကျန်တဲ့ အလုပ်က တစ်ချို့တစ်ဝက်ကို မြန်မာအစိုးရထံ "ရောင်းချ"ဖို့ပါ။ ပိုးကျိုင်းကောင်တွေ ဖျက် လို့ပဲဖြစ်ဖြစ်၊ မိုးရွာလို့ပဲဖြစ်ဖြစ် စပါးတွေ ပျက်စီးသွားရင်တောင် အစိုးရက တစ်ဧက စပါး ၁၂ တောင်းနှုန်းနဲ့ တောင်းနေကျလေ။ သီးနှံပျက်စီးသွားတယ်ဆိုရင် မြေပိုင်ရှင်က အစိုးရထံ ငွေကြေး ပေးချေရသေးရဲ့။ ဒါပေမယ့် အစိုးရထံ စပါးရောင်းချတဲ့ နှစ်တွေ တလျှောက် ဘယ်လယ်သမားကိုမှ သင့်တင့်မျှတတဲ့ ငွေကြေးပမာဏကို မပေးချေကြ။ မကြာခဏဆိုသလို ကြုံရတတ်တာက ပိုက်ဆံတစ်ပြားတစ်ချပ်မှ မရတာပါပဲ။

ဦးသိန်းမောင်က လယ်နှစ်ကွက်လုံးပေါင်း စုစုပေါင်း လေးဧက ရှိလေတော့ အစိုးရက စပါး ၄၈ တောင်း "ဝယ်"မှာပေါ့လေ။ ဘာဘာနဲ့ ဦးသိန်းမောင်တို့က အစိုးရ "ဝယ်"မယ့် စပါးတွေကို တစ်ယောက်တစ်ဝက် ခွဲပေးကြဖို့ သဘောတူထားကြတာလေ။ ဒါကြောင့် ဘာဘာ၊ မေမေတို့က ကန်တိုင်းအထိ ငါးမိုင်ခရီးကို ခြေကျင်လျှောက်ပြီး စပါး ၂၄ တောင်း သွားရောင်းကြရပါတယ်။ အစိုးရရဲ့ အဂတိလိုက်စားတဲ့ နည်းလမ်းတွေ ရှိပေမယ့်လည်း ဘာဘာနဲ့ မေမေတို့ တစ်နှစ်ပတ်လုံး စားစရာ စပါးတွေအလုံအလောက် ရတဲ့အပြင် ပိုလျှံလို့ အမြတ်အစွန်းရအောင် ရောင်းတောင် ရောင်းနိုင်ပါသေးရဲ့။ ဒီနှစ် စပါးအထွန်နှုန်းက ပေါပေါများများရတယ်လို့ ဆိုနိုင်ပါတယ်။

* * * * *

ရေနံတူးဖော်ခြင်း

ရမ်းပြဲကျွန်းတစ်ကျွန်းလုံးမှာ လျှပ်စစ်ဓာတ်အား မရသေး။ မီးစက်တွေဆိုတာ ကလည်း ရှားတော့ ရှင်ပြုပွဲတွေ၊ ပွဲတော်တွေလို အထူးပွဲတော်မျိုး၊ ဗွီဒီယိုရဲ့ ဖွင့်တာမျိုး တို့မှာပဲ အသုံးပြုကြတာလေ။ ဒါကြောင့် ရေနံဆီက သိပ်အရေးပါနေတာပေါ့။

ဘာဘာက ကိုကို မမွေးခင်ကတည်းက ရေနံဆီတွေ တူးလာတာ။ ရေနံတူးဖို့ ဆိုရင် အဖွဲ့သား ၅ ယောက် ပါရပါတယ်။ ဘာဘာတို့အဖွဲ့မှာ ဘာဘာ၊ အစ်ကို့နှစ်ယောက် ဖြစ်တဲ့ ဦးအောင်ဖိုးသိန်းနဲ့ ဦးအောင်ဖိုးသန်း၊ ဝမ်းကွဲညီ ဦးအောင်စိုးတင်၊ ဘာဘ့ မိတ်ဆွေ ဦးမောင်မှတ်အေးတို့ပါတယ်။ ရေနံတွေ့ပြီဆိုရင် ၇ ပုံ ပုံရတယ်။ အဖွဲ့ဝင် တစ်ယောက်စီက တစ်ယောက်တစ်ပုံ၊ မြေပိုင်ရှင်က တစ်ပုံ၊ ရေနံတူးဖို့ ပစ္စည်းကိရိယာ ထောက်ပံ့ပေးသူတွေက တစ်ပုံပေါ့လေ။

ဘယ်အချိန်မှာမဆို ဘာဘာက သူ ကူတူးပေးတဲ့ ရေနံတွင်း လေးငါးတွင်းက ရေနံဆီတွေ ခပ်နေကျလေ။ ညီညီ မွေးဖွားတဲ့အချိန်လောက်မှာ တောလယ်ရွာက မေမေ့ဘောင်ဘောင်တို့မြေမှာတောင် ရေနံတွင်း ကူတူးပေးဖူးသေးရဲ့။ အဲဒီရေနံတွင်းက လည်း ရေနံတွေ့ရနေဆဲ။ ဒါပေမယ့် ရေနံအထွက်နည်းလာတော့ သူ့အမေရဲ့ မြေမှာ ရေနံတွင်းသစ် ရှာတူးဖို့သွားချင်နေတယ်။ ရေနံတွင်းသစ်တွေ့ရင် အဖွဲ့သားတွေနည်းတူ သူလည်း ဝေစုတစ်စုရမှာကိုး။ ဘကြီးဦးအောင်ဖိုးသန်းက အကြံတစ်ခုရတယ်။ သူ့ အမေရဲ့ မြေတစ်ဘက်ကမ်းမှာ လွန်ခဲ့တဲ့နှစ်အတော်ကြာက ကြီးကျယ်ခမ်းနားတဲ့ ရေနံ တွင်းတွေ အစိုးရကတည်ဆောက်ထားခဲ့လေတော့ မြေရဲ့အစွန်ဖျားပိုင်းမှာ ရေနံတူးဖို့ နေရာလိုက်ရှာတာ အကောင်းဆုံးဖြစ်မယ်လို့လေ။

ပထမဦးစွာ ဘာဘာနဲ့ အဖွဲ့သားတွေက အသားထူထူ၊ ခပ်ဖြောင့်ဖြောင့် ဝါးပင် ရှည်တစ်ပင်လိုက်ရှာပြီး ခုတ်လှဲရတယ်။ ဒီဝါးပင်ရှည်ဟာ ရေနံတွင်းတူးတဲ့ ချိုင့်ရဲ့

အလေးကို ခံနိုင်ရည်ရှိအောင် ခိုင်မာတောင့်တင်းရပါမယ်။ အဲလို ဝါးလုံးမျိုး ၅ လုံးကို ဘောင်ဘောင်တို့မြေက ရှာဖွေခုတ်လှဲပြီးတဲ့အခါ ပေ ၃၀ လောက် အမြင့်ရှိတဲ့ ကတော့ချွန်သဏ္ဍာန် အကြမ်းထည်ရအောင် ထိပ်မှာမြဲမြံစွာစုချည်ရတယ်။ အဲဒီနောက် ထိပ်မှာ စက်သီးတစ်လုံး တပ်ရပြန်တယ်။ စက်သီးကို ခိုင်မာတောင့်တင်းတဲ့ သစ်သားစတစ်ခုကနေ စက်သီးပုံစံထွင်းပြီး လုပ်ထားတာလေ။ စက်သီးကို တပ်ဆင်ရာမှာ တကယ့်ကို ခိုင်အောင် လုပ်ထားရပါတယ်။ မတော်တဆ စက်သီးပြုတ်ကျပြီး လူတစ်ယောက်ကိုထိမိရင် အသက်သေဆုံးတဲ့အထိ ဖြစ်နိုင်လို့ပါ။ မိုးရာသီမှာ ရေနံမြန်း မိုးလုံလေလုံဖြစ်အောင် အုန်းပျစ်မိုးထားရလေရဲ့။ ဒါပေမယ့် နွေရာသီမှာဆို အုန်းပျစ်မိုးထားလို့ ရေနံမြန်းအောက် တအား ပူပါတယ်။ ဒါကြောင့် ဘာဘာနဲ့ အဖွဲ့သားတွေက အရိပ်ရအောင် အုန်းလက်ခြောက်တွေနဲ့ ခေါင်မိုး မိုးထားကြလေရဲ့။

ရှေးဦးစွာ အဖွဲ့သားတွေက ရေနံမြန်းအောက်မှာ ရေတွင်းတူးသလိုမျိုး လေးပေခန့်ကျယ်ပြီး ၂၅ ပေအနက်ရှိတဲ့ တွင်းတစ်တွင်းကို ဂေါ်ပြားတွေနဲ့ တူးရတယ်။ အဲဒီတွင်းကို 'ခေါင်းတွင်း'လို့ ခေါ်တယ်။ အဲဒီနောက် ခြိုင့်ကိုအသုံးပြုရတယ်။ ခြိုင့်ကို စက်သီးမှာ ရစ်ပတ်လိုက်တယ်။ သံဖြူအခေါင်းတစ်ခုကို သစ်သားတိုင်တစ်ချောင်းမှာ ချည်ပြီး ခြိုင့်ကိုလုပ်ထားလေရဲ့။ ကျန်တဲ့ တွင်းပိုင်းကို ခြိုင့်နဲ့ပဲတူးကြတာလေ။ ကြိုးကိုဆွဲပြီး ခြိုင့်ကို အပေါ်ဆွဲတင်၊ ပြီးရင် မြေကြီးထဲပြန်ချလုပ်ကြတယ်။ ၂၅ ပေလောက် ခြိုင့်နဲ့ တူးပြီးတဲ့အခါ ရေနံတွင်းရဲ့ ထိပ်ပိုင်း ပေ ၅၀ ရေလုံစေဖို့ မြေကြီးထဲကို သံခေါင်းပိုက်တစ်ခုကိုထောင်းချရတယ်။ ခြိုင့်ကိုနှုတ်လိုက်ပြီးရင် သံခေါင်းပိုက်မြေကြီးထဲ မြုပ်သွားအောင် ထောင်းချဖို့ သစ်လုံးကြီးတစ်လုံးကို အစားထိုးအသုံးပြုလိုက်တယ်။ ရေနံတူးသားတွေက ရေနံတွင်းအတွက် သံခေါင်းပိုက်ကို ရေနံတူးသလို သစ်တုံးကြီးနဲ့ ဂေါ်ပြားနဲ့ တူးထားတဲ့ ခေါင်းတွင်းအောက်ခြေထိ ရောက်အောင် ထောင်းချကြတယ်။ နောက်ထပ် သံခေါင်းပိုက်တစ်ခုကို ခေါင်းတွင်းထဲ သံပိုက်နဲ့ ဆက်ရပြန်တယ်။ ပြီးတဲ့အခါ ဂေါ်ပြားနဲ့ တူးထားတဲ့တွင်းကို ပြန်ထိန်လိုက်တယ်။ ခုတော့ အပေါ်က ဆက်ထားတဲ့ ရေနံသံခေါင်းပိုက်က မြေကြီးပေါ်မှာ တစ်ပေလောက်ရှည်ထွက်နေပြီ။ ခုဆို ရေနံတွင်းစတူးလို့ရပါပြီ။ ဒီတစ်ခါတော့ ရေနံတူးခြိုင့်ကို ရေနံတွင်းသံပိုက်တွေထဲ ထည့်ပြီး ပေ ၅၀ ကျော်အောင်ထိ ရေနံတူးနိုင်ပြီပေါ့လေ။ ဘာဘာနဲ့ ရေနံတူးအဖွဲ့သားတွေ လအတော်ကြာကြာ နေ့တိုင်း ရေနံတူးကြတယ်။ ရေနံဆီထွက်ဖို့ (ရေနံတွေ့ဖို့) ဘာဘာတို့ ဆက်တူးရမှာက ပေ ၇၀ လား၊ ပေ ၉၀ လား၊ ပေ ၂၀၀ လားဆိုတာ တပ်အပ်မသိနိုင်။ ဘာဘာ တစ်ခါပြောဖူးတာက လူတွေတူးဖူးသမျှထဲမှာ အနက်ဆုံးရေနံတွင်းက ပေ ၄၀၀ တောင် နက်တယ်ဆိုပဲ။ ပြီးတော့ တကယ်လို့သာ ရေနံတူးရင်း ကျောက်တန်းကြီးတစ်ခုနဲ့တွေ့ပြီး ဆက်လို့ ကျောက်ကို ဖောက်မတူးနိုင်တော့ဘူးဆိုရင် နောက်ထပ်အသစ်တစ်တွင်းကိုရှာပြီး တစ်ကနေ စလို့ ပြန်တူးရမှာတဲ့လေ။

တစ်နေ့တော့ မနက်အစောကြီး ကိုကိုက ဘာဘာနဲ့ လိုက်သွားတယ်။ ဘာဘာက လွယ်အိတ်တစ်လုံး ပုခုံးမှာ လွယ်လို့။ ဓားမတစ်ချောင်းလည်း ကိုင်ထားရဲ့။ နွားတွေကို ချောင်းရဲ့ နီးတဲ့ဘက်ကမ်းက လယ်ကွင်းမှာ လွှန်ပြီးနောက် တောင်တောင့်မြေဘက်ဆီ ဆက်သွားကြတယ်။

ရုတ်တရက် ကိုကိုက ရဲ့ . . . ဆိုတဲ့ အသံကျယ်ကြီးကိုကြားလိုက်ရတယ်။ ဒီအသံဟာ အစိုးရရေနံတွင်းကလာတဲ့ အသံဆိုတာ ကိုကို သိလိုက်တယ်။ ရေနံတွင်းကို မြင်ရတာ စိတ်လှုပ်ရှားဖွဲ့တော့အကောင်းသား။ အိမ်မှာဆို တစ်ရက်ခြားတစ်ခါလောက် ဒီရေနံတွင်းက မြည်သံကို ကြားရတယ်။ ဒါပေမယ့် မျက်မြင်ဒိဌ မမြင်ဖူးခဲ့။ ဒါက အစိုးရပိုင် အမှတ်(၁)ရေနံတွင်းလေ။ ရေနံတွင်းဘက်သို့ ကိုကိုတို့ လျှောက်လာကြတယ်။ ကွန်ကရစ်တိုင်တွေ၊ သံဆူးကြိုးတွေနဲ့ ခြံစည်းရိုးကာရံထားတာတွေ့ရဲ့။ ခြံစည်းရိုး အတွင်းမှာတော့ ရေနံတွင်းရှိတယ်။ လူငါးယောက်နဲ့ ဆီစည်လေးလုံးကို လှမ်းမြင်ရဲ့။ ဆီစည်တွေကိုဖြည့်ဖို့ ရေနံတွင်းထဲမှာ လေဖိအားကို လွှတ်ထုတ်ရပါတယ်။ အဲဒီကနေ ရဲ့ . . . ဆိုတဲ့ အသံ မြည်လာတာလေ။ အဲဒီလို လွှတ်ထုတ်ပြီးတဲ့အခါ ရေနံတွင်းထဲက ရေနံတွေ ထွက်လာပြီး ဆီစည်ထဲ ဝင်ပါတယ်။ ဒီလိုနဲ့ ဆီစည်တွေမှာ ဆီဖြည့်ကြမှာပေါ့လေ။

ရေနံတွင်းနောက်ဘက်မှာ ဆီးပင်နှစ်ပင် ရှိပါတယ်။ ဆီးပင်တွေနောက်မှာတော့ သတ္တုနဲ့ လုပ်ထားတဲ့ ဆီသိုလှောင်ကန်နှစ်လုံးရှိလေရဲ့။ ဒီဆီသိုလှောင်ကန်တွေမှာ ဆီတွေကို သိုလှောင်ထားပြီးမှ သန့်စင်ဖို့ ပိုက်သွယ်ထုတ်ကြတာလေ။ ဒါပေမယ့် အခု တော့ ရေနံတွင်းက ရေနံတွေအရင်လောက်မရတော့လို့ ဒီဆီသိုလှောင်ကန်တွေမှာ ဆီတွေမရှိကြ။ တစ်ရက်ခြားစီ စည်ပိုင်း ၄ လုံးပဲပြည့်တော့တယ်။ ဒီဆီးသီးတွေက ရေနံတွင်းဆီးပင်က ခူးလာတာ လူတွေ ပြောလာရင် ဘာကို ဆိုလိုမှန်း ကိုကို နားလည် ပြီပေါ့လေ။

ကိုကိုက အစိုးရပိုင် ပြောင်လက်နေတဲ့ ရေနံတွင်းကို ကြည့်လိုက်တယ်။ ရေနံတွင်းက သတ္တုနဲ့လုပ်ထားပြီး ထူးဆန်းတဲ့ပုံသဏ္ဌာန်ရှိလေရဲ့။ ရိုးရာ ရေနံတွင်းတွေလို စက်သီးတွေလည်းမပါ၊ ဝါးအဆောက်အဦလည်း မရှိ။ ထူးဆန်းတဲ့ လက်ကိုင်ဘုတွေ၊ သတ္တုပိုက်ကွေးလေးတွေ ရှိလေရဲ့။ ဒီရေနံတွင်းက တောင်တောင့်မြေမှာ မပါ။ တခြား ရိုးရာရေနံတွင်းတွေကို တစ်နေရာတည်းမှာ ဘယ်လိုတူးကြလဲဆိုတာ ကိုကို မြင်ရဲ့။ အခုဆို နောက်ထပ် ရေနံတွင်းတွေတောင်တူးနေပြီလေ။

"ဘာဘာ၊ ဒီရေနံတွင်းကို အမှတ် (၁) ရေနံတွင်းလို့ ဘာကြောင့် ခေါ်တာလဲဟင်"

"ကျောက်တွေကို မြန်မာ့ရေနံကော်ပိုရေးရှင်း (MOC) အရင်ဆုံး ရောက်လာ ချိန်က တူးခဲ့တဲ့ ပထမဆုံးရေနံတွင်းဖြစ်လို့ပေါ့၊ ကိုကိုရေ။ MOC က မြန်မာနိုင်ငံ စက်မှုဝန်ကြီးဌာနအောက်မှာ လုပ်ကိုင်နေတာဖြစ်လို့ တူးချင်တဲ့နေရာမှာ ရေနံတူးကြ တယ်။ ပြောရမယ်ဆိုရင်ကွာ တခြားသူတွေပိုင်ဆိုင်တဲ့ ရေနံတွေကိုယူကြတာပေါ့။

MOC က အရာရှိတွေကတော့ ဘုန်းကြီးကျောင်းဝင်းထဲ ရေနံတွေ့ရင် ဘုန်းကြီးကျောင်းကို ရွှေ့ပေးရမယ်လို့တောင် ပြောကြတယ်တဲ့"

ဒီအကြောင်းကြားရတာ ကိုကို အံ့ဩမိရဲ့။ ဘုန်းတော်ကြီးတွေဆိုတာ ဘုရား သားတော်တွေလို့ မှတ်ယူကြတာလေ။ ဘုန်းတော်ကြီးတွေကို သိတင်းသုံးရာ ဘုန်းတော် ကြီးကျောင်းကနေထွက်သွားဖို့ အတင်းအဓမ္မလုပ်ဆောင်တာဟာ ရေနံအရာရှိတွေ တဘားဆိုးသွမ်းတာကို ပြနေတာပါပဲ။

ကိုကိုက ခြေစည်းရိုးထဲဝင်သွားပြီး အမှတ်(၁)ရေနံတူးဖော်ရေးစခန်းကို အနီးကပ် သွားကြည့်ချင်တယ်။ ဒါပေမယ့် ဘာဘာက ခွင့်ပြုမှာမဟုတ်မှန်း သိထားတယ်။

စည်ပိုင်းတစ်ပိုင်းကို ရေနံဖြည့်ပြီးနောက် လူနှစ်ယောက်က ဒီစည်ပိုင်းကို သယ်ထုတ်သွားကြတယ်။ ဘာဘာက လျှောက်ထွက်လာတယ်။ ကိုကိုကလည်း နောက်က လိုက်ခဲ့တယ်။ အောင်ဘောင့်မြေမှာ လယ်ကွင်းလေး နှစ်ကွင်းရှိတယ်။ ရိုးရာရေနံတွင်း တွေ့ကို ဟိုနေရာတစ်တွင်း ဒီနေရာတစ်တွင်းတွေ့ရလေရဲ့။

ဒီရေနံတွင်းဟာ အရင်တုန်းက ဘာဘ့အဖေဘက်က ပိုင်ခဲ့တာ၊ ကိုကိုရေ

ကိုကိုက ကွမ်းသီးပင်တွေအများကြီး ပေါက်နေတာ မြင်ရတယ်။ ထူးတော့ ထူး ဆန်းသား။ ကွမ်းသီးပင်တွေကို ရွာထဲမှာပဲ စိုက်ကြတာလေ။ သူတို့အသက်မွေးဝမ်း ကျောင်းအတွက် စိုက်ကြတာပါ။

"ကွမ်းသီးပင်တွေက ဘာလို့ ဒီရောက်နေတာလဲဟင်"

"ဘာဘ့အဒေါ် စိုက်ထားတာ၊ ကိုကိုရေ"

ကိုကိုတို့ ဆက်လျှောက်လာကြတယ်။ ဘာဘာက သူနဲ့အဖွဲ့သားတွေ အခု တူးနေတဲ့ ရေနံမြန်းနားသို့ ကိုကို့ကိုခေါ်သွားတယ်။ ရေနံမြန်းကိုဆောက်ရာမှာ သုံး ထားတဲ့ ဝါးလုံးတွေက အဲဒီက အရပ်အရှည်ဆုံးလူရဲ့ အရပ်ငါးပြန်လောက်မြင့်တာ ကိုကို တွေ့ရရဲ့။ ဦးမောင်မှတ်အေးက အဲဒီနားမှာ စောင့်နေပြီ။ ဦးအောင်စိုးတင်က ဘာဘာ၊ ကိုကိုတို့နောက်ကနေ အုန်းမှတ်ခွက်ဖိုးပါတဲ့ ရေအိုးတစ်လုံးသယ်ပြီး လိုက်ပါ လာတယ်။ ရေအိုးက ရေဆာချိန် သောက်ဖို့ပေါ်လေ။ သိပ်မကြာလိုက်။ ဘကြီး ဦးအောင် ဖိုးသိန်းနဲ့၊ ဘကြီးဦးအောင်ဖိုးသန်းတို့ ပေါက်ချလာကြရော။

ထိုင်ကြည့်ဖို့ နေရာကောင်းလေးတစ်ခု ကိုကို တွေ့သွားတယ်။ သူ့ဘကြီးဖြစ်တဲ့ ဦးအောင်ဖိုးသိန်းက မေးလိုက်တယ်။

"ဟေ့ -ကိုကို၊ မင်းရဲ့ ဘာဘာ ရေနံတူးတာ ကြည့်ချင်လို့ လာတာလားကွ"

ကိုကိုက ခေါင်းညိတ်ပြီး ပြန်ဖြေလိုက်တယ်။

"ပြီးတော့ အမှတ် (၁) ရေနံတွင်းနဲ့ ရေနံတွင်းဆီးပင်တွေကိုလည်း ကြည့်ချင်လို့ ပါဗျ"

အဆောက်အဦထဲမှာ ရွဲ့အိုင်လေးတစ်ခုရှိလေရဲ့။ ဦးမောင်မှတ်အေးက ရွဲ့အိုင်

လေးနားထိုင်ချလိုက်တယ်။ ခြိုင့်နဲ့တွဲဆက်ထားတဲ့ ခိုင်မာတဲ့ကြိုးတစ်ချောင်း၊ စက်သီး ကြီးတို့အပြင် ပိုသေးတဲ့ ကြိုးတစ်ပင်နဲ့ စက်သီးလေးတစ်လုံးလည်းရှိသေးရဲ့။ ဒီစက်သီး လေးကိုတော့ ဦးမောင်မှတ်အေးက တာဝန်ယူထားတာ။ ဒီစက်သီးလေးရဲ့ ကြိုးအဆုံးမှာ ဝါးဆစ်ပိုင်းတစ်ပိုင်း ပါတယ်။ ဒီဝါးဆစ်ပိုင်းရဲ့ အောက်ခြေမှာ တုတ်ချောင်းလေးတစ်ခု တပ်ထားပြီး ဒီတုတ်ချောင်းလေးက အဆို့ရှင်အဖြစ် ဆောင်ရွက်ပေးပါတယ်။ ဦးမောင် မှတ်အေးက ရွှံ့အိုင်လေးထဲကနေ ဝါးဆစ်ပိုင်းလေးထဲ ရေလောင်းထည့်ဖို့ အုန်းမှုတ်ခွက်ကို အသုံးပြုတာတွေ့ရဲ့။ နောက်တော့ ကြိုးကို လျှော့လျှော့လေး ကိုင်ထားပြီး လက်ထဲကနေ ဖြတ်၊ စက်သီးလေးပေါ် က ကျော်လို့ ရေနံ့တွင်းထဲ ချလိုက်တယ်။ တွင်းအောက်ခြေကို တုတ်ချောင်း ရောက်တာနဲ့ ဝါးဆစ်ပိုင်းကို တုတ်ချောင်းကတွန်းပြီး ရေတွေစီးထွက်

သွားမှာလေ။ အဲဒီနောက် ဝါးဆစ်ပိုင်းကိုဆွဲတင်တယ်။ အခုဆို ခြိုင့်က မြေကြီးကို ပိုလို့ အလွယ်တကူဖောက်သွားနိုင်ပြီပေါ့။ တွင်းထဲက မြေကြီးမာလွန်းနေတဲ့အခါမျိုးဆို ဦးမောင်မှတ်အေးက ရေဖြည့်ထားတဲ့ ဝါးဆစ်ပိုင်းပါ ကြိုးကိုတွင်းထဲလျှောချပြီး ရေသွန်လေ့ရှိတယ်။

အခုဆို စယတူးဖို့ အချိန်ကျပါပြီ။ ဘာဘာ၊ သူ့အစ်ကိုတွေနဲ့ ဝမ်းကွဲညီတို့က ကြိုးထူထူကြီးကို ကိုင်ပြီး ဦးမောင်မှတ်အေးက ခြိုင့်ကြိုးကို တွင်းထဲ ထိန်းချပေးလိုက်တယ်။ ကြိုးကို လက်ထဲကနေ လျှောပြီး ချကြတာလေ။ ကိုကိုက စက်သီးပေါ်က ကြိုးဖြတ်သွားတုန်း တချက်ချက်နဲ့ခပ်သွက်သွက် မြည်သံကိုကြားရတယ်။ ဘယ်တော့မှ ဒီအသံ ရပ်သွားမယ်မသိ။ ဒါပေမယ့် နောက်ဆုံးတော့ ရပ်သွားလေ ရဲ့။

"အခု ပေ ၃၀၀ အနက် ကို ရောက်နေပြီထင်တယ်" ဦးအောင်စိုးတင်က မှတ်ချက်ပြု တယ်။

ရေနံတွင်းတူးလုပ်ငန်း စပါပြီ။ လူတစ်ယောက်စီက ကြိုးထူထူရဲ့ ဆက်ထုံးမှာ ချည် ထားတဲ့ ကြိုးစတစ်ခုစီကို ကိုင် ထားကြလေရဲ့။ ဘာဘာနဲ့ အဖွဲ့ သားတွေက ကြိုးကို ပြိုင်တူ ဆွဲ တင်ပြီး ပြိုင်တူ ပြန်လွှတ်ကြ တယ်။ ဦးမောင်မှတ်အေးရဲ့ အလုပ်က ထိုင်ပြီးနားထောင်ဖို့ပါ။ ခြိုင့်မှာ ရွှံ့တွေနဲ့ပြည့်နေရင် သူ ကြားရတယ်။ ဒီလို ကြားတာနဲ့ ခြိုင့်ကို ဘယ်အချိန်ဆွဲတင်ရမလဲဆိုတာ ညွှန်ကြားပေးတယ်။ ခြိုင့်ကို ဆွဲတင်နိုင်ဖို့ ကိုယ်စီကိုင်ထားတဲ့ ကြိုးတွေကိုလွှတ်ပေးရတယ်။ လူတစ်ယောက်စီက ခြိုင့်ကို ခပ်သွက်သွက်နဲ့ ရှောရှောရှူရှူဆွဲတင်ကြတယ်။ တစ်ယောက်ချင်းစီက ဘယ်အချိန် ကိုယ့်ကြိုးကို ဆွဲတင်ရမလဲ သိထားတယ်။ ပြီးတော့ မြေကြီးပေါ် ကြိုး သေသေသပ်သပ် ခွေနေအောင် ဘယ်ဘက်ကို ဆွဲရမလဲဆိုတာလည်း သိထားကြလေရဲ့။ ဦးမောင်မှတ်အေးက တွင်းအနီး ထိုင်နေရင်း ကြိုးကို ကူဆွဲပေးတယ်။ ကြိုးဆွဲရင်း တစ်ဘက်တည်းကို ကြိုးအဝေးကြီး မရောက်သွားအောင် လုပ်ပေးတယ်။ ဒီလိုမှ မထိန်းပေးရင် ကြိုးနာသွားနိုင်ပါတယ်။ ဘာဘာ၊ ဘကြီးဦးအောင်ဖိုးသိန်း၊ ဘကြီးဦးအောင်ဖိုးသန်းနဲ့ ဦးအောင်စိုးတင်တို့က ကြိုးကို လက်နှစ်ချောင်းနဲ့ တစ်ယောက်တစ်လှည့်ဆွဲကြတယ်။ ဒီလိုနဲ့ နောက်ဆုံးတော့ ခြိုင့် တွင်းထဲကထွက်လာပြီး ကြိုးရှည်ကို သေသေသပ်သပ် ခွေထားလိုက်ရတယ်။

ဦးမောင်မှတ်အေးက ရေဖြည့်ထားတဲ့ ဝါးပိုင်းလေးကို တွင်းထဲချလိုက်တယ်။ ကြိုးလေးတစ်ပင်၊ စက်သီးလေးတစ်လုံးပေါ်ကနေ အဲဒီဝါးပိုင်းလေးကို ချလိုက်တာလေ။ အောက်ခြေသို့ ရောက်တော့ အဆို့ရှင်ထဲကနေ ရေတွေထွက်လာပြီး အနက်ကြီးက မြေမာကို နူးစေတယ်။ ခဏနေတော့ ဦးအောင်စိုးတင်က ခြိုင့်ကို ဆွဲယူပြီး အတွင်းမှာ ဝါးပစ္စည်းနှစ်ခု စိုက်ထားတဲ့ ရွှံ့ပုံနား တိုးကပ်သွားလေရဲ့။ ပထမဆုံး ခြိုင့်ထဲက ရွှံ့ထိပ်မှာ ကောက်ရိုးလုံးလေးတစ်လုံး တင်လိုက်တယ်။ အဲဒီနောက် ဝါးချောင်းတစ်ချောင်းကို ရွှံ့ပုံထဲကထုတ်ယူတယ်။ နောက်တော့ ဝါးချောင်းကို ကောက်ရိုးလုံးပေါ်တင်ပြီး တွန်းချ

လိုက်ရော။ ခြိုင့်ထဲက ရွှံ့တွေကို ရွှံ့ပုံပေါ် တွန်းထုတ်လိုက်တယ်။ ခြိုင့်ပုံသဏ္ဌာန်အတိုင်း ရွှံ့တွေလည်း ထုလုံးရှည်ပုံထွက်လာတာ ထူးဆန်းတယ်လို့ ကိုကို့ တွေးမိရဲ့။ ဦးအောင်စိုးတင်က ဝါးချောင်းကို ရွှံ့ပုံထဲပြန်တွန်းထည့်ပြီး တခြားဝါးချောင်းကို ရွှံ့ပုံထဲက ဆွဲယူလိုက်တယ်။ တုတ်ချောင်းပုံစံဆိုပေမယ့်လည်း လျှောတက်တစ်ခုလို အစွန်းဘက် ပြားချပ်နေလေရဲ့။ ဦးအောင်စိုးတင်က ခြိုင့်ရဲ့ အပြင်ဘက်မှာကပ်နေတဲ့ ရွှံ့တွေကို ခြစ်ထုတ်ဖို့ အဲဒီတုတ်ချောင်းကို သုံးတာလေ။ အခုတော့ ခြိုင့်ကို တွင်းထဲပြန်ချဖို့ အဆင်သင့်ဖြစ်ပါပြီ။

ဦးမောင်မှတ်အေးက ကြိုးကို ဆွဲတင်ပြီးတဲ့အခါ ခြိုင့်နဲ့ ရေနံတူးတာ စတင်ပြန် တယ်။ ကိုကိုက ရွှံ့ပုံနား တိုးကပ်သွားလိုက်တယ်။ ကစားစရာတွေ လုပ်ဖို့ သမန်းတွေ ရှာကြည့်ချင်နေတာလေ။ အခုတုန်းက ဦးအောင်စိုးတင် တွန်းထုတ်လိုက်တဲ့ ရွှံ့တွေက သမန်းသားတော့ မဟုတ်။ အခုဆို ရေနံတွင်းက သမန်းသားမြေလွှာကို ကျော်နေပြီ။ ကိုကိုက လက်နဲ့နည်းနည်း တူး၊ ရွှံ့ပုံထဲကို ဆက်နှိုပ်ပြီး သမန်းသားတွေ့တဲ့အထိ တူးရပါတယ်။ လက်တွေက ရွှံ့အလိမ်းလိမ်းနဲ့။ ဒါပေမယ့် ဒါက အရေးမကြီး။ သမန်း သားကို ကစားစရာအရုပ်တွေ လုပ်ရင်လည်း ရွှံ့ပေမှာက ပေမှာပဲလေ။ ကိုကိုက ရွှံ့ထဲ တူးဆွနေတုန်း ဘာဘာနဲ့ တခြားသူတွေ အလုပ်လုပ်ရင်း ပြောကြဆိုကြတာတွေကို နားစွင့်ထောင်ဖြစ်လေရဲ့။

"MOC က ရမ်းပြဲကျွန်းကနေ မကြာခင် ထွက်သွားတော့မှာတဲ့"
ဘကြီးဦးအောင် ဖိုးသိန်း က ဆိုတယ်။

မြန်မာ့ရေနံကော်ပိုရေးရှင်း (MOC) က ကျွန်းပေါ် ရောက်နေတာ အခုဆို ၁၀ နှစ်ရှိပြီ။ ဒါပေမယ့် ဒီလိုရေနံမျိုးကို သူတို့ကသိပ်မကြိုက်ဘူး။ သက်တမ်း နုလွန်း သေးလို့ ရေနံအလုံအလောက်မရဘူးလို့ သူတို့ကဆိုကြတယ်တဲ့ ဘကြီးဦးအောင်ဖိုးသန်း က ပြန်ပြောတယ်။

ရေနံအထွက်နှုန်းက လွန်ခဲ့တဲ့ နှစ်တွေက နေးသွားတာ။ ရေနံဝန်ထမ်းအများစု လည်း ပြန်သွားကြပြီ။ ဒါပေမယ့် အခုတော့ သူတို့ပစ္စည်းတွေကို ရှင်းလင်းသိမ်းဆည်းပြီး အပြီးတိုင် ထွက်သွားကြတော့မှာလေ ဘကြီးဦးအောင်ဖိုးသိန်းက စကားဆက်ပြန်တယ်။

အင်း . . . သူတို့ ထွက်သွားရင်လည်း ကောင်းတာပဲ။ ရေနံတွေ တို့ပဲ တူးလို့ ရပြီပေါ့ ဦးမောင်မှတ်အေးက ဆိုလေရဲ့။

သူတို့ ပထမဆုံး ရောက်လာတုန်းကအချိန်ကို မှတ်မိလား။ မြေတူးစက်ကြီးတွေ သဘော်ပေါ် က ချလာတယ်။ ရွာသားတွေရဲ့ လယ်တွေကို တည်တည်ဖြတ်ပြီး မြေတူး စက်နဲ့ လမ်းဖောက်ကြတာလေ။ စပါးရိတ်သိမ်းပြီးချိန်မို့ တော်သေးတယ်။ ဘကြီး ဦးအောင်ဖိုးသိန်းက ဆက်ပြောတယ်။

မြေတူးစက်ကြီးတွေ့ရဲ့ အသံကို ကြားတော့ နွားတွေဆို လန့်ဖြတ်ပြီး ဆောက်

တည်ရာမရဖြစ်ကုန်ရော။ ဒီလိုအသံမျိုးကို အရင်ကမှ မကြားဖူးတာကိုး။ ရွာထဲက နွားတွေဆို အရပ်ရှစ်မျက်နှာတခွင် ကဆုန်ပေါက်ပြီးပြေးသွားရော ဦးမောင်မှတ်အေးက ဆိုတယ်။

ကျွပ်အိမ်က နွားတွေဆို ရွာထက်ရွာမှာ သွားတွေ့တာ။ ၃ ရက် ကြာမှ နွားတွေ ပြန်ရှာတွေ့တာလေ ဘာဘာက ဆိုတယ်။

အားလုံး ဝါးကနဲ ရယ်လိုက်ကြရဲ့။

"MOC အရာရှိတွေက လေးတောင်ချောင်းအတိုင် သင်္ဘောကိုခုတ်မောင်းဖို့ ကြိုးစားကြတုန်းက အဲ့ဉာနေကြမှာသေချာတယ်"ဘကြီးဦးအောင်ဖိုးသိန်းက ရယ်ရင်း ပြောလိုက်တယ်။ ဖြုးကျနေချိန်မို့ သင်္ဘောကလည်း သောင်တင်သွားရော။ အဲဒီနောက် ကင်းမြစ်နားမှာပဲ သင်္ဘောကမ်းကပ်ပြီး ကိရိယာတန်ဆာပလာတွေ၊ ကားတွေကို ချဖို့ ဆုံးဖြတ်လိုက်ကြရော။ ကောင်းတာတစ်ခုက MOC ဟာ ရမ်းပြဲမြို့နဲ့ လေးတောင် နယ်ကြားကလမ်းကို ပိုကောင်းအောင်လုပ်ပေးခဲ့တာပဲ"ဘကြီးဦးအောင်ဖိုးသန်းက ဝန်ခံစကားဆိုတယ်။ သူတို့ မလာခင်ကဆို မြေလျှောက်လမ်းလေးပဲ ရှိခဲ့တာလေ။

ကျောက်တွေကနေ လေးတောင် ဟိုဘက်နားက ကင်းမြစ်ဆီ ဆက်သွယ်ပေးဖို့ လမ်းကောင်းကောင်းလေးတစ်ခု ရဖို့ အခွင့်အလမ်း ဆုံးရှုံးသွားတာ ဘာဘာက ဆို တယ်။ MOC က ကျောက်တွေရွာကနေ တခြားကျေးရွာတွေနဲ့ ရွာချင်းဆက်လမ်း လုပ်ပေးဖို့ကမ်းလှမ်းခဲ့တယ်။ ဒါပေမယ့် ကျောက်တွေရွာလူကြီးတွေ ခေါင်းမာမာနဲ့ ငြင်းခဲ့ကြတာလေ။ ရွာလူကြီးတွေက လယ်ကွင်းတွေကို MOC က မြေတူးစက်တွေနဲ့ မတူးစေချင်ကြဘူး ဒါကြောင့် MOC က တောင်တွေကို ဖြတ်ပြီး သစ်သားတံတားတွေပါတဲ့ အကောင်းစားလမ်းရှည်ကြီးတစ်ခုကို ဖောက်ခဲ့ကြတာ။ အခုတော့ ကျောက်တွေမှာ မြေလျှောက်လမ်းတွေနဲ့ ဝါးတံတားတွေပဲ ရှိတာလေ။

"ရုပ်ရှင်တွေ ကြည့်ရတာတော့ တကယ်ကြိုက်ခဲ့သဗျ" ဦးမောင်မှတ်အေးက ဆိုလိုက်တယ်။ ရုပ်ရှင်ပိတ်ကားတွေထောင်ပြီး ရုပ်ရှင်ပြစက်ဆင်ကြတာလေ။

"အဲဒါတော့ ဟုတ်တယ်"ဘကြီးဦးအောင်ဖိုးသန်းက သဘောတူလိုက်တယ်။ အနီးအနားရွာတွေက လူတွေဆို သူတို့ဆီသွားပြီး ရုပ်ရှင်ဝိုင်းကြည့်ကြတာလေ။ တစ်ခါတော့ ရုပ်ရှင်ထဲမှာ လူတစ်ယောက် ချောင်းထဲခုန်ဆင်းသွားတာပြတယ်။ တို့ရွာသားတစ်ချို့ဆို ရုပ်ရှင်ပိတ်ကားကြီးနောက်သွားပြီး ပိတ်ကားနောက်မှာ တကယ်ပဲ ချောင်းတစ်ခုရှိနေလား သွားကြည့်ကြသေးတာ ဘာဘာက ဆိုတယ်။ ဒီလို ရုပ်ရှင်မျိုးကို အရင်တုန်းက လူတွေ မြင်မှမမြင်ဖူးဘဲကိုး။

"အမျိုးသမီးတစ်ယောက်ဆို ရေနံဆီမီးခွက်မှာထည့်ထွန်းတဲ့ ရေနံဆီတွေ ရောင်းလာရင်း တအောင့်တနားရပ်ပြီး ရုပ်ရှင်ကြည့်တာ။ ရုပ်ရှင်ပိတ်ကားပေါ်မှာ မီးလောင်နေ တာမြင်တော့ သူ့ရေနံဆီကြောင့် မီးလောင်သွားတယ်ထင်ပြီး ရေနံထည့်ထား

တဲ့တောင်းဆီ အလောသုံးဆယ်ပြေးသွားတာလေ" ဘကြီးဦးအောင်ဖိုးသန်းက ပြောတယ်။

အဲဒီနောက် ဘာဘာက ဆက်ပြောပြန်တယ်။ "ရဟတ်ယာဉ် ဆင်းတဲ့ အချိန် လည်းသတိမရသေးရဲ့။ ရဟတ်ယာဉ်ကို ဘယ်သူမှ အနီးကပ်မမြင်ဖူးကြတော့ ဦးမောင်ချို နဲ့ စစ်သားတွေ ရေနံတွင်းသွားကြည့်ကြချိန်မှာ ရွာသားတစ်ချို့က ရဟတ်ယာဉ်နား ကပ်ပြီးလက်နဲ့ ကိုင်ကြည့်ကြတာ"

"ဟော . . . ကိုကို"ဘကြီးဦးအောင်ဖိုးသန်းက ခေါ် လိုက်ရင် ဦးမောင်ချိုအတွက် သဲဖြူ၊ ကျောက်ဖြူတွေ ခင်းကြရတာတဲ့။ သိလားမေးလိုက်တယ်။

ကိုကိုက ခေါင်းလှုပ်ပြလိုက်တယ်။ ဒါပေမယ့် ရယ်စရာတော့ ကောင်းနေရဲ့။ ပုံပြင်တွေနားထောင်လိုက်တိုင်း ရှေးခေတ်က ဘုရင်တွေကို သဲဖြူ၊ ကျောက်ဖြူတွေ ခင်းပြီး ကြိုကြတယ်လို့ ကိုကို သိထားတယ်။ တော်ဝင်မျိုးနွယ်တွေက သာမန်ပြည်သူတွေလို မြေကြီးပေါ် နင်းလျှောက်တာမျိုး မလုပ်ကြလို့လေ။

ရွာသားတွေက ရာဇဝတ်တောင် ကာကြတာ ဘကြီးဦးအောင်ဖိုးသန်းက ဆက် ပြောတယ်။

"ဘုရင်တွေလျှောက်မယ့်လမ်းကိုလည်း ဒီလိုပဲ ရာဇဝတ်ကာခဲ့ကြရတာလေ။"

"ဦးမောင်ချိုက ဘုရင်ကြီးလား၊ ဘကြီး"

လူကြီးတွေက ရယ်ကြရော။

"ဘယ်ကလာ"ဘကြီးဦးအောင်ဖိုးသန်းက ဖြေလိုက်တယ်။

"ဒါပေမယ့် သူကတော့ ဘုရင်လိုလို ဘာလိုလို လုပ်ချင်တာ။ အဲဒီတုန်းကတော့ ဦးမောင်ချိုက မြန်မ့ာစက်မှုဝန်ကြီးပေ့ါကွာ"

"ရေနံတွင်းတွေမှာ အလုပ်လုပ်နေတာကို လာကြည့်တုန်းကဆို ဦးမောင်ချိုက လက်ပိုက်ပြီး ခြေတွေကို စားပွဲပေါ်တင်ထားတာ" ဘာဘာကပြောတယ်။ ကိုကို မေးမြန်းခဲ့ဖူးတဲ့ ကွမ်းသီးတောဘက် လက်ညှိုးညွှန်ပြရင်း ဘာဘ့ာအဒေါ် စိုက်ထားခဲ့တဲ့ ကွမ်းသီးပင်တွေအလွန် ဟော့ဟိုက မကျည်းပင်တွေအောက်မှာပေ့ါကွာလို့ ဆိုတယ်။

ကိုကိုက မယုံနိုင်လောက်အောင်ဖြစ်မိရဲ့။ ဦးမောင်ချိုဆိုတဲ့ ဒီလူကြီးက သူ့ကိုယ်သူ ဘုရင်လို့ ထင်နေတာဖြစ်ရမယ်။ ကိုယ့်ခြေကို စားပွဲပေါ် ဘယ်သူမှမတင်ရဲဘူးလေ။ သူများအပေါ် အရမ်းမလေးစားရာရောက်စေလို့ပါ။ ဒါပေမယ့် ဘုရင်ဆိုတာမျိုးက ရှိုင်းစိုင်းရာ ရောက်၊မရောက် သိပ်ဂရုစိုက်မနေဘူး။ တခြားလူတွေက သူ့အောက်က လူတွေလို့ ယုံကြည်လို့လေ။

ဦးမောင်ချိုအတွက် အထူးစားဖွယ်တွေ ချက်ပြုတ်ကြတာလေ။ ကောင်းပေ့ုဆိုတဲ့ ပုစွန်တုပ်ကြီးတွေ၊ အကောင်စားဂုံးတွေ၊ ယောက်သွားကြီးတွေ၊ အကောင်းဆုံး ရေကြက် (ပြည်ကြီးငါး)တွေ၊ ကြက်ကြော်တွေ ချက်ပြုတ်ပြီး တည်ခင်းညှဲ့ခံကြတာ ဘာဘာက ပြောတယ်။

ကိုကိုက ကြက်ကြော်စားရတာ ထူးခြားတယ်လို့သိထားရဲ့။ ကြက်သားကို အထူးအခမ်းအနားတွေအတွက်ပဲ ချက်ပြုတ်ကြတာလေ။ အဲလို ချက်တဲ့အခါမှာတောင် ရခိုင်ချက် ချက်ကြတာလေ။ ဒါပေမယ့် ကြက်ကို ပဲဆီနဲ့ ကြော်လိုက်ရင်တော့ တကယ့် ရှယ်ပဲ။

"ဒါပေမယ့် အဲဒီနောက်မှာ ယောက်သွားကြီးနှစ်လုံး ပျောက်သွားတယ်" ဘာဘာက ဆက်ပြောတယ်။

"ဒီယောက်သွားတွေ ဘယ်သူ စားသွားမှန်း တစ်ယောက်မှမသိလိုက်ကြဘူး။ ဒါပေမယ့် ဒီလို ပျောက်သွားရကောင်းလားဆိုပြီး ထမင်းချက်ကို အလုပ်ဖြုတ်လိုက်ကြတာ တဲ့လေ"

လူကြီးတွေက နောက်လေးငါးမိနစ်လောက် အလုပ်လုပ်ပြီးတာနဲ့ ဘာဘာက မေးလိုက်တယ်။

"အဲဒီတုန်းက မီးလောင်တာ မြင်လိုက်မိကြလား"

"ဟင့်အင်း" ဦးမောင်မုတ်အေးက ပြန်ဖြေတယ်။ "ဒါပေမယ့် မီးလောင်ပြီးတဲ့နောက် မီးအပူပြင်းလွန်းလို့ သံထည်တွေ အရည်ပျော်ပြီး အဆောက်အဦ ပြိုလဲကျသွားတာတော့ မြင်လိုက်ရတယ်"

"မီးက ဆိုးဆိုးရွားရွားလောင်တာ၊ ကိုကိုရေ" ဘကြီးဦးအောင်ဖိုးသန်းက ကိုကို့ကို ပြောတယ်။ "ဦးမောင်ချို့နဲ့ စစ်သားတွေ ပြန်ထွက်သွားပြီး လေးငါးရက်လောက် နေတော့ သူတို့ရဲနံတွင်းတစ်တွင်း မီးလောင်တော့တာပဲဟေ့"

"တစ်ယောက် သေပြီး ၃ ယောက် ဒဏ်ရာရတာလေ" ဘကြီးဦးအောင်ဖိုးသန်းက ပြောတယ်။

အလုပ်လုပ်နေရင်း ခဏတဖြုတ် စကားပြော ရပ်လိုက်ကြတာတွေ့ရဲ့။

"အင်း - ဒီအလုပ်က အန္တရာယ်တော့အများသား" ဘာဘာက ဆိုလာတယ်။ "ဒီအလုပ်က သတ္တိကြောင်သူတွေလုပ်လို့မရဘူး။ လွန်ခဲ့တဲ့ နှစ်အတန်ကြာကပေါ့။ ဦးရှမ်းစိန်တို့အဖွဲ့က အဖွဲ့သားတစ်ယောက်ကို ခေါင်းတွင်းထဲ ချလိုက်တယ်။ ဒီလူက ချိုင့်နဲ့ စယမတူးခင် လက်နဲ့ အပြီးသတ်တူးဖို့ ဆင်းသွားတာလေ။ အောက်ဘက် ပေ ၄၀ လောက်ရောက်တော့ သူက အော်တော့တယ်။ ငါ့ကိုဆွဲတင်။ ပြန်ဆွဲတင်ပေးပါ။ အိမ်ရှင်မကို မတွေ့ရဘဲဖြစ်တော့မယ်။ ကလေးတွေကိုလည်း တွေ့ချင်သေးတယ်" တဲ့လေ။

အားလုံး ဝါးကနဲ ရယ်မောလိုက်ကြပြန်တယ်။

"မြေအောက် အဲလောက် အနက်ကြီး ရောက်သွားရင် လေးဘက်လေးတန်က မြေကြီးက ကိုယ့်နား ပိုကပ်လာသလို ခံစားရစေတာတော့ အမှန်ပဲဟေ့" ဘကြီးဦးအောင်ဖိုး သန်းက ဝန်ခံတယ်။

"တစ်ခါတုန်းက ကံကောင်းလို့ပေါ့။ ခေါင်းပေါ် ရွဲခဲ့ကျတာလေ" ဘာဘာက ဆိုတယ်။

"၂၀ ပေလောက်နက်တဲ့ ခေါင်းတွင်းထဲဆင်းသွားတာ။ အဲဒီချိန်မှာပဲ ရွဲပျော့ ပျော့တစ်ခဲ ခေါင်းပေါ် ဒုန်းကန်ပြုတ်ကျလာတာ။ ဆံပင်တစ်ပတ် ကျွတ်ထွက်သွားရော။ အဲဒီထက်ပိုပြီး နာကျင်သွားနိုင်ခဲ့တာလေ"

"အဲဒီနေ့ကို သတိရသေးတယ်။ မင်း တော်တော့်ကို ကံကောင်းလို့"

ဘကြီး ဦးအောင်ဖိုးသန်းက ပြောတယ်။

ဘာဘာတို့ ဆက်ပြီး အလုပ်လုပ်ကြတယ်။ ကိုကိုကတော့ ရွဲပုံနားထိုင်ရင်း ကစားနေလေရဲ့။ ရွဲထဲကနေ သမန်းသားတွေ ထုတ်ပြီး မိုက်ကရိဖုံးဖစ်တစ်လုံး၊ အသံချ့စက် ၂ လုံးတို့ကို လုပ်ထားတာ။ အခုဆို ဘကြီးဦးအောင်ဖိုးသန်းက ရွဲပလွေတွေ ကူလုပ် ပေးနိုင်အောင် ကိုကိုက ရွဲတွေ ပြင်ဆင်နေလေရဲ့။ မောင်မှတ်အေးက ဝါးဆစ်ပိုင်ထဲက ရေတွေကိုတွင်းထဲထည့်ဖို့ အချိန်ကျလာတဲ့အခါ တခြားသူတွေ မိနစ်အနည်းငယ် နားချိန်ရပါတယ်။ အဲဒီနားချိန်အတွင်း ဘကြီးဦးအောင်ဖိုးသန်းက သမန်းကို အတွင်း ဘက် ဟောင်းလောင်းနဲ့ ငှက်ပုံစံဖြစ်နေအောင် ဘယ်လိုပုံဖော်ရမယ်ဆိုတာ ကိုကို့ကို ပြပေးတယ်။ ငှက်ရဲ့ အမြီးမှာ အပေါက်လေးပါပြီး ဒီအပေါက်ကနေ လေမှုတ်ရမှာပါ။ ဘကြီးဦးအောင်ဖိုးသန်းက ရွဲပလွေလေးငါးလုံးလောက် လုပ်လိုက်တယ်။ ဦးအောင်ဖိုးတင် က လေးခွမှာထည့်ပစ်ဖို့ လောက်စာလုံးတွေလုံးတယ်။ ဦးမောင်မှတ်အေး လုပ်နေတာ ပြီးသွားတဲ့အခါ ဘာဘာတို့အဖွဲ့ အလုပ်ဆက်လုပ်ကြပြန်တယ်။ ခဏနေတော့ ကိုကိုက မြေလျှောက်လမ်းပေါ် က သစ်ရွက်တွေကို နင်းလျှောက်လာတဲ့ ဖိနပ်သံတွေ ကြားလိုက် တယ်။ ကိုကိုက ဗိုက်ဆာနေပြီဆိုတော့ ဒီအသံတွေက ထမင်းလာပို့တဲ့ မေမေ့ဖိနပ်သံဖြစ်ပါ စေလို့ မျှော်လင့်နေမိရဲ့။

စက္ကန့်အနည်းငယ်ကြာတော့ မေမေ လာနေတာတွေ့လို့ ကိုကို သိပ်ပျော်သွားရဲ့။ ကိုကို့အဒေါ်တွေက မေမေ့နောက်မှာ ပါလာတယ်။ ခေါင်းပေါ်မှာ သွပ်အိုးကျယ်တစ်လုံး ကိုယ်စီရွက်လို့။ မေမေက ဘာဘာနဲ့ကိုကိုတို့အတွက် နေ့လည်စာယူလာတယ်။ ကိုကို့ အဒေါ်တွေက ဘကြီးဦးအောင်ဖိုးသိန်းနဲ့ ဘကြီးဦးအောင်ဖိုးသန်းတို့အတွက် နေ့လည်စာ တွေယူလာလေရဲ့။

မေမေက အနီးအနားက သစ်ပင်အောက် ဒူးထောက်ပြီး သွပ်အိုးကို မြေကြီးပေါ် ချလိုက်တယ်။ အဖုံးပြားကို ဖွင့်လိုက်တော့ ထမင်းပူပူနဲ့ တခြားစားစရာတွေရဲ့ မွှေးရနံ့ကို ရလေရဲ့။ ကိုကို့အဒေါ်တွေလည်း ထမင်းအိုးအဖုံးကို ဖွင့်လိုက်ကြတယ်။ မကြာပါဘူး။ တခြားလူတွေရဲ့ အမျိုးသမီးတွေ ယောက်ျားအတွက် ထမင်းလာပို့ကြပါလေရော။ အမျိုးသမီးတစ်ယောက်စီမှာ ပုံစံတူသွပ်အိုးကျယ်တစ်လုံးစီ ပါလေရဲ့။ အိုးတစ်အိုးစီမှာ ထမင်းနဲ့ တခြားဟင်းသုံးလေးမျိုးလောက် ပါကြတယ်။ အမျိုးသမီးတွေက ငါး၊ ဟင်းချို့

ဟင်းသီးဟင်းရွက်နဲ့ တခြားဟင်းခွက်လေးတွေကို အမျိုးသားတွေ ဝိုင်းထိုင်ကြမယ့် နေရာအလယ်မှာ ထားလိုက်ကြတယ်။

အမျိုးသားအားလုံး အလုပ်လုပ်တာရပ်ပြီး စားသောက်ဖို့လာကြတယ်။ ဘကြီး ဦးအောင်ဖိုးသန်းက ဟင်းတစ်မျိုးစီထဲက နည်းနည်းစီနဲ့ ထမင်းကို ဆေးကြောပြီးသား သွပ်အိုးဖုံပေါ် တင်လိုက်တယ်။ ဟင်းတွေ၊ ထမင်းတွေ ထည့်ထားတဲ့ ဒီသွပ်အိုးဖုံကို အနီးအနားက သစ်တုံးတစ်တုံးပေါ် တင်ပြီး နတ်တွေကို ပူဇော်ကျွေးမွေးလိုက်တယ်။ အဲဒီနောက် အားလုံး ဝိုင်းထိုင်လိုက်ကြတယ်။ ကိုကိုက ဘာဘာနားမှာ ထိုင်လိုက်တယ်။ အမျိုးသမီးတွေက နေ့လည်စာစားပြီးသားမို့ ထိုင်ပြီးကွမ်းယာဝါးနေကြလေရဲ့။ အမျိုး သားတွေအားလုံးက ဇနီးသည်တွေ အသီးသီးယူလာတဲ့ဟင်းတွေကို တစ်ယောက်နဲ့တစ် ယောက် ဝေမျှစားကြတာမို့ ဟင်းမျိုးစုံကို စားသောက်ဖို့ အကောင်းဆုံး နည်းလမ်းပါပဲ။ တစ်ဦးစီမှာ ထမင်းအိုးတစ်အိုးစီ ရှိပေမယ့် တခြားဟင်းတွေကိုတော့ ဝေမျှစားသောက် ကြတာလေ။ ဘာဘာက သွပ်အိုးဖုံကြီးတစ်ခုကို ကိုကို့အတွက် ပန်ကန်ပြားအဖြစ် အသုံးပြုပြီး အစားအစာတစ်မျိုးစီကို နည်းနည်းစီ ထည့်ပေးရဲ့။

ကိုကိုက သိပ်ပျော်နေတယ်။ အစားအစာမျိုးစုံ စားရတဲ့အပြင် ပန်ကန်ပြားအဖြစ် အသုံးပြုထားတဲ့ သွပ်အိုးဖုံကလည်း အကြီးကြီးမို့ပါ။ ပန်ကန်ပြားကြီးနဲ့ စားရတာ ပျော်ဖို့ကောင်းပါတယ်။ ဒီလို ပျော်ပျော်ပါးပါး၊ နေ့လည်စာစားနိုင်ဖို့ နေ့တိုင်း ဘာဘာနဲ့ ရေနံတူးဖို့လိုက်ချင်ရဲ့။

နေ့လည်စာ စားပြီးနောက် အမျိုးသမီးတွေက ဟင်းခွက်တွေ ပြန်သိမ်းပြီး အိမ်ပြန်သွားကြတယ်။ ဘာဘာက နွားတွေကို သွားကြည့်ရတယ်။ နွားတွေက လယ်ထဲမှာ မြက်စားနေကြလေရဲ့။ နွားတွေကို ရေတွေတိုက်၊ အရိပ်ထဲ သွင်းခဲ့ရမှာလေ။ ကိုကိုက ဦးထုပ်လေးဆောင်းပြီး နွားတွေ ချည်ထားတဲ့ လယ်ကွင်းထဲ လိုက်သွားတယ်။ ဘာဘာက ရေတွင်းထဲက ရေတွေကို သယ်ယူပြီး နွားတွေကို ရေတိုက်တယ်။ အဲဒီနောက် အရိပ်ထဲ သွင်းခဲ့လိုက်တယ်။

ရေနံတွင်းဘက် ပြန်အသွားမှာ ဘာဘာက ရပ်နားပြီး စစ်ပင်က အကိုင်းတစ်ကိုင်းကို ခုတ်လိုက်တယ်။ စစ်ပင်အကိုင်းက သေးသေးသွယ်သွယ်လေး။ ဘာဘာက အဆစ် နေရာမှာ အကိုင်းလေးတစ်ကိုင်းကို ခုတ်လိုက်တယ်။ ခုတ်လိုက်တဲ့ အကိုင်းလေးက အင်္ဂလိပ်အက္ခရာ Y နဲ့ တူနေလေရဲ့။

ကိုကိုက ဒီပုံသဏ္ဌာန်ကို မြင်တာနဲ့ ဘာဘာ ဒီအကိုင်းကို ဘာလုပ်မှာလဲဆိုတာ ကောင်းကောင်း သိလိုက်ပြီ။ နောက်တော့မှ ဒီအကိုင်းကို လေးခွ လုပ်မှာလေ။ ကိုကိုက ယယ်လွန်းသေးတော့ လေးခွမကိုင်ရသေး။ ဒါပေမယ့် အသက်နည်းနည်းပိုကြီးတဲ့ ကောင်လေးတွေဆို ကစားဖို့ပဲဖြစ်ဖြစ်၊ အမဲလိုက်လေ့ကျင့်ဖို့ပဲဖြစ်ဖြစ် လေးခွတွေ သုံးကြတာလေ။ အမျိုးသားတွေက အမဲလိုက်ဖို့ဖြစ်စေ၊ ခဲဝါ သို့မဟုတ် အန္တရာယ်ရှိတဲ့

တိရစ္ဆာန်တွေကို ပစ်ခတ်မောင်းထုတ်ဖို့ လက်နက်တစ်ခုအနေနဲ့ဖြစ်စေ လေးခွကို အသုံးပြုတယ်။

ဘာဘာက သစ်သားပိုင်းကို အိတ်ထဲ ထည့်ပြီးနောက် ဆက်လျှောက်ခဲ့ကြတယ်။ ကိုကိုက ဘာဘာကို မေးခွန်းတစ်ခု မေးလိုက်ချင်ရဲ့။ မေးရမှာလည်း ခပ်ရွံ့ရွံ့။ ဘာဘာက ဟိုကိစ္စ၊ သည်ကိစ္စ ဝင်ရှုပ်တာမျိုး မကြိုက်ဘူးဆိုတာ ကိုကို သိထားလို့လေ။ အသက်ကို ပြင်းပြင်း ရှူလိုက်ပြီး ကိုကို အရဲစွန့်မေးလိုက်တယ်။

"ဘာဘာ၊ ဆီးသီးနည်းနည်း ခူးသွားလို့ ရလားဟင်"

"ရတယ်လေ၊ ကိုကို"

ဆီးပင်တွေက အမှတ်(၁)အစိုးရရေနံတွင်းနောက်မှာ။ လမ်းပေါ်မှာပေါ့။ ကိုကိုတို့ ဆီးပင်နားရပ်လိုက်တယ်။ ဘာဘာက ဆီးပင်အောက်ရပ်ရင်း အကိုင်းတွေကို လှုပ်ချလိုက် ရော။ မြေပေါ် ကြွေကျလာတဲ့ ဆီးသီးအားလုံးကို ကိုကို ကောက်ယူလိုက်တယ်။ ဒီဆီး ပင်တွေက သဘာဝအတိုင်းပေါက်ရောက်နေကြတာ။ ဆီးသီးတွေက အရွယ်အစား သေးသေးလေး။ ဒင်္ဂါးစေ့အရွယ်လောက်ပဲ ရှိလေရဲ့။ ကိုကိုက ဆီးသီးတွေ ကောက်ပြီး ဦးထုပ်ထဲထည့်ရင်း တစ်ခါတလေ ပါးစပ်ထဲလည်း ဖောက်ကန် ပစ်သွင်းလို့ဝါးပစ်သေးရဲ့။ ကိုကိုနဲ့ ဘာဘာ ရေနံတွင်းဘက် ပြန်လျှောက်ကြပြန်တယ်။ လမ်းလျှောက်သွားရင်း နောက်ထပ်ဆီးသီး လေးငါးခြောက်လုံးလောက်စားလိုက်သေး။ လူကြီးတွေက ဆီးသီး တွေကို သိပ်ဂရုမစိုက်ကြ။ ကလေးတွေကသာ ဆီးသီးတွေကို ကြိုက်ကြတာလေ။ ဆီးသီးတွေက အရည်ရွှမ်းတယ်။ ချိုတယ်။ တစ်ခိုက်တည်းမှာ ချဉ်စပ်စပ်လည်း ရှိလေရဲ့။ ကျန်တဲ့ဆီးသီးတွေကို အိမ်ယူသွားရင် ညီညီတော့ စိတ်လှုပ်ရှားနေမှာပဲ။

ရေနံတွင်းဆီ ပြန်ရောက်သွားတော့ အားလုံး အနားယူနေကြပြီ။ တစ်ချို့လူတွေက ကွမ်းယာဝါး၊ တစ်ချို့တွေက ဆေးလိပ်သောက်၊ တစ်ချို့ ဆို တရေးတမော အိပ်စက်နေကြ လေရဲ့။ ဘာဘာနဲ့ ကိုကိုတို့ ခဏတဖြုတ်အိပ်စက်ဖို့ လဲလျောင်းလိုက်ကြတယ်။ ဘာဘာ အိပ်မောကျသွားသံကို ကိုကို ကြားရပြီ။ ကိုကိုက အိပ်ပျော်သွားအောင် ကြီးစားအိပ်ကြည့် ပေမယ့် မအိပ်နိုင်။ သမန်းတွေနဲ့လုပ်ထားတဲ့ ကစားစရာအရုပ်တွေအကြောင်း တွေးပြီး ရင်းတွေးနေမိတယ်။ ဘာဘာတို့အဖွဲ့သားတွေ ပြောပြတဲ့ ဇာတ်လမ်းတွေအကြောင်းလည်း ပါရဲ့။ သွပ်အိုးဖုံးကြီးပေါ် နေ့လည်စာစားရပုံအကြောင်းလည်းတွေးဖြစ်ရဲ့။ ဘာဘာက ကိုကိုကို ဆီးသီး ခူးခွင့်ပေးပုံအကြောင်းလည်း ပါတာပေါ့လေ။

နေ့လည်စာစားချိန် နားပြီးတဲ့အခါ အလုပ်ပြန်လုပ်ဖို့ အချိန်ကျပြီပေါ့။ ကိုကိုလည်း ရေနံတွင်းဆီ သွားပြီး အရုပ်ထဲ ထိုင်ရင်း သမန်းသား ကစားစရာတွေ ခြောက်သွားပြီလား စစ်ကြည့်တယ်။ ကစားစရာတစ်ချို့က အနားပတ်လည် မီးခိုးရောင်ဖျော့ဖျော့ ပြောင်းလာ နေပြီမို့ ခြောက်တော့မယ်လေ။ ၄က်ပုံသဏ္ဌာန် ရဲ့ပလွေတွေက ခြောက်သွေ့နေပြီ။ ကိုကိုကစမ်းကြည့်တယ်။ တစ်ချို့က လေချွန်သံ ရှင်းရှင်းလင်းလင်းမြည်တယ်။ တစ်ချို့

ကျပြန်တော့ လေချွန်သံတိုးတိုးလေးပဲ မြည်လေရဲ့။ အပေါက်တွေရဲ့ အရွယ်အစား၊ ပုံသဏ္ဍာန်တို့နဲ့ ဆိုင်လိမ့်မယ် ထင်ပါရဲ့။

ဘာဘာတို့ အဖွဲ့သားတွေ အလုပ်ပြန်လုပ်ကြပြီ။ ခဏနေတော့ ဦးမောင်မှတ်အေး က မှတ်ချက်ချတယ်။

"နီးနေပြီ ထင်တယ်"

သိပ်သေချာတာပေါ့။ ချိုင့်ကို ဆွဲတင်လိုက်တဲ့အခါ ရွှေတွေ နည်းနည်းပဲ ပါလာပြီ ကျန်တာတွေက ကျောက်ခဲမာမာလေးတွေ။ ရေနဲ့ နီးနေပြီဆိုတဲ့ လက္ခဏာပဲပေါ့။ ဦးမောင်မှတ်အေးက ချိုင့်ထဲက ရွှေ့နဲ့ ကျောက်ခဲလက်တစ်ဆုပ်စာကိုဆွဲယူပြီး နမ်းကြည့် တယ်။

"ရေနံဆီနဲ့ ရ၊စ၊ပြုလာပြီ"

ဦးမောင်မှတ်အေးက အားလုံးကို ပြောလိုက်တယ်။ ကျောက်လက်တစ်ဆုပ်စာကို ပတ်ပြီး လက်ဆင့်ကမ်းပေးတယ်။ အားလုံးက တစ်ယောက်တစ်လှည့် နမ်းကြည့်ကြရော။ နောက်ဆုံးတစ်ယောက်က ကိုကိုထံကမ်းပေးပြီး နမ်းကြည့်စေတယ်။ ဒီလုပ်ရပ်က ကိုကို့ကို ဒီအဖွဲ့မှာ တစ်စိတ်တစ်ဒေသအဖြစ် ပါဝင်နေသလို ခံစားရစေရဲ့မက အရွယ် ရောက်ပြီး အရေးပါတယ်လို့လည်း ခံစားလာရစေရဲ့။ ကျောက်ခဲတွေက ခိုင်မာမှု မရှိ။ ကြွပ်ဆပ်ကျိုးလွယ်သလို အရောင်ကလည်းထူးထူးဆန်းဆန်း အစိမ်းပျော့ရောင် ရှိလေရဲ့။ ဦးအောင်စိုးတင်က ချိုင့်ထဲက ရွှေ့နဲ့ကျောက်ခဲတွေကို တွန်းထုတ်ပြီး ရွှေ့ပုံပေါ် တင်လိုက်တယ်။ ကိုကိုက ထူးဆန်းတဲ့ ကျောက်ခဲလေးတစ်လုံးကို နှစ်ပိုင်း ချိုးကြည့်တယ်။ ကြွပ်ဆတ်နေတာမို့ အလွယ်တကူ ဖျော့ကနဲ ကျိုးသွားလေရဲ့။ ဒီကျောက်ခဲတစ်ချို့ကို အိမ်ယူသွားပြီး ညီညီကို ပြချင်တယ်။

"ဒီကျောက်တွေကို ကျောက်ကြွပ်လို့ ခေါ်ကြတယ်ကွ" ဦးအောင်စိုးတင်က ကိုကို့ကို ပြောပြတယ်။

ရေနံတူးလုပ်ငန်း ပြန်စပါပြီ။

"အခုဆို ရှလန်ဘာဝါကုမ္ပဏီရဲ့ အကူအညီကို လိုနေပြီ" ဘာဘာက အရှုန်း ဖောက်တော့ အားလုံးက ဝိုင်းရယ်ကြလေရဲ့။

"ဖြိုးဝေဝင်းက ဓာတ်ပုံတွေလည်း ရိုက်ချင် ရိုက်မှာ" ဘာဘာက ဆက်ပြောလိုက် သေး။

"အဲဒီဖြိုးဝေဝင်းဆိုတာ ဘယ်သူလဲ သိလား၊ ကိုကို"

ဘကြီးဦးအောင်ဖိုးသန်းက မေးလိုက်တယ်။ ကိုကိုက ခေါင်းခါပြတယ်။

"သူက ဗိုလ်ချုပ်ကြီးနေဝင်းရဲ့သားလေ။ သူက ရေနံလုပ်ငန်းအကြောင်း ပြင်သစ် နိုင်ငံမှာ သွားရောက် လေ့လာထားလေတော့ ရှလန်ဘာဝါကုမ္ပဏီကို MOC အတွက် အလုပ်လုပ်ပေးဖို့ ငှားလိုက်တာလေ။ ရှလန်ဘာဝါကုမ္ပဏီရဲ့ ပစ္စည်းကိရိယာတွေ ဒီမှာ

ရှိထားရင် ကျောက်ကြွပ်အလွှာထိတာနဲ့ ဖြိုးဝေဝင်းက ရေနံတွင်းထဲ ကင်မရာချပြီး ဓာတ်ပုံရိုက်တော့မှာလေ”

“ဖြိုးဝေဝင်းက တအား ယဉ်ကျေးတာ။ အသက် ၂၀ ကျော်အရွယ် လူငယ်ပိုင်း။ လူပုံကလည်း ခပ်ချောချော” ဘာဘာက ဆိုတယ်။ “သူ့ပုံစံက ရုပ်ရှင်မင်းသားစတိုင်လို့ လူတိုင်းက ပြောကြရဲ့။ ပြောင်ပြောင်လက်လက် ပစ္စည်းကိရိယာတွေကို လူတွေ အုပ်လိုက်ကြီး အနီးကပ်လာကြည့်ကြပြီဆိုရင် သူတို့ ဘာလုပ်နေကြောင်း အမြဲရှင်းပြတတ်တာ”

“သူက ဗိုလ်ချုပ်နေဝင်းရဲ့ သားဆိုပေမယ့်လည်း ဦးမောင်ချိုနဲ့တော့ အပုံကြီးကွာတယ်” ဘကြီးဦးအောင်ဖိုးသိန်းက ဆိုတယ်။

“သူတို့ရဲ့ ရေနံတွင်းအဆောက်အဦက သံမဏိမျှော်စင်လို ဖြစ်နေတာ ကျုပ်တော့ သဘောကျသဗျ” ဦးအောင်စိုးတင်က ဆိုတယ်။ “ရေနံတွင်းအဆောက်အဦတစ်ခုက တို့အိမ်နားမှာလေ။ လျှပ်စစ်မီး ထွန်းထားတော့ ညဘက်ဆို မီးတွေထိန်ထိန်ညီးနေတာ တွေ့ရရဲ့။ အဆောက်အဦက အမြင့်ကြီး။ မီးရောင်မှာ တလက်လက်တောက်လို့လေ”

ဘာဘာတို့အဖွဲ့သားတွေ ဆက်တူးကြတယ်။ တစ်ခါတလေဆို ခြင့်မှာ ကျောက်တွေချည်းပဲ ပါလာတတ်ရဲ့။ တစ်ခါတစ်ရံ ခြင့်က ပိုကြီးတဲ့ ကျောက်တွေကိုခွဲရမှာမို့ ဘာမှမပါ ဗလာသက်သက်လည်း ရှိတတ်လေရဲ့။

ခဏနေတော့ တစ်နေ့တာ နားဖို့ အချိန်ကျရော။ ဘာဘာက ဆီးသီးထုပ်ကို ကောက်ယူပြီး ကိုကိုက ရွှံ့ကစားစရာတွေကို အိတ်ထဲထည့်လိုက်တယ်။ ကိုကိုက ကျောက်ကြွပ်နှစ်လုံးကို အိတ်ထောင်ထဲထည့်လိုက်တယ်။ တစ်လုံးက ညီညီ့ကို ကျောက်ခဲ နှစ်ပိုင်းချိုးပြရင်း ကမ္ဘာပေါ်မှာ သူက အသန်မာဆုံးကောင်လေးဖြစ်ကြောင်း သရုပ်ဆောင်ပြဖို့ပါ။ နောက်တစ်လုံးက ညီညီ စမ်းကြည့်နိုင်အောင် ပေးလိုက်ဖို့လေ။

နောက်ရက်အနည်းငယ်ကြာတော့ ဘာဘာက ရေနံတွင်းဘက်ကနေ အော်ရင်း ဟစ်ရင်း အပြေးအလွှား ရောက်လာတယ်။

“မခင်ရီရေ၊ ရေနံ တွေ့ပြီဟေ့”

ခြောက်ဂါလံဝင်ပုံးတစ်လုံးကို ဆွဲပြီး ဘောင်ဘောင့်အိမ်ကနေ နောက်ထပ်ပုံးနှစ်လုံး ယူဖို့ ဘာဘာ ခပ်သွက်သွက်လေး ထွက်သွားတယ်။ အဲဒီနောက် ဘာဘာ မြင်ကွင်းက ပျောက်ကွယ်သွားတော့တယ်။

နောက်နာရီအနည်းငယ်ကြာတော့ ဘာဘာနဲ့ ဦးအောင်စိုးတင်တို့ ပလတ်စတစ်ပုံးနှစ်လုံးကို ဝါးလုံးနဲ့ထိုးထမ်းပြီးပြန်လာကြတယ်။ သူတို့နောက်က ဘကြီးဦးအောင်ဖိုးသန်း နဲ့ ဘကြီးဦးအောင်ဖိုးသိန်းတို့လည်း အလားတူ ပုံးနှစ်လုံးကိုသယ်လာကြလေရဲ့။ သူတို့က တအားစိတ်လှုပ်ရှားနေကြတာ။ ဘာဘာက ညစာစားပြီးနောက် ရေနံတွင်း စောင့်ဖို့နဲ့ ညဘက် လူတွေ ရေနံလာမခိုးအောင် ကြည့်ဖို့ ရေနံတွင်းဆီပြန်သွားရတယ်။

တခြားအဖွဲ့.ဝင်တွေလည်း ညဘက် ရေနံတွင်းစောင့်တာဝန်ကို အလှည့်ကျ ယူရတယ်။ အစတုန်းကတော့ ရေနံတွင်းက ရေနံထွက်တာမြန်တယ်။ ဘာဘာက တစ်နေ့ ရေနံ ၅ ပုံးစီအိမ်သယ်လာတယ်။ မေမေက ရွာထဲ လှည့်ပြီး သူတို့မှာ ရေနံဆီရောင်းဖွဲ့ရှိကြောင်း သတင်းစကားဖြန့်တယ်။ ရေနံဆီအားလုံးကို ရောင်းချပြီးတာနဲ့ အမြတ်အစွန်းတွေကို ခုနစ်ပုံ ပိုကြမယ်။ ဘာဘာနဲ့ အဖွဲ့.သားတွေက ဝေစုတစ်ခုစီရကြမယ်။ ဘောင်ဘောင်က မြေပိုင်ရှင်ဖြစ်တာကြောင့် သူက ဝေစုတစ်စုရမယ်။ ပြီးရင် ရေနံတူးကြီးတွေ၊ ကိရိယာတန် ဆာပလာတွေ ငှားပေးသူက ကျန်တဲ့ဝေစုတစ်ခုကို ရမယ်ပေါ့လေ။

ကိုကို့အတွက် စိတ်လှုပ်ရှားစရာအကောင်းဆုံးအချက်က နတ်ဒေဝတာတွေကို ပူဇော်ပွဲပါ။ ဘာဘာနဲ့အဖွဲ့.သားတွေ ရေနံတွေ့ပြီးလို့ လေးငါးရက်လောက်ကြာတဲ့ တစ်နေ့ပေ့။ နေ့လည်စာ စားပြီးလို့ အားလုံး အနားယူပြီးတာနဲ့ နတ်ဒေဝတာ ပူဇော်ပွဲ အတွက် အဆင်သင့်လုပ်ဖွဲ့ အချိန်ကျလာပါရော။ လူတိုင်း ရေနံတွင်းဆီသွားကြတယ်။ မေမေနဲ့ တခြားအမျိုးသမီးတွေက အိုးတွေ၊ အသုံးအဆောင်ပစ္စည်းတွေ၊ ကောက်ညှင်းနဲ့ အုန်းသီး၊ ရေအိုးတို့ကို သယ်လာကြလေရဲ့။ ဘောင်ဘောင်လည်း နတ်ဒေဝတာ ပူဇော် ပွဲကို တက်ရောက်တယ်။

ကိုကိုက မေမေနဲ့အတူ ရောက်လာချိန်မှာ ဘာဘာနဲ့ အဖွဲ့.သားတွေ ရေနံတွင်း ထဲက ရေနံတွေထုတ်ယူနေတာတွေ့ ရတယ်။ ရေနံထုတ်ယူနေပုံက တလင်းနယ်တုန်းက ချောင်းထဲ ဝါးပိုက်နှစ်ချောင်းထဲကနေ ဘာဘာ ရေနံထုတ်ယူတဲ့ပုံစံနဲ့ အတူတူပဲ။ ဝါးပိုက်ရှည်တစ်ချောင်းကို ရေနံတွင်းထဲ ချပြီး ရေနံဆီ ဖြည့်တယ်။ ပြီးရင် အောက်ခြေမှာ အပေါက်ပါတဲ့ ဝါးလုံးခေါင်းရှိတဲ့ အုန်းမှုတ်ခွက်ကတော့ထဲ ဆီတွေ သွယ်ထည့်တယ်။ အုန်းမှုတ်ခွက်မှာလည်း အပေါက်ပါတာမို့ ရေနံတွေ ယိုစိမ့်မထွက်အောင် အုန်းမှုတ်ခွက်နဲ့ ဝါးလုံးဆက်နေရာကို ရွှံ့နဲ့အလုံပိတ်ထားတယ်။ ရေနံတွေက ဝါးပိုက်ထဲကနေ အုန်းသီးခွံ ကတော့ထဲ စီးဆင်း၊ အဲ့ဒီကမှ ၅ ဂါလံဝင်ပုံးထဲ ရောက်သွားလေရဲ့။

မေမေနဲ့ တခြားအမျိုးသမီးတွေက မီးဖိုပေါ် မှာ ကောက်ညှင်းထမင်း ချက်ပြုတ်ကြ ပါတော့တယ်။ ကိုကိုနဲ့ညီညီတို့ ဝမ်းကွဲညီမောင်တုတ်နဲ့အတူ ကစားကြတယ်။ ဦးအောင် စိုးတင်က ဝါးချောင်းတစ်ချောင်းနဲ့ တစ်ခုခု လုပ်နေသလို ဝါးချောင်းပိုင်းတွေကိုလည်း ရက်သီနေလေရဲ့။ ရေနံတွင်းနားမှာ ဝါးချောင်းကို မြေကြီးထဲ ထောင်ထည့်ပြီး စိုက် လိုက်တယ်။ ပြီးရင် ဝါးချောင်းထိပ်မှာ လေးထောင့်ကျကျ ဝါးမျက်ကွင်းကို တင်လိုက် တယ်။ စားပွဲခုံအမြင့်ကြီးနဲ့ တူသွားရော။ လူကြီးတစ်ရပ်လောက် မြင့်တာမို့ ထိပ်ပိုင်းကို ကိုကို လှမ်းမမြင်ရ။

နတ်ဒေဝတာ ပူဇော်ပွဲ စတင်ဖွဲ့ အချိန် ကျခါနီးပြီ။ ဘောင်ဘောင်က သွပ်အိုးကို ဖွင့်ပြီး ရွှေပြက်တွေကို ဘာဘာထံ ကမ်းပေးလိုက်တယ်။ ဘာဘာက လျှောက်လမ်းအတိုင်း ထွက်သွားတယ်။ တစ်နေ့ ဘာဘာကို နွားလှုန်ရာမှာကူညီပေးရင် ဘာဘာပြောတဲ့

စကားတစ်ခွန်းကို ကိုကို အမှတ်ရလိုက်မိတယ်။

"ဘာဘာက နတ်ပင်ဆီ သွားမှာလားဟင်"

"ဟုတ်တယ်၊ ကိုကိုရေ။ ဒိုးဒိုကို ပူဇော်ဖို့ သွားတာလေ"

"ဒိုးဒိုဆိုတာ ဘယ်သူလဲ၊ မေမေ"

"ဒိုးဒိုဆိုတာ ရှာရှင်းမနတ်ကို ပြောတာကွဲ့"

ကိုကိုက ဘာဘာ ထွက်သွားရာဘက်ကို မျှော်ကြည့်လိုက်တယ်။ ဘာဘာက သိပ်သတ္တိရှိတယ်လို့ ကိုကိုစိတ်ထဲ ခံစားမိရဲ့။ လိမ်ယှက်နေတဲ့ သစ်ကိုင်းတွေရှိရာ ထူးဆန်းတဲ့ သစ်ပင်ကြီးဆီ တစ်ကိုယ်တည်း သွားဝံ့တာ နည်းတဲ့သတ္တိလား။

အဲဒီနောက်မှာ ဘောင်ဘောင်က သွပ်အိုးထဲက ကွမ်းရွက်တစ်ရွက်၊ ကွမ်းသီးတစ် လုံးနဲ့ ဆေးသားလိပ်တစ်လိပ် ထုတ်ယူပြီး ဘကြီးဦးအောင်ဖိုးသိန်းထံ ပေးလိုက်တယ်။ ဘကြီးဦးအောင်ဖိုးသိန်းက ဝါးစားပွဲရှုပ်ပေါ် တင်ပေးလိုက်တယ်။ ဒီဝါးစားပွဲက နတ်စင်ပဲပေါ့။ နောက်တော့ ဘောင်ဘောင်က ဘကြီးဦးအောင်ဖိုးသိန်းထံ ဝါးဂွမ်းတစ်စ ပေးလိုက်ပြန်တယ်။ ဘကြီးဦးအောင်ဖိုးသိန်းက ဝါးချောင်းလေးတစ်ချောင်းမှာ ဝါးဂွမ်းစကို ပတ်ရစ်ပြီး မီးတုတ်လေးတစ်ခု လုပ်လိုက်တယ်။ ဒီမီးတုတ်လေးကို ရေနံတွင်းက ရတဲ့ ရေနံဆီထဲ နှစ်လိုက်ပြီးနောက် နတ်စင်ထိပ်မှာ ကပ်ချည်လိုက်ရဲ့။

ဦးအောင်ဖိုးသန်းနဲ့ ဦးမောင်မှတ်အေးတို့က အနီးအနားတဝိုက်မှာ ရေနံတူးနေကြ မယ့် တခြားလူတွေကို အရှာထွက်သွားကြတယ်။ ဒီလူတွေကိုလည်း နတ်ဒေဝတာ ပူဇော်ပွဲသို့ ကြရောက်ဖို့ဖိတ်ကြမှာပါ။ ခဏနေတော့ ရေနံတူးအဖွဲ့ ၃ ဖွဲ့ ဆုံမိကြပါလေ ရော။ ဘာဘာလည်း နတ်ပင်ကနေပြန်လာပြီ။ ကောက်ညှင်းထမင်းလည်း အဆင်သင့် ဖြစ်နေပြီ။

ပန်းကန် ၃ ချပ်မှာ ကောက်ညှင်းတွေထည့်ပြီး အုန်းသီးစာ ဖြူးလိုက်တယ်။ ဘကြီးဦးအောင်ဖိုးသိန်းက ကောက်ညှင်းပန်းကန်တစ်ချပ်ကို ရေနံတွင်းပေါ် တင်လိုက် တယ်။ နောက်ပန်းကန်နှစ်ချပ်ကိုတော့ နတ်စင်ပေါ် တင်လိုက်တယ်။ နောက်ဆုံးမှာတော့ မီးတုတ်ငယ်ကို မီးညှိလိုက်တယ်။

"နတ်ဒေဝတာအပေါင်းကို ဒီစားဖွယ်အစုံနဲ့ အကျွန်ုပ် ပူဇော်ပသပါတယ်။ ရေနံ တွေ ပေါပေါများများ ပေးသနားတော်မူလို့ ကျေးဇူးတင်ပါတယ်။ ဒီလိုမျိုး ဆက်တိုက် စောင်မကြည့်ရှုတော်မူပါ"

ဘကြီးဦးအောင်ဖိုးသိန်းက နတ်ပူဇော်လိုက်တယ်။

အခုဆို စားသောက်ဖို့ အချိန်ကျပါပြီ။ မေမေက ကောက်ညှင်းထမင်းနည်းနည်းနဲ့ အုန်းသီးစာကို အလုံးလေး ၂ လုံး ဖြစ်အောင် လက်နဲ့ဆုပ်ပေးတယ်။ ပြီးတဲ့အခါ ကောက်ညှင်းတစ်ဆုပ်ကို ကိုကို့ထံ ပေးပြီး ကျန်တစ်ဆုပ်ကို ညီညီ့ထံပေးတယ်။ ကောက် ညှင်းက အငွေ့တထောင်းထောင်း ထနေဆဲ။ ကောက်ညှင်းထမင်းမှာ ချိုးကပ်နေသေးရဲ့။

ကိုကိုက ကျေနပ်နေမိပြီ။ ချိုးကပ်နေတဲ့ အပိုင်းကို သူ ကြိုက်တယ်လေ။ ကိုကိုက ကောက်ညှင်းထမင်းဆုပ်ကို စားရင်း လှည့်ပတ်ကြည့်တယ်။ အနီးအနားမှာ နတ်စင်ရှိပေ မယ့်လည်း သူ သိပ်တော့မကြောက်။ မွန်းလွဲပိုင်းလေးက ပျော်စရာပါပဲ။

* * * * *

သင်္ကြန်

ဆောင်းရာသီက နိုဝင်ဘာလကနေ ဖေဖော်ဝါရီလအထိ ကြာမြင့်ပါတယ်။ ဆောင်းကုန်တော့ နွေကူးလာပေါ့။ နွေရာသီမှာ သင်္ကြန်ပွဲလို့ ခေါ်တဲ့ အထူးအားလပ်ရက် အခါသမယ ရှိလေရဲ့။ သင်္ကြန်ဆိုတာ နှစ်ဟောင်းက နှစ်သစ်သို့ကူးပြောင်းခြင်းကို ဆိုလိုပါတယ်။ သင်္ကြန်ကာလက ဧပြီလအတွင်း လေးရက်ကြာမြင့်ပါတယ်။ လာမယ့် နှစ်သစ်အတွက် အရာဝတ္ထုတွေကို ရေနဲ့ ဆေးကြောသန့်စင်တာက ရိုးရာအစဉ်အလာ ပေကိုး။ လူတွေက နှစ်ဟောင်းက အညစ်အကြေးတွေကို ဆေးကြောသန့်စင်တာတင်မက မိတ်ဆွေသူငယ်ချင်းတွေ၊ မိသားစုဝင်တွေ၊ လူစိမ်းတွေကို ရေပက်ဖြန်းပြီးလည်း အညစ်အကြေးတွေကို ဆေးကြောကြောင်း တင်စားလုပ်ဆောင်ကြလေရဲ့။ သင်္ကြန်ကို ရေသဘင်ပွဲတော်လို့လည်းခေါ်ကြတယ်။ ဒီပွဲတော်က တစ်နှစ်တာရဲ့ အကြီးဆုံး ပွဲတော်ပါပဲ။

သင်္ကြန်ကာလအတွင်း သိကြားမင်းက ကလေးတွေ လိမ်လိမ်မာမာ နေရဲ့လားလို့ စောင့်ကြည့်နေတယ်လို့ ကလေးတွေ သိကြတယ်။ သိကြားမင်းဟာ နတ်ပြည်ကနေပြီး ဘယ်ကလေးကတော့ ဆိုးတယ်၊ ဘယ်ကလေးကတော့ လိမ္မာနေတယ်ဆိုတာ အမြဲ စောင့်ကြည့်နေတတ်သတဲ့။ သင်္ကြန်ကာလဆို ကလေးတွေက ဒီအကြောင်းကို အထူး တလည် စဉ်းစားကြတာပေါ့။

သင်္ကြန်ကာလအတွင်း ဘယ်သူမှ အလုပ်မလုပ်ကြ။ ပြီးတော့ တိရစ္ဆာန်တွေ သတ်ဖြတ်တာ၊ ဆဲရေးတိုင်းထွာတာ၊ လိမ်လည်တာ၊ အရက်သေစာ သောက်စားတာတို့ကို ရှောင်ကြဉ်ကြတယ်။ ဒီကာလအတွင်း တိရစ္ဆာန်တွေကို မသတ်ဖြတ်ကြလို့ သင်္ကြန် မတိုင်ခင် ကြိုတင်ပြင်ဆင်မှုတွေ လုပ်ရတယ်။

ဘာဘာက ကွန်ပစ်ထွက်တယ်။ ရလာတဲ့ ငါးတွေကို မေမေက ဆားလူးပြီး နေလှန်းတယ်။ သင်္ကြန်တွင်း စားသောက်လို့ ရအောင်ပေါ့လေ။ သင်္ကြန်အကြိုနေ့မှာ

မေမေက စောစောထပြီး ပစ္စည်းပစ္စယတွေ ဝယ်ဖို့ စျေးသွားပါတယ်။ သင်္ကြန် ၄ ရက်
စျေးပိတ်မှာမို့လေ။ အမျိုးသမီးတွေက ၄ ရက်တာ ဖူလုံအောင် ပစ္စည်းတွေဝယ်ကြမယ့်
အပြင် မုန့်ပဲသွားရေစာလုပ်ဖို့လည်း ဝယ်ကြမှာမို့၊ ဒီအချိန်မျိုးဆို စျေးမှာလူတွေ
ရှုပ်ယှက်ခတ်နေတတ်တယ်။ အိမ်ထောင်စုတွေက သင်္ကြန်တွင်းမုန့်လုပ်ပြီး တစ်အိမ်နဲ့
တစ်အိမ်ပေးဝေကြတယ်။ မေမေ ထွက်သွားပြီးနောက် ကိုကို အိပ်ရာကနိုးလာတယ်။
ကျောက်တွေရွှာနဲ့ အနီးအနား ရွာတွေက ပုံတီးသံ၊ တခြားတူရိယာပစ္စည်း တီးခတ်သံတွေ
ကြားရလေရဲ့။ သံစုံတီးဝိုင်းတွေက သင်္ကြန်အတွက် လေ့ကျင့်ပြင်ဆင်နေကြပြီလေ။

မေမေ စျေးက ပြန်လာတဲ့အခါ ကိုကို၊ ညီညီတို့ အပြေးလေး သွားကြိုကြတယ်။
သင်္ကြန်ကာလမှာ ကိုကိုတို့ ညီအစ်ကိုနှစ်ယောက်အတွက် တစ်ခုခုပါလာမှာ သိနေတယ်
လေ။ ဟင်းသီးဟင်းရွက်၊ ကြာဆံ၊ ကောက်ညှင်းဆန်၊ သကာတို့အပြင် သူတို့အတွက်
အုန်းသီးဆံလျှော်ဖြူးထားတဲ့ ဘိန်းမုန့်လေးနှစ်ခုလည်း ပါလာလေရဲ့။ ရေပြွတ် နှစ်လက်နဲ့
ပုံးအလွတ်နှစ်လုံးတို့လည်း ပါသေး။ ကိုကို၊ ညီညီတို့ ဘိန်းမုန့် စားပြီးတာနဲ့ ဘာဘာက
ရေပြွတ်တွေကို ကုစမ်းပေးတယ်။

ဘာဘာက ရေဖြည့်ထားတဲ့ သွပ်အိုးတစ်လုံးကို အိမ်ရှေ့ခန်းမှာ တင်လိုက်တယ်။
ပထမဦးစွာ ကိုကိုတို့ရေပြွတ်ကို စစ်ဆေးကြည့်တယ်။ ရေပြွတ်တွေက ဘာဘာ အရင်တစ်ခါ
လုပ်ပေးဖူးတဲ့ ဝါးသေနတ်နဲ့ ဆင်တူပါတယ်။ သေးသွယ်တဲ့ ပြွန်တစ်ခုပါတယ်။ ပြွတ်တံ
တစ်ချောင်းပါတယ်။ ပြွတ်တံကို ထိုးသွင်းလိုက်တာနဲ့ ဝါးသေနတ်လို 'ထောင်း'ကနဲ့
အသံမြည်ဘဲ ရေတွေပဲပန်းထွက်လာတာပေါ့။ ရေပြွတ်ရဲ့ နောက်ဘက်က ကျေးညှတ်နိုင်
တဲ့ ပိုက်ပြွန်တစ်ချောင်း ထွက်နေလေရဲ့။ ဘာဘာက ပိုက်ပြွန်အစွန်းကို ရေထည့်ထားတဲ့
သွပ်အိုးထဲ ထည့်ပြီး ရေတွေ စုတ်တင်လိုက်တယ်။ ရေပြွတ်ထဲက ဘာမှုထွက်မလာ။
ကိုကိုက စိတ်ပျက်နေပြီ။ သင်္ကြန်အတွက် ရေပြွတ်အပျက်ကို သူ မလိုချင်။ ဒါပေမယ့်
အဲဒီနောက်မှာ ဘာဘာက ရေပြွတ်အစွန်းကို ပါးစပ်နဲ့စုပ်ပြီး ရေတွေစီးလာအောင်
လုပ်လိုက်တယ်။ ရေပြွတ်ကို နောက်တစ်ကြိမ် စုပ်တင်လိုက်တော့ အဆင်ပြေသွားရော။
ကိုကို ရယ်မောပြီး ရေပြွတ်ကို ယူလို့စမ်းကြည့်တယ်။ ဘာဘာက ညီညီရေပြွတ်ကို
ဆက်စမ်းကြည့်နေလေရဲ့။

ရေပြွတ်တွေ အလုပ်လုပ်တာနဲ့ ကိုကိုက မေမေ ယူလာတဲ့ ရေပုံးအလွတ်လေး
တစ်လုံးမှာ ရေဖြည့်လိုက်တယ်။ ရေပုံးမှာလက်ကိုင်တစ်ခု၊ ဝက်အူရစ်အဖုံးတစ်ခုပါတယ်။
ရေတစ်လီတာဆန့်ပါတယ်။ ကိုကိုက ပုံးအဖုံးကိုပြန်မပိတ်ဘဲ ဖွင့်ထားလိုက်တယ်။
ရေပြည့်ပုံးကို လွယ်အိတ်ထဲ သေချာလေးထည့်ပြီး လွယ်အိတ်ကြိုးကိုပခုံးပေါ် လွယ်
လိုက်တယ်။ ရေပြွတ်ရဲ့ပိုက်ကို ရေပုံးအဝထဲထည့်လိုက်တယ်။ အခုဆို ရေပြွတ်က
ရွှေ့ပြောင်းလို့ရပြီပေါ့။ ညီညီက ကျောင်းမတက်ရသေးတော့ လွယ်အိတ်မရှိ။ ဒါကြောင့်
မေမေက မနေ့ကတည်းက ညီညီအတွက် အိတ်လေးတစ်လုံး လုပ်ပေးထားတယ်။

ညီညီက ဒီအိတ်ထဲမှာ ရေပုံးကိုထည့်ထားလေရဲ့။ ညီအစ်ကိုနှစ်ယောက် ရယ်ရယ်
မောမောနဲ့ တစ်ယောက်ကိုတစ်ယောက် ရေပက်ရင်း လှည့်လည်ပြေးလွှားကြတယ်။
ဝမ်းကွဲညီမ မမချေ အိမ်ထဲကထွက်လာတော့ သူ့ကိုလည်း ရေပက်ကြတယ်။ ဒါပေမယ့်
သင်္ကြန်ကာလ တရားဝင် မဆေးသေး။ လေ့ကျင့်နေရုံလောက်ပဲ ရှိပါသေးတယ်။

သင်္ကြန်မတိုင်မီ လူတွေက ကိုယ့်အိမ်က ဘုရားဆင်းတုတော်ကို ရေသပ္ပါယ်ကြ
တယ်။ မေမေက ဘုရားကျောင်းဆောင်ကို သန့်ရှင်းရေးလုပ်ပြီး ဘုရားဆင်းတုတော်ကို
သုတ်သင်သန့်ရှင်းတယ်။ ညောင်ရေပန်းခက်တွေကို အသစ်လဲပြီး ရေတွေ အသစ်
ဖြည့်တယ်။

သင်္ကြန်အကြိုနေ့ ညနေပိုင်းလောက်မှာ လူပျို၊ အပျိုအားလုံး ဘုန်းကြီးကျောင်းကို
သွားကြတယ်။ အပျိုတွေက ရေဖြည့်ထားတဲ့ မြေအိုးတွေမှာ အောင်သပြေခက်တွေ
ထိုးပြီးသွားကြလေရဲ့။ တစ်ခါတစ်ရံ ရေကို စန္ဒကူးနဲ့သာနဲ့ဆွတ်ထားကြတယ်။ ဘုန်းကြီး
ကျောင်းရောက်တော့ လူပျိုတွေက ဘုရားကျောင်းဆောင်တွေကနေ ဘုရားဆင်းတုတော်
ငယ်တွေ ချယူလာပြီး ဝရန်တာမှာတင်ကြတယ်။ အပျိုတွေက လူပျိုတွေကို ရေအိုး
ပေးလိုက်တယ်။ လူပျိုတွေက ဘုရားဆင်းတုတော်ကို ဖုန်တွေဘာတွေသုတ်ပြီး ရေနဲ့
ဆေးကြောကြတာလေ။ ရေပြတ်သွားတဲ့အခါ အပျိုတွေက ရေတွင်းကနေ ရေတွေ
ခပ်ပေးကြလေရဲ့။ ဘုရားဆင်းတုတော် သန့်ရှင်းသွားတာနဲ့ အောင်သပြေခက်တွေနဲ့
ရေဖြန်းပြီး ဘုရားကျောင်းဆောင်တွေမှာ ပြန်ထားပေးရပါတယ်။

လူပျို၊အပျိုတွေ ဘုရားရေသပ္ပါယ်ပြီးတဲ့အခါ မိသားစု၊ မိတ်ဆွေ၊ အိမ်နီးချင်းတို့ကို
စတင် ရေလောင်းနိုင်ပါပြီ။ ဘုန်းကြီးကျောင်းမှာ လူပျို၊ အပျိုတွေ ပျော်ပျော်ရွှင်ရွှင်
ရယ်ရယ်မောမောနဲ့ ရေအိုး၊ ရေခွက်တွေကနေ တစ်ယောက်နဲ့တစ်ယောက် ရေလောင်းကြ
တယ်။ လူပျို၊အပျိုတွေ အိမ်အပြန်လမ်းမှာ ကလေးတွေက ရေလောင်းကြပြန်ရော။
ကိုကို၊ ညီညီတို့ ဒေါ်လှူးခိုင်အိမ်နားမှာ ရေပြတ်တွေကိုင်ပြီး မတ်တပ်ရပ်နေရင်း လမ်း
ပေါ်က ဖြတ်သွားဖြတ်လာတွေကို ရေလောင်းကြတယ်။ ကိုကို၊ ညီညီတို့ကိုလည်း
သူငယ်ချင်းတွေ၊ အိမ်နီးချင်းတွေက ရေလောင်းကြလေရဲ့။

သင်္ကြန်ပထမနေ့မှာ ဘာဘာနဲ့ ဘောင်ဘောင်တို့ စောစောနိုးလာပြီး ဘုန်းကြီး
ကျောင်းမှာ ဥပုသ်သွားစောင့်ကြတယ်။ သင်္ကြန်တွင်းမှာ လူကြီးသူမတွေက ဘုန်းကြီး
ကျောင်း စောစော သွားပြီး ရှစ်ပါးသီလ ခံယူကာ ဥပုသ်စောင့်ကြတယ်။ ဝါတွင်းကာလ
တုန်းကလိုပဲ။ လူကြီးသူမတွေမဟုတ်တဲ့ လူငယ်ပိုင်းတွေ ဥပုသ်စောင့်တာက ထူးခြားပါ
တယ်။ ဘာဘာက သူ့အသက်အရွယ်အုပ်စု တစ်ဦးတည်းသော ဥပုသ်သည်ပါ။

ဒီမနက် စားစရာတွေ သိပ်ပေါတယ်။ အိမ်နီးချင်းတွေက ကောက်ညှင်းဆန်နဲ့
လုပ်ထားတဲ့ မုန့်နဲ့ပဲသွားရေစာတွေ လိုက်ဝေပေးထားတာမို့ပါ။ ကိုကို၊ ညီညီတို့ အုန်းသီးနဲ့
သကာ အဆာသွတ်ထားတဲ့ မုန့်ဖက်ထုပ်၊ အုန်းသီးနဲ့ သကာ အဆာသွတ်ထားတဲ့

မုန့်ဆီကြော်၊ သကာထည့်ချက်ပြီး အုန်းသီးဖြူးထားတဲ့ မုန့်လုံးရေပေါ် တို့ကို စားကြတယ်။ တစ်ယောက်ကို တစ်ယောက် ရေလောင်းနေကြတဲ့ ကလေးတွေရဲ့ ပျော်ပျော်ရွှင်ရွှင် အော်နေသံကို ကိုကို ကြားရရဲ့။ ကိုကိုက မြန်မြန်လေး ပျော်နိုင်အောင် ခပ်သွက်သွက်လေး စားလိုက်တယ်။

ကိုကိုနဲ့ ညီညီတို့ ရေပွတ်တွေ အဆင်သင့် ပြင်ပြီး ဦးထွန်းစိန်တို့အိမ်နား သွားကြတယ်။ အဲဒီမှာ ဆော့ကစားနေတဲ့ ကလေးတွေ ရှိနေနှင့်ပြီ။ ဒါကြောင့် ကိုကို၊ ညီညီတို့ ကလေးအုပ်ထဲ ဝင်ပြီး အချင်းချင်း ရေပက်ကြတော့တယ်။ ကိုကိုတို့နှစ်ယောက်လုံး ရွှဲရွှဲစိုအောင် ရေပြန်အပက်ခံရတယ်။ တစ်ခါတစ်ရံ ကလေးတွေက ထမင်းဟင်းချက်တဲ့ အိုးရဲ့ အောက်ခြေကို လက်အစိုနဲ့ တင်ပြီး လက်ထဲ အိုးမဲ ပေအောင် လုပ်လိုက်တယ်။ အဲဒီနောက် တစ်ယောက်ယောက်ရဲ့ ပါးပေါ် သွားပွတ်ပြီး အိုးမဲသုတ်ကြတယ်။ မမချေက ကိုကို၊ ညီညီတို့ကို အိုးမည်းသုတ်ပြီး ခပ်သုတ်သုတ် ထွက်ပြေးသွားတယ်။ ကိုကိုက သူ့နောက် လိုက်ပြီး ရေပွတ်နဲ့ လိုက်ပက်တယ်။ ဒါပေမယ့် မမချေက အပြေးသိပ်မြန်တာ။ သူ့ကို လိုက်ဖမ်းဖို့က မလွယ်။ ကိုကို ကောင်းကင်ပေါ် မော့ကြည့်လိုက်တော့ မီးခိုးရောင် တိမ်စိုင်ကြီးတွေကို မြင်ရရော။ တိမ်တွေရဲ့ ပုံသဏ္ဍာန်က ထူးဆန်းပြီး အသိရခက်နေတဲ့ ဟန်မျိုး။ ကိုကို နည်းနည်းတော့ ကြောက်မိရဲ့။ သိကြားမင်းက ကိုကိုတို့ကို စောင့်ကြည့် နေတယ် ထင်ပါရဲ့။

မေမေက ကိုကိုနဲ့ ညီညီကို အိမ်မှာ နေ့လည်စာစားဖို့ ခေါ်လိုက်တယ်။

"ကြည့်ပါဦး။ နှစ်ယောက် ဖြစ်ပျက်နေပုံကို"

ကိုကို၊ ညီညီတို့ တစ်ယောက်ကိုတစ်ယောက် ကြည့်လိုက်ကြတယ်။ နှစ်ယောက်လုံး ရွှဲရွှဲစိုလို့၊ မျက်နှာမှာ အိုးမဲတွေ စီးကျနေလေရဲ့။

ရေချိုး၊ နေ့လည်စာစားပြီးနောက် ကိုကိုနဲ့ ညီညီ အဝတ်အစား သစ်သစ်လွင်လွင် ဝတ်ကြတယ်။ ရုပ်အကျီအနီ ဆင်တူတွေ။ ရှေ့မှာ ကြယ်သီးတွေတပ်လို့၊ အကျီပေါ်မှာ တွန့်အိတွန့်ခေါက်မျဉ်းလေးတွေ ပုံဖော်ထားလေရဲ့။ အခုတော့ ရေသဘင်မဏ္ဍပ်ကို သွားဖို့ အချိန်ကျပြီ။ မဏ္ဍပ်ဆိုတာ ဝါးလုံးတွေ၊ အမိုးအတွက် အုန်းလက်တွေနဲ့ဆောက် လုပ်ထားတဲ့ ယာယီအဆောက်အဦပါ။ ရွာတိုင်းမှာ ရေလောင်းမဏ္ဍပ်တစ်ခုစီ ဆောက် တတ်တာတော့ မဟုတ်။ ကျေးရွာအသီးသီးရဲ့ လူပျိုအပျိုအဖွဲ့၊ ဆုံးဖြတ်ချက်အပေါ် မူတည်ပါတယ်။ ဒီနှစ်အဖွဲ့ ကျောက်တွေရွာမှာ ရေလောင်းမဏ္ဍပ် ဆောက်ဖြစ်လေရဲ့။ ကိုကို၊ ညီညီတို့က ရေပွတ်ကိုယ်စီကိုင်လို့ မင်းလမ်းမအတိုင်း မေမေ့နောက်က လိုက်သွား ကြတယ်။ ကျွန်းဦးပင်နားရောက်တော့ စပါးတုံ့ရွာ ရေလောင်းမဏ္ဍပ်က သီချင်းသံတွေ ကြားရတယ်။ စပါးတုံ့ရွာမှာ နှစ်တိုင်း ရေလောင်းမဏ္ဍပ် ဆောက်ဖြစ်တယ်လေ။

ဘယ်ဘက်ကို ကွေ့လိုက်တယ်။ မကြာခင် လမ်းတလျှောက် တခြားကလေးတွေ၊ လူငယ်ပိုင်းတွေက ကိုကိုတို့ကို ရေပက်ကြရော။ ရေလောင်းခံလိုက်ရတာ အေးအေးလေးနဲ့

လူကို လန်းသွားစေရဲ့။ မင်းလမ်းမအတိုင်း စုန်သွားပြီးနောက် ဘယ်ချိုးပြီး ဘုန်းကြီး ကျောင်းအသွားလမ်းပေါ် တက်လိုက်ကြတယ်။ ကိုကိုက အသံချဲ့စက်က သီချင်းဖွင့်ထား တာကြားနေရပြီ။ ပေ့ါသီချင်းတစ်ပုဒ်လေ။ ဒါပေမယ့် အနီးအနားက ရိုးရာတီးဝိုင်းသံနဲ့ ပေ့ါဂီတသံ ရောနေလေရဲ့။

ဘုန်းကြီးကျောင်းခြံပြင်ပမှာ ကိုကိုက မဏ္ဍပ်ကို တွေ့ရတယ်။ ဝါးလုံးတန်းတွေက အုန်းလက်မိုးကို ပင့်ထားပေးတယ်။ အုန်းလက်တွေ၊ ရီအုန်းလက်တွေကို ဝါးလုံးတန်းမှာ သွားချည်ပြီး အစိမ်းရောင် အရွက်တွေနဲ့ လှပအောင် တန်ဆာဆင်ထားလေရဲ့။ လူပျို အပျိုတွေက မဏ္ဍပ်အရိပ်အောက်မှာ ရောက်နေကြပြီ။ ကိုကို မဏ္ဍပ်နား ရောက်လာတော့ အတွင်းမှာ လောင်းတစ်စီး မြင်လိုက်ရတယ်။ ကျောက်ဦးမော်သွားတုန်းက ဘာဘာ လျှော်ခတ်ခဲ့တဲ့ လောင်းထက်တော့ ကြီးပါတယ်။

"လောင်းက ဒီကို ဘယ်လို ရောက်လာတာလဲ၊ မေမေ"

"စပါးတုံတံတားနားကနေ ဒီအထိ လူအယောက် ၂၀ သယ်လာရတာကွဲ့။ တစ်ဘက် ၁၀ ယောက်၊ နောက်တစ်ဘက် ၁၀ ယောက်စီနဲ့ နှစ်ယောက် ဝါးလုံးတစ်လုံးစီ ထိုးထမ်းလာကြတာလေ။ လောင်းကို ဝါးလုံးတစ်လုံးမှာ ပတ်ချည်ထားတဲ့ ကြိုးတွေနဲ့ ပင့်ထမ်းလာကြတာလေ

လောင်းထဲ ရေရှိနေတာ ကိုကို တွေ့ရတယ်။ ရေထဲ သွပ်ခွက်တွေ မျှောနေလေရဲ့။ မေမေက လောင်းအနီးမှာ ရေလောင်းတာ ကိုကို၊ ညီညီတို့ ကြည့်နိုင်အောင် သူတို့နဲ့အတူ မတ်တပ်ရပ်နေတယ်။

အခြားတစ်ရွာက လူပျို အပျိုတစ်စုရောက်လာပြီး မဏ္ဍပ် ထဲက သစ်သားခုံတန်းရှည်တွေ ပေါ် ထိုင်ကြတာမြင်ရတယ်။ လူတိုင်း ဝတ်ကောင်းစားလှတွေ ဝတ်ဆင်ထားကြလေရဲ့။ အပျိုတွေ က သနပ်ခါးလိမ်းထားကြတယ်။ ခဏနေတော့ အသံချဲ့စက်ကနေ ကြေညာချက်တစ်ခု ထွက်ပေါ်လာ တယ်။ စပါးတုံရွာက အပျိုအသင်း နဲ့ ကျောက်တွေ့ရွာက လူပျိုအသင်း တို့ ယှဉ်ပြိုင်ရမှာတဲ့လေ။ ကိုကိုက စိတ်ဝင်တစား စောင့်ကြည့်နေလိုက်တယ်။

ဖြစ်နေတာမှန်သမျှ စိတ်လှုပ်ရှားစရာချည်းပဲ။ အပျို့တွေက ရေပြည့်နေတဲ့ လောင်းနံဘေး
တန်းစီလိုက်ကြတယ်။ လူပျို့အသင်းက ရေပြည့်ပုံးတွေရှိတဲ့ ခြံစည်းရိုးသဏ္ဌာန်နေရာ
တလျှောက် တန်းစီလိုက်ကြတယ်။ လူပျို့တစ်ယောက် ရေတစ်ပုံးကျစီရှိလေရဲ့။ အသင်း
နှစ်သင်းလုံးမှာ အဖွဲ့ဝင် ၁၀ ဦးစီပါတယ်။ ရုတ်တရက် ခရာမှုတ်သံ ပေါ်လာတယ်။
ခရာမှုတ်သူက စတင်ဖို့ အချက်ပြလိုက်တယ်။

အပျို့အသင်းဝင်တစ်ဦးစီက ခွက်တစ်လုံးဆွဲယူပြီး လောင်းက ရေနဲ့ ဖြည့်လိုက်ကြ
ရော။ အဲဒီနောက် ခြံစည်းရိုးသဏ္ဌာန် တခြားဘက်က ကိုယ်နဲ့ကန့်လန့်ဖြတ်တည့်တည့်မှာ
မတ်တပ်ရပ်နေတဲ့ လူပျို့ထံ လျှောက်သွားပြီး ရေလောင်းကြတယ်။ လူပျို့အသင်းဝင်တွေက
ကိုယ့်ရှေ့က ရေပုံးထဲ ခွက်နှစ်ပြီး အပျို့တွေကို အသီးသီးရေဒက်ကြတယ်။ အပျို့တွေက
လောင်းဆီပြန်သွားပြီး ခွက်တွေကို ရေဖြည့်၊ ပြီးတာနဲ့ ယှဉ်ပြိုင်ဘက် လူပျို့ကိုရေလောင်း၊
လူပျို့ကလည်း အပျို့ကိုပြန်လောင်း၊ ဒီလိုနဲ့ရေကစားရပါတယ်။ မကြာခင် အားလုံး
ရေတွေရဲ့ရွှဲစိုကုန်ရော။ လောင်းနဲ့ ခြံစည်းရိုးသဏ္ဌာန်နေရာတို့ကြားက နေရာဟာ ၁၀
ပေလောက်ကျယ်တယ်။ ကြားထဲက မြေကြီးလည်း ရွှံ့တွေနဲ့ ချော်ကုန်ရော။ အပျို့တွေက
သတိနဲ့ လျှောက်ကြရလေရဲ့။ ကိုကိုက ရေကစားနည်း စည်းကမ်းတွေကိုတော့ မသိ။
ဘယ်သူနိုင်မှာလဲလည်းမသိ။ သို့ပေမယ့် ကြည့်ရတာ ပျော်ဖို့တော့ အကောင်းသား။
သီချင်းသံက ကျယ်တော့ ကိုကိုတစ်ယောက် တီးလုံးသံနဲ့ စည်းကိုက်ဝါးကိုက် လိုက်ပြီး
ကခုန်တာ မလုပ်ဘဲ မနေနိုင်တော့။ ကိုကို့ ညီညီတို့ လာလမ်းတလျှောက် သူငယ်ချင်းတွေ၊
အိမ်းနီးချင်းတွေ ရေလောင်းလို့ စို့ရဲ့နေပြီ။ ဒါပေမယ့် အခုတစ်ခါ လောင်းက ရေတွေနဲ့
ရေပက်ခံရပြန်ပြီ။ လူပျို့တစ်ချို့က ခွက်ထဲကရေတွေကို အပျို့တွေထံ ခွက်နဲ့ရေလောင်း
ရင်း ကခုန်နေကြရဲ့။ အားလုံးက ပျော်ရွှင်နေကြလေရဲ့။

ရုတ်တရက် ဒိုင်လူကြီးက ခရာမှုတ်လိုက်ပြန်တယ်။ ရေကစားတာ ရပ်သွားလေရဲ့။
အမျိုးသမီးငယ်တွေ လောင်းနားပြန်လာကြတယ်။

"ဘာဖြစ်လို့လဲဟင်"

"ကောင်လေးတစ်ယောက်ရဲ့ ရေပုံး ရေဖြည့်ဖို့လိုနေလို့။ ခရာသံ ကြားတာနဲ့
ကစားပွဲရပ်နားရမယ်။ ရေပုံးမှာ ရေမရှိတဲ့ အခါမျိုး၊ တစ်ယောက်ယောက်က စည်းကမ်း
ချိုးဖောက်တဲ့ အခါမျိုး၊ အသင်းတစ်သင်းက နိုင်ဖို့သေချာတဲ့အခါမျိုးမှာ ခရာမှုတ်
ရတယ်ကွဲ့။"

"ကစားနည်းစည်းကမ်းချက်တွေက ဘာတွေလဲ၊ မေမေ"

"ရေကစားသူတစ်ဦး မျက်နှာသစ်ရင် သူတို့အသင်း ရှုံးတယ်။ အပျို့အသင်းက
အသင်းဝင်တစ်ယောက် မတော်တဆ ခွက်လွတ်ကျသွားရင်ပဲဖြစ်ဖြစ်၊ လူပျို့အသင်းဘက်က
တစ်ယောက်ယောက် ခွက်လွတ်ကျသွားရင်ပဲဖြစ်ဖြစ် သူ့အသင်းရှုံးတယ်လေ။ နောက်ပြီး
တော့ လူပျို့တစ်ယောက် အပျို့ရဲ့ လက်ထဲကခွက်ကို ဆွဲယူနိုင်လိုက်ရင် အပျို့အသင်းက

ရှုံးတယ်ကွဲ့။ ဒါပေမယ့် အပျိုတစ်ယောက်က လူပျိုဘက်က ရေပုံးတစ်ပုံးကို ဆွဲချနိုင် လိုက်ရင် လူပျိုအသင်း ရှုံးတာပေါ့ကွယ်"

နှစ်မိနစ်လောက်နေတော့ အပျိုတစ်ယောက်က ရေပုံးတစ်ပုံးကို ဆွဲချလိုက်တယ်။ ဒိုင်လူကြီးက ခရာကို ကျွီ ကနဲ့ မှုတ်လိုက်ရော။ အပျိုအသင်း နိုင်ပြီပေါ့လေ။ ရေ ကစားချိန် နှစ်မိနစ် ကြာလေ့ရှိတယ်။ ဒီအချိန် နှစ်မိနစ်အတွင်း အသင်းဝင်တစ်ယောက် ယောက် စည်းဖောက်ရင်ပဲဖြစ်ဖြစ်၊ အသင်းဝင်တစ်ယောက်ယောက်က ရေခွက် သို့မဟုတ် ရေပုံးကို ဆွဲချနိုင်ရင်ပဲဖြစ်ဖြစ် ကစားပွဲပြီးဆုံးပါတယ်။

"ဒီလိုမျိုး လူငယ်တွေကြား ရေကစားပွဲတွေ လုပ်တာဟာ ရခိုင်လူမျိုးတွေပဲ လုပ်တဲ့ အလေ့အထတစ်ခုပေါ့ကွယ်။ ဒါ မေမေတို့ရဲ့ ရိုးရာဓလေ့လေ။ မြန်မာပြည်ရဲ့ အခြားနေရာဒေသတွေမှာတော့ သင်္ကြန်ပွဲကို အခုလိုမျိုး မကျင်းပကြဘူး။ သူတို့ဘက်မှာ သူငယ်ချင်းတွေ၊ အိမ်နီးချင်းတွေကိုပဲ ရေလောင်းကြတာ။ ရေဖြည့်ထားတဲ့ လောင်းတွေ လည်း သူတို့မဏ္ဍပ်တွေမှာ မရှိကြဘူး။ ပြီးတော့ လူပျို အပျိုချင်း ရေကစားကြတာလည်း မရှိဘူးကွဲ့"

"ညှည်သည်တော်အဖွဲ့တွေက ကျောက်တွေအသင်းတွေနဲ့ ယှဉ်ပြိုင်ကစားကြ တာလေ။ ညှည်သည်တော်အသင်း ရှုံးသွားရင် ကျောက်တွေ လူပျို အပျိုအသင်းကို ၁၀၀ ကျပ်ဒဏ်ငွေပေးဆောင်ရတယ်။ ညှည်သည်တော်အသင်း နိုင်ရင် ကျောက်တွေလူပျို အပျိုအသင်းက ညှည်သည်တော်အသင်းကို ဆုတော်ငွေ ၁၀၀ ကျပ် ချီးမြှင့်တယ်"

အခြားရွာတွေက လူပျိုအပျိုအသင်းတွေအတွက် ကောက်ညှင်းထမင်းကျွေးတယ်။ ရွာတစ်ချို့ကို မုန့်ပဲသွားရေစာအစား မရမ်းသီးဖျော်ရည်၊ ရေနဲ့သကြား သို့မဟုတ် သကာတို့ စားသောက်ရတယ်။ ဒါပေမယ့် ရေကစားပြီးရင် လူပျို အပျိုတွေ တစ်ခုခုတော့ စားကြသောက်ကြရတာပါပဲ။

အခြားရွာက လူပျိုအပျိုတွေ ရောက်လာကြလို့ ရေသဘင်မဏ္ဍပ်မှာ လူစည်ကားစ ပြုလာလေရဲ့။ အသင်းတွေ အများကြီး ယှဉ်ပြိုင်ကစားကြတယ်။ ကိုကို၊ ညီညီတို့က တခြားကလေးတွေကို ရေလောင်းကြတယ်။ ရေလည်း ပြန်အလောင်းခံရရဲ့။ ရေပြွတ်မှာ ရေပြန်ဖြည့်ဖို့ဆိုရင် လောင်းထဲမှာပဲ နှစ်ဖြည့်လို့ရလေရဲ့။ လောင်းမှာရေဖြည့်ဖို့ အပျို၊ လူပျိုတွေက မပြတ်။ အနီးဆုံးရေတွင်းကနေ ရေတွေခပ်ပြီး အပျိုတွေက ရေအိုးတွေ ခေါင်းပေါ် ရွက်သူက ရွက်၊ ခါးထစ်ပေါ် တင်သူက တင်နဲ့။ လူပျိုတွေကတော့ စဉ့်အိုးကြီး ထဲ ရေထည့်ပြီး ဝါးလုံးနဲ့ နှစ်ယောက်စီထမ်းရလေရဲ့။ ဒီလိုနဲ့ လောင်းထဲရေတွေ မပြတ်တမ်း ဖြည့်ပေးကြတယ်။ ကလေးတစ်ချို့ဆို ရေဖြည့်ထားတဲ့ ပူဖောင်းတွေနဲ့ တစ်ယောက်နောက်တစ်ယောက် လိုက်ပစ်ကြလေရဲ့။

ညစာချက်ပြုတ်ချိန်ကျတော့ ကိုကို၊ ညီညီတို့ မေမေနောက်က ပြန်လိုက်ခဲ့ကြတယ်။ အိမ်ပြန်လမ်းတလျှောက် ကိုကိုတို့ ရေလောင်းခံလိုက်ရသေးရဲ့။

သင်္ကြန်ဒုတိယနေ့လည်း ပထမနေ့အတိုင်းပါပဲ။ မနက်စာအတွက် မုန့်ပဲသွားရည်စာ စားကြတယ်။ ကိုကို၊ ညီညီတို့ တခြားကလေးတွေနဲ့အတူ ရေပြတ်တွေနဲ့ ကစားကြတယ်။ အဲဒီနောက် မေမေက ကိုကိုတို့ကို ရေလောင်းမဏ္ဍပ်ဆီ ခေါ်သွားတယ်။ မဏ္ဍပ်မှာ အရင်နေ့ကထက် လူတွေပိုစည်လာလေရဲ့။ တခြားရွာတွေက လူပျို၊ အပျိုအသင်းတွေ အများကြီး လာရောက်ကြလို့ ရေကစားဖို့ စာရင်းသွင်းထားတဲ့ ရေလောင်းအသင်းတွေ ကိုယ့်အလှည့်ကျဖို့ အကြာကြီး စောင့်ကြရတယ်။

ရေသဘင်မဏ္ဍပ်နားမှာ စားပွဲခုံတွေ ခင်းပြီး သကြားလုံး၊ မုန့်တီ၊ အချိုရည်၊ ကွမ်းယာတဲ့ ရောင်းချနေကြလေရဲ့။ ကိုကို၊ ညီညီတို့က ရေဖြည့်ထားတဲ့ လောင်းအနီး ကစားပြီးတဲ့အခါ အချိုရည်တစ်ခုခု သောက်ချင်လား မေမေက မေးလာတယ်။ စားပွဲခုံ တစ်လုံးဆီသို့ မေမေ့နောက်ကနေ လိုက်လာခဲ့ကြတယ်။ နေပူထဲထွက်လိုက်တာနဲ့ အပူဒဏ်ကိုခံစားလိုက်ရရဲ့။ ဒါကြောင့်လည်း ရေလောင်းရတာ သိပ်ပျော်ဖို့ ကောင်းတာ လေ။ သင်္ကြန်တွင်းမှာ ပူပြင်းခြောက်သွေ့တဲ့ ခံစားချက်မျိုး ခံစားရတယ်။ အဲဒီနောက် ရေတွေ ပက်ဖျန်းခံရတော့ စိတ်စွတ်အေးမြသွားပါလေရော။ နေပူထဲထွက်ပြီး မိနစ် အနည်းငယ်ကြာတာနဲ့ ပူပြင်းခြောက်သွေ့လာပြန်ရော။ အဲဒီနောက် ရေလောင်းခံရရင် ပြန်ပြီး စိတ်စွတ်အေးမြသွားပြန်ရောလေ။

မေမေက သောက်စရာ သုံးခွက် မှာလိုက်တယ်။ ဆိုင်ရှင်မက သွပ်အိုးဖုံးထားတဲ့ ပိတ်စကို မယယူလိုက်တာတွေ့ရဲ့။ အဲဒီနောက် ဆန်မုန့်နဲ့ လုပ်ထားတဲ့ ခပ်ချွန်ချွန် မုန့်လက်ဆောင်းဖတ် လက်တစ်ဆုပ်စာ ယူပြီး ဖန်ခွက်အကြည်ထဲ ထည့်လိုက်တယ်။ မုန့်လက်ဆောင်းဖတ်တွေက သေးသေးလေးတွေ။ ထမင်းလုံးအရွယ်အစားလောက်ပဲ ရှိတာ။ မုန့်လက်ဆောင်းဖတ် လက်တစ်ဆုပ်စာကို ဒုတိယခွက်နဲ့ တတိယခွက်ထဲ ထည့် လိုက်ပြန်ရော။

"အုန်းသီး ထည့်မလားကွဲ့"

ဆိုင်ရှင်မက မေးလာတယ်။ ကိုကိုနဲ့ညီညီ ခေါင်းညိတ်လိုက်တယ်။ မေမေက သူလည်း ထည့်မယ်လို့ဆိုတယ်။ မုန့်လက်ဆောင်းသည်က အုန်းသီးတစ်ခြမ်းကို ကောက် ကိုင်တယ်။ အဲဒီနောက် အုန်းခြစ်ကို သုံးပြီး အုန်းသီး ခြစ်ပါတော့တယ်။ အုန်းသီးစာ လတ်လတ်ဆတ်ဆတ်ကို ခွက်တစ်ခွက်စီမှာ ထည့်လိုက်လေရဲ့။ အပေါ်မှာ အုန်းမှုတ်ခွက် ဖုံးထားပြီး အုန်းမှုတ်ခွက်ထိပ်မှာ အုန်းတံလက်ကိုင်ရိုးပါတဲ့ မြေအိုးတစ်လုံး ရှိတယ်။ ဒီမြေအိုးထဲကနေ သကာနဲ့ ကျို့ထားတဲ့ အရည်ကို ခွက်နဲ့ ခွဲ့ယူလိုက်ပြီး ခွက် ၃ ခွက်မှာ ဖြည့်လိုက်တယ်။ နောက်ဆုံးတော့ ခွက်တစ်ခွက်စီမှာ ဇွန်းတစ်ချောင်းစီ တပ်လိုက်တယ်။

မုန့်လက်ဆောင်းသောက်ရတာ သိပ်ပျော်ဖို့ကောင်းသလို လန်းဆန်းစေတယ်လို့ ကိုကို တွေးမိရဲ့။ ပထမဦးဆုံး ကိုကိုက မုန့်လက်ဆောင်းကို မြည်းကြည့်တယ်။ အဲဒီ နောက် ဇွန်းနဲ့ မုန့်လက်ဆောင်းဖတ်နည်းနည်း စားလိုက်တယ်။ အရည်အများစု

ကုန်သွားတာနဲ့ ဖန်ခွက်ကို ပြန်လှုပ်တယ်။ ခေါက်ဆွဲဖတ်တွေ ဘေးတစ်စောင်း လျှော
ကျလာပြီး ဇွန်းသုံးစရာ မလိုတော့။

မှန့်လက်ဆောင်း သောက်ပြီးတာနဲ့ ကိုကို၊ ညီညီတို့ မဏ္ဍပ်ဘက်ပြန်သွားပြီး
ရေလောင်း ကစားကြသေးတယ်။ နောက်ဆုံး ညနေစ ချက်ပြုတ်ဖို့ အိမ်ပြန်ချိန်ကျပြီလို့
မေမေက ပြောလာရော။ နောက်တစ်နေ့ဆို ရေလောင်းမဏ္ဍပ်တွေမှာ နောက်ဆုံး
ကစားကြမယ့်နေ့လေ။ ဒါပေမယ့် ကိုကိုတို့ မဏ္ဍပ်ဆီမသွားဖြစ်ကြတော့။ ဘာဘာနဲ့
မေမေတို့ ကျောင်းတောင်ဘုရားပွဲအတွက် အဆင်သင့် ပြင်ဆင်ရတော့မှာကိုး။ ကျောက်
တွေရွှာမှာ သင်္ကြန် နောက်ဆုံးနှစ်ရက်ဆို အထူးနေ့လည်စာနဲ့ တည်ခင်းဧည့်ခံနေကျ။
လူပျို၊အပျိုတွေလည်း အဲဒီပွဲအတွက် အဆင်သင့် ကူပြင်ပေးကြရတယ်။ သားသမီးမရှိ
သေးတဲ့ အိမ်ထောင်သည်တွေဆို လင်မယားနှစ်ယောက်စလုံး သွားကူပေးနိုင်ကြလေရဲ့။
ဒါပေမယ့် ဘာဘာနဲ့ မေမေတို့မှာ ကိုကို၊ ညီညီတို့ ရှိလေတော့ ညဘက်မှာမှ ကျောင်း
တောင်ဘုရားသို့ ဘာဘာ သွားကူရတယ်။

ကျောင်းတောင်ဘုရားဘက်က အသံချဲ့စက်ကနေ လွင့်ပျံလာတဲ့ ဂီတသံတွေ
ကြားရတာ ကိုကို့အတွက် ထူးခြားနေတယ်။ ဘုရားပွဲကျင်းပချိန် တစ်နှစ်မှာ တစ်ခါပဲ
ကျောင်းတောင်ဘုရားဘက်က ဂီတသံတွေ လွင့်ပျံလာနေကျ။ ဘာဘာက ဘုန်းကြီး
ကျောင်းကနေ အိုးခွက်ပန်းကန်တွေ၊ အသုံးအဆောင်ပစ္စည်းတွေလိုမျိုး ပစ္စည်းတွေနဲ့
ချက်ပြုတ်စရာ ဆန်၊ စားသောက်ကုန်တွေ ကူသယ်ပေးနေမယ်ဆိုတာ ကိုကို သိပြီးသား။
ရွာဆော်က သင်္ကြန်မတိုင်မီ ရွာကိုလှည့်ပြီး အိမ်ထောင်စုတိုင်း လာကူပေးကြဖို့ ဆော်သြ
ခဲ့တာမို့ တောင်ပေါ်မှာ ဝါးစားပွဲတွေတော့ အဆင်သင့်ဖြစ်နေလောက်ပြီ။ အမျိုးသား
တွေက ထမင်းစားဖို့ ဝါးစားပွဲတွေနဲ့ နားနားနေနေ ထိုင်ဖို့ ခုပ်မြင့်မြင့် ဝါးကွပ်ပျစ်တွေ
သွားဆောက်ပေးကြသလို အမျိုးသမီးတွေကလည်း တောင်စောင်းတလျှောက် ဘုရားပွဲ
ကျင်းပမယ့် လမ်းတလျှောက်နဲ့ ဘုရားနားက သစ်ရွက်ခြောက်အားလုံးကို လှဲကျင်းသန့်
ရှင်းပေးကြလေရဲ့။

ဘာဘာက တစ်ညလုံး တောင်ပေါ်မှာ နေပြီး နေ့လည်စာစားချိန်ထ အိမ်ပြန်မလာ
ဖြစ်။ မနက်ပိုင်းမှာ ကျောင်းတောင်ဘုရားဆီ လူတွေအများကြီး တက်သွားတာ ကိုကို့
မြင်လိုက်တယ်။ မနက်စာစားဖို့ မုန့်ပဲသွားရေစာတွေဆို အများကြီးပဲ ဖြစ်နေပြန်ရော။
ဘုန်းကြီးကျောင်းနားက ရေလောင်းမဏ္ဍပ် အစောကြီးသိမ်းလိုက်တာတွေ့တယ်။ ဘုန်း
တော်ကြီးတွေကို ဆရာကန်တော့ပွဲ ရှိနေတာမို့ပါ။ ဒါကြောင့် ကိုကိုနဲ့ ညီညီတို့ တနေကုန်
ရေပြွတ်တွေနဲ့ ကစားကြတာလေ။

သင်္ကြန်လေးရက်မြောက်နေ့မှာတော့ ကျောင်းတောင်ဘုရားကို တက်ပြီး အဲဒီ
နေ့လုပ်မယ့် ပွဲအတွက် ကူညီချက်ပြုတ်ပေးဖို့ မေမေက နေမထွက်ခင် အစောကြီး
ထဖြစ်တယ်။ တောင်ပေါ် အတက်လမ်းတလျှောက်မှာ စားလို့ရတဲ့ တောဟင်းတောင်ဟင်း

တွေ၊ ဟင်းရွက်တွေ၊ သခွတ်ပွင့်တွေ လိုက်ကောက်လာတယ်။ အမျိုးသမီးအားလုံး ဒီအတိုင်း ဟင်းတွေ ခူးလာ၊ ကောက်လာကြတာလေ။ ဒီဟင်းအားလုံးကို အိုးကြီးတစ်အိုး ထဲထည့်ပြီး ရောချက်ကြမှာကိုး။ ဒီကျောင်းတောင်ဘုရားမှာပဲ တွေ့ရတဲ့ နာမည်ကျော် ဟင်းပေါင်းပေါ့လေ။ ဘောင်းတော်ဓာတ်ဘုရားကို အစွဲပြုပြီး ဒီဟင်းကိုလည်း 'ဘောင်း တော်ဟင်း'လို့ ခေါ်ကြလေရဲ့။

တစ်ခါတစ်ရံ ကျောင်းတောင်ဘုရားဘက် အသံချဲ့စက်ကနေ တရားဟောသံ ဖြစ်ဖြစ်၊ ဂီတသံဖြစ်ဖြစ်ကြားရရဲ့။ အဲဒီတောင်ပေါ်မှာ နေ့လည်စာစားဖို့ ကိုကို မျှော်လင့် နေမိရဲ့။ အချိန်ကုန်တာနှေးလိုက်တာလို့ ကိုကို တွေးမိရဲ့။ နောက်ဆုံးမှာတော့ ဘာဘာက ကျောင်းတောင်ဘုရားကို သွားဖို့ အချိန်ကျပြီလို့ ဆိုလာတယ်။ ကိုကိုတို့ ဝတ်ကောင်းစား လှတွေ ဝတ်ဆင်လိုက်တယ်။ ဘာဘာက လက်ရှည်ရှပ်အင်္ကျီဖြူနဲ့ အပြာဖျော့ရောင် အကွက်ကြီးတွေပါတဲ့ လုံချည်တစ်ထည် ဝတ်ထားလေရဲ့။ ကိုကို၊ ညီညီတို့က လက်တို အင်္ကျီနဲ့ ဘောင်းဘီတို ဝတ်လိုက်ကြတယ်။ အားလုံး အဆင်သင့်ဖြစ်တာနဲ့ ကျောင်းတောင် ဘုရားဆီ လျှောက်လှမ်းခဲ့ကြတယ်။

လျှောက်လမ်းအတိုင်း စယထွက်ခဲ့ကြပေမယ့် ကျွန်းဦးပင်ဆီ မသွားကြ။ အရှေ့ ဘက်သို့ လျှောက်လာကြတယ်။ ကိုကို၊ ညီညီတို့ ဘာဘာနောက်က လိုက်ခဲ့ကြတယ်။ ဘာဘာ့ကို လိုက်မီအောင် ခြေလှမ်းသွက်သွက်လေး လှမ်းကြရတာပေါ့။ နေမြင့်လာတဲ့အခါ ကိုကို ပူပြီး ချွေးထွက်လာရော။ မြက်ခင်းပြင်က ခြောက်သွေ့လို့ လေတွေကလည်း ပူနေလေရဲ့။ အသံချဲ့စက်က ဂီတသံ ပိုကျယ်လာတာနဲ့အမျှ ကိုကို ပျော်လာခဲ့တယ်။ သူတို့ နီးလာပြီဆိုတာ ပြနေတာကိုး။

ကိုကိုက အမြင့်ဆုံးတောင်ရှေ့က တောင်လေးတွေကို လှမ်းမြင်ရတယ်။ အမြင့်ဆုံးတောင်ထိပ်မှာ ဘုရား ရှိလေရဲ့။ သို့ပေမယ့် စိမ်းမြမြ သစ်ပင်တွေကြားကနေ ဘုရားကို လှမ်းမမြင်ရ။ တခြားတောင်တွေအားလုံးက နွေရာသီ အပူဒဏ်ကြောင့် အညိုရောင်ဖြစ်နေလေရဲ့။ ဒါပေမယ့် ကျောင်းတောင်ဘုရားက တောင်ထိပ်နားမှာ စိမ်းစိုနေဆဲ။ တောင်လေးတွေရဲ့ အောက်ခြေကို မရောက်မီ လမ်းဘယ်ညာက သစ်ပင်တွေမှာ ဖူးပွင့်နေတဲ့ ပန်းဖြူဖြူလေးတွေကို ကိုကို မြင်ရတယ်။

"ဘာဘာ၊ ဒါ သခွတ်ပင်တွေလားဟင်"

"ဟုတ်တယ်၊ ကိုကိုရေ့"

ဒီသခွတ်ပွင့်တွေကို စားလို့ရမှန်း ကိုကို သိထားတယ်လေ။ သခွတ်ပင်တွေက ကိုကိုတို့အိမ်နားမှာရော ဘာဘာ အလုပ်လုပ်ရာ လယ်ကွက်နားမှာပါ မပေါက်။ ဒါကြောင့် သခွတ်ပွင့်တွေ အပင်ပေါ်ပွင့်နေတာ ကိုကို ပထမဆုံးမြင်ဖူးခြင်းပါ။ သခွတ် ပွင့်တွေကို တောင်ပို့မှိုလိုမျိုး တခြားလူတွေ မကောက်သွားခင် မနက်အစောကြီး ကောက်ရတယ်။ လူတွေက တခြားသူတွေထက် စောစောထပြီး သူများတွေမကြား၊

မသိ၊ လာမကောက်ခင် တိတ်တိတ်လေး ကောက်ကြရတယ်။ မေမေက စောစော
ထပြီး ထောင်ချိုရှိနေတဲ့ သခွတ်ပွင့်တွေကို တောင်းကြီးတစ်တောင်းထဲ ကောက်ထည့်
လေ့ရှိတယ်။ အဲဒီနေ့ညနေစာအတွက် သခွတ်ပွင့်အချို့က ထိပ်ပိုင်းကို ဖြတ်ပြီး
ဟင်းချိုထဲ ထည့်ချက်ရင်ချက်၊ အစိမ်း စားရင်စားနိုင်တယ်။ အပွင့်ရဲ့ အောက်ခြေပိုင်းကို
နှစ်ခြမ်းခွဲ၊ ရေနွေးဖျော့ပြီး ငရုတ်သီး စပ်စပ်လေးနဲ့ သုပ်စားမှာလေ။ သခွတ်ပွင့်ရဲ့
ကျန်တဲ့အပိုင်းတွေကို လေးခြမ်းစိတ်၊ ဝတ်ဆံဖို့နဲ့ ဝတ်ဆံမတွေထုတ်ပြီး နောက်ပိုင်း
စားဖို့နေပူလှမ်းရတယ်။ သခွတ်ပွင့်ကရတဲ့ ဟင်းထဲမှာ ဘာဘာအကြိုက်ဆုံးက ဟင်းချိုပါ။
ဒါပေမယ့် ကိုကိုအကြိုက်ဆုံးက ငရုတ်သီးစပ်စပ်လေးနဲ့ လတ်လတ်ဆတ်ဆတ်လေး
သုတ်စားတာပါ။

သခွတ်ပင်တွေကို ကျော်လာပြီးတဲ့အခါ တောင်လေးတွေကြားက လမ်းလေးအတိုင်း
လျှောက်ခဲ့ကြတယ်။ အဲဒီနောက် တောင်မြင့်မြင့်ကြီးတွေပေါ် တက်လာတာမို့ လမ်း
လေးက ပိုပြီးမတ်စောက်လာတယ်။ ကိုကိုက ရေဆာလာပြီ။ တောင်နံရံတလျှောက်
လမ်းလျှောက်လာပြီးနောက် မြေက ပြန့်ပြူးလာတယ်။ ကိုကိုက ထောင့်မှန်စတုဂံသဏ္ဌာန်
ထွင်းလုပ်ထားတဲ့ ကျောက်လှေကားထစ်တွေကို မြင်ရတယ်။ လှေကားထစ်တွေရဲ့
ခြေရင်းကနေ ထူးဖြူဖြူ စေတီတော်ကို ဖူးတွေ့ရရဲ့။ လူတွေကိုလည်း မြင်ရပြီ။ လှေကား
ထစ်ရင်းအထက်နားမှာ သတ္တုနဲ့ လုပ်ထားတဲ့ ဆိုင်းဘုတ်တစ်ခု ရှိလေရဲ့။

"ဒီဆိုင်းဘုတ်မှာ ဘာရေးထားတာလဲဟင်၊ ဘာဘာ"

"ဘောင်းတော်ဓာတ်ဘုရား လို့ ရေးထိုးထားတာကွဲ့"

ဒါက ကျောင်းတောင်ဘုရားရဲ့ တရားဝင်နာမည်။ ဒါပေမယ့် လူတိုင်းက
ဒီဘုရားကို ကျောင်းတောင်ဘုရား လို့ပဲ ခေါ်ကြတယ်။

ကိုကို၊ ညီညီတို့ ဘာဘာလိုပဲ ဖိနပ်ခွတ်လိုက်ကြတယ်။ ပြီးတာနဲ့ ကျောက်လှေ
ကားထစ်တွေအတိုင်း ဘာဘာ့နောက်က တက်လိုက်ခဲ့ကြတယ်။ လှေကားထစ်တစ်ဝက်
လောက်ရောက်တော့ ကိုကို နောက်လှည့် ကြည့်လိုက်တယ်။ ဒီလောက်အမြင့်ကြီး
တက်ရတာ သူ မကြိုက်လှ။ မြင်နေရတဲ့ မြင်ကွင်းမျိုး တွေ့ရဖို့ သူ မမျှော်လင့်ခဲ့။
အခုဆို ကိုကိုတို့အောက်နား ရောက်နေပြီဖြစ်တဲ့ တောင်နိမ့်နိမ့်လေးတွေပေါ်က
သစ်ပင်ထိပ်ပိုင်းတွေ၊ ခပ်လှမ်းလှမ်းက သဲဖြူဖြူနဲ့ ပင်လယ်ပြာတို့ ရှိလေရဲ့။ ဒီမြင်ကွင်းတွေ
မြင်ရတော့ ကိုကို နည်းနည်း ခေါင်းမူးချင်လာရော။ ချက်ချင်း နောက်ပြန်လှည့်ပြီး
ကျန်တဲ့ တောင်တက်လမ်းပိုင်းကို ဘာဘာ့နောက်က လိုက်တက်ခဲ့တယ်။

လှေကားထစ်တွေရဲ့ ထိပ်မှာ စေတီတစ်ဆူကို မြင်ရရဲ့။ စေတီတော်မှာ ဖြူဖွေး
တောက်ပနေအောင် ထုံးသက်နံ့တစ်လွှာ သုတ်ထားလေရဲ့။ စေတီတော်ပတ်လည်မှာ
လူတွေ ရှိခိုးကန်တော့ကြတယ်။ ဘာဘာလည်း စေတီတော်ကို ဦးချကန်တော့တယ်။
ကိုကို၊ ညီညီတို့လည်း ဦးတော်လုပ်လိုက်ကြရဲ့။ ဘာဘာက အကျႅအိတ်ထဲကနေ

ဖယောင်းတိုင် ၃ ချောင်း ထုတ်လိုက်တာ ကိုကို တအံ့တသ တွေ့လိုက်ရတယ်။ ဘာဘာ ဖယောင်းတိုင်တွေ ယူလာတာ ကိုကို မသိခဲ့။ ဘာဘာက ကိုကို့ကို ဖယောင်းတိုင်တစ်ချောင်း၊ ညီညီကို တစ်ချောင်း ပေးလိုက်တယ်။ အဲဒီနောက် ဖယောင်းတိုင်တွေကို မီးခြစ်နဲ့ မီးညှိပေးလိုက်တယ်။ စေတီတော်ပတ်လည်မှာ ဖယောင်းတိုင်တွေ ထွန်းထားပြီးသား ရှိလေရဲ့။ ဒါပေမယ့် ကိုကိုတို့က စေတီတော်ရှေ့တည့်တည့်က စကျင်ကျောက်သားနဲ့လုပ် ထားတဲ့ ဗုဒ္ဓရုပ်ပွားတော်ယ်အနားမှာ ဖယောင်းတိုင်တွေ ထွန်းလိုက်ကြတယ်။ အဲဒီ နောက် စေတီတော်ကို ရှိခိုးကန်တော့လိုက်ကြတယ်။

ဘာဘာ ဘုရားဝတ်တက်နေတုန်း ကိုကို ဘေးဘီဝဲယာ ကြည့်လိုက်တယ်။ စေတီတော်အနီးမှာ မဏ္ဍပ်တစ်ခုဆောက်ထားလေရဲ့။ မဏ္ဍပ်က အကြီးကြီး။ ဘုန်းကြီး ကျောင်းအပြင်ဘက်က ရေသဘင်မဏ္ဍပ်နှစ်ဆလောက်ရှိလေရဲ့။ ရှစ်ပါးသီလ ခံယူ ဆောက်တည်ဖို့လာကြတဲ့ ညည်သည်တော်အားလုံးကို နေရာထိုင်ခင်းပေးဖို့ပဲဖြစ်ဖြစ်၊ အရိပ်အောက် အနားယူဖို့ပဲဖြစ်ဖြစ် လုံလောက်အောင် ကြီးပါတယ်။ အခုလောလောဆယ် ဘုန်းကြီးတစ်ပါးက မဏ္ဍပ်ထဲ တရားဟောနေတယ်။ အနားယူဖို့ အရိပ်ရတဲ့ နေရာတွေရ အောင် သစ်ပင်တွေအောက် ဝါးကွပ်ပျစ်တွေလည်း ရှိလေရဲ့။

ဒီနေရာတစ်ခုလုံးမှာ စိမ်းစိုတဲ့ သစ်ပင်ကြီးတွေ ပတ်ရံလျက် ရှိနေကြတယ်။ ထူးထူးဆန်းဆန်း အပင်တွေ ပေါက်ရောက်နေတာလည်း ကိုကို တွေ့ရဲ့။ ဘာဘာ ဘုရားဝတ်ပြုပြီးသွားအောင် စောင့်နေပြီးနောက် ကိုကိုက မေးလိုက်တယ်။

"ဒါ ဘာပင်တွေလဲ၊ ဘာဘာ"

"အဲဒါ ထန်းပင်တွေပေ့၊ ကိုကိုရေ"

ထန်းပင်တွေက ပင်ရှည်ကြီးမျိုးတွေ။ အရင်က ဒီအပင်တွေကို ကိုကို မမြင်ဖူးခဲ့။ ကုံ့ကော်ပန်းတွေ ပွင့်နေတဲ့ သစ်ပင်တွေကိုလည်း မြင်ရဲ့။ လေပူပူထဲ ကုံ့ကော်ပန်းရနံ့က သင်းထုံလို့။

ကိုကို၊ ညီညီတို့ မဏ္ဍပ်ကိုကျော်လွန်ပြီး ဘာဘာနောက်က လိုက်ခဲ့ကြတယ်။ ပိန္နဲ့ပင်ကြီးတစ်ပင်အောက်မှာ သွပ်မိုးသစ်သားဆောင်လေး တစ်ဆောင်ရှိလေရဲ့။ ဒီအဆောင်လေးမှာ တောင်ပေါ်က ဘုန်းကြီး သီတင်းသုံးတာလေ။ အဆောင်ကို ကျော်လွန်လာခဲ့ကြတယ်။ ပိန္နဲ့ပင်တွေနဲ့ လူတွေ အရိပ်ထဲ နားနေတဲ့ နောက်ထပ် ဝါးကွပ်ပျစ်တွေ တွေ့ရဲ့။ လမ်းလေးအတိုင်း လျှောက်လာခဲ့ကြတယ်။ တောင်တစ်ဘက် ခြမ်းအတိုင်း ဆင်းသွားတဲ့ မညီမညာ ကျောက်လျှေကားထစ်တွေရှိလေရဲ့။ လျှေကား ထစ်တွေက မတ်စောက်နေတာမို့ ကိုကို၊ ညီညီတို့ သတိနဲ့ လျှောက်ကြရတယ်။

လျှေကားထစ်တွေက တောင်အောက်ထိ မရောက်သွား။ တောင်နံရံက ပြင်ညီ နေရာဆီ ဦးတည်နေလေရဲ့။ ဒီနေရာက ချက်ပြုတ်တဲ့ နေရာလေ။ အထူးနေ့လည်စာ ကိုလည်း ဒီမှာပဲစားကြတာပါ။ ဒီနားမှာ သစ်ပင်ရိပ်ရနေလို့ မဏ္ဍပ်မဆောက်ထား။

အမျိုးသမီးတွေက ထမင်းဟင်း ချက်ပြုတ်သူက ချက်ပြုတ်၊ မီးဖိုပေါ်က အိုးကြီးတွေ မွှေသူက မွှေ၊ အနီးက စမ်းရေတွင်းကနေ ရေခပ်ပြီး နောက်အိုးကြီးတစ်လုံးထဲ လောင်းထည့်သူက လောင်းထည့်နဲ့ အလုပ်ရှုပ်နေတာ ကိုကို မြင်ရရဲ့။ အမျိုးသားတွေက ပိန္နဲသီး၊ ဘူးသီး၊ ကြက်သွန်နီတို့ကို စားပွဲဝိုင်းတစ်ခုပေါ် ခုတ်လှီးနေကြလေရဲ့။ အထူးနေ့လည်စာ ပြင်ဆင်နေတဲ့ ကျောက်တွေရွာသား ၁၀၀ လောက် ရှိပါတယ်။

သရက်ပင်၊ ပိန္နဲပင်ရိပ်အောက်မှာ ဝါးစားပွဲရှည်တွေ ရှိလေရဲ့။ စားပွဲတစ်လုံးစီမှာ ဝါးခြေထောက်တိုလေးတွေကို မြေကြီးထဲ စိုက်ထားတယ်။ စားပွဲရဲ့ ကျန်တဲ့အပိုင်းကို စားပွဲထိပ်ပိုင်းဝါးဘောင် လုပ်ပြီး အထက်က တင်ပြီးနောက် ဝါးနဲ့ ခပ်လျှော့လျှော့လေး မျက်ကွင်းရက်ထားလေရဲ့။ ဝါးစားပွဲတွေက ပေ ၃၀ လောက်ရှည်ပြီး မြေကြီးပေါ် ခပ်နိမ့်နိမ့်လေး ဆောက်ထားတယ်။ စားသောက်ချိန် ရောက်တာနဲ့ ဧည့်သည်တွေက မြေကြီးပေါ် ထိုင်ပြီး ဟင်းခွက်တွေကို ဝါးမျက်ကွင်းထဲ အံ့ကိုက်ထည့်ရပါတယ်။

နောက်ဆုံးမှာတော့ ကိုကိုက မေမေ့ကို တွေ့လိုက်ပါပြီ။ နေ့ကျက်ကျက်ဆူအောင် ပူနေတဲ့ကြားက အားစိုက်ပြီး အလုပ်လုပ်နေရလို့ မေမေတစ်ယောက် ချွေးဒီးဒီးကျနေလေရဲ့။ သို့ပေမယ့် အလုပ်လုပ်နေရင်း မိတ်ဆွေတွေနဲ့ အရယ်မပျက် ရှိနေလေရဲ့။ အိုးကြီးတစ်အိုးထဲက ဟင်းတစ်ခုကို မေမေ စစ်ဆေးကြည့်နေတာလေ။ လက်ခုစနှစ်ခုကို ကိုင်ပြီး သွပ်အိုးဖုံးကိုဖွင့်လို့ အိုးထဲကြည့်တာတွေ့တယ်။

မကြာခင်မှာပဲ စားစရာတွေ အဆင်သင့် ဖြစ်လာရော။ ဒါပေမယ့် တရားပွဲ မပြီးမချင်း လာမစားကြသေး။ ဒီတော့ ဧည့်သည်တွေလာမစားခင် လုပ်အားပေးအဖွဲ့ဝင် တွေ အလှူည်ကျစားသောက်ကြတယ်။ ဒါပေမယ့် ဝါးစားပွဲရှည်ကြီးမှာ လာထိုင်ပြီး သွပ်ခွက်ပန်းကန်တွေ အပေခံမယ့်အစား သွပ်အိုးဖုံးကြီးတွေပေါ် ထမင်းဟင်းတွေ တင်ပြီး စားလိုက်တာပဲ ပိုလွယ်တယ်လေ။

သွပ်အိုးဖုံးတွေက ၃ ပေလောက် အကျယ်ရှိတယ်။ အိုးဖုံးအလယ်မှာ ထမင်း တစ်ပုံကို သေချာလေး ပုံလိုက်တယ်။ ထမင်းပုံပတ်လည်မှာတော့ တခြားဟင်းတွေကို အပုံလေးတွေ လိုက်ပုံပါတယ်။ သွပ်အိုးဖုံးတစ်ဖုံးနား ဝိုက်ပြီး လူ ၆ ယောက်၊ ၇ ယောက် ထိုင်စားလို့ရပါတယ်။ စားပွဲမှာ ဝိုင်းထိုင်ရသလိုပါပဲ။ လူတစ်ယောက်စီက ကိုယ်စားမယ့် နေရာလေးနား ထမင်းတွေပုံ၊ တခြားဟင်းတွေ ကြိုက်တာထည့်ပြီး စား ပေရော့ပဲ။

ကိုကို၊ ညီညီတို့က မေမေနဲ့အတူ ထိုင်လိုက်ကြတယ်။ မေမေက သွပ်အိုးဖုံး ကြီးပေါ်က ကိုကို၊ ညီညီတို့ စားမယ့် နေရာမှာ သူတို့ စားချင်တဲ့ဟင်းတွေ ကူထည့်ပေး တယ်။ ကိုကိုက ကိုယ်စားမယ့် ထမင်းဟင်းတွေပဲ အာရုံစိုက်ပြီး စားနေတယ်။ ဒီထမင်း ဟင်းက ဘောင်းတော်ခတ်ဘုရားပွဲရဲ့ အထူးနေ့လည်စာပဲပေါ့။ တခြားရွာက လူတွေ လည်း ဘောင်းတော်ထမင်းဟင်း လာစားကြလေရဲ့။ ဝါးနီတူခြောက်ကို သွပ်အိုးကြီး

တစ်လုံးနဲ့ လျှော်ပြီးနောက် ငရုတ်သီးစိမ်း၊ သရက်သီးစိမ်း၊ ရဲကျွန်းကြက်သွန်နဲ့ ငါးပိတို့ကို ရောထောင်းပြီး အထောင်းဖတ်လုပ်လိုက်တယ်။ ငါးနီတူလျှော်နဲ့ အထောင်းဖတ်ကို ရောပြီး ငါးနီတူသုတ်လုပ်ထားလေရဲ့။ နောက်ပြီး မမှည့်သေးတဲ့ ပိန္နဲသီးစိမ်းကို ဆွတ်၊ အသားကို ခုတ်ပိုင်းပြီး ငရုတ်သီးစိမ်း၊ ရဲကျွန်းကြက်သွန်၊ မြေပဲဆီ၊ မှျင်ငါးပိ၊ ဆားတို့နဲ့ ရောချက်ထားတဲ့ ပိန္နဲသီးဟင်းလည်းပါသေး။ မေမေနဲ့ တခြားအမျိုးသမီးတွေ တောင် ပေါ် အတက်လမ်းတလျှောက် ခူးလာ၊ကောက်လာခဲ့တဲ့ တောဟင်း၊ တောင်ဟင်းတွေ၊ သခွတ်ပွင့်တွေကိုတော့ ငရုတ်သီးစိမ်း၊ မှျင်ငါးပိ၊ မြေပဲဆီ၊ ဆားတို့နဲ့ ပေါင်းချက်ထားလေရဲ့။ ဒီဟင်းက နာမည်ကျော် တောင်းတော်ဟင်းလေ။ လူတိုင်းက ဒီဟင်းကိုစားဖို့ စိတ်လှုပ်ရှား နေကြတာ။

အစားအစာအားလုံးက သိပ်အရသာရှိတာ။ ထမင်းဟင်းအားလုံး ပူနေတုန်းဆို တော့ ကိုကို သတိထားပြီးစားနေရတယ်။ ဟင်းတစ်မျိုးစီကို ထမင်းနဲ့ရောပြီးမှ စားတာ လေ။ ငါးနီတူသုပ်က ငရုတ်သီးစပ်သနဲ့။ ဒါပေမဲ့ ကိုကိုက အစပ်စားနေကျမို့ ကိစ္စမရှိ။ ငါးနီတူသုပ်က လျှော်သင်းနဲ့လေးနဲ့ သိပ်အရသာရှိတာ။ ပိန္နဲသီးဟင်းက နူးညံ့နေပေမဲ့ ပိန္နဲစေ့တွေကို ဝါးစားရတယ်။ ပိန္နဲသီးက ဆွေးရာသီမှာ သိပ်ပေါတာမို့ ပိန္နဲသီးဟင်းက ကောင်းတော့ကောင်းပေမဲ့ စားရတာ သိပ်စိတ်လှုပ်ရှားစရာမကောင်းလှ။ ကိုကို အကြိုက်ဆုံးဟင်းက တောဟင်းတောင်ဟင်းတွေလေ။ ဒီဟင်းက တောင်းတော်ဓာတ် ဘုရားပွဲမှာ ဘာကြောင့်နာမည်ကြီးဟင်း ဖြစ်နေရတာလဲဆိုတာ အခုတော့ ကိုကို နား လည်လိုက်ပါပြီ။ ဘုရားပေါ် အတက်လမ်းမှာ သခွတ်ပွင့်တွေနား ဖြတ်လျှောက်လာခဲ့ပုံကို သတိရလိုက်မိရဲ့။ ဟင်းပေါင်းထဲ သခွတ်ပွင့်တွေလည်း ရောချက်ထားတယ်ဆိုတာ ကိုကို သိပြီးသား။ တောင်းတော်ဟင်းမှာ ဟင်းရွက်တစ်ချို့ရဲ့ ချဉ်ပြုံးပြုံးအပိုင်းလေးတွေ ပါတာမို့ လတ်ဆတ်တဲ့ တောဟင်းအရသာလေး ရနေလေရဲ့။

ထမင်းစားပြီးနောက် ငှက်ပျောသီးပဲဖြစ်ဖြစ်၊ ပိန္နဲသီးပဲဖြစ်ဖြစ် ရွေးချယ်စားသုံးနိုင် တယ်။ ဒါပေမဲ့ အချိုပွဲ မစားနိုင်လောက်အောင် ကိုကို ဗိုက်ကားနေပြီ။ ထမင်းဟင်း စားပြီးတော့ပဲ ဗိုက်တင်းတင်းနဲ့ နေချင်တော့တယ်။ အချိုပွဲ မစားချင်တော့။

အခု မေမေ ရေသွားခပ်ရတော့မယ်။ သောက်ရေအတွက်ရော ညှီသည်တွေ စားသောက်ပြီးနောက် ပန်းကန်ခွက်ယောက် ဆေးကြောပြီး ညှီသည်အသစ်တွေ စားဖို့ ဆေးကြောပြီးသား ဖြစ်နေစေဖို့အတွက်ပါ ရေအလုံအလောက် ရှိဖို့ လိုတယ်လေ။ ကိုကို၊ ညီညီ၊ စမ်းရေတွင်းကို လိုက်ကြည့်ချင်လား့ကွဲ့။

ကိုကိုက လိုက်ချင်တယ်။ စမ်းရေတွင်းအကြောင်း သူ ကြားဖူးပေမဲ့ မမြင်ဖူးခဲ့။ သူနဲ့ ညီညီတို့ လျှောက်လမ်းလေးအတိုင်း မေမေနောက်က လိုက်ခဲ့ကြတယ်။ လျှောက် လမ်းကကျဉ်းကျဉ်းလေး။ လမ်းတလျှောက် ရေအိုးတွေ ခေါင်းပေါ်ဖြစ်ဖြစ်၊ ခါးထစ်ပေါ် ဖြစ်ဖြစ် တင်ရွက်ပြီးပြန်လာတဲ့ အမျိုးသမီးတွေ ဖြတ်သွားနိုင်အောင် လမ်းဘေး ကပ်

ရှောင်ပေးရသေးရဲ့။

လမ်းပေါ်မှာ ဝါးတံတားလေးတစ်ခုရှိတယ်။ ကိုကို၊ ညီညီတို့ ဟိုဘက်ကမ်း ရောက်အောင် မေမေက ကူပေးရမှာလေ။ ဒီတံတားက လယ်တဲ့အနီး ဘာဘာ ဆောက် ခဲ့တဲ့ တံတားနဲ့ဆင်တူနေတယ်။ ဒါပေမဲ့ ဒီတံတားကပိုတိုပါတယ်။ ပထမဦးဆုံး မေမေက ညီညီကို တံတားပေါ်က ဖြတ်သယ်ပေးတယ်။ အဲဒီနောက် ကိုကို့လက်ကို ဆွဲခေါ်ဖို့ မေမေ ပြန်လာတယ်။ တံတားတစ်ဝက်လောက် ဖြတ်ပြီးနောက် အောက်ကို သူ ငုံ့ကြည့်လိုက်တယ်။ အဲလို ငုံ့ကြည့်လိုက်တော့မှ ငါ ငုံ့မကြည့်မိခဲ့ရင် အကောင်းသား အောက်မေ့မိရဲ့။ မြောင်က ကျဉ်းကျဉ်းလေးဆိုပေမယ့် အရမ်းနက်တယ်။ အရမ်းနက် တဲ့အပြင် မြောင်ကလည်းမှောင်နေလို့ မြောင်အောက်ခြေထိ မြင်ဖို့ခက်နေလေရဲ့။ ကိုကို တံတွေးကို အားနဲ့ မျိုချလိုက်မိတယ်။ ဒီလောက် အမြင့်ကြီးပေါ် ရောက်နေရတာ သူ မကြိုက်လှ။

တံတားတစ်ဘက်ကမ်း ရောက်လို့ မေမေက ကိုကို့လက်ကို လွှတ်လိုက်တယ်ဆိုရင်ပဲ အပြန်လမ်းမှာ ဘယ်လိုကြောင့်ပဲဖြစ်ဖြစ် တံတားအောက် မကြည့်တော့ဘူးလို့ ဆုံး ဖြတ်လိုက်ရဲ့။

ကိုကို၊ ညီညီတို့ မေမေ့နောက်က ဆက်လိုက်ခဲ့ကြတယ်။ လမ်းက နေရာတစ်ခုဆီ မတ်မတ်လေး ဆင်ခြေလျှော ဆင်းသွားတယ်။ ဆင်ခြေလျှောအောက်ခြေသို့ ရောက်တာနဲ့ မြေကွက်လပ်တစ်နေရာ တွေ့ရရော။ ရေအိုးထဲ ရေဖြည့်နေတဲ့ အမျိုးသမီးတစ်ချို့ အဲဒီမှာ ရှိနေလေရဲ့။

ကိုကို အနားရောက်သွားတဲ့အခါ ဝါးလုံးရှည်ကို အလျားလိုက် ထက်ခြမ်းခွဲထားတဲ့ ဝါးလုံးခြမ်းကနေ ရေတွေ ထွက်လာတာ တွေ့လေရဲ့။ ရေတွေ အစွန်းတစ်ဘက်ကနေ ထွက်လာပြီး မြေပေါ် ချထားတဲ့ အမျိုးသမီးတစ်ယောက်ရဲ့ ရေအိုးထဲ စီးဝင်သွားတာ တွေ့တယ်။ တခြားအစွန်းတစ်ဘက်က စမ်းရေတွင်းရဲ့ စက်ပိုင်းပုံ အုတ်နံရံအထက်က ကျော်လွန်ပြီး တောင်နံရံထဲ ဝင်ရောက်ပျောက်ကွယ်သွားလေရဲ့။

ရေအိုးထဲ ရေပြည့်သွားတဲ့အခါ မေမေ့ရှေ့နားက အမျိုးသမီးတွေက ဝါး ရေတံလျှောက်ပိုင်းကို အိုးက ဖယ်ပြီး အုတ်နံရံပေါ် တင်လိုက်တာတွေ့ရတယ်။ အခု တော့ စမ်းရေတွင်းက ရေတွေ ရေလျှောင်ကန်ထဲကျနေပြီ။ မေမေက ရေအိုးကို မြေပေါ် ချလိုက်တယ်။

"သားတို့ ရေသောက်ချင်လား"

"ဟုတ်ကဲ့၊ မေမေ"

မေမေက ဝါးရေတံလျှောက်ရဲ့ ဖြတ်ဆက်အပိုင်းကို ပင်မအပိုင်းမှာ သွားဆက် တယ်။ အခုဆို ရေလျှောင်ကန်ကနေ မြေကြီးပေါ် ရေသွယ်လိုက်ပြီပေါ့လေ။ ကိုကို လက်ခုပ်နဲ့ စမ်းရေခပ်ပြီး စိတ်ရှိသလောက်သောက်လိုက်တယ်။ ညီညီလည်း ကိုကို့နည်းတူ

ရေသောက်လိုက်တယ်။

"အရသာ ဘယ်လိုနေလဲ"

"ကောင်းပါတယ်"

ကိုကိုက ပြန်ဖြေတယ်။ ရေက အေးမြလန်းဆန်းစေသလို မြေနံ့လေးလည်း ပါနေလေရဲ့။

မေမေက သူ့ရေအိုးကို ရေတံလျှောက်အောက် ခံထားပြီး ရေဖြည့်လိုက်တယ်။

"ရေတွေ ဘယ်က လာတာလဲ၊ မေမေ"

"တောင်ထဲကလေ။ ရေတွေက ဘယ်တော့မှ မခမ်းခြောက်ဘူး။ ဒါကြောင့်လည်း တောင်ပေါ်မှာ ဘုရားပွဲ ကျင်းပလို့ ရတာပေါ့။ လိုသလောက်ရေတွေကို ဒီနား နိုးနိုး လေးက ရတာလေ"

ကိုကို လှည့်ပတ်ကြည့်ရှုလိုက်တယ်။ တောကြီးမျက်မည်းအလယ် ရောက်နေသလို ခံစားရရဲ့။ ဒီနေရာမှာ သစ်ပင်တွေက စိမ်းစိုလို့ သစ်ရွက်တွေကလည်း ထူထူထဲထဲနဲ့ သစ်ပင်တွေကြောင့် ကောင်းကင်ပြင်ကြီးတောင် မြင်ရဖို့အနိုင်နိုင်။ နေ့ခေါင်ခေါင်မှာ တခြားနေရာတွေ ခြောက်သွေ့နေပေမယ့်လည်း ဒီနေရာ စိမ်းစိမ်းစိုစို ရှိနေဆဲ။ ဒီနား တဝိုက် ပုစဉ်းရင်ကွဲတွေ ပိုရှိနေလေရဲ့။ သစ်ပင်တွေကြားကနေ ပုစဉ်းရင်ကွဲအော်သံက ကိုကို့နားထဲ ပြည့်နေရော။

မေမေက ရေအိုးကို ရေဖြည့်ပြီးနောက် သား-အမိသုံးယောက် ထမင်းချက်ရာ နေရာဆီ လှည့်ပြန်လာခဲ့တယ်။ ဒီတစ်ခါတော့ ကိုကို တံတားကို ဖြတ်ကျော်နေတုန်း အောက်ဘက် အမှောင်ထုထဲ ငုံ့မကြည့်ဖြစ်တော့။ အဝေးဆုံးရွာတွေက ညဲ့သည်တွေ အရင်ဆုံး နေ့လည်စာ သုံးဆောင်နိုင်ကြောင်း ကြေညာသံကြားရတယ်။ ကိုကိုက ဒီအကြံကောင်းသားပဲလို့တွေးမိရဲ့။ တစ်ချို့လူတွေက ကျောင်းတောင်ဘုရားပွဲကို လာဖို့ နှစ်နာရီနီးပါး လမ်းလျှောက်လာခဲ့ရတာကိုး။ နောက်ဆုံးမှာတော့ ဘုရားပေါ်ကနေ လှေကားအတိုင်း ညဲ့သည်တွေ နေ့လည်စာ စားမယ့်နေရာဆီ ဆင်းလာကြပါလေရော။

ညဲ့သည်တွေက ခုပ်နံ့မှိန်မှို့ ဝါးစားပွဲတွေနား ဝင်ထိုင်ပြီး အထူးနေ့လည်စာ စားကြတယ်။ ကိုကိုစားခဲ့တဲ့ ထမင်းဟင်းတွေအတိုင်းပဲ ညဲ့သည်တွေလည်း စားသောက် ကြရတာ။ သို့ပေမယ့် သူတို့အတွက်ကျတော့ ဟင်းချိုပါ ပါလေရဲ့။ ဟင်းချိုက ကျပ်တင် ထားတဲ့ ငါးနဲ့၊ သရက်သီးချဉ်ချဉ်လေးကို ဘူးသီးနဲ့ ရောချက်ထားတဲ့ ဟင်းချိုလေ။ ကိုကိုက ဟင်းချိုမသောက်ရတာ စိတ်ထဲဘယ်လိုမှ မအောက်မွေ့။ ကလေးတွေက ဟင်းချိုမှ သိပ်မသောက်ဘဲကိုး။

ဟင်းခွက်တွေမှာ ဟင်းတွေ ကုန်သွားရင် ဖြည့်ပေးကြတယ်။ ညဲ့သည်တွေ ထမင်းစားပြီးတာနဲ့ နောက်ထပ် လာရောက်စားသုံးမယ့် ညဲ့သည်တွေအတွက် ပန်းကန် ခွက်ယောက်တွေ ဆေးကြောထားရဦးမှာလေ။ လူကြီးသူမတွေအတွက် ဆေးသား

လိပ်တွေနဲ့ တခြားလူကြီးပိုင်းတွေအတွက် ကွမ်းယာတွေပါ ပြင်ထားပေးတာတွေရဲ့။

ဘာဘာက သံဃာတော်တွေအတွက် နေ့ဆွမ်းပြင်ဆင်ဆက်ကပ်ဖို့ စေတီတော်ဆီ တက်ရာ လှေကားထစ်တွေအတိုင်း တက်လာခဲ့လိုက်တယ်။ ကိုကို၊ ညီညီတို့လည်း နောက်က လိုက်တက်ခဲ့ကြတယ်။ တောင်ထိပ်ပေါ်မှာ စေတီတော်အနီး ခေါင်းလောင်း တစ်လုံးရှိတာ ကိုကိုမြင်ရတယ်။ ကလေးတွေက တစ်ယောက်တစ်လှည့် ခေါင်းလောင်း ထုနေကြလေရဲ့။ ကိုကိုလည်း ခေါင်းလောင်းထုကြည့်ချင်လာရော။ ကိုကို၊ ညီညီတို့ ခေါင်းလောင်းနား လျှောက်သွားကြတယ်။ ကိုကိုက ခေါင်းလောင်းထုဖို့ အလှည့်စောင့် နေလိုက်တယ်။

သတ္တုခေါင်းလောင်းက ကိုကို့အရပ်လောက် ရှည်ပြီး ထု အတော်လေးထူတာ တွေ့ရရဲ့။ ခေါင်းလောင်းကို ခိုင်ခံ့တဲ့ တုတ်ချောင်းကနေ တွဲလွဲချိတ်ထားပြီး တုတ် ချောင်းကိုတော့ တိုင်လုံးနှစ်လုံးက ပင့်ကူပေးထားလေရဲ့။ ခေါင်းလောင်းကို ထုတဲ့အခါ တုတ်တစ်ချောင်းနဲ့ ထုရိုက်ရပါတယ်။ တုတ်ချောင်းက သိပ်တော့လည်း မလေးလှ။ ကိုကိုက တုတ်ချောင်းကို လက်နှစ်ဘက်နဲ့ စုကိုင်ပြီး ခေါင်းလောင်းကြီးကို တုတ်နဲ့ ထုရိုက်လိုက်တယ်။ ခေါင်းလောင်းက ဒုံ . . . လူ . . . လူ . . . ဆိုတဲ့ ပဲ့တင်သံ တိုးတိုးလေးမြည်ပြီး တုန်ခါမှုက အတော်လေး ရှည်ကြာပါတယ်။ ကိုကိုက ဒုံ . . . လူ . . . လူ . . . အသံ ကြားတာ ရပ်သွားမယ့် အချိန်အတိအကျကို နားစိုက်ထောင် ကြည့်တယ်။ ဒါပေမယ့် တိတိကျကျ နားစိုက်ထောင်ဖို့ အခက်သား။

ညီညီလည်း ခေါင်းလောင်းထုချင်ပြန်ရော။ ခေါင်းလောင်းထုတ်ကို ကောက်ကိုင် ကြည့်ရဲ့။ သူ့အတွက်တော့ ခေါင်းလောင်းထုတ်က နည်းနည်း လေးတယ်လေ။ ဒါပေမယ့် ခေါင်းလောင်းကြီးကို သူ ထုလိုက်နိုင်တယ်။

"အောင်ဇေမင်း။ အောင်နေမင်း"

အသံတစ်သံ ကိုကို့နောက်က ပေါ်လာလေရဲ့။ လှည့်ကြည့်တော့ သရက်ချိုရွာက ဘောင်ဘောင် ဖြစ်နေတယ်။

"ဘိုးဘိုးလည်း ပါတာလားဟင်"

"ဟုတ်တယ်ကွဲ့။ ကျွန်းပင်တစ်ပင်အောက် မြေးလေးတို့ဘိုးဘိုး အနားယူနေခဲ့ တယ်။ နေ့လည်စာ စားခဲ့ပြီလားကွယ်"

"ဟုတ်ကွဲ့။ စားပြီးပါပြီ။ သွပ်အိုးဖုံးကြီးပေါ် တင်စားခဲ့ကြပြီ၊ ဘောင်ဘောင်" ပျော်စရာကြီးပဲဟေ့ ဘောင်ဘောင်က ပြုံးပြုံးလေးပြောတယ်။

"မြေးလေးတို့ဘာဘာနဲ့ ကျောက်တွေက ဘောင်ဘောင်ကိုတွေ့တယ်ကွဲ့။ သူတို့ကို နှုတ်ဆက်စကား ပြောမလို့ပဲ"

ဘောင်ဘောင် ထွက်သွားပြီးနောက် ကိုကိုနဲ့၊ ညီညီတို့တခြားကလေးတွေနဲ့ ကစားကြတယ်။ လူကြီးအများစုကတော့ သစ်ပင်ရိပ်အောက် ဆောက်ထားတဲ့ ဝါးကွပ်

ပျစ်တွေပေါ် နားနေကြလေရဲ့။

ကိုကိုက လှေကားထစ်တွေရဲ့ ထိပ်ဆုံးနားမှာ ပေါက်နေတဲ့ ခရေပင်အောက်မှာ ကလေးတစ်ချို့ကို မြင်ရတယ်။ ခရေပင်ပေါ်က ကြွေကျတဲ့ခရေပန်းတွေ ကောက်နေ ကြတာလေ။ ကိုကို့ ညီညီတို့နဲ့အတူ ခရေပွင့်သွားကောက်ကြတယ်။

ကိုကိုက ခရေပန်းဖြူဖြူလေးတွေ ကောက်ပြီး ရုပ်အကျီ့အိတ်ထဲ ထည့်တယ်။ နောက်မှ မေမေ့ကို ခရေပွင့်တွေပေးမှာလေ။ ခရေပန်းတွေက စံပယ်ပန်းတွေနီးနီး ရုန်းသင်ပို့၊ မွှေးကြိုင်နေလေရဲ့။ ညီညီက ခရေပန်းတွေ မကောက်ဖြစ်။ ဟိုးအဝေးကြီးက ပင်လယ်ပြာကို မျှော်ကြည့်နေလေရဲ့။

"ကိုကို၊ ဟိုးမှာ ပင်လယ်ပြင်ကြီး"

ကိုကိုက ကြည့်တောင်မကြည့်ဖြစ်။ ပြန်ကြည့်မိလို့ အမြင့်ကြီးရောက်နေမှန်း သိရင် နည်းနည်းခေါင်းမူးလာဦးမယ်ဆိုတာ သူ သိထားတယ်လေ။

"ဟုတ်တယ်၊ ညီညီ။ ကိုကိုတို့ တောင်အမြင့်ကြီးပေါ် ရောက်နေတာ"

မွန်းလွဲ ၁ နာရီလောက်မှာ ဆိုင်းသံပုံသံတွေ၊ ရိုးရာဆိုင်းဝိုင်းသံတွေ ပြန်ကြား ရပြန်ရော။ ဆိုင်းသံပုံသံကြားရတော့ ဓာတ်တက်ပွဲလုပ်တော့မယ်ဆိုတာ ကိုကို သိလိုက် ပြီလေ။ ရိုးရာဆိုင်းဝိုင်းမှာ လူခုနစ်ယောက် ရှိပြီး တစ်ယောက်ချင်းစီက တူရိယာပစ္စည်း တစ်မျိုးစီတီးရုပ်ပါတယ်။ တီးဝိုင်းမှာ ဗုံတွေ၊ လေမှုတ်တူရိယာတွေ၊ လင်းကွင်းနဲ့ ဝါး လက်ခုပ်တို့ရှိလေရဲ့။ တခြားလူငယ်တွေက တီးဝိုင်းအဖွဲ့ကို ဝိုင်းရံပြီး အတီးသမားတစ် ယောက်ယောက် ညောင်းလာရင် ဝင်တီးမှုတ်ပေးဖို့ အဆင်သင့်လုပ်ထားကြလေရဲ့။ အနီးအနားမှာ လူငယ်လေးငါးယောက်လောက် ရှိတယ်။ ဒီလူငယ်တွေက ရိုးရာနည်း အတိုင်း ကဖို့အဆင်သင့်ပြင်ထားကြလေရဲ့။ လှေကားထစ်အောက်ခြေနားမှာ တီးဝိုင်း အဖွဲ့သားအားလုံး မတ်တပ်ရပ်နေကြတယ်။ ကိုကိုက လှေကားထစ်တွေရဲ့ ထိပ်ဆုံးမှာ တခြားကလေးတွေနဲ့အတူ မတ်တပ်ရပ်ပြီး ဓာတ်တက်ပွဲ စလုပ်မှာကိုကြည့်ဖို့ စိတ်စော နေကြလေရဲ့။ တီးဝိုင်းအဖွဲ့ နောက်မှာ လူပျိုအပျိုတစ်တန်းရှိတယ်။ အားလုံး ဝတ်ကောင်း စားလှတွေ ဝတ်ဆင်ထားလေရဲ့။

တီးဝိုင်းအဖွဲ့ဝင်တွေက တူရိယာပစ္စည်းတွေ တီးပြီး လှေကားထစ်အတိုင်း စ,တက်ကြလာကြပြီ။ တီးဝိုင်းအဖွဲ့နောက်က မြန်မ့ရိုးရာ ကဟန်ကကွက်တွေနဲ့ လူငယ်တစ်ချို့ ကခုန်လိုက်ပါလာကြတယ်။ ခြေတွေ ထောက်လို့ထောက်လို့ လှည့်ပတ် ကခုန်ရင်း လက်တွေ၊ ခေါင်းတွေကို စည်းချက်ဝါးချက်ကျ လှုပ်ရှားနေလေရဲ့။ သူတို့ နောက်မှာ လူပျိုတွေလိုက်ကြတယ်။ လူပျိုတွေနောက်ကနေ အပျိုတွေလိုက်လာကြရဲ့။ အပျိုတစ်ချို့က ငွေပဒေသာပင်တွေ သယ်လာကြတယ်။ ပဒေသာပင်ရဲ့ အကိုင်းလေးတွေ မှာ ကျပ်တန်ငွေစက္ကူတွေ တွဲဆီထားလေရဲ့။ ငွေပဒေသာပင်တစ်ချို့မှာ ကျပ်တန်တွေကို ပန်းလေးတွေနဲ့တူအောင် ခေါက်ချည်ပြီး ဆန်းဆန်းပြားပြားလေးဖြစ်အောင် လုပ်ထား

တာလေ။

ဒာတ်တက်ပွဲကို ကြည့်ရင်း ဂီတသံနားဆင်ရတာ သိပ်စိတ်လှုပ်ရှားစရာ ကောင်း တယ်။ စိတန်းလှည့်လည်သူတွေ တောင်ထိပ်ကို ရောက်သွားတာနဲ့ နာရီလက်တံအတိုင်း ဘုရားကို လှည့်ကြတယ်။ ဒီလိုနဲ့ နောက်ဆုံးတော့ အားလုံး ဘုရားကို ပတ်ဝိုင်းလျှက်သား ဖြစ်နေရော။ ရိုးရာတီးဝိုင်းအဖွဲ့နဲ့ အကသမားတွေ အုပ်စုတစ်စုတည်း ဖြစ်သွားပြီး လူပျိုအပျိုတွေလို စနစ်တကျ စိတန်းလှည့်လည်နေတာမျိုး မဖြစ်တဲ့အခါ ကလေးတစ်ချို့ပါ သူတို့အနားက လိုက်ပြီး ကကြတော့တယ်။ ကိုကို၊ ညီညီတို့က ကခုန်နေတဲ့ ကလေးတွေ နား ကပ်လျှောက်ရင်း ပျော်စရာတွေထဲဝင်ပါကြတယ်။ မိဘတွေ ဒာတ်တက်ပွဲကို ကြည့်နေမှန်း ကိုကို သိလိုက်တယ်။ သရက်ချို့ရွာက ဘိုးဘိုး၊ ဘောင်ဘောင်တို့ရော ကျောက်တွေရွာက ဘောင်ဘောင်ပါ ကြည့်နေကြမှာပါ။ ဟော့ . . . ကိုကိုလည်း စိတန်းလှည့်လည်သူတွေနဲ့အတူ လိုက်လျှောက်နေပြီလေ။

လူပျိုတွေမှာ ရုပ်အကျိုအိတ်ထဲ ဖယောင်းတိုင်တွေ ထည့်ယူလာတာ ကိုကို သိတယ်။ အပျိုတွေ လက်အုပ်ချီနေတဲ့ ကြားမှာ ဖယောင်းတိုင်တွေ ကိုင်ထားတာလည်း ကိုကို မြင်ရဲ့။ စိတန်းလှည့်လည်ရာမှာ ဘုရားစေတီကို လှည့်လည်သွားနေရင်း လက် အုပ်ချီတဲ့ဟန် လုပ်ထားရတာ ရိုးရာမလေလေ။ အခုဆို တီးဝိုင်းအဖွဲ့က အတီးအမှုတ် ရပ်လိုက်ပါပြီ။ အကသမားတွေလည်း အက ရပ်လိုက်ကြပြီ။

စိတန်းလှည့်လည်လာသူတွေက ပုဆစ်ဒူးတုပ်ပြီး ရှိခိုးကန်တော့ကြတယ်။ ပါလာတဲ့ ဖယောင်းတိုင်တွေကို မီးညှိပြီး ဘုရားပေါ်မှာ တင်ထွန်းလိုက်ကြတယ်။ အဲဒီ နောက် ကျောက်တွေမြောက်ကျောင်းက ကျောင်းထိုင်ဘုန်းကြီး ထိုင်တော်မူနေတဲ့ မဏ္ဍပ်ဆီ လျှောက်သွားကြတယ်။ အပျိုတွေက ငွေပဒေသာပင်တွေကို ကျောင်းထိုင်ဘုန်း ကြီးထံ ဆက်ကပ်လှူဒါန်းပြီး အားလုံး ဦးချကန်တော့လိုက်ကြတယ်။ အဲဒီနောက်မှာ ဆရာတော်က ဒွေ့ပရိသတ်တွေကို ငါးပါးသီလပေးတယ်။

သီလပေးပြီးတာနဲ့ ကျောင်းတောင်ဘုရားပွဲ ပြီးဆုံးပါပြီ။ ဘာဘာက ပစ္စည်းတွေ သိမ်းပြီး ဘုန်းကြီးကျောင်းဆီ ပြန်သယ်ရာမှာ ကူညီပေးဖို့ ကျန်ရစ်ခဲ့တယ်။ ကိုကိုက မေမေ့ကို ခရေပန်းတွေ ပေးလိုက်တယ်။ မေမေက ခရေပန်းတွေကို နောက်ပိုင်း ခေါင်းအုံးထဲ ထည့်နိုင်အောင် အိတ်ထဲ ဂရုတစိုက် ထည့်လိုက်တယ်။ ပြီးတာနဲ့ မေမေ၊ ဘောင်ဘောင်၊ သရက်ချို့ရွာက ဘိုးဘိုး၊ဘောင်ဘောင်တို့နဲ့အတူ ကိုကို၊ ညီညီတို့ အိမ်သို့ လမ်းလျှောက်ပြန်လာခဲ့တယ်။

ဘောင်ဘောင်တို့ အိမ်မပြန်ခင်မှာ မေမေက ရှာလပတ်ရည်တိုက်ဖို့ အိမ်ကို အလည်ခေါ်ခဲ့တာလေ။ အိမ်ရောက်တာနဲ့ မေမေက မရမ်းပင်နားသွားပြီး မရမ်းသီး လက်နှစ်ဆုပ်စာခူးလိုက်တယ်။ မီးဖိုချောင်ထဲဝင်သွားပြီး မရမ်းသီးတွေကို ရေဆေးလိုက် တယ်။ အဲဒီနောက် မရမ်းသီးရည်ကို ခွက်တွေထဲ ညှစ်ထည့်တယ်။ ဒီမရမ်းသီးဖျော်ရည်

(ရှာလပတ်ရည်)ခွက်တွေကို အိမ်ရှေ့ခန်းဆီ ယူသွားလိုက်တယ်။ အိမ်ရှေ့ခန်းမှာတော့ အားလုံးစောင့်နေကြလေရဲ့။ ရှစ်ပါးသီလထဲမှာ သီလတစ်ခုက နေ့လည် ၁၂ နာရီ ကျော်ပြီးနောက် အစာမစားဖို့ဖြစ်တယ်။ သက်ကြီးရွယ်အိုတွေက သင်္ကြန်တွင်း ရှစ်ပါး သီလ ယူလေ့ရှိတယ်လေ။

ကိုကို၊ ညီညီတို့လည်း ရှာလပတ်ရည်တစ်ခွက်စီရကြတယ်။ ကိုကိုက ရှာလပတ် ရည်ကို ကြိုက်တယ်လေ။ မေမေက သကာရည်ပါ ရောထည့်ပေမယ့် ရှာလပတ်ရည်က သိပ်တော့ မချိုလှပါ။ မရမ်းသီးတွေက များသောအားဖြင့် နည်းနည်းချဉ်စပ်စပ် အရသာ ရှိတယ်။ ဆီးသီးအရသာလိုမျိုး စားလို့တော့ အကောင်းသား။ မေမေက မရမ်းသီးဖတ်တွေကို ညှစ်ထုတ်ထားပေမယ့်လည်း ရှာလပတ်ရည်ခွက်ထဲ တစ်ခါတစ်ခါ မရမ်းသီးဖတ်တွေ ပါနေလေရဲ့။ ရှာလပတ်ရည်သောက်ပြီးတဲ့အခါ မေမေ၊ ကိုကိုနဲ့ ညီညီတို့ ဘိုးဘိုး၊ ဘောင်ဘောင် တစ်ယောက်ချင်းစီကို ဦးချကန်တော့ကြတယ်။ သင်္ကြန်ကာလမှာ လူကြီးမိဘတွေကို ကန်တော့တာ ရိုးရာလေ့ပေ့ကိုး။ သုံးကြိမ်သုံးခါ ကန်တော့ပြီးတဲ့နောက် လက်အုပ်ချီ့အနေအထားနဲ့ မေမေ၊ ကိုကို၊ ညီညီတို့ ထိုင်နေရင်း ဘိုးဘိုး၊ ဘောင်ဘောင် တစ်ယောက်စီက သမီးနဲ့ မြေးလေးတွေ သက်ရှည်ကျန်းမာစေဖို့၊ ချမ်းသာစေဖို့၊ ဉာဏ် ပညာရှိစေဖို့ ဆုမွန်တောင်းပေးတဲ့ ပုံမှန်ဆုမွန်ရွှေစကားတွေကို ရွတ်ဆိုပေးကြလေရဲ့။ တစ်ခါတလေဆို သီတင်းကျွတ်အခါသမယမှာဖြစ်ဖြစ်၊ သင်္ကြန်အခါသမယမှာဖြစ်ဖြစ် ဘိုးဘိုး၊ ဘောင်ဘောင်တို့က မြေးတွေအတွက် မုန့်ဖိုးပေးလေ့ရှိတယ်။ ဘိုးဘိုးနဲ့ ဘောင်ဘောင်နှစ်ယောက်ဆီက ကိုကို၊ ညီညီတို့အတွက် မုန့်ဖိုး တစ်ကျပ်စီ ပေးတဲ့အခါ ကိုကို စိတ်လှုပ်ရှားနေမိရဲ့။

ဘေးအိမ်က ဘောင်ဘောင် အိမ်ပြန်သွားတဲ့နောက် သရက်ချို့ရွာက ဘိုးဘိုးနဲ့ ဘောင်ဘောင်တို့ သရက်ချို့ရွာသို့ စတင်ထွက်ခွာသွားကြတယ်။ ဒီအချိန်က နောက် ထပ်ရိုးရာမလေ့တစ်ခု လုပ်ဖို့အချိန်လေ။ နက္ခတ်ဗေဒအရ မြန်မာ့နှစ်သစ်ရောက်ဖို့ နာရီပိုင်းသာ လိုတော့တာပါ။ ကိုကို၊ ညီညီတို့က မေမေ့နောက် လိုက်ပြီး အောင်သပြေခက် တွေ ခူးကြတယ်။ ခူးပြီးတာနဲ့ သပြေခက်တွေကို ရေသန့်နဲ့စင်ပြီး သွပ်အိုးသစ်တစ်လုံးထဲ ထည့်လိုက်တယ်။ အဲဒီနောက် မေမေက ရွှေလက်စွပ်၊ ရွှေလည်ဆွဲ၊ ရွှေလက်ကောက်၊ ရွှေနားကပ်အားလုံးကို အိုးထဲ စုထည့်လိုက်တယ်။ ကိုကို၊ ညီညီတို့ရဲ့ ငွေငါးဆွဲသီးတွေ ကိုလည်း အိုးထဲထည့်လိုက်ပြန်တယ်။ နောက်ဆုံးမှာ မေမေက အိုးထဲ ရေထည့်လိုက်တယ်။ သွပ်အိုးကို အိမ်ပြင်ဘက်သို့ သယ်ထုတ်လာတယ်။ ကိုကို၊ ညီညီတို့ မေမေ့နောက်က လိုက်ခဲ့ကြရဲ့။

သင်္ကြန်ကာလတိုင်းက ထူးခြားပါတယ်။ မြန်မာ့နှစ်ဆန်းရက်နဲ့ နာရီဟာ မြန်မာ့ ပြက္ခဒိန်အရဖြစ်ပါတယ်။ ဒီတစ်ခါ ပွဲအတွက် နက္ခတ်ဗေဒအရ တစ်ဘက်ဘက်ကို မျက်နှာမူထားရပါမယ်။ ဒီနှစ်တော့ အရှေ့မြောက်ဘက်ကို မျက်နှာလှည့်ရမယ်တဲ့လေ။

ကိုကို၊ ညီညီတို့ အရှေ့မြောက်ဘက်ကို မျက်နှာမူလိုက်ကြတယ်။ ကိုကို၊ ညီညီတို့
ခေါင်းကို အလှည့်ကျင့်ထားလိုက်ကြတယ်။ မေမေက သွပ်အိုးကို သူတို့ခေါင်းနား
ယူလာပြီး နဖူးပေါ်ကဆံပင်ကို ရေဆွတ်ရင်း အောက်ပါအတိုင်းပြောလိုက်တယ်။

"နှစ်ဟောင်းက အဆိုးတွေ ဒီရေနဲ့မျောပါသွားပါစေ။ နှစ်သစ်မှာ ကျန်းမာ၊
ချမ်းသာ၊ ပျော်ရွှင်မှုအပေါင်း ယူဆောင်လာနိုင်ပါစေ။ နှစ်သစ်မှာ အန္တရာယ်ရန်စွယ်ဟူသမျှ
ဖယ်ရှားနိုင်ပါစေသား"

အခုဆို နှစ်သစ်အခါသမယ ရောက်လာပြီပေ့ါ။ မြန်မာ့ပြက္ခဒိန်အရ မြန်မာသက္က
ရာဇ် ၁၃၅၀ ခုနှစ်ဆိုပဲ။

* * * * *

ဘုရားပွဲ

သရက်ချို့ရွာမြောက်ဘက်မှာ ရွာထက်ရွာရှိပါတယ်။ ရွာထက်ရွာမှာ လည်ရိုးတော် အမည်ရှိ တောင်ပေါ်ဘုရား (ဓာတ်တော်)တစ်ဆူ ရှိပါတယ်။ နှစ်စဉ်နှစ်တိုင်း ဘုရားပွဲကို နှစ်ရက်တာ ကျင်းပကြလေ့ရှိတယ်။ မြန်မာ့နှစ်ဆန်း ၃ ရက်နေ့မှာ ကျင်းပကြတာလေ။ လေးတောင်နယ် ရွာ ၁၄ ရွာလုံးက ဒီဘုရားပွဲအတွက် ကူညီပြင်ဆင်ပေးရတာပါ။ ရွာတစ်ရွာက မဏ္ဍပ်ဆောက်ဖို့တာဝန်ကျရင် နောက်တစ်ရွာက ဇာတ်စင်ဆောက်၊ တခြားရွာတွေကတော့ ညည်သည်တွေအတွက် ညနေစာ ထမင်းထုပ် ထုပ်ပိုးပေးဖို့ တာဝန်ယူ၊ စသည်ဖြင့်ပေါ့လေ။

ဘုရားပွဲနေ့ မနက်စောစောမှာ ကျွန်ဦးပင်နား စုဝေးနေကြတဲ့ ရိုးရာတီးဝိုင်းအဖွဲ့က ဗုံသံတွေ ကိုကို ကြားရရဲ့။ လူပျို၊ အပျိုတွေက အဲဒီမှာ တွေ့ကြမှာလေ။ အကောင်းဆုံး အဝတ်အစားတွေ ဝတ်ပြီး ရွာထက်ရွာသို့ ခြေကျင်လျှောက်သွားကြမှာပါ။ ကျောက်တွေ တောင်ပေါ် ဘုရားမှာ ကိုကို မြင်တွေ့ခဲ့ရတဲ့ ဓာတ်တက်ပွဲနဲ့ ဆင်တူမှာပေါ့။ လည်ရိုးတော် ဓာတ် ရောက်တာနဲ့ လူပျို၊အပျိုအားလုံး တန်းစီပြီး တောင်ပေါ် အရောက် လျှောကားထစ် ၃၄၇ ထစ် စီတန်းတက်ကြရမှာပါ။ လည်ရိုးတော်ဓာတ် တောင်ပေါ်မှာ ဘုရားကိုလှည့်၊ ဖယောင်းတိုင်တွေ ထွန်း၊ ဘုန်းကြီးတွေကို ကန်တော့ပြီး ငါးပါးသီလခံကြရပါမယ်။ ရွာ ၁၄ ရွာက လူပျို၊အပျိုတွေ ပါဝင်ဆင်နွဲ့ကြတဲ့ ပွဲမို့ တစ်ချိန်တည်း တောင်ပေါ် တက်လို့မရ။ တောင်ထိပ်က ဘုရားပတ်လည်မှာ နေရာမဆံ့လို့လေ။ ဒါကြောင့် တစ်ကြိမ် မှာ ရွာ ၄ ရွာပဲ တောင်ပေါ်တက်ဖို့ ခေါ်ပါတယ်။

အချိန်က ၄ နာရီခွဲပဲ ရှိသေးမှန်း ကိုကို သိတယ်။ တခြားကျေးရွာတွေက ဗုံတီး သံတွေ ကြားရပေမယ့်လည်း သူ ပြန်အိပ်ပျော်သွားပြန်တယ်။ ကိုကို အိပ်ရာကနိုးလာ တော့ ဘုရားပွဲကိုသွားဖို့ စိတ်စောနေပြီလေ။ ဒါပေမယ့် ဘုရားပွဲရဲ့ ကျန်တဲ့အပိုင်းက

တောင်ပေါ်မှာ မဟုတ်။ ဝါးကျိန်ပြင်ဘုရားကြီးဘေးက ကွင်းထဲလုပ်ကြမှာပါ။ ကျင်ပွဲ၊ ဇာတ်ပွဲတွေ ရှိမယ်လို့ ကိုကို သိထားရဲ့။

နေ့လည်စာစားပြီးတဲ့အခါ ကိုကို၊ ညီညီတို့ ညဘက် အရမ်း မပင်ပန်းရလေအောင် တရေးတမော အိပ်ဖို့ မေမေက ပြောတယ်။ ကိုကို အိပ်တော့အိပ်ကြည့်တယ်။ အိပ်လို့က မရ။ ဘုရားပွဲနဲ့ပတ်သက်ပြီး စိတ်လှုပ်ရှားနေပြီလေ။ မျက်လုံးတွေ ပိတ်ထားပေမယ့် ကိုကို အိပ်မပျော်။ အဲဒီအချိန်မှာပဲ မေမေ ဝင်လာပြီး ကိုကိုတို့ကို နှိုးတယ်။

"ကိုကို၊ ညီညီ၊ က . . . ထကြတော့ကွယ်"

ကျောက်တွေ့ရွာဟာ ဒီနှစ် ထမင်းထုပ် ပြင်ဆင်ပို့ဆောင်ပေးဖို့ တာဝန်ကျတဲ့ ရွာတစ်ရွာလေ။ ဒါကြောင့် မေမေက ညစာထမင်းထုပ်ကို ပြင်ဆင်ထုပ်ပိုးရတယ်။ မေမေက ထမင်း၊ ပဲဆီနဲ့ ကြော်ထားတဲ့ ငါးကြော်ညှို(ဆာဒင်းငါး)၊ ချဉ်ပေါင်ဟင်းတို့ ထုပ်ပိုးနေတာ ကိုကို ကြည့်နေလိုက်တယ်။ မေမေက ကွမ်းသီးပတ်မှာ အမယ်သုံးမျိုးကို သေချာလေး နေရာချပြီး ခေါက်လိုက်တယ်။ ပြီးရင် အထုပ်ကို နှီးနဲ့ စည်းပြီး ဘာဘာ့ထံ ပေးလိုက်တယ်။

ဘာဘာက ကျောက်တွေ့ရွာက ညစာထမင်းထုပ်တွေကို ဘုရားပွဲဆီ တာဝန်ယူ သွားပို့ပေးရမယ့် လူတွေထဲကတစ်ယောက်လေ။ ဒီလို သွားပို့ရမှာမို့ ဘာဘာ ပျော်နေလေ ရဲ့။ ထမင်းသွားပို့ရင် ကျင်ပွဲ စောစောကြည့်လို့ရတာပေါ့။ ဘာဘာနဲ့ ဦးရွှေသက်စိန်တို့က ဝါးလုံးတစ်လုံးကို ပုခုံးပေါ် တင်ထမ်းကြတယ်။ သူတို့ကြားမှာ တောင်းကြီးတစ်လုံးကို ကြိုးနဲ့ ဆိုင်းထားတယ်။ တောင်းထဲမှာက အနီးအနား အိမ်တွေက ထမင်းထုပ်တွေကို ထည့်ထားလေရဲ့။ ဦးထွန်းစိန်က ဘုရားပွဲအသွားလမ်းတလျှောက် တောင်းကိုအလှည့်ကျ ထမ်းနိုင်အောင် ဘာဘာတို့နဲ့အတူ လိုက်သွားမယ်ပေါ့လေ။

အဲဒီအချိန်မှာပဲ ဘာဘာနဲ့အတူတူ ကိုကို လိုက်သွားလို့ရတယ်လို့ မေမေက ပြောလာပါလေရော။ ကိုကို ရေချိုးပြီး ဝတ်ကောင်းစားလှတွေ ဝတ်ပြီးတာနဲ့ ခရီးရှည် လမ်းလျှောက်သွားတဲ့အခါ မျက်နှာကို နေမထိုးအောင် ဦးထုပ်တစ်လုံး ယူဆောင်လိုက် တယ်။ ကိုကိုက လူကြီးတွေနောက်ကနေ လိုက်ခဲ့တယ်။ ကိုကိုတို့ မင်းလမ်းမကြီးအတိုင်း စုန်သွားကြတယ်။ တံတားကို ကျော်ပြီး စပါးတုံ့ရွာဆီ လျှောက်ကြတယ်။ လမ်းကွေ့လေ အတိုင်း စပါးတုံ့ရွာကိုကျော်ပြီး သရက်ချိုရွာဆီ ဆက်လျှောက်လာခဲ့ကြပြန်တယ်။

ဘာဘာ၊ ဦးရွှေသက်စိန်နဲ့ ဦးထွန်းစိန်တို့ အရင်နှစ်တွေတုန်းက ကျင်ပွဲအကြောင်း စပြောဖြစ်ကြရော။

ကိုကိုတို့ရွာက ကျင်ကိုင်ရာမှာ တစ်ခေတ်တစ်ခါက နာမည်ကြီးခဲ့ကြောင်း သိထားလေရဲ့။ ဦးထွန်းစိန်ရဲ့ သားမက်မှာ အဖေဆိုရင် ကျင်သန်ကြီးအဖြစ် ရမ်းပြဲကွန်း တစ်ခွင် ပြုပြုစင်အောင် ကျော်ကြားခဲ့သူပေါ့။ သူ့အမည်က ဦးမောင်ကျော်အေး။ ကျင်ကိုင်လို့ ရွှေမောင်း၊ ငွေမောင်း စုစုပေါင်း ၁၀၅ လုံး ရခဲ့တဲ့ ကျင်သန်ကြီးလေ။

"ကျောက်ရေတွင်းတွေနား ကျင်ကိုင်လေ့ကျင့်တဲ့ လူငယ်တွေဆိုတာ အများ ကြီးပဲ" ဦးရွှေသက်စိန်က ဆိုတယ်။

"ကျွန်တော် အိမ်ထောင်မကျခင်တုန်းကပေါ့"

လွန်ခဲ့တဲ့ နှစ်တွေတုန်းက ကျောက်ရေတွင်းတစ်တွင်းကို တစ်ခါတလေ မိသားစု ၁၀ စုကျော် အသုံးပြုခဲ့ကြတာမို့ ကျောက်ရေတွင်းက လူတွေ စုဝေးနေကျ နေရာဖြစ် နေရော။

ကျောက်ရေတွင်းနား လူငယ်တွေ ညနေစောင်းထိ ကျင်ကိုင်လေ့ကျင့်ကြတာ ကြည့်ခဲ့ဖူးတယ်။ ဒီလိုနဲ့ ကျွန်တော်လည်း ကျင်ကိုင်တတ်လာတာလေ ဦးရွှေသက်စိန်က ဆက်ပြောတယ်။

"ရမ်းပြဲမြို့နားက ရွှေမောင်း ခိုးလာတဲ့အဖွဲ့ထဲ ဦးလေး ပါတယ်မလား"

ထမင်းထုပ်တွေ အပြည့်ထည့်ထားတဲ့ တောင်းကြီးကို ထမ်းလာရလို့ အသက်ရှူ ခက်နေတဲ့ လေသံမျိုးနဲ့ ဘာဘာက မေးတယ်။ ထမင်းထုပ်တောင်းက ဘာဘာနဲ့ ဦးထွန်းစိန်တို့ ပုခုံးတင်ထမ်းလာတဲ့ ဝါးလုံးကနေ ခုန်ခုန်နေလေရဲ့။

"ပါတယ်လေ" ဦးရွှေသက်စိန်က ရယ်ရင်း ပြန်ဖြေတယ်။

အဲဒီအကြောင်း အခေါက်ခေါက်အခါခါ ကြားဖူးတယ်။ ဒါပေမယ့် ကိုယ်တိုင် ပါဝင်ခိုးယူခဲ့သူတစ်ယောက် ပြန်ပြောပြတာတော့ မကြားဖူးသေးဘူး

"အင်း . . . လွန်ခဲ့တဲ့ ၂၅ နှစ်လောက်ကပေါ့" ဦးရွှေသက်စိန်က စပြောတယ်။

"တို့ကျောက်တွေရွာက ဦးမောင်ကျော်အေးလို နာမည်ကျော် ကျင်သန်တွေ ရှိတယ်လို့ နာမည်ကြီးခဲ့တာပေါ့။ ရွှေရာသီဆို ဘုရားပွဲတွေမှာ ယှဉ်ပြိုင်ဖို့ ကျင်သန်တွေက တခြား ရွာတွေကို ပတ်သွားကြလေ့ရှိတယ်။ ဒီလိုနဲ့ တစ်နှစ်မှာပေါ့။ ရမ်းပြဲမြို့နားက 'စည်ရင်း'ဆိုတဲ့ရွာမှာ ဘုရားပွဲကျင်းပပါလေရော။ ဝါးကိုင်တစ်ကိုင်ပေါ် မှာ ရွှေမောင်း တစ်လုံး၊ ငွေမောင်းတစ်လုံး ခင်းကျင်းပြသထားလေရဲ့။ ကျင်ပွဲ မစတင်မီ ထုပ်တလဲလဲ ကြေညာနေတယ်။ ဘယ်သူပဲ အနိုင်ရရ ရွှေမောင်းက သဟာန်ချေပဲ ရမယ့်လေ"

"ဘာလို့ အဲလို ကြေညာတာလဲဟင်" ကိုကိုက မေးတယ်။

သူတို့ရွာက အတော်ဆုံးကျင်သန် သဟာန်ချေကို နိုင်စေချင်လို့ပေါ့။ စည်ရင်းရွာ ကိုလည်း ကျောက်တွေရွာလို ကျင်သန်တွေကြောင့် နာမည်ကြီးစေချင်တာ ဖြစ်မှာပေါ့။

"အင်း တရားမှ မတရားတာပဲလေ၊ ဟုတ်တယ်မလား"

"ဟုတ်တယ်။ မတရားဘူးဗျ" ကိုကိုက ပြန်ဖြေတယ်။

"ဒါကြောင့် ကျောက်တွေရွာက တို့ကျင်သန်တွေ စုဝေးပြီး တိတ်တဆိပ် ဆွေးနွေးတိုင်ပင်ကြတယ်။ ဒါ သိပ်တော့ မဟန်ဘူးလို့ အားလုံး ဆုံးဖြတ်ကြတာကိုး။ ဒါကြောင့် ဒီကိစ္စနဲ့ပတ်သက်ပြီး တစ်ခုခုလုပ်ဖို့ ဆုံးဖြတ်လိုက်ကြတယ်။ ဒါပေမယ့် ရွှေမောင်း၊ ငွေမောင်းတွေကို ဓားမတစ်ချောင်းကိုင်ထားပြီး သဟာန်ချေအရပ်လောက်

မြင့်တဲ့ လူ တစ်ယောက်က စောင့်နေတယ်။ ကျင်သန်နှစ်ယောက်က အစောင့်နား ကပ်လိုက်တယ်။ တစ်ယောက်က အစောင့်ကို ဆွဲချုပ်ပြီး နောက်တစ်ယောက်က ဓားမကိုလုရော။ ကျင် ကွက်တစ်ကွက်နှစ်ကွက်သုံးပြီး ဝင်လုံးရတာပေါ့။ ဓားမကို လုလို့ရပြီဆိုတာနဲ့ ဝါးကိုင်းပေါ် ချိတ်ထားတဲ့ မောင်းတွေကို ဆွဲယူလိုက်တယ်။ တို့အားလုံး အဖွဲ့လိုက် မတ်တပ်ရပ်ပြီး စည်ရင်းရှွာက နောက်ပြန်ဆုတ်လာကြတယ်။ ဓားမကိုင်ထားတဲ့ ကျင်သန်က ဓားတဝင့်ဝင့် လုပ်ပြီး ကြုံးဝါးတယ်။ တို့နောက်က လိုက်ရဲရင် လိုက်ခဲ့၊ လိုက်လာသူ အသက်ရှင်လျက် အိမ်ပြန် မလာရဘူးလို့သာ မှတ်တော့ တဲ့။ အဲဒီနောက် တို့ဘက်လှ့ညံပြီး ပြေးတော့ အော်တယ်။ တို့အားလုံးလည်း ပြေးကြတာပေါ့။ မြန်မြန်ပြေးလာကြလို့ ဘယ်သူမှ လိုက်မဖမ်းနိုင်ကြဘူးလေ"

"အဝေးကြီး ပြေးလာခဲ့ရလားဟင် " ကိုကိုက မေးလိုက်တယ်။

"တို့နောက်က အကျီ့ဖြူတွေ တန်းလိုက်ကြီးပါလာတာ မတွေ့တော့တာနဲ့ အပြေးရပ်လိုက်ကြတာလေ" ဦးရွှေသက်စိန်က ပြန်ဖြေတယ်။

"တို့အားလုံးက သန်သန်မာမာချည်းပဲ။ ဒါပေမဲ့ နွေခေါင်ခေါင်မှာ အသန်မာဆုံး ကျင်သန်တောင် ၁၅ မိုင်ခရီးကို တောက်လျှောက်မပြေးနိုင်ဘူးလေ။ ကဲ . . . တောင်း ကူထမ်းပေးဖို့ အလှူ့ည်ကျပြီထင်တယ်"

ဦးရွှေသက်စိန်က ဘာဘ့ုနေရာကို ဝင်ယူလိုက်တယ်။ အခုတော့ ဘာဘာက လမ်းလျှောက်ရင် နားနိုင်ပြီပေါ့လေ။ နားပြီးတာနဲ့ ဦးထွန်းစိန်နေရာကနေ ဝင်ထမ်းပေး မှာပါ။

အဲလိုဖြစ်ပြီးနောက်ပိုင်း ရှွာနှစ်ရှွာက ကျင်သန်တွေ မိတ်ဆွေ ဖြစ်နိုင်သေးတာ ရယ်ဖို့တော့ အကောင်းသား ဦးထွန်းစိန် မှတ်ချက်ပြုတယ်။ ဦးရွှေသက်စိန်နဲ့အတူ တောင်းကို ထမ်းလာရလို့ သူလည်း ဟောဟဲလိုက်နေလေရဲ့။

"ဟုတ်ပ့ါဗျာ" ဦးရွှေသက်စိန်က ဆိုတယ်။ "ဒီလို ဖြစ်သွားလို့ သာဟန်ခြေ တစ်ယောက် ရှက်သွားတယ်ထင်ပါရဲ့။ အဲဒါ သူ့အကြံ မဟုတ်ဘူးလေ"

"ဒီလိုဖြစ်ပြီး သိပ်မကြာခင်မှာပဲ သာဟန်ချေနဲ့ ကျွန်တော် သူငယ်ချင်းတွေ ဖြစ်လာကြတာ"ဘာဘာက ပြောတယ်။ လွန်ခဲ့တဲ့ နှစ်အနည်းငယ်က သူ့ကို အလည် အပတ်ခေါ် လိုက်တယ်။ မောင်ခိုးတဲ့ကိစ္စ စကားစပ်၊မိတော့ သူ ရုပ်တည်ကြီး ဖြစ်သွားပြီး တိုးတိုးလေး ပြောလာတယ်။ ရှူး . . . ဒီအကြောင်း မပြောပါနဲ့တော့ကွာ" တဲ့။

ဘာဘာက ရယ်ရော။ နောက်လူတွေလည်း ရယ်ကြတယ်။

ကိုကိုတို့ လျှောက်နေတဲ့ ဘက်ကို လူကြီး၊ လူငယ်အများကြီး သွားနေကြတာ ကိုကို မြင်ရရဲ့။ ကျင်ပွဲကြည့်ဖို့ ဘုရားပွဲကို စောစော သွားနေကြတယ်ဆိုတာ ကိုကို သိပြီးသား။ ဘာဘာ၊ ဦးရွှေသက်စိန်၊ ဦးထွန်းစိန်နဲ့ ကိုကိုတို့ သရက်ချိုရှွာကို ရောက်တော့ ဘိုးဘိုးတို့အိမ်ဘက် ဦးတည်နေတဲ့ လှ့ည်လမ်းကြောင်းရှိရာ ဘယ်ဘက် ကွေ့မသွားဘဲ

သရက်ချိုစျေးနားက ဖြတ်ပြီး တည့်တည့် လျှောက်သွားကြတယ်။ စျေးကိုလွန်တော့ လမ်းမကြီး ညာဘက်မှာ တစ်ထပ်အဆောက်အဦးကြီးတစ်ခု ကိုကို မြင်ရရော။ ကြည့်ရတာ စာသင်ကျောင်းနဲ့ တူလေရဲ့။

"ဘာဘာ၊ ဒီအဆောက်အဦက ဘာလဲဟင်"

"အဲဒါ ဆေးရုံကွဲ့။ ဘာဘာတို့ တစ်နယ်လုံး ဒီဆေးရုံတစ်ရုံပဲ ရှိတာလေ"

"သားကို ဒီဆေးရုံမှာ မွေးတာလားဟင် "

"ဟုတ်တယ်၊ ကိုကို "

လမ်းမကြီးဘယ်ဘက်ခြမ်းမှာ ဆိုင်းဘုတ်အကြီးကြီးနဲ့ နောက်အဆောက်အဦ တစ်ခုရှိသေးရဲ့။ ဒီအဆောက်အဦလည်း တစ်ထပ်ဆောင်။ ရှည်မျောမျောသဏ္ဌာန် ရှိလေရဲ့။

"ဒီအဆောက်အဦကရော ဘာလဲဟင် "

"အဲဒါ ရဲစခန်းလေ"

ရဲစခန်းကို ကျော်လာပြီးနောက် ဘာဘာက ဦးထွန်းစိန်နေရာကို ဝင်ယူပြီး အနားယူစေတယ်။ ခဏနေတော့ လမ်းမကြီးက ဘယ်ကွေ့သွားလေရဲ့။ လမ်းကွေ့အတိုင်း ကိုကိုတို့လိုက်ခဲ့ကြပြီး မကြာမီအသံချဲ့စက်က ကြေညာသံတွေကြားရတယ်။ ကြေညာ သံက ကျင်းပွဲအတွက် စာရင်းသွင်းဖွဲ့ကစွဲနဲ့ ပတ်သက်တာ။ ကိုကို စိတ်လှုပ်ရှားလာနေပြီ။ ဘာဘာကလည်း ကျင်ကိုင်တာကြည့်ဖွဲ့ စိတ်လှုပ်ရှားနေပြီ။ ဘာဘာနဲ့ တခြားလူတွေ ခြေလှမ်းနည်းနည်း သွက်လာကြရဲ့။

နွားလှည်းဖြတ်လောက်အောင် ကျယ်တဲ့ သစ်သားတံတားလေးကို ဖြတ်ကျော်ပြီး နောက် ကိုကိုက ဇာတ်စင်ရဲ့ ဘယ်ဘက်ခြမ်းကို လှမ်းမြင်ရရော။ ဇာတ်သမားတွေက ကန့်လန့်ကာတွေ ပြင်၊ နောက်ခံကားတွေ ဆင်၊ မီးတွေ၊ ကိရိယာတန်ဆာပလာတွေ ပြင်ဆင်နေကြလေရဲ့။ ဇာတ်စင်တစ်ခုလုံးကို ဝါးနဲ့ ဆောက်လုပ်ထားပြီး ခေါင်မိုးကို အုန်းလက်၊ ကွမ်းသီးလက်တို့နဲ့ လုပ်ထားတယ်။ ဇာတ်စင်တွေကို မြင့်မြင့် ဆောက်ရတာမို့ အခု တွေ့နေရတဲ့ ဇာတ်စင်ကိုလည်း ဝါးလုံးနဲ့ ဆောက်ထားတာ။ ဇာတ်သမားတွေက ဇာတ်စင်အောက်ခြေပတ်လည်ကို အဝတ်နဲ့ ပတ်ဖုံးထားကြလေရဲ့။ ဒီလိုနဲ့ ဇာတ်ကနေစဉ် ဇာတ်သမားတွေ ဇာတ်ဝင်ခန်းတစ်ခန်းနဲ့ တစ်ခန်းကြားမှာ ဇာတ်စင်အောက် ဝင်ပြီး အဝတ်လဲနိုင်ကြတယ်လေ။

ဇာတ်စင်ကို ကျော်တော့ သစ်ပင်တန်းတစ်တန်း တွေ့ရတယ်။ သစ်ပင်တန်း အကျော်မှာအဆောက်အဦတစ်ခု ရှိလေရဲ့။ အဆောက်အဦကို သတ္တုခြံစည်းရိုးနဲ့ ပတ်ရံထားတယ်။ ခြံစည်းရိုး ကြည့်ရတာ ထူးတော့ ထူးဆန်းနေတယ်လို့ ကိုကို တွေးမိရဲ့။

ခြံစည်းရိုးကို အပေါက်ပါတဲ့ သတ္တုပိုင်းရှည်နဲ့ ဘာလို့ လုပ်ထားတာလဲဟင် ကိုကိုက မေးတယ်။

"ဒုတိယကမ္ဘာစစ်အတွင်း ပြိတ်သျှတွေ ရမ်းပြဲကျွန်းကနေ ထွက်သွားတုန်းက ဒီသတ္တုပိုင်းတွေကို ဒီနားထားခဲ့တာ" ဦးရွှေသက်စိန်ကပြန်ဖြေတယ်။

"ရွှဲထွဲတဲ့ လမ်း တွေမှာ ပြိတ်သျှတွေရဲ့ယာဉ်တွေ ဖြတ်သွားနိုင်အောင် ဒီသတ္တုပြား တွေကို အသုံးပြုကြတာ။ ပြိတ်သျှတွေချန်ထားခဲ့တဲ့ ဒီသတ္တုပြားတွေကို ဆရာတော် တစ်ပါးက ကောက်ယူစုဆောင်းထားတာလေ"

ကိုကိုက ဘာဘာနဲ့ တခြားလူတွေနောက်ကနေ ခြေစဉ်းရိုးအတွင်းဘက်၊ ပြီး နောက် အဆောက်အဦထဲသို့ လိုက်ခဲ့တယ်။ အဆောက်အဦအတွင်းမှာ ဘုရားကြီးတစ်ဆူ ရှိလေရဲ့။ ဘာဘာနဲ့ တခြားလူတွေက မဏ္ဍပ်အောက်မှာ ထမင်းထုပ်တွေကို တခြားထမင်း ထုပ်တွေနဲ့ ရောချထားခဲ့ပြီးနောက်မှာ ဘုရားကြီးကို ရှိခိုးကန်တော့ကြတယ်။ အပြင်ဘက် မှာ ရိုးရာဆိုင်းဝိုင်းသံ ကြားရရဲ့။

ကိုကိုက ဒီလောက်ကြီးတဲ့ ဗုဒ္ဓရုပ်ပွားတော်ကို မမြင်ဖူးခဲ့။ ဗုဒ္ဓရုပ်ပွားတော်က ထိုင်တော်မူနေဟန်နဲ့ပါ။ ထိုင်တော်မူရုပ်ပွားတော် ဆိုပေမယ့် အတော့်ကို မြင့်ပါသေး တယ်။ ဗုဒ္ဓရုပ်ပွားတော်ရဲ့ နားတစ်ဘက်ဆို ကိုကို့အရပ်ထက် ပိုရှည်သေး။ ရုပ်ပွားတော်ကို တစ်ကိုယ်လုံး ဆေးဖြူသုတ်ထားတယ်။ ဆံတော်က အနက်ရောင်၊ မျက်လုံးတော်က အနက်ရောင်၊ သက်န်တော်က အနီရောင်ပါ။ ကိုကိုက အံ့ဩနေတယ်။ ဗုဒ္ဓရုပ်ပွားတော်ကို မော်မဖူးတဲ့ မနေနိုင်အောင်ပါပဲ။

ရုပ်ပွားတော်ကို ရှိခိုးကန်တော့ပြီးနောက် ကိုကိုက ဘာဘာနောက်ကနေ အဆောက်အဦအနီး ကွင်းထဲဆောက်ထားတဲ့ မဏ္ဍပ်ရှိရာ အပြင်ဘက်သို့ လိုက်ခဲ့တယ်။ ဒီမဏ္ဍပ်မှာ ပရိသတ်တွေထိုင်ပြီး ကျင်ကိုင်တာကြည့်ကြမှာလေ။ မဏ္ဍပ်မှာ လူတွေအများ ကြီးထိုင်နေကြပြီ။ ကျင်ပွဲအတွက် စာရင်းသွင်းဖို့ သတိပေးတဲ့ နောက်ထပ်ကြေညာချက်တစ်ခု ကြေညာပြန်တယ်။

ရိုးရာတီးဝိုင်းက ဆက်လက် တီးခတ်ကြတယ်။ ရိုးရာတီးဝိုင်းမှာ ပုံတွေ၊ လေမှုတ် တူရိယာတွေ တီးတဲ့လူတွေ ပါဝင်တယ်။ တောင်ပေါ် ဘုရားပွဲ ကျင်းပစဉ်ကလိုမျိုးပေါ့။ အဝေးက ရွာတွေကနေ လာရောက်ယှဉ်ပြိုင်တဲ့ ကျင်သန်တွေရှိတယ်။ ကိုကိုက ဘာဘာ နောက်ကနေလိုက်ခဲ့တယ်။ မဏ္ဍပ်အောက် ကောက်ရိုးသန့်သန့်လေးပေါ် ထိုင်ဖို့ နေရာ တစ်ခုရှာတွေ့ကြရော။ မိနစ်အနည်းငယ်အကြာမှာ ကျင်သန်နှစ်ယောက်ရဲ့ နာမည်ကို ကြေညာတယ်။ နာမည်ရှင် ကျင်သန်နှစ်ယောက် ကွင်းထဲသို့ ဖိနပ်မပါ၊ အကွီ့ဗလာနဲ့ ထွက်လာကြရဲ့။ သူတို့က ပထမဆုံးယှဉ်ပြိုင်မယ့် ကျင်သန်တွေလေ။

ကျင်သန်တွေက လုံချည်တွေကို ခြေထောက်ပတ်လည်မှာ တောင်းဘီတို့နဲ့ တူအောင် ခပ်မြင့်မြင့် ခါးတောင်းကျိုက်ထားလေရဲ့။ ခြင်းလုံးကစားရာမှာပဲဖြစ်ဖြစ် ကွမ်းသီးပင်၊ အုန်းပင် တက်ရာမှာပဲဖြစ်ဖြစ် အမျိုးသားတွေက ဒီလိုမျိုး ခါးတောင်းကျိုက် တတ်ကြတာလေ။ ဒါပေမယ့် ကျင်ကိုင်တဲ့အခါမှာတော့ ကျင်ကိုင်နေစဉ် လုံချည်ကွက်

ကျမသွားအောင် ခါးပတ်အဖြူတစ်ခု စည်းနှောင်ထားရတယ်။

ရခိုင်ကျင်ဟာ နှစ်ရာချီ ရှည်ကြာလာခဲ့တဲ့ အားကစားနည်းတစ်ခုပါ။ ကျင်ကိုင်ရာမှာ တစ်ယောက်က အခံလုပ်ရပြီး ကျန်တစ်ယောက်က အဖမ်းလုပ်ရတယ်။ အဖမ်းကျင်သန်ဟာ အခံကျင်သန်လဲကျသွားအောင်လုပ်ဖို့ အခွင့်အရေး ၃ ခါရပါတယ်။ ဒီတစ်ချီအပြီးမှာ အဖမ်းနဲ့ အခံသမားတွေ နေရာချင်းလဲရပါတယ်။ အခုဆို အရင်က အခံကျင်သန်က အဖမ်းကျင်သန် ဖြစ်လာပြီး တစ်ဘက်ကျင်သန် လဲကျသွားအောင် လုပ်ဖို့ အခွင့်အရေး ၃ ခါ ရပါတယ်။ တစ်ယောက်ယောက် နိုင်တဲ့အထိ ကျင်ကိုင်တဲ့ အကျော့တွေ ဆက်ဆက်သွားပါတယ်။

ရခိုင်ကျင်ဟာ ရန်လိုတိုက်ခိုက်တတ်တဲ့ အားကစားနည်းတစ်ခု မဟုတ်။ လက်သီးနဲ့ ထိုးတာ၊ ရိုက်ပုတ်တာ၊ ကန်ကျောက်တာမျိုး မရှိ။ ကျင်သန်တွေက လက်တွေ၊ ခြေထောက်တွေကို အသုံးပြုပြီး ပြိုင်ဘက် လဲကျသွားအောင် လုပ်ရတာ။ ကျောမှို၊ လက်ထောက်ပြီး လဲကျသွားတဲ့ ကျင်သန်က ကျင်တကျော့မှာ ရှုံးပါတယ်။ ကျွမ်းကျင်မှုနဲ့ သက်လုံ ကောင်းဖို့လိုတယ်။ ခွန်အားဗလနဲ့ မဆိုင်ပါ။

ဒိုင်လူကြီးက ၅ဝ ပြားတန် ဒင်္ဂါးပြားကို လှန်ပြီး ဘယ်သူက ပထမဆုံး အဖမ်းကျင်သန်လုပ်ရမယ်ဆိုတာ ဆုံးဖြတ်တယ်။ အဲဒီနောက် ဒိုင်လူကြီးက ကျင်သန်နှစ်ဦးကို စကားအနည်းငယ် ပြောပြီးတာနဲ့ ပြိုင်ပွဲစတင်ပါတော့တယ်။ ကျင်သန်တွေ တစ်ယောက်နဲ့ တစ်ယောက် စက်ဝိုင်းသဏ္ဍာန် လှည့်ချောင်းကြရင်း ရိုးရာဆိုင်းဝိုင်းက အနှေးတီးလုံး တစ်ခုကို စတင်တီးခတ်တော့တယ်။ ဒိုင်လူကြီးက ခရာမှုတ်ဖို့ အဆင်သင့် အနေအထားနဲ့ အနားမှာ မတ်တပ်ရပ်နေရဲ့။ ရုတ်တရက် ကျင်သန်တစ်ယောက်က နောက်ကျင်သန်ရဲ့ ခါးလည်ပိုင်းကို သိုင်းဖက်လိုက်တယ်။ ရိုးရာတီးဝိုင်းက ဗုံသံတွေ ခပ်မြန်မြန် တီးလာတယ်။ လေမှုတ်တူရိယာရဲ့ တေးသွားက ပိုလို့ မြူးကြွလာတယ်။ ကျင်သန်တွေက နည်းနည်း ဆက်ရုန်းကန်ကြတယ်။ အဲဒီနောက် အခံကျင်သန်က အဖမ်းကျင်သန် ချုပ်ထားတာကနေ ရုန်းထွက်နိုင်သွားတယ်။ ရိုးရာတီးဝိုင်းရဲ့ ဂီတသံက နှေးသွားပြန်ရော။ ဒါပေမယ့် အဲဒီနောက်မှာ ကျင်ပြန်ကိုင်ပြီး အခံကျင်သန်က မြေကြီးပေါ် လဲကျတယ်။ ဗုံသံတွေက ခပ်ပြင်းပြင်းထွက်လာပါလေရော။ လူတိုင်းရဲ့ အားပေးစကားသံ ညံစီသွားလေရဲ့။ ကျင်ပွဲရဲ့ စိတ်လှုပ်ရှားစရာ အပိုင်းတွေမှာ ရိုးရာတီးဝိုင်းက ပိုလို့စိတ်အားထက်သန်စွာ တီးခတ်ပုံကို ကိုကို ကြိုက်မိရဲ့။

ကျင်ပွဲရဲ့ နောက်အကျော့တွေ ဆက်သွားကြတယ်။ အဲဒီနောက် ကျင်ပွဲတွေ နိုင်ကြ၊ ရှုံးကြပြန်တယ်။ တစ်ခါတစ်ရံ ကျင်သန်တွေက ပွဲကြည့်ပရိသတ်ကို ဖျော်ဖြေဖို့ နည်းနည်းလောက် ကခုန်ပြ၊ ကျွမ်းထိုးပြတယ်။ ပြိုင်ပွဲတစ်ခုစီ အပြီးမှာ ကျင်သန်တွေက ကြွေပန်းကန်တစ်လုံး ကိုင်ပြီး လူအုပ်ထဲသွားကြတယ်။ ပရိသတ်တွေက ကျပ်တန်တွေ၊ ဒိုင်လူကြီးစင်မြင့်နေရာမှာ နောက်ပိုင်း ငွေနဲ့သွားလဲနိုင်မယ့် စက္ကူလက်မှတ်တွေကို

ကျင်သန်တွေ ထိုးပေးတဲ့ခွက်ထဲ ထည့်ပေးကြတယ်။ ပရိသတ်တွေက ဖျော်ဖြေရေး အကောင်းဆုံးကျင်သန်တွေကို ငွေနဲ့စက္ကူလက်မှတ်တွေ ပိုပေးကြလေရဲ့။

ပြိုင်ပွဲမှာ ရွှေမောင်းတန်း၊ ငွေမောင်းတန်းဆိုပြီး ပြိုင်ပွဲနှစ်မျိုးရှိတယ်။ ရွှေ မောင်းတန်းပြိုင်ပွဲဝင် ကျင်သန်တွေက တစ်နှစ်ပတ်လုံး ကျင်ကိုင်လေ့ကျင့်ထားတဲ့ ကြွက်သားအဖွဲအထစ်တွေနဲ့ လူသန်ကြီးတွေလေ။ ငွေမောင်းတန်း ပြိုင်ပွဲဝင် ကျင်သန် တွေက ရွှေမောင်းတန်းဝင် ကျင်သန်တွေလောက် ကျင်ကိုင် မကျွမ်းကျင်သလို ခန္ဓာကိုယ် လည်း မသန်မာလှ။ ကျင်ပွဲ နှစ်ရက် ကျင်းပတာကြောင့် နောက်ဆုံးအကျော့အပြီးမှာ နောက်တစ်နေ့မတိုင်ခင်ထိ အနိုင်ရသူတွေကို မကြေညာဘဲထားတယ်။ ရွှေမောင်းတန်း ပြိုင်ပွဲမှာ အနိုင်ရသူက မောင်သင်္ကြာန် ရွှေတံဆိပ်တစ်ခု ရရှိပါမယ်။ ငွေမောင်းတန်း ပြိုင်ပွဲမှာ အနိုင်ရသူကလည်း မောင်သင်္ကြာန် ငွေတံဆိပ်တစ်ခုရရှိမှာပါ။

ကိုကိုက ဘာဘာနဲ့အတူ ကျင်ပွဲကို ကြည့်တယ်။ တစ်ခါတလေဆို ကျင်သန်

တစ်ယောက် ထိခိုက်ဒဏ်ရာရမှာ ကြောက်လို့ ကျင်ပွဲကြည့်ဖို့ခက်ခဲပါတယ်။ ကျင်ပွဲကို
၃ နာရီနီးပါး ကျင်းပပြီးနောက်မှာ တစ်နေ့တာ ပြိုင်ပွဲတွေကို အဆုံးသတ်လိုက်ကြတယ်။
ကိုကိုနဲ့ ဘာဘာတို့ မဏ္ဍပ်ကနေစွာလာတယ်။ ကိုကိုက ဘာဘာနောက်ကနေ ဘုရားကြီး
သီတင်းသုံးတော်မူရာ ဂန္ဓကုဋီတိုက်တော်သို့ ပြန်လိုက်ခဲ့တယ်။

နေဝင်တော့မယ်ဆိုတော့ ညနေစာစားချိန်တန်ပြီလေ။ ဂန္ဓကုဋီတိုက်နား လူတွေ
စုရုံးပြီး ထမင်းထုပ် ယူကြတယ်။ လူအားလုံး အပြင်ဘက်မှာ ထိုင်စားကြလေရဲ့။
ဘာဘာက ထမင်းထုပ်နှစ်ထုပ်ယူလာတယ်။ တစ်ထုပ်ကို ငှက်ပျောဖက်နဲ့ ထုတ်ထားပြီး
ကျန်တစ်ထုပ်ကို ကွမ်းသီးလက်နဲ့ ထုပ်ထားတယ်။

"ဟိုဝါးပင်နား ထိုင်ကြမယ်ဟေ့"

ကိုကိုက ဘာဘာ့နောက်လိုက်ခဲ့ပြီး လယ်ကွင်းထဲက လယ်ကန်သင်းပေါ် ထိုင်
လိုက်ကြတယ်။ လယ်ကွင်းဖြစ်လို့ လယ်ကန်သင်းလည်းရှိလေရဲ့။ ပူပြင်းခြောက်သွေ့တဲ့
အချိန်ပေမို့ ကောက်ရိုးကလွဲပြီး ဘာမှမကျန်တော့။ လယ်ကန်သင်းပေါ် ထိုင်ရတာ
သိပ်ကောင်းတယ်။

ဘာဘာက ထမင်းထုပ်နှစ်ထုပ်လုံးကို ဖွင့်လိုက်တယ်။ ကွမ်းသီးလက်နဲ့ ထုပ်ပိုး
ထားတဲ့ ထမင်းထုပ်က မေမေ ထုပ်ပိုးပေးလိုက်တဲ့ ထမင်းထုပ် ဖြစ်လေမလားလို့ ကိုကို
သိချင်နေမိရဲ့။ ထမင်းထုပ်ကို ဘာဘာ ဖြေလိုက်တော့ မေမေ့ထမင်းထုပ် မဟုတ်။
မေမေ့ထမင်းထုပ် ဖြစ်ဖို့အခြေအနေ သိပ်နည်းတယ်လေ။ ထမင်းထုပ်တွေက ရွာပေါင်း
များစွာက လာပို့ကြတာဖြစ်လို့ပါ။

ငှက်ပျောဖက်နဲ့ ထုပ်ထားတဲ့ ထမင်းထုပ်မှာ သင်းဘုတ်ထွန်းကို ထောင်းပြီး
ဟင်းခတ်အမွှေးအကြိုင်တွေနဲ့ ကြော်ထားတဲ့ ငါးမှုန့်၊ ဖရုံသီးပြုတ်ချက်နဲ့ ထမင်းတို့
ပါတယ်။ ဒီထမင်း၊ ဟင်းနဲ့က သိပ်ကောင်းတယ်လို့ ကိုကို ထင်မိရဲ့။ ဒီအနံ့က ရှင်ပြုပွဲ
အတွက် အထူးတလည် အစားအစာနဲ့နဲ့တူနေလေရဲ့။ ကွမ်းသီးပတ်ထဲမှာတော့
သရက်သီး၊ နန္ဒင်းတို့နဲ့ ရောချက်ထားတဲ့ ပလာတူးငါးဟင်း၊ ထမင်းနဲ့ ထူးထူးဆန်းဆန်း
အထုပ်လေးတစ်ထုပ် ပါလေရဲ့။

"ဒီအထုပ်က ဘာလဲဟင်၊ ဘာဘာ"

"သား ယူလို့ရတဲ့ တစ်ခုခုဖြစ်မှာပါ။ ဖွင့်ကြည့်လိုက်လေ"

ကိုကိုက ထူးဆန်းတဲ့ အထုပ်ကို ကောက်ယူလိုက်တယ်။ အထုပ်က ပြားချပ်ချပ်
လေး။ သူ့လက်ဖဝါးလေးပေါ် အံကိုက်ကျလို့ ပလတ်စတစ်နဲ့ ပတ်ထားတဲ့ အရာဝတ္ထု
တစ်ခု။ ပလတ်စတစ်ပတ်ကို ခွာလိုက်တော့ တစ်ကျပ်တန်နှစ်ရွက် တွေ့ရတယ်။

အဲ့ဒါ မုန့်ဖိုးလေ။ တစ်ခါတလေ ထမင်းထုပ် ရသူအတွက် အံ့ဩဝမ်းသာစရာလေး
ဖြစ်အောင် ထမင်းထုပ်ထဲ ငွေစက္ကူတွေ ထည့်တတ်ကြတာကွဲ့။

ဒီအတွေးက သိပ်ကောင်းတယ်လို့ ကိုကို ထင်မိရဲ့။ သူ ရထားတဲ့ ငွေတွေကို

ညီညီကိုပြဖို့ မစောင့်နိုင်လောက်အောင်ပါပဲ။ ကိုကိုနဲ့ဘာဘာတို့ ကိုယ့်ရှေ့က ထမင်းထုပ် ကို ကိုယ်စီစားလိုက်ကြတယ်။ ဒါပေမယ့် သင်းဘုတ်ထွန်းမှုန်၊ ဖရဲသီးချက်၊ ပလာတူး ငါးတို့ကို တစ်ယောက်နဲ့တစ်ယောက် ဝေစားလိုက်ကြရဲ့။ အားလုံးက သိပ်အရသာရှိတာ။ လဟာပြင်မှာ ထမင်းထုပ်စားရတာ ကိုကို့အတွက် ပျော်စရာကြီး။ သူ ဘယ်လောက်တောင် ဗိုက်ဆာနေလဲဆိုတာ မသိတော့။

နေမင်းကြီးက အနောက်ဘက် သစ်ပင်တန်းနား ကပ်လာနေပြီ။ အနီရောင် ဘောလုံးကြီးတစ်လုံးနဲ့ တူလေရဲ့။ ကိုကိုနဲ့ ဘာဘာတို့ ထမင်းစားပြီးတဲ့အခါ ဇာတ်စင်နား မတ်တပ်ရပ်ဖြစ်ကြတယ်။ ကိုကိုက နေမင်းကြီးရဲ့ အလှတရားကို ကြည့်ရှုခံစားနေချိန် ဘာဘာက တခြားလူကြီးပိုင်းတွေနဲ့ စကားစမြည် ပြောနေလေရဲ့။ ရုတ်တရက် လမ်း ပေါ်က တံတားကို ဖြတ်ကျော်လာတဲ့ မေမေနဲ့ညီညီကို ကိုကို လှမ်းမြင်လိုက်တယ်။ ကိုကိုက မေမေတို့ဆီ အပြေးလေးသွားလိုက်ပြီး ထမင်းထုပ်တွေအကြောင်း မေမေနဲ့ ညီညီကိုပြောပြတယ်။ ညီညီကို သူရထားတဲ့ မုန့်ဖိုးငွေပြတယ်။ မေမေနောက်က လိုက် ရင်း ကျင်းပွဲတွေအကြောင်း ညီညီကို ပြောပြသေးရဲ့။

မေမေက လက်ကိုင်နှစ်ခုပါပြီး ရက်ထားတဲ့ပုံစံ ဖြစ်နေတဲ့ စျေးခြင်း (စျေးခြင်း တောင်း)တစ်လုံး သယ်လာတယ်။ ဒါပေမယ့် စျေးခြင်းက ပလတ်စတစ်နဲ့ပဲ လုပ်ထားတာ လေ။ ဇာတ်ပွဲ ထိုင်ကြည့်ဖို့ ဖျာတွေ ခေါက်ပြီး စျေးခြင်းထဲ ထည့်လာလေရဲ့။ ဒါ့အပြင် ကွမ်းသီးလက်နဲ့ လုပ်ထားတဲ့ ယပ်တောင်တွေလည်း ပါလေရဲ့။ ကွင်းထဲမှာ လူတွေက ဖျာခင်းထားကြပြီ။ ဒါပေမယ့် ဖျာပေါ်မှာ ဘယ်သူမှမထိုင်ကြသေး။ အခုတော့ ဖျာတွေက တခြားသူတွေ နေရာမယူသွားအောင် နေရာဦးထားတဲ့ အရာတွေပေါ့လေ။ မေမေက ဖျာခင်းဖို့ နေရာကောင်းတစ်ခု ရွေးလိုက်တယ်။

အခုဆို ဟိုဟိုသည်သည် လျှောက်ကြည့်ဖို့ အချိန်ကျပြီပေ့ါ။ ညနေဆည်းဆာအချိန် ရောက်လုပြီမို့ လေတွေက သိပ်မပူပြင်းတော့။ ဟိုဟိုသည်သည် လျှောက်ပတ်ကြည့်ရတာ ပျော်ဖို့ကောင်းနေရော။ ပထမဦးဆုံး ဇာတ်စင်နားသွားပြီး ပုံတွေ၊ ဆိုင်တွေကို အနီးကပ် ကြည့်ကြတယ်။ ဆိုင်းတွေ၊ ပုံတွေက အရွယ်အစား အစုံစုံပဲ။ ဆိုင်ဆရာတစ်ယောက်က ဆိုင်းတွေ၊ ပုံတွေကို စမ်းတီးကြည့်ရင် အသံညံနေလေရဲ့။ ခေတ်ပေါ် ဒရမ်တွေ ရှိသလို ရိုးရာ ပုံတွေ၊ဆိုင်တွေလည်း ရှိလေရဲ့။ ခေတ်ပေါ် ဒရမ်တွေက ဇာတ်သမားတွေ ပေါ် သီချင်းတွေဆိုတဲ့အခါ တီးဖို့လေ။ ရိုးရာပုံတွေ၊ဆိုင်းတွေက ရိုးရာသီချင်းတွေ၊ ရိုးရာ အကတွေအတွက် တီးဖို့ပါ။

လူတစ်ယောက်က မီးစက်နှိုးလိုက်ပြီ။ ဇာတ်စင်ပေါ်က မီးတွေကို စစ်ဆေးနေတာ တွေ့တယ်။ အနီရောင် ကန့်လန့်ကာကြီးပေါ် မီးတွေ ထိန်ထိန်လင်းအောင် ထွန်းထား လေရဲ့။ ဆောင်းဘောက်တွေကနေ ပေါ်ဂီတသံပေါ်လာတယ်။ ဘွစ်ဒရမ်သံက ရင်ဘတ်ထဲ တဒုန်းဒုန်း ခုန်ဆောင့်နေသလို ကိုကို ခံစားမိရဲ့။ ဒီလို ခံစားနေရတာမျိုး

ကိုကို မကြိုက်။ ဇာတ်စင်ကနေ ခပ်လှမ်းလှမ်းကို ခွာသွားချင်လှပြီ။ မီးစက်ကိုလည်း အနီးကပ် ကြည့်လိုက်ချင်သေးရဲ့။ ကိုကိုက ဘာဘာ့ကို မပြောဝံ့တော့ မေမေ့ကိုပဲ ပြောလိုက်တယ်။

"မီးစက်ကို သွားကြည့်ချင်တယ်၊ မေမေ"

"ရတာပေါ့၊ ကိုကိုရေ၊ အားလုံး သွားကြည့်ကြမယ်လေ"

ကိုကို၊ ညီညီတို့ ဘာဘာနဲ့ မေမေနောက်ကနေ ဇာတ်စင်ဘေးနား ပတ်လိုက် သွားကြတယ်။ မီးစက်ကြီးတစ်လုံးကို သစ်သားပြားတွေပေါ် တင်ထားတာ တွေ့တယ်။ မီးစက်မှာ ပြန်လှန်လျှပ်စစ်ထုတ်စက်တစ်လုံး တပ်ထားတယ်။ မီးစက် ခုတ်မောင်းနေပြီ။ တဂျွတ်ဂျွတ် အသံကျယ်ကျယ်မြည်ပြီး ခပ်မြန်မြန်လေး ခုတ်မောင်းနေလေရဲ့။ မီးစက်ထိပ်ကနေ ထွက်လာတဲ့ မီးခိုးနဲ့ကို ကိုကို မကြိုက်။ ရေဖြည့်ထားတဲ့ သတ္တုစည်ထဲကနေ မီးစက်ဆီသို့ ဆက်ထားတဲ့ ရေပိုက်နှစ်ခု ရှိတာတွေ့တယ်။

"ရေက ဘာအတွက်လဲဟင်" ကိုကိုက မေးလိုက်တယ်။

"မီးစက် အေးနေအောင်ပေါ့၊ ကိုကိုရေ" ဘာဘာက ပြန်ဖြေတယ်။

ဝါးလုံးမှာ ချိတ်ထားတဲ့ မီတာနဲ့ မီးစက်ကို ဆက်သွယ်ပေးထားတဲ့ ဝါယာကြီးတွေ ရှိလေရဲ့။ မီတာအုံမှာ မီးလုံးတစ်လုံး တင်ထွန်းထားတယ်။ တခြားဝါယာကြီးတွေက ဇာတ်စင်ပေါ် သွယ်ထားလေရဲ့။ မီးစက်သံ ကျယ်ပြီး မီးခိုးနဲ့ ဆိုးပေမယ့်လည်း မီးစက်ကို ကြည့်ရတာ ကိုကို သဘောတွေ့မိရဲ့။ အသံကျယ်ကျယ်နဲ့ ခုတ်မောင်းနေတဲ့ ဒီမီးစက်က ဇာတ်စင်တစ်ခုလုံး ထိန်ထိန်လင်းပြီး ဆောင်းဘောက်တွေကနေ ဂီတသံတွေ ထွက် လာအောင် စွမ်းဆောင်ပေးနေတာ ကိုကို ယုံကြည်ဖို့ခက်လှရဲ့။

မီးစက်နားကနေ ကိုကိုတို့ ခွာလာပြီး စျေးဆိုင်တန်းတွေဘက် လျှောက်ခဲ့ကြတယ်။ ပွဲကြည့်ပရိသတ်တွေ ထိုင်ကြည့်ကြမယ့် နေရာကျယ်ကြီးကို ဝိုက်ပြီး စျေးဆိုင်တန်းတွေ ချထားကြလေရဲ့။ ကစားစရာတွေ၊ ဆံပင်ချည်ကြိုးတွေ၊ မုန့်တီခွက်တွေ၊ ဘူးသီးကြော် ပန်းကန်တွေ ကြည့်ရတာ ကိုကို ပျော်မိရဲ့။ မဏ္ဍပ်တွေလည်း ဆောက်ထားကြတယ်။ မဏ္ဍပ်တစ်ခုက လုံခြုံရေးအစောင့်တွေအတွက်ပါ။ နောက်မဏ္ဍပ်တစ်ခုက လောင်ပေါ် ဆိုင်။ လောင်ပေါ် ဆိုင်အနီးမှာ လောင်းကစားလုပ်ဖို့ တခြားစားပွဲဝိုင်းတွေ ရှိလေရဲ့။ နောက်မဏ္ဍပ်တစ်ခုက မျက်လှည့်ရုံပါ။ မျက်လှည့်ပြမယ့် မဏ္ဍပ်မှာ ပိတ်သားနံရံတွေ လုပ်ထားတာကြောင့် အတွင်းမှာ ဘာရှိမှန်း ဘယ်သူမမြင်ရ။ ကိုကိုက စူးစမ်းချင်စိတ် ဖြစ်မိရဲ့။

"မေမေ၊ မျက်လှည့်ပွဲ ကြည့်လို့ရမလားဟင်" ကိုကိုက မေးတယ်။

"ကြောက်ဖို့ ကောင်းမှာနော်၊ ကိုကို။ မျက်လှည့်ပွဲက လူကြီးတွေပဲ ကြည့်တာ။ ကလေးတွေ မကြည့်ရဘူးကွဲ့"

"ဘာလို့ ကြောက်ဖို့ကောင်းတာလဲ၊ မေမေ"

"လူတစ်ယောက်ကို နှစ်ပိုင်းပိုင်းပြတယ်လို့ ကြားဖူးတယ်။ ဒါပေမယ့် ဒါက မျက်လှည့်လေ။ အစစ်မှ မဟုတ်ဘဲ"

မျက်လှည့်ဆိုရင်တောင် လူကို နှစ်ပိုင်းပိုင်းပြတာ ကြည့်ဖို့ဆိုတဲ့ စိတ်ကူးကို ကိုကို မကြိုက်လှ။

ကိုကိုတို့ ဟိုဟိုသည်သည် လှည့်ပတ်ပြီး တခြားဈေးဆိုင်တွေကို လိုက်ကြည့်ကြ တယ်။ ဈေးဆိုင်တစ်ဆိုင်မှာ ပူဖောင်းတွေကနေ ဘဲရုပ်လေးတွေလုပ်တယ်။ ကိုကို ညီညီတို့ ရပ်ကြည့်နေကြရဲ့။ ဆိုင်ရှင်က ပူဖောင်းရှည်တစ်လုံးကို လေမှုတ်လိုက်တယ်။ အဲ့ဒီနောက် လက်နဲ့ လိမ်လိုက်တယ်။ ရုတ်တရက် ပူဖောင်းကနေ ဘဲရုပ် ဖြစ်သွားရော။ သူ့စားပွဲပေါ်မှာ ဘဲရုပ်ပူဖောင်းတွေ အများကြီးပဲ။ ကိုကိုက ဘဲရုပ်ပူဖောင်းတစ်လုံး ဝယ်ချင်ပေမယ့် မေမေက မုန့်ဖိုးကိုစုထားဖို့ပြောတယ်။ ကိုကိုရဲ့ စိတ်ပျက်မှုက ခဏ တာပါပဲ။ မေမေက ပိုက်ဆံအိတ် ထုတ်ပြီး ဘဲရုပ်ပူဖောင်းကို ကိုကိုအတွက် ဝယ်ပေးတယ်။ ညီညီအတွက်လည်း ဆိုင်ရှင်လုပ်ထားတဲ့ ပူဖောင်းကစားစရာတစ်ခု ဝယ်ပေးလေရဲ့။ ဒီကစားစရာကို ပူဖောင်းနဲ့လုပ်ထားပြီး အလယ်မှာ ဝါးချောင်းလေးတစ်ချောင်းရှိတယ်။ ပူဖောင်းရဲ့ တစ်ဘက်ကို ဖျစ်ညှစ်လိုက်ရင် တပီနဲ့ စူးရှရှ အသံထွက်လာရော။ ညီညီက ပူဖောင်းကို ဆက်တိုက် ဖျစ်ညှစ်နေပေမယ့် ဒီပူဖောင်းသံကြောင့် ဘေးပတ်ဝန်းကျင်က လူတွေ အနှောင့်အယှက် မဖြစ်။ ပူဖောင်းရဲ့ ဆူညံသံက ဇာတ်စင်နား ဖွင့်ထားတဲ့ ကျယ်လောင်တဲ့ ဂီတသံနဲ့ ရောသွားလေရဲ့။

တခြားဈေးဆိုင်တွေကို ကြည့်ပြီးနောက် ကိုကိုတို့ ခင်းထားတဲ့ ဖျာတွေဆီ ပြန်လာကြတယ်။ အခုဆို လူတွေ တအားရှုပ်လာပါပြီ။ ဇာတ်ပွဲကလည်း စဖွဲ့အချိန် နီးကပ်လာပြီကိုး။ ကောင်းကင်ပြင်က မည်းမှောင်နေပေမယ့် ဇာတ်စင်က အလင်းရောင်တွေကြောင့် ပတ်ဝန်းကျင်တခွင်တလုံးကို အလွယ်တကူမြင်နေရဆဲ။ အနီရောင် ကန့်လန့် ကာကို မတင်ရသေး။ ရဲတစ်ယောက် ကန့်လန့်ကာရှေ့သို့ ထွက်လာပြီး မိုက်ကရိုဖုန်းနဲ့ ကြေညာချက် အနည်းငယ်ဖတ်ပြတယ်။ သူက ရဲယူနီဖောင်းဝတ်ထားပြီး ခေါင်းမှာ မြင့်မောက်တဲ့ ဦးထုပ်လေးဆောင်းထားလေရဲ့။ ရဲသားက ဘုရားပွဲလာတဲ့ လူတွေကို ကြိုဆိုကြောင်း ပြောဆိုပြီး အားလုံး စည်းကမ်းလိုက်နာဖို့ သတိပေးတယ်။

"မေမေ၊ ရဲသား ပြောတဲ့ စည်းကမ်းတွေက ဘာတွေလဲဟင်"

"အင်း ... သူက မိုက်ကိုင်ပြီး ပြောရလို့ စိတ်လှုပ်ရှားနေတာက ပိုများမယ် ထင်တယ်ကွဲ့။ တရားဝင် စည်းကမ်းချက်တွေ မချမှတ်ထားပေမယ့် လူတွေ တစ် ယောက်ကိုတစ်ယောက် လေးလေးစားစားရှိရမယ်လေ။ ဥပမာဆိုပါတော့၊ သားမှာ လက်နှိုပ်ဓာတ်မီးရှိရင် လူတွေမျက်လုံးတည့်တည့် ဓာတ်မီးနဲ့ မထိုးရဘူးပေါ့ကွယ်။ လူငယ်တစ်ယောက်ဆိုရင်လည်း အရက်သေစာ အလွန်အကျွံသောက်စားပြီး မူန်းစာတုံး ဖြစ်အောင် မလုပ်ရဘူးပေါ့။ ဇာတ်စင်ရှေ့တည့်တည့် လူအုပ်ဖောက်ပြီး တိုးဝှေ့သွားလာတာ

မျိုးလည်း မလုပ်ရဘူးပေ့ါကွယ်။ များသောအားဖြင့် ဇာတ်စင်ပေါ်မှာ ချောချောလှလှ မင်းသမီးတစ်လက် ထွက်နေတဲ့အခါမျိုးမှာ လူငယ်တွေက ပြဿနာ ရှာတတ်တယ်လေ”

နောက်ထပ်လူတွေလည်း ဖျာပေါ် ထိုင်ကြတယ်။ ကိုကိုက အနီးအနားမှာ အိမ်နီးချင်းတွေ၊ မိတ်ဆွေတွေ ထိုင်နေတာ မြင်ရဲ့။ ဖျာပေါ် လူတွေ အတူတူထိုင်နေကြပြီဆိုတော့ လေတွေလည်းပူလာပြန်တယ်။ မေမေက ခြင်းတောင်းထဲက ကွမ်းသီးလက်ယပ်တောင်နဲ့ သူ့ကိုယ်သူ ယပ်ခပ်တယ်။ ကိုကို၊ ညီညီတို့ကိုလည်း ယပ်ခပ်ပေးရဲ့။ ကိုကိုက အကြာကြီး စောင့်လိုက်ရသလို ခံစားရတယ်။ အနီရောင် ကန့်လန့်ကာက တုတ်တုတ်မျှ လှုပ်မလာသေး။ ထိုင်ပြီး တခြားလူတွေကိုကြည့်၊ ပေ့ါဂီတသံအကျယ်ကြီးကို နားထောင်ရုံကလွဲပြီး တခြား ဘာမှလုပ်စရာမရှိ။

ညနေ ၈ နာရီကျော်လာပြီ။ ကိုကိုလည်း အိပ်ချင်လှပေ့ါ။ ညီညီကတော့ မေမေ့ပေါင်ပေါ် အိပ်ပျော်နေပြီ။ ဒီအချိန်ဆို ကိုကိုတို့ အိပ်ပျော်နေကျ။ နေ့ခင်းဘက်က စောစောလေး တရေးတမောအိပ်ဖို့ ကြိုးစားခဲ့ပေမယ့် ဘာမှအထောက်အကူမဖြစ်။ ကိုကိုက နက်မှောင်တဲ့ကောင်းကင်ပြင်ကို မော့ကြည့်တော့ ကြယ်တွေမြင်ရရော။ ဘာဘာ့ပေါင်ပေါ် ခေါင်းတင်ပြီး အိပ်မပျော်သွားအောင် ကြိုးစားနေလိုက်တယ်။

ညီညီ့လို့မျိုး ကိုကိုလည်း အိပ်ပျော်သွားတာ ဖြစ်မှာပါ။ နောက်ပိုင်း သူ သိလိုက်တာက မေမေ သူ့ကို လှုပ်နှိုးနေတာကိုပါပဲ။

“ဟော့ . . . ကိုကို၊ ဇာတ်ပွဲ စနေပြီ။ ထ . . . ထ. . . ”

ကိုကိုက မတ်မတ်ထိုင်လိုက်ပြီး ဇာတ်စင်ပေါ် လှမ်းကြည့်လိုက်တယ်။ အနီရောင် ကန့်လန့်ကာ တဖြည်းဖြည်း မြင့်တက်လာနေပြီ။ ရိုးရာတီးဝိုင်းက ဆိုင်းသံ၊ဗုံသံတွေလည်း ညံစယပြုလာပြီ။ ကန့်လန့်ကာ မြင့်တက်သွားတော့ ဇာတ်စင်ပေါ်မှာ အမျိုးသမီးတစ်ယောက် ရိုးရာဂီတနဲ့လိုက်ပြီး စည်းချက်ဝါးချက်ကျ ကနေတာတွေ့ရရော။ ကချေသည်က လက်ရှည်အပေါ်အင်္ကျီအဝါနဲ့ ထမီအဝါကို ဆင်မြန်းထားတယ်။ ပုခုံးနားမှာ ရွှေရောင်ရှောစောင်တစ်ထည် ပတ်ချည်ထားလေရဲ့။ ခေါင်းပေါ်မှာ ခေါင်းပေါင်းအဝါတစ်ထည်ပေါင်းထားပြီး လက်ထဲမှာ ငှက်ပျောစိမ်းဖီးတွေနဲ့ အုန်းသီးစိမ်းတစ်လုံး ထည့်ထားတဲ့ ရွှေရောင် ဇလုံကြီးတစ်လုံး ကိုင်ထားလေရဲ့။ ဒီကန်တော့ပွဲကို ကိုင်ပြီး ကချေသည်က ဇာတ်စင်အနှံ့ လှည့်ပတ် ကနေလေရဲ့။ ငှက်ပျောစိမ်း၊ အုန်းစိမ်း ထည့်ထားတဲ့ ကန်တော့ပွဲတစ်ပွဲ မ,ပြီး ကတာဟာ နတ်တွေကိုပူဇော်တဲ့ ရိုးရာနည်းဖြစ်ပါတယ်။ (ဒါကိုပဲ အပျိုတော်မထွက်တယ်လို့ ခေါ်ကြလေရဲ့။) အပျိုတော်မ ထွက်တာဟာ နယ်တကာလှည့်ကတဲ့ ဇာတ်ပွဲမှာ ပထမဦးဆုံး အကဖြစ်ပါတယ်။

အပျိုတော်မ ထွက်ပြီးနောက် ကန့်လန့်ကာ ပြန်ချလိုက်ပြန်တယ်။ လက်ခုပ်တီးသူမရှိ၊ အားပေးသံ နတ္ထိ။ ရိုးရာအကတွေကို လက်ခုပ်ဩဘာပေးရိုး ထုံးစံမရှိ။ ကိုကိုက တခေါခေါနဲ့ အိပ်ပျော်နေတဲ့ ညီညီ့ကို ငုံ့ကြည့်လိုက်တယ်။ သူက အားလုံးလွတ်သွား

တော့မှာ။ ကန့်လန့်ကာအပေါ် ပြန်တက်လာတယ်။ ဒီတစ်ခေါက်တော့ လုံချည်နဲ့ ရိုးရာရှပ်အင်္ကျီဖြူဝတ်ထားတဲ့ အမျိုးသားတစ်ယောက်ပေါ်လာရော။ ရိုးရာတီးဝိုင်းက ဆိုင်းတွေ၊ ဗုံတွေ စယတီးပါတော့တယ်။ အဆိုရှင်အမျိုးသားက မြန်မာ့ဂန္ထဝင်သီချင်း တစ်ပုဒ်ကို သီဆိုပါလေရော။ တတိယဖျော်ဖြေတင်ဆက်မှုက မေဆွိရဲ့ခေတ်ပေါ် ပေါ့ သီချင်းတစ်ပုဒ်ကို မိန်းမပျိုတစ်ယောက်သီဆိုမှုပါ။ သူက ဂျိန်းဘောင်းဘီနဲ့ ခေါင်း လောင်းသဏ္ဍာန် လက်မောင်းအိုးပါတဲ့ ရှပ်အင်္ကျီကိုဝတ်ထားလေရဲ့။ ဒီအဝတ်အစားပုံစံက တမူထူးခြားနေတယ်။ ရမ်းဗြဲကျွန်းပေါ်မှာ ဘယ်သူမှ ဂျိန်းဘောင်းဘီမဝတ်ကြ။ ရန်ကုန် မြို့ကြီးကလူတွေပဲ ဂျိန်းဘောင်ဘီဝတ်ကြပေမယ့် မကြာမကြာတော့ မဝတ်ကြ။ သူက ခေတ်ပေါ်သီချင်း သီဆိုနေတာမို့ ရိုးရာတီးဝိုင်းကို မတီးခတ်။ ခေတ်ပေါ်တီးဝိုင်းကနေ ဒရမ်၊ ကီးဘုတ်နဲ့ လျှပ်စစ်ဂီတာတို့ တီးခတ်ပေးနေလေရဲ့။

ဇာတ်စင်နားက လူအုပ်ကြီး ပိုပြီးမြူးကြွလာချိန်ပဲပေါ့။ လူငယ်တွေက ဇာတ်စင်နား စုဝေးပြီး လှည့်ပတ် ကခုန်လိုက်၊ မေဆွိသီချင်း သီဆိုနေတဲ့ မိန်းမပျိုကို အော်ဟစ်အားပေး လိုက် လုပ်နေကြလေရဲ့။ ဒါကြောင့် ဇာတ်စင်ရှေ့ဘေးနှစ်ဘက်မှာ ခြံစည်းရိုးခတ်ထားတာ လေ။ ရည်ရွယ်ချက်က ရုန်းရင်းဆန်ခတ် လုပ်တတ်တဲ့ လူငယ်တွေ၊ အထူးသဖြင့် အရက်သေစာ အလွန်အကျွံ သောက်စားမူးယစ်နေတဲ့ လူငယ်တွေကို ထိန်းထားနိုင်ဖို့လေ။ ကန့်လန့်ကာ ချလိုက်ချိန်မှာ ဇာတ်စင်အနီး လူငယ်တွေထံကနေ လက်ခုပ်ဩဘာပေးသံတွေ အကျယ်ဆုံး ထွက်ပေါ်လာပါလေရော။

ကိုကိုက သီချင်းဆိုတာ သိပ်စိတ်မဝင်စား။ မီးစက်အားနဲ့ တဖျတ်ဖျတ် လင်းလက် နေတဲ့ အလင်းရောင်တွေကိုပဲ တအားစိတ်ဝင်စားနေတာ။ ဒရမ်တွေကို အနီးကပ် တစ်ခေါက်လောက် ကြည့်လိုက်ချင်သေးရဲ့။ ညီညီကတော့ အိပ်ပျော်နေဆဲ။ ကိုကိုက အိပ်ချင်နေပေမယ့် ပြဇာတ်တော့ ကြည့်ချင်နေတယ်။ စောင့်နေတုန်း ဘာဘာ့ပုခုံးပေါ် ခေါင်းတင်ပြီး မှေးနေလိုက်တယ်။ ဒီလိုနဲ့ ဘယ်အချိန် အိပ်ပျော်သွားမှန်း မသိတော့။ နောက်ထပ် သူ သိလိုက်တာက ဘာဘာ သူ့ကိုလှုပ်နှိုးနေတာကိုပါပဲ။

"ကိုကို၊ ထတော့ . . . ထတော့" ဘာဘာက နှိုးတယ်။

ကိုကို မျက်လုံးဖွင့်ကြည့်ပြီး မေးလိုက်တယ်။

"ပြဇာတ်ကြည့်ဖို့ အချိန်ရောက်ပြီလား၊ ဘာဘာ"

"ပြဇာတ် ပြီးသွားပြီ၊ ကိုကို" မေမေက ပြန်ဖြေတယ်။

လူကြီးပိုင်းတွေက ဗုဒ္ဓဝင်တွေအပေါ် အခြေခံတဲ့ နောက်ပိုင်းဇာတ်ထုပ်တွေ ကြည့်ဖို့ ဆက်စောင့်နေကြဆဲ။ ဒေါ်လူးခိုင်နဲ့ သူ့မိတ်ဆွေတွေလို အိမ်နီးချင်းတစ်ချို့ ဖျာပေါ် ဆက်ထိုင်နေကြတာ ကိုကို မြင်ရရဲ့။ ဒါပေမယ့် တစ်ချို့တွေက အိမ်ပြန်ဖို့ ဖျာတွေသိမ်းနေကြပြီ။ အချိန်က မနက် ၂ နာရီလောက် ရှိမှာပေါ့။ ပွဲခင်းထဲကအထွက်မှာ ဘာဘာက ဈေးဆိုင်တစ်ဆိုင်နား ရပ်လိုက်ပြီး မရိုးပေါက်ပေါက် မုန့်ဝယ်လိုက်တယ်။

မရိုးပေါက်ပေါက်က ဘောင်ဘောင်နဲ့ ဘာဘာတို့ရဲ့ အကြိုက်ဆုံးမုန့်လေ။

“မရိုးပေါက်ပေါက်ကို စျေးမှာ နေ့တိုင်း ဘာလို့ မရောင်းတာလဲ၊ မေမေ”

“မရိုးပေါက်ပေါက်ကို မိကျောင်းတက်ရွာသားတွေ လုပ်လို့ပေါ့ကွယ်။ မိကျောင်းတက်ရွာဟာ မရိုးပေါက်ပေါက်ကြောင့် နာမည်ကြီးတယ်ကွဲ့။ မရိုးပေါက်ပေါက်လုပ်ဖို့ စပါးကို သဲထဲလှော်ပြီး ဖောက်ကနဲပွင့်လာအောင် လုပ်ရတယ်။ သုံးတဲ့သဲက ပင်လယ်ကမ်းစပ်ကရတဲ့ အထူးသဲတွေဖြစ်ရတယ်တဲ့။ ပင်လယ်နားက သဲတွေက ကြမ်းရှရှဖြစ်လို့လေ။ ဒီသဲမပါဘဲ စပါး လှော်ရင် ဖောက်ကနဲမပေါက်လာဘူး။ စပါးလှော်လို့ ပေါက်ပေါက်ဖောက်ပြီးတာနဲ့ သဲတွေကိုဖယ်၊ ပေါက်ပေါက်ဆုပ်ကို သကာနဲ့ ရောနယ်ပြီး လေးထောင့်ပုံစံလုပ်ရတယ်ကွဲ့။ အဲဒီနောက် ပေါက်ပေါက်ဆုပ်ကို အဖုံးဖုံးပြီး မသိုးအောင်၊ ကွာမကျအောင် ထားပေးရတယ်။ ဒါကြောင့် မရိုးပေါက်ပေါက်ကို သစ်ရွက်တွေနဲ့ အုပ်ပြီး ထီးဟောင်းတွေကရတဲ့ နိုင်လွန်ကြိုးနဲ့ သီထားရတာလေ။ မိကျောင်းတက်ရွာကနေ မိုင်ပေါင်းများစွာ သယ်လာရတာပါ။ ဒါကြောင့်လည်း မရိုးပေါက်ပေါက်ကို ဇာတ်ပွဲတွေမှာပဲ ရောင်းကြတာပေါ့ (မိကျောင်းတက်ဆိုတာ ရခိုင်သမိုင်းမှာ နာမည်ကြီးတဲ့ ပတ္တမြားဒေဝီ စောမဲကျီ ငါးသဲ့ရင်း ပတ္တမြားရရာ၊ မိဖုရား မင်းပြစ်မင်းဒဏ်သင့်ပြီး ကွပ်မျက်ခံရလို့ ရေမျှောချခဲ့ရာ စိန်တောက်ချောင်းနားက ရွာပါ။)

ဘာဘာ၊ မေမေနဲ့ ကိုကိုတို့ ကျောက်တွေရွာသို့ လမ်းလျှောက်ပြန်လာကြတယ်။ မေမေက အိပ်ပျော်နေတဲ့ ညီညီကိုချွက်လို့။ ကိုကိုက ပြဇာတ်မကြည့်လိုက်ရလို့ စိတ်ပျက်နေလေရဲ့။ အခုဆို သူလည်း တအား ညောင်းနေပြီ။ ညီညီ့လိုမျိုး သေးသေးလေးဆိုရင် သူလည်း အချီခံရမှာလို့ တွေးမိရဲ့။ ရုတ်တရက် ဘာဘာက ကိုကို့ကို ပွေ့ချီလိုက်တာ ခံစားမိလိုက်တယ်။

အိမ်ပြန်နေသူ အများကြီးလည်း တွေ့ရရဲ့။ မေမေနဲ့ ဘာဘာတို့ လမ်းတလျှောက် အိမ်နီးချင်းနဲ့ ပြဇာတ်အကြောင်း၊ သူတို့ကြိုက်တဲ့ တခြားဖျော်ဖြေတင်ဆက်မှုတွေအကြောင်း ပြောဆိုနေသံ ကိုကို ကြားရတယ်။ လူရွှင်တော်တစ်ယောက်အကြောင်းလည်း မေမေတို့ ပြောကြရဲ့။ အိပ်ပျော်နေလို့ ဒီလူရွှင်တော်ကို ကိုကို မတွေ့လိုက်ရ။ ဒါပေမယ့် ကိုကိုက မေမေတို့ပြောတာ သိပ်တော့လည်းနားမထောင်ဖြစ်။ သူ အရမ်းအိပ်ချင်နေပြီလေ။

တစ်ခါတစ်ရံ ဘာဘာက ကိုကို့ကို အောက်ချပြီး ညီညီကို ကူချွက်ပေးတယ်။ ကိုကိုက ညည်းညူတာ၊ ချီးများတာမလုပ်။ အခုဆို ကိုကိုက ၅ နှစ်ခွဲ ရှိပြီလေ။ အဲဒီတော့ လျှောက်ဖြစ်အောင် တွန်းလျှောက်ရတယ်။ အရမ်း ညောင်းနေတဲ့ကြားက သွားနေမှန်း မစဉ်းစားဘဲ ခြေတွေကို ရွှေ့ထားနိုင်သလို မျက်လုံးတွေကိုလည်း ပိတ်ထားလို့ ရမှန်း သူ သိလိုက်တယ်။ အိမ်က အိပ်ရာထဲ ရောက်နေသလို စိတ်ထဲ ဟန်ဆောင်ထားပေမယ့် သူ့ခြေထောက်တွေကိုတော့ ရွှေ့နေတယ်။ တစ်ချိန်တည်းမှာ လမ်းလည်းလျှောက်၊

အိပ်လည်း အိပ်ဖို့ဖြစ်နိုင်၊ မဖြစ်နိုင် သူ သိပ်မသိ။ ဒါပေမယ့် ခြေထောက်ကို ရှေ့သို့
ရှုပ်တိုးရင် ခြေနဲ့ကျောက်တုံးဆောင့်မိလို့ပဲဖြစ်ဖြစ်၊ ရှေ့သို့ ဟပ်ထိုးလဲကျမလို ခံစားချက်
မျိုးကြောင့်ပဲဖြစ်ဖြစ် ရုတ်တရက် ထိတ်လန့်တုန်လှုပ်သွားတတ်ရဲ့။ ဒါကြောင့် လမ်း
လျှောက်နေရင် တကယ်အိပ်ပျော်သွားတာလည်း ဖြစ်ချင်ဖြစ်မှာပါ။ ဒါပေမယ့် ခဏနေ
တော့ ဘာဘာက ကိုကိုကို တစ်ခါခါပို့ပေးပြန်တယ်။

ကိုကို အရမ်းအိပ်ချင်နေပြီ။ စပါးတုံရွှာနဲ့ ကျောက်တွေရွှာကြား တံတားနား
ရောက်တော့ တစ်ယောက်ယောက်က မီးစက်နှိုးပြီး ချောင်းတလျှောက် ချုံပုတ်တွေထဲ
လျှပ်စစ်မီးလေးတွေ ထွန်းထားတယ်လို့ ကိုကို ထင်လိုက်ရဲ့။ ခဏနေတော့မှ တဖျတ်ဖျတ်
လင်းလက်နေတဲ့ မီးရောင်တွေဟာ ပိုးစုန်းကြူးတွေဖြစ်နေမှန်း သိတော့တယ်။ ပိုးစုန်းကြူး
တွေ ရာချီပြီး ချုံပုတ်တွေမှာ မှိတ်တုပ်မှိတ်တုပ် လင်းလက်နေလေရဲ့။ ပိုးစုန်းကြူးလေးတွေ
လင်းလက်နေတာ သိပ်လှုနေရော။ ဒီပိုးကောင်လေးတွေ တစ်ချိန်တည်း အလင်းရောင်တွေ
မှိန်၊ အဲဒီနောက် ပြန်လင်း၊ ပြီးရင် တပြိုင်တည်းပြန်မှိန်သွားတာ ထူးဆန်းလိုက်တာလို့
ကိုကို တွေးမိပါရဲ့။

ကျွန်ဦးပင်နားကနေ ဘယ်ကွေ့လိုက်ချိန်မှာပဲ ဇာတ်ပွဲရှိရာဘက်က ကောင်းကင်
ပြင် ထူးဆန်းနေတာ ကိုကို မြင်တွေ့ရရော။ သစ်ပင်တန်းပေါ်ကနေ အဝါရောင်
အလင်းတန်း ထွက်ပေါ်နေတာလေ။ ဇာတ်စင်ကို မီးရောင်စုံနဲ့ ထိန်ထိန်ပြောင်အောင်
ထွန်းထားလို့ ဒီလို လင်းလက်နေတာပါ။ အဲဒီဇာတ်စင်နေရာဟာ ရမ်းပြကွန်းတစ်ကွန်း
လုံးမှာ လျှပ်စစ်မီးထွန်းထားတဲ့ တစ်ခုတည်းသော နေရာပေါ်လေ။

နောက်ပိုင်း ကိုကို သိလိုက်တာက နံနက်မိုးသောက် အလင်းရောက်ပြီး ဘုရားစင်
အောက်နား ဖျာပေါ်မှာ ညီညီနဲ့အတူ ရှိနေတာကိုပါပဲ။ နောက်နှစ်ဆိုရင် ပြဇာတ်ကချိန်
မအိပ်ဘဲ ဇာတ်ကြည့်ဦးမယ်လို့ ကိုကို ဆုံးဖြတ်လိုက်ပါတော့တယ်။

* * * * *

"ရမ်းပြကျွန်းသားလေး"စာအုပ် အမေဇုန်အရောင်းမှတ်တမ်း
(Amazon Sale Rank) တချို့

အသစ်ထွက်ပြီးခါစ"ဆယ်ကျော်သက် လူငယ်လူရွယ်များရဲ့ စွန့်စားခန်းများ Category(အမျိုးအစား)မှာ နံပါတ်(၁) အနေနဲ့ တစ်လကြာကြာရှိခဲ့နေခဲ့။

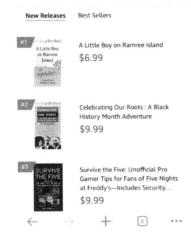

"ဆယ်ကျော်သက် လူငယ်လူရွယ်များရဲ့ စွန့်စားခန်းများ eBook" Category(အမျိုးအစား)မှာ ၁- ၁၀၀ ထဲ နံပါတ်(၁)၊(US -အမေရိကန်)

Adventure & Adventurers ∨

Best Sellers	New Releases

#1 A Little Boy on Ramree Island: A true story about growing up on an... ★★★★☆ 16 $0.99

#2 Guts ★★★★★ 425 $7.99

#3 Ultimate Life Skills For Epic Tweens: A Fun To Read Guide On Building... ★★★★☆ 67 $9.99

#4 Catching Fire: The Interactive Quiz Book (The Hunger Games... ★★★★☆ 21 $2.99

"ဆယ်ကျော်သက် လူငယ်လူရွယ်များရဲ့ ယဉ်ကျေးမှုအမွေအနှစ် အတ္ထုပ္ပတ္တိများ Category မှာ ၁- ၁၀၀ ထဲ နံပါတ်(၁)၊(UK -ယူကေနိုင်ငံ)

"ဆယ်ကျော်သက် လူငယ်လူရွယ်များရဲ့ ယဉ်ကျေးမှုအမွေအနှစ် အတ္ထုပ္ပတ္တိများ Categoryမှာ ၁- ၁၀၀ ထဲ၊ နံပါတ်(၁)၊ (Australia -သြစတြေးလျ)

"ပန်ခရပ်"အကောင်းဆုံးစာပေဆုရစာအုပ်
(PenCraft Best Book Award Winner)

"ရမ်းပြဲကျွန်းသားလေး"စာအုပ်ဟာ နိုင်ငံတကာစာပေဆုတစ်ခုဖြစ်တဲ့ 'ပန်ခရပ်' အကောင်းဆုံးဆု ရရှိထားတဲ့စာအုပ် (PenCraft Best Book Winner)တစ်အုပ်ဖြစ်ပါ တယ်။

"ရမ်းပြဲကျွန်းသားလေး" စာအုပ်ဟာ အမေရိကန်နိုင်ငံ တက္ကဆက်ပြည်နယ် လမ်ဘာဒန်မြို့အခြေစိုက် နိုင်ငံတကာ စာပေဆုချီးမြှင့် ရွေးချယ်ပေးရေးအဖွဲ့တစ်ခု ဖြစ်တဲ့"PenCraft"အဖွဲ့မှပေးအပ်ထားတဲ့ "PenCraft Best Book Award" ဆုကို ၂၀၂၃၊ ဇူလိုင်လကပဲ ရရှိထားပါတယ်။ နွေရာသီအကောင်းဆုံးစာအုပ်ဆု (Summer Best Book Winner) အတွက်ရွေးချယ် ဆုပေးခံရခြင်းပါ။

PenCraft ဆုရွေးချယ်ရေးအဖွဲ့ ရဲ့ Website မှာ အကောင်းဆုံးဆုရစာအုပ်များ Best Book Winners အကြောင်းနဲ့ပတ်သက်ပြီး အောက်ပါအတိုင်းဖော်ပြထားပါ တယ်။

"နွေရာသီ အကောင်းဆုံးစာအုပ်များ"
ပန်ခရပ် ရာသီအလိုက်ပေးတဲ့ စာအုပ်ဆုတွေက ထူးချွန်ပြောင်မြောက်စွာ ဖန် တီးရေးသားနိုင်စွမ်းခြင်းအတွက် အသိအမှတ်ပြုတဲ့ဆုဖြစ်ပါတယ်။ ဒီနွေရာသီမှာတော့ အရွယ်ရောက်လူကြီးတွေနဲ့ ကလေးတွေအတွက် အထူးကောင်းမွန်တဲ့စာအုပ် ၄၄ အုပ် ကို ဂုဏ်ပြုဆုချီးမြှင့်ထားပါတယ်။ ကျွန်ုပ်တို့ဟာ ဒီလိုကြိုးကြိုးစားစား သားထားတဲ့ စာရေးဆရာတွေနဲ့သူတို့ရဲ့စာအုပ်တွေကို အသိအမှတ်ပြုဖော်ပြခွင့်ရလို့ ဝမ်းသာမိပါတယ်။ သူတို့ရဲ့စိတ်အားတက်ကြွစရာပုံပြင်ဝတ္ထုတွေနဲ့ ဆွဲဆောင်မှုရှိတဲ့ အရေးအသားတွေ အတွက်လည်း ကျေးဇူးတင်ရှိပါတယ်။ ဒီလိုအထူးကောင်းမွန်တဲ့ စာအုပ် ၄၄ အုပ်ကို အရွယ်ရောက်ပြီးလူကြီးတွေအတွက်ဖြစ်စေ၊ ကလေးစိတ်ကူးယဉ်ဇာတ်လမ်း၊ သုတ

စာပေ၊ ဒါမှမဟုတ် တခြားစာပေကဏ္ဍအမျိုးအစားများအတွက်ဖြစ်စေ ရာသီရဲ့ အကောင်းဆုံး စာအုပ်တွေအဖြစ် ရွေးချယ်ထားပါတယ်။

ဒီဆုရစာအုပ်တွေဟာ ရဲရင့်မှု၊ စွန့်စားမှုအုံ့ဩပျော်ရွှင်မှု၊ အကန့်အသတ်မဲ့ စိတ်ကူးယဉ်ပုံပြင်တွေ၊ စဉ်းစားတွေးတောစရာစာပေတွေ၊ ပြောင်မြောက်လှတဲ့ စာပေ အနုပညာ၊ သုတစာပေခေါင်းစဉ်တွေ စတဲ့လူတိုင်းအတွက် တခုခု ထူးခြားမှုပေးနိုင်စွမ်း ရှိကြတဲ့ စာအုပ်တွေပါပဲ။

ကမ်းခြေတစ်ခုရဲ့ လှပတဲ့နွေရာသီ ညနေခင်းလေးထဲမှာ ဖတ်စရာတစ်ခုခု ရှာ နေတာပဲဖြစ်ဖြစ်၊ သည်းထိပ်ရင်ဖိုဇာတ်လမ်း၊ကြည်နူးဖွယ် အချစ်ဇာတ်လမ်း၊ ဒါမှမဟုတ် ပညာပေးပြီး အခက်အခဲစိန်ခေါ်မှုတွေကို ကျော်လွှားစေနိုင်မည့်စာအုပ် တစ်မျိုးမျိုးကို ဖတ်နိုင်ဖို့ဆိုရင် 'နွေရာသီ ပန်ခရပ် ဆုရစာအုပ်တွေ' (PenCraft's Summer Book Winners)က သင့်အတွက် သေချာစွာပဲ အတွေ့အကြုံဗဟုသုတ ကောင်းတွေပေးနိုင်ပါ လိမ့်မယ်။

ရာသီအလိုက် ပန်ခရပ်ဆုပေးရေး အဖွဲ့ကိုကမ္ဘာတဝှမ်းလုံးက စာရေးဆရာတွေ၊ အယ်ဒီတာတွေ၊ ပန်းချီဆရာတွေနဲ့ ထုတ်ဝေသူတွေရဲ့ ထူးခြားပြောင်မြောက်လှတဲ့ သူ တို့ရဲ့စာပေအနုပညာတွေအတွက် အသိအမှတ်ပြုဖို့ ဖွဲ့စည်းတည်ထောင်ထားပါတယ်။ အထူးကောင်းမွန်ပြောင်မြောက်လှတဲ့ ဒီစာအုပ်(၄၄)အုပ်ဟာ PenCraft အဖွဲ့ရဲ့ ဆုရွေးချယ်မှု စံသတ်မှတ်ချက်တွေကို ကျော်လွှန်အောင်မြင်သွားခဲ့တဲ့အတွက် ခုလို ရာသီအလိုက်ရွေးချယ်တဲ့ ပန်ခရပ်ဆု "Seasonal PenCraft Book Award" ဆုကို ထိုက်ထိုက်တန်တန်ရရှိခဲ့ကြတာဖြစ်ပါတယ်။

ဆုရစာအုပ်ခေါင်းစဉ်တွေကို ခုပဲရှာဖွေကြည့်ပါ။ ကျွန်ုပ်တို့ PenCraft အဖွဲ့က PenCraft Seasonal Awards ဆုရစာအုပ်များကို ဂုဏ်ယူစွာနဲ့တင်ပြထားပါတယ်။ ဒီအံ့ဖွယ်စာအုပ်တွေကို ဝင်ရောက်ကြည့်ရှုပြီး ဖြစ်နိုင်ခြေများကို စူးစမ်းရှာဖွေပါ။ ပျော်ရွှင်စွာနဲ့ စာဖတ်နိုင်ကြပါစေ။

'ရမ်းပြကျွန်းသားလေး' PenCraft Best Book Award ဆုရလင့်ခ်။
www.pencraftaward.com/winners/2023-summer

"အဲရစ်ဟိုဖာ" စာပေဆုအတွက် အဆိုတင်သွင်းခံထားရ

(Eric Hoffer Award Nominee)

'ရမ်းပြကျွန်းသားလေး' စာအုပ်ဟာ 'အဲရစ်ဟိုဖာ' စာပေဆုအတွက် အဆိုတင် သွင်းခြင်းခံထားရတဲ့ စာအုပ် Eric Hoffer Award Nominee လည်းဖြစ်ပါတယ်။ ၂၀၂၃ ခုနှစ် သြဂုတ်လ ၁၉ ရက်နေ့က Eric Hoffer Award အတွက် အဆိုတင်သွင်း လိုက်ပြီးဖြစ်ကြောင်း အကြောင်းကြားလာခဲ့တာဖြစ်ပါတယ်။

Eric Hoffer (ဇူလိုင် ၂၅၊ ၁၉၀၂ မှ မေလ ၂၁ ရက်၊ ၁၉၈၃)ဟာ အမေရိကန် ကိုယ်ကျင့်တရားနှင့် လူမှုရေးဆိုင်ရာ ဒဿနပညာရှင်တစ်ယောက်ဖြစ်ခဲ့ပြီး သူ့ကို အသိအမှတ်ပြု၊ ဂုဏ်ပြုတဲ့အနေနဲ့ Eric Hoffer Award စာပေဆုကို ထူးချွန်ပြောင် မြောက်တဲ့ စာပေအနုပညာ ပညာရှင်တွေကို ပေးအပ်နိုင်ဖို့ တည်ထောင်ထားပါတယ်။

Eric Hoffer Award Website: www.hofferaward.com

"ရွှေတိဂုံဘုရားက ကြွက်ကလေး"
အမေဇုန်မှာ ဖတ်ရှု၊ ဝယ်ယူနိုင်ပါတယ်။
မြန်မာပြည်က ဆိုင်တိုင်းမှာလဲ မေးဝယ်နိုင်ပါတယ်။

"မောင်မေတ္တာ"
မကြာမီထွက်ရှိမည့်စာအုပ်
(အင်္ဂလိပ်-မြန်မာ နှစ်ဘာသာနဲ့ရေးသားထားတဲ့ ကလေး စာအုပ်ဖြစ်ပါ တယ်)

(www.mongauthors.com နဲ့ ကျွန်တော်တို့ရဲ့ Social Media ပေါ်က
အသိပေးသွားပါ့မယ်)

ကျေးဇူးတင်လွှာ

ဦးစွာပထမ ကျေးဇူးတင်စကားပြောကြားချင်တာက မိဘနှစ်ပါးဖြစ်တဲ့ ဦးအောင်သန်းရွှေနဲ့ ဒေါ်မခင်ရီ၊ ဘောင်ဘောင် ဒေါ်အေးခင်ဦး တို့ကိုပါ။ သူတို့က ကျွန်တော့်အတွက် အမှတ်ရစရာတွေကို အသေးစိတ် မှတ်မိလာအောင် ကူညီပေးခဲ့ကြလို့ပါ။ စာအုပ်ရေးသားမှု အစကနေ အဆုံးထိ ကျွန်တော့်ကို အားပေးကူညီပေးလာခဲ့တဲ့ ချစ်ဇနီးဂျေးလ် (Jill)ကိုလည်း အထူးကျေးဇူးတင်ပါတယ်။ သူ့အားပေးမှုသာ မပါခဲ့ရင် ဒီစာအုပ်လည်း ရှိလာမှာမဟုတ်လို့ပါ။

ကျွန်တော့်ဆရာ ဦးညီချေမောင်ကိုလည်း ကျေးဇူးစကားဆိုပါရစေ။ ဆရာဟာ ကျွန်တော့်အတွက် သမိုင်းကြောင်းဆိုင်ရာ အချက်အလက်တွေ ပံ့ပိုးပေးခဲ့တဲ့အပြင် ကျွန်တော့်ကို အင်္ဂလိပ်စာရော အခြေခံပုံဆွဲနည်းပါ သင်ကြားပြသပေးခဲ့တဲ့အတွက်ပါ။ ဦးလေးဖြစ်သူ ဦးအောင်မြင့်နဲ့ ဇနီး ဒေါ်ရီရီစံတို့ကိုလည်း အထူးကျေးဇူးတင်ပါတယ်။ ဦးလေးတို့ဇနီးမောင်နှံဟာ ကျွန်တော်တို့ညီအစ်ကို ရခိုင်ပြည်နယ်၊ ရမ်းဗြဲမြို့နယ်၊ ကျောက်တွေရွာကနေ အထက်တန်းအောင်မြင်ပြီးနောက် ရန်ကုန်မြို့ကြီးမှာ အင်္ဂလိပ်စာသင်တန်းတွေတက်ဖို့ရော နေထိုင်စားသောက်ဖို့ပါ ကူညီထောက်ပံ့ပေးခဲ့တဲ့ ကျေးဇူးတရားတွေအတွက်ပါ။

"ရမ်းဗြဲကျွန်းသားလေး"စာအုပ်အတွက် မေးခွန်းတွေဖြေပေး၊ အတိတ်က ကျွန်တော်တို့မိသားစုရဲ့အမှတ်ရစရာအကြောင်းတွေကို ကူညီပြောပြပေးပြီး ဒီမြန်မာဘာသာပြန် ထုတ်ဝေဖြန့်ချိနိုင်ရေးအတွက် အဘက်ဘက်ကနေကူညီဆောင်ရွက်ပေးတဲ့ ကျွန်တော်ရဲ့ချစ်ညီလေး အောင်နေမင်း (Managing Director of The Bridge Research and Consultancy Co., Ltd.) ကိုလည်း အထူးကျေးဇူးစကား ဆိုပါရစေ။

"ရမ်းဗြဲကျွန်းသားလေး" စာအုပ်ကို ပထမဆုံး ရိုးရိုးစာအုပ်ပေါ်မှာပဲ ရေးချခဲ့ပြီး ကျွန်တော့်ဇနီး ဂျေးလ်နဲ့အတူ အင်္ဂလိပ်လို အချောသတ်ပြန်ရေးခဲ့ပါတယ်။ အင်္ဂလိပ်လို ပြန်ရေးပြီးနောက် ကိုယ့်ငယ်ဘဝ၊ ကိုယ့်မိသားစုကိုအခြေခံထားပြီးရေးခဲ့တာမို့ ကျွန်တော်ကိုယ်တိုင်(သို့) ကျွန်တော့်ညီ အောင်နေမင်းကိုယ်တိုင် မိသားစုကိုအသိဆုံး တစ်ယောက်ယောက်က ဘာသာပြန်ရင် အကောင်းဆုံးနဲ့ အသင့်လျော်ဆုံးဖြစ်လိမ့် မယ်လို့တွေးမိခဲ့သော်လည်း ကျွန်တော်က မြန်မာစာကို ကွန်ပြူတာနဲ့စာရိုက်တာ မကျွမ်းကျင်လို့ ကြန့်ကြာမည်ဖြစ်တာက တကြောင်း၊ ကျွန်တော့် ညီကလည်း သူ့အလုပ် တွေနှင့်သူတောင်

အချိန်မလောက်ဖြစ်နေတာက တကြောင်းဖြစ်လို့ ကိုယ်တိုင် ဘာသာမပြန်နိုင်ခဲ့လိုက်ပါ။ သို့သော်လည်း ဘာသာပြန်ရာမှာပဲဖြစ်ဖြစ်၊ စာရေးရာမှာပဲဖြစ်ဖြစ်၊ စာစီစာရိုက် ရာမှာပဲဖြစ်ဖြစ်၊ စာအသင်အပြုမှာပဲဖြစ်ဖြစ် အထူးကျွမ်းကျင်လှပြီး ကျွန်တော်တို့နဲ့ တနယ်တည်းနေ တရေတည်းသောက် ကြီးပြင်းလာခဲ့တဲ့ ရမ်းပြ၊ လေးတောင်မြို့၊ အရှေ့ ဘက်မော်အရပ်က ကျွန်တော်တို့ရဲ့ ညီငယ် လူတော်တစ်ယောက်ရှိနေခြင်းမှာ ကျွန်တော် တို့အတွက် အထူးပင်ကံကောင်းလှပါတယ်။ သူက ကိုယ့်ဒေသအကြောင်းတွေ၊ အခေါ် အဝေါ် တွေ၊ ဒေသဓလေ့စရိုက်နဲ့ ပွဲလမ်းသဘင်တွေက အစ အကုန်သိရှိသူမို့ ဒီစာအုပ် ဘာသာပြန်ဖို့အတွက် အထူးသင့်တော်ပြီး ကျွန်တော်တို့အတွက် ကံကောင်းလှပါတယ်။ သူကတော့ Smart Future English Language Center and Translation Services ကိုတည်ထောင်သူ စာရေးဆရာ၊ ဘာသာပြန်ဆရာနဲ့ တက္ကသိုလ်ဆရာ ဟောင်း ဇွဲသစ်(ရမ္မာမြေ)ပဲဖြစ်ပါတယ်။ ထွန်းမင်း(ပညာရေးတက္ကသိုလ်) ကလောင်အမည်နဲ့ ပညာရေးဆိုင်ရာစာပေတွေကိုလည်း ရေးသားနေသူတစ်ယောက်ပါ။ ဆရာထွန်းမင်းဟာ ပညာရေးဘွဲ့(B.Ed.)နဲ့ မဟာပညာရေးဘွဲ့ (M.Ed.) တို့ကို ရန်ကုန်ပညာရေးတက္ကသိုလ်က ရရှိခဲ့ပြီး၊ ဩစျေးကြေးလျနိုင်ငံရှိ လာထရုပ်(La Trobe University) ကလည်း မဟာ ပညာရေးဘွဲ့(M.Ed.)ကိုရရှိထားပါတယ်။ **"A Little Boy on Ramree Island"** (ရမ်းပြကျွန်းသားလေး)စာအုပ်ကို အစအဆုံး အကောင်းဆုံးဖြစ်အောင် တိတိကျကျ ပြည့်ပြည့်စုံစုံ စိတ်ရှည်စွာနဲ့ ဘာသာပြန်ပေးပါသော ဆရာထွန်းမင်းကို ကျေးဇူးအထူး တင်ရှိပြီး မှတ်တမ်းတင်အပ်ပါတယ်။

ဒီမြန်မာဘာသာပြန်စာအုပ်ထုတ်ဝေရေးအတွက် အတွေ့ကြုံ၊ အကြံအဉာဏ် တွေဝေမျှပေးပါသော စာရေးဆရာ ဆရာဝေဟင်အောင် စာရေးဆရာ ဆရာခိုင်မင်းခန့် နှင့် Layout Design ကို အကောင်းဆုံးဖြစ်အောင် လုပ်ဆောင်ပေးသော စာရေးဆရာ ပွင့်သစ်(တမန်းသား)တို့ကိုလည်း ကျေးဇူးတင်ပါတယ်။

မသဲသာအောင်ကိုလည်း ဒီစာအုပ်စာမူနဲ့ပတ်သက်ပြီး အရေးကြီးတဲ့ တုန့်ပြန် အကြံပြုချက်တွေပေးခဲ့လို့ကျေးဇူးတင်ပါတယ်။အရှင်သူမန၊ အဘောင်ချေဒေါ်ယိုင်စိန်ချေ၊ အခေါ်ဖြစ်သူ ဒေါ်မှုံမှုံရီ၊ဒေါ်ပုချေမ၊ ဦးလေးများ ဖြစ်ကြတဲ့ ဘကြီး ဦးအောင်ဖိုးသန်းနဲ့ ဦးမောင်သိန်းအောင်၊ နောက်ပြီး ဦးခိုင်မျိုးမင်းအောင်၊ မိတ်ဆွေ သူငယ်ချင်းတွေဖြစ်ကြတဲ့ မနန္ဒာမွေး၊ ကိုမောင်သန်းဝေ၊ ကိုစိုးမိုးနိုင်နဲ့ ကိုအောင်ကိုမင်း တို့ကိုလည်း မေးခွန်းတွေ ဖြေကြားပေးလို့ ကျေးဇူးမှတ်တမ်းတင်ပါရစေ။

စာရေးသူတို့အကြောင်း

စာရေးဆရာ အောင်ဇေမင်း (Aung Z. Mong)ကို မြန်မာနိုင်ငံ၊ ရခိုင်ပြည်နယ် မှာ မွေးဖွားခဲ့တယ်။ ဒဂုံတက္ကသိုလ်က B.A.(English) ဘွဲ့ ရရှိခဲ့တယ်။ ခရီးသွားခြင်း၊ ချက်ပြုတ်ခြင်း၊ စာဖတ်ခြင်းနဲ့ ပုံဆွဲခြင်းတို့ကိုနှစ်သက်သူပါ။ ဂျေးလ်ဘရော့ခ်မင်း (Jill Brock Mong)ဟာ Ohio Valley University က B.A. (Liberal Arts)ဘွဲ့ ရရှိခဲ့ပါတယ်။ မြန်မာနိုင်ငံသို့ သာသနာပြုခရီးသွားရောက်ခဲ့တယ်။ မုန့်ဖုတ်ခြင်း၊ စာရေးခြင်းနဲ့ ဓာတ်ပုံရိုက်ခြင်းတို့ကို နှစ်သက်ပါတယ်။ ခုချိန်မှာ လင်မယားနှစ်ယောက်ဟာ သားဖြစ်သူနဲ့အတူ အမေရိကန်ပြည်ထောင်စုမှာ နေထိုင်လျက်ရှိတယ်။ နှစ်ယောက် ပေါင်းပြီး စာအုပ်တွေဆက်ရေးသွားဖို့ရှိပါသေးတယ်။

Instagram: @mongauthors
Email: mongauthors@gmail.com
www.mongauthors.com

Milton Keynes UK
Ingram Content Group UK Ltd.
UKHW010643120124
435917UK00004B/330